资治通鉴

全本全注全译

第十九册

唐纪

[宋]司马光　编著
张大可　韩兆琦　等　注译

浙江人民出版社

图书在版编目（CIP）数据

资治通鉴全本全注全译. 第十九册 /（宋）司马光编著 ; 张大可等注译. -- 杭州 : 浙江人民出版社, 2024. 10（2025. 6重印）. -- ISBN 978-7-213-11683-4

Ⅰ. K204. 3

中国国家版本馆CIP数据核字第2024J0M154号

资治通鉴全本全注全译　第十九册

ZIZHI TONGJIAN QUANBEN QUANZHU QUANYI

［宋］司马光　编著　　张大可　韩兆琦　等　注译

出版发行：浙江人民出版社（杭州市环城北路 177 号　邮编　310006）
市场部电话：（0571）85061682　85176516
选题策划：胡俊生
项目统筹：潘海林　魏　力
责任编辑：陶辰悦　张苗群　尚咪咪
特约编辑：于玲玲
营销编辑：杨谨瑞
责任校对：姚建国　马　玉　何培玉　王欢燕
责任印务：程　琳　幸天骄
封面设计：北京之江文化传媒有限公司
电脑制版：北京之江文化传媒有限公司
印　　刷：浙江新华数码印务有限公司
开　　本：710 毫米 ×1000 毫米　1/16　　　印　　张：48
字　　数：940 千字　　　插　　页：4
版　　次：2024 年 10 月第 1 版　　　印　　次：2025 年 6 月第 2 次印刷
书　　号：ISBN 978-7-213-11683-4
定　　价：124.00 元

目　录

卷第二百十　唐纪二十六

起上章阉茂（庚戌，公元七一〇年）八月，尽昭阳赤奋若（癸丑，公元七一三年），凡三年有奇。

【题解】

本卷记事起于公元七一〇年八月，迄于公元七一三年，凡三年又五个月，当唐睿宗景云元年到唐玄宗开元元年。睿宗平庸仁厚，本无帝王之心，因其第三子临淄王李隆基与太平公主共谋，发动兵变诛杀韦皇后，阴差阳错被推上皇帝宝座，李隆基也因此被立为皇太子。太平公主与其母武则天同类型，贪恋权位，野心勃发。睿宗即位，大权就旁落在太平公主之手。太平公主忌刻李隆基英武，于是欲谋废立太子，太子自保，各立朋党，朝中大臣中分，正人君子保太子，奸邪小人附太平公主，两派势力明争暗斗，长达三年。睿宗骑墙，欲两全之，令太子监国，外出太平公主。随后睿宗召还太平公主，传位太子，欲以平衡双方势力，以求共存。太平公主野心不改，依然擅权用事，宰相七人，五出其门，文武之臣，大半附之。太平公主公然谋废立，唐玄宗于是在先天二年七月用兵诛灭太平公主及其同党，睿宗还政，唐玄宗全权掌控政权，改元开元。本卷记事重心即为李隆基登基。睿宗也办了几件好事：罢斥斜封官，平反裴炎冤狱，停建寺观。割河西九曲地与吐蕃，留下隐患，是睿宗的一大失策。

【原文】

睿宗玄真大圣大兴孝皇帝下

景云元年（庚戌，公元七一〇年）

八月庚寅[①]，往巽第按问[②]。重福奄至[③]，县官驰出，白留守[④]。群官皆逃匿，洛州长史崔日知[⑤]独帅众讨之。

留台[⑥]侍御史李邕遇重福于天津桥[⑦]，从者已数百人。驰至屯营[⑧]，告之曰：“谯王得罪先帝[⑨]，今无故入都，此必为乱，君等宜立功取富贵。”又告皇城使[⑩]闭诸门。重福先趣左、右屯营，营中射之，矢如雨下。乃还趣左掖门[⑪]，欲取[⑫]留守兵，见门闭，大怒，命焚之。火未及然[⑬]，左屯营兵出逼之，重福窘迫，策马[⑭]出上东[⑮]，逃匿山谷。明日，

【语译】

睿宗玄真大圣大兴孝皇帝下

景云元年（庚戌，公元七一〇年）

八月十二日庚寅，洛阳县官吏前往裴巽宅第进行查问，李重福突然到达，县官吏上马跑出去，把事情原委告诉东都留守。成群的官员都逃走躲藏起来，只有洛州长史崔日知率领部众讨伐李重福。

留台侍御史李邕在天津桥与李重福相遇，随从李重福的已经有几百人。李邕策马赶到东都左、右屯营，告诉他们说："谯王李重福得罪于先帝，现在无故进入东都，他这么做一定是叛乱，你们应当为朝廷建立功勋，获取荣华富贵。"他又通知东都皇城使关闭所有的城门。李重福先奔赴左、右屯营，营中将士朝他放箭，箭如雨下。李重福便回头奔向左掖门，想收取留守部队，见城门关闭，大怒，命令放火焚烧城门。还没有等到将火点燃，左屯营的士兵冲出来向他逼近。李重福困窘无路，策马跑出上东门，逃入山谷藏匿起来。第二天，东都留守派遣大批军队进行搜捕，李重

留守大出兵搜捕，重福赴漕渠⑯溺死。日知，日用之从父兄也，以功拜东都留守。

郑愔貌丑多须⑰，既败，梳髻⑱，著妇人服，匿车中。擒获，被鞫，股栗⑲不能对。张灵均神气自若，顾愔曰："吾与此人举事，宜其败也！"与愔皆斩于东都市。初，愔附来俊臣得进；俊臣诛，附张易之；易之诛，附韦氏；韦氏败，又附谯王重福，竟坐族诛。严善思免死，流静州⑳。

【段旨】

以上为第一段，写中宗第二子谯王李重福反叛被诛。

【注释】

①庚寅：八月十二日。②往巽第按问：洛阳县官前往裴巽宅第查问。上卷末载"洛阳县官微闻其谋"，此句即承上句而言。③奄至：忽然到达。④白留守：告诉东都留守。白，告知。⑤崔日知：字子骏，宰相崔日用堂兄，官至京兆尹。传见《旧唐书》卷

【原文】

万骑恃讨诸韦之功，多暴横㉑，长安中㉒苦之，诏并除外官㉓。又停以户奴为万骑㉔，更置飞骑，隶左、右羽林。

姚元之、宋璟及御史大夫毕构上言："先朝斜封官㉕悉宜停废。"上从之。癸巳㉖，罢斜封官凡数千人。

刑部尚书、同中书门下三品裴谈贬蒲州刺史。

赠苏安恒谏议大夫㉗。

九月辛未㉘，以太子少师致仕唐休璟为朔方道大总管。

冬，十月甲申㉙，礼仪使㉚姚元之、宋璟奏："大行皇帝神主，应祔太庙，请迁义宗神主于东都㉛，别立庙。"从之。

福跳入漕渠，被淹死。崔日知是崔日用的堂兄，因功被授予东都留守。

郑愔貌丑多须，举事失败后，梳起发髻、穿着妇女的服装躲藏在车中。被捕后受审讯，两腿发抖，不能回答问题。张灵均神态自如，他回头看着郑愔说："我和这种人一起举事，失败是理所当然的！"张灵均和郑愔都在东都洛阳街市被斩杀。当初，郑愔因投靠来俊臣而得以升迁；来俊臣被杀后，攀附张易之；张易之伏诛后，依附韦后；韦后败亡后，又归附谯王李重福，最终坐罪灭族。严善思免于死罪，流放到静州。

九十九、《新唐书》卷一百二十一。⑥留台：留在洛阳御史台。⑦天津桥：在东都皇城正南洛水上，位于今河南洛阳旧城西南。⑧屯营：戍守洛阳的左右屯营。⑨先帝：指中宗。⑩皇城使：掌皇城启闭、警卫之事。东都皇城在东都西北隅。⑪左掖门：皇城南面三门之一。皇城南面三门，中曰端门，左曰左掖门，右曰右掖门。⑫取：收取。⑬然：通"燃"。⑭策马：鞭马。⑮上东：东都东面三门之一，位于北端。《唐六典》卷七载东都城东面三门，中曰建春，南曰永通，北曰上东。⑯漕渠：为漕运而修建的水渠。⑰须：胡须。⑱髻：总发，挽发而结之于头顶。⑲栗：战栗。⑳静州：州名，治所在今四川阿坝藏族羌族自治州。

【语译】

万骑兵倚仗讨平韦氏家族的功劳，大多残暴专横，长安城中的百姓为其所害，皇帝颁诏把万骑兵全部调任地方官。又下令停止从官户奴隶中选拔万骑兵，另外设置飞骑，隶属于左、右羽林军。

姚元之、宋璟和御史大夫毕构向睿宗进言："前朝的斜封官应当全部予以废止。"睿宗听从了他们的意见。八月十五日癸巳，废止了数千名斜封官。

刑部尚书、同中书门下三品裴谈被贬谪为蒲州刺史。

朝廷追赠苏安恒为谏议大夫。

九月二十三日辛未，睿宗命令已经退休的太子少师唐休璟担任朔方道大总管。

冬，十月初七日甲申，礼仪使姚元之、宋璟上奏说："大行皇帝的神主应当安放在太庙中祔祭，请把义宗皇帝的神主迁往东都，另外立庙祭祀。"睿宗听从了他们的建议。

乙未㉜，追复天后尊号为大圣天后㉝。

丁酉㉞，以幽州镇守经略节度大使薛讷㉟为左武卫大将军兼幽州都督。节度使之名自讷始㊱。

太平公主以太子年少㊲，意颇易之㊳，既而惮其英武，欲更择暗弱㊴者立之以久其权㊵。数为流言，云“太子非长㊶，不当立”。己亥㊷，制戒谕中外，以息浮议㊸。公主每觇伺㊹太子所为，纤介㊺必闻于上，太子左右，亦往往为公主耳目，太子深不自安。

【段旨】

以上为第二段，写睿宗裁除前朝斜封官。太平公主猜忌太子李隆基。

【注释】

㉑暴横：残暴专横。㉒长安中：长安城中的百姓。㉓外官：京外官，地方官。㉔以户奴为万骑：户奴，即官奴。为官户奴婢之简称。胡三省注：“户奴为万骑，盖必起于永昌之后。”待考。㉕先朝斜封官：中宗时的斜封官。中宗时，安乐公主、长宁公主等受贿卖官，只要付钱三十万，便可另降墨敕除官，斜封付中书，时人谓之“斜封官”。㉖癸巳：八月十五日。㉗赠苏安恒谏议大夫：苏安恒于景龙元年（公元七〇七年）十月被杀，时任习艺馆内教。㉘辛未：九月二十三日。㉙甲申：十月初七日。㉚礼仪使：官名。唐代凡有国丧，皆以宰相为礼仪使，掌管丧仪、祔庙等大事。㉛迁义宗神主于东都：义宗即孝敬皇帝（太子弘）庙号。中宗神龙元年（公元七〇五年）六月十九日祔孝敬神主于太庙。㉜乙

【原文】

谥故太子重俊曰节愍㊻。太府少卿万年韦凑㊼上书，以为“赏罚所不加者，则考行立谥以褒贬之。故太子重俊，与李多祚等称兵㊽入宫，中宗登玄武门以避之，太子据鞍督兵自若㊾。及其徒倒戈，多祚等死，

十月十八日乙未，睿宗下诏恢复天后的尊号为大圣天后。

二十日丁酉，睿宗任命幽州镇守经略节度大使薛讷担任左武卫大将军兼幽州都督。节度使的名称从薛讷开始。

太平公主认为太子李隆基很年轻，心里颇轻视太子，不久又惧怕太子的英武，打算另找一个昏庸懦弱的立为太子，以便自己能够长期掌握大权。太平公主多次散布流言，声称“太子不是皇帝的嫡长子，不应该被立为太子”。十月二十二日己亥，睿宗颁布诏书告诫朝廷内外，以平息各种流言蜚语。太平公主还常常窥视太子李隆基的所作所为，微细小事也一定禀告睿宗。太子身边的人，往往是太平公主的耳目，太子深感不安。

未：十月十八日。㉝大圣天后：六月二十七日始追复“天后”称号，至此，又加“大圣”二字。㉞丁酉：十月二十日。㉟薛讷：薛讷（公元六四九至七二〇年），绛州万泉（今山西万荣西南）人，名将薛仁贵之子。长期镇守边疆，颇有战功。官至左羽林大将军。传见《旧唐书》卷九十三、《新唐书》卷一百十一。㊱节度使之名自讷始：关于节度使名号的起源，诸书记载不一。《统纪》《唐会要》称，景云二年（公元七一一年）四月，以贺拔延嗣为凉州都督，充河西节度使，始有节度之号。司马光认为，薛讷已先为节度大使，则节度之名不始于延嗣。见《考异》卷十二。岑仲勉在《通鉴隋唐纪比事质疑》一书中说，节度初时只有指挥调度之意，终唐之世，都非职官，故无品阶。节度使是否始自薛讷，因当日制敕存者无多，殊难断定，看来尚需进一步研究。㊲以太子年少：当时太子不足二十五岁。㊳意颇易之：心里颇轻视太子，认为容易控制。易，轻易。㊴暗弱：暗昧软弱。㊵以久其权：以便自己长期掌握大权。㊶非长：不是嫡长子。㊷己亥：十月二十二日。㊸浮议：流传而没有根据的议论。此处指“太子非长，不当立”的流言。㊹觇伺：觇，窥看。伺，侦候。㊺纤介：亦作“纤芥”，细微。此处指细微小事。

【语译】

朝廷赐予故太子李重俊以节愍的谥号。太府少卿万年县人韦凑上书，认为“对于那些没有得到赏赐或者处罚的人，就要考察他生前的行为确定谥号加以褒贬。故太子李重俊与李多祚等人起兵进入宫禁，中宗登上玄武门来躲避他们，太子骑在马上神态自若地督兵作战。等到他的徒众倒戈，李多祚等人被杀死，太子才逃窜。假

太子方逃窜。向使宿卫不守，其为祸也胡可忍言[50]！明日，中宗雨泣[51]，谓供奉官[52]曰：'几不与卿等相见。'其危如此。今圣朝礼葬[53]，谥为节愍，臣窃惑[54]之。夫臣子之礼，过庙必下，过位必趋。汉成帝之为太子，不敢绝驰道。[55]而重俊称兵宫内，跨马御前，无礼甚矣。若以其诛武三思父子而嘉之，则兴兵以诛奸臣而尊君父可也；今欲自取之，是与三思竞为逆也，又足嘉乎[56]！若以其欲废韦氏而嘉之，则韦氏于时逆状未彰，大义未绝，苟无中宗之命而废之，是胁[57]父废母也，庸[58]可乎！汉戾太子困于江充之谗[59]，发忿杀充，虽兴兵交战，非围逼君父也。兵败而死，及其孙为天子，始得改葬，犹谥曰戾。况重俊可谥之曰节愍乎！臣恐后之乱臣贼子，得引以为比，开悖逆之原，非所以彰善瘅恶[60]也，请改其谥。多祚等从重俊兴兵，不为无罪。陛下今宥之可也，名之为雪，亦所未安"。上甚然其言，而执政以为制命已行，不为追改[61]，但停多祚等赠官而已。

十一月戊申朔[62]，以姚元之为中书令。

己酉[63]，葬孝和皇帝[64]于定陵[65]，庙号中宗。朝议以韦后有罪，不应祔葬。追谥故英王妃赵氏[66]曰和思顺圣皇后，求其瘗[67]，莫有知者，乃以祎衣[68]招魂[69]，覆以夷衾[70]，祔葬定陵。

壬子[71]，侍中韦安石罢为太子少保，左仆射、同中书门下三品苏瓌罢为少傅。

甲寅[72]，追复裴炎官爵[73]。

初，裴伷先自岭南逃归，复杖一百，徙北庭[74]。至徙所，殖货任侠[75]，常遣客诇[76]都下[77]事。武后之诛流人[78]也，伷先先知之，逃奔胡中，北庭都护追获，囚之以闻。使者至，流人尽死，伷先以待报未杀。既而武后下制安抚流人，有未死者悉放还，伷先由是得归。至是求炎后，独伷先在，拜詹事丞[79]。

使当时把守宫门的侍卫抵挡不住，那么李重俊造成的祸患岂可忍言！第二天，中宗泪如雨下，对身边供职的官员说：‘我差一点就不能与诸位相见了。’当时的情况竟然达到如此危急的程度。现在朝廷礼葬李重俊，谥为节愍，臣私下感到迷惑不解。依据臣子侍奉君主的礼节，臣子经过太庙必须下马，经过君主的御座必须恭恭敬敬地小步疾走。汉成帝做太子时，不敢横穿驰道。然而李重俊在宫禁内举兵造反，跨马在中宗面前，无礼到极点。若因为他诛杀武三思父子而嘉奖他，那么起兵铲除奸臣和尊崇君父是可以的，但是，当时他是想自取帝位，是与武三思竞相为逆，这样的人又怎么值得嘉奖呢！若因为他是想废掉韦后而嘉奖他，那么在当时韦后谋反的形迹还未彰显，母子君臣大义尚未断绝，假如没有中宗的命令就废掉她，就是胁迫君父废黜母后，这怎么可以呢！汉武帝时戾太子因被江充等人的诬陷之词逼迫，发怒杀死江充，虽然起兵交战，但不是围困逼迫他的父亲汉武帝。戾太子兵败而死，等到他的孙子为天子时，才得以改葬，但谥号仍为戾。何况李重俊这样的人，怎么能谥为节愍呢！臣担心后代的乱臣贼子，会援引李重俊之事为先例，为违忤逆乱行为开启源头，这不是用来彰善惩恶的方法，请求改变李重俊的谥号。李多祚等人追随李重俊起兵，不能认为没有罪过，陛下现在可以宽恕他们的罪行，但是称之为昭雪，也是不妥当的”。睿宗十分赞同他的意见，然而执行大臣认为睿宗的诏命已经颁行，就没有追回改易，只是停止向李多祚等人追赠官爵而已。

十一月初一日戊申，睿宗命令姚元之担任中书令。

初二日己酉，把孝和皇帝安葬在定陵，庙号中宗。朝廷评议认为韦皇后有罪，不应合葬。追谥英王妃赵氏为和思顺圣皇后，派人寻找她埋葬的地方，但没有人知道，便用袆衣为她招魂，覆盖上裹尸的被子，合葬于定陵。

初五日壬子，侍中韦安石免官，改任太子少保；左仆射、同中书门下三品苏瓌免官，改任少傅。

初七日甲寅，朝廷追复裴炎的官职爵位。

当初，裴伷先从岭南逃回，又处杖刑一百，流放到北庭。裴伷先抵达流放地，经营商业，以侠义自任，经常派宾客到长安打探消息。武后诛杀流徙的犯人，裴伷先先知道消息，便逃往胡人地域，后被北庭都护追捕擒获，关押起来并上报武后。使者来到北庭，流放人犯全部被杀，裴伷先因等待武则天的批复而没有被处死。过了不久武后颁布诏书安抚流放之人，未处死的全部放回原籍，裴伷先因此得以回到长安。直到此时，睿宗下令寻找裴炎的后代，只有裴伷先在世，授予他詹事丞之职。

【段旨】

以上为第三段，写谥中宗太子李重俊曰“节愍”，下葬中宗。平反裴炎冤狱。

【注释】

㊻节愍：《逸周书·谥法解》：“好廉自克曰节，在国逢艰曰愍。”没有贬斥之意，故韦凑上奏要求改谥。㊼韦凑：韦凑（公元六五八至七二二年），京兆万年（今陕西西安）人，曾任婺州参军、司农少卿等职，多次上书论时政得失。官至太原尹兼节度支度营田大使。传见《旧唐书》卷一百一、《新唐书》卷一百十八。㊽称兵：举兵。㊾自若：自如，无敬畏之心。㊿胡可忍言：岂可忍言。51雨泣：泪如雨下。52供奉官：在皇帝身边供职的官员。53礼葬：以礼安葬。54惑：疑惑。55汉成帝之为太子二句：汉成帝当太子的时候，居住在桂宫。一次元帝有事急召太子，太子不敢穿越驰道，绕道而行，去得晚了，元帝问其原因，太子以实相对。于是元帝乃著令，太子得绝驰道。绝，有穿越、越度之意。56又足嘉乎：又岂足嘉乎。57胁：胁迫。58庸：岂。59汉戾太子困于江充之

【原文】

壬戌80，追复王同皎官爵81。

庚午82，许文贞公苏瓌薨。制起复83其子颋为工部侍郎，颋固辞。上使李日知谕旨84，日知终坐不言而还，奏曰：“臣见其哀毁，不忍发言，恐其陨绝85。”上乃听其终制86。

十二月癸未87，上以二女西城、隆昌公主88为女官89，以资天皇太后之福90，仍欲于京[1]城西造观。谏议大夫宁原悌91上言，以为“先朝悖逆庶人92以爱女骄盈93而及祸，新都、宜城94[2]以庶孽95抑损96而获全97。又释、道二家皆以清净为本，不当广营寺观，劳人费财。梁武帝致败于前，先帝取灾于后，殷鉴不远。今二公主入道，将为之置观，不宜过为崇丽98，取谤99四方。又，先朝所亲狎100诸僧，尚在左右，宜加屏斥101”。上览而善之。

谗：戾太子即武帝太子刘据。江充与刘据有矛盾，诬告刘据有巫蛊之事。据恐，举兵杀充，后兵败自杀。⑩彰善瘅恶：语出《尚书·毕命》。表彰为善之人，憎恨作恶者。瘅，痛。⑪追改：追加改易。即按照韦凑的主张行事。⑫戊申朔：十一月初一日。⑬己酉：十一月初二日。⑭孝和皇帝：唐中宗李显。中宗死后谥为孝和皇帝。⑮定陵：位于陕西富平宫里镇凤凰山上，距县城约十三公里。现为第五批全国重点文物保护单位。⑯故英王妃赵氏：高祖驸马赵瓌之女，京兆长安（今陕西西安）人，唐中宗为英王时，纳为妃。不为武后所爱，幽闭而死。⑰瘗：埋葬。此处指葬所。⑱袆衣：皇后受册、助祭、朝会时穿的礼服。⑲招魂：招回死者的灵魂。古人迷信，认为将死者的衣服整好，北面三呼，即可招回死者之魂。⑳夷衾：古代举行丧礼时覆尸或覆柩的被子。㉑壬子：十一月初五日。㉒甲寅：十一月初七日。㉓追复裴炎官爵：裴炎官至中书令，封河东县侯。文明元年（公元六八四年）十月十八日被杀。事迹见两唐书《裴炎传》。㉔北庭：都护府名，治所在今新疆吉木萨尔北破城子。㉕殖货任侠：经营商业，以侠义自任。㉖诇：侦察；刺探。㉗都下：都中。此处指京师长安。㉘武后之诛流人：其事发生在长寿二年（公元六九三年）。㉙詹事丞：东宫官属，正六品上，掌判詹事府事务。

【语译】

十一月十五日壬戌，朝廷追复王同皎的官职与爵位。

二十三日庚午，许文贞公苏瓌去世。睿宗颁发诏书，命令苏瓌的儿子苏颋丁忧期间起家复官为工部侍郎，苏颋坚决推辞。睿宗派遣李日知去传达自己的旨意，李日知在苏颋家始终坐着不说话，之后便返回了。他上奏说："臣见到苏颋悲摧的样子，不忍心把要说的话讲出来，担心他没了性命。"于是睿宗便允许苏颋为其父服满三年丧期。

十二月初七日癸未，睿宗让他的两个女儿西城公主和隆昌公主做女道士，为天皇高宗和太后武则天祈求冥福，还想在京城西建造道观。谏议大夫宁原悌进言，认为"先朝悖逆庶人作为中宗的爱女而骄纵太甚，因而遭到杀身之祸；新都公主和宜城公主作为中宗庶女而谦卑自抑，因而得以保全。而且佛教和道教都以清净为本，不应广为建造佛寺道观，劳苦民众，耗费财力。梁武帝佞佛导致败亡于前，先帝中宗广建佛寺道观获灾于后，教训距今不远。现在西城公主和隆昌公主做了女道士，陛下将为她们修建道观，不应过于高大华丽，招致天下诽谤。还有，与先朝皇帝亲昵的僧侣，尚在陛下身旁，应当加以斥退"。睿宗看了他的奏章，认为他说得很好。

宦者闾兴贵[102]以事属[103]长安令李朝隐，朝隐系于狱。上闻之，召见朝隐，劳之曰："卿为赤县[104]令，能如此，朕复何忧！"因御承天门，集百官及诸州朝集使，宣示以朝隐所为。且下制，称"宦官遇宽柔之代[105]，必弄威权。朕览前载[106]，每所叹息。能副朕意，实在斯人，可加一阶为太中大夫[107]，赐中上考[108]及绢百匹"。

壬辰[109]，奚、霫犯塞，掠渔阳、雍奴[110]，出卢龙塞[111]而去。幽州都督薛讷追击之，弗克[112]。

旧制，三品以上官册授[113]，五品以上制授[114]，六品以下敕授[115]，皆委尚书省奏拟[116]，文[117]属吏部，武[118]属兵部，尚书曰中铨[119]，侍郎曰东西铨[120]。中宗之末，嬖幸[121]用事，选举混淆，无复纲纪。至是，以宋璟为吏部尚书，李乂、卢从愿[122]为侍郎，皆不畏强御[123]，请谒路绝。集者万余人，留者三铨不过二千[124]，人服其公。以姚元之为兵部尚书，陆象先[125]、卢怀慎[126]为侍郎，武选亦治。从愿，承庆[127]之族子；象先，元方[128]之子也。

侍御史藁城倪若水[129]，奏弹国子祭酒祝钦明、司业郭山恽乱常改作[130]，希旨病君[131]。于是左授钦明饶州[132]刺史，山恽括州[133]长史。

侍御史杨孚[134]，弹纠不避权贵，权贵毁[135]之，上曰："鹰搏狡兔，须急救之，不尔[136]必反为所噬。御史绳奸慝亦然。苟非人主保卫之，则亦为奸慝所噬矣。"孚，隋文帝[137]之侄孙也。

置河西节度、支度、营田等使[138]，领凉、甘、肃、伊、瓜、沙、西七州[139]，治凉州[140]。

姚州群蛮，先附吐蕃，摄监察御史李知古[141]请发兵击之；既降，又请筑城，列置州县，重税之。黄门侍郎徐坚[142]以为不可，不从。知古发剑南兵筑城，因欲诛其豪杰，掠子女为奴婢。群蛮怨怒，蛮酋傍名引吐蕃攻知古，杀之，以其尸祭天，由是姚、巂[143]路绝，连年不通。

安西都护张玄表[144]侵掠吐蕃北境，吐蕃虽怨而未绝和亲，乃赂鄯州都督杨矩[145]，请河西九曲[146]之地以为公主汤沐邑。矩奏与之。

宦官闾兴贵请托长安令李朝隐为他办私事，李朝隐把他逮捕下狱。睿宗听说了这件事，召见李朝隐，慰问他说："您担任京畿县的县令，能够这样，我还有什么忧虑呢！"因而驾临承天门，召集文武百官和各州的朝集使，向他们公布李朝隐的所作所为。并且颁布诏书，说："宦官遇到宽容柔和之世，必定会滥用权力。我阅览前代记载，常常感叹。能够符合我心意的，就是像李朝隐这样的人，可以给他加官一阶为太中大夫，赐予他的考核成绩为中上，并且赏给绢一百匹。"

十二月十六日壬辰，奚族人和霫族人进犯边境，抢掠渔阳、雍奴二县后，由卢龙塞出境离去。幽州都督薛讷领兵追击他们，未能取胜。

旧制规定，任命三品以上官员由皇帝当面册封，任命五品以上官员由皇帝颁布制书授官，任命六品以下官员由皇帝颁布敕书委任，这些职官的任命都委任尚书省奏闻注拟，文官的委任由吏部拟定，武官的委任由兵部拟定，尚书称作中铨，左右侍郎称作东西铨。中宗末年，得到皇帝宠幸的奸佞之徒主政，选举混乱，没有纲纪可言。直到此时，朝廷命令宋璟担任吏部尚书，李乂、卢从愿为侍郎，皆不畏惧强暴，请托拜谒之路断绝。候选的有万余人，三铨过后留下的不过两千人，人们认可铨选公正。朝廷以姚元之为兵部尚书，陆象先、卢怀慎为侍郎，武职人员选拔也得到整治。卢从愿，是卢承庆的堂侄；陆象先，是陆元方的儿子。

侍御史藁城人倪若水呈奏弹劾国子祭酒祝钦明、国子司业郭山恽打乱常规，胡乱改革，迎合韦后的旨意，危害君王。于是把祝钦明贬职为饶州刺史，把郭山恽贬职为括州长史。

侍御史杨孚弹劾纠举违法之事时不避权贵，权贵们诽谤他。睿宗说："老鹰搏击狡兔，必须赶紧帮助老鹰，不然的话，它反会被狡兔咬噬。御史绳治奸邪也是这样。如果没有君主保护他，那么也会被奸邪之徒咬噬。"杨孚，是隋文帝杨坚的侄孙。

朝廷设置河西节度使、支度使和营田使，统辖凉、甘、肃、伊、瓜、沙、西七州，治所在凉州。

姚州的各个蛮族部落，起初依附吐蕃，代理监察御史职务的李知古请求发兵进击；各蛮族部落归降后，李知古又请求在姚州建筑城郭，设置州县，向他们征敛重税。黄门侍郎徐坚认为不能够这样做，但是睿宗没有听从他的意见。李知古征调剑南道兵卒修筑城池，想趁机杀死蛮族各部的首领，把他们的子女抢来做奴婢。蛮族各部深为愤恨，蛮族酋长傍名引导吐蕃进攻李知古，把他杀掉，用他的尸体祭祀上天，从此姚州、嶲州通往中原的道路断绝，连续多年不得通行。

安西都护张玄表侵扰抢掠吐蕃北部边境，吐蕃虽然对此非常怨恨，但是没有断绝与唐朝的姻亲关系，他们贿赂鄯州都督杨矩，请求朝廷把河西九曲之地作为金城公主的汤沐邑。杨矩上奏请求将河西九曲之地送给吐蕃。

【段旨】

以上为第四段，写睿宗整顿纲纪，抑制宦官，规范选举。唐割河西九曲地与吐蕃是一大失策。

【注释】

⑧⓪ 壬戌：十一月十五日。⑧① 追复王同皎官爵：王同皎神龙二年三月七日被杀。生前拜驸马都尉，迁光禄卿，封琅邪郡公。⑧② 庚午：十一月二十三日。⑧③ 起复：起于家而复为官。封建时代，官吏家中有丧，丁忧未满而复起用，称作“起复”。⑧④ 谕旨：晓谕皇上的旨意。⑧⑤ 陨绝：休克或死亡。⑧⑥ 终制：终其丧制。⑧⑦ 癸未：十二月初七日。⑧⑧ 西城、隆昌公主：西城公主即金仙公主，唐睿宗第八女。始封西城县主，太极元年（公元七一二年），与玉真公主皆为道士。隆昌当作“昌隆”。昌隆公主即玉真公主、持盈公主，睿宗第九女。始封崇昌县主，为道士，进号上清玄都大洞三景师。两公主传见《新唐书》卷八十三。⑧⑨ 女官：又作女冠，即女道士。⑨⓪ 以资天皇太后之福：为天皇、太后祈求冥福。天皇，唐高宗。太后，武则天。⑨① 宁原悌：事见《唐会要》卷五十。原悌，《唐会要》作“悌原”，待考。⑨② 悖逆庶人：中宗之女安乐公主。安乐公主被杀后，追贬为悖逆庶人。⑨③ 骄盈：骄傲盈满。⑨④ 新都、宜城：皆唐中宗之女，新都公主下嫁武延晖，宜城公主下嫁裴巽。⑨⑤ 庶孽：对妾生子女的统称。⑨⑥ 抑损：抑制减损。⑨⑦ 获全：得以保全性命。⑨⑧ 崇丽：高大华丽。⑨⑨ 取谤：招致诽谤。⑩⓪ 亲狎：亲昵狎习。⑩① 屏斥：屏弃斥逐。⑩② 闾兴贵：事见《旧唐书》卷一百《王丘传》，《新唐书》卷一百二十九《李朝隐传》。⑩③ 属：请托。⑩④ 赤县：设在京师的县。唐制，县有赤、畿、望、紧、上、中、下七等之差。凡县治设在京师以内的称作赤县。唐代赤县有四，即长安、万年、河南、洛阳。⑩⑤ 宽柔之代：宽容柔和之世。⑩⑥ 前载：从前的载籍，即史书之类。⑩⑦ 加一阶为太中大夫：长安令正五品上，太中大夫从四品上，故自长安令加一阶即至太中大夫阶品。太中大夫，文散官名，在文散官中被列为第八等。⑩⑧ 赐中上考：唐代官员考第分为九等，即上上、上中、上下、中上、中中、中下、下上、下中、下下。每个等级都有一定的考课标准和奖惩办法。中上考为第四等，说明政绩较好。⑩⑨ 壬辰：十二月十六日。⑪⓪ 雍奴：县名，县治在今天津市武清区西北。⑪① 卢龙塞：古塞道，为今河北平原通向东北方的交通要道，在今河北卢龙附近。⑪② 弗克：不克。⑪③ 册授：由皇帝当面册封。⑪④ 制授：发制书授官。⑪⑤ 敕授：下敕授官。⑪⑥ 奏拟：奏闻注拟。⑪⑦ 文：文官。⑪⑧ 武：武官。⑪⑨ 尚书曰中铨：尚书一人，主持六、七品选，称为中铨或尚书铨。⑫⓪ 侍郎曰东西铨：侍郎二人，分为两组，主持八、九品选，称为东西铨。东西铨与中铨合称三铨。⑫① 嬖幸：被宠爱的人。⑫② 卢从愿：卢从愿（？至公元七三七年），相州临漳（今河北临漳西南）人，曾

任右拾遗、中书舍人等职。典选六年，以平允著称。官至吏部尚书。传见《旧唐书》卷一百、《新唐书》卷一百二十九。⑫③强御：强暴；威势。⑫④留者三铨不过二千：经过三铨留下来的不过两千人。⑫⑤陆象先：陆象先（公元六六五至七三六年），本名景初，睿宗赐名象先，苏州吴县（今江苏苏州）人，举制科高第。官至宰相，监修国史。传见《旧唐书》卷八十八、《新唐书》卷一百十六。⑫⑥卢怀慎：卢怀慎（？至公元七一六年），滑州灵昌（今河南延津东北）人，举进士，官至宰相，勤于公事，以清俭著称。传见《旧唐书》卷九十八、《新唐书》卷一百二十六。⑫⑦承庆：卢承庆，高宗朝宰相。传见《旧唐书》卷八十一、《新唐书》卷一百六。⑫⑧元方：陆元方，则天朝两度为相。传见《旧唐书》卷八十八、《新唐书》卷一百十六。⑫⑨倪若水：倪若水（？至公元七一九年），恒州藁城（今河北石家庄市藁城区）人，进士及第。官至尚书右丞。传见《旧唐书》卷一百八十五下、《新唐书》卷一百二十八。⑬⓪乱常改作：打乱常规，胡乱改革。指郊祀以韦皇后亚献。⑬①希旨病君：迎合皇后旨意，危害君王。希，迎合。⑬②饶州：州名，治所在今江西鄱阳。⑬③括州：州名，治所在今浙江丽水东南。⑬④杨孚：事见《唐御史台精舍题名考》卷一、《旧唐书》卷九十八《杜暹传》等。⑬⑤毁：毁谤。⑬⑥不尔：不然，不这样的话。⑬⑦隋文帝：杨坚（公元五四一至六〇四年），隋王朝的建立者。公元五八一至六〇四年在位。有本纪，见《隋书》卷一、《北史》卷十一。⑬⑧置河西节度、支度、营田等使：据胡三省注，唐代边军皆有支度使，以计军资粮仗之用。节度使不兼支度者，支度自为一司。凡边防镇守，转运不给，则开置屯田以益军储，于是有营田使。⑬⑨凉、甘、肃、伊、瓜、沙、西七州：地当今甘肃西部、新疆东部一带，包括整个河西走廊和吐鲁番盆地。⑭⓪凉州：州名，治所在今甘肃武威。⑭①李知古：事见《旧唐书》卷一百二《徐坚传》、卷一百九十六上《吐蕃上》等。⑭②徐坚：徐坚（？至公元七二九年），湖州长城（今浙江长兴）人。传见《旧唐书》卷一百二、《新唐书》卷一百九十九。⑭③姚、巂：姚州，治所在今云南姚安。巂州，治所在今四川西昌。⑭④张玄表：事见《旧唐书》卷一百九十六上、《新唐书》卷二百十六上《吐蕃上》。⑭⑤杨矩：事见《旧唐书》卷七《中宗纪》、卷九十二《赵彦昭传》、卷一百九十六上《吐蕃上》及《唐方镇年表》等。⑭⑥河西九曲：据胡三省注，即汉大小榆谷之地，去积石军三百里，水甘草良，宜畜牧。吐蕃得到河西九曲之地后，修筑洪济、大漠门等城为害唐西疆。后来杨矩后悔而自杀。

【校记】

［1］京：原无此字。据章钰校，十二行本、乙十一行本皆有此字，今据补。［2］新都宜城：原作“新城宜都”。据章钰校，十二行本、乙十一行本皆作“新都宜城”，严衍《通鉴补》亦同改作，今据改。〖按〗胡三省注认为二位公主皆为中宗女，《新唐书·诸帝公主传》载中宗女有“新都”“宜城”，新城公主为太宗之女，宜都公主则为德宗之女。

【原文】

二年（辛亥，公元七一一年）

春，正月癸丑[147]，突厥可汗默啜遣使请和，许之。

己未[148]，以太仆卿郭元振、中书侍郎张说并同平章事。

以温王重茂为襄王[149]，充集州[150]刺史，遣中郎将将兵五百就防之[151]。

乙丑[152]，追立妃刘氏曰肃明皇后[153]，陵曰惠陵；德妃窦氏[154]曰昭成皇后，陵曰靖陵。皆招魂葬于东都城南，立庙京师，号仪坤庙[155]。窦氏，太子之母也。

太平公主与益州长史窦怀贞等结为朋党，欲以危太子，使其婿唐晙[156]邀韦安石至其第，安石固辞不往。上尝密召安石，谓曰："闻朝廷皆倾心东宫[157]，卿宜察之。"对曰："陛下安得亡国之言！此必太平之谋耳。太子有功于社稷，仁明孝友，天下所知，愿陛下无惑谗言[158]。"上瞿然[159]曰："朕知之矣，卿勿言。"时公主在帘下[160]窃听之，以飞语[161]陷安石，欲收按之，赖郭元振救之，得免。

公主又尝乘辇邀宰相于光范门[162]内，讽以易置东宫[163]，众皆失色。宋璟抗言[164]曰："东宫有大功于天下，真宗庙社稷之主，公主奈何忽有此议！"

璟与姚元之密言于上曰："宋王陛下之元子[165]，豳王[166]高宗之长孙，太平公主交构[167]其间，将使东宫不安。请出宋王及豳王皆为刺史，罢岐、薛二王左、右羽林[168]，使为左、右率[169]以事太子。太平公主请与武攸暨皆于东都安置。"上曰："朕更无兄弟，惟太平一妹，岂可远置东都！诸王惟卿所处。"乃先下制云："诸王、驸马自今毋得典禁兵，见任者皆改他官。"

顷之，上谓侍臣曰："术者[170]言五日中当有急兵入宫，卿等为朕备之。"张说曰："此必谗人欲离间东宫。愿陛下使太子监国，则流言自息矣。"姚元之曰："张说所言，社稷之至计[171]也。"上说[172]。

【语译】

二年（辛亥，公元七一一年）

春，正月初七日癸丑，突厥可汗默啜派遣使者前来求和，朝廷同意了默啜的请求。

十三日己未，睿宗任命太仆卿郭元振、中书侍郎张说二人一同担任同平章事的职务。

睿宗封温王李重茂为襄王，充任集州刺史，派遣中郎将率领五百士兵前往集州防范他。

正月十九日乙丑，睿宗追立妃子刘氏为肃明皇后，她的墓地称为惠陵；追立德妃窦氏为昭成皇后，她的墓地称为靖陵。都在招魂后安葬在东都洛阳城南，立庙京师，称为仪坤庙。窦氏，是太子李隆基的生母。

太平公主与益州长史窦怀贞等人结成朋党，想危害太子李隆基。太平公主指使她的女婿唐晙邀请韦安石来自己的府第，韦安石坚决推辞不去。睿宗曾经秘密召见韦安石，对他说："听说朝廷百官全都倾心太子，您应当对此加以观察。"韦安石回答说："陛下从哪里获悉这种亡国的言辞呢！这一定是太平公主的计谋。太子对宗庙社稷有功，仁德明智，孝顺父母，友爱兄弟，这是天下人都知道的，希望陛下不要被谗言迷惑。"睿宗惊异地说："我知道了，您不要再言及这件事。"当时太平公主在帘子后面偷听了君臣二人的谈话，利用流言蜚语陷害韦安石，打算把他逮捕下狱进行审讯，幸亏郭元振从中救助，韦安石才得以免罪。

太平公主还曾乘辇车在光范门内拦住宰相们，暗示他们改立皇太子，宰相们全都大惊失色。宋璟大声地说："太子为天下立下了巨大的功劳，真正是宗庙社稷的主人，公主为什么突然有这样的建议呢?!"

宋璟与姚元之秘密地向睿宗进言说："宋王李成器是陛下的嫡长子，豳王李守礼是高宗皇帝的长孙，太平公主在他俩与太子之间交构事端，将会造成东宫地位不稳。请陛下将宋王和豳王两人外放为刺史，罢免岐王李隆范和薛王李隆业所担任的左、右羽林大将军职务，让他们担任左、右卫率以侍奉太子。请求将太平公主与武攸暨均安置在东都洛阳居住。"睿宗说："我又没有兄弟，只有太平公主这一个妹妹，怎么可以把她远远地安置到东都呢！只有诸王可以听凭你们处置。"于是先行颁下诏书说："从今以后诸王、驸马不得掌领禁兵，现在任职的都改调为其他官职。"

不久，睿宗对身边的侍臣说："方术之士说五天之内会有突如其来的军队闯入宫中，你们要为我加强戒备。"张说说："这一定是谗邪小人想要离间陛下与太子关系。希望陛下让太子监临国政，那么流言蜚语也就自然销声匿迹了。"姚元之说："张说所说的，是宗庙社稷的至上之策。"睿宗听了十分高兴。

二月丙子朔[173]，以宋王成器为同州[174]刺史，豳王守礼为豳州[175]刺史，左羽林大将军岐王隆范为左卫率，右羽林大将军薛王隆业为右卫率，太平公主蒲州[176]安置。丁丑[177]，命太子监国，六品以下除官[178]及徒罪以下[179]，并取太子处分[180]。

【段旨】

以上为第五段，写太平公主加紧谋划重立太子。睿宗用张说、姚元之计以太子监国来抑制太平公主，并外出太平公主于蒲州安置，欲两全之。

【注释】

⑭⑦癸丑：正月初七日。⑭⑧己未：正月十三日。⑭⑨以温王重茂为襄王：据两唐书之《睿宗纪》，时在正月甲子，即正月十八日。⑮⓪集州：州名，治所在今四川南江县。⑮①就防之：前往集州防范李重茂作乱。⑮②乙丑：正月十九日。⑮③追立妃刘氏曰肃明皇后：刘氏系刘德威之孙。唐睿宗在藩时纳为孺人，生宁王及寿昌、代国公主。长寿二年（公元六九三年）被秘密处死。⑮④德妃窦氏：生玄宗及金仙、玉真二公主，与刘氏同日被杀。二人同传，见《新唐书》卷七十六。⑮⑤仪坤庙：在长安亲仁坊。⑮⑥唐晙：民部尚

【原文】

殿中侍御史崔莅[181]、太子中允[182]薛昭素言于上曰："斜封官皆先帝所除，恩命[183]已布，姚元之等建议，一朝尽夺之，彰先帝之过，为陛下招怨。今众口沸腾，遍于海内，恐生非常之变。"太平公主亦言之，上以为然。戊寅[184]，制："诸缘斜封别敕授官，先停任者，并量材叙用。"

太平公主闻姚元之、宋璟之谋，大怒，以让[185]太子。太子惧，奏元之、璟离间姑、兄[186]，请从极法[187]。甲申[188]，贬元之为申州[189]刺史，璟

二月初一日丙子，睿宗任命宋王李成器担任同州刺史，豳王李守礼担任豳州刺史，左羽林大将军岐王李隆范担任左卫率，右羽林大将军薛王李隆业担任右卫率，把太平公主安置在蒲州。初二日丁丑，睿宗命令太子李隆基监理国政，六品以下官员的任命以及对犯徒罪以下罪犯的批复等事务，均交给太子处理。

书唐俭曾孙。娶太平公主女，官至太常少卿。传见《旧唐书》卷五十八、《新唐书》卷八十九。⑮⑦朝廷皆倾心东宫：朝臣之心皆倒向太子。⑮⑧无惑谗言：不要为谗言所迷惑。⑮⑨瞿然：惊视的样子。⑯⓪帘下：帘中。⑯①飞语：流言。⑯②光范门：在大明宫含元殿之西。⑯③易置东宫：更换太子。⑯④抗言：大声说，高声而言。⑯⑤元子：嫡长子。宋王李成器，睿宗长子，李隆基之兄。⑯⑥豳王：名守礼，章怀太子李贤之子。⑯⑦交构：交相构陷；虚构事端，扩大事态。⑯⑧罢岐、薛二王左、右羽林：平定韦氏后，岐王隆范、薛王隆业分别担任左、右羽林大将军之职。⑯⑨左右率：各一员，正四品上，掌东宫兵仗羽卫之政令，总诸曹之事务。⑰⓪术者：术士。⑰①至计：最重要的计策。⑰②说：通“悦”。⑰③丙子朔：二月初一日。⑰④同州：州名，治所在今陕西大荔。⑰⑤豳州：州名，治所在今陕西彬州。⑰⑥蒲州：州名，治所在今山西永济西。⑰⑦丁丑：二月初二日。⑰⑧除官：授官。⑰⑨徒罪以下：包括笞、杖、徒三种刑名。⑱⓪处分：处置。

【语译】

殿中侍御史崔莅、太子中允薛昭素对睿宗说：“斜封官都是先帝所委任的，这一恩命早已颁布，因为姚元之等人的建议，一下子完全予以削夺，彰显先帝的过错，给陛下招来很多抱怨。现在大家怨声汹汹，遍于天下，恐怕发生意外变故。”太平公主也这样劝说，睿宗认为他们说得正确。二月初三日戊寅，颁布诏书：“先前因为是斜封别敕所授官职而被停任的官员，一律量材录用。”

太平公主获悉姚元之与宋璟的计谋，大怒，借以责备太子。太子感到害怕，奏称姚元之和宋璟挑拨离间自己与姑母、兄长的关系，请求处以极刑。二月初九日甲申，睿宗把姚元之贬谪为申州刺史，把宋璟贬谪为楚州刺史。十一日丙戌，对宋王

为楚州[190]刺史。丙戌[191]，宋王、豳王亦寝[192]刺史之命。

中书舍人、参知机务刘幽求罢为户部尚书；以太子少保韦安石为侍中。安石与李日知代姚、宋为政，自是纲纪紊乱，复如景龙[193]之世矣。前右率府铠曹参军柳泽[194]上疏，以为“斜封官皆因仆妾汲引[195]，岂出孝和[196]之意！陛下一切黜[197]之，天下莫不称明。一旦忽尽收叙，善恶不定，反覆相攻[198]，何陛下政令之不一也！议者咸称太平公主令胡僧慧范曲引此曹[199]，诳[200]误陛下。臣恐积小成大，为祸不细[201]”。上弗听。泽，亨之孙也。[202]

左、右万骑与左、右羽林为北门四军，使葛福顺等将之。

三月，以宋王成器女为金山公主[203]，许嫁突厥默啜。

夏，四月甲申[204]，宋王成器让司徒，许之，以为太子宾客。以韦安石为中书令。

上召群臣三品以上，谓曰：“朕素怀澹泊[205]，不以万乘[206]为贵，曩为皇嗣，又[3]为皇[4]太弟，皆辞不处[207]。今欲传位太子，何如?”群臣莫对。太子使右庶子李景伯[208]固辞，不许。殿中侍御史和逢尧[209]附太平公主，言于上曰：“陛下春秋未高[210]，方为四海所依仰，岂得遽尔[211]！”上乃止。

戊子[212]，制：“凡政事皆取太子处分。其军旅死刑及五品已上除授，皆先与太子议之，然后以闻。”

辛卯[213]，以李日知守侍中。

壬寅[214]，赦天下。

五月，太子请让位于宋王成器，不许；请召太平公主还京师[215]，许之。

庚戌[216]，制：“则天皇后父母坟仍旧为昊陵、顺陵[217]，量置官属。”太平公主为武攸暨请之也[218]。

李成器和豳王李守礼的刺史任命也被搁置起来。

睿宗将中书舍人、参知机务刘幽求罢免，改任户部尚书；任命太子少保韦安石担任侍中。韦安石与李日知取代姚元之、宋璟，执掌朝政，从此朝廷纲纪紊乱，如同景龙年间。前任右率府铠曹参军柳泽上奏疏，认为："斜封官都是借助中宗身边的奴仆侍妾的提携引进，哪里是出自中宗的本意！陛下把他们全都废黜，天下之人无不称道明智，现在一下子把他们全部招回叙用，善恶不分，自相矛盾，陛下的政令怎么会如此前后不一呢?！讨论此事的人都说这是太平公主指使胡僧慧范胡乱利用这些人，诳骗陛下。臣担心积小成大，造成的灾祸不轻。"睿宗没有听从他的意见。柳泽，是柳亨的孙子。

由左、右万骑军和左、右羽林军组成北门四军，睿宗命令葛福顺等人统率这些禁卫军。

三月，睿宗封宋王李成器之女为金山公主，同意把她嫁给突厥可汗默啜。

夏，四月初九日甲申，宋王李成器请求辞去司徒的职务，睿宗同意了他的请求，任命他担任太子宾客。任命韦安石担任中书令。

睿宗召集三品以上的官员，对他们说："我一向心怀淡泊，不把万乘之尊视为高贵，当初立皇嗣，又做皇太弟，都推辞不居其位。我现在打算传位给皇太子，你们认为怎么样?"大臣们没有人回答。太子李隆基让右庶子李景伯代表自己坚决推辞，睿宗没有同意。殿中侍御史和逢尧阿附太平公主，便对睿宗说："陛下的年纪还不是太大，正被天下仰赖，怎么能立即这样禅位于皇太子呢?！"睿宗这才作罢。

四月十三日戊子，睿宗颁布诏书："大凡朝廷政务，都听取皇太子的处理。其中军事决策、死刑复核以及对五品以上官的任命，均须先与皇太子商议，然后再上奏。"

十六日辛卯，睿宗任命李日知署理门下省侍中的职事。

二十七日壬寅，大赦天下罪囚。

五月，太子李隆基请求把太子的名位让给宋王李成器，睿宗没有答应；太子又请求将太平公主召回京师，睿宗答应了。

初六日庚戌，睿宗颁布诏书："则天皇后父母的坟墓名称依旧为昊陵、顺陵，酌量设置官员。"这是太平公主替武攸暨向睿宗提出的请求。

【段旨】

以上为第六段，写睿宗裁除斜封官而又重新启用，欲让位太子却又召还太平公主，夹在两者之间左右摇摆。

【注释】

⑱崔莅：官至吏部员外郎。事见《新唐书》卷七十二下《宰相世系表二下》、《唐御史台精舍题名考》卷一。⑱太子中允：东宫官属，协助左庶子掌侍从赞相，驳正启奏。⑱恩命：带有恩泽的诏令。⑱戊寅：二月初三日。⑱让：斥责。⑱姑、兄：太平公主为太子之姑，宋王、豳王为太子之兄。⑱极法：极刑；死刑。⑱甲申：二月初九日。⑱申州：州名，治所在今河南信阳。⑲楚州：州名，治所在今江苏淮安。⑲丙戌：二月十一日。⑲寝：止。⑲景龙：唐中宗年号（公元七〇七至七一〇年）。⑲柳泽：蒲州解县（今山西运城西南）人，曾多次上书进谏。官至太子右庶子。传见《旧唐书》卷七十七、《新唐书》卷一百十二。⑲汲引：提携拔引。⑲孝和：中宗谥号。⑲黜：罢黜。⑲反覆相攻：自相矛盾。⑲此曹：指斜封官。⑳诳：欺。⑳细：小。⑳泽二句：柳泽是柳亨的孙子。柳亨历事高祖、太宗二朝，官至检校岐州刺史。《新唐书》卷七十三上《宰相世系表》及卷一百十二《柳泽传》以柳泽为柳亨曾孙。待考。⑳以宋王成器女为金山公主：唐制，皇帝女称公主，太子女称郡主，亲王女称县主。宋王女本为县主，因为与突厥和亲，视同皇女，故称公主。⑳甲申：四月初九日。⑳澹泊：恬静寡欲。⑳万

【原文】

辛酉[219]，更以西城[220]为金仙公主，隆昌[221]为玉真公主，各为之造观[222]，逼夺民居[223]甚多，用功数百万。右散骑常侍魏知古、黄门侍郎李乂谏，皆[5]不听。

壬戌[224]，殿中监窦怀贞为御史大夫、同平章事。

僧慧范恃太平公主势，逼夺民产[225]，御史大夫薛谦光与殿中侍御史慕容珣[226]奏弹之。公主诉于上[227]，出谦光为岐州[228]刺史。

时遣使按察十道[229]，议者以山南所部阔远[230]，乃分为东西道；又分陇右为河西道。六月壬午[231]，又分天下置汴、齐、兖、魏、冀、并、蒲、鄜、泾、秦、益、绵、遂、荆、岐、通、梁、襄、扬、安、闽、越、洪、潭二十四都督，各纠察所部刺史以下善恶，惟洛[232]及近畿州[233]不隶都督府。太子右庶子李景伯、舍人卢俌[234]等上言：“都督专杀生之柄[235]，权任太重，或用非其人[236]，为害不细。今御史秩卑望重，以时巡察，奸宄自禁。”其后竟罢都督，但置十道按察使而已。

乘：喻帝位。㉗ 曩为皇嗣三句：曩，从前。不处，不处其位。辞皇嗣在则天天授元年。辞皇太弟在中宗神龙元年。㉘ 李景伯：则天朝宰相李怀远之子。曾任谏议大夫，官至右散骑常侍。传见《旧唐书》卷九十、《新唐书》卷一百十六。㉙ 和逢尧：岐州岐山（今陕西岐山）人，则天时负鼎诣阙，被流庄州。十余年后中进士，累迁监察御史。性诙诡，善外交。官至户部侍郎。传见《旧唐书》卷一百八十五下、《新唐书》卷一百二十三。㉚ 陛下春秋未高：时睿宗五十岁。㉛ 岂得遽尔：怎么能马上这样。即岂能立刻传位于太子。㉜ 戊子：四月十三日。㉝ 辛卯：四月十六日。㉞ 壬寅：四月二十七日。㉟ 请召太平公主还京师：太平公主二月一日被安置于蒲州。㊱ 庚戌：五月初六日。㊲ 则天皇后父母坟仍旧为昊陵、顺陵：景云元年（公元七一〇年）七月二十六日废昊陵、顺陵名号。㊳ 太平公主为武攸暨请之也：武攸暨为太平公主之夫。

【校记】

［3］又：张敦仁《通鉴刊本识误》作“及”。［4］皇：据章钰校，十二行本、乙十一行本皆无此字。

【语译】

五月十七日辛酉，睿宗改封西城公主为金仙公主，改封隆昌公主为玉真公主，为她们各自营造道观，强占了大量的居民住宅，工程费有几百万钱。右散骑常侍魏知古和黄门侍郎李乂劝谏，睿宗均不采纳。

十八日壬戌，睿宗任命殿中监窦怀贞担任御史大夫、同平章事。

胡僧慧范倚仗太平公主的权势，强夺平民百姓的财产，御史大夫薛谦光和殿中侍御史慕容珣上奏弹劾他。太平公主向睿宗申诉，睿宗便把薛谦光调出，外任为岐州刺史。

这时朝廷派遣使者赴十道巡视考察，讨论此事的人认为山南道所辖区域广阔遥远，于是把山南道分为东西两道，又从陇右道中分出河西道。六月初八日壬午，又把全国加以划分，置汴、齐、兖、魏、冀、并、蒲、鄜、泾、秦、益、绵、遂、荆、岐、通、梁、襄、扬、安、闽、越、洪、潭二十四州都督，各负责纠举查处所辖区域内刺史以下官吏善恶，只有洛阳以及京畿附近各州不隶属于都督府。太子右庶子李景伯、舍人卢俌等向睿宗进言说：“都督专擅生杀的权柄，权任太重，如果用人不当，为害不浅。当今御史的秩位卑微，但是声望很高，如果按时巡察，奸邪之徒自然会被禁绝。”后来最终罢免二十四州都督，仅仅设置十道按察使而已。

秋，七月癸巳[237]，追复上官昭容[238]，谥曰惠文。

八月[6]乙卯[239]，以高祖故宅枯柿复生[240]，赦天下。

己巳[241]，以右御史大夫解琬[242]为朔方大总管。琬考按[243]三城[244]戍兵，奏减十万人。

庚午[245]，以中书令韦安石为左仆射兼太子宾客、同中书门下三品。太平公主以安石不附己，故崇以虚名，实去其权也[246]。

九月庚辰[247]，以窦怀贞为侍中。怀贞每退朝，必诣太平公主第[248]。时修金仙、玉真二观，群臣多谏，怀贞独劝成之，身自督役[249]。时人谓怀贞前为皇后阿奢[250]，今为公主邑司[251]。

冬，十月甲辰[252]，上御承天门，引韦安石、郭元振、窦怀贞、李日知、张说宣制，责以“政教多阙，水旱为灾，府库益竭[253]，僚吏日滋[254]。虽朕之薄德，亦辅佐非才。安石可左仆射、东都留守，元振可吏部尚书，怀贞可左御史大夫，日知可户部尚书，说可左丞，并罢政事”。以吏部尚书刘幽求为侍中，右散骑常侍魏知古为左散骑常侍，太子詹事崔湜为中书侍郎，并同中书门下三品；中书侍郎陆象先同平章事。皆太平公主之志[255]也。

象先清净寡欲，言论高远，为时人所重。湜私侍太平公主，公主欲引以为相，湜请与象先同升[256]，公主不可[257]，湜曰：“然则湜亦不敢当。”公主乃为之并言[258]于上，上不欲用湜，公主涕泣以请，乃从之[259]。

【段旨】

以上为第七段，写睿宗置十道按察使。太平公主返回京师干预朝政，结纳朋党，势力日盛。

秋，七月二十日癸巳，朝廷追复上官昭容的职位，追赠谥号为惠文。

八月十三日乙卯，因为高祖李渊故居中枯死的柿子树重新发芽的缘故，大赦天下罪囚。

二十七日己巳，睿宗任命右御史大夫解琬担任朔方道大总管。解琬考察三受降城的戍守军队，奏请减少戍卒十万人。

二十八日庚午，睿宗任命中书令韦安石担任左仆射兼太子宾客、同中书门下三品。太平公主因为韦安石不愿趋附自己，所以崇以虚衔，实际上削夺了他的实权。

九月初八日庚辰，睿宗任命窦怀贞担任侍中。窦怀贞每次退朝后，一定要前往太平公主的府第。当时正在营建金仙、玉真二观，群臣大多谏阻，只有窦怀贞劝说睿宗建成二观，并且亲自监督工程。当时的人们都说窦怀贞先前为皇后阿奢，今天又当了公主的邑司令丞。

冬，十月初三日甲辰，睿宗驾临承天门，对应召而来的韦安石、郭元振、窦怀贞、李日知、张说等大臣宣布诏书，责备他们说："朝廷的政令与教化存在许多缺失，水旱成灾，国库积贮日渐枯竭，官员属吏不断增多。虽然我德行浅薄，但也是辅佐大臣没有才能。韦安石可任尚书左仆射、东都留守，郭元振可任吏部尚书，窦怀贞可任左御史大夫，李日知可任户部尚书，张说可任尚书左丞，一律罢免宰相职务。"任命吏部尚书刘幽求担任侍中，右散骑常侍魏知古担任左散骑常侍，太子詹事崔湜担任中书侍郎，均为同中书门下三品；任命中书侍郎陆象先为同平章事。这都是太平公主的意思。

陆象先为人清静寡欲，言辞议论高妙玄远，为时人所推重。崔湜私下侍奉太平公主，公主打算推荐他担任宰相，崔湜却请求与陆象先同时晋升为宰相，太平公主没有同意。崔湜说："如果陆象先不能做宰相，那么我崔湜也不敢当这个宰相。"太平公主就为他们两人向睿宗说情。睿宗不想任用崔湜，太平公主流着眼泪为他求情，睿宗才同意了。

【注释】

㉑⑨ 辛酉：五月十七日。㉒⓪ 西城：西城县主，为金仙公主始封之号。㉒① 隆昌：当为"昌隆"，即昌隆公主，为玉真公主封号。㉒② 各为之造观：金仙观又称金仙女冠观，在长安辅兴坊东南隅。玉真观亦名玉真女冠观，本工部尚书窦诞宅，则天时为崇先府，景云元年建而为观，在辅兴坊西南隅，与金仙观相对。金仙、玉真两公主，皆睿宗之女，玄宗之妹。两公主皆为道士，故筑观京中，以观名为公主之号。㉒③ 民居：民宅。㉒④ 壬戌：五

月十八日。(225)民产：平民田宅财产。(226)慕容珣：事见《元和姓纂》卷八及《唐尚书省郎官石柱题名考》卷三、卷五、卷六等。(227)公主诉于上：太平公主向睿宗告状，说薛谦光与慕容珣离间骨肉，二人遭贬官外放。(228)岐州：州名，治所在今陕西宝鸡市凤翔区东南。(229)遣使按察十道：胡三省注，“太宗贞观十八年，遣十七道巡察，武后垂拱初，亦尝遣九道巡察，天授二年又遣十道存抚使，至是分为十道按察使，以廉按州郡，二周年一替”。(230)阔远：辽阔遥远。(231)壬午：六月初八日。(232)洛：洛阳，为都畿。(233)近畿州：靠近京师诸州，即雍、华、同、商等州。(234)卢俌：初为右补阙，官至秘书少监。传见《新唐书》卷二百。(235)柄：权柄。(236)或用非其人：假若用人不当。(237)癸巳：七月二十日。(238)追复上官昭容：上官昭容景云元年六月二十日被杀。今平反追复昭容之职，并加谥号。(239)乙卯：八月十三日。(240)高祖故宅枯柿复生：唐高祖故宅在通义坊西南隅，又称“高祖龙潜旧宅”。武德元年改为道义宫，贞观元年立为兴圣尼寺。宅中有柿子树，天授年间枯死，至此复生。(241)己巳：八月二十七日。(242)解琬：解琬（？至公元七一八年），魏州元城（今河北大名东北）人，官至同州刺史。熟悉边事，在军二十余年，务农习战，颇有政绩。传见《旧唐书》卷一百、《新唐书》卷一百三十。(243)考按：审查。(244)三城：三受降城。(245)庚午：八月二十八日。(246)崇以虚名二句：韦安石先为中书令，正三品，掌

【原文】

右补阙辛替否上疏，以为：“自古失道破国亡家者，口说不如身逢[260]，耳闻不如目睹，臣请以陛下所目睹者言之。太宗皇帝，陛下之祖也，拨乱返正，开基立极，官不虚授，财无枉费，不多造寺观而有福，不多度僧尼而无灾。天地垂祐[261]，风雨时若[262]，粟帛充溢，蛮夷率服[263]，享国久长，名高万古。陛下何不取而法之！中宗皇帝，陛下之兄，弃祖宗之业，徇女子之意[264]，无能而禄者数千人[265]，无功而封者百余家[266]，造寺不止，费财货者数百亿，度人无穷，免租庸者数十万[267]，所出日滋，所入日寡；夺百姓口中之食以养贪残[268]，剥万人体上之衣以涂土木[269]。于是人怨神怒，众叛亲离，水旱并臻[270]，公私俱罄[271]，享国不永[272]，祸及其身。陛下何不惩[273]而改之！自顷以来，水旱相继，兼以霜蝗[274]，人无所食，未闻赈恤[275]，而为二女[276]造观，用钱百余万缗。陛下

军国之政令。现为左仆射兼太子宾客，同中书门下三品。虽仍是宰相，品秩亦增至从二品，但实际权力大为下降。㉔⑦庚辰：九月初八日。㉔⑧太平公主第：在长安兴道坊西南隅。㉔⑨身自督役：亲自监督修观之役。㉕⓪前为皇后阿奢：景龙二年，中宗使韦后乳媪王氏与窦怀贞成婚。俗称媪婿为阿奢，故怀贞上奏常自称"皇后阿奢"。事见本书景龙二年十二月。㉕①公主邑司：唐制，公主有邑司令丞，掌家财出入、田园征封之事。今为公主邑司，系时人对窦怀贞的讥讽，并非实任其职。㉕②甲辰：十月三日。㉕③竭：耗竭。㉕④滋：多。㉕⑤志：意。㉕⑥同升：同时晋升为宰相。㉕⑦公主不可：太平公主不同意。㉕⑧并言：一起讲。㉕⑨公主涕泣以请二句：关于崔湜入相的原因，有不同的说法。《考异》引《朝野佥载》云："湜妻美，并二女皆得幸于太子。时人榜之曰：'托庸才于主第，进艳妇于春宫。'"

【校记】

［5］皆：原无此字。据章钰校，十二行本、乙十一行本、孔天胤本皆有此字，张敦仁《通鉴刊本识误》同，今据补。［6］八月：原无此二字。严衍《通鉴补》有此二字，今从补。〚按〛七月甲戌朔，无乙卯，补"八月"义长。

【语译】

右补阙辛替否上疏，认为："自古以来，君王无道而导致国破家亡的教训，口说不如亲身经历，耳闻不如目睹，请允许臣依据陛下所目睹的情况来加以说明。太宗皇帝，是陛下的祖父，拨乱反正，开辟了唐朝基业，建立起法度准则，官职不白白地授予人，财物不枉然浪费，没有大量营建寺观而享有福分，没有过多地剃度僧尼而无灾祸。皇天后土降福保佑，四季风调雨顺，五谷丝帛充裕，蛮夷相率归附。他在位的时间长久，名声高过千秋万代，陛下为什么不效法呢?！中宗皇帝，是陛下的兄长。放弃了祖宗的基业，顺从妇道人家的心意；没有才能而享有俸禄者有数千人，没有功劳而封有实户者有一百余家；无止境地营造寺庙，靡费资财几百亿，剃度僧尼无数，免纳租庸的人有数十万，国库支出日益增多，财政收入逐日减少；剥夺百姓口中之食来供养贪婪残忍之徒，扒掉万民身上之衣用来修饰寺庙土木偶像。于是人怨神怒，众叛亲离，水旱并至，公私财用均告罄竭，享有国祚时间不长，祸患及身。陛下为什么不引以为戒加以改变?！最近一段时期以来，水旱灾害相继，加上霜灾蝗灾，百姓已无食物，但未曾听说开仓赈济抚恤，陛下却为两个女儿修建道

岂可不计当今府库之蓄积有几[277]，中外之经费有几，而轻用百余万缗，以供无用之役乎！陛下族[278]韦氏[279]之家而不去韦氏之恶，忍弃太宗之法，不忍弃中宗之政乎！且陛下与太子当韦氏用事之时，日夕忧危，切齿[280]于群凶[281]；今幸而除之，乃不改其所为，臣恐复有切齿于陛下者也。然则陛下又何恶于群凶而诛之！昔先帝[282]之怜悖逆[283]也，宗晋卿为之造第[284]，赵履温为之葺园[285]，殚[286]国财，竭人力，第成不暇居，园成不暇游，而身为戮没[287]。今之造观崇侈者，必非陛下、公主之本意，殆有宗、赵之徒从而劝之，不可不察也。陛下不停斯[288]役，臣恐人之愁怨，不减前[7]朝之时。人人知其祸败而口不敢言，言则刑戮随之矣[8]。韦月将、燕钦融之徒，先朝诛之，陛下赏之，岂非陛下知直言之有益于国乎！臣今所言，亦先朝之直也[289]，惟陛下察之。”上虽不能从，而嘉其切直。

御史中丞和逢尧摄鸿胪卿[290]，使于突厥，说默啜曰：“处密[291]、坚昆[292]闻可汗结婚于唐，皆当归附。可汗何不袭[293]唐冠带[294]，使诸胡知之，岂不美哉！”默啜许诺，明日，襆头、衣紫衫[295]，南向再拜，称臣，遣其子杨我支及国相随逢尧入朝；十一月戊寅[296]，至京师。逢尧以奉使功，迁户部侍郎。

壬辰[297]，令天下百姓二十五入军，五十五免。[298]

十二月癸卯[299]，以兴昔亡可汗阿史那献为招慰十姓使。

上召天台山[300]道士司马承祯[301]，问以阴阳数术[302]，对曰：“道者，损之又损，以至于无为[303]，安肯劳心以学数术[9]乎！”上曰：“理身无为则高矣，如理国何[304]？”对曰：“国犹身也，顺物自然而心无所私，则天下理矣。”上叹曰：“广成[305]之言，无以过也。”承祯固请还山，上许之。

尚书左丞卢藏用指终南山[306]谓承祯曰：“此中大有佳处，何必天台！”承祯曰：“以愚[307]观之，此乃仕宦之捷[10]径[308]耳！”藏用尝隐终南，则天时征为左拾遗，故承祯言之。

观，用钱一百多万缗。陛下怎能不计算现在国库里的积蓄有多少，朝廷和地方的经费有多少，而轻率地取用一百多万缗钱财，来供给毫无用处的工程呢！陛下诛灭了韦氏的家族，却没有除掉韦氏的恶行；陛下忍心舍弃太宗的法度，而不忍心丢弃中宗的弊政吗?！再说陛下与太子在韦氏专擅朝政之际，日夜忧虑危难，对一帮凶恶之徒切齿痛恨，而今有幸铲除了他们，还是不能改变他们的所作所为，臣担心又会出现令陛下切齿痛恨的人。那么，陛下当初又何必痛恨群凶而诛杀他们呢！过去中宗皇帝怜爱悖逆庶人，宗晋卿为她营造宅第，赵履温为她整修园林，耗光了国库的资财，用尽了百姓的劳力，宅第建成还没有来得及居住，园林修好还没有来得及游玩，而悖逆庶人就被杀死了。当今营造道观，追求奢侈豪华的做法，一定不会是陛下和金仙、玉真二位公主的本意，大概是有像宗晋卿和赵履温这样的人顺势加以鼓动，陛下对此不可不留意省察。如果陛下不停止这项工程，臣担心百姓的愁苦和怨恨，不会比前朝有所减少。每个人都知道祸败所在，而口不敢说，一旦说出来，随之而来的便是杀身之祸。韦月将、燕钦融这样的人，先朝诛杀了他们，而陛下向他们追赐了奖赏，这难道不是因为陛下知道直言进谏对国家有利吗?！臣现在所讲的，也是前朝的直言，希望陛下能够体察臣的心意。”睿宗虽然没有听从，却赞赏他的恳切直率。

御史中丞和逢尧兼理鸿胪卿，出使突厥，他劝阿史那默啜说:“处密、坚昆部落听说可汗与大唐公主结婚，都会归附你的。可汗为什么不穿戴大唐的官服，让各个部落的胡人都知道这件事，难道这不是很美妙的吗?!”阿史那默啜表示赞成。第二天，阿史那默啜便头戴襆头，身穿紫色朝服，面朝南方拜了两拜，向唐朝称臣，派遣他的儿子杨我支及国相跟随和逢尧入京朝见。十一月初八日戊寅，这一行人抵达京师。和逢尧由于奉命出使有功，升迁为户部侍郎。

二十二日壬辰，朝廷命令天下百姓二十五岁服兵役，五十五岁免除兵役。

十二月初三日癸卯，睿宗任命兴昔亡可汗阿史那献担任招慰十姓使。

睿宗召见天台山道士司马承祯，向他询问关于阴阳数术方面的学问，司马承祯回答说:“所谓‘道’，就是不断地减损下去，以到达无为境界，我怎么愿意费心劳神去学习阴阳数术呢!”睿宗说:“修身养性，清静无为，那是最高的境界，怎么能治理国家呢?”司马承祯回答说:“国家如同身体，顺应万物的自然状态，而内心没有私心杂念，那么国家就得以治理了。”睿宗感慨地说:“广成子所说的话，也不会超过你。”司马承祯坚决请求返回天台山，睿宗答应了他的请求。

尚书左丞卢藏用指着终南山对司马承祯说道:“此山里面大有妙处，何必一定要返回天台山!”司马承祯说:“照我看来，这终南山是入仕为官的捷径而已!”卢藏用曾在终南山里隐居，武则天时期被征辟为左拾遗，所以司马承祯说了这番话。

【段旨】

以上为第八段，写右补阙辛替否上奏睿宗停建寺观。唐与突厥和亲。

【注释】

㉖⓪身逢：亲身经历；亲遇。㉖①垂祐：降福保佑。㉖②时若：及时、顺调。㉖③率服：相率归服。㉖④徇女子之意：顺从韦后、安乐公主之意。㉖⑤无能而禄者数千人：无能而食俸的有几千人。此指斜封官。㉖⑥无功而封者百余家：指扩大食封实户的贵族。㉖⑦数十万：数十万人。㉖⑧贪残：贪婪残酷之辈。㉖⑨土木：土木偶像。㉗⓪并臻：皆至。㉗①俱罄：皆竭尽无余。㉗②不永：不长。㉗③惩：惩戒。㉗④霜蝗：霜灾、蝗灾。㉗⑤赈恤：赈济救恤。㉗⑥二女：指金仙、玉真两公主。睿宗为两公主造观，日役工万人，耗费资财一百余万缗，府库为之一空。㉗⑦有几：有多少。㉗⑧族：族诛。㉗⑨韦氏：韦后。㉘⓪切齿：咬牙切齿，表示愤恨至极。㉘①群凶：指韦温、宗楚客之流。㉘②先帝：指中宗皇帝。㉘③悖逆：悖逆庶人。唐中宗最宠之安乐公主被诛后，追废为悖逆庶人。㉘④宗晋卿为之造第：该宅第在金城坊东南隅，后改为太清观。㉘⑤葺园：修葺园林。㉘⑥殚：尽。㉘⑦身为戮没：指安乐公主被杀。㉘⑧斯：此。㉘⑨亦先朝之直也：也与先朝韦月将等人的直谏一样。㉙⓪鸿胪卿：官名，鸿胪寺最高长官，从三品，掌宾客及凶仪之事。㉙①处密：西突厥别部，在今新疆乌鲁木齐西北。㉙②坚昆：古部落名，即黠戛斯，生活在今叶尼塞河上游一带。㉙③袭：着；穿。㉙④冠带：帽子和腰带。此指官服。㉙⑤襆头衣紫衫：戴襆头，穿着紫色的衣衫。此为三品以上官服。㉙⑥戊寅：十一月初八日。㉙⑦壬辰：十一月二十二日。㉙⑧令天下百姓二

【原文】

玄宗至道大圣大明孝皇帝㉚⑨上之上

先天元年㉛⓪（壬子，公元七一二年）

春，正月辛巳㉛①，睿宗祀南郊，初因[11]谏议大夫贾曾㉛②议合祭天地㉛③。曾，言忠㉛④之子也。

戊子㉛⑤，幸浐㉛⑥东，耕藉田㉛⑦。

己丑㉛⑧，赦天下；改元太极。

乙未㉛⑨，上御安福门，宴突厥杨我支㉜⓪，以金山公主示之。既

十五入军二句：唐制，府兵二十一岁服役，六十岁免役。㉙⑨ 癸卯：十二月初三日。㉚⓪ 天台山：位于浙江天台城北二公里处，由赤城、瀑布、佛陇、香炉、华顶、桐柏等山组成。其中华顶最高，海拔一千一百三十六米，赤城山玉京洞为十大洞天之一，桐柏山为七十二福地之一。㉛① 司马承祯：司马承祯（公元六四七至七三五年），字子微，法号道隐，河内温县（今河南温县）人，二十一岁入道，随潘师正学符箓及辟谷、导引、服饵之术。后隐于天台山，曾被武则天、唐睿宗及玄宗召入宫中问道。著有《修真秘旨》《坐忘论》《道体论》等书。传见《旧唐书》卷一百九十二、《新唐书》卷一百九十六、《嘉定赤城志》卷三十五等。㉚② 阴阳数术：关于天文、历法、占卜等方面的学问。㉚③ 损之又损二句：语出《庄子·知北游》。指不断去其华伪，以归于纯朴无为。㉚④ 如理国何：怎么能治理国家呢。㉚⑤ 广成：广成子。相传为上古仙人，居崆峒山上，黄帝曾向他问道。㉚⑥ 终南山：道教名山之一，位于陕西西安南。西起秦陇，东抵潼关，横亘数百里。有南山湫、金华洞、玉泉洞、日月岩等名胜古迹。㉚⑦ 愚：自称的谦辞。㉚⑧ 仕宦之捷径：入仕为官的捷径。"终南捷径"即源于此。

【校记】

［7］前：据章钰校，十二行本、乙十一行本皆作"先"。［8］矣：据章钰校，十二行本、乙十一行本、孔天胤本皆作"如"。［9］数术：原作"术数"。据章钰校，十二行本、乙十一行本二字皆互乙，今据改。〖按〗上句言"阴阳数术"，则二字不应互乙。［10］捷：据章钰校，十二行本、乙十一行本皆作"疾"。

【语译】

玄宗至道大圣大明孝皇帝上之上

先天元年（壬子，公元七一二年）

春，正月十一日辛巳，睿宗前往南郊祭祀，根据谏议大夫贾曾的建议，第一次合祭天地。贾曾是贾言忠的儿子。

十八日戊子，睿宗驾临浐水东岸，亲耕籍田。

十九日己丑，大赦天下罪囚，把年号改为太极。

二十五日乙未，睿宗驾临安福门，设宴招待突厥杨我支，把金山公主引出来给

而㉑会㉒上传位，婚竟不成。

以左御史大夫窦怀贞、户部尚书岑羲并同中书门下三品。

二月辛酉㉓，废右御史台㉔。

晋州[12]刺史萧至忠自托于太平公主，公主引为刑部尚书。华州长[13]史蒋钦绪，其㉕妹夫也，谓之曰："如子㉖之才，何忧不达㉗！勿为非分妄求。"至忠不应。钦绪退，叹曰："九代㉘卿族㉙，一举灭之，可哀也哉！"至忠素有雅望㉚，尝自公主第门出，遇宋璟，璟曰："非所望于萧君也。"至忠笑曰："善乎宋生㉛之言！"遽策马而去。

【段旨】

以上为第九段，写萧至忠等素有雅望的地方官，也党附太平公主而得为刑部尚书。

【注释】

⑨玄宗至道大圣大明孝皇帝：名隆基，睿宗第三子，昭成顺圣皇后窦氏所生。垂拱元年（公元六八五年）八月五日生于东都。三年封楚王。长寿二年（公元六九三年）十二月降为临淄郡王。唐隆元年（公元七一〇年）进封平王。七月二十六日册为皇太子。延和元年（公元七一二年）七月五日即位。至德元年（公元七五六年）七月十二日传位，被肃宗尊为太上皇。宝应元年（公元七六二年）四月五日死于神龙殿，次年三月十八日葬于泰陵。庙号玄宗，谥为至道大圣大明孝皇帝。在位四十五年，开创了开元天宝盛世，又酿成了安史之乱。事见《旧唐书》卷八、卷九，以及《新唐书》卷五《玄宗纪》。⑩先天元年：唐玄宗第一个年号（公元七一二至七一三年）。睿宗景云三年（公元七一二年）正月己丑改元太极，五月改元延和，八月唐玄宗改元先天。即先天元年包有太极元年、延和元年。⑪辛巳：正月十一日。⑫贾曾：贾曾（？至公元七二七年），河南洛阳（今河南洛阳）人，官至中书舍人，与苏晋同掌制诰，以文辞称。传见《旧唐书》卷一百九十中、《新唐书》卷一百十九。⑬合祭天地：把祭天祭地的活动合在一起进行。古代祭天于圜丘，祭地于泽中方丘。武则天天册万岁元年（公元六九五年）始合祭天地。睿宗将有事于南郊，贾曾重申合祭天地之宜。详见《新唐书·礼乐志三》。⑭言忠：贾言

他看了看。不久赶上睿宗传位太子，婚事最终没有办成。

睿宗任命左御史大夫窦怀贞、户部尚书岑羲一同担任同中书门下三品。

二月二十二日辛酉，朝廷撤销右御史台。

晋州刺史萧至忠自愿投靠太平公主，太平公主引荐他担任了刑部尚书。华州长史蒋钦绪，是萧至忠的妹夫，对他说："像你这样的才学，何愁不显达！不要做本分之外不正当的追求。"萧至忠没有应声。蒋钦绪回去后，叹息说："萧至忠九世卿大夫之家，一举灭门，太可悲了哟！"萧至忠素来具有美好的声誉，他曾经有一次从太平公主府第大门出来，遇到宋璟，宋璟说："这可不是我对您所希望的。"萧至忠笑着说："宋先生说得太好了！"说着便急忙地鞭马离去。

忠曾任监察御史，出使辽东，累转吏部员外郎，贬邵州司马、建州司户参军。与贯曾同传。⑮ 戊子：正月十八日。⑯ 浐：浐河。关中八水之一。源出今陕西蓝田西南秦岭山中，北流至西安汇入灞水。⑰ 藉田：亦作"籍田"。古代天子、诸侯举行劝农仪式的耕地叫籍田。耕籍田是帝王每年必须进行的重大活动，意在重农。⑱ 己丑：正月十九日。⑲ 乙未：正月二十五日。⑳ 宴突厥杨我支：杨我支系默啜之子，景云二年（公元七一一年）十一月八日奉使至长安。㉑ 既而：不久。㉒ 会：适逢；恰巧。㉓ 辛酉：二月二十二日。㉔ 废右御史台：唐初御史台无左右之分。武则天光宅元年（公元六八四年）改御史台为左肃政台，专察在京百官并按察军旅；另设右肃政台以按察京畿内外及州县官吏。神龙元年（公元七〇五年）改左右肃政台为左右御史台。至此，废右御史台，左台亦去"左"字。㉕ 其：代词，指萧至忠。㉖ 子：对男子的美称或尊称。此处指萧至忠。㉗ 达：显达。㉘ 九代：九世。㉙ 卿族：卿大夫之家。㉚ 雅望：美好的声望。㉛ 宋生：犹"宋先生"。

【校记】

［11］因：据章钰校，十二行本、乙十一行本、孔天胤本皆作"用"。［12］晋州：原作"蒲州"。严衍《通鉴补》改作"晋州"，今据以校正。〖按〗《通鉴考异》言《旧唐书·萧至忠传》《隋唐佳话》皆云萧志忠由晋州刺史入为尚书，而《太上皇睿宗录》则为蒲州刺史。［13］长：原作"刺"。据章钰校，十二行本、乙十一行本皆作"长"，张敦仁《通鉴刊本识误》同，今据改。〖按〗《新唐书·蒋钦绪传》亦言其时为华州长史。

【原文】

幽州大都督薛讷镇幽州二十余年，吏民安之，未尝举兵出塞，虏亦不敢犯。与燕州[332]刺史李琎有隙[333]，琎毁之于刘幽求，幽求荐左羽林将军孙佺代之[334]。三月丁丑[335]，以佺为幽州大都督，徙讷为并州长史。

夏，五月，益州獠反。

戊寅[336]，上祭北郊[337]。

辛巳[338]，赦天下，改元延和。

六月丁未[339]，右散骑常侍武攸暨卒，追封定王。

上以节愍太子之乱，岑羲有保护之功，[340]癸丑[341]，以羲为侍中。

庚申[342]，幽州大都督孙佺与奚酋李大酺[343]战于冷陉[344]，全军覆没。

是时，佺帅左骁卫将军李楷洛、左威卫将军周以悌发兵二万、骑八千，分为三军，以袭奚、契丹。将军乌可利[345]谏曰："道险而天热，悬军[346]远袭，往必败。"佺曰："薛讷在边积年，竟不能为国家复营州[347]。今乘其无备，往必有功。"使楷洛将骑四千前驱，遇奚骑八千，楷洛战不利。佺怯懦[348]，不敢救，引兵欲还，虏乘之，唐兵大败。佺阻山[349]为方陈以自固，大酺使谓佺曰[350]："朝廷既与我和亲，今大军何为而来?"佺曰："吾奉敕来招慰耳。楷洛不禀节度，辄与汝战，请斩以谢。"大酺曰："若然，国信安在?"佺悉敛军中帛，得万余段，并紫袍、金带、鱼袋[351]以赠之。大酺曰："请将军南还，勿相惊扰。"将士惧，无复部伍[352]，虏追击之，士卒皆溃。佺、以悌为虏所擒，献于突厥，默啜皆杀之；楷洛、可利脱归。

【语译】

幽州大都督薛讷镇守幽州二十余年，吏民安居，薛讷未曾发兵出塞，胡人也不敢进犯幽州。薛讷与燕州刺史李琎有矛盾，李琎向刘幽求诋毁薛讷，刘幽求便举荐左羽林将军孙佺取代了薛讷。三月初八日丁丑，睿宗任命孙佺担任幽州大都督，薛讷徙任并州长史。

夏，五月，益州獠人部落反叛。

初十日戊寅，睿宗在北郊祭天。

十三日辛巳，大赦天下罪囚，把年号改为延和。

六月初九日丁未，右散骑常侍武攸暨去世，追封为定王。

睿宗因为节愍太子李重俊作乱时，岑羲保护自己立下功劳，十五日癸丑，任命岑羲为门下省侍中。

二十二日庚申，幽州大都督孙佺在冷陉与奚族酋长李大酺交战，全军覆没。

当时，孙佺率领左骁卫将军李楷洛、左威卫将军周以悌出动步兵二万、骑兵八千，分成三军，去袭击奚族部落和契丹。将军乌可利劝他说："道路险恶而天气炎热，孤军远袭，军队前往必败。"孙佺说："薛讷在边塞多年，竟然未能为朝廷收复营州。现在我们趁敌人没有防备，率兵前往，必定获得成功。"孙佺派遣李楷洛带领四千骑兵打前锋，遭遇奚族部落八千骑兵，李楷洛出战失利，孙佺胆怯懦弱，不敢援救，打算带兵返回，敌军趁势攻击，唐军大败。孙佺依山布成方阵，以求固守。李大酺派遣使者对孙佺说："朝廷既然与我和亲，现在大军为什么到这里来？"孙佺说："我是奉敕前来招抚慰问而已。李楷洛不听从我的调遣，便与你们交战，请让我把他斩首，向你们赔罪。"李大酺说："如果是这样，朝廷的凭信又在什么地方？"孙佺把军中的所有绢帛搜集到一起，共得万余段，连同紫袍、金带、鱼袋，全部送给了李大酺。李大酺说："请将军返回南边去，不要相互惊扰。"唐军将士很害怕，不再有队形，敌军追击唐军，士卒全部溃散。孙佺和周以悌被敌人擒获，献给突厥，突厥可汗默啜把两人都杀死了。李楷洛和乌可利脱身逃归。

【段旨】

以上为第十段，写孙佺代薛讷为幽州大都督，轻启边衅，唐军大败。

【注释】

㉜燕州：武德六年（公元六二三年）寄治于幽州城内。㉝有隙：有矛盾。㉞孙佺代之：岑仲勉据《考异》所引《太上皇实录》及《新唐书·裴怀古传》等，认为在二月以前，薛讷已徙官并州，孙佺所代者为裴怀古。见《通鉴隋唐纪比事质疑》。孙佺，高宗朝宰相孙处约之子。传见《旧唐书》卷八十一、《新唐书》卷一百六。㉟丁丑：三月初八日。㊱戊寅：五月初十日。㊲祭北郊：在北郊方泽祭地。㊳辛巳：五月十三日。㊴丁未：六月初九日。㊵节愍太子之乱二句：节愍太子起兵被杀后，冉祖雍诬相王（即后来的睿宗皇帝）及太平公主与太子通谋，赖岑羲与萧至忠保护得免。㊶癸丑：六月十五

【原文】

秋，七月，彗星出西方[353]，经轩辕[354]入太微[355]，至于大角[356]。有相者谓同中书门下三品窦怀贞曰："公[357]有刑厄[358]。"怀贞惧，请解官[359]为安国寺[360]奴，敕听解官。乙亥[361]，复以怀贞为左仆射兼御史大夫、平章军国重事。

太平公主使术者言于上曰："彗所以除旧布新[362]，又帝座及心前星[363]皆有变[364]，皇太子当为天子。"上曰："传德避灾[365]，吾志决矣。"太平公主及其党皆力谏，以为不可，上曰："中宗之时，群奸用事，天变屡臻。朕时请中宗择贤子立之以应灾异，中宗不悦，朕忧恐数日不食。岂可在彼则能劝之，在己则不能邪！"太子闻之，驰入见，自投于地，叩头请曰："臣以微功，不次为嗣[366]，惧不克堪[367]，未审陛下遽以大位传之，何也？"上曰："社稷所以再安，吾之所以得天下，皆汝力也。今帝座有灾，故以授汝，转祸为福，汝何疑邪！"太子固辞。上曰："汝为孝子，何必待枢前然后即位邪[368]！"太子流涕而出。

壬辰[369]，制传位于太子，太子上表固辞。太平公主劝上虽传位，犹宜自总大政。上乃谓太子曰："汝以天下事重，欲朕兼理之邪？昔舜禅禹，犹亲巡狩，[370]朕虽传位，岂忘家国！其军国大事，当兼省[371]之。"

日。㉞庚申：六月二十二日。㉟李大酺：一作“李大辅”。奚族酋长。因贞观二十二年（公元六四八年）可度者被赐姓李，遂沿而姓李。事见《旧唐书》卷一百九十九下、《新唐书》卷二百十九《奚传》。㊱冷陉：《旧唐书·北狄传》作“冷硎”。在今内蒙古巴林左旗西北。㊲乌可利：人名，仅见于此，事迹不详。㊳悬军：孤军。㊴不能为国家复营州：万岁通天元年（公元六九六年）五月十二日，营州为契丹首领李尽忠、孙万荣所陷。见《新唐书》卷四。㊵怯懦：胆怯懦弱。㊶阻山：依山；以山为险阻。㊷使谓佺曰：遣使对孙佺说。㊸鱼袋：鱼符。垂拱二年（公元六八六年）正月以后，诸州都督刺史准京官例佩鱼袋。鱼符形状像鱼，上题写官爵姓名，盛于袋中，故名。三品以上鱼袋饰金，五品以上饰银。㊹部伍：部曲行伍；队形。

【语译】

秋，七月，彗星出现在西方，经过轩辕星座进入太微垣，到达大角星。有个看相的术士对同中书门下三品窦怀贞说：“您有刑狱之祸。”窦怀贞心中害怕，上表请求解除官职，到安国寺为奴，睿宗降敕同意他解职。七月初八日乙亥，睿宗又命令窦怀贞担任尚书左仆射兼御史大夫、平章军国重事。

太平公主指使术士向睿宗进言说：“天上出现彗星，象征着除旧布新，而且位于天市垣内的帝座以及象征太子的心前星都发生了变化，皇太子应当为天子。”睿宗说：“把帝位传给贤德的人，以避免灾异变故，我的主意已定。”太平公主和她的党羽全都竭力谏阻，认为不能这样做。睿宗说：“中宗时期，一群奸邪之徒主政，上天变异屡次出现。我当时请求中宗选择贤能的儿子立为皇嗣以应对灾变，中宗不高兴，我又担忧又恐惧，几天不吃饭。我怎么在中宗时能劝他禅位，临到自己头上就不行了呢！”太子李隆基获悉这个情况后，驰马入宫拜见，投身于地，磕头请求说：“臣由于尺寸之功，越次册立为皇嗣，惧怕自己难以胜任，陛下突然要把帝位传让于臣，这是为了什么呢？”睿宗说：“宗庙社稷之所以再次获得安定稳固，我之所以能够君临天下，都是你的力量。现在帝座星发生了灾异，因此我把皇位授予你，转祸为福，你还有什么可疑虑的呢！”太子李隆基坚决推辞。睿宗说：“你是一个孝子，为什么要等到站在我的灵柩前面，然后才即皇帝之位呢?!”太子流着眼泪走了出来。

七月二十五日壬辰，睿宗颁布诏命，将皇位传给太子，太子上表坚决推辞。太平公主劝说睿宗，即使传让了皇位，还应当亲自总揽国家大政。于是睿宗对太子说：“你是不是认为国家事务繁重，打算要我兼管一些事务呢？过去舜把帝位禅让给禹，还要亲自到四方去巡狩，现在我虽然将帝位传给了你，怎么能够忘却家国大事！那些军国大事，我会省察的。”

八月庚子㊲，玄宗即位，尊睿宗为太上皇。上皇自称曰朕，命曰诰，五日一受朝于太极殿。皇帝自称曰予，命曰制、敕，日受朝㊳于武德殿㊴。三品以上除授及大刑政决于上皇，余皆决于皇帝。

壬寅㊵，上大圣天后尊号曰圣帝天后㊶。

甲辰㊷，赦天下，改元㊸。

乙巳㊹，于鄚州㊺[14]北置渤海军，恒、定州境置恒阳军㊻，妫、蔚州境置怀柔军㊼，屯兵五万。

丙午㊽，立妃王氏为皇后㊾；以后父仁皎㊿为太仆卿。仁皎，下邽人也。戊申(386)，立皇子许昌王嗣直(387)为郯王，真定王嗣谦(388)为郢王。

以刘幽求为右仆射、同中书门下三品，魏知古为侍中，崔湜为检校中书令。

【段旨】

以上为第十一段，写睿宗传位太子李隆基，仍兼掌朝政。

【注释】

㉝彗星出西方：据《旧唐书·天文志下》及《新唐书·睿宗纪》，时在七月辛未，即七月四日。彗星，亦称孛星，俗名扫帚星。古人视为妖星，光芒所及则为灾。㉞轩辕：星官名，《史记·天官书·正义》："轩辕十七星，在七星北。黄龙之体。主雷雨之神，后宫之象也。"㉟太微：太微垣。㊱大角：星名，属亢宿，在摄提间，即牧夫座第一星。《史记·天官书》："大角者，天王帝廷。"㊲公：对男子的尊称。㊳刑厄：刑狱之祸。㊴解官：解除官职。㊵安国寺：在长安朱雀街东第四街之长乐坊。本睿宗旧宅，景云元年舍为寺院。㊶乙亥：七月初八日。㊷彗所以除旧布新：《左传》昭公十七年载申须曰："彗所以除旧布新也。"刘向《洪范传》亦云："彗者，去秽布新者也。"彗星类帚，主扫除，又"彗"音"秽"，意为除秽。所以把彗星的出现附会为除旧布新。㊸帝座及心前星：胡三省注，"帝座在中宫华盖之下。心三星，中星为明堂，天子位。前星为太子"。㊹皆有变：指心三星象征帝座及太子的前星都发生了变化，兆示太子夺位。太平公主以此挑拨睿宗与太子的关系，激使睿宗废除太子。㊺传德避灾：传位于有德之人以避灾难。睿宗

八月初三日庚子，玄宗即皇帝位，尊奉睿宗为太上皇。太上皇自称朕，所颁布的命令称为诰，每隔五天在太极殿接受一次群臣朝见。玄宗自称予，所颁布的命令称为制、敕，每天在武德殿接受群臣朝见。三品以上官员的任命以及重大刑狱和政务由太上皇裁决，余下的事务都由玄宗处置。

八月初五日壬寅，朝廷为大圣天后武则天上尊号为圣帝天后。

初七日甲辰，大赦天下，改换年号。

初八日乙巳，朝廷在鄚州以北设置渤海军，在恒州、定州境内设置恒阳军，在妫州、蔚州境内设置怀柔军，屯驻五万军队。

初九日丙午，玄宗立妃子王氏为皇后；命令皇后之父王仁皎担任太仆卿。王仁皎是下邽县人。十一日戊申，封皇子许昌王李嗣直为郯王，真定王李嗣谦为郢王。

玄宗任命刘幽求为尚书右仆射、同中书门下三品，魏知古为门下省侍中，崔湜为检校中书令。

不贪恋权位，欲趁此星变传位太子，使太平公主大失所望。㊱不次为嗣：越级成为嗣君。㊲惧不克堪：害怕不能胜任。㊳何必待柩前然后即位邪：何必要等到我死后才即位呢？㊴壬辰：七月二十五日。㊵昔舜禅禹二句：相传舜禅位给禹以后，前往南方巡狩，死于苍梧之野。见《礼记·檀弓》。㊶省：省察。㊷庚子：八月初三日。㊸日受朝：每日受理朝政。㊹武德殿：在宫城东部凌烟阁南。㊺壬寅：八月初五日。㊻上大圣天后尊号曰圣帝天后：景云元年（公元七一〇年）十月十八日始改武则天尊号为大圣天后。“圣帝天后”合帝、后之号为一，反映出唐当时统治者的矛盾心理。㊼甲辰：八月初七日。㊽改元：改元先天。㊾乙巳：八月初八日。㊿鄚州：景云二年分瀛州置。治所鄚县，在今河北任丘北鄚州镇。(381)恒阳军：位于恒州城东，即今河北正定东部。(382)妫、蔚州境置怀柔军：妫州治所在今河北怀来，蔚州治所在今河北蔚县，怀柔军当在今河北怀来、蔚县一带。(383)丙午：八月初九日。(384)立妃王氏为皇后：王氏为同州下邽（今陕西渭南东北）人，玄宗为临淄王时聘为妃，参与平定韦氏的活动。无子，后被废为庶人。传见《旧唐书》卷五十一、《新唐书》卷七十六。(385)仁皎：王仁皎，字鸣鹤，官至将作大匠，累进开府仪同三司，封祁国公。传见《旧唐书》卷一百八十三、《新唐书》卷二百六。(386)戊申：八月十一日。(387)许昌王嗣直：王嗣直（？至公元七五一年），玄宗长子，刘华妃所生。开元十三年改名为琮，官至河东节度使。肃宗时追谥为奉天皇帝。(388)真定王嗣谦：玄宗次子，赵丽妃所生。开元三年立为太子，改名瑛，二十五年被废。与嗣直同传，见《旧唐书》卷一百七、《新唐书》卷八十二。

【校记】

［14］郑州：据章钰校，十二行本、乙十一行本、孔天胤本皆作“漠州”。

【原文】

初，河内人王琚[389]预于王同皎之谋[390]，亡命[391]，佣书[392]于江都。上之为太子也，琚还长安，选补诸暨[393]主簿，过谢太子[394]。琚至廷中，故徐行高视[395]，宦者曰：“殿下在帘内。”琚曰：“何谓殿下？当今独有太平公主耳！”太子遽召见，与语，琚曰：“韦庶人弑逆[396]，人心不服，诛之易耳。太平公主，武后之子[397]，凶猾[398]无比，大臣多为之用，琚窃忧之。”太子引与同榻[399]坐，泣曰：“主上[400]同气[401]，唯有太平，言之恐伤主上之意，不言为患日深，为之奈何？”琚曰：“天子之孝，异于匹夫，当以安宗庙社稷为事。盖主，汉昭帝之姊，自幼供养，有罪犹诛之。[402]为天下者[403]，岂顾小节！”太子悦曰：“君有何艺，可以与寡人游？”琚曰：“能飞炼[404]、诙嘲[405]。”太子乃奏为詹事府司直[406]，日与游处，累迁太子中舍人[407]。及即位，以为中书侍郎。[408]

是时，宰相多太平公主之党，刘幽求与右羽林将军张暐[409]谋以羽林兵诛之，使暐密言于上曰：“窦怀贞、崔湜、岑羲皆因公主得进，日夜为谋不轻。若不早图，一旦事起，太上皇何以得安！请速诛之。臣已与幽求定计，惟俟陛下之命。”上深以为然。暐泄其谋于侍御史邓光宾[410]，上大惧，遽列上其状。丙辰[411]，幽求下狱。有司奏：“幽求等离间骨肉，罪当死。”上为言幽求有大功[412]，不可杀。癸亥[413]，流幽求于封州[414]，张暐于峰州[415]，光宾于绣州[416]。

初，崔湜为襄州刺史，密与谯王重福通书，重福遗之金带。重福败，湜当死，张说、刘幽求营护[417]得免。既而湜附太平公主，与公主

【语译】

当初，河内人王琚参与了王同皎等人杀害武三思的谋划，亡命出逃，在江都受雇为人抄书。李隆基被立为太子后，王琚返回长安，经选拔补任诸暨县主簿，前往东宫拜谢太子。王琚来到廷堂上，故意慢慢走，往高处看，宦官说："殿下还在帘子后面。"王琚说："什么人称为殿下？当今朝廷唯独有太平公主而已！"太子立刻召见了他，和他交谈，王琚说："以前韦庶人弑帝作乱，人心不服，诛除她是件容易的事。太平公主是武后的女儿，凶险狡猾无比，大臣大多听她使唤，我对此私下感到担忧。"太子将他带到榻前与自己坐在一起，流着泪说："现在父皇的亲兄弟姐妹，活着的只有太平公主，把这些事讲给父皇听，恐怕会伤他的心，不讲的话，为患日深，那该怎么办呢？"王琚说："天子的孝道，不同于平民百姓，应该把安定宗庙社稷当作大事。盖主是汉昭帝的姐姐，她把昭帝从小抚养成人，有了罪还是被处死了。治理天下的人，怎么能顾及小节呢！"太子高兴地说："您有什么特长，可以和我在一起相处呢？"王琚说："我能飞丹砂炼丹药，诙谐嘲咏。"于是太子奏请朝廷任命王琚为詹事府司直，每天和他交往相处，多次将其升迁后提拔其为太子中舍人。等到太子即皇帝位之后，命令他担任中书侍郎。

这时，宰相们大多数是太平公主的党羽，刘幽求与右羽林将军张暐谋划利用羽林兵诛杀他们，让张暐暗地里对玄宗说："窦怀贞、崔湜、岑羲等人都是通过太平公主的关系得以进位宰相，他们日日夜夜都在策划重大举动。如果不早些考虑解决他们，一旦事变发生，太上皇怎能求得安宁呢！请迅速将他们诛除。臣已经与刘幽求商定计策，只等陛下发布命令了。"玄宗深为赞成。张暐把这一密谋泄露给侍御史邓光宾，玄宗大为恐惧，赶忙把刘幽求等人的罪状罗列出来呈奏太上皇。八月十九日丙辰，刘幽求被捕入狱。负责审讯此案的官署进奏说："刘幽求等人离间陛下的骨肉，罪当处死。"玄宗替刘幽求等人向太上皇求情，说刘幽求立有大功，不可杀掉他。二十六日癸亥，朝廷把刘幽求流放到封州，把张暐流放到峰州，把邓光宾流放到绣州。

当初，崔湜担任襄州刺史，秘密地与谯王李重福通信，李重福把金带赠送给他。李重福举事失败后，崔湜本应当被处死，经过张说和刘幽求的多方营救得以免死。不久崔湜攀附太平公主，与太平公主共同策划罢免了张说的宰相职务，任命其为尚

谋罢说政事，以左丞分司东都⑱。及幽求流封州，湜讽广州都督周利贞⑲，使杀之。桂州都督景城[15]王晙⑳知其谋，留幽求不遣。利贞屡移牒索之，晙不应，利贞以闻。湜屡逼晙，使遣幽求，幽求谓晙曰："公拒执政㉑而保流人㉒，势不能全，徒仰累㉓耳。"固请诣广州，晙曰："公所坐非可绝于朋友者也。晙因公获罪，无所恨。"竟逗遛不遣。幽求由是得免。

【段旨】

以上为第十二段，写刘幽求谋诛太平公主，因密泄而失败。

【注释】

㊱王琚：王琚（？至公元七四六年），怀州河内（今河南沁阳）人，参与铲除太平公主之役，深受玄宗宠信，时人称之为"内宰相"。官至户部尚书，封赵国公。传见《旧唐书》卷一百六、《新唐书》卷一百二十一。㊲预于王同皎之谋：参与王同皎谋杀武三思的活动。时在唐中宗神龙二年（公元七〇六年）。㊳亡命：逃亡在外。㊴佣书：受雇为人抄书。㊵诸暨：县名，县治在今浙江诸暨。㊶过谢太子：至太子宫中谢恩。㊷徐行高视：慢慢行走，向高处张望。㊸弑逆：弑君为逆。㊹子：女。古代"子"有子、女两层含义。㊺凶猾：凶险狡猾。㊻榻：长而低的坐卧用具。㊼主上：臣下对帝王的称呼。此处指睿宗。㊽同气：同胞。㊾盖主四句：盖主系汉昭帝的大姐。昭帝幼时，盖主养之于宫。后盖主与燕王旦、上官桀等谋害大司马霍光，昭帝恐危及刘氏统治，站在霍光一边，诛杀上官桀等，盖主、燕王旦自杀。盖主又称鄂邑盖长公主，食邑于鄂，下嫁盖侯。㊿为天下者：治理天下的人。即做皇上的人。(404)飞炼：飞丹砂以炼丹药。(405)诙嘲：诙谐嘲咏。此乃优人之行。(406)詹事府司直：官名，正九品上，掌弹劾官僚，纠举职事。(407)太子中舍人：太子右春坊官，正五品上，职拟中书侍郎。(408)及即位二句：关于王琚与太子相识累迁至中书侍郎的情节，《考异》所引郑綮《开天传信记》及《新唐书·王

书左丞，分管东都洛阳事务。等到刘幽求被流放到封州，崔湜暗示广州都督周利贞，让他杀掉刘幽求。桂州都督景城王晙获悉这一图谋后，便把刘幽求截留，不遣送广州。周利贞多次发出公文索要刘幽求，王晙不予理睬，周利贞便把此事上奏朝廷。崔湜屡次威胁王晙，让他发遣刘幽求。刘幽求对王晙说："您抵制当权宰相的命令而保护流放之人，势必无法保全我刘幽求，您会白白地受我的牵累。"坚决请求前往广州，王晙说："您所获的罪名还不能使朋友们与您绝交。我王晙因您而获罪的话，也没有什么可遗憾的。"最终还是把刘幽求滞留桂州，没有遣送广州。刘幽求因此得以幸免于难。

琚传》所载与此不同。《传信记》说，玄宗在藩邸时，常游猎于城南韦曲、杜曲之间。一日在大树下休息，被王琚邀至家中做客。后玄宗每游韦、杜，必过王家。王琚所言甚合其意，关系日益亲密。王琚献计诛韦氏，以功累至中书侍郎。待考。㊾张暐：张暐（公元六五七至七四六年），官至左金吾大将军。传见《旧唐书》卷一百六、《新唐书》卷一百二十一。㊿邓光宾：事见《旧唐书》卷九十七、《新唐书》卷一百二十一《刘幽求传》。411丙辰：八月十九日。412幽求有大功：指参与诛杀韦后，出谋划策，并执掌敕令。见两唐书本传。413癸亥：八月二十六日。414封州：州名，治所在今广东封开东南。415峰州：州名，治所在今越南河西省山西西北。416绣州：州名，治所在今广西桂平南。417营护：营救保护。418分司东都：东都亦设有相同的机构，故称分司。419广州都督周利贞：封州为广州都督辖地。周利贞，崔晙妻兄，为酷吏。传见《旧唐书》卷一百八十六下、《新唐书》卷二百九。420王晙：沧州景城（今河北沧州西）人，多次率兵与吐蕃、突厥作战，颇有战功。官至兵部尚书、同中书门下三品。传见《旧唐书》卷九十三、《新唐书》卷一百十一。421拒执政：拒绝执行宰相命令。422保流人：保护被流放的人。423仰累：牵累。

【校记】

［15］景城：原无此二字。据章钰校，十二行本、乙十一行本、孔天胤本皆有此二字，张敦仁《通鉴刊本识误》同，今据补。

【原文】

九月丁卯朔[424]，日有食之。

辛卯[425]，立皇子嗣昇[426]为陕王。嗣昇母杨氏，士达[427]之曾孙也。王后无子，母养之[428]。

冬，十月庚子[429]，上谒太庙，赦天下。

癸卯[430]，上幸新丰[431]，猎于骊山[432]之下。

辛酉[433]，沙陀[434]金山[435]遣使入贡。沙陀者，处月之别种也，姓朱邪氏[436]。

十一月乙酉[437]，奚、契丹二万骑寇渔阳[438]，幽州都督宋璟闭城不出，虏大掠而去。

上皇诰[439]遣皇帝巡边，西自河、陇[440]，东及燕、蓟[441]，选将练卒。甲午[442]，以幽州都督宋璟为左军大总管，并州长史薛讷为中军大总管，朔方大总管、兵部尚书郭元振为右军大总管。

十二月，刑部尚书李日知请致仕。日知在官，不行捶挞[443]而事集[444]。刑部有令史[445]，受敕三日[446]，忘不行[447]。日知怒，索杖，集群吏欲捶之，既而谓曰："我欲捶汝，天下人必谓汝能撩李日知嗔，受李日知杖，不得比于人[448]，妻子亦将弃汝矣。"遂释之。吏皆感悦，无敢犯者，脱有稽失[449]，众共谪[450]之。

【段旨】

以上为第十三段，写唐玄宗任用宋璟、薛讷、郭元振等良将御边。

【注释】

[424]丁卯朔：九月初一日。[425]辛卯：九月二十五日。[426]皇子嗣升：玄宗第三子，即后来的唐肃宗。[427]士达：杨士达仕隋，官至纳言。[428]母养之：以母亲的身份加以抚养。[429]庚子：十月初四日。[430]癸卯：十月初七日。[431]新丰：县名，县治在今陕西西安市临潼区。[432]骊山：在今陕西西安市临潼区东南。唐时为避暑胜地之一。[433]辛酉：十月

【语译】

九月初一日丁卯，发生日食。

二十五日辛卯，玄宗册立皇子李嗣昇为陕王。李嗣昇的母亲杨氏，是杨士达的曾孙女。由于王皇后没有生育儿子，便以母亲身份抚养他。

冬，十月初四日庚子，玄宗到太庙谒拜列祖列宗，大赦天下罪囚。

初七日癸卯，玄宗驾临新丰，在骊山脚下狩猎。

二十五日辛酉，沙陀金山派遣使者入京朝贡。沙陀是处月部落的别支，姓朱邪氏。

十一月二十日乙酉，奚族部落与契丹的骑兵两万人侵扰渔阳，幽州都督宋璟关闭城门，不出城迎战，敌人大肆掳掠之后离去。

太上皇颁布诰命，派遣玄宗出巡边塞，西自河、陇，东到燕、蓟，选拔将领，训练士卒。二十九日甲午，玄宗命令幽州都督宋璟担任左军大总管，并州长史薛讷担任中军大总管，朔方大总管、兵部尚书郭元振担任右军大总管。

十二月，刑部尚书李日知请求退休。李日知在担任刑部尚书时，不施刑杖而事集功成。刑部的一位令史，接到皇帝敕令三天，忘记执行。李日知很生气，要来刑杖，召集大批的官吏，准备行杖。过了一会儿对他说："我想要打你，天下人一定会说你能惹得我李日知生气，受到李日知的杖责，不能再与别人比肩，老婆孩子也会把你抛弃了。"于是便把他释放了。在场的官吏都非常感动悦服，再也没有人敢于违反规章，万一有稽延失误，大家都会一起责备他。

二十五日。㊹沙陀：古部族名，西突厥别部，本称处月。贞观年间居蒲类海以东，该地有大碛，名沙陀，遂号沙陀。㊺金山：沙陀部在金娑山之阳。金山之名当本此。㊻姓朱邪氏：朱邪，又作"朱耶"。本西突厥处月别部名。后处月别部改名沙陀，族人遂以朱邪为复姓。见《新唐书》卷二百十八《沙陀传》，《文献通考》卷三百四十八等。㊼乙酉：十一月二十日。㊽渔阳：县名，县治在今天津市蓟州区。㊾诰：睿宗为太上皇后，所下命令称诰。㊿河、陇：河西、陇右。(441)燕、蓟：燕州、蓟州。(442)甲午：十一月二十九日。(443)捶挞：用棍子、鞭子痛打。(444)事集：事成。(445)令史：官名，为三省六部及御史台的低级事务人员。据《唐六典》卷六，刑部令史十九人。(446)受敕三日：接到敕书已经三天。(447)忘不行：遗忘而未施行。(448)不得比于人：为人所不齿。(449)脱有稽失：万一发生稽缓误失。(450)谪：谴责；责备。

【原文】

开元元年[451]（癸丑，公元七一三年）

春，正月乙亥[452]，诰："卫士自今二十五入军，五十免，羽林飞骑并以卫士简补[453]。"

以吏部尚书萧至忠为中书令。

皇帝巡边改期，所募兵各散遣[454]，约八月复集[455]，竟不成行。

二月庚子[456]夜，开门然灯[457]，又追作去年大酺[458]，大合伎乐[459]。上皇与上御门楼[460]临观，或以夜继昼，凡月余。左拾遗华阴严挺之[461]上疏谏，以为"酺者因人所利，合醵[462]为欢。今乃损万人之力，营百戏[463]之资，非所以光[464]圣德美风化[465]也"。乃止。

初，高丽既亡[466]，其别种大祚荣[467]徙居营州。及李尽忠反[468]，祚荣与靺鞨乞四北羽[469]聚众东走，阻险自固[470]，尽忠死，武后使将军李楷固讨其余党。楷固击乞四北羽，斩之，引兵逾天门岭[471]，逼祚荣。祚荣逆战[472]，楷固大败，仅以身免。祚荣遂帅其众东据东牟山[473]，筑城居之。祚荣骁勇善战，高丽、靺鞨之人稍稍归之，地方二千里，户十余万，胜兵数万人，自称振国王，附于突厥。时奚、契丹皆叛，道路阻绝，武后不能讨。中宗即位，遣侍御史张行岌[474]招慰之，祚荣遣子入侍。至是，以祚荣为左骁卫大将军、勃海郡王，以其所部为忽汗州[475]，令祚荣兼都督。

庚申[476]，敕以严挺之忠直宣示百官，厚赏之。

三月辛巳[477]，皇后亲蚕[478]。

晋陵尉杨相如[479]上疏言时政，其略曰："炀帝自恃其强，不忧时政，虽制敕交行[480]，而声实舛谬[481]，言同尧、舜，迹如桀、纣，举天下之大，一掷而弃之。"又曰："隋氏纵欲而亡，太宗抑欲而昌，愿陛下详择之！"又曰："人主莫不好忠正而恶佞邪，然忠正者常疏，佞邪者常亲，以至于覆国危身而不寤[482]者，何哉？诚由忠正者多忤意[483]，佞邪

【语译】

开元元年（癸丑，公元七一三年）

春，正月十一日乙亥，太上皇发布诰命："从今以后卫士在二十五岁时加入军籍，五十岁时免除，羽林军和飞骑军的兵士都从卫士中选拔补充。"

朝廷任命吏部尚书萧至忠为中书令。

玄宗巡视边界改期，所招募的士兵各自遣散，约定八月重新集结，最后玄宗未能成行。

二月初七日庚子夜晚，各家打开门户，燃起灯笼，又补办去年禅位时应举行的盛大的聚众宴饮，大规模地合演歌舞音乐。太上皇与玄宗亲临安福门楼上观赏，有时夜以继日，共持续了一个多月。左拾遗华阴人严挺之上奏规劝，认为："宴饮是趁人们便利，大家凑钱饮酒作乐。而今靡费上万人的财力，提供演出百戏的费用，这不是用来光大圣德和美化风俗的方法。"于是中止了这一庆典。

当初，高丽灭亡以后，它的一支旁系的酋长大祚荣徙居营州。到李尽忠反叛朝廷时，大祚荣和靺鞨酋长乞四北羽聚众东逃，据险固守。李尽忠死后，武后派遣将军李楷固进讨李尽忠的残部。李楷固攻打乞四北羽，把他斩首，率军翻越天门岭，进逼大祚荣。大祚荣迎战，李楷固大败，仅只身逃脱。于是大祚荣率领部众东行，占据了东牟山，筑城而居。大祚荣骁勇善战，高丽人和靺鞨人逐渐地归附于他，拥有方圆两千里的区域，民户十多万，能披甲作战的兵卒数万人。大祚荣自称振国王，依附于突厥。当时奚族、契丹都背叛了唐朝，唐朝与这一地区的交通断绝，武后无法征讨。中宗即位，派遣侍御史张行岌招抚他们，大祚荣便派遣他的儿子入朝侍奉。到这时，朝廷任命大祚荣为左骁卫大将军、勃海郡王，把他的管辖区域设置为忽汗州，任命大祚荣兼任忽汗州都督。

二月二十七日庚申，玄宗颁布敕书，把左拾遗严挺之忠良正直的表现向百官公布，给予他丰厚的奖赏。

三月十八日辛巳，王皇后参加祭祀先蚕典礼。

晋陵县尉杨相如上奏谈论时政，奏文大体说："隋炀帝自恃国力强大，不思虑时政，虽然他诏书敕命交相颁发，但是言行之间乖违背谬，言词如同尧、舜，行迹却像桀、纣，把偌大的天下，举手抛弃。"他又说："隋朝皇室放纵自己的欲望以至于国破家亡，太宗皇帝遏制自己的欲望而使国运昌盛，希望陛下详加审查，从中选择！"他还说："帝王没有人不喜欢忠诚正直之士，而憎恨奸佞邪恶之徒。但是，忠诚正直的人常被疏远，奸佞邪恶的人常被亲近，以至于国亡身危而不醒悟，这是为什么呢？确实是由于忠诚正直之士大多违背帝王的心意，奸佞邪恶之徒大多曲意顺承帝王的旨意，违背帝王的言行积累多了，便产生憎恶，顺从帝王的言行积累多了，便会得

者多顺指[484]，积忤生憎，积顺生爱，此亲疏之所以分也。明主则不然。爱其忤以收忠贤，恶其顺以去佞邪，则太宗太平之业，将何远哉!”又曰:“夫法贵简[485]而能禁[486]，罚贵轻而必行[487]。陛下方兴崇至德[488]，大布新政，请一切[489]除去碎密[490]，不察小过。小过不察则无烦苛，大罪不漏则止奸慝，使简而难犯，宽而能制，则善矣。”上览而善之。

【段旨】

以上为第十四段，写唐玄宗抚定高丽，虚己纳谏，晋陵尉上疏言时政。

【注释】

㊿①开元元年：唐玄宗于先天二年十二月朔改元开元，即开元元年包有先天二年。[452]乙亥：正月十一日。[453]简补：简选补充。[454]散遣：疏散遣归。[455]约八月复集：约定八月再次集中。[456]庚子：二月初七日。[457]开门然灯：此事由胡僧婆陁发起，在正月十五日夜千家万户开门悬挂灯笼。见《旧唐书·严挺之传》。[458]追作去年大酺：去年玄宗接受内禅，没有来得及赐酺，于今年正月十五日补酺。酺，由皇帝发诏令，全天下大规模欢乐聚饮。[459]伎乐：歌舞音乐。[460]门楼：此处指安福门楼。[461]严挺之：严挺之（约公元六七三至七四二年），名浚，以字行，华州华阴（今陕西华阴）人，举进士。历任二十五官，位至绛郡太守。传见《旧唐书》卷九十九、《新唐书》卷一百二十九。[462]醵：凑钱饮酒。[463]百戏：古代散乐杂技的总称。[464]光：大。[465]风化：风俗教化。[466]高丽既亡：高丽亡于高宗总章元年（公元六六八年）九月。[467]大祚荣：大祚荣（？至公元七一九年），靺鞨首领金舍利乞乞仲象之子。官至左骁卫大将军，封渤海郡王。事见《旧唐书》卷一

【原文】

先是，修[491]大明宫未毕，夏，五月庚寅[492]，敕以农务方勤[493]，罢之以待闲月[494]。

六月丙辰[495]，以兵部尚书郭元振同中书门下三品。

到帝王爱幸，这就是亲疏所以有别的原因。圣明的帝王便不像这样，喜爱臣子的违忤，来收纳忠诚贤能之士，憎恶臣子的曲意顺从，来去除奸佞邪恶之徒，如此，太宗皇帝那样的太平功业，还会很遥远吗!”他又说:“法律条文贵在简明扼要而能禁止奸邪，施行惩罚贵在轻缓而能执行坚决。陛下正在提倡和尊崇最高的德教，大张旗鼓地推行新政，希望陛下能把所有细文苛法全部革除，不查究细小的过失。对细小的过失不加查究，就会没有烦苛的法律，对重大的犯罪没有疏漏，就会遏止邪恶，使法律简约而难以触犯，使惩罚宽缓而能制止犯罪，那么就可以说是善政了。”玄宗阅读后大加称赞。

百九十九下《渤海靺鞨传》,《新唐书》卷二百十九《渤海传》。㊻李尽忠反：时在武后万岁通天元年（公元六九六年）。㊼乞四北羽：靺鞨首领之一。曾拒绝接受武则天赐给的许国公封号。㊽阻险自固：依险固守。㊾天门岭：在今吉林敦化西北。㊿逆战：迎战。473东牟山：在今吉林敦化北，地势险要，易守难攻。474张行岌：事见《旧唐书》卷一百九十九下《渤海靺鞨传》,《新唐书》卷二百十九《渤海传》,《唐御史台精舍题名考》卷一。475忽汗州：因境内有忽汗河（牡丹江）而得名。治所即今吉林敦化。忽汗州设置后，大祚荣去靺鞨之号，称其部为渤海。476庚申：二月二十七日。477辛巳：三月十八日。478皇后亲蚕：古有皇后季春祀先蚕之礼。唐制，皇后亲蚕穿用黄罗做成的鞠衣。武则天当皇后时曾多次亲蚕。嗣圣（公元六八四年）以后，其礼遂阙，至此重行。479杨相如：著有《君臣政理论》三卷。见《旧唐书》卷一百五、《新唐书》卷五十九、《全唐文》卷三百三。480交行：交替颁行。481声实舛谬：言行乖违背谬。舛谬，错乱谬误。482寤：醒悟。483忤意：忤旨。484顺指：顺旨。485简：简约。486禁：禁止。487行：施行。488至德：至高之德。489一切：全部。490碎密：烦碎琐密的小事。

【语译】

在此之前，修缮大明宫尚未竣工，夏，五月二十八日庚寅，颁下敕令，因为农事正忙这项工程停止，等到农闲时候再开工。

六月二十四日丙辰，朝廷任命兵部尚书郭元振担任同中书门下三品。

太平公主依上皇之势，擅权用事，与上有隙，宰相七人，五出其门[496]。文[16]武之臣，太半[497]附之，与窦怀贞、岑羲、萧至忠、崔湜及太子少保薛稷、雍州长史新兴王晋[498]、左羽林大将军常元楷、知右羽林将军事李慈、左金吾将军李钦、中书舍人李猷、右散骑常侍贾膺福[499]、鸿胪卿唐晙及僧慧范等谋废立，又与宫人元氏谋于赤箭粉[500]中置毒进于上。晋，德良[501]之孙也。元楷、慈数往来主第，相与结谋。

王琚言于上曰："事迫矣，不可不速发。"左丞张说自东都遣人遗上佩刀，意欲上断割。[502]荆州长史崔日用入奏事，言于上曰："太平谋逆有日[503]，陛下往在东宫，犹为臣子，若欲讨之，须用谋力[504]。今既光临大宝[505]，但下一制书，谁敢不从？万一奸宄得志，悔之何及！"上曰："诚如卿言，直[506]恐惊动上皇。"日用曰："天子之孝在于安四海[507]。若奸人得志，则社稷为墟[508]，安在其为孝乎！请先定北军[509]，后收逆党，则不惊动上皇矣。"上以为然，以日用为吏部侍郎。

秋，七月，魏知古告公主欲以是月[510]四日作乱，令元楷、慈以羽林兵突入[511]武德殿[512]，怀贞、至忠、羲等于南牙[513]举兵应之。上乃与岐王范、薛王业、郭元振及龙武将军[514]王毛仲、殿中少监姜皎、太仆少卿李令问[515]、尚乘奉御王守一[516]、内给事[517]高力士[518]、果毅李守德等定计诛之。皎，谟[519]之曾孙。令问，靖弟客师之孙。守一，仁皎之子。力士，潘州人也。

甲子[520]，上因[521]王毛仲取闲厩马及兵三百余人，与同谋十余人[17]自武德殿入虔化门[522]，召元楷、慈，先斩之，擒膺福、猷于内客省[523]以出，执至忠、羲于朝堂[524]，皆斩之[525]。怀贞逃入沟中，自缢死，戮[526]其尸，改姓曰毒。上皇闻变，登承天门楼。郭元振奏，皇帝前奉诰诛窦怀贞等[527]，无他[528]也。上寻[529]至楼[530]上，上皇乃下诰罪状怀贞等，因赦天下，惟逆人亲党不赦；薛稷赐死于万年狱[531]。

乙丑[532]，上皇诰："自今军国政刑，一皆[533]取皇帝处分。朕方无为养志，以遂素心[534]。"是日，徙居百福殿[535]。

太平公主逃入山寺[536]，三日乃出，赐死于家[537]，公主诸子及党与死

太平公主倚仗太上皇的权势，专擅朝政，与玄宗有矛盾，宰相七人，有五人出自她的门下。文武大臣有半数以上的人依附她。太平公主与窦怀贞、岑羲、萧至忠、崔湜，以及太子少保薛稷、雍州长史新兴王李晋、左羽林大将军常元楷、知右羽林将军事李慈、左金吾将军李钦、中书舍人李猷、右散骑常侍贾膺福、鸿胪寺卿唐晙和胡僧慧范等，图谋废掉玄宗另立他人。太平公主还和宫女元氏图谋在赤箭粉中投毒，进献给玄宗。李晋，是李德良的孙子。常元楷和李慈多次来往于太平公主的私宅，与她结党密谋。

王琚对玄宗进言说："事态紧迫，陛下不可不迅速行动。"尚书左丞相张说从东都洛阳派人送给玄宗一把佩刀，意思是想让玄宗割断私情。荆州长史崔日用入朝奏事，对玄宗说："太平公主策划叛逆有很长时间了。陛下往日在东宫做太子，名分上还是臣子，如果那时想清除太平公主，需要利用智谋与兵力。现在既然已临帝位，只需颁布一道诏书，哪个敢不服从？万一奸邪之徒的意图得逞，陛下后悔也来不及了！"玄宗说："确实如你所说，只是担心惊动太上皇。"崔日用说："天子之孝在于使天下安宁。倘若奸佞之人得志，那么社稷宗庙将化为废墟，陛下的孝行又在哪里呢！请陛下先行控制左右羽林军和左右万骑军，然后搜捕逆党，这就不会惊动太上皇了。"玄宗认为他说得很对，任命崔日用担任吏部侍郎。

秋，七月，魏知古告发太平公主打算在本月初四日发动叛乱，指令常元楷、李慈率领羽林军突入武德殿，窦怀贞、萧至忠、岑羲等人在南牙起兵响应。于是玄宗与岐王李范、薛王李业、郭元振，以及龙武将军王毛仲、殿中少监姜皎、太仆少卿李令问、尚乘奉御王守一、内给事高力士、果毅李守德等人定计诛杀太平公主一党。姜皎，是姜谟的曾孙。李令问，是李靖之弟李客师的孙子。王守一，是王仁皎的儿子。高力士，是潘州人。

七月初三日甲子，玄宗通过王毛仲调来闲厩中的马匹以及士兵三百余人，与同谋的十几人从武德殿进入虔化门，召来常元楷和李慈，先把他俩斩杀，在内客省擒获贾膺福和李猷，把他们带出，在朝堂之上拘捕萧至忠和岑羲，把他们四人全都斩杀了。窦怀贞逃入沟中，自缢而死，斩辱他的尸体，把他改姓"毒"。太上皇获悉发生事变，登上承天门的门楼。郭元振进奏说，皇帝遵照先前太上皇诰命诛杀窦怀贞等人，没有其他的事情。稍后，玄宗来到门楼之上，太上皇于是颁布诰命罗列窦怀贞等人的罪状，接着大赦天下，只有反叛者的亲族朋党不予赦免；将薛稷赐死在万年县狱中。

七月初四日乙丑，太上皇颁布诰命："从现在起，所有军国政令与刑罚，全都由皇帝处理。我正清静无为，颐养心志，以遂平生夙愿。"这一天，太上皇迁往百福殿居住。

太平公主逃进山中寺庙，三天后才出来，赐死于家，她的儿子以及党羽被处死

者数十人。薛崇简以数谏其母被挞[538]，特免死，赐姓李，官爵如故。籍公主家，财货山积，珍物侔[539]于御府[540]，厩牧羊马、田园息钱[541]，收之数年不尽；慧范家产[18]亦数十万缗。改新兴王晋之姓曰厉。

初，上谋诛窦怀贞等，召崔湜，将托以心腹，湜弟涤[542]谓湜曰："主上有问，勿有所隐。"湜不从。怀贞等既诛，湜与右丞卢藏用俱坐私侍太平公主，湜流窦州[543]，藏用流泷州[544]。新兴王晋临刑叹曰："本为此谋者崔湜，今吾死湜生，不亦冤乎！"会有司鞫宫人元氏，元氏引湜同谋进毒，乃追赐死于荆州[545]。薛稷之子伯阳以尚主免死[546]，流岭南，于道自杀。

初，太平公主与其党谋废立，窦怀贞、萧至忠、岑羲、崔湜皆以为然，陆象先独以为不可。公主曰："废长立少[547]，已为不顺，且又失德，若之何不去！"象先曰："既以功立，当以罪废。今实无罪，象先终不敢从。"公主怒而去。上既诛怀贞等，召象先谓曰："岁寒知松柏[548]，信哉！"时穷治公主枝党[549]，当坐者众，象先密为申理[550]，所全甚多，然未尝自言，当时无知者。百官素为公主所善及恶之者，或黜或陟[551]，终岁不尽。

【段旨】

以上为第十五段，写太平公主擅权用事，宰相七人五出其门，欲谋废立，唐玄宗于是诛灭太平公主及其党羽。太上皇睿宗退出政坛。

【注释】

[491]修：修葺。[492]庚寅：五月二十八日。[493]勤：忙。[494]闲月：农闲之月。[495]丙辰：六月二十四日。[496]宰相七人二句：当时宰相七人为窦怀贞、萧至忠、岑羲、崔湜、陆象先、郭元振、魏知古。前五人均是太平公主向睿宗推荐而得宰相，故云"五出其门"。但陆象先并不阿附太平公主。[497]太半：大半；多半。[498]新兴王晋：新兴郡王德良之孙，坐预太平公主谋被诛，改姓"厉"。传见《旧唐书》卷六十、《新唐书》卷七十八。[499]贾膺福：循吏贾敦颐之子。善书法。传见《旧唐书》卷一百八十五上、《书小史》卷九。[500]赤

的有数十人。因薛崇简屡向其母进谏而受到责打，被特令免死，赐姓李，官职及爵位依旧。籍没太平公主家的所有财产，财货堆积如山，珍玩宝物与皇家府库所藏相等同，厩中牧养的羊马和出租的田地园圃的利息，没收后几年内都清点不完；胡僧慧范的家产也有财产数十万缗。玄宗把新兴王李晋的姓改为“厉”。

当初，玄宗筹划诛杀窦怀贞等人，召见崔湜，打算把他当作心腹。崔湜的弟弟崔涤对他说：“皇帝无论问到什么，不要有所隐瞒。”崔湜没有听从。窦怀贞等人被处死后，崔湜与尚书右丞卢藏用都因私自效命于太平公主而获罪，崔湜被流放到窦州，卢藏用被流放到泷州。新兴王李晋临刑时哀叹说：“本来作此谋划的是崔湜，现在我被处死，崔湜活着，不也是太冤枉了吗?!”适逢有关官署审讯宫女元氏，她供出崔湜与自己同谋进毒，玄宗便追加诏命，把崔湜赐死在荆州。薛稷的儿子薛伯阳由于娶了公主为妻的缘故，免除死罪，流放岭南，在途中自杀。

当初，太平公主和她的党羽策划废黜玄宗另立他人时，窦怀贞、萧至忠、岑羲、崔湜等人都表示赞成，只有陆象先认为不能这样做。太平公主说：“废长立少，已是次序不顺，况且皇帝又丧失道德，为什么不废黜他呢!”陆象先说：“既然皇帝因功立为太子，那么应当以获罪为由把他废黜。现在他实际上没有罪过，我陆象先终究不敢相从。”太平公主生气离去。玄宗诛除窦怀贞等人以后，召见陆象先，对他说：“天寒才知松柏是最后凋零，这话真实不虚!”当时彻底追究太平公主的党羽，牵连获罪的人众多，陆象先私下为这些人申辩理论，保全了很多人的性命，但他未曾言及，当时也无人知道。朝廷百官中平时被太平公主善待或者憎恶的人，有的被降职，有的被提拔，到年底还没有结束。

箭粉：补药名，赤箭属灵芝一类草药，茎赤如箭杆，故名。把赤箭根研成粉，长期服用，可以补气增力，轻身延年。见《本草纲目》卷十二。501 德良：李德良唐初封新兴郡王。502 遗上佩刀二句：张说赠佩刀给唐玄宗，示意玄宗要割断私情，起兵诛杀太平公主及其党羽。遗，赠。胡三省注：“君臣之礼，当言献佩刀。此因旧史成文，失于改定耳。”503 有日：有日子了；为时已久。504 谋力：智谋及兵力。505 大宝：大位。指皇帝宝座。506 直：只。507 四海：犹天下。508 墟：废墟。509 北军：指左右羽林军、左右万骑。510 是月：此月。511 突入：突然攻入。512 武德殿：当时玄宗受朝拜的地方。513 南牙：胡三省注：“西内以太极殿为正牙，自北门言之曰南牙。”514 龙武将军：从三品。玄宗以万骑平定韦氏，改为左右龙武军。见《新唐书·兵志》。515 李令问：唐初名将李靖弟李客师之孙。官至散骑常侍、知尚书事，封宋国公。传见《旧唐书》卷六十七、《新唐书》卷九十三。516 王守一：王仁皎之子，与玄宗皇后王氏孪生。尚清阳公主，官至太子少保，

封晋国公。传见《旧唐书》卷一百八十三、《新唐书》卷二百六。⑤⑰内给事：官名，属内侍省，从五品下，掌判省事。⑤⑱高力士：高力士（公元六八四至七六二年），本姓冯，因被宦官高延福收养为子，改姓高，高州良德（今广东高州东北）人，一作潘州（即今广东高州）人，长期生活在唐玄宗身边，成为唐朝最有名的宦官之一。权势显赫，封渤海郡公。传见《旧唐书》卷一百八十四、《新唐书》卷二百七。⑤⑲谟：姜谟，姜皎曾祖。传见《旧唐书》卷五十九、《新唐书》卷九十一。⑤⑳甲子：七月初三日。㉑因：通过。㉒虔化门：在武德殿西南。㉓内客省：在右延明门外。位于中书省内。㉔朝堂：有东、西之分，在承天门内。㉕皆斩之：全部斩杀。这段材料是司马光根据《玄宗实录》《太上皇实录》《朝野佥载》及两唐书有关纪传写成的。详见《考异》卷十二。㉖戮：斩辱。㉗前奉诰诛窦怀贞等：从前奉诰书，现依诰书诛杀窦怀贞等人。㉘无他：没有其他的事情。㉙寻：一会儿；不久。㉚楼：指承天门楼。㉛万年狱：万年县监狱。㉜乙丑：七月初四日。㉝一皆：全部。㉞素心：夙愿。㉟百福殿：在宫城太极殿西北。㊱山寺：山中寺院。㊲赐死于家：《考异》引《太上皇实录》载，"公主闻难作，遁入山寺，数日方出，禁锢终身，诸子皆伏诛。"㊳薛崇简以数谏其母被挞：崇简知其母太平公主废立皇帝之

【原文】

丁卯[552]，上御承天门楼，赦天下。

己巳[553]，赏功臣郭元振等官爵、第舍、金帛有差。以高力士为右监门将军，知内侍省事。

初，太宗定制，内侍省不置三品官[554]，黄衣廪食[555]，守门传命而已。天后虽女主，宦官亦不用事。中宗时，嬖幸猥多[556]，宦官七品以上至千余人，然衣绯者尚寡[557]。上在藩邸，力士倾心奉之，[558]及为太子，奏为内给事，至是以诛萧、岑功赏之。是后宦官稍增[559]至三千余人，除三品将军者浸[560]多，衣绯、紫至千余人[561]，宦官之盛自此始。

壬申[562]，遣益州长史毕构[563]等六人宣抚十道。

乙亥[564]，以左丞张说为中书令。

庚辰[565]，中书侍郎、同平章事陆象先罢为益州长史、剑南按察使。

八月癸巳[566]，以封州流人刘幽求[567]为左仆射、平章军国大事。

谋，多次苦谏，遭到毒打。539 侔：等。540 御府：天子府库。541 息钱：利息。542 湜弟涤：崔湜之弟崔涤，后改名澄。年轻时与唐玄宗友善。官至金紫光禄大夫。传见《旧唐书》卷七十四、《新唐书》卷九十九。543 窦州：州名，治所在今广东信宜南。544 泷州：州名，治所在今广东罗定南。545 荆州：州名，治所在今湖北江陵。546 伯阳以尚主免死：薛伯阳娶睿宗女仙源公主为妻。547 废长立少：长指睿宗长子宋王成器，少指唐玄宗。548 岁寒知松柏：语出《论语·子罕》。因松柏隆冬不凋，故常用以比喻在逆境中能保持节操的人。549 枝党：枝属党羽。550 申理：申辩理论。551 或黜或陟：有的罢免，有的晋升。

【校记】

［16］文：张敦仁《通鉴刊本识误》此上有“凡”字。［17］与同谋十余人：原无此六字。据章钰校，十二行本、乙十一行本、孔天胤本皆有此六字，张敦仁《通鉴刊本识误》、张瑛《通鉴校勘记》同，今据补。〖按〗《旧唐书·玄宗纪》云：“亲信十数人。”［18］产：原无此字。据章钰校，十二行本、乙十一行本、孔天胤本皆有此字，张敦仁《通鉴刊本识误》同，今据补。

【语译】

七月初六日丁卯，玄宗驾临承天门楼，大赦天下。

初八日己巳，玄宗赏赐功臣郭元振等人级别不等的官职、爵位、府第、金钱、绢帛，任命高力士担任右监门将军，掌管内侍省事务。

当初，太宗订立制度，内侍省不设置三品官，内侍身着黄色朝服，朝廷供给食品，把守宫门、传达诏命而已。武后虽然是女性君主，宦官也没有执掌朝政。中宗皇帝时期，受到他亲近宠幸的侍臣猥杂众多，宦官在七品以上的达到一千余人，但是身穿绯色朝服的宦官尚少。玄宗在藩王府中的时候，高力士全心全意地侍奉他；到他被立为太子，便奏请睿宗任命高力士为内给事；直到此时，因诛除萧至忠、岑羲有功，玄宗又赏赐高力士。此后，宦官逐渐增加到三千余人，被授予三品将军的人渐渐多起来，穿着绯、紫朝服的达到一千余人，宦官势力的兴盛便从此时发端。

七月十一日壬申，朝廷派遣益州长史毕构等六人宣慰安抚十道。

十四日乙亥，玄宗任命尚书左丞张说担任中书令。

七月十九日庚辰，罢免中书侍郎、同平章事陆象先，改任益州长史、剑南按察使。八月初二日癸巳，任命被流放之人刘幽求为尚书左仆射、平章军国大事。

丙辰[568]，突厥可汗默啜遣其子杨我支来求婚。丁巳[569]，许以蜀王女南和县主[570]妻之。

中宗之崩[571]也，同中书门下三品李峤密表韦后，请出相王诸子于外。上即位，于禁中得其表，以示侍臣。峤时以特进致仕，或请诛之，张说曰："峤虽不识逆顺，然为当时之谋则忠矣。"上然之。九月壬戌[572]，以峤子率更令[573]畅为虔州[574]刺史，令峤随畅之官[575]。

庚午[576]，以刘幽求同中书门下三品。

丙戌[577]，复置右御史台[578]，督察诸州；罢诸道按察使[579]。

冬，十月辛卯[580]，引见京畿县令[581]，戒以岁饥惠养黎元[582]之意。

己亥[583]，上幸新丰；癸卯[584]，讲武于骊山之下，征兵二十万，旌旗连亘五十余里。以军容不整，坐兵部尚书郭元振于纛[585]下，将斩之。刘幽求、张说跪于马前谏曰："元振有大功于社稷，不可杀。"乃流新州[586]。斩给事中、知礼仪事唐绍，以其制军礼不肃故也。上始欲立威，亦无杀绍之意，金吾卫将军李邈[587]遽宣敕斩之。上寻罢邈官，废弃终身。时二大臣得罪，诸军多震慑失次[588]。惟左军节度薛讷、朔方道大总管解琬二军不动，上遣轻骑召之，皆不得入其陈[589]。上深叹美，慰勉之。

【段旨】

以上为第十六段，写唐玄宗英年气盛，明察善断，立威而不滥诛的明主形象。

二十五日丙辰，突厥可汗阿史那默啜派遣他的儿子杨我支前来求婚。二十六日丁巳，玄宗把蜀王之女南和县主许配给他为妻。

中宗驾崩时，同中书门下三品李峤暗地里向韦皇后上表，请求把相王李旦的儿子们调往外地。玄宗即位之后，在宫禁中得到李峤的奏表，将它出示给侍臣。李峤当时已经以特进的身份退休，有人请求玄宗处死李峤。张说说："李峤虽然不能分清逆顺之理，然而他当时为韦后出谋划策则是效忠的表现。"玄宗认为他的看法正确。九月初二日壬戌，玄宗任命李峤之子率更令李畅担任虔州刺史，让李峤随同其子赴任。

九月初十日庚午，玄宗任命刘幽求担任同中书门下三品。

二十六日丙戌，朝廷恢复右御史台，执掌对各州的督察；废除各道按察使。

冬，十月初一日辛卯，玄宗召见京畿各县的县令，告诫他们年成饥荒时施惠养育黎民百姓之意。

初九日己亥，玄宗驾临新丰。十三日癸卯，在骊山脚下讲习武事，征调士卒二十万，旌旗连绵五十余里。由于军容不整，玄宗加罪于兵部尚书郭元振，把他逮至军旗之下，准备斩首。刘幽求、张说跪在玄宗的马前劝谏说："元振有大功于国家，不能够杀他。"玄宗便把郭元振流放到新州。命令把给事中、知礼仪事唐绍斩首，这是由于他所制定的军礼不整肃的缘故。玄宗原本是想借此树立自己的威势，也没有处死唐绍的意思，但是金吾卫将军李邈急忙宣布敕命斩杀了唐绍。玄宗不久便罢免了李邈的官职，终身废弃不用。当时两位大臣获罪，各路军马大多震惊恐惧，失去秩序，只有左军节度薛讷和朔方道大总管解琬二人统领的部队没有骚动，玄宗派遣轻骑兵前去宣召他们，都无法进入他们的阵中。玄宗对二人深加叹美，慰劳勉励了他们。

【注释】

552 丁卯：七月初六日。553 己巳：七月初八日。554 内侍省不置三品官：内侍省其最高长官为内侍，从四品上。555 黄衣廪食：穿黄色衣服，由官府供给食品。556 猥多：繁多。557 衣绯者尚寡：五品以上的还不多。唐制，文武三品以上服紫，四品服深绯，五品服浅绯。558 上在藩邸二句：高力士本冯盎曾孙，圣历年间被岭南讨击使李千里进于宫中，成为宦官。长大后为宫闱丞，与李隆基倾心相结。559 稍增：渐增。560 浸：渐。561 衣绯紫至千余人：五品以上的达一千余人。562 壬申：七月十一日。563 毕构：河南偃师（今河南洛阳市偃师区东）人，历官润州刺史、益州长史、左御史大夫、广州都督、河南尹、户部尚书，为官清正，有古人之风。传见《旧唐书》卷一百、《新唐书》卷一百二十八。564 乙亥：七月十四日。565 庚辰：七月十九日。566 癸巳：八月初二日。567 封州流人刘

幽求：刘幽求先天元年（公元七一二年）任宰相，八月二十六日流封州。568 丙辰：八月二十五日。569 丁巳：八月二十六日。570 南和县主：似为嗣蜀王李榆之女。待考。唐制，亲王之女封县主。571 中宗之崩：时在景龙四年六月初二日。572 壬戌：九月二日。573 率更令：太子官属，从四品上，掌宗族次序、礼乐刑罚，及漏刻之政令。574 虔州：州名，治所在今江西赣州。575 随畅之官：跟随李畅前往虔州赴职。576 庚午：九月初十日。577 丙戌：九月二十六日。578 复置右御史台：先天元年（公元七一二年）二月二十二日废右御

【原文】

甲辰590，猎于渭川591。上欲以同州刺史姚元之为相，张说疾之，使御史大夫赵彦昭弹之，上不纳。又使殿中监姜皎言于上曰："陛下常欲择河东总管而难其人592，臣今得之矣。"上问为谁，皎曰："姚元之文武全才，真其人也。"上曰："此张说之意也，汝何得面欺593，罪当死！"皎叩头首服594，上即遣中使召元之诣行在。既至，上方猎595，引见，即拜兵部尚书、同中书门下三品596。

元之吏事明敏597，三为宰相598，皆兼兵部尚书，缘边屯戍斥候599，士马储械，无不默记。上初即位，励精为治，每事访于元之，元之应答如响600，同僚皆[19]唯诺而已，故上专委任之。元之请抑权幸，爱爵赏，纳谏诤，却贡献，不与群臣亵狎601，上皆纳之。

乙巳602，车驾还京师。

姚元之尝奏请序进郎吏603，上仰视殿屋，元之再三言之，终不应。元之惧，趋出。罢朝，高力士谏曰："陛下新总万机，宰臣奏事，当面加可否604，奈何一不省察605？"上曰："朕任元之以庶政606，大事当奏闻共议之，郎吏卑秩，乃一一以烦朕邪！"会力士宣事至省中607，为元之道608上语，元之乃喜。闻者皆服上识君人[20]之体609。

左拾遗曲江张九龄610，以元之有重望，为上所信任，奏记劝其远

史台，至此复置。⑰罢诸道按察使：中宗景龙三年八月置十道按察使，至此废除。⑱辛卯：十月初一日。⑱京畿县令：京师内两赤县为京县，畿辅各县并称畿县。京县令正五品上，畿县令正六品下。⑱黎元：百姓。⑱己亥：十月初九日。⑱癸卯：十月十三日。⑱纛：军队大旗。⑱新州：州名，治所在今广东新兴。⑱李邈：中宗时为通事舍人，玄宗时为金吾将军。事见《旧唐书》卷八十五《唐绍传》,《新唐书》卷一百十三《唐绍传》、卷一百九十六《武攸绪传》。⑱震慑失次：震惊恐怖，失去部伍。⑱陈：通“阵”。

【语译】

十月十四日甲辰，玄宗在渭川狩猎。玄宗打算任命同州刺史姚元之为宰相，张说却嫉恨姚元之，指使御史大夫赵彦昭弹劾他，玄宗没有接受。张说又指使殿中监姜皎向玄宗进言说：“陛下经常想挑选一名河东总管，却很难找到合适的人选，臣现在得到了。”玄宗问他是谁，姜皎说：“姚元之文武全才，真是担任河东总管的合适人选。”玄宗说：“这是张说的意思，你怎敢当面欺君罔上，论罪应当处以死刑！”姜皎磕头自首认罪。玄宗当即派遣中使把姚元之征召到宿留处。姚元之抵达后，玄宗正在狩猎，马上接见了他，立即授予他兵部尚书、同中书门下三品。

姚元之处理政务精明利索，三次出任宰相，每次都兼任兵部尚书，他对于边境地区的屯戍和哨所、士兵马匹、仓储装备，无不默记在心。玄宗刚刚即位，励精图治，每当有事征询姚元之的意见，姚元之应声对答，他的同僚都只能说“是的是的”而已，因此玄宗就把重任专门委托给他。姚元之请求玄宗抑制权贵宠幸之家，珍惜爵禄赏赐，采纳臣子的劝诫规谏，拒绝接受进献的贡品，不与群臣过分放纵狎昵，玄宗对他的建议全都采纳。

十月十五日乙巳，玄宗返回京城。

姚元之曾经奏请依据资历顺序提拔任用郎吏，玄宗却仰视宫殿屋顶，姚元之一再说这件事，玄宗始终不回答。姚元之感到恐惧，小步快速退出。散朝以后，高力士规劝说：“陛下刚刚总揽万机，宰相上奏言事，应该当面决定是否可行，怎么您对姚元之的建议一概不予考虑呢？”玄宗说：“我把朝廷各项政务委任给姚元之，军国大事应该奏报后共同商议，郎吏是卑职小官，这样的事务怎么也一一拿来烦扰我啊！”适逢高力士前往尚书省宣旨，把玄宗的话转述给姚元之，姚元之这才高兴起来。听到这件事的人无不佩服玄宗深明君临天下的要领。

左拾遗曲江县人张九龄，鉴于姚元之负有极高声望，又被玄宗信任，便写给他一

谄躁，进纯厚，其略曰：“任人当才，为政大体，与之共理，无出此途。而向之用才，非无知人之鉴，其所以失溺，在缘情[611]之举。”又曰：“自君侯[612]职相国之重，持用人之权，而浅中弱植之徒[613]，已延颈企踵而至，谄亲戚以求誉，媚宾客以取容，其间岂不有才，所失在于无耻。”元之嘉纳其言。

新兴王晋之诛也[614]，僚吏皆奔散，惟司功[615]李扮[616]步从，不失在官之礼，仍哭其尸。姚元之闻之，曰：“栾布之俦[617]也！”及为相，擢为尚书郎。

己酉[618]，以刑部尚书赵彦昭为朔方道大总管。

十一月乙丑[619]，刘幽求兼侍中。

辛巳[620]，群臣上表请加尊号为开元神武皇帝，从之。戊子[621]，受册。

中书侍郎王琚为上所亲厚，群臣莫及。每进见，侍笑语，逮[622]夜方出。或时休沐[623]，往往遣中使召之。或言于上曰：“王琚权谲[624]纵横之才，可与之定祸乱，难与之守承平[625]。”上由是浸疏之。是月，命琚兼御史大夫，按行北边诸军。

十二月庚寅[626]，赦天下，改元[627]。尚书左、右仆射为左、右丞相；中书省为紫微省；门下省为黄门省，侍中为监；雍州为京兆府，洛州为河南府，长史为尹，司马为少尹[628]。

甲午[629]，吐蕃遣其大臣来求和。

壬寅[630]，以姚元之兼紫微令[631]。元之避开元尊号，复名崇。[632]

敕：“都督、刺史、都护将之官，皆引面辞毕，侧门[633]取进止。”

姚崇既为相，紫微令张说惧，乃潜诣岐王申款[634]。他日，崇对于便殿，行微蹇[635]。上问：“有足疾乎？”对曰：“臣有腹心之疾，非足疾也。”上问其故。对曰：“岐王陛下爱弟，张说为辅臣，而密乘车入王家，恐为所误，故忧之。”癸丑[636]，说左迁相州刺史[637]。右仆射、同中书门下三品刘幽求亦罢为太子少保[638]。甲寅[639]，以黄门侍郎卢怀慎同紫微黄门[640]平章事。

封书信，劝说他疏远谄谀浅躁之徒，提拔任用纯真厚道之士，书信的大意是："用人当依真才实学为据，乃是治理国事的基本原则，与有识之士齐心理政，也是其中之意。但过去在任用人才时，掌权者并非不具备知人善任的鉴别能力，之所以他们未能尽职，是由于存在着依顺私人情面的荐举。"信中还说："自从您担负宰相重任以来，亲手执掌选任职官的权力，那些心中狭浅、软弱不能自立之徒，已经伸长脖子、踮起脚跟，来到您的面前，他们讨好您的亲戚来获得声誉，迎合您的宾客以便在官场存身。他们中间不乏具有才学的人，然而他们的缺点在于厚颜无耻。"姚元之赞赏并采纳了他的主张。

当新兴王李晋被判处斩时，他的属官全都逃散，只有司功李撝一人徒步相随，不失居官之礼，还在李晋的尸体旁哭泣。姚元之听说了这件事，说道："此人是栾布之辈啊！"等到姚元之担任宰相，就提拔李撝担任尚书郎。

十月十九日己酉，玄宗任命刑部尚书赵彦昭担任朔方道大总管。

十一月初五日乙丑，刘幽求兼任侍中。

二十一日辛巳，群臣进呈表章请求玄宗加上开元神武皇帝的尊号，玄宗同意了群臣的要求。二十八日戊子，玄宗接受增加尊号的册书。

中书侍郎王琚受到玄宗的亲信和厚待，群臣没有哪一个人能赶上他。每次进宫朝见，王琚都陪侍玄宗谈笑，直到夜里才离去。有时王琚休假，玄宗常常派遣中使把他召来。有人向玄宗进言说："王琚是权变诡谲的纵横之才，陛下可以与他平定祸乱，难以和他共守太平之世。"玄宗因此逐渐疏远了王琚。当月，玄宗任命王琚兼任御史大夫，巡行北部边境诸军。

十二月初一日庚寅，大赦天下，更改年号。将尚书左、右仆射改为左、右丞相；将中书省改为紫微省；将门下省改为黄门省，门下侍中改为黄门监；将雍州改为京兆府，洛州改为河南府；将州的长史改称尹，州的司马改称少尹。

十二月初五日甲午，吐蕃派遣大臣前来求和。

十三日壬寅，玄宗命令姚元之兼任紫微令。姚元之为避开元神武皇帝尊号之讳，恢复自己的原名姚崇。

玄宗颁布敕命："都督、刺史、都护将要赴任时，都必须引入朝廷，当面向皇上辞别以后，在左右侧门听取皇帝的旨意。"

姚崇担任宰相后，紫微令张说感到恐惧，便暗地里到岐王李范那里表述自己的诚意。有一天，姚崇在便殿回答玄宗的问讯时，走路略微有点瘸，玄宗问他："有脚病吗？"姚崇回答说："臣有心腹之病，不是脚病。"玄宗问他究竟是怎么回事。姚崇回答说："岐王是陛下的爱弟，张说是陛下的辅政之臣，张说却秘密地乘车前往岐王家中，臣担心岐王会被张说误导，所以心里担忧此事。"十二月二十四日癸丑，玄宗把张说贬谪为相州刺史。右仆射、同中书门下三品刘幽求也被罢免，改任太子少保。二十五日甲寅，玄宗任命黄门侍郎卢怀慎担任同紫微黄门平章事。

【段旨】

以上为第十七段，写姚元之为相，避开元年号讳，复名崇，深得唐玄宗信任。

【注释】

590 甲辰：十月十四日。591 渭川：渭河。此处指新丰（今陕西西安市临潼区）县境内的一段渭滨。592 难其人：难得其人，指找不到合适的人选。593 面欺：当面欺诈。594 首服：自首服罪。595 上方猎：皇上正在打猎。596 即拜兵部尚书同中书门下三品：《开元升平源》载，姚元之至渭滨，与玄宗同猎。玄宗大悦，表示要升他为宰相。元之遂上《十事要说》。一、行政以仁义为先。二、数十年不求边功。三、中宫不预公事。四、不许国亲担任台省之官，罢斜封、待阙、员外等官。五、处置违法近密佞臣。六、除租庸赋税之外，罢除一切贡献。七、停止修建寺观宫殿。八、以礼对待臣下。九、虚怀纳谏，鼓励臣子犯颜进谏。十、不许外戚专权。此事十分重要，而正史未予记载。司马光认为《升平源》难以尽信，故未采用。见《考异》卷十二。岑仲勉曾对姚元之十事进行过辨析。详见《唐史餘瀋》卷二。597 吏事明敏：明敏于吏事，精通为政之道。598 三为宰相：三度担任宰相之职。姚元之始相武后，后相睿宗，今相玄宗，是三度为宰相，执政凡十年有余。599 斥候：岗哨。600 应答如响：应答之快，如响之应声。601 亵狎：放纵狎昵。602 乙巳：十月十五日。603 郎吏：《考异》云："此出李德裕《次柳氏旧闻》。不知郎吏为何官。若郎中、员外郎则是清要官，不得云秩卑；恐是郎将，又不敢必，故仍用旧文。"604 面加可否：当面立即表态，可或不可。605 省察：考虑、审察。606 庶政：各种政务。607 宣事至省中：宣事，传旨。省，此处指尚书省。胡三省注："唐世，凡机事皆使内臣宣旨于宰相。"608 道：说。609 君人之体：为君之要领。610 张九龄：张九龄（公元六七八至七四〇年），字子寿，韶州曲江（今广东韶关西南）人，人称"张曲江"。进士及第，官至宰相，主张破格用人。善写诗。著有《曲江集》《千秋金鉴录》等。传见《旧唐书》卷九十九、《新唐书》卷一百二十六、《国秀集》卷上。611 缘情：因缘情面；依顺私人情面。612 君侯：对达官的尊称。613 浅中弱植之徒：心胸狭浅、软弱不能自立之流。弱植，软弱不能扶立。植，立。614 新兴王晋之诛也：时在七月上旬。615 司功：官名，州刺史功曹，从七品下，掌考课、假使、祭祀、礼乐、学校、表疏、书启、禄食、祥异、医药、卜筮、陈设、丧葬等事。616 李扮：事见《旧唐书》卷六、《新唐书》卷七十八《新兴郡王德良传》。617 栾布之俦：栾布哭彭越，李扮犹栾布之辈。俦，伴侣、同辈。618 己酉：十月十九日。619 乙丑：十一月初五日。620 辛巳：十一月二十一日。621 戊子：十一月二十八日。622 逮：至。623 休沐：休息沐浴。指官吏休例假。624 权谲：权变诡谲。625 承平：太平。626 庚寅：十二月一日。627 改元：改元开元。628 长史为尹二句：指京兆府、洛州府的长官长史改为尹，从三品；司马改为少尹，从四品下。历代京师地位高于地方，长官之名亦有别。隋朝西京置牧，唐因之，政务由长史、司马掌理。今西京改为府，政务长官为府尹，次官为少尹。㉙ 甲午：十二月五日。㉚ 壬寅：十二月十三日。㉛ 紫微令：中书令。㉜ 元之避开元尊号二句：元之本名元崇。武则天长安四年（公元七〇四年）令以字行，称元之。现恢复旧名而省"元"字，单称为"崇"。见《旧唐书·姚崇传》。㉝ 侧门：东内有左右侧门。㉞ 申款：申述诚款。㉟ 蹇：跛。㊱ 癸丑：十二月二十四日。㊲ 说左迁相州刺史：关于张说罢相之事，《松窗杂录》有不同说法，司马光未予采用。见《考异》卷十二。相州，州名，治所在今河南安阳。㊳ 太子少保：官名，正二品，与少师、少傅合称"太子三少"。掌奉皇太子观三师道德，随时教导皇太子。㊴ 甲寅：十二月二十五日。㊵ 紫微黄门：中书门下。

【校记】

［19］皆：原无此字。据章钰校，十二行本、乙十一行本皆有此字，今据补。［20］君人：据章钰校，十二行本、乙十一行本二字皆互乙。

【研析】

睿宗是一个平庸而窝囊的皇帝，他夹在亲妹太平公主与儿子皇太子之间，左右摇摆。姑侄争权，他哪边都伤不得。宋璟、姚崇建议在东都安置太平公主，睿宗说，我的亲人，同辈中只剩一个妹妹了，怎么舍得让她远离。武则天诛杀李唐宗室，亲生儿子也难幸免，睿宗心惊胆战走过来，于理于义都不忍向亲妹妹太平公主开刀。太平公主结纳朋党，睿宗装聋作哑，为了平衡权力，睿宗将权力下放太子，下制书说："凡政事皆取太子处分。其军旅死刑及五品已上除授，皆先与太子议之，然后以闻。"钻营小人窦怀贞，每退朝后都要到太平公主府第问候，于是青云直上，从一个殿中监入相为御史大夫同平章事，随即又迁侍中。于是崔湜、萧至忠、岑羲辈争相比附以取相，以致宰相七人，五出公主之门。陆象先虽为太平公主所荐，只是陆象先不阿党比附。文武之臣，大半依附。太平公主权势日盛，睿宗让国于太子以求平衡，苦心希求亲妹太平公主与太子两存之。睿宗的好心肠唤不醒痴迷于权力的太平公主。她生性悍戾，"耳习于牝鸡之晨，目习于倾城之哲"（王夫之语），总想效法武则天，登上权力的巅峰。太平公主是武则天余党，武党不除，祸乱不止。皇太子李隆基即位，太平公主不但不收敛，反而加紧步伐谋废立，计划在先天二年（公元七一三年）七月初四日作乱。宰相魏知古知其谋，七月初三日甲子，唐玄宗抢先一日发难，诛杀窦怀贞等，扑灭了政变集团。太平公主逃入山中，三天后返回，赐死于家。至此，武则天余党被收拾干净。七月初四日，睿宗太上皇立即做出反应，让出兼掌朝政的权力。睿宗下诰书说："自今军国政刑，一皆取皇帝处分。"彻底退出政坛，当天徙居百福殿。这场政变，是唐宗室又一次的内讧。太平公主以死收场，唐玄宗不能全其孝，唐睿宗黯然谢幕。但这场政变，群奸被诛除，迎来了开元盛世的春天。先天二年十二月朔，改元开元。

睿宗优柔寡断，对政治一窍不通。但他有一个优点，不恋权位，他放手太子，在其任上做了一些好事。睿宗平反了裴炎的冤狱，罢斥了中宗时代的斜封官，任用宋璟、薛讷、郭元振等人御边。这些善政虽然是在太子参与下做出，睿宗的支持也是有贡献的。

专制政体下的政治斗争，被卷入漩涡的个人，往往战队时的一念之差，就会改变人生的命运。崔湜是一个势利小人。他时时刻刻都在钻营投靠，见风使舵，卖友求荣。他任襄州刺史，暗中与中宗长子谯王李重福通书，李重福送给崔湜金带。李重福兴兵败死，崔湜当死，张说、刘幽求两人营救使其免死。不久，崔湜依附太平公主入相，反过来迫害张说、刘幽求，对刘幽求必欲置之死地。唐玄宗谋诛窦怀贞等，召见崔湜，将托以心腹。弟弟崔涤劝崔湜站在玄宗皇上一边，崔湜没有听从，仍站在太平公主一边，结果全盘皆输。一生钻营的崔湜，这一回押错了宝，丢了性命。

卷第二百十一　唐纪二十七

起阏逢摄提格（甲寅，公元七一四年），尽强圉大荒落（丁巳，公元七一七年），凡四年。

【题解】

本卷记事起公元七一四年，迄公元七一七年，凡四年，当唐玄宗开元二年到开元五年。这一时期是唐玄宗全权执政的最初四年，励精图治，给唐朝中兴带来了新气象。第一，君臣和洽，贤相辈出。姚崇与卢怀慎，宋璟与苏颋相继为相，和衷共济，对此司马光给予高度评价。第二，君明臣贤，政见一致，雷厉风行。唐玄宗惩治违法亲故，杜绝请谒，不滥授官，慎选举，罢冗官，沙汰天下僧尼，皆得到很好的执行。第三，唐玄宗纳谏改过，放飞珍禽，倡导节俭，友爱兄弟，清除韦皇后余党，不兴大狱。毁武则天所建天枢，毁韦皇后所建石台，平稳进行去武氏、韦氏运动。重立太庙，朝仪恢复贞观遗风。这一切都显示了唐玄宗的英主风采。第四，整武备，强化边防，唐玄宗在东方复置营州，又置幽州节度使，以防奚、契丹等族异动。西破吐蕃和突骑施，又置陇右节度使以防卫西域。北方置重兵于并州，以防突厥。四年之间，风气大变，为开元之治打下了良好的基础。此外，唐玄宗精音律，置左右教坊和宫苑梨园，被后世尊为梨园之祖。

【原文】

玄宗至道大圣大明孝皇帝上之中

开元二年（甲寅，公元七一四年）

春，正月壬申①，制："选京官②有才识者除都督、刺史，都督、刺史有政迹者除京官，使出入③常均，永为恒式④。"

己卯⑤，以卢怀慎检校黄门监⑥。

旧制，雅俗之乐⑦，皆隶太常⑧。上精晓音律，以太常礼乐之司，不应典倡优杂伎。乃更置左右教坊⑨以教俗乐⑩，命右骁卫将军范及为之使⑪。又选乐工数百人，自教法曲⑫于梨园⑬，谓之"皇帝梨园弟子"。又教宫中[1]使习之。又选伎女，置宜春院⑭，给赐其家。礼部侍郎张廷珪、酸枣尉袁楚客皆上疏，以为上春秋鼎盛，宜崇经术，迩

【语译】

玄宗至道大圣大明孝皇帝上之中

开元二年（甲寅，公元七一四年）

春，正月十三日壬申，玄宗颁布诏令："选拔在京官员中有才识的人担任都督、刺史，都督、刺史中有政绩的担任京官，使官员的调出调入经常保持均衡，以此作为永久性的条例。"

二十日己卯，玄宗任命卢怀慎担任检校黄门监。

旧制规定，雅乐和俗乐都由太常寺管理。玄宗精通音律，认为太常寺本是负责祭祀、宴享礼乐的机构，不应当负责倡优杂伎之类的俗乐。于是另外设置了左右教坊来教授俗乐，命令右骁卫将军范及担任主管官。又选择了几百名乐工，亲自在梨园教他们道教乐曲，这些乐师被称作"皇帝梨园弟子"。还在宫中教习，使宫人学习乐曲。玄宗又挑选了一些歌伎和舞女，为她们设立宜春院，赐给她们各家用品。礼部侍郎张廷珪、酸枣县尉袁楚客都呈上奏疏，认为皇帝年纪正当鼎盛之时，应当崇

端士⑮，尚朴素，深以悦郑声⑯、好游猎为戒。上虽不能用，欲开言路[2]，咸嘉赏之。

中宗以来，贵戚争营佛寺，奏度人为僧，兼以伪妄⑰。富户强丁多削发以避徭役⑱，所在充满。姚崇上言："佛图澄不能存赵⑲，鸠摩罗什不能存秦⑳，齐襄、梁武，未免祸殃㉑。但使苍生安乐，即是福[3]身，何用妄度奸人，使坏正法！"上从之。丙寅㉒，命有司沙汰㉓天下僧尼，以伪妄还俗者万二千余人㉔。

【段旨】

以上为第一段，写唐玄宗精晓音律，置左右教坊和禁中梨园，沙汰天下僧尼。

【注释】

①壬申：正月十三日。②京官：在京城任职的官员，又称作"朝官"。③出入：指京官出任都督、刺史，都督、刺史入为京官。④恒式：长久的条例。⑤己卯：正月二十日。⑥黄门监：侍中。开元元年（公元七一三年）十二月改门下省为黄门省，侍中为黄门监。⑦雅俗之乐：雅乐和俗乐。⑧太常：太常寺。其长官俗称乐卿，掌礼乐、郊庙、社稷之事。率太乐官属，负责祭祀、宴享的音乐。⑨左右教坊：掌管女乐的两个官署。左教坊在朱雀门街东第四街之长乐坊，右教坊在朱雀门街东第三街之光宅坊。崔令钦《教坊记》称：右教坊善歌，左教坊工舞。⑩俗乐：民间音乐。⑪范及为之使：以范及为左右教坊教授俗乐使。⑫法曲：道观演奏的乐曲，音清而近雅。玄宗沉迷道教，酷好法曲，选坐部伎子弟三百人教于梨园，声有误处，玄宗便予以指正。⑬梨园：在禁苑中。⑭宜春院：胡三省认为宜春院当在西内宜春门内。⑮迩端士：亲近正直之士。⑯郑

【原文】

初，营州都督治柳城以镇抚奚、契丹，则天之世，都督赵文翙失政，奚、契丹攻陷之㉕，是后寄治于[4]幽州东渔阳城㉖。或言："靺鞨、

尚经学儒术，亲近品行正直之士，注重俭朴，对皇帝欣赏靡靡之音和喜好巡游狩猎深加劝诫。玄宗虽然未能采纳他们的建议，但打算广开直谏之路，对他们都很赞赏。

中宗即位以来，皇亲国戚竞相建造佛寺，奏请剃度俗人为僧侣，其中兼有诈伪虚妄之事。富裕人家的成年壮丁很多削发为僧，逃避徭役，这种人充斥于全国各地。姚崇进言说："佛图澄未能使后赵国运长存，鸠摩罗什无法使后秦保全，北齐文襄帝、梁武帝，没有免除灾祸。只要让百姓安居乐业，就是保佑他们的生命，怎么用得着妄度奸邪之徒为僧，破坏佛祖正法！"玄宗采纳了他的建议。正月初七日丙寅，命令有关官署淘汰天下的僧尼，因伪诈虚妄而还俗的僧尼有一万二千多名。

声：春秋时期郑国的俗乐。比喻靡靡之音。⑰伪妄：诈伪虚妄。⑱削发以避徭役：削发为僧，僧尼不服徭役。⑲佛图澄不能存赵：佛图澄生于龟兹（今新疆库车）。晋怀帝永嘉四年（公元三一〇年）来到洛阳，以鬼神方术深得后赵皇帝石勒、石虎的信任，常参议军政大事，被尊为"大和尚"。建武十四年（公元三四八年），佛图澄死于邺宫寺。三年以后，后赵为冉魏所灭。⑳鸠摩罗什不能存秦：鸠摩罗什本西域高僧。后秦弘始三年（公元四〇一年）被姚兴迎入长安，奉为国师。在鸠摩罗什的倡导下，后秦佛教势力大增。永和二年（公元四一七年），后秦被东晋刘裕所灭。㉑齐襄、梁武二句：北齐文襄帝高澄，在东魏时以大将军、勃海王的身份执政，虔信佛教。武定七年（公元五四九年）在邺城被膳奴刺杀。梁武帝萧衍大兴寺院，三次舍身同泰寺为奴。侯景之乱后被软禁在台城文德殿内，饥病而死。㉒丙寅：正月初七日。㉓沙汰：淘汰。㉔万二千余人：《唐会要》卷四十七作"三万余人"。待考。

【校记】

［1］中：据章钰校，十二行本、乙十一行本、孔天胤本皆作"女"。［2］欲开言路：原无此四字。据章钰校，十二行本、乙十一行本、孔天胤本皆有此四字，张瑛《通鉴校勘记》同，今据补。［3］福：据章钰校，十二行本、乙十一行本、孔天胤本皆作"佛"。

【语译】

当初，营州都督治所设在柳城以镇抚奚、契丹，武则天时期，营州都督赵文翙政事失误，奚、契丹攻陷营州，此后营州治所寄居在幽州东部的渔阳城。有人说：

奚、霫大欲降唐[27]，正以唐不建营州，无所依投，为默啜所侵扰，故且附之。若唐复建营州，则相帅归化矣。”并州长史，和戎、大武等军州节度大使薛讷信之，奏请击契丹，复置营州。上亦以冷陉之役[28]，欲讨契丹。群臣姚崇等多谏。甲申[29]，以讷同紫微黄门三品，将兵击契丹，群臣乃不敢言。

薛王业之舅王仙童[30]，侵暴百姓，御史弹奏；业为之请，敕紫微、黄门覆按。姚崇、卢怀慎等奏：“仙童罪状明白[31]，御史所言无所枉[32]，不可纵舍。”上从之。由是贵戚束手[33]。

二月庚寅朔[34]，太史奏太阳应亏不亏[35]，姚崇表贺，请书之史册，从之。

乙未[36]，突厥可汗默啜遣其子同俄特勒[37]及妹夫火拔颉利发石阿失毕[38]将兵围北庭都护府，都护郭虔瓘击破之。同俄单骑逼城下，虔瓘伏壮士于道侧，突起斩之。突厥请悉军中资粮以赎同俄，闻其已死，恸哭而去。

丁未[39]，敕：“自今所在[40]毋得[41]创建佛寺，旧寺颓坏应葺者，诣有司陈牒[42]检视[43]，然后听之。”

闰月[44]，以鸿胪少卿、朔方军副大总管王晙兼安北大都护、朔方道行军大总管，令丰安、定远[45]、三受降城[46]及旁侧诸军皆受晙节度，徙大都护府于中受降城，置兵屯田。

丁卯[47]，复置十道按察使[48]，以益州长史陆象先等为之。

上思徐有功用法平直，乙亥[49]，以其子大理司直[50]惀为恭陵[51]令。窦孝谌之子光禄卿豳公希瑊等请以己官爵让惀以报其德[52]，由是惀累迁申王府司马[53]。

丙子[54]，申王成义[55]请以其府录事阎楚珪为其府参军[56]，上许之。姚崇、卢怀慎上言：“先尝得旨，云王公、驸马有所奏请，非墨敕皆勿行。臣窃以量材授官，当归有司。若缘亲故之恩，得以官爵为惠，踵习近事[57]，实紊纪纲。”事遂寝。由是请谒不行。

突厥石阿失毕既失同俄，不敢归。癸未[58]，与其妻来奔，以为右卫

“靺鞨、奚、霫等很想归降唐室，只是由于唐在此地没有设置营州，他们无处投靠，又被默啜侵扰，所以只好暂时依附于默啜。如果唐重新修建营州治所，那么这些部落就会一个接一个地归顺。”并州长史兼和戎、大武等军州节度大使薛讷相信了这些传闻，上奏请求进攻契丹，重建营州治所。玄宗也因为冷陉战争失败的缘故，打算出兵讨伐契丹。姚崇等大臣多有谏阻。正月二十五日甲申，玄宗任命薛讷为同紫微黄门三品，率兵出击契丹，大臣们就不敢说话了。

薛王李业的舅父王仙童侵暴百姓，御史上奏弹劾他；李业替他求情，玄宗敕令紫微、黄门省审理此案。姚崇、卢怀慎等人上奏说：“王仙童的罪状清楚明白，御史所说的没有冤枉之处，不能对他放纵宽容。”玄宗同意了他们的意见。从此皇亲国戚有所收敛。

二月庚寅朔，太史上奏说太阳应当亏缺却没有亏缺。姚崇上表祝贺，请求把这件事载入史册，玄宗同意了。

二月初七日乙未，突厥可汗默啜派遣他的儿子同俄特勒以及他的妹夫火拔颉利发石阿失毕率兵围攻北庭都护府，都护郭虔瓘打败了突厥兵。同俄特勒单枪匹马地逼近城下，郭虔瓘埋伏在道路旁边的勇士突然跃起把他杀死。突厥人请求用军中全部的物资粮食来赎回同俄特勒，得知他已经被杀死，痛哭离去。

二月十九日丁未，玄宗颁布敕命：“从今以后各地不许新建佛寺，原有的佛寺颓坏应该修葺的，到有关官署申报，经察看然后才允许修缮。”

闰二月，任命鸿胪寺少卿、朔方军副大总管王晙兼任安北大都护、朔方道行军大总管职务，下令丰安、定远、三受降城以及附近各军全部接受王晙的节制调度；把大都护府官署迁到中受降城，部署兵力，推行屯田。

初九日丁卯，恢复建置十道按察使，派益州长史陆象先等人出任按察使。

玄宗考虑到徐有功执法公平正直，十七日乙亥，任命他的儿子大理司直徐惀为恭陵令。窦孝谌的儿子光禄卿豳公窦希瑊等人请求把自己的官爵让给徐惀来报答徐有功的恩德，因此徐惀经过多次提拔后升迁到申王府司马。

闰二月十八日丙子，申王李成义请求任命自己的王府录事阎楚珪为本王府参军，玄宗同意了他的请求。姚崇和卢怀慎向玄宗进言说：“臣等先前曾得到陛下的旨意，说凡是王公、驸马有所奏请，如果没有陛下的亲笔墨敕，都不能生效。臣私下认为根据才能授予官职的事，应当归有关官署来管。倘若因为亲朋故旧的恩德缘故，就能得到封官赐爵的恩惠，那就是沿袭了中宗皇帝的近事，实际上是紊乱了朝廷的纲纪。”这件事便被搁置下来。从此请托之风不再流行。

突厥石阿失毕损失了同俄特勒之后，不敢回到突厥。闰二月二十五日癸未，石

大将军[59]，封燕北郡王，命其妻曰金山公主。

或告太子少保刘幽求、太子詹事锺绍京有怨望语，下紫微省按问，幽求等不服。姚崇、卢怀慎、薛讷言于上曰："幽求等皆功臣，乍[60]就闲职[61]，微有沮丧，人情或然。功业既大，荣宠亦深，一朝下狱，恐惊远听。"戊子[62]，贬幽求为睦州[63]刺史，绍京为果州[64]刺史。紫微侍郎王琚行边军未还[65]，亦坐幽求党贬泽州[66]刺史。

敕："涪州刺史周利贞等十三人[67]，皆天后时酷吏，比周兴等情状差轻[68]，宜放归草泽[69]，终身勿齿[70]。"

西突厥十姓酋长都担[71]叛。三月己亥[72]，碛西节度使阿史那献克碎叶等镇，擒斩都担，降其部落二万余帐。

【段旨】

以上为第二段，写唐玄宗强化边防，整治犯法的亲故及功臣，杜绝请谒，励精图治。

【注释】

㉕奚、契丹攻陷之：契丹李尽忠等攻陷营州，时在则天后万岁通天元年（公元六九六年）。㉖渔阳城：故址在今天津市蓟州区。㉗大欲降唐：很想归降唐朝。㉘冷陉之役：发生在先天元年（公元七一二年）六月。㉙甲申：正月二十五日。㉚王仙童：睿宗王德妃兄弟。㉛明白：昭著；清楚。㉜枉：冤枉。㉝束手：缩手不敢为恶。㉞庚寅朔：两唐书不载。〖按〗正月庚申朔，三月戊子朔，二月当为己丑朔。庚寅，二月初二日。㉟太阳应亏不亏：该发生日食而未发生。㊱乙未：二月初七日。㊲同俄特勤：一作"同俄特勤"。事见《旧唐书》卷一百三《郭虔瓘传》、卷一百九十四上《突厥传上》等。㊳火拔颉利发石阿失毕：人名，又称"火拔石阿失毕"。他本有在"发"与"石"之间断句者，将其分为二人，误。㊴丁未：二月十九日。㊵所在：处处；无论什么地方。㊶毋得：不得。㊷陈牒：递交书面申请。㊸检视：察看。㊹闰月：闰二月。㊺丰安定远：军镇名，胡三省注引杜佑认为丰安军在灵武西黄河外一百八十余里，定远军在灵武东北二百里黄河外。㊻三受降城：朔方道大总管张仁愿所筑中、西、东三座受降城，在河套黄河北岸。见本书卷二百九中宗景龙二年（公元七〇八年）。安北大都护治所中受降城，故址在今内

阿失毕和他的妻子前来投奔朝廷，被任命为右卫大将军，封为燕北郡王，他的妻子被封为金山公主。

有人举报太子少保刘幽求、太子詹事锺绍京对玄宗有不满的言辞，玄宗下令把二人交紫微省审讯，刘幽求等人不肯服罪。姚崇、卢怀慎、薛讷对玄宗说："刘幽求等人都是功臣，突然就任闲职，稍有沮丧，人之常情或许就是这样。既然这些人的功勋很大，受到的恩宠也深，一旦把他们逮捕下狱，恐怕很远的人听到后也会感到震惊。"三月初一日戊子，刘幽求被贬为睦州刺史，锺绍京被贬为果州刺史。紫微侍郎王琚巡视边境军务没有回朝，也因为刘幽求案子的牵连，被贬为泽州刺史。

玄宗颁布敕命："涪州刺史周利贞等十三人，都是则天皇后时期的酷吏，比周兴等人的罪状稍微轻一些，应当把他们放归民间，终身不得录用。"

西突厥十姓酋长都担反叛。三月十二日己亥，碛西节度使阿史那献攻克碎叶等镇，活捉都担后杀了他，招降了他的部落二万余帐。

蒙古包头西南黄河北岸。㊼丁卯：闰二月初九日。㊽复置十道按察使：开元元年（公元七一三年）九月二十六日罢诸道按察使。㊾乙亥：闰二月十七日。㊿大理司直：大理寺属官，从六品上。(51)恭陵：孝敬皇帝墓。在今河南洛阳市偃师区南。孝敬皇帝，唐高宗第五子李弘，显庆元年（公元六五六年）立为皇太子，上元二年（公元六七五年）薨，追尊为孝敬皇帝。(52)以报其德：以报答徐有功的恩德。窦孝谌妻庞氏为奴所诬，给事中薛季昶处以极刑。其子希瑊讼冤，徐有功明其无罪。薛季昶劾有功党护恶逆。后庞氏减死，有功免为民。事详见《旧唐书》卷一百八十三《窦孝谌传》，《新唐书》卷一百十三《徐有功传》。(53)申王府司马：亲王府司马从四品下。(54)丙子：闰二月十八日。(55)申王成义：惠庄太子㧑。睿宗第二子，玄宗之兄。(56)为其府参军：为申王府参军。据《旧唐书·职官志三》，亲王府功、仓、户、兵、骑、法、士等七曹皆有参军，正七品上。(57)踵习近事：效法中宗朝滥官之弊。(58)癸未：闰二月二十五日。(59)右卫大将军：《旧唐书·突厥传》、《通典》卷一百九十八均作"左卫大将军"。《新唐书·突厥传》作"左武卫大将军"。(60)乍：忽然。(61)闲职：闲散之职。(62)戊子：闰二月二十九天，至于丁亥，无戊子。戊子为三月初一日。(63)睦州：州名，治所在今浙江淳安西。(64)果州：州名，治所在今四川南充北。(65)王琚行边军未还：开元元年（公元七一三年）十一月，王琚奉命按行北边诸军。(66)泽州：州名，治所在今山西晋城。(67)涪州刺史周利贞等十三人：此十三人指周利贞、裴谈、张栖正、张思敬、王承本、刘晖、杨允、康晞、封珣行、张知默、卫遂忠、公孙琰、锺思廉。(68)差轻：较轻。(69)草泽：荒野。(70)勿齿："不齿"。不予录用。(71)都担：见《新唐书》卷五《玄宗纪》、卷二百十五下《突厥传下》。(72)己亥：三月十二日。

【校记】

［4］于：原无此字。据章钰校，十二行本、乙十一行本皆有此字，张敦仁《通鉴刊本识误》同，今据补。

【原文】

御史中丞姜晦以宗楚客等改中宗遗诏⑬，青州刺史韦安石、太子宾客韦嗣立、刑部尚书赵彦昭、特进致仕李峤，于时⑭同为宰相，不能匡正⑮，令监察御史郭震⑯弹之，且言彦昭拜巫赵氏为姑，蒙妇人服，与妻乘车诣其家。甲辰⑰，贬安石为沔州⑱别驾，嗣立为岳州⑲别驾，彦昭为袁州⑳别驾，峤为滁州㉑别驾。安石至沔州，晦又奏安石尝检校定陵㉒，盗隐官物，下州㉓征赃㉔。安石叹曰："此祇应须我死耳。"愤恚㉕而卒。晦，皎之弟也。

毁天枢㉖，发匠镕其铜铁[5]，历月不尽。先是，韦后亦于天街㉗作石台，高数丈，以颂功德，至是并毁之。

夏，四月辛巳㉘，突厥可汗默啜复遣使求婚㉙，自称"乾和永清太驸马、天上得果报天男、突厥圣天骨咄禄可汗"。

五月己丑㉚，以岁饥，悉罢员外，试、检校官，自今非有战功及别敕，毋得注拟㉛。

【段旨】

以上为第三段，写唐玄宗整肃韦皇后余党，拆毁颂扬武则天功德的天枢，以及韦皇后的石台，罢冗官，大得人心。

【语译】

御史中丞姜晦认为宗楚客等人篡改中宗皇帝的遗诏时，青州刺史韦安石、太子宾客韦嗣立、刑部尚书赵彦昭、以特进资格退休的李峤四人同时在朝廷任宰相，未能对这件事加以匡正，便让监察御史郭震弹劾他们，并且说赵彦昭拜女巫赵氏为姑，披着妇女的服装，和妻子乘车到赵氏家里。三月十七日甲辰，玄宗把韦安石贬为沔州别驾，把韦嗣立贬为岳州别驾，把赵彦昭贬为袁州别驾，把李峤贬为滁州别驾。韦安石到了沔州，姜晦又上奏说韦安石曾经检校定陵，盗窃藏匿官府物品，下到沔州追征赃物。韦安石感叹地说："这只是让我死去罢了。"他愤懑而死。姜晦，是姜皎的弟弟。

玄宗命令捣毁天枢，征调工匠把它熔化为铜料、铁料，历时一个月没有熔化完。此前，韦皇后也在长安天街营造石台高数丈，用来歌颂自己的功德，到这时也一并捣毁了。

夏，四月二十五日辛巳，突厥可汗默啜又派遣使者前来请求通婚，他自称为"干和永清太驸马、天上得果报天男、突厥圣天骨咄禄可汗"。

五月初三日己丑，因为发生饥荒，朝廷把所有的员外官、试官、检校官都罢免了，并规定从今以后，不是立有战功或者是玄宗特别下诏，一律不准录用罢掉的三种官。

【注释】

⑬ 宗楚客等改中宗遗诏：事在睿宗景云元年（公元七一〇年）。太平公主与上官昭容草遗诏，立中宗第四子温王李重茂即位，相王辅政，宗楚客改遗诏以相王为太子太师，排斥其辅政地位。⑭ 于时：在那时。⑮ 匡正：扶正。⑯ 郭震：事见《旧唐书》卷九十二《韦安石传》，《唐御史台精舍题名考》卷一、卷二等。⑰ 甲辰：三月十七日。⑱ 沔州：州名，治所在今湖北武汉市汉阳区。⑲ 岳州：州名，治所在今湖南岳阳。⑳ 袁州：州名，治所在今江西宜春。㉑ 滁州：州名，治所在今安徽滁州。㉒ 检校定陵：主持定陵的

修建。⑧3 下州：下敕符至沔州。⑧4 征赃：追征赃物。⑧5 愤恚：痛恨。恚，愤怒。⑧6 毁天枢：天枢造于武则天延载元年（公元六九四年）八月。《旧唐书》卷八《玄宗纪》："去年九月有诏毁天枢，至今春始。"《十七史商榷》卷七十二云："始下脱毁字。"⑧7 天街：长安朱雀大街。⑧8 辛巳：四月二十五日。⑧9 默啜复遣使求昏：开元元年（公元七一三年）八月二十五日，默啜曾遣其子杨我支来求婚。⑨0 己丑：五月三日。⑨1 毋得注拟：意即自今以后，所罢员外、试、检校官非有战功或特诏，有关部门不得录用。

【原文】

己酉[92]，吐蕃相坌达延遗宰相书，请先遣解琬至河源正二国封疆[93]，然后结盟。琬尝为朔方大总管，故吐蕃请之。前此琬以金紫光禄大夫致仕，复召拜左散骑常侍而遣之。又命宰相复坌达延书，招怀之。琬上言，吐蕃必阴怀叛计，请预屯兵十万于秦、渭等州以备之。

黄门监魏知古，本起小吏，因姚崇引荐，以至同为相[94]。崇意轻之，请知古摄吏部尚书、知东都选事，遣吏部尚书宋璟于门下过官[95]，知古衔[96]之。

崇二子分司东都，恃其父有德于知古，颇招权请托[97]，知古归，悉以闻。他日，上从容问崇："卿子才性何如？今何官也？"崇揣知上意，对曰："臣有三子，两在东都，为人多欲而不谨，是必以事干魏知古，臣未及问之耳。"上始以崇必为其子隐，及闻崇奏，喜问："卿安从知之？"对曰："知古微时，臣卵而翼之[98]。臣子愚，以为知古必德臣，容其为非，故敢干之耳。"上于是以崇为无私，而薄知古负崇，欲斥之。崇固请曰："臣子无状[99]，挠[100]陛下法，陛下赦其罪，已幸矣。苟因臣逐知古，天下必以陛下为私于臣，累圣政矣。"上久乃许之。辛亥[101]，知古罢为工部尚书[102]。

【校记】

［5］铜铁：原作“铁钱”。据章钰校，十二行本、乙十一行本、孔天胤本皆作“铜铁”，张敦仁《通鉴刊本识误》同，今据改。

【语译】

五月二十三日己酉，吐蕃宰相坌达延写信给唐宰相，请求朝廷先派遣解琬到河源划定两国的疆界，然后缔结盟约。解琬曾经担任朔方道大总管，所以吐蕃有这一请求。在这之前解琬以金紫光禄大夫的身份退休，玄宗又把他召回任命为左散骑常侍，派他前去河源。玄宗还命令宰相回信给坌达延，对他进行招抚怀柔。解琬向玄宗进言，认为吐蕃一定暗中怀有反叛的打算，请预先在秦、渭等州屯兵十万，用来防备吐蕃。

黄门监魏知古本来出身小吏，因为姚崇的引荐，以致两人一起担任宰相。姚崇心里看不起魏知古，让他代理吏部尚书，负责东都洛阳选授官吏的事务，派遣吏部尚书宋璟在门下省负责审定新选拔的官员，魏知古因此对姚崇怀恨在心。

姚崇的两个儿子分别担任东都官职，依仗自己父亲对魏知古有恩，颇为依权请托，魏知古返回长安时，把这些事全都报告了玄宗。有一天，玄宗闲暇时问姚崇：“您儿子的才学品行怎么样？现在担任什么官职呀？”姚崇揣摩到了玄宗的意思，回答说：“臣有三个儿子，两个人在东都，为人欲望很多，行为不检点，这样他们一定有求于魏知古，臣还没来得及过问这些罢了。”玄宗开始认为姚崇一定为自己的儿子遮掩，听了他的这番回答，高兴地问道：“您是从哪里知道这些情况的？”姚崇回答说：“魏知古地位卑微时，臣曾经多方照顾他。臣的儿子愚笨，认为魏知古一定会感激我，容忍他们为非作歹，所以敢向他请托干禄。”于是玄宗认为姚崇无私心，而魏知古有负于姚崇，打算斥逐他。姚崇坚决地请求说：“是臣的两个儿子无礼，败坏了陛下的法度，陛下赦免了他们的罪过，已经很幸运了。如果是因为臣的缘故而斥逐魏知古，天下的人们一定认为陛下是在偏袒臣，这样会影响圣上的德政。”玄宗过了好久才答应了他。五月二十五日辛亥，魏知古被罢相，担任工部尚书。

【段旨】

以上为第四段，写姚崇机智，唐玄宗明断，负恩者魏知古遭罢黜。

【注释】

⑫己酉：五月二十三日。⑬封疆：疆界。⑭同为相：同时担任宰相之职。⑮于门

【原文】

宋王成器、申王成义，于上兄也；岐王范、薛王业，上之弟也；豳王守礼，上之从兄⑩³也。上素友爱，近世帝王莫能及。初即位，为长枕大被，与兄弟同寝。诸王每旦朝于侧门⑩⁴，退则相从宴饮，斗鸡，击球，或猎于近郊，游赏别墅，中使⑩⁵存问相望于道。上听朝罢，多从诸王游，在禁中，拜跪如家人礼，饮食起居，相与同之。于殿中设五幄⑩⁶，与诸王更⑩⁷处其中，谓之“五王帐”[6]。或讲论赋诗，间以饮酒、博弈⑩⁸、游猎，或自执丝竹⑩⁹，成器善笛，范善琵琶，与上更奏之。诸王或有疾，上为之终日不食，终夜不寝。业尝疾，上方临朝，须臾之间⑪⁰，使者十返⑪¹。上亲为业煮药，回飙⑪²吹火，误爇⑪³上须⑪⁴，左右惊救之。上曰：“但使王饮此药而愈，须何足惜⑪⁵？”成器尤恭慎，未尝议及时政，与人交结，上愈信重之，故谗间之言无自而入。然专以衣食[7]声色畜养娱乐之⑪⁶，不任以职事⑪⁷。群臣以成器等地逼⑪⁸，请循故事出刺外州⑪⁹。六月丁巳⑫⁰，以宋王成器兼岐州刺史，申王成义兼豳州刺史，豳王守礼兼虢州⑫¹刺史，令到官但领大纲⑫²，自余州务，皆委上佐⑫³主之。是后诸王为都护、都督、刺史者并准此。

丙寅⑫⁴，吐蕃使其宰相尚钦藏来献盟书。

上以风俗奢靡⑫⁵，秋，七月乙未⑫⁶，制：“乘舆服御⑫⁷、金银器玩，宜令有司销毁，以供军国之用；其珠玉、锦绣，焚于殿前；后妃以下，皆毋得服珠玉锦绣。”戊戌⑫⁸，敕：“百官所服带及酒器、马衔、镫⑫⁹，

下过官：在门下省审查新选官员。唐制，凡文武职事官六品以下，吏部、兵部拟注，必过门下省，按其资历和才能，重新进行审定。若拟职不当，即予以调整。此即所谓“过官”。⑯衔：恨。⑰招权请托：依权请托。⑱卵而翼之：喻曾予以抚育。⑲无状：无礼。⑩挠：阻挠；扰乱。⑩辛亥：五月二十五日。⑩罢为工部尚书：《旧唐书·魏知古传》说知古罢相是姚崇“阴加谗毁”的结果。此处系据《柳氏旧闻》写成，见司马光《考异》卷十二。

【语译】

宋王李成器、申王李成义是玄宗的兄长，岐王李范、薛王李业是玄宗的弟弟，豳王李守礼是玄宗的堂兄。玄宗向来为人友善仁爱，近世帝王没有能赶上他的。玄宗刚即位时，制作了长枕头和大被子，和兄弟们同床共寝。诸王每天早晨在侧门朝见，退朝以后就相从宴饮，斗鸡击球，或者近郊射猎，在别墅里游览观赏，以致前来问候的中使在路上络绎不绝。玄宗上朝结束，大多偕同诸王游玩，在宫中，跪拜礼仪如同家里人一样，饮食起居，也与诸王在一起。玄宗在宫中设置了五座帷帐，与诸王轮换住在里面，将其称为“五王帐”。他们有时讲论诗赋，间或饮酒，赌博下棋，外出打猎，有时各自手持丝竹乐器吹拉弹唱，李成器善于吹奏笛子，李范善于弹奏琵琶，和玄宗在一起轮流演奏。诸王中有谁生了病，玄宗会为此终日不吃饭，整夜不睡觉。薛王李业生了病，玄宗正在临朝听政，一会儿工夫就十次派遣使者去探视。玄宗还亲自为李业煎药，扇风吹火，烧着了玄宗的胡须，左右侍从惊恐，赶忙上去救他。玄宗说：“只要让薛王服下此药疾病能够痊愈，我的胡须又有什么可惜呢？”宋王李成器尤其恭敬谨慎，从不谈论有关朝政的事，也不与人交结，玄宗更加信任和尊重他，所以离间他们的谗言无从入耳。然而玄宗也只是专门用锦衣玉食、声色犬马来供他们娱乐，不让他们担当任何职务。群臣认为宋王李成器等人地位逼近玄宗，便请求按照过去的惯例调他们出去担任外州刺史。六月初二日丁巳，玄宗命令宋王李成器兼任岐州刺史，申王李成义兼任豳州刺史，豳王李守礼兼任虢州刺史，命令他们到任后只管方针大计，其余州中事务都委托上层佐吏负责处置。从此以后，诸王出任都护、都督、刺史的都照此办理。

六月十一日丙寅，吐蕃派遣他的宰相尚钦藏前来进献两国的盟书。

玄宗认为风俗日益奢侈浪费，秋，七月初十日乙未，颁布诏令：“车乘服饰、金银器玩，应当让有关部门负责销毁，用来供军事、行政的需要，那些珠宝玉器、锦绣织物，在殿前烧毁，自后妃以下，都不许穿珠玉锦绣服饰。”十三日戊戌，玄宗又

三品以上，听[130]饰以玉，四品以金，五品以银，自余皆禁之，妇人服饰从其夫、子。其旧成锦绣，听染为皂[131]。自今天下更毋得采珠玉，织锦绣等物，违者杖一百，工人减一等[132]。”罢两京织锦坊。

臣光曰：“明皇之始欲为治，能自刻厉节俭如此，晚节[133]犹以奢败[134]。甚哉奢靡之易以溺人也！《诗》云：‘靡不有初，鲜克有终。’[135]可不慎哉！”

【段旨】

以上为第五段，写唐玄宗友爱兄弟，倡导节俭。

【注释】

⑩从兄：同祖兄，即堂兄。唐玄宗与豳王守礼皆为唐高宗之孙，玄宗父与豳王父为兄弟，故玄宗与豳王为从兄弟关系。⑭朝于侧门：此处侧门指太极门北面的左虔化门及右肃章门。⑮中使：宫中宦官充任的使者。⑯幄：篷帐。⑰更：轮流更替。⑱博弈：赌博下棋。博，六博。弈，围棋。⑲丝竹：弦乐器和竹管乐器。⑪须臾之间：一会儿工夫。⑪十返：往返十次。⑫飙：疾风。⑬爇：烧；焚。⑭须：胡须。⑮须何足惜：这些胡须有什么可惜的。⑯专以衣食声色畜养娱乐之：衣食，好穿好吃。声色，音乐女色。畜养，供养、养活。⑰职事：职官政事。⑱地逼：地位逼近天子。⑲出刺外州：出任

【原文】

薛讷与左监门卫将军杜宾客[136]、定州刺史崔宣道[137]等将兵六万出檀州击契丹。宾客以为“士卒盛夏负戈甲[138]，赍资粮[139]，深入寇境，难以成功。”讷曰：“盛夏草肥，羔犊[140]孳息[141]，因粮于敌，正得天时，一举灭虏，不可失也。”行至滦水[142]山峡中，契丹伏兵遮[143]其前后，从山

颁布诏令："文武百官束腰的带子和酒具、马嚼子、马镫，三品以上的官员，允许用玉来装饰，四品以上的官员，允许用金来装饰，五品以上的官员，允许用银来装饰，其余的职官一律禁止使用金银珠玉饰物，妇女的饰物应该随从她的丈夫、儿子的品级。那些原来制成的锦绣服饰，允许染成黑色继续使用。从今以后全国各地不许再采集珠宝玉石、纺织锦绣衣物。违反命令的杖刑一百，工匠违禁的降一等处罚。"玄宗还命令裁撤了设在东西两京的织锦坊。

司马光说："唐明皇即位之初想励精图治，能如此节俭刻苦，但晚年还是因为奢侈腐化导致朝政败坏。奢靡之风容易使人沉沦不能自拔，实在是太厉害了！《诗经》说：'凡事都有个开头，但很少能坚持到底。'对此怎么可以不谨慎呢！"

外州刺史。⑫⓪ 丁巳：六月初二日。⑫① 虢州：治所卢氏，在今河南卢氏。⑫② 大纲：要点；重要纲领。⑫③ 上佐：对州郡长官僚属的统称。凡别驾、长史、司马，通称为上佐。⑫④ 丙寅：六月十一日。⑫⑤ 奢靡：奢侈浪费。⑫⑥ 乙未：七月初十日。⑫⑦ 乘舆服御：皇帝乘坐的车子、穿戴的衣物和使用的东西。⑫⑧ 戊戌：七月十三日。⑫⑨ 马衔、镫：马勒、马镫。⑬⓪ 听：准许；听任。⑬① 皂：黑色。⑬② 减一等：减一个等级，即杖八十。⑬③ 晚节：晚年。⑬④ 以奢败：以奢侈导致朝政败坏。⑬⑤ 靡不有初二句：语出《诗经·荡》。意思是说只有好的开端，但很少有人能坚持下去，以善道自终。靡，无。鲜，少。

【校记】

［6］谓之五王帐：原无此五字。据章钰校，十二行本、乙十一行本、孔天胤本皆有此五字，今据补。［7］衣食：原无此二字。据章钰校，十二行本、乙十一行本皆有此二字，今据补。

【语译】

薛讷与左监门卫将军杜宾客、定州刺史崔宣道等人领兵六万由檀州出发攻击契丹。杜宾客认为："士兵在盛夏身负兵器，携带军需粮米，深入敌境，恐怕难以成功。"薛讷说："盛夏时节牧草茂盛，牛羊正在繁殖生长，可乘机到敌方夺取粮食，正得天时，可以一举消灭敌人，机不可失呀。"当唐军走到滦河的峡谷中时，契丹的伏

上击之，唐兵大败，死者什八九。讷与数十骑突围，得免，虏中嗤之，谓之“薛婆”[144]。崔宣道[8]将后军，闻讷败，亦走。讷归罪于宣道及胡将李思敬等八人，制悉斩之于幽州。庚子[145]，敕免讷死，削除其官爵，独赦杜宾客之罪。

壬寅[146]，以北庭都护郭虔瓘为凉州刺史、河西诸军州节度使。

果州刺史锺绍京心怨望，数上疏妄陈休咎[147]；乙巳[148]，贬溱州[149]刺史。

丁未[150]，房州刺史襄王重茂薨，辍朝三日，追谥曰殇皇帝[151]。

戊申[152]，禁百官家毋得与僧、尼、道士往还[153]。壬子[154]，禁人间铸佛、写经[155]。

宋王成器等请献兴庆坊宅为离宫。甲寅[156]，制许之，始作兴庆宫[157]，仍各赐成器等宅，环于宫侧[158]。又于宫西南置楼，题其西曰“花萼相辉之楼[159]”，南曰“勤政务本之楼[160]”。上或登楼，闻王奏乐，则召升楼同宴，或幸其所居尽欢，赏赉优渥[161]。

乙卯[162]，以岐王范兼绛州刺史，薛王业兼同州刺史。仍敕宋王以下每季二人入朝，周而复始。

民间讹言[163]，上采择女子以充掖庭，上闻之，八月乙丑[164]，令有司具车牛[165]于崇明门[166]，自选后宫无用者载还其家，敕曰：“燕寝之内[167]，尚令罢遣；闾阎[168]之间，足可知悉[169]。”

乙亥[170]，吐蕃将坌达延、乞力徐帅众十万寇临洮，军兰州，至于渭源[171]，掠取牧马。命薛讷白衣摄左羽林将军[172]，为陇右防御使，以右骁卫将军常乐郭知运[173]为副使，与太仆少卿王晙帅兵击之。辛巳[174]，大募勇士，诣河、陇就讷教习。初，鄯州都督杨矩以九曲之地与吐蕃，[175]其地肥饶，吐蕃就之畜牧，因以入寇。矩悔惧自杀。

乙酉[176][9]，太子宾客薛谦光献武后所制《豫州鼎铭》[177]，其末云：“上玄[178]降鉴，方建隆基[179]。”以为上受命之符[180]。姚崇表贺，且请宣示史官，颁告中外。

兵从前后堵截，他们又从山上发起攻击，唐军大败，死的人有十分之八九。薛讷同几十名骑兵冲出包围，得免于难，契丹兵嘲笑他，称他为“薛婆”。崔宣道率领后续部队，听说薛讷战败，也逃走了。薛讷把此次失败的责任推卸给崔宣道和胡将李思敬等八人，玄宗下诏在幽州把这八人全部斩首。七月十五日庚子，玄宗颁布敕命，免除薛讷的死罪，削除他的官爵，只有杜宾客一人获得赦免。

七月十七日壬寅，玄宗任命北庭都护郭虔瓘为凉州刺史、河西诸军州节度使。

果州刺史锺绍京心怀怨恨，多次上疏胡说吉凶之兆，二十日乙巳，玄宗把锺绍京贬为溱州刺史。

二十二日丁未，房州刺史襄王李重茂去世，玄宗为此中止临朝三天，追谥他为殇皇帝。

二十三日戊申，玄宗命令禁止官员及其家属与和尚、尼姑、道士互相来往。二十七日壬子，又下令禁止民间铸造佛像和抄写佛经。

宋王李成器等人请求献出兴庆坊宅第作为离宫。七月二十九日甲寅，玄宗颁诏批准了他们的请求，开始修建兴庆宫，还分别赐给李成器等人宅第，环绕在兴庆宫的周围。又在兴庆宫的西、南营建了两座楼，西楼题名为“花萼相辉之楼”，南楼题名为“勤政务本之楼”。有时玄宗登临楼上，听见诸王在演奏乐曲，就把他们召到楼上与自己一起进餐，有时玄宗也去诸王家中与大家尽兴欢乐，对诸王的赏赐非常优厚。

三十日乙卯，任命岐王李范兼为绛州刺史，薛王李业兼任同州刺史，还敕令自宋王李成器以下各亲王每季度两人轮换入朝，周而复始。

民间谣传玄宗挑选美女来充实后宫，玄宗听到了这些传闻，八月初十日乙丑，下令有关官署在崇明门门口准备好车和牛，亲自选择宫中多余的宫女把她们送回家，并且颁布敕命说：“后宫内的宫女尚且要遣返回家，对于民间女子会怎么样，完全可想而知。”

八月二十日乙亥，吐蕃将领坌达延、乞力徐率领十万部众侵犯临洮，驻扎在兰州，进入渭源县，掠取牧马。玄宗命令薛讷以平民身份代理左羽林将军职务，出任陇右防御使，任用右骁卫将军、常乐县人郭知运担任陇右防御副使，与太仆寺少卿王晙一起率兵迎击吐蕃部众。二十六日辛巳，朝廷大量招募勇士，派遣他们到河、陇地区接受薛讷的训练。起初，鄯州都督杨矩把河西九曲之地给了吐蕃，这片土地肥沃丰饶，吐蕃在这里放养牛马，以此为依托进犯寇掠。杨矩既后悔又害怕，自杀身亡。

乙酉日，太子宾客薛谦光向玄宗进献武则天所撰写的《豫州鼎铭》，铭文的末尾说：“上玄降鉴，方建隆基。”薛谦光认为这就是玄宗受命于天的符瑞。姚崇上表祝贺，并且请求把这段铭文向史官宣示，颁告中外。

臣光曰："日食不验[181]，太史之过[182]也；而君臣相贺，是诬天也。采偶然之文[183]以为符命，小臣之谄[184]也；而宰相因而实之[185]，是侮其君也。上诬于天，下侮其君，以明皇之明，姚崇之贤，犹不免于是，岂不惜哉！"

九月戊申[186]，上幸骊山温汤。

敕以岁稔伤农[187]，令诸州修常平仓法[188]；江、岭、淮、浙、剑南地下湿[189]，不堪贮积，不在此例。

突厥可汗默啜衰老，昏虐[190]愈甚。壬子[191]，葛逻禄等部落诣凉州降。

冬，十月，吐蕃复寇渭源。丙辰[192]，上下诏欲亲征，发兵十余万人，马四万匹。

戊午[193]，上还宫。

甲子[194]，薛讷与吐蕃战于武街[195]，大破之。时太仆少卿、陇右群牧使王晙帅所部二千人与讷会击吐蕃。坌达延将吐蕃兵十万屯大来谷[196]，晙选勇士七百，衣胡服，夜袭之，多置鼓角[197]于其后五里，前军遇敌大呼，后人鸣鼓角以应之。虏以为大军至，惊惧，自相杀伤，死者万计。讷时在武街，去大来谷二十里，虏军塞其中间[198]。晙复夜出兵[10]袭之，虏大溃，始得与讷军合。同[11]追奔至洮水[199]，复战于长城堡[200]，又败之，前后杀获数万人。丰安军使王海宾[201]战死。乙丑[202]，敕罢亲征[12]。

戊辰[203]，姚崇、卢怀慎等奏："顷者吐蕃以河为境[204]，神龙中尚公主[205]，遂逾河筑城，置独山、九曲两军，去积石三百里，又于河上造桥。今吐蕃既叛，宜毁桥拔城[206]。"从之。

以王海宾之子忠嗣为朝散大夫、尚辇奉御，养之宫中。

己巳[207]，突厥可汗默啜又遣使求婚，上许以来岁迎公主。

突厥十姓胡禄屋等诸部诣北庭[208]请降，命都护郭虔瓘抚存之。

乙酉[209]，命左骁卫郎将尉迟瓌[210]使于吐蕃，宣慰金城公主。吐蕃遣其大臣宗俄因子[13]至洮水请和，用敌国礼[211]，上不许。自是连岁犯边。

司马光说："预测日食没有应验，是太史的过失；而君臣彼此称贺，则是诬罔上天。采用偶然出现的文辞作为符瑞，是低下小臣的阿谀奉迎；宰相趁机把它当成事实看待，则是亵渎了他的君王。对上欺罔上天，对下亵渎君王，以唐明皇的圣明、姚崇的贤德，仍然不免出现这样的现象，岂不令人惋惜！"

九月二十四日戊申，玄宗巡幸骊山温泉。

发布敕命，因为今年粮食丰收，谷价下跌损伤农民利益，命令各州完善常平仓法，而江、岭、淮、浙、剑南等地因地势低洼潮湿，不适于储藏粮食，不在此例之中。

突厥可汗默啜年老体衰，昏聩暴虐日益厉害。二十八日壬子，葛逻禄等部落来到凉州投降。

冬，十月，吐蕃军队再次侵扰渭源县。初二日丙辰，玄宗颁诏想要亲自率兵征讨，派出军士十余万人，战马四万匹。

初四日戊午，玄宗返回宫中。

十月初十日甲子，薛讷与吐蕃军队在武街交战，大败吐蕃军队。当时太仆少卿、陇右群牧使王晙率领所部二千人与薛讷合兵攻打吐蕃军队。坌达延率领十万部众驻扎在大来谷。王晙挑选了七百名勇士，身穿胡人的服装，乘夜袭击吐蕃军队，又在勇士的后面五里之遥安排了许多战鼓和号角。先头部队遇到敌军后便大声呼喊，后面的人擂鼓吹角与他们呼应，吐蕃部众误以为唐军大部队将到，惊慌恐惧，自相残杀，死者有一万多人。薛讷这时还驻扎在武街，离大来谷有二十里，吐蕃兵夹在两军之间。王晙又乘夜色出兵击吐蕃兵，吐蕃兵大败，王晙才得以与薛讷的军队会合。薛讷与王晙一同率兵追击吐蕃兵一直到洮水，又在临洮的长城堡交战，再次击败了吐蕃军队，前后斩杀和俘获吐蕃兵数万人。丰安军使王海宾在战争中死去。十一日乙丑，玄宗发布敕命，取消亲征。

十月十四日戊辰，姚崇、卢怀慎等上奏说："以前吐蕃以黄河为界，神龙年间娶了大唐公主，才越过黄河修筑城池，设置了独山、九曲两军，离积石三百里，又在黄河之上架起了桥梁。现在吐蕃已经背叛，应当拆毁那些桥梁和城墙。"玄宗听从了他们的建议。

玄宗命令王海宾之子王忠嗣担任朝散大夫、尚辇奉御，把他养在宫中。

十月十五日己巳，突厥可汗阿史那默啜又派使者来求婚，玄宗答应他来年迎娶公主。

突厥十姓胡禄屋等部落前往北庭都护府请求归降，朝廷命令北庭都护郭虔瓘抚慰他们。

乙酉日，命令左骁卫郎将尉迟瓌出使吐蕃，代表玄宗慰问金城公主。吐蕃派遣他们的大臣宗俄因子到洮水求和，要求用对等的礼节，玄宗没有同意。从此吐蕃连年侵犯边境。

【段旨】

以上为第六段，写薛讷东征契丹兵败于轻敌，西御吐蕃建功。

【注释】

⑬⑥杜宾客：曾多次率兵与契丹、吐蕃作战，官至陇右节度使。见《旧唐书》卷八《玄宗纪上》、卷一百九十六上《吐蕃传上》，《新唐书》卷二百十五上《突厥传上》、卷二百十六上《吐蕃传上》。⑬⑦崔宣道：崔宣道（？至公元七一四年），曾为并州长史。见《旧唐书》卷一百八十五下《裴怀古传》，《新唐书》卷一百九十七《裴怀古传》，《唐尚书省郎官石柱题名考》卷十七等。⑬⑧戈甲：泛指兵器。⑬⑨赍资粮：携带军需粮米。⑭⓪羔犊：小羊小牛。⑭①孳息：繁息。⑭②滦水：今滦河，在河北东北部。⑭③遮：断；拦截。⑭④谓之薛婆：意思是说薛讷像个老妇人。⑭⑤庚子：七月十五日。⑭⑥壬寅：七月十七日。⑭⑦休咎：吉凶祸福。⑭⑧乙巳：七月二十日。⑭⑨溱州：州名，治所在今重庆市綦江区南。⑮⓪丁未：七月二十二日。⑮①追谥曰殇皇帝：殇皇帝李重茂系唐中宗第四子，曾被韦后立为皇帝，故追谥为帝。⑮②戊申：七月二十三日。⑮③禁百官家毋得与僧、尼、道士往还：原因是僧尼道士常诡托禅观，妄陈祸福，易滋生事端。见《唐会要》卷四十九。⑮④壬子：七月二十七日。⑮⑤禁人间铸佛写经：当时民间有人专门以铸佛写经为业，故下令予以禁止。人间，即民间。铸佛，铸佛像。写经，抄写佛经。⑮⑥甲寅：七月二十九日。⑮⑦兴庆宫：在今陕西西安兴庆公园一带。东西宽一千零八十米，南北长一千二百五十米，面积约一点三五平方千米。为唐代三大内之一，称作“南内”。开元年间，唐玄宗常听政于此。⑮⑧各赐成器等宅二句：宁王、岐王宅在安兴坊，薛王宅在胜业坊。二坊相连，皆在兴庆宫西。⑮⑨花萼相辉之楼：位于兴庆宫西南隅，与成器等宅相望。建于开元八年（公元七二〇年），后又有所增广，极为华丽高大。楼名取诗人棠棣之义。玄宗常与诸王饮宴于此。⑯⓪勤政务本之楼：亦建于开元八年。在宫城西南近南墙处，是兴庆宫最重要的建筑之一。楼名取勤于政事，重视邦本之意。改元、大赦、受降及听政多在此进行。⑯①优渥：优厚。⑯②乙卯：七月三十日。⑯③讹言：谣言。⑯④乙丑：八月初十日。⑯⑤车牛：用牛驾的车子。唐代多以牛挽车。《唐六典》卷五：“诸司皆置车牛，以备递运之事。”⑯⑥崇明门：在大明宫正殿东南。《唐六典》卷七载，紫宸殿即内朝正殿，殿之南面有紫宸门。紫宸门左为崇明门，右为光顺门。⑯⑦燕寝之内：意为掖庭宫女。⑯⑧闾阎：里巷之门。借指里巷。⑯⑨足可知悉：足可知道无选美之事。⑰⓪乙亥：八月二十日。⑰①渭源：县名，县治在今甘肃渭源。⑰②命薛讷白衣摄左羽林将军：薛讷率兵击契丹，败于滦河，七月十五日被削去官爵，故现以白衣摄官出征。白衣，平民之服，犹“布衣”。⑰③郭知运：郭知运（公元六六七至七二一年），字逢时，瓜州常乐（今甘肃玉门西北）人，多次与吐蕃作战，以功拜左武卫大将军。与王君㚟功名略等。传见《旧唐书》卷一百三、《新唐书》卷一百三十三。⑰④辛巳：八月二十六日。⑰⑤杨矩以九曲之地与吐蕃：事在睿宗景云元年十

二月。⑯乙酉：八月丙辰朔，据长历推，凡二十九天。陈垣《二十史朔闰表》作九月一日。⑰豫州鼎铭：豫州鼎为武则天神功元年（公元六九七年）所铸九鼎之一。其铭文系武则天亲制。见《旧唐书》卷二十二《礼仪志二》、《全唐诗》卷五。⑱上玄：上苍。⑲隆基：隆盛的基业。⑳符：符命；符瑞。㉑不验：不灵验。㉒太史之过：太史令掌观察天文，稽定历数。故对"日食不验"有一定责任。㉓采偶然之文：指薛谦光献《豫州鼎铭》之事。㉔谄：谄媚。㉕实之：使之成为事实。㉖戊申：九月二十四日。㉗岁稔伤农：本年度获得大丰收，粮价便宜，损害农民利益。㉘令诸州修常平仓法：设置常平仓，在粮贱时用较高的价格籴入，粮贵时减价粜出。㉙下湿：低下潮湿。㉚昏虐：昏眊暴虐。㉛壬子：九月二十八日。㉜丙辰：十月初二日。㉝戊午：十月初四日。㉞甲子：十月初十日。㉟武街：驿站名，又作"武阶"。地近大来谷，在今甘肃临洮东。㊱大来谷：在武街东南。㊲鼓角：战鼓和号角。用以传号令，壮军威。㊳虏军塞其中间：谓吐蕃兵插在武街与大来谷之间，将王晙与薛讷所部分割开来。㊴洮水：洮河。黄河上游支流，在甘肃西南。此处指临洮附近一段。⑳长城堡：在今甘肃临洮西北洮河东岸。秦长城西起于此。㉑王海宾：王海宾（？至公元七一四年），华州郑县（今陕西渭南市华州区）人，名将王忠嗣之父。事见《旧唐书》卷九十三《薛讷传》、卷一百三《王忠嗣传》，《新唐书》卷一百三十三《王忠嗣传》、卷二百十六上《吐蕃传上》。㉒乙丑：十月十一日。㉓戊辰：十月十四日。㉔以河为境：以黄河为界。㉕神龙中尚公主：神龙三年（公元七〇七年）吐蕃大臣悉薰热前来求婚。四月十四日，许以嗣雍王守礼女为金城公主，出嫁吐蕃赞普。景龙四年（公元七一〇年）正月二十五日，命左骁卫大将军、河源军使杨矩护送金城公主。二十七日，金城公主离开长安前往吐蕃。见《唐会要》卷六，《旧唐书》卷七《中宗纪》、卷一百九十六上《吐蕃传上》。㉖毁桥拔城：毁掉黄河上的桥梁，拔去独山、九曲二城。㉗己巳：十月十五日。㉘北庭：北庭都护府。据《册府元龟》卷九百七十四及《考异》卷十二所引《实录》，胡禄屋等诣北庭请降的时间为十月庚辰，即十月二十六日。㉙乙酉：十月乙卯朔，无乙酉。乙酉为十一月初一日。㉚尉迟瓌：见《新唐书》卷二百十六上《吐蕃传上》。㉛用敌国礼：用对等国的礼仪。

【校记】

［8］崔宣道：章钰校云："十二行本'薛'作'崔'，乙十一行本同，张校同。"是章钰所据胡克家本作"薛"，与校者所见不同。［9］乙酉：张敦仁《通鉴刊本识误》作"己酉"。〖按〗是年八月丙辰朔，无己酉。［10］兵：原无此字。据章钰校，十二行本、乙十一行本、孔天胤本皆有此字，今据补。［11］同：原无此字。据章钰校，十二行本、乙十一行本皆有此字，张敦仁《通鉴刊本识误》同，今据补。［12］乙丑敕罢亲征：原无此六字。据章钰校，十二行本、乙十一行本、孔天胤本皆有此六字，张敦仁《通鉴刊本识误》、张瑛《通鉴校勘记》同，今据补。［13］子：原作"矛"。严衍《通鉴补》改作"子"，今从改。〖按〗两唐书《吐蕃传》皆作"宗俄因子"。

【原文】

十一月辛卯㉑²，葬殇皇帝㉑³。

丙申㉑⁴，遣左散骑常侍解琬诣北庭宣慰㉑⁵突厥降者，随便宜区处㉑⁶。

十二月壬戌㉑⁷，沙陀金山入朝㉑⁸。

甲子㉑⁹，置陇右节度大使，领[14]鄯、秦[15]、河、渭、兰、临、武、洮、岷、廓[16]、叠、宕十二州，以陇右防御副使郭知运为之。

乙丑㉒⁰，立皇子嗣真㉒¹为鄫王，嗣初㉒²为鄂王，嗣玄㉒³[17]为鄄王。辛巳，立郢王嗣谦㉒⁴为皇太子。嗣真，上之长子，㉒⁵母曰刘华妃㉒⁶。嗣谦，次子也，母曰赵丽妃，丽妃以倡㉒⁷进，有宠于上，故立之㉒⁸。

是岁，置幽州节度、经略、镇守大使，领幽、易、平、檀、妫、燕六州㉒⁹。

突骑施可汗守忠㉓⁰之弟遮弩恨所分部落少于其兄，遂叛入突厥，请为乡导，以伐守忠。默啜遣兵二万击守忠，虏之而还。谓遮弩曰："汝叛其兄㉓¹，何有于我㉓²！"遂并杀之。

【段旨】

以上为第七段，写唐玄宗违礼立皇太子。东置幽州节度使，西置陇右节度使以御边。

【注释】

㉑² 辛卯：十一月初七日。㉑³ 葬殇皇帝：殇帝死于七月二十二日，至此，葬于陕西武功之西原。㉑⁴ 丙申：十一月十二日。㉑⁵ 宣慰：宣抚慰问。㉑⁶ 区处：犹"处分"，区分处置。㉑⁷ 壬戌：十二月九日。㉑⁸ 沙陀金山入朝：据《新唐书》卷二百十八，沙陀金山开元以前已亡。待考。㉑⁹ 甲子：十二月十一日。㉒⁰ 乙丑：十二月十二日。㉒¹ 嗣真：玄宗第四子，初名嗣真。开元二年封鄫王。开元十二年改封棣王，改名洽。开元二十四年改名琰。㉒² 嗣初：玄宗第五子，初名嗣初。开元二年封鄂王。开元十二年改名涓。开元二十三年改名瑶。㉒³ 嗣玄：唐玄宗第六子，初名嗣玄。开元二年封为鄄王。开元十二年改

【语译】

十一月初七日辛卯，安葬殇皇帝。

十二日丙申，朝廷派遣左散骑常侍解琬前往北庭都护府抚慰突厥投降的人，随情势用适宜的方式安置他们。

十二月初九日壬戌，沙陀金山来朝。

十一日甲子，设置陇右节度大使，管辖鄯、秦、河、渭、兰、临、武、洮、岷、廓、叠、宕十二州，任命陇右防御副使郭知运为陇右节度使。

十二日乙丑，册立皇子李嗣真为鄫王，李嗣初为鄂王，李嗣玄为鄄王。二十八日辛巳，立郢王李嗣谦为皇太子。李嗣真是玄宗的长子，母亲是刘华妃。李嗣谦是玄宗的次子，母亲是赵丽妃，赵丽妃是以歌舞伎的身份进入后宫，被玄宗宠爱，所以李嗣谦被立为皇太子。

这一年，朝廷设置了幽州节度大使、幽州经略大使和幽州镇守大使，管辖幽、易、平、檀、妫、燕六州。

突骑施可汗守忠的弟弟遮弩怨恨分给自己的部落少于他的哥哥，便叛变逃入突厥，请求作为向导，来讨伐守忠。默啜派遣二万士兵攻击守忠，把他俘获之后回到突厥。默啜对遮弩说："你背叛了自己的兄长，怎么能忠诚于我！"于是把兄弟二人一并杀死。

名滉，封为荣王。开元二十五年改名琬。㉔嗣谦：唐玄宗第二子，初名嗣谦。先天元年封郢王。至是立为皇太子。开元十三年改名鸿。开元二十五年改名瑛，被废为庶人，不久又被赐死。玄宗诸子，两唐书同为一传，见《旧唐书》卷一百七、《新唐书》卷八十二。㉕嗣真二句：据《唐会要》卷二及两唐书之《玄宗诸子传》，唐玄宗长子是嗣直而非嗣真。嗣直初封郯王，后改名为李潭、李琮。天宝十年死，谥靖德太子。肃宗即位，追谥为奉天皇帝。嗣真实为玄宗第四子，钱妃所生。初封鄫王，后改封棣王。㉖华妃：内职名，《旧唐书·后妃传序》："开元中，于皇后之下立惠妃、丽妃、华妃等三位，以代三夫人，为正一品。"㉗倡：歌舞艺人。㉘故立之：故立其子嗣谦为太子。㉙幽、易、平、檀、妫、燕六州：地当今河北张家口与秦皇岛一带。㉚守忠：突骑施首领娑葛。景龙三年（公元七〇九年）七月，娑葛遣使请降。二十六日，拜钦化可汗，赐名守忠。㉛其兄：意为你的兄长。用法不合汉语规范。其，代词。㉜何有于我：怎能忠诚于我。

【校记】

[14]领：原误作“须嗣”。胡三省注云：“‘须’当作‘领’，‘嗣’字衍。”严衍《通鉴补》改作“领”，今据以校正。[15]秦：原误作“奉”。胡三省注云：“‘奉’当作‘秦’。”

【原文】

三年（乙卯，公元七一五年）

春，正月癸卯[233]，以卢怀慎检校吏部尚书兼黄门监[234]。怀慎清谨俭素，不营资产，虽贵为卿相，所得俸赐，随散亲旧，妻子不免饥寒，所居不蔽风雨。

姚崇尝有子丧，谒告[235]十余日，政事委积，怀慎不能决，惶恐，入谢[236]于上。上曰：“朕以天下事委姚崇，以卿坐镇[237]雅俗[238]耳。”崇既出，须臾，裁决俱尽，颇有得色[239]，顾谓紫微舍人[240]齐澣[241]曰：“余[242]为相，可比何人？”澣未对。崇曰：“何如管、晏[243]？”澣曰：“管、晏之法虽不能施于后，犹能没身[244]。公所为法，随复更之[245]，似不及也。”崇曰：“然则竟[246]如何？”澣曰：“公可谓救时之相耳。”崇喜，投笔曰：“救时之相，岂易得乎！”怀慎与崇同为相，自以才不及崇，每事推[247]之，时人谓之“伴食宰相”[248]。

臣光曰：“昔鲍叔[249]之于管仲，子皮[250]之于子产，皆位居其上，能知其贤而下之[251]，授以国政，孔子美之[252]。曹参[253]自谓不及萧何[254]，一遵其法，无所变更，[255]汉业以成。夫不肖[256]用事，为其僚者，爱身保禄而从之，不顾国家之安危，是诚[257]罪人也。贤智用事，为其僚者，愚惑以乱[258]其治，专固[259]以分其权，媢嫉[260]以毁其功，愎戾[261]以窃其名，是亦罪人也。崇，唐之贤相，怀慎与之同心戮力[262]，以济明皇[263]太平之政，夫[264]何罪哉！《秦誓》[265]曰：‘如有一介臣[266]，断断[267]猗[268]，无他技，其心休休[269]焉，其如有容[270]。

严衍《通鉴补》改作“秦”，今据以校正。[16]廓：原作“郭”。胡三省注云：“‘郭’当作‘廓’。”严衍《通鉴补》改作“廓”，今据以校正。[17]嗣玄：原作“嗣主”。胡三省注云：“‘嗣主’当作‘嗣玄’。”据章钰校，乙十一行本作“嗣玄”，严衍《通鉴补》亦改作“嗣玄”，今据以校正。〖按〗两唐书之《玄宗诸子·靖恭太子琬传》皆作“嗣玄”。

【语译】

三年（乙卯，公元七一五年）

春，正月二十日癸卯，任命卢怀慎为检校吏部尚书兼黄门监。卢怀慎清廉谨慎，节俭朴素，不置产业。虽然贵为卿相，所得到的俸禄和赏赐，随时分送给亲朋故旧，而自己的妻子儿女不免忍受饥寒，所住的房子不能遮蔽风雨。

姚崇曾有一个儿子死了，请了十几天的假，政务积压下来，卢怀慎不能解决，感到惶恐，入朝向玄宗谢罪。玄宗说：“我把天下之事托付给姚崇，让你坐镇风雅之士和流俗之人而已。”姚崇假满复出，一会儿工夫就把积压的政事裁决完毕，脸上颇有得意之色，回头对紫微舍人齐澣说：“我担任宰相，可以与哪些人相比？”齐澣没有回答。姚崇说：“我比管仲、晏婴怎么样？”齐澣说：“管仲、晏婴的法令虽然不能施行于后世，但还能贯彻终身。您所制定的法令，随时有改变，似乎比不上他们。”姚崇说：“那么我究竟是什么样的宰相呢？”齐澣回答说：“您可以说是一位匡救时下的宰相。”姚崇听了感到高兴，扔下手中的笔说：“匡救时下的宰相，难道容易找到吗？！”卢怀慎与姚崇同时担任宰相，自己认为才能不及姚崇，每件事情都推给姚崇，当时的人称他为“伴食宰相”。

司马光说：“从前鲍叔牙对于管仲，子皮对于子产，都是职位高于后者，因为能够了解后者的贤能而自居其下，把国家政事交给他们，孔子赞美这种做法。曹参自认为才干比不上萧何，就完全沿用他的法度，无所更改，汉室的大业得以成功。那些不贤的人掌权，充当他僚属的人，为爱惜自身，保有禄位，就顺从上司的旨意，不顾国家的安危，这种人确实是国家的罪人。如果是贤明智慧的人掌权，做他僚属的人，愚弄蛊惑，扰乱他的治理，专权固执，分割他的权力，用嫉妒的心理来诋毁他的功业，用刚愎暴戾的手段来窃取他的名望，这种人也是罪人。姚崇是唐朝的贤相，卢怀慎和他同心协力，成就了唐明皇太平盛世的大政，有什么怪罪他的呢！《尚书·秦誓》说：‘如果有这样一位直臣，专诚守一，没有其他的技能，他心地宽厚，有容人的器量。别人有了本领，就像

人之有技，若己有之，人之彦[271]圣，其心好之，不啻[272]如自其口出，是能容之，以保我子孙黎民，亦职[273]有利哉。’怀慎之谓矣。”

【段旨】

以上为第八段，写姚崇与卢怀慎为相，和睦共事，司马光高度评价卢怀慎的谦让与雅量。

【注释】

㉝癸卯：正月二十日。㉞兼黄门监：兼侍中。㉟谒告：请假。㊱谢：谢罪。㊲坐镇：安坐而起镇定作用。㊳雅俗：风雅之士和流俗之人。㊴得色：得意的神态。㊵紫微舍人：中书舍人。㊶齐澣：齐澣（约公元六七五至七四六年），字洗心，定州义丰（今河北安国）人，曾任监察御史等职，官至吏部侍郎。传见《旧唐书》卷一百九十中、《新唐书》卷一百二十八。㊷余：第一人称代词，我。㊸何如管晏：与管仲、晏婴相比如何？管仲（？至公元前六四五年），名夷吾，以字行，春秋初期政治家，被齐桓公任命为卿，协助桓公实施了一系列改革，使齐成为春秋首霸。传见《史记》卷六十二。晏婴（？至公元前五〇〇年），字平仲，春秋时齐国大夫。担任卿职，历事灵公、庄公、景公三世。力行节俭，名显诸侯。与管仲同传。㊹犹能没身：尚能坚持到身死之时。㊺随复更之：随时又变化更改。㊻竟：究竟。㊼推：推让。㊽伴食宰相：专门陪伴别人吃

【原文】

御史大夫宋璟坐监朝堂杖人杖轻[274]，贬睦州刺史。

突厥十姓降者前后万余帐。高丽莫离支文简[275]，十姓之婿[276]也，二月，与跌跌都督思泰等亦自突厥帅众来降。制皆以河南地[277]处之。

三月，胡禄屋酋长支匐忌等入朝[278]。上以十姓降者浸[279]多，夏，四月庚申[280]，以右羽林大将军薛讷为凉州镇大总管，赤水等军[281]并受节度，居凉州；左卫大将军郭虔瓘为朔州[18]镇大总管，和戎等军并受节度，居并州，勒兵[282]以备默啜。

自己有了本领一样，别人有才有德，心里就喜欢这个人，不只是口头上对这个人表示称道，这就是能容人，能保护我的子孙和臣民，也有利于子孙臣民啊。’这些话说的就是卢怀慎这样的人。”

饭的宰相。讥其身为宰辅，无所作为。㉔⑨鲍叔：鲍叔牙。春秋时齐国大夫，以知人而著称。曾帮助齐桓公取得君位，桓公命他为宰，鲍叔牙保举了管仲。齐桓公得管仲而称霸。管、鲍两人传见《史记》卷六十二。㉕⓪子皮：春秋时郑国大夫。执政期间发现子产有政治才能，即授子产以政，郑国大治。子产传见《史记》卷一百十九。㉕①下之：自处其下。㉕②孔子美之：孔子加以赞美。㉕③曹参：曹参（？至公元前一九〇年），汉初大臣。曾任齐相九年，协助刘邦平定英布等异姓王。惠帝时，继萧何为相。传见《史记》卷五十四、《汉书》卷三十九。㉕④萧何：萧何（？至公元前一九三年），秦末随刘邦起事，西汉建立功列第一。汉初为相，曾制定了一套律令制度。传见《史记》卷五十三、《汉书》卷三十九。㉕⑤一遵其法二句：所谓“萧规曹随”。㉕⑥不肖：不贤；不正派的人。㉕⑦诚：确实。㉕⑧乱：紊乱。㉕⑨专固：专擅固执。㉖⓪媢嫉：又作“冒疾”。意为妒忌。㉖①愎戾：刚愎暴戾。㉖②戮力：合力。㉖③明皇：唐玄宗。玄宗死后遗谥“至道大圣大明孝皇帝”，人称“唐明皇”。㉖④夫：第三人称代词。他。㉖⑤《秦誓》:《尚书》篇名。㉖⑥介臣：直臣。㉖⑦断断：专诚守一。㉖⑧猗：语气助词。相当于“兮”，用在句中舒缓语气。㉖⑨休休：宽厚自得的样子。㉗⓪容：受。㉗①彦：美士。㉗②不啻：无异于。㉗③职：主。

【语译】

御史大夫宋璟因在朝堂上监督杖刑时施杖过轻而获罪，被贬为睦州刺史。

突厥十姓中归降的前后有一万余帐。高丽莫离支高文简是突厥十姓的女婿。二月，高文简和跌跌都督思泰等人也从突厥率众前来归降。玄宗诏令都在黄河以南的地区安置他们。

三月，胡禄屋酋长支匐忌等来朝。玄宗因突厥十姓中归降朝廷的逐渐增多，夏，四月初九日庚申，任命右羽林大将军薛讷为凉州镇大总管，赤水等军都受他节制调度，驻节凉州，任命左卫大将军郭虔瓘为朔州镇大总管，和戎等军都受他节制调度，驻节并州，二人统领军队来防御默啜。

默啜发兵击葛逻禄[283]、胡禄屋[284]、鼠尼施[285]等，屡破之；敕北庭都护汤嘉惠[286]、左散骑常侍解琬等发兵救之。五月壬辰[287]，敕嘉惠等与葛逻禄、胡禄屋、鼠尼施及定边道大总管阿史那献互相应援。

山东大蝗[288]，民或于田旁焚香膜拜[289]设祭而不敢杀，姚崇奏遣御史督州县捕而瘗[290]之。议者以为蝗众多，除不可尽，上亦疑之。崇曰："今蝗满山东，河南、北[291]之人，流亡殆尽，岂可坐视食苗[292]，曾不救乎[293]！借使[294]除之不尽，犹胜养以成灾。"上乃从之。卢怀慎以为杀蝗太多，恐伤和气。崇曰："昔楚庄吞蛭而愈疾[295]，孙叔杀蛇而致福[296]，奈何不忍于蝗[297]而忍人之饥死乎！若使杀蝗有祸，崇请当之[298]。"

秋，七月庚辰朔[299]，日有食之。

上谓宰相曰："朕每读书有所疑滞[300]，无从质问，可选儒学之士，日使入内侍读。"卢怀慎荐太常卿马怀素[301]，九月戊寅[302]，以怀素为左散骑常侍，使与右散骑常侍褚无量[303]更日[304]侍读。每至阁门，令乘肩舆[305]以进；或在别馆道远，听于宫中乘马。亲送迎之，待以师傅之礼。以无量羸老[306]，特为之造腰舆[307]，在内殿令内侍舁[308]之。

九姓[309]思结都督磨散等来降；己未[310]，悉除官遣还。

西南蛮寇边[311]，遣右骁卫将军李玄道发戎、泸、夔、巴、梁、凤等州兵三万人，并旧屯兵讨之。

壬戌[312]，以凉州大总管薛讷为朔方道行军大总管，太仆卿吕延祚、灵州刺史杜宾客副之，以讨突厥。

甲子[313]，上幸凤泉汤[314]；十一月乙卯[315]，还京师。

刘幽求自杭州刺史徙郴州[316]刺史，愤恚，甲申[317]，卒于道。

【段旨】

以上为第九段，写北方边境骚动，突厥时叛时降。姚崇灭蝗。玄宗礼儒。

默啜发兵攻打葛逻禄、胡禄屋、鼠尼施等部落，多次击败他们。玄宗命令北庭都护汤嘉惠、左散骑常侍解琬等出兵救援。五月十二日壬辰，玄宗又命令汤嘉惠等人与葛逻禄、胡禄屋、鼠尼施以及定边道大总管阿史那献等互相呼应支援。

山东发生严重蝗灾，有的灾民在田地的旁边设祭焚香膜拜，不敢动手捕杀蝗虫。姚崇奏请派遣御史督促各州县捕杀并埋掉蝗虫。讨论这事的人认为蝗虫数量太多，无法除尽，玄宗也表示怀疑。姚崇说："现在山东满地是蝗虫，黄河南北两岸的人几乎逃荒走光了，怎能坐视蝗虫吞噬禾苗，竟不救灾呢！即使不能把蝗虫全部灭除，也比养蝗成灾要好。"玄宗于是听从了他的意见。卢怀慎认为消灭的蝗虫太多了，恐怕有伤和谐之气。姚崇说："从前楚庄王吞吃水蛭而他的病就痊愈了；孙叔敖杀死两头蛇而上天赐福给他。怎能不忍心消灭蝗虫而忍心看着百姓受饥饿呢！如果因为杀死蝗虫而引起灾祸，我姚崇请求一人担当。"

秋，七月初一日庚辰，出现日食。

玄宗对宰相们说："我每当读书遇到疑惑不解的地方，无从质问，可以选拔儒学之士，每天让他入宫侍读。"卢怀慎举荐了太常寺卿马怀素。九月戊寅日，玄宗任命马怀素为左散骑常侍，让他与右散骑常侍褚无量隔日轮换入宫侍读。每次到达宫门时，玄宗让他们坐轿进去；有时玄宗在其他宫舍而道远，允许他们在宫里骑马。玄宗亲自迎送他们，用对待师傅的礼节相待。因为褚无量体弱年老，玄宗特意为他制了一个腰舆，在内殿侍读时，玄宗命令内侍用腰舆抬着他。

九姓思结都督磨散等人前来归降，十月十一日己未，朝廷全部委任他们官职，把他们遣还原地。

西南蛮族侵犯边境，朝廷派遣右骁卫将军李玄道调发戎、泸、夔、巴、梁、凤等州三万人，加上该地原来的屯兵前往征讨。

十四日壬戌，玄宗任命凉州大总管薛讷为朔方道行军大总管，任命太仆寺卿吕延祚、灵州刺史杜宾客为副总管，前去征讨突厥。

十月十六日甲子，玄宗幸临凤泉汤；十一月乙卯日，返回京师。

刘幽求从杭州刺史调任郴州刺史，心中愤愤不平。初六日甲申，死在赴任的路上。

【注释】

㉗④杖轻：指行杖过轻。㉗⑤文简：高文简。㉗⑥十姓之婿：《新唐书·突厥传》载，"默啜屡击葛逻禄等，诏在所都护总管掎角应援。虏势浸削，其婿高丽莫离支高文简与跌跌都督思太、高丽大酋高拱毅合万余帐，相踵款边。"据此，高文简为默啜之婿。㉗⑦河南地：指黄河以南河套地区。㉗⑧支匐忌等入朝：据《册府元龟》卷九百七十四，时在三

月初七日。㉗⑨浸：渐。㉘⓪庚申：四月初九日。㉘①赤水等军：赤水军位于今甘肃武威西。据《唐会要》卷七十八，赤水军是唐代军镇中最大的一个。㉘②勒兵：统率军队。㉘③葛逻禄：突厥的一支。居新疆准噶尔盆地，有谋落、炽俟、踏实力三部落。㉘④胡禄屋：在今新疆乌苏一带。㉘⑤鼠尼施：在今新疆焉耆西裕勒都斯河流域以南。㉘⑥汤嘉惠：事见《新唐书》卷二百十五下《突厥传下》、卷二百二十一上《焉耆传》。㉘⑦壬辰：五月十二日。㉘⑧大蝗：遭受特大蝗虫灾害。㉘⑨膜拜：合掌加额，伏地跪拜。㉙⓪瘗：埋。㉙①河南北：黄河南北。㉙②坐视食苗：眼看着蝗虫吃禾苗。㉙③曾不救乎：怎能不予以援救呢。曾，乃、而。㉙④借使：假使。㉙⑤楚庄吞蛭而愈疾：楚庄，即楚庄王熊侣。蛭，环节类动物。有水蛭、山蛭、鱼蛭之分。相传楚庄王吃寒菹时发现了一条蛭，为了不使监食的人获罪致死，便悄悄把蛭吞了下去，结果腹有疾而不能食。令尹知道这件事后说："天道无亲，唯德是辅，王有仁德，天之所奉也，疾不为伤。"不久庄王的病果然好了。㉙⑥孙叔杀蛇而致福：据《说苑》记载，孙叔敖小的时候出去玩，见到一条两头蛇，便将蛇杀掉埋了。回家后哭泣，母亲问他原因，他说见到了两头蛇，自己恐怕要死了。母亲问蛇在何处，他说听说见两头蛇者必死，怕别人再见到此蛇，已将它杀掉埋了。其母说："不要怕，你不会死了。我听说有阴德的人，天必报以福。"㉙⑦不忍于蝗：不忍心捕蝗。㉙⑧当之：担当其祸。㉙⑨庚辰朔：七月初一日。㉚⓪疑滞：疑惑不解。㉚①马怀素：字惟白，润州丹

【原文】

丁酉㉛⑧，以左羽林大将军郭虔瓘兼安西大都护、四镇经略大使。虔瓘请募[19]关中兵万人诣安西讨击，皆给递驮㉛⑨及熟食，敕许之。将作大匠韦凑上疏，以为："今西域服从，虽或时小有[20]盗窃，旧镇兵足以制之。关中常宜充实，以强干弱枝。自顷西北二虏寇边，凡在丁壮㉜⓪，征行略尽㉜①，岂宜更募骁勇，远资荒服㉜②！又，一万征人行六千余里，咸给递驮熟食，道次㉜③州县，将何以供！秦、陇之西，户口渐少，凉州已往㉜④，沙碛悠然㉜⑤，遣彼居人，如何取济？纵令必克，其获几何？傥稽天诛，无乃甚损！请计所用、所得，校其多少，则知利害㉜⑥。昔唐尧之代㉜⑦，兼爱夷、夏，中外乂安。汉武㉜⑧穷兵远征，虽多克获，而中国疲耗。今论帝王之盛德者，皆归唐尧，不归汉武，况邀㉜⑨功不成

徒（今江苏镇江市）人，博通经史，善于作文。传见《旧唐书》卷一百二、《新唐书》卷一百九十九。㉛戊寅：九月己卯朔，无戊寅。据《旧唐书》卷八《玄宗纪上》，戊寅应为冬十月甲寅之误。甲寅，十月初六日。㉝褚无量：字弘度，杭州盐官（今浙江海宁西南）人，精通经史。玄宗为太子时，官国子司业兼侍读。玄宗即位，迁左散骑常侍兼国子祭酒。传见《旧唐书》卷一百二、《新唐书》卷二百。㉞更日：隔日，即每人每隔一天轮流侍读。㉟肩舆：用人力抬扛的代步工具。类似轿子。㊱羸老：瘦弱衰老。㊲腰舆：用手挽的便舆，高与腰等。㊳舁：抬。㊴九姓：铁勒族的九个部族，即回纥、仆固、浑、拔野古、同罗、思结、契苾、阿布思、骨仑屋骨。㊵己未：十月十一日。㊶西南蛮寇边：据《新唐书·玄宗纪》，时在十月辛酉，即十月十三日。㊷壬戌：十月十四日。㊸甲子：十月十六日。㊹凤泉汤：据《新唐书·地理志一》，凤泉汤在眉县境内。㊺乙卯：十一月无乙卯。《新唐书》卷五作己卯，即十一月初一日。㊻郴州：州名，治所在今湖南郴州。㊼甲申：十一月初六日。

【校记】

［18］朔州：胡三省注云："'朔州'蜀本作'朔川'，《新纪》亦然。"据章钰校，十二行本、乙十一行本皆作"朔川"。

【语译】

十一月十九日丁酉，玄宗任命左羽林大将军郭虔瓘兼任安西大都护、四镇经略大使。郭虔瓘请求在关中招募一万名士卒前往安西征讨胡人，每人都供给他们驮运军需物资的畜力和熟食，玄宗颁敕答应了他的请求。将作大匠韦凑上奏，认为："现在西域各部都已臣服，虽然有时也有一些小的盗窃行为，原来的守军足以制服他们。关中倒是应该经常充实力量，以达到强干弱枝的目的。自从近来西北吐蕃、契丹入侵边境，凡现有的壮丁，几乎征发光了，怎么能再次招募骁勇之士，派遣到荒远的地方去增援呢！再说，一万名出征将士跋涉六千余里，都由官府供给运输畜力和熟食，途经的各州县又拿什么来供给呢！秦、陇以西，户口逐渐减少，凉州以西，是漫无边际的沙漠，派遣这么多人到那里驻守，又从哪里去筹措补给呢？纵使此次一定能取得胜利，获取的东西又能有多少呢？如果遇到上天的诛伐，岂不损失极大！请计算一下此举的所用与所得，比较得失多少，就可以知道其中的利害了。过去唐尧之世，兼爱华夏、夷狄，四海内外平安无事；汉武帝穷兵远征，虽然多有取胜俘获，但中原却也因此民疲财尽。如今论说帝王盛德的人，都归誉唐尧，不归誉汉武

者，复何足比议乎！”时姚崇亦以虔瓘之策为不然。既而虔瓘卒无功。

初，监察御史张孝嵩㉚奉使廓州㉛还，陈碛西利害，请往察其形势，上许之，听以便宜从事。

拔汗那㉜者，古乌孙㉝也，内附岁久。吐蕃与大食共立阿了达㉞为王，发兵攻之，拔汗那王兵败，奔安西求救。孝嵩谓都护吕休璟㉟曰：“不救则无以号令西域。”遂帅旁侧戎落兵万余人，出龟兹西数千里，下数百城，长驱㊱而进。是月，攻阿了达于连城。孝嵩自擐甲㊲督士卒急攻，自巳至酉㊳，屠其三城，俘斩千余级，阿了达与数骑逃入山谷。孝嵩传檄诸国，威振西域，大食㊴、康居㊵、大宛㊶、罽宾㊷等八国皆遣使请降，勒石纪功而还[21]。会有言其赃污者，坐系凉州狱，贬灵州兵曹参军㊸。

【段旨】

以上为第十段，写唐玄宗惩贪严厉，张孝嵩立功西域，因有人举报赃污而贬官。

【注释】

⑱丁酉：十一月十九日。⑲给递驮：供给驮运军需物资的畜力或相应的费用。《唐六典》卷三载：驮运脚值每驮一百斤，一百里一百文，山阪处一百二十文。险峻的地方不得过一百五十文，平坦的地方不得少于八十文。⑳凡在丁壮：凡在籍的丁壮。丁壮，少壮男子。㉑略尽：几尽；差不多完了。㉒荒服：古五服之一。指离王畿二千五百里的地区。此处泛指边远地区。㉓道次：途经。㉔凉州已往：凉州以西。㉕悠然：悠远。㉖则知利害：便知道是有利还是有害。㉗唐尧之代：唐尧之世。㉘汉武：汉武帝。㉙邀：求。㉚张孝嵩：进士及第，慷慨好兵。为安西副都护，劝农习兵，府库充盈，官至太原尹。传见《新唐书》卷一百三十三。㉛廓州：州名，治所在今青海化隆西黄河北岸。㉜拔汗那：西域古国名，又称破洛那，在塔吉克斯坦费尔干纳盆地。㉝乌孙：汉

帝，何况那些邀功不成的帝王，又怎么值得相提并论呢！”当时姚崇也对郭虔瓘的计划不以为然，后来郭虔瓘最终也没有成功。

当初，监察御史张孝嵩奉命出使廓州回来，陈述沙漠以西地区的利害，请求前往考察该地形势，玄宗同意了他的请求，准许他随宜处理事务。

拔汗那部落是古代的乌孙国，归附内地的年月已经很久了。吐蕃和大食一起拥立阿了达为王，出兵进攻拔汗那，拔汗那王兵败，逃往安西都护府求救。张孝嵩对都护吕休璟说：“如果不援救，就没办法指挥西域诸国了。”于是率领附近部落士卒一万多人，从龟兹出发西行数千里，攻下数百座城邑，长驱直入敌境。这个月，张孝嵩在连城攻打阿了达。张孝嵩亲自披甲督促士卒猛攻，从巳时直至酉时，屠灭阿了达三城，俘虏和斩杀敌军千余人，阿了达和几个骑兵逃到山谷中。张孝嵩传檄诸国，威震西域，大食、康居、大宛、罽宾等八国都派遣使者请求投降，张孝嵩在破敌处刻石立铭以彰显功绩，随后撤兵回朝。适逢有告发张孝嵩受贿贪污的，张孝嵩获罪囚禁在凉州狱中，被贬为灵州兵曹参军。

西域古国，在今新疆伊犁河和伊塞克湖一带。据考，拔汗那非古乌孙。㉞ 阿了达：据岑仲勉考证，阿了达应为“阿了达干”。见《通鉴隋唐纪比事质疑》。㉟ 吕休璟：事见《元和姓纂》卷六、《唐方镇表》卷八。㊱ 长驱：驱驰迅速，没有阻拦。指军队以不可阻挡之势向远方挺进。㊲ 擐甲：套甲。㊳ 自巳至酉：从九点到十九点。㊴ 大食：阿拉伯帝国。㊵ 康居：西域国名，在乌兹别克斯坦撒马尔罕。㊶ 大宛：在塔吉克斯坦费尔干纳盆地。㊷ 罽宾：在今阿富汗东北一带。㊸ 灵州兵曹参军：从七品下。

【校记】

［19］募：原作“自募”。据章钰校，十二行本、乙十一行本、孔天胤本皆无“自”字，今据删。〖按〗两唐书《郭虔瓘传》皆无“自募”一说。［20］小有：原作“有小”。据章钰校，十二行本、乙十一行本、孔天胤本二字皆互乙，今据改。［21］勒石纪功而还：原无此六字。据章钰校，十二行本、乙十一行本、孔天胤本皆有此六字，张敦仁《通鉴刊本识误》、张瑛《通鉴校勘记》同，今据补。

【原文】

京兆尹崔日知贪暴不法㉞,御史大夫李杰㉟将纠之,日知反构㊱杰罪。十二月,侍御史杨玚㊲廷奏曰:“若纠弹之司㊳,使奸人得而恐惕㊴,则御史台可废矣。”上遽命杰视事如故,贬日知为歙县㊵丞。

或上言:“按察使徒烦扰公私,请精简刺史、县令,停按察使。”上命召尚书省官议之。姚崇以为:“今止㊶择十使,犹患未尽得人,况天下三百余州,县多数倍,安得刺史、县令皆称其职乎!”乃止。

尚书左丞韦玢㊷奏:“郎官多不举职㊸,请沙汰,改授他官。”玢寻出为刺史,宰相奏拟冀州,敕改小州。姚崇奏言:“台郎㊹宽怠及不称职,玢请沙汰,乃是奉公。台郎甫尔㊺改官,玢即贬黜于外,议者皆谓郎官谤伤。臣恐后来左右丞指以为戒㊻,则省事㊼何从而举矣!伏望圣慈㊽详察,使当官者无所疑惧。”乃除冀州刺史。

突骑施守忠既死,默啜兵还,守忠部将苏禄㊾鸠集余众,为之酋长。苏禄颇善绥抚,十姓部落稍稍归之,有众二十万,遂据有西方,寻遣使入见。是岁,以苏禄为左羽林大将军、金方道经略大使。

皇后妹夫尚衣奉御㊿长孙昕[361]以细故[362]与御史大夫李杰不协[363]。

【段旨】

以上为第十一段,写姚崇当政,唐玄宗能贯彻惩贪与沙汰冗官。

【注释】

㉞贪暴不法:贪婪残暴,不守法律。㉟李杰:本名务光,相州滏阳(今河北磁县)人。官河南尹,入代宋璟为御史大夫。传见《旧唐书》卷一百、《新唐书》卷一百二十八。㊱构:构诉。㊲杨玚:杨玚(公元六五八至七三五年),字瑶光,华州华阴(今陕西华阴)人,曾任麟游令。官至左散骑常侍。在官清白,以刚正著称。传见《旧唐书》卷一百八十五下、《新唐书》卷一百三十。㊳纠弹之司:指御史台。㊴恐惕:恐吓。㊵歙

【语译】

京兆尹崔日知贪婪暴虐，不守法度，御史大夫李杰将要弹劾他，崔日知便反诬李杰有罪。十二月，侍御史杨玚当庭上奏说："如果检举弹劾的官署，让奸邪之人可以恐吓威胁，那么御史台就可以废除掉了。"玄宗急忙命令李杰照常处理事务，把崔日知贬为歙县县丞。

有人进言说："按察使只会烦扰公私，请精简刺史、县令，停止派遣按察使。"玄宗命令召集尚书省官员讨论这件事。姚崇认为："现在只选派了十个按察使，还担心未必都是合适的人选，何况天下有三百多个州，县的数量又多出好几倍，怎么能使每一位刺史、县令都称职呢！"于是停止了这场讨论。

尚书左丞韦玢上奏说："郎官大多不称职，请求裁汰郎官，改任别的职务。"不久韦玢就被外放为州刺史，宰相上奏打算任命韦玢为冀州刺史，玄宗颁敕改命韦玢为小州刺史。姚崇奏言说："郎官懈怠不称职，韦玢请求裁汰，这是奉公的表现。郎官刚刚改任他职，韦玢就被贬黜到外地，议论此事的人们都说这是郎官诽谤中伤所致。臣担心以后尚书左右丞以此为戒，那么尚书省的事务何从办理呢！臣希望陛下详加考察，使当官的人没有什么疑惧。"于是任命韦玢为冀州刺史。

突骑施守忠死了以后，默啜的部队撤回，守忠的部将苏禄纠集残余部众，自己当上了酋长。苏禄很善于安抚部众，十姓部落便渐渐归附了他，拥有部众二十万，于是占据了西域。不久派遣使者入朝谒见。这一年，任命苏禄为左羽林大将军，金方道为经略大使。

王皇后的妹夫尚衣奉御长孙昕因为小事情与御史大夫李杰不和睦。

县：县名，县治在今安徽歙县。㊿ 止：只。352 韦玢：事见《元和姓纂》卷二、《新唐书》卷七十四《宰相世系表》四上。353 举职：行使职权，胜任其事。354 台郎：台省郎官。355 甫尔：刚刚。356 指以为戒：以此事为戒。357 省事：尚书省之事。358 圣慈：对天子的美称。359 苏禄：又称车鼻施啜苏禄。守忠死后自立为可汗。开元年间授右武卫大将军、突骑施都督，进号忠顺可汗。传见《新唐书》卷二百十五下、《旧唐书》卷一百九十四下。360 尚衣奉御：官名，殿中省有尚食、尚药、尚衣、尚舍、尚乘、尚辇六局，掌皇帝日常生活起居，每局各有奉御二人，正五品下。尚衣奉御掌供天子衣服，详其制度，辨其名数，供天子进御。361 长孙昕：见《旧唐书》卷八《玄宗纪上》、卷一百《李杰传》等。362 细故：小事故。363 不协：不和。

【原文】

四年（丙辰，公元七一六年）

春，正月，昕与其妹夫杨仙玉于里巷伺杰而殴[364]之。杰上表自诉曰：“发肤[365]见毁，虽则痛身[366]，冠冕被陵，诚为辱国。”上大怒，命于朝堂杖杀[367]，以谢百僚。仍以敕书慰杰曰：“昕等朕之密戚[368]，不能训导，使陵犯衣冠，虽置以极刑，未足谢罪。卿宜以刚肠疾恶[369]，勿以凶人介意[370]。”

丁亥[371]，宋王成器更名[372]宪，申王成义更名㧑。

乙酉[373]，陇右节度使郭虔瓘[374]奏，奴石良才等八人皆有战功，请除游击将军[375]。敕下，卢怀慎等奏曰：“郭虔瓘恃其微效[376]，辄侮彝章[377]，为奴请五品，实乱纲纪，不可许。”上从之。

丙午[378]，以郯王嗣直[22]为安北大都护，安抚河东、关内、陇右诸蕃大使，以安北大都护张知运[379]为之副。陕王嗣升为安西大都护、安抚河西四镇诸蕃大使，以安西都护郭虔瓘为之副。二王皆不出阁[380]。诸王遥领节度自此始。

二月丙辰[381]，上幸骊山温汤。

吐蕃围松州[382]。

丁卯[383]，上还宫。

辛未[384]，以尚书右丞倪若水[385]为汴州刺史兼河南采访使。

上虽欲重都督、刺史[386]，选京官才望者[387]为之，然当时士大夫犹轻[388]外任。扬州采访使班景倩[389]入为大理少卿，过大梁[390]，若水饯之行[391]，立望其行尘，久之乃返，谓官属曰：“班生此行，何异登仙！”

癸酉[392]，松州都督孙仁献袭击吐蕃于城下，大破之。

上尝遣宦官诣江南取䴔䴖[393]、鸂鶒[394]等，欲置苑中，使者所至烦扰。道过汴州，倪若水上言：“今农桑方急，而罗捕禽鸟以供园池之玩[395]，远自江、岭[396]，水陆传送，食以粱肉。道路观者，岂不以陛下贱人而贵鸟乎！陛下方当以凤凰为凡鸟，麒麟为凡兽，况䴔䴖、鸂鶒，曷[397]足贵也！”上手敕[398]谢若水，赐帛四十段，纵散其鸟。

山东蝗复大起[399]，姚崇又命捕之。倪若水谓：“蝗乃天灾，非人力

【语译】

四年（丙辰，公元七一六年）

春，正月，长孙昕和他的妹夫杨仙玉在街巷里伺机揍了李杰。李杰上表控诉说："须发皮肤被毁伤，虽然只是身上疼痛，但朝服衣冠受到了侵凌，这确实是对国家的侮辱。"玄宗大怒，命令在朝堂上把长孙昕和杨仙玉用杖刑处死，以此向臣僚谢罪。玄宗还下敕书安慰李杰说："长孙昕等人是我的近亲，我未能训导，使他们冒犯朝廷大臣。虽已处以极刑，仍不足以谢罪，您应该秉持刚正衷肠，疾恶如仇，不要把凶徒放在心上。"

正月初十日丁亥，宋王李成器改名为李宪，申王李成义改名为李捴。

初八日乙酉，陇右节度使郭虔瓘奏报，奴仆石良才等八人都有战功，请求任命他们为游击将军。敕书下发后，卢怀慎等人上奏说："郭虔瓘倚仗他的小功，经常违反常规，为奴仆请求五品之职，实际上是淆乱了纲纪，陛下不能同意。"玄宗听从了卢怀慎的意见。

正月二十九日丙午，任命郯王李嗣直为安北大都护和安抚河东、关内、陇右诸蕃大使，任命安北大都护张知运为他的副手。任命陕王李嗣升为安西大都护、安抚河西四镇诸蕃大使，任命安西都护郭虔瓘为他的副手。郯王和陕王都不离开府第。诸王遥领节度使从这里开始。

二月初九日丙辰，玄宗巡幸骊山温泉。

吐蕃军队包围了松州。

二十日丁卯，玄宗返回宫中。

二十四日辛未，任命尚书右丞倪若水为汴州刺史兼河南采访使。

玄宗虽然打算重视都督、刺史，选拔京官中德才兼备的人担任这些职务，然而当时的士大夫还是看不起地方官。扬州采访使班景倩入朝任大理寺少卿，经过大梁时，倪若水为他饯行，站在那里望着他的车马远行的尘土，很久才返回，并对他的属官们说："班生这次入朝，跟登仙有什么差别呢！"

二月二十六日癸酉，松州都督孙仁献在城下袭击了吐蕃的军队，把他们打得大败。

玄宗曾派遣宦官到江南收取鸡鹊、鸂鶒等水鸟，打算放在苑囿之中，使者所到之处搞得鸡犬不宁。路过汴州的时候，倪若水上言说："现在正是农忙时节，而陛下派人捕捉飞禽供园林玩赏，从江南、岭表远处由水陆递运，用粱肉来饲养它们。路途中看到的人们怎能不认为陛下把人看得轻贱而把鸟看得贵重呢！若陛下把凤凰看作普通的飞禽，把麒麟看作普通的走兽，何况鸡鹊、鸂鶒这样的水鸟，又有什么珍贵的呢！"玄宗亲笔敕书向倪若水致谢，赐给他绢帛四十段，放飞捉来的鸟。

山东又发生严重的蝗灾，姚崇再次下令捕杀蝗虫。倪若水说："发生蝗虫乃是天

所及，宜修德以禳之。刘聪[400]时，常捕埋之，为害益甚。”拒御史，不从其命。崇牒[401]若水曰：“刘聪伪主，德不胜妖；今日圣朝，妖不胜德。古之良守，蝗不入境。若其修德可免，彼岂无德致然！”若水乃不敢违。夏，五月甲辰[402]，敕委使者详察州县捕蝗勤惰者，各以名闻。由是连岁蝗灾，不至大饥。

或言于上曰：“今岁选叙[403]大滥，县令非才。”及入谢，上悉召县令于宣政殿[404]庭，试以理人策。惟鄄城[405]令韦济[406]词理第一，擢为醴泉[407]令。余二百余人不入第[408]，且令之官[409]，四十五人放归学问[410]。吏部侍郎卢从愿左迁豫州刺史，李朝隐左迁滑州刺史。从愿典选六年，与朝隐皆名称职[411]。初，高宗之世，马载、裴行俭在吏部最有名，时人称吏部前有马、裴，后有卢、李。济，嗣立[412]之子也。

有胡人上言海南[413]多珠翠[414]奇宝[415]，可往营致[416]，因言市舶[417]之利。又欲往师子国[418]求灵药[419]及善医之妪[420]，置之宫掖。上命监察御史杨范臣[421]与胡人偕往求之，范臣从容奏曰：“陛下前年焚珠玉、锦绣，示不复用。今所求者何以异于所焚者乎！彼市舶与商贾争利，殆非王者之体。胡药之性，中国多不能知，况于胡妪，岂宜置之宫掖！夫御史，天子耳目之官，必有军国大事，臣虽触冒炎瘴[422]，死不敢辞。此特胡人眩惑求媚，无益圣德，窃恐非陛下之意，愿熟思之。”上遽自引咎，慰谕而罢之。

【段旨】

以上为第十二段，写唐玄宗识大体，不护短亲戚，不滥施官爵，严肃选举，纳谏改过，放飞珍禽，赞同姚相灭蝗。

灾，不是人力可以改变的，应当用修德来消除蝗灾。刘聪时就常常捕杀蝗虫，把它们埋掉，但灾害却更为严重。”倪若水还拒绝了御史，不执行他的命令。姚崇发出公文告诉他说：“刘聪是僭越为王，德不胜妖；今日圣君临朝，妖不胜德。古时的贤良郡守，蝗虫不入他的辖区。如果修德就可以免除蝗灾，难道说汴州的蝗灾是由于您无德所致的吗?!”倪若水这才不敢违抗捕杀蝗虫的命令。夏，五月二十九日甲辰，玄宗颁布敕命，委派使者仔细考察州县捕杀蝗虫的勤勉或懒惰，把姓名报送朝廷。因此，虽连年发生蝗灾，但没有造成严重的饥荒。

有人对玄宗说：“今年选官太滥，任命的县令不称职。”到入朝拜谢时，玄宗把所有的县令召集到宣政殿堂上，用治理百姓的策论来考试。只有鄄城县令韦济词理最佳，他被提拔为醴泉县令。其余二百多人都不合格，暂且让他们到任，还有四十五人放回家继续学习。吏部侍郎卢从愿被降职为豫州刺史，李朝隐被降职为滑州刺史。卢从愿主持选官事务已有六年，与李朝隐都被认为是称职的官员。当初在高宗朝，马载和裴行俭在吏部最有名，当时人们都称吏部前有马、裴，后有卢、李。韦济，是韦嗣立的儿子。

有个胡人向玄宗上言说海南盛产珠翠奇宝，可以派人去采购贩回，趁机大谈海上贸易的利益。还想去师子国寻访灵丹妙药和精于医术的老妇，带回安置在宫中。玄宗命令监察御史杨范臣和胡人一道前去寻访，杨范臣闲谈时向玄宗奏言：“陛下前年焚毁了珠宝玉器和锦绣织物，表示不再使用这些东西；现在所求的东西与前年焚毁的东西有什么不同呢？海上贸易与商贾争利，恐怕不是帝王的体统。胡药的药性，中国人大多不能了解，况且胡人的老妇，怎么能安置在后宫呢！监察御史是天子的耳目之官，如果一定有军国大事，臣即使冒酷暑瘴气，丢掉性命也不敢推辞。这只不过是胡人淆乱圣听、献媚取宠，无益于圣德，我私下猜想这并非陛下的本意，希望对此事深思熟虑。”玄宗承认了自己的错误，劝慰杨范臣，撤销了这一命令。

【注释】

㉞殴：殴打。㉟发肤：头发皮肤。㊱痛身：使身体痛苦。㊲杖杀：杖杀长孙昕、杨仙玉。㊳密戚：近密姻亲。㊴疾恶：疾恨恶人恶事。㊵勿以凶人介意：不要因为受了凶人凌辱，就有介于怀，而不再纠弹奸佞之人。㊶丁亥：正月初十日。㊷成器更名：李成器改名。因“成”字犯昭成皇后谥号，故宋王成器与申王成义皆改名。㊸乙酉：正月初八。应在“丁亥”之前。㊹陇右节度使郭虔瓘：据《唐会要》《册府元龟》及两唐书，郭虔瓘未任陇右节度使，陇右节度使为郭知运。若陇右节度使不误，则郭虔瓘应是

郭知运之讹；若郭虔瓘之名不误，则陇右节度使官号与实际情况不合。待考。㊳㊄游击将军：武散官第十四阶，从五品下。㊳㊅微效：微功。㊳㊆彝章：常典。㊳㊇丙午：正月二十九日。㊳㊈张知运：事见《旧唐书》卷一百三《郭知运传》、卷一百九十四上《突厥传上》，《新唐书》卷五《玄宗纪》、卷一百三十三《郭知运传》、卷二百十五下《突厥传下》。㊳㊉不出阁：不出内殿。㊳㊀丙辰：二月初九日。㊳㊁吐蕃围松州：时在二月辛酉，即二月十四日。见《新唐书·玄宗纪》。㊳㊂丁卯：二月二十日。㊳㊃辛未：二月二十四日。㊳㊄倪若水：字子泉，恒州藁城（今河北石家庄市藁城区）人，进士及第，曾任右台监察御史。官至尚书右丞，提倡儒学。传见《旧唐书》卷一百八十五下、《新唐书》卷一百二十八。㊳㊅重都督刺史：重视都督、刺史之任。㊳㊆才望者：有才能和威望的人。㊳㊇轻：轻视。㊳㊈班景倩：见《旧唐书》卷二十四《礼仪志四》、卷一百二十三《班宏传》，《新唐书》卷一百四十九《班宏传》等。㊳㊉大梁：指唐代汴州治所浚仪县，即古代大梁之地，在今河南开封。㊴㊀饯之行：为之饯行。㊴㊁癸酉：二月二十六日。㊴㊂鵁鶄：水鸟名，形状像凫，大脚，高毛冠，能入水捕鱼。㊴㊃㶉鶒：亦为水鸟。常在水上偶游，大于鸳鸯，色泽多紫，人称紫鸳鸯。㊴㊄玩：观赏；玩赏。㊴㊅江岭：江南、岭外。㊴㊆曷：岂。㊴㊇手敕：亲手作敕书。㊴㊈山东蝗复大起：去年五月，山东大蝗，至此，山东又发生大蝗灾。㊵㊉刘聪：刘聪（？至公元三一八年），十六国时期汉国国君，匈奴人。公元三一〇至三一八

【原文】

六月癸亥[423]，上皇崩于百福殿[424]。己巳[425]，以上女万安公主[426]为女官，欲以追福。

癸酉[427]，拔曳固[428]斩突厥可汗默啜首来献。时默啜北击拔曳固，大破之于独乐水[429]，恃胜轻归，不复设备，遇拔曳固迸卒[430]颉质略[431]，自柳林突出，斩之。时大武军[432]子将[433]郝灵荃[434]奉使在突厥，颉质略以其首归之，与偕诣阙，悬其首于广街。拔曳固、回纥、同罗、霫、仆固五部皆来降，置于大武军北。

默啜之子小可汗立，骨咄禄之子阙特勒[435]击杀之，及默啜诸子、亲信略尽；立其兄左贤王默棘连[436]，是为毗伽可汗，国人谓之“小杀”。毗伽以国固让阙特勒，阙特勒不受，乃以为左贤王，专典兵马。

秋，七月壬辰[437]，太常博士陈贞节[438]、苏献以太庙七室已满，请迁

年在位。传见《晋书》卷一百二、《魏书》卷九十五。㉑牒：公文的一种。多用于下级对上级或同等机关之间。㉒甲辰：五月二十九日。㉓选叙：铨选叙录。㉔宣政殿：在大明宫含元殿之北。㉕鄄城：县名，县治在今山东鄄城北之旧城集。㉖韦济：宰相韦嗣立之子。官至冯翊太守，有政绩。传见《旧唐书》卷八十八、《新唐书》卷一百十六。㉗醴泉：在今陕西礼泉。当时为赤县，县令级别较高。㉘二百余人不入第：据《旧唐书·玄宗纪》等，二百当为"二十"之误。㉙之官：赴任。此处指还旧官。㉚放归学问：放归故乡，重新习读。㉛皆名称职：皆以称职著名。㉜嗣立：韦嗣立于长安四年（公元七〇四年）正月二十六日至十二月五日担任宰相。㉝海南：指林邑、扶南、真腊诸国，即今老挝、柬埔寨一带。㉞珠翠：珍珠翡翠。㉟奇宝：奇玩宝货。㊱营致：营求获得。㊲市舶：本指往来贸易的中外船舶。引申为中外贸易。㊳师子国：今斯里兰卡民主社会主义共和国。其国因驯养狮子而得名。师，通"狮"。㊴灵药：仙药。㊵妪：老妇人。㊶杨范臣：事见《唐尚书省郎官石柱题名考》卷三。㊷炎瘴：炎气瘴疠。

【校记】

［22］郯王嗣直：原作"鄫王嗣真"。胡三省注据两唐书之《玄宗诸子传》认为当作"郯王嗣直"，严衍《通鉴补》改作"郯王嗣直"，今从改。

【语译】

六月十九日癸亥，太上皇在百福殿去世。二十五日己巳，玄宗的女儿万安公主度为女道士，想以此来为太上皇祈求冥福。

六月二十九日癸酉，拔曳固斩杀了突厥可汗阿史那默啜，并前来奉献首级。当时阿史那默啜北进攻打拔曳固部落，在独乐水大败拔曳固部众，默啜恃胜轻心返回，不再防范，遇上拔曳固逃散的士卒颉质略，在柳林突然杀出，斩杀了默啜。当时大武军子将郝灵荃正奉命出使突厥，颉质略就把默啜的首级交给他，并与他一起回到朝中，把默啜的首级悬挂在大街上。拔曳固、回纥、同罗、霫、仆固五个部族都来归降，把他们安置在大武军以北地区。

默啜的儿子小可汗继位，骨咄禄的儿子阙特勒攻击并杀死了他，又把默啜的其他儿子和亲信诛杀殆尽。阙特勒拥立其兄左贤王默棘连，这就是毗伽可汗，国人都称他为"小杀"。毗伽可汗坚决要把汗位让给阙特勒，阙特勒不接受，毗伽可汗便任命阙特勒为左贤王，专门统领军队。

秋，七月十八日壬辰，太常博士陈贞节、苏献认为太庙里供奉神主的七间屋子

中宗神主于别庙，奉睿宗神主祔太庙，从之。又奏迁昭成皇后祔睿宗室，肃明皇后留祀于仪坤庙。[439]八月乙巳[440]，立中宗庙于太庙之西。

辛未[441]，契丹李失活[442]、奚李大酺帅所部来降。制以失活为松漠郡王、行左[23]金吾大将军兼松漠都督，因其八部[443]落酋长，拜为刺史；又以将军薛泰[444]督军镇抚之。大酺为饶乐郡王、行右[24]金吾大将军兼饶乐都督。失活，尽忠[445]之从父弟也。

吐蕃复请和，上许之。

突厥默啜既死，奚、契丹、拔曳固等诸部皆内附，突骑施苏禄复自立为可汗。突厥部落多离散，毗伽可汗患之，乃召默啜时牙官暾欲谷[446]，以为谋主。暾欲谷年七十余，多智略，国人信服之。突厥降户处河曲[447]者，闻毗伽立，多复叛归之。

并州长史王晙上言："此属徒以其国丧乱，故相帅来降，若彼安宁，必复叛去。今置之河曲，此属桀黠[448]，实难制御，往往不受军州[449]约束，兴兵剽掠。闻其逃者已多与虏声问往来，通传委曲[450]。乃是畜养此属使为间谍，日月滋久，奸诈逾深，窥伺边隙，将成大患。虏骑南牧[451]，必为内应，来逼军州，表里[452]受敌，虽有韩、彭[453]，不能取胜矣。愿以秋、冬之交，大集兵众，谕以利害，给其资粮，徙之内地。二十年外[454]，渐变旧俗，皆成劲兵，虽一时暂劳，然永久安靖。比者守边将吏及出境使人，多为谀辞，皆非事实，或云北虏破灭，或云降户妥帖[455]，皆欲自炫其功，非能尽忠徇国。愿察斯利口[456]，忽忘远虑。议者必曰：'国家向时已尝置降户于河曲[457]，皆获安宁，今何所疑！'此则事同时异，不可不察。向者，颉利既亡，降者无复异心，故得久安无变。今北虏尚存[458]，此属或畏其威，或怀其惠，或其亲属，岂乐南来！较之彼时[459]，固不侔矣。以臣愚虑，徙之内地，上也。多屯士马，大为之备，华、夷相参，人劳费广，次也。正如今日，下也。愿审兹三策，

已满，请求把中宗皇帝的神主迁移到别的宗庙里，供奉睿宗皇帝的神主入太庙祔祭，玄宗听从了他的意见。陈贞节和苏献又上奏请求把昭成皇后的神主迁入供奉睿宗皇帝神主的太庙祔祭，而把肃明皇后的神主留在仪坤庙祀奉。八月初二日乙巳，在太庙的西面建起了中宗庙。

八月二十八日辛未，契丹李失活和奚族李大酺率领所部前来归降。玄宗颁布诏命，封李失活为松漠郡王、代理左金吾大将军兼松漠都督，继续任用他的八个部落酋长，拜为刺史，又派将军薛泰督军镇抚这一地区。李大酺为饶乐郡王、代理右金吾大将军兼饶乐都督。李失活，是李尽忠的堂弟。

吐蕃再次请求与唐朝和解，玄宗答应了这一请求。

突厥可汗默啜被杀死之后，奚、契丹、拔曳固等部落都来归附唐朝，突骑施苏禄再次自立为可汗。由于突厥各部落大多四分五裂，毗伽可汗心中忧虑，就召默啜时的牙官暾欲谷任用为谋主。暾欲谷已有七十多岁，足智多谋，突厥部众都信服他。突厥降户被安置在河曲之地的人，听到毗伽即位的消息，大多数又背叛唐朝，归附于毗伽可汗。

并州长史王晙上奏说:“这些人只是因为他们自己的国家发生丧乱，所以才相率前来降附，如果他们的部落稳固安定了，一定会再次反叛逃离。现在把他们安置在河曲地区，这些人凶暴狡黠，难以制服，往往不接受当地军、州官府的约束，发动士兵剽劫抢掠。听说逃亡过来的人大多与其本部落的人问讯往来，传送情报。这是畜养这些人使他们成为间谍，时间越长，奸诈越深，观察到边防出现漏洞，必将成为巨大的祸患。突厥军队南下时，这些人必然会充当内应，前来进逼军州，唐军里外受敌，即使有韩信、彭越，也不能取胜了。希望在秋、冬之交，大规模调集军队，向这些人晓以利害，供给他们资财和粮草，把他们迁到内地。二十年后，他们的旧俗就会逐渐改变，都变成战斗力强的士兵，虽然一时辛劳，然而能永久地获得安定。近来守边将吏和出入边境的使者，大多是说些阿谀奉承之辞，都不是事实。有的说北部敌人已经破灭，有的说归降的人已经稳定，都是想借此炫耀自己的功劳，而不能够尽忠为国。希望陛下能洞察这些花言巧语，不要忘记长远的考虑。议论这事的人一定会说:‘从前国家已经把降服的人安置在河曲，都获得了安宁，而今又有什么可怀疑的呢?!’此次变动在于事情相同而时势发生了变化，陛下不可不加以洞察。从前，颉利可汗已经灭亡，归降的人没有再生异心，所以局势得以长期安定，没有发生事变。如今北方毗伽可汗尚存，这些归降的人有人畏惧他的威势，有人怀念他的恩惠，有人是他的亲属，他们哪里会心甘情愿地南下归降朝廷呢！与从前相比较，根本不能相提并论。依臣愚见，把他们迁徙到内地，这是上策。在此多驻兵马，加强防备，让汉人和胡人相互杂居，人员疲敝，耗资巨大，这是中策。如像现在这样，这是下策。希望陛下审察这三种策略，选择有利的方案来执行，即便因为迁徙而有

择利而行，纵使因徙逃亡，得者皆为唐有。若留至河冰[460]，恐必有变。”

疏奏，未报，降户跌跌思泰[461]、阿悉烂等果叛。冬，十月甲辰[462]，命朔方大总管薛讷发兵追讨之。王晙引并州兵西济河，昼夜兼行，追击叛者，破之，斩获三千级。

先是，单于副都护张知运悉收降户兵仗[463]，令度河而南，降户怨怒。御史中丞姜晦为巡边使，降户诉无弓矢，不得射猎，晦悉还之，降户得之，遂叛。张知运不设备，与之战于青刚岭[464]，为虏所擒，欲送突厥。至绥州[465]境，将军郭知运以朔方兵邀击之，大破其众于黑山呼延谷[466]，虏释张知运而去。上以张知运丧师，斩之以徇。

毗伽可汗既得思泰等，欲南入为寇。暾欲谷曰：“唐主英武，民和年丰，未有间隙，不可动也。我众新集，力尚疲羸[467]，且当息养[468]数年，始可观变而举。”毗伽又欲筑城，并立寺观，暾欲谷曰：“不可。突厥人徒[469]稀少，不及唐家百分之一，所以能与为敌者，正以随[25]逐水草，居处无常[470]，射猎为业，人皆习武，强则进兵抄掠，弱则窜伏山林，唐兵虽多，无所施用[471]。若筑城而居，变更旧俗，一朝失利，必为所灭。释、老[472]之法，教人仁弱，非用武争胜之术，不可崇也。”毗伽乃止。

庚午[473]，葬大圣皇帝于桥陵[474]，庙号睿宗。御史大夫李杰护桥陵作，判官王旭[475]犯赃，杰按之，反为所构，左迁衢州[476]刺史。

【段旨】

以上为第十三段，写睿宗之崩葬，以及北方突厥、奚、契丹、拔曳固诸部内附。

人逃亡，但得到的人毕竟都会为唐朝所有。倘若事情拖延到黄河结冰时，恐怕一定会发生事变。”

这篇奏疏呈进之后，玄宗没有做出答复，归降的胡人跌跌思泰、阿悉烂等人果然叛逃。冬，十月初二日甲辰，玄宗命令朔方道大总管薛讷发兵追讨叛逃的胡人。王晙率领并州的官军西渡黄河，昼夜兼程，追击叛胡，打败了他们，斩获敌人首级三千。

在此之前，单于副都护张知运全部收缴了降胡的兵器，命令他们渡黄河南下，降胡对此又怨恨又生气，御史中丞姜晦正担任巡边使，降胡便向姜晦诉说因没有弓箭而无法狩猎，姜晦把武器全部归还他们，降胡得到武器之后就叛变了。张知运事先没有防备，在青刚岭与叛胡交战，被他们擒获。他们打算把张知运交给突厥。到了绥州境内时，将军郭知运带领朔方军截击叛胡，在黑山呼延谷把他们打得大败，他们释放张知运后逃离。玄宗认为张知运损兵折将，将他斩首示众。

毗伽可汗得到跌跌思泰等人之后，打算南下入侵唐朝。暾欲谷说：“唐朝皇帝英勇神武，民众和睦，粮食丰收，没有可乘之机，不可轻举妄动。我们的部众刚刚聚集到一起，力量还很微弱，尚需休养生息几年，才可窥伺变化而举兵南进。”毗伽可汗又打算修建城池，并且还要营造寺庙道观，暾欲谷说：“不可以。突厥人口稀少，不到唐朝的百分之一，我们之所以能够与他们为敌，正是因为我们跟随追逐水草而迁徙，居无常所，以狩猎为业，人们都谙习武艺，势力强大了就进兵劫掠，势力减弱了就逃窜潜伏在山林之中，唐兵虽然人多，却无用武之地。如果我们筑城而居，改变原有的习俗，一旦失利，必然会被消灭。佛、道的教义，都是教诲人们仁德柔弱，不是教人用武力争胜的方法，不可尊崇佛、道。”毗伽这才作罢。

十月二十八日庚午，把大圣皇帝安葬在桥陵，庙号为睿宗。御史大夫李杰总领桥陵的营建事宜，判官王旭贪污工程款，李杰审查此案，反被王旭诬陷，被降职为衢州刺史。

【注释】

㊸癸亥：六月十九日。㊹百福殿：在长安宫城（西内）太极殿西北。㊺己巳：六月二十五日。㊻万安公主：唐玄宗第七女。事见《唐会要》卷六、《新唐书》卷八十三。㊼癸酉：六月二十九日。㊽拔曳固：拔野固、拔野古、拔也固。见《新唐书》卷二百十七下《回鹘传下》。㊾独乐水：今蒙古国首都乌兰巴托西面之土拉河。㊿迸卒：迸散的士卒。431颉质略：后官至拔曳固都督。见《册府元龟》卷九百九十二。432大武军：在朔州城，即今山西朔州。置于大同军北，即安置在今山西朔州一带。433子将：小

将。㉞ 郝灵荃：事见《旧唐书》卷一百四十七《杜佑传》、卷一百九十四上《突厥传上》，《新唐书》卷五《玄宗纪》、卷一百二十四《宋璟传》、卷一百六十六《杜佑传》、卷二百十五上《突厥传上》。㉟ 阙特勒：事见《旧唐书》卷一百九十四上《突厥传》，《新唐书》卷二百十五《突厥传上》及《阙特勤碑》。特勒，应为"特勤"之误。㊱ 默棘连：骨咄禄（即骨笃禄）之子。传见《旧唐书》卷一百九十四上、《新唐书》卷二百十五下。㊲ 壬辰：七月十八日。㊳ 陈贞节：颍川（今河南许昌）人，开元初为右拾遗，迁太常博士。传见《新唐书》卷二百。㊴ 迁昭成皇后祔睿宗室二句：肃明皇后本睿宗元妃，曾立为皇后；昭成皇后为次妃，追谥皇后。因昭成皇后生玄宗，故特升祔睿宗。仪坤庙，祀二妃，在京师亲仁里。睿宗景云二年立。㊵ 乙巳：八月初二日。㊶ 辛未：八月二十八日。㊷ 李失活：开元二年率部落归唐，玄宗赐丹书铁券。至此，又与奚长李大酺归唐。传见《旧唐书》卷一百九十九下、《新唐书》卷二百十九。㊸ 八部：达稽部、纥便部、独活部、芬门部、突便部、芮奚部、坠斤部及伏部。见《新唐书·契丹传》。㊹ 薛泰：当时薛泰为押蕃落使，督军镇抚契丹。开元十年为安东都护。事见《旧唐书》卷一百九十九下《契丹传》，《新唐书》卷二百十九《契丹传》。㊺ 尽忠：李尽忠万岁通天元年（公元六九六年）反唐。㊻ 暾欲谷：突厥人名，贤者，有智略，汉化程度较高。传见《旧唐书》卷一百九十四上。㊼ 河曲：黄河之曲。此处特指黄河以南突厥故地。㊽ 桀黠：桀骜狡黠。㊾ 军州：军与州。此处泛指地方行政机构。㊿ 委曲：事情的底细。(451) 南牧：南侵。(452) 表里：内外。(453) 韩、彭：韩信、彭越。(454) 外：后。(455) 妥帖：稳当、安乐。(456) 利口：巧言。(457) 国

【原文】

十一月己卯[477]，黄门监卢怀慎疾亟，上表荐宋璟、李杰、李朝隐、卢从愿并明时重器[478]，所坐者小，所弃者大，[479]望垂矜录[480]，上深纳之。乙未[481]，薨。家无余蓄，惟一老苍头[482]，请自鬻以办丧事。

丙申[483]，以尚书左丞源乾曜[484]为黄门侍郎、同平章事。

姚崇无居第，寓居[485]罔极寺[486]，以病痁[487]谒告[488]，上遣使问饮食起居状，日数十辈。源乾曜奏事或称旨，上辄曰："此必姚崇之谋也。"或不称旨，辄曰："何不与姚崇议之！"乾曜常谢实然[489]。每有大事，上常令乾曜就寺问崇。癸卯[490]，乾曜请迁崇于四方馆[491]，仍听家人入侍疾，

家向时已尝置降户于河曲：指贞观四年东突厥灭亡后，唐太宗将归降的突厥人安置在自幽州至灵州之间的顺、祐、化、长四州都督府。㊻今北虏尚存：指默啜虽死，默棘连又立，后突厥政权继续存在。㊼彼时：指贞观之时。㊽留至河冰：留到黄河结冰的时候。㊾跌跌思泰：《新唐书·突厥传》及《旧唐书》卷一百三作“跌跌思太”。“太”与“泰”通。㊿甲辰：十月初二日。兵仗：兵器的总称。青刚岭：在庆州之北、灵州之南，即今甘肃环县北部一带。绥州：州名，治所在今陕西绥德。黑山呼延谷：地名，在今陕西榆林西南。疲羸：疲惫羸弱。息养：休养生息。人徒：人众。无常：不定。施用：施展运用。释老：佛教、道教。庚午：十月二十八日。桥陵：唐睿宗陵，在今陕西蒲城西北的金炽山上。王旭：贞观宰相王珪之孙。开元初酷吏。传见《旧唐书》卷一百八十六下、《新唐书》卷二百九。衢州：州名，治所在今浙江衢州。

【校记】

［23］左：原无此字。据章钰校，十二行本、乙十一行本、孔天胤本皆有此字，张敦仁《通鉴刊本识误》同，今据补。［24］右：原无此字。据章钰校，十二行本、乙十一行本、孔天胤本皆有此字，张敦仁《通鉴刊本识误》同，今据补。［25］随：原无此字。据章钰校，十二行本、乙十一行本、孔天胤本皆有此字，张敦仁《通鉴刊本识误》同，今据补。

【语译】

十一月初七日己卯，黄门监卢怀慎病情危重，上表章举荐宋璟、李杰、李朝隐、卢从愿四人，并称这四个人都是政治清明时期的杰出人才，所犯之罪很小，弃置不用损失很大，希望对他们垂怜录用，玄宗对这一建议深加采纳。二十三日乙未，卢怀慎去世，家中没有多余的积蓄，只有一位老奴仆，他请求把自己卖掉来为卢怀慎办丧事。

二十四日丙申，任命尚书左丞源乾曜为黄门侍郎、同平章事。

姚崇没有宅第，寓居在罔极寺，因身患疟疾而向玄宗请假，玄宗派使者去询问他的饮食起居情况，每天有数十次。源乾曜上奏言事符合玄宗旨意时，玄宗就会说：“这一定是姚崇的主意吧。”有时不符合玄宗的旨意，玄宗就会说：“你怎么不与姚崇商议一下呢！”源乾曜也常向玄宗谢罪，并承认确实如此。每当遇到大事，玄宗经常命令源乾曜到罔极寺询问姚崇。癸卯日，源乾曜请求把姚崇搬到四方馆，还请准许他的家属入馆侍候他的疾病，玄宗允许了这一请求。姚崇认为四方馆内存有官府文书，不是病

上许之。崇以四方馆有簿书[492]，非病者所宜处，固辞。上曰："设四方馆，为官吏也；使卿居之，为社稷也。恨不可使卿居禁中[493]耳，此何足辞！"

崇子光禄少卿彝、宗正少卿异，广通[494]宾客，颇受馈遗，为时所讥。主书[495]赵诲为崇所亲信，受胡人赂，事觉，上亲鞫问，下狱当死[496]，崇复营救，上由是不悦。会曲赦[497]京城，敕特标诲名[498]，杖之一百，流岭南。崇由是忧惧，数请避相位，荐广州都督宋璟自代。

十二月，上将幸东都，以璟为刑部尚书、西京留守，令驰驿诣阙，遣内侍[499]、将军杨思勖[500]迎之。璟风度凝远[501]，人莫测其际[502]，在涂竟不与思勖交言。思勖素贵幸，归，诉于上，上嗟叹良久，益重璟。

丙辰[503]，上幸骊山温汤。乙丑[504]，还宫。

闰月[505]己亥[506]，姚崇罢为开府仪同三司，源乾曜罢为京兆尹、西京留守，以刑部尚书宋璟守吏部尚书兼黄门监，紫微侍郎苏颋同平章事。

璟为相，务在择人，随材授任，使百官各称其职，刑赏无私，敢犯颜直谏。上甚敬惮之，虽不合意，亦曲从之。

突厥默啜自则天世为中国患，朝廷[507]旰食[508]，倾天下之力不能克；郝灵荃得其首，自谓不世之功[509]。璟以天子好武功，恐好事者竞生心徼幸[510]，痛抑其赏[511]，逾年始授郎将[512]，灵荃恸哭而死。

璟与苏颋相得甚厚，颋遇事多让于璟，璟每论事则颋为之助。璟尝谓人曰："吾与苏氏父子皆同居相府，仆射[513]宽厚，诚为国器[514]，然献可替否[515]，吏事精敏[516]，则黄门[517]过其父矣。"

姚、宋相继为相，崇善应变成务，璟善守法持正。二人志操[518]不同，然协心辅佐，使赋役宽平，刑罚清省[519]，百姓富庶。唐世贤相，前称房、杜[520]，后称姚、宋，他人莫得比焉。二人每进见，上辄为之起，去则临轩[521]送之。及李林甫为相[522]，虽宠任过于姚、宋，然礼遇[523]殊卑薄矣。紫微舍人高仲舒[524]博通典籍，齐澣练习时务，姚、宋每坐二人以质所疑，既而叹曰："欲知古，问高君，欲知今，问齐君，

人合适居住的地方，便坚决推辞。玄宗说：“设置四方馆就是供官员使用的，我让您去居住，为的是江山社稷。我恨不能请您到宫禁里居住，这又有什么可推辞的呢！”

姚崇的儿子光禄少卿姚彝和宗正少卿姚异，广交宾客，接受了很多馈赠，被当时的人讥讽。主书赵诲是姚崇的亲信，他收受胡人的贿赂，事情被发觉，玄宗亲自审讯，关押狱中，应当处以死刑，姚崇多次营救，玄宗因此很不高兴。恰巧赶上特殊情况京城赦免罪犯，玄宗在敕书中特意标记赵诲的名字，命令处以杖刑一百，流放到岭南。姚崇因此而感到担心和恐惧，多次请求免去自己的宰相职位，推荐广州都督宋璟来代替自己。

十二月，玄宗将巡幸东都洛阳，任命宋璟担任刑部尚书、西京留守，命令他乘坐驿马速到京城，派遣内侍、将军杨思勖去迎接他。宋璟的风度凝重深远，人们难测其高深，在途中竟然不与杨思勖交谈。杨思勖平素深受玄宗宠幸，返回朝廷后，向玄宗诉说，玄宗感叹了好久，更加敬重宋璟。

十四日丙辰，玄宗巡幸骊山温泉。二十三日乙丑，返回宫中。

闰十二月二十七日己亥，姚崇罢官改任开府仪同三司，源乾曜罢官改任京兆尹、西京留守。任命刑部尚书宋璟代理吏部尚书兼黄门监，紫微侍郎苏颋担任同平章事。

宋璟担任宰相时，致力于选拔人才，依据才能授予官位，使文武百官各称其职，施行赏罚不徇私情，敢于犯颜直谏。玄宗很敬畏他，虽然有些奏对不合己意，也往往委屈自己而听从他的意见。

突厥可汗默啜自从武则天时期以来为患中原，皇帝为此忙得吃不上饭，竭尽全国之力而不能获胜，郝灵荃获得默啜的首级，自以为立下了盖世之功。宋璟认为皇帝喜好武功，担心好事之徒会萌生侥幸之心，就狠狠地压低了对郝灵荃的奖赏，过了一年才授予他郎将职位，郝灵荃极度伤心，痛哭而死。

宋璟与苏颋相互投合，关系深厚，苏颋遇事多让宋璟拿主意，宋璟每次发表意见，苏颋便为他提供帮助。宋璟曾对人说：“我与苏氏父子都同居相府，仆射苏瓌为人宽厚，确实是治国的人才，但是政事上的献可替否，吏事上的精练敏捷，黄门苏颋却超过了他的父亲。”

姚崇和宋璟相继担任宰相，姚崇擅长于应付变故、完成政务，宋璟则擅长于严格执法、主持公道。二人的志向操守不同，然而能够同心协力地辅佐玄宗，使得赋役宽平，刑罚清简，百姓富庶。在唐代的贤相中，前面可称许的有房玄龄和杜如晦，后面可称许的有姚崇和宋璟，其他人难以和他们相比。姚崇与宋璟二人每次进见时，玄宗常常为他们站起来；离开时，玄宗就到殿前相送。到李林甫做宰相时，虽然恩宠和任用超过了姚崇和宋璟，然而他所得到的礼遇却特别卑薄。紫微舍人高仲舒博通典籍，齐澣则熟习时务，姚崇和宋璟每有疑难问题都要请高仲舒和齐澣坐下征询意见，得到答复后便感叹道：“想知道古代，就向高君请教；想知道当今，就向齐君

可以无阙政[525]矣！”

辛丑[526]，罢十道按察使[527]。

旧制，六品以下官皆委尚书省奏拟，是岁，始制员外郎、御史、起居、遗、补不拟[528]。

【段旨】

以上为第十四段，写开元初贤相风采，姚崇与卢怀慎，宋璟与苏颋相继为相，和衷共济。

【注释】

㊽己卯：十一月初七日。[478]明时重器：指宋璟等四人是清平时代的杰出人才。明时，政治清明的朝代，指本朝。重器，即大器，指宝贵的人才。[479]所坐者小二句：宋璟坐小事出为睦州刺史，转广州都督；李杰为王旭所诬，左迁衢州刺史；卢从愿、李朝隐因叙县令非才分别贬为豫州刺史、滑州刺史。此谓宋璟等人因小过而弃置不用，是朝廷的重大损失。[480]矜录：矜怜录用。[481]乙未：十一月二十三日。[482]苍头：奴仆。[483]丙申：十一月二十四日。[484]源乾曜：源乾曜（？至公元七三一年），相州临漳（今河北临漳西南）人，进士及第，为相十余年，以清慎恪敏著名。传见《旧唐书》卷九十八、《新唐书》卷一百二十七。[485]寓居：寄居。[486]罔极寺：神龙元年（公元七〇五年）太平公主为武则天所立，在长安朱雀街东大宁坊东南隅，即今陕西西安东关炮房街一带。开元二十年改名兴唐寺。[487]痁：疟疾。[488]谒告：请假。[489]实然：确实如此。[490]癸卯：十一月癸酉朔。癸卯系十二月一日。[491]四方馆：官衙名，属中书省，主管各少数民族往来与贸易等事宜。[492]簿书：账簿文书。[493]禁中：宫中。宫门有禁，非侍卫及通籍之臣不得入内。[494]广通：广泛交通。[495]主书：官名，属中书省，员四人，从七品上。[496]当死：罪当死刑。[497]曲赦：因

【原文】

五年（丁巳，公元七一七年）

春，正月癸卯[529]，太庙四室坏，上素服[530]避正殿。时上将幸东都，以问宋璟、苏颋，对曰：“陛下三年之制未终[531]，遽尔行幸，恐未契[532]天

请教，这样就可以使政事没有缺失了！”

闰十二月二十九日辛丑，废除十道按察使。

旧制规定，六品以下职事官的任命，均由尚书省拟定呈奏皇帝，这一年，玄宗开始下诏，六品以下的员外郎、御史、起居、拾遗、补阙等官不再由尚书省奏拟。

特殊情况而赦免。㊽特标诲名：特别标记赵诲姓名。㊾内侍：《旧唐书·宦官传》作内常侍。内侍为内侍省之长，从四品上。内常侍则为内侍之副，正五品下。掌在内侍奉、出入宫掖宣传之事。㊿杨思勖：杨思勖（？至公元七四〇年），罗州石城（今广东廉江东北）人，玄宗朝著名宦官。常率兵出征，累迁骠骑大将军，封虢国公。传见《旧唐书》卷一百八十四、《新唐书》卷二百七。501凝远：凝重深远。502际：涯。503丙辰：十二月十四日。504乙丑：十二月二十三日。505闰月：闰十二月。506己亥：闰十二月二十七日。507朝廷：指皇帝。508旰食：因心忧事繁而晚食。509不世之功：罕见的奇功。510徼幸：侥幸以求边功。511痛抑其赏：狠狠地压抑对郝灵荃的奖赏。岑仲勉《通鉴隋唐纪比事质疑》认为此事不可尽信。512郎将：十二卫大将军府官属，正五品上。513仆射：指苏颋父苏瓌。514国器：有治国才能的人。515献可替否：进献可行之策，除去不当之政。有诤言进谏之意。516精敏：精练敏捷。517黄门：指苏颋。518志操：志向操守。519清省：清明简约。520房杜：房玄龄、杜如晦。521临轩：走到殿前。522李林甫为相：从开元二十二年（公元七三四年）五月二十八日至天宝十一年（公元七五二年）十一月十二日。523礼遇：以礼相待。524高仲舒：京兆万年人。传见《旧唐书》卷一百八十七上、《新唐书》卷一百九十一。525阙政：阙失的政事。526辛丑：闰十二月二十九日。527罢十道按察使：开元二年（公元七一四年）闰二月九日复置十道按察使。见《旧唐书》卷八。528始制员外郎、御史、起居、遗、补不拟：唐制，尚书省诸司员外郎从六品上，侍御史从六品下，监察御史正八品上，起居郎从六品上，左右拾遗从八品上，左右补阙从七品上。虽然这些官职皆为六品以下官，但皆为台省要职，故由尚书省奏拟改为由皇帝亲自除授。

【语译】

五年（丁巳，公元七一七年）

春，正月初二日癸卯，太庙中有四室损坏，玄宗身着丧服，回避正殿。当时玄宗将要巡幸东都洛阳，以此事询问宋璟和苏颋，两人回答说：“陛下三年守丧还未结束，就急忙巡幸，恐怕不合天意，出现灾异就是作为警戒，希望陛下暂时停止巡

心，灾异为戒，愿且停车驾[533]。”又问姚崇，对曰：“太庙屋材，皆苻坚[534]时物，岁久朽腐而坏，适与行期相会，何足异也[535]！且王者以四海为家，陛下以关中不稔幸东都，百司供拟已备，不可失信。但应迁神主[536]于太极殿，更修太庙，如期自行耳。”上大喜，从之。赐崇绢二百匹。己酉[537]，上行享礼[538]于太极殿，命姚崇五日一朝，仍入阁供奉[539]，恩礼更厚，有大政辄访焉。右散骑常侍褚无量上言：“隋文帝富有天下，迁都之日，岂取苻氏旧材以立太庙乎！此特谀臣之言耳。愿陛下克谨[540]天戒[541]，纳忠谏，远谄谀[542]。”上弗听。

辛亥[543]，行幸东都。过崤谷[544]，道隘不治[545]，上欲免河南尹及知顿使[546]官，宋璟谏曰：“陛下方事巡幸，今以此罪二臣，臣恐将来民受其弊。”[547]上遽命释之。璟曰：“陛下罪之，以臣言而免之，是臣代陛下受德也，请令待罪朝堂而后赦之。”上从之。

二月甲戌[548]，至东都，赦天下。

奚、契丹既内附，贝州刺史宋庆礼[549]建议，请复营州。三月庚戌[550]，制复置营州都督于柳城[551]，兼平卢军使，管内州县、镇戍皆如其旧[552]。以太子詹事姜师度为营田、支度使，与庆礼等筑之，三旬而毕。庆礼清勤严肃，开屯田八十余所，招安流散，数年之间，仓廪充实，市里浸繁。

夏，四月甲戌[553]，赐奚王李大酺妃辛氏号固安公主[554]。

己丑[555]，皇子嗣一卒[556]，追立为夏王，谥曰悼。嗣一母武惠妃[557]，攸止之女也。

突骑施酋长左羽林大将军苏禄部众浸强，虽职贡[558]不乏，阴[559]有窥边之志。五月，十姓可汗阿史那献欲发葛逻禄兵击之，上不许。

初，上微时[560]，与太常卿姜皎亲善，及诛窦怀贞[561]等，皎预[562]有功，由是宠遇群臣莫及，常出入卧内，与后妃连榻宴饮，赏赐不可胜纪。弟晦，亦以皎故累迁吏部侍郎。宋璟言皎兄弟权宠太盛，非所以安之，上亦以为然。秋，七月庚子[563]，以晦为宗正卿，因下制曰：“西汉诸将，以权贵不全；[564]南阳故人，以优闲自保。[565]皎宜放归田园，散官、勋、封皆如故。”

幸。”玄宗又询问姚崇，姚崇回答说：“太庙房屋的木材，都是苻坚时的东西，年久腐朽而损坏，正好与陛下的行期相合，有什么值得奇怪的！况且称王天下的以四海为家，陛下因关中歉收而幸临东都，有关官署把应该供给的已经备好了，陛下不可失信。只是应该把祖宗神主迁到太极殿，重新修整太庙，陛下自己可以如期东行。”玄宗听了非常高兴，听从了姚崇的意见，赏赐他二百匹绢帛。初八日己酉，玄宗在太极殿举行祭祀大礼，命令姚崇五日朝见一次，仍然内殿朝参立于供奉班中，对姚崇的恩礼更加深厚，有重大政务就向他咨询。右散骑常侍褚无量进言说：“隋文帝富有天下，迁都的时候，难道是用苻坚的旧材料修建太庙吗？这种说法只不过是阿谀之臣的言辞而已。希望陛下慎重对待上天的警戒，听取忠诚的规劝，疏远谄谀小人。”玄宗没有听从。

正月初十日辛亥，玄宗巡幸东都，经过崤谷，道路狭隘，没有整治，玄宗打算免掉河南尹和知顿使的官职。宋璟劝谏说：“陛下正在巡幸，现在拿此事加罪这两位官员，臣担心将来百姓要承受由此带来的弊端。”玄宗赶快命令释罪不问。宋璟说：“陛下加罪于他们，因为臣的话而免除了他们的罪过，这是让臣代替陛下领受他们的感激之情，臣请求陛下命令他们到朝堂来听候治罪，然后再予以赦免。”玄宗听从了这一建议。

二月初三日甲戌，玄宗抵达东都，大赦天下。

奚、契丹二族已经归附朝廷，贝州刺史宋庆礼建议恢复营州建置。三月初十日庚戌，玄宗颁下制书在柳城重新设置营州都督，兼平卢军使，所辖境内州县、镇戍都一如旧制。任命太子詹事姜师度为营田、支度使，与宋庆礼等修筑营州城，三十天竣工。宋庆礼清廉勤勉，严整恭敬，开垦屯田八十多处，招抚安置流散百姓，几年之间，仓储充盈，街市里巷逐渐繁荣。

夏，四月初五日甲戌，朝廷赐号奚王李大酺之妃辛氏为固安公主。

二十日己丑，皇子李嗣一去世，追封为夏王，谥号为悼。李嗣一的母亲武惠妃，是武攸止的女儿。

突骑施酋长左羽林大将军苏禄的部众逐渐强大，虽然对朝廷的进贡没有缺少，但是暗有窥伺唐朝边境的意图。五月，十姓可汗阿史那献打算调发葛逻禄的军队攻打苏禄，玄宗没有允许。

当初，玄宗地处下位时，与太常卿姜皎亲善，到诛杀窦怀贞等人时，姜皎参与此事立有功劳，因此所受恩宠，群臣望尘莫及，他经常出入玄宗的卧室，与后妃同席宴饮，获得的赏赐不可胜数。弟弟姜晦，也因为姜皎的缘故，经多次提拔后升为吏部侍郎。宋璟说姜皎兄弟的权势太大，这不是使他们安全的方法，玄宗也认同这一看法。秋，七月初三日庚子，玄宗任命姜晦为宗正卿，借此颁布诏命说：“西汉的各位将领，由于权重位高而没能保全身家性命；光武帝的南阳故旧，因为悠闲无争而能自保富贵福禄。姜皎应放归田园，他原有的散官、勋阶和封号一切照旧。”

壬寅[566]，陇右节度使郭知运大破吐蕃于九曲。

安西副大都护汤嘉惠奏突骑施引大食、吐蕃，谋取四镇，围钵换[567]及大石城[568]，已发三姓葛逻禄兵与阿史那献击之。

并州长史张嘉贞上言："突厥九姓新降者，散居太原以北，请宿[569]重兵以镇之。"辛酉[570]，置天兵军于并州，集兵八万，以嘉贞为天兵军大使。

【段旨】

以上为第十五段，写关西歉收，唐玄宗就食东都，其时唐朝国力盛强，玄宗加固边防，在东北复置营州，西破吐蕃与突骑施，又置重兵于并州北防突厥。

【注释】

㉙癸卯：正月初二日。㉚素服：丧服。㉛三年之制未终：服丧未满。睿宗去年六月十九日死，至此还不到半年时间。㉜契：合。㉝停车驾：停幸东都。㉞苻坚：苻坚（公元三三八至三八五年），字永固，略阳临渭（今甘肃秦安东南）人，氐族，十六国时期的前秦皇帝。公元三五七至三八五年在位。传见《晋书》卷一百十三、《魏书》卷九十五。㉟何足异也：有什么值得奇怪的。胡三省则释为"言不足以为灾异"。㊱神主：宗庙内所立已死君王的牌位。㊲己酉：正月初八日。㊳享礼：祭祀祖先神灵之礼。㊴入阁供奉：谓内殿朝参立于供奉班中。姚崇为旧相，立于供奉班首。㊵克谨：谨慎。㊶天戒：上天的告诫。㊷谄谀：谄媚奉承。㊸辛亥：正月初十日。㊹崤谷：据《旧唐书·宋璟传》，崤谷在河南府永宁县界，即今河南洛宁一带。㊺道隘不治：道路狭隘，未曾修治。㊻知顿使：唐制，天子出巡，先遣知顿使负责前站事务。㊼今以此罪二臣二句：

【原文】

太常少卿王仁惠等[26]奏则天立明堂不合古制[571]；又，明堂尚质[572]，而穷极奢侈，密迩宫掖，人神杂扰[573]。甲子[574]，制复以明堂为乾元殿[575]，冬至、元日受朝贺，季秋大享，复就圜丘。

九月，中书、门下省及侍中皆复旧名[576]。

初五日壬寅，陇右节度使郭知运在九曲大败吐蕃军队。

安西都护府副大都护汤嘉惠奏报突骑施引领大食、吐蕃，图谋夺取安西四镇，包围了钵换和大石城，现已征调三姓葛逻禄的军队与阿史那献抗击他们。

并州长史张嘉贞上奏说："突厥九姓新近降附的部众，散居在太原以北，请求在此地驻扎重兵来镇抚他们。"七月二十四日辛酉，在并州设置天兵军，集中了八万士卒，任命张嘉贞为天兵军大使。

若以"道隘不治"为理由，处罚河南尹和知顿使，那么以后官吏遇到类似情况，必然广费民力修整道路，这样老百姓就会深受其弊。548 甲戌：二月初三日。549 宋庆礼：洺州永年（今河北邯郸市永年区东南）人，历任大理评事、贝州刺史、检校营州都督等职，为政清严。传见《旧唐书》卷一百八十五下、《新唐书》卷一百三十。550 庚戌：三月初十日。551 柳城：在今辽宁朝阳。552 皆如其旧：皆如万岁通天元年营州失陷以前的情形。553 甲戌：四月初五日。554 赐奚王李大酺妃辛氏号固安公主：辛氏本辛景初之女，开元五年三月十七日封为固安县主，嫁于奚王李大酺。至此，又进封为公主。555 己丑：四月二十日。556 嗣一卒：李嗣一为玄宗第八子。孩提而夭，葬于龙门东边小而高的山岗上。见《唐会要》卷五、《新唐书》卷八十二。557 武惠妃：恒安王武攸止之女。王皇后被废后进册惠妃，礼秩与皇后无异。死后追谥为贞顺皇后。传见《旧唐书》卷五十一、《新唐书》卷七十六。558 职贡：职方的贡物。559 阴：暗。560 上微时：皇上（玄宗）没有显达的时候。561 诛窦怀贞：时在开元元年（公元七一三年）七月初三日。562 预：参与。563 庚子：七月三日。564 西汉诸将二句：汉高祖时彭越、韩信、英布等诸王因权重而相继被杀。565 南阳故人二句：东汉初，光武帝刘秀给功臣以优厚的经济待遇，元从功臣多退出政坛，得以享尽天年。566 壬寅：七月初五日。567 钵换：拨换城。故址在今新疆阿克苏。568 大石城：温肃州治所，在今新疆乌什。569 宿：屯。570 辛酉：七月二十四日。

【语译】

太常寺少卿王仁惠等人上奏说武则天所立明堂不符合古制，还有，明堂崇尚质朴，现在却是穷奢极侈，又靠近宫禁，人神杂扰。七月二十七日甲子，颁布诏命，再次把明堂改为乾元殿，每年冬至和正月初一玄宗在此接受群臣朝贺，每年季秋再到圜丘去举行大享礼。

九月，中书省、门下省及门下省侍中都恢复了原有的名称。

贞观之制，中书、门下及三品官入奏事，必使谏官[577]、史官[578]随之，有失则匡正，美恶必记之，诸司皆于正牙[579]奏事，御史弹百官，服豸冠[580]，对仗读弹文。故大臣不得专君而小臣不得为谗慝。及许敬宗、李义府用事[581]，政多私僻[582]，奏事官多俟仗下，于御坐前屏左右密奏，监奏御史[583]及待制官[584]远立以俟其退；谏官、史官[27]皆随仗出，仗下后事[585]，不复预闻。武后以法制群下，谏官、御史得以风闻言事，自御史大夫至监察[586]得互相弹奏，率以险诐[587]相倾覆。及宋璟为相，欲复贞观之政，戊申[588]，制："自今事非的须[589]秘密者，皆令对仗奏闻，史官自依故事[590]。"

冬，十月癸酉[591]，伊阙人孙平子[592]上言："《春秋》讥鲁跻僖公[593]，今迁中宗于别庙而祀睿宗，正与鲁同。兄臣于弟[594]，犹不可跻，况弟臣于兄[595]，可跻之于兄上乎！若以兄弟同昭[596]，则不应出兄置于别庙。愿下群臣博议，迁中宗入庙。"事下礼官，太常博士陈贞节、冯宗、苏献议，以为："七代之庙，不数兄弟[597]。殷代或兄弟四人[598]相继为君，若数以为代，则无祖祢[599]之祭矣。今睿宗之室当亚高宗，故为中宗特立别庙。中宗既升新庙，睿宗乃祔高宗，何尝跻居中宗之上？而平子引跻僖公为证，诬罔圣朝，渐不可长。"时论多是平子，上亦以为然，故议久不决。苏献，颋之从祖兄[600]也，故颋右[601]之。卒从礼官议，平子论之不已，谪为康州都城[602]尉。

新庙[603]成。戊寅[604]，神主祔庙。

上命宋璟、苏颋为诸皇子制名及国邑之号，又令别制一佳名及佳号进之。璟等上言："七子均养，著于《国风》。[605]今臣等所制名号各三十余，辄混同以进，以彰陛下覆焘[606]无偏之德。"上甚善之。

十一月丙申[607]，契丹王李失活入朝。十二月壬午[608]，以东平王[609]外孙杨氏为永乐公主，妻之。

秘书监马怀素奏："省中书[610]散乱讹缺[611]，请选学术之士二十人整比校补。"从之。于是搜访逸书，选吏缮写，命国子博士尹知章[612]、桑泉尉韦述[613]等二十人同刊正，以左散骑常侍褚无量为之使，于乾元殿[614]前编校群书。

贞观时的制度，中书省、门下省以及三品官入朝奏事时，必须指派谏官、史官随同，有过失则予以匡正，无论善恶一定记录下来，各官署都在正衙奏事，御史劾奏百官时，头戴獬豸冠，对着仪仗宣读弹劾的奏文。因此大臣无法独自面对君王，小臣不能为谗使坏。到了许敬宗、李义府主政时，为政大多行私邪僻，奏事官员大多是等待仪仗撤下之后，在皇帝御座之前屏退左右，秘密陈奏，监奏御史和待制官在远处侍立等待奏事的大臣退下，谏官和史官都随同仪仗退出，仪仗撤离以后的事，不再参与听取。武则天以法度驾驭臣下，谏官和御史能凭传闻奏事，从御史大夫到监察御史可以互相劾奏，大略都是以险诈偏颇之辞相互倾轧。到宋璟担任宰相时，想恢复贞观时的制度。九月十二日戊申，玄宗下诏说："从今以后，凡事不是必须密奏的，都要对仗奏闻，史官要依照过去的规定履行职责。"

冬，十月初七日癸酉，伊阙人孙平子上奏说："《春秋》讥讽鲁文公把其父鲁僖公之位升到闵公之上为非礼，而今把中宗神主迁往别庙，在太庙中祀奉睿宗，与鲁国的做法完全相同。哥哥是弟弟的臣子尚且不能如此，何况弟弟是哥哥的臣子，又怎能居于哥哥之上呢！如果是兄弟二人均系昭位的缘故，就不应当把兄长的神位迁往别庙。希望能把此事交给群臣广泛议论，把中宗的神主迁回太庙。"玄宗把此事交付给礼官商议，太常博士陈贞节、冯宗、苏献经过议论后认为："在共有七代君主神位的太庙里，不是以兄弟来计算世代的。商朝有时是兄弟四人相继为君，如果以兄弟的数目来计算世代，就没有祖父之祭和父亲之祭了。如今睿宗神位应当低于高宗神位，因此为中宗神主专门设立别庙祀奉。中宗神主已经升入新庙，睿宗神主才迁入太庙祔于高宗，何尝是升到中宗之上呢？而孙平子引用《春秋》提升鲁僖公之位为口实，诬罔圣朝，这种苗头不能让它发展。"当时人们的意见多数肯定孙平子，玄宗也认为是这样，所以争论长期未能决断。苏献是苏颋的从祖兄长，所以苏颋袒护苏献。最终还是接受了礼官的意见，孙平子议论不止，被贬为康州都城尉。

新的太庙落成。十二日戊寅，把睿宗的神主迁入太庙受享。

玄宗命令宋璟和苏颋为各位皇子及其受封的国邑取名定号，又命令他们另外再取一个佳名和佳号进呈。宋璟等人上言说："七个儿子平等供养，见载于《诗经·国风》。现在臣等取定的名号各有三十多个，便一概混同进呈，以彰显陛下均加覆盖、不偏不倚的恩德。"玄宗非常赞赏这一意见。

十一月丙申日，契丹王李失活入朝。十二月十七日壬午，封东平王李续的外孙女杨氏为永乐公主，李失活娶她为妻。

秘书监马怀素上奏说："秘书省所藏图书散乱讹缺，请求选择二十位有学术的人进行整理、编排、校订、补辑。"玄宗听从了他的意见。于是下令搜访散佚的典籍，挑选官吏一一缮写，命令国子博士尹知章、桑泉尉韦述等二十人共同刊正，任命左散骑常侍褚无量为主持此事的专使，在乾元殿殿前编纂校定群书。

【段旨】

以上为第十六段，写唐玄宗重建太庙，朝议制度恢复贞观遗风。

【注释】

⑤⑦①不合古制：不符合古代制度。⑤⑦②质：质朴。⑤⑦③杂扰：夹杂烦扰。⑤⑦④甲子：七月二十七日。⑤⑦⑤复以明堂为乾元殿：垂拱四年（公元六八八年）毁乾元殿，作明堂。⑤⑦⑥中书门下省及侍中皆复旧名：据《新唐书》卷五《玄宗纪》，时在九月六日。开元元年十二月一日改中书省为紫微省，门下省为黄门省，侍中为黄门监。至此，恢复其旧称。⑤⑦⑦谏官：专以进谏为职的官员。唐代左右散骑常侍、谏议大夫、左右拾遗、左右补阙皆为谏官。⑤⑦⑧史官：此处特指记注官。所谓记注官即随时记录皇帝言行的官员。唐代起居郎（左史）、起居舍人（右史）皆为史官。⑤⑦⑨牙：通“衙”。⑤⑧⓪服豸冠：戴獬豸冠。獬豸冠为法冠名称，又称柱后。高五寸，以铁为柱卷，取不屈不挠之意。执法者服之。⑤⑧①许敬宗、李义府用事：时在唐高宗显庆至总章年间。⑤⑧②私僻：行私邪僻。⑤⑧③监奏御史：殿中侍御史。⑤⑧④待制官：等待皇帝顾问的官员。唐高宗永徽年间，命弘文馆学士一人，每日待制于武德殿西门。文明元年，武则天诏京官五品以上清官，每日一人，待制于章善门。先天末，玄宗又令朝集使六品以上二人随仗待制。⑤⑧⑤仗下后事：散朝以后之事。⑤⑧⑥监察：监察御史。⑤⑧⑦险诐：险诈偏颇。诐，通“颇”。⑤⑧⑧戊申：九月十二日。⑤⑧⑨的须：确须。⑤⑨⓪史官自依故事：唐制，天子御正殿，左右史俯阶而听。有命令，则退而书之。若仗在紫宸内阁，则夹香案分立殿下。⑤⑨①癸酉：十月初七日。⑤⑨②孙平子：伊阙（今河南洛阳南）人。事见《旧唐书》卷二十五《礼仪志五》,《新唐书》卷二百《陈贞节传》。⑤⑨③春秋讥鲁跻僖公：见《春秋》文公二年八月。跻，升。《左传》认为鲁跻僖公为“逆祀”，是失礼的行为。⑤⑨④兄臣于弟：指鲁僖公曾臣于闵公。⑤⑨⑤弟臣于兄：指睿宗曾臣于中宗。⑤⑨⑥同昭：同列。此系就昭穆而言。⑤⑨⑦不数兄弟：兄弟不在数内。⑤⑨⑧兄弟四人：指阳甲、盘庚、小辛、小乙。⑤⑨⑨祖祢：祖父。祢，父亲死后在宗庙中立主，称作祢。⑥⓪⓪从祖兄：同曾祖而不同祖父的兄长。⑥⓪①右：祖护。⑥⓪②都城：县名，故治在今广东德庆东。⑥⓪③新庙：新建之太庙。⑥⓪④戊寅：十月十二日。⑥⓪⑤七子均养二句：《诗经·鸤鸠》云：“鸤鸠在桑，其子七兮。淑人君子，其仪一兮。”鸤鸠即布谷鸟。该诗的意思是说布谷鸟对待自己的七只小鸟都同样哺喂，平均如一。⑥⓪⑥覆焘：遮盖。⑥⓪⑦丙申：十一月无丙申。司马光在《考异》中说：“《长历》，十一月丁酉朔，丙申，十月晦也，与《实录》差一日。《旧纪》《唐历》皆云‘十一月己亥，契丹李失活来朝’。今从《实录》。”据此，则司马光已知十一月无丙申，但仍照旧书之，令人费解。丙申，十月二十九日。己亥，十一月初三日。⑥⓪⑧壬午：十二月十七日。⑥⓪⑨东平王：名续，太宗之孙，纪王慎之子。⑥①⓪省中书：秘书省所藏之书。⑥①①讹缺：错讹缺失。⑥①②尹知章：尹知章（？至公元七一八年），绛州翼城（今山西翼城）人，博通经义，尤精《周易》《老子》

《庄子》。官至国子博士。传见《旧唐书》卷一百八十九下、《新唐书》卷一百九十九。⑬韦述：韦述（？至公元七五七年），京兆万年人，唐代史学家。博览群书，记忆过人。居史职二十年，著述甚丰。所撰《唐职仪》（三十卷）、《高宗实录》（三十卷）、《御史台记》（十卷）、《两京新记》（五卷）等都有较大的影响。传见《旧唐书》卷一百二、《新唐书》卷一百三十二。⑭乾元殿：开元五年七月二十七日，改明堂为乾元殿。

【校记】

［26］等：原无此字。据章钰校，十二行本、乙十一行本、孔天胤本皆有此字，张敦仁《通鉴刊本识误》同，今据补。〖按〗据《旧唐书·礼仪志》，此次一同上奏的尚有冯宗、陈贞节等人，且《旧唐书》作"王仁忠"。［27］史官：原作"御史"。据章钰校，十二行本、乙十一行本、孔天胤本皆作"史官"，今据改。

【研析】

唐玄宗执政四十四年，本卷所载是开元初四年史事，他励精图治，开了一个好头，四年间扭转了社会风气，奠定了开元盛世的基础。本卷研析，从明君、贤臣、史家评论三个方面分析唐玄宗执政初期的政绩。

第一，明君。唐玄宗李隆基，先天元年（公元七一二年），二十八岁登基为皇帝。这正是一个有志青年奋发之时，唐玄宗即帝位，可以说是受命于危难之际，他是在韦皇后乱政，在连续的宫廷政变中，被历史推上了政治舞台。他的权力来之不易。在武则天革命，中宗、睿宗继之昏庸，武家班、韦家班，还有一个太平公主夺权的乱政之中接掌政权，如何振兴李唐王朝，任务十分艰巨。唐玄宗干得很出色，在短短的四年中，唐政权恢复了贞观遗风，政治走上了轨道，出现了开元新气象。唐玄宗励精图治，表现出明君的风采，在开元初做出了以下八个方面的贡献。其一，任用贤相。初任首辅为姚崇，卢怀慎佐之；继任宋璟，苏颋佐之。唐制，宰相多位，唐玄宗主要倚重的是姚崇、宋璟。姚崇与卢怀慎，宋璟与苏颋，和睦共事，政令统一，得到很好执行。其二，纳谏。能纳谏，是明君最重要的标志。唐玄宗精通音律，爱好流行歌曲，设置左右教坊，亲自教授曲律于梨园，组建了一个几百人的乐队，号称"皇帝梨园弟子"。唐玄宗被后世奉为梨园之祖，即始于此。流行歌曲被称为靡靡之音，与传统国家太常所掌雅乐不兼容。礼部侍郎张廷珪、酸枣尉袁楚客等上疏劝谏，认为皇帝不应悦郑音、好游猎。面对非议唐玄宗没有生气，还嘉奖他们直言。凡军国大政，大臣所言得当，唐玄宗皆一一采纳。其三，明法，惩治亲贵。薛王李业，唐玄宗之弟，其舅王仙童侵暴百姓，受到御史的弹劾。李业出面说情，唐玄宗不许，王仙童受到惩治，从此，贵戚们有所收敛。唐玄宗王皇后的妹夫尚衣奉御长孙昕，以私怨敢于殴打御史大夫李杰，李杰上诉，唐玄宗在朝堂上杖杀长孙昕，向百官道歉。唐玄宗之兄申王李成义，替自己的下属亲王府录事阎楚珪要官，升为府参军，可以说是一件小事。唐玄宗已经允许了，宰相姚崇、卢怀慎上疏谏，不能开请托之门，败坏纲纪，唐玄宗收回成命。由此，请谒不行。其四，倡导节俭。开元二年七月初十日，唐玄宗下诏，倡导节俭，说"乘舆服御、金银器玩，宜令有司销毁，以供军国之用"，又令"后妃以下，皆毋得服珠玉锦绣"。同时裁撤了两京的织锦坊。唐玄宗还纳谏改过，放飞了禁苑中的珍禽，停止了到师子国（即今斯里兰卡）购买海珠、医药、胡医的做法。其五，停建寺观，沙汰伪妄的僧尼，共有一万二千多人还俗。其六，整肃武、韦余党，消除武、韦遗留的影响。唐玄宗禁锢了武后的酷吏周利贞等十三人，罢了他们的官，终身不用。销毁为武则天颂功德的天枢、颂韦皇后功德的石台。重建太庙，恢复贞观遗风。其七，强化边防。东置幽州节度使，西置陇右节度使以御边。发兵大破吐蕃与突骑施。又置重兵于并州北防突厥。边防巩固，为开元之治的发展创造了和平的环境。其八，礼儒。宰相卢怀慎荐太常卿马怀素、右散骑常侍褚无量，更日进官为唐玄宗侍读。玄宗待以师傅之礼，亲自送师。此时的唐玄宗重现唐太宗的明君风采，是开元中兴的根本保证。

第二，贤臣。明君望治，贤臣辈出。开元初姚崇、卢怀慎、宋璟、苏颋四相，清廉抗直，守正敢为，为开元盛世的贤臣做出了榜样。首先，诸贤和衷共济，为君股肱，政令得以有效地贯彻执行。卢怀慎的虚怀与雅量，得到了司马光的高度评价。卢怀慎清谨俭素，不营资产，虽贵为卿相，妻子不免于饥寒，居室不蔽风雨。他的俸禄，大部分发放给亲故。卢怀慎死后，家无余财，只有一个家奴老翁，愿意自卖用作丧葬费。卢怀慎以品德厚重被唐玄宗任用为相，他缺乏行政才能，不能独立办公，时人戏称他为"伴食宰相"。卢怀慎贵有自知之明，尽力辅助姚崇，甘当副手。其次，姚、宋当政，敢于坚持原则，犯颜直谏，严格执法，杜绝请谒，惩贪与沙汰冗官，不避贵戚，毫不手软。再次，姚、宋不从落后时俗，关怀民生。开元初，山东、河南连年闹蝗灾，姚崇严令地方官组织民众捕杀。当时习俗，认为蝗虫是上天谴责人间的灾害，不可捕杀。汴州刺史倪若水就拒不执行，说什么："蝗乃天灾，宜修德以禳之。"姚崇针锋相对回答说："如果修德可免，说明你没有德政。"倪若水才不敢违抗。多数人认为蝗虫太多，没法杀灭。甚至宰相卢怀慎也说："杀蝗虫太多，要伤和气。"姚崇驳斥说："不忍杀蝗，难道让人饿死是不伤和气吗？若果杀蝗有祸，我姚崇一人承当。"唐玄宗支持姚崇，于是一场全民杀蝗的运动开展起来。尽管连年蝗灾，但是没有酿成大灾，百姓赖以存活。姚崇杀蝗，也是一场移风易俗的运动。贤相心里装着百姓，关心民生，社会自然和谐，天下也必然大治。

第三，史论。本卷有三条"臣光曰"的史论，值得研析。第一条是对唐玄宗刻厉节俭的评论。司马光感叹唐玄宗晚节不保，崇尚奢靡，号召做好事的人，要牢记《诗经》的教导："靡不有初，鲜克有终。"纵观中国的皇帝，大多是只有好的开头，没有好的结尾。根本原因是道德的力量很有限，一个人只靠自律，很难保持有始有终。唐太宗做不到，司马光也开不出药方。但“我不入地狱谁入地狱”的感叹与号召，具有道德的力量，用心是好的，也是可取的。

司马光的第二条评论是批评唐玄宗与姚崇的。开元二年（公元七一四年），太子宾客薛谦光献武后所制《豫州鼎铭》，内有“上玄降鉴，方建隆基”两句话。文中的“隆基”与唐玄宗名隆基，应该是偶然的巧合，姚崇特为之上表庆贺，说成是唐玄宗得到受命的祥瑞和符应。姚崇还请求宣示史官，载入史册，颁告中外。司马光对此提出批评，说唐玄宗与姚崇君臣相贺是在诬天，而姚崇更是上诬于天，下侮其君，很是痛惜一个明君，一个贤相，有这样的举动。司马光的批评是中肯的，唐玄宗与姚崇都有一定的历史局限性。明君与贤臣都不是完人。

司马光的第三条评论是赞美卢怀慎甘当副手的谦虚与雅量。有人认为，卢怀慎只是一个饭桶，陪宰相吃饭的庸人，有什么值得赞美的。卢怀慎把俸禄分给亲故，让自己的老婆孩子饿肚子，是一个不负责任的丈夫和父亲，甚至是一个沽名钓誉者，是隐藏更大私心的小人。还批许司马光没有是非观，我们不能赞同这一观点。如果是借题发挥，用他山之石攻玉，可以理解，但用以批评卢怀慎与司马光，那就过了头。唐玄宗说得很清楚，用姚崇的才能办事，用卢怀慎的品德压阵，要他助成姚崇治政。卢怀慎让妻儿挨饿，是有些过分，但他绝不是做给人看的。因他死无余财，连丧葬费都没有，说明他一辈子都甘居清廉。年轻时作秀给别人看是为了爬升，直到老死都在坚持，作秀给谁看呢！说他是“伴食宰相”，带有善意的嘲讽，只是说他没主见，并无尸位素餐之意。卢怀慎坚持原则，是非分明，时常上表唐玄宗，提批评，提建议，并不是一个饭桶。唐玄宗和司马光对他的评价是中肯的。卢怀慎的行为品德，在当时贪赃与奢侈风气下，是正直清廉的一个榜样，是人们的一面镜子，不应当否定。

卷第二百十二　唐纪二十八

起著雍敦牂（戊午，公元七一八年），尽旃蒙赤奋若（乙丑，公元七二五年），凡八年。

【题解】

本卷记事起公元七一八年，迄公元七二五年，凡八年，当唐玄宗开元六年到开元十三年。此时期沿袭开元初君臣精心治国的政治。宋璟、张嘉贞、源乾曜、张说相继为相，坚持用人为贤，玄宗与众相慎选举，绝不滥任官职，杜绝奸巧仕进。开元十三年（公元七二五年）唐玄宗疑心吏部选举不公，亲任主考。吴兢上奏，皇帝亲任主考不合制度，第二年取消了，但表明此时唐玄宗求贤的决心。唐玄宗检括户口，加强对流民的管制。唐玄宗敬畏天变，不妄杀，不擅改礼仪。宋璟治反狱，只诛首恶。唐玄宗惩治贪官，从重从速。宰相张嘉贞因其弟贪赃受株连而罢相。玄宗严禁诸王与百官交结。驸马裴虚己尚睿宗女霍国公主，开元八年（公元七二〇年）裴虚己与岐王李范游宴，被流放新州，迫使公主离婚。开元十年（公元七二二年）下敕重申宗室、外戚、驸马没有至亲关系不得交往。开元十三年（公元七二五年），唐玄宗敕令禁锢武周时期酷吏子孙。是年上泰山封禅，祭天称成功。此时期仍有边患，突厥、契丹大败唐军，兰池州夷人叛乱。

【原文】

玄宗至道大圣大明孝皇帝上之下

开元六年（戊午，公元七一八年）

春，正月辛丑[①]，突厥毗伽可汗来请和，许之。

广州吏民为宋璟立遗爱碑[②]。璟上言："臣在州无他异迹[③]，今以臣光宠[④]，成彼谄谀。欲革此风，望自臣始，请敕下禁止。"上从之。于是他州[⑤]皆不敢立。

辛酉[⑥]，敕禁恶钱[⑦]，重二铢四分以上乃得行[⑧]。敛人间恶钱镕之，更铸如式钱[⑨]。于是京城纷然，卖买殆绝[⑩]。宋璟、苏颋请出太府钱[⑪]二万缗置南北市[⑫]，以平价买百姓不售之物可充官用者，及听两京百官豫假[⑬]俸钱，庶使良钱流布人间，从之。

二月戊子[⑭]，移蔚州横野军于山北[⑮]，屯兵三万，为九姓之援。以拔

【语译】

玄宗至道大圣大明孝皇帝上之下

开元六年（戊午，公元七一八年）

春，正月初六日辛丑，突厥毗伽可汗来求和，玄宗允许了他的请求。

广州的吏民为宋璟建立遗爱碑。宋璟上奏说："臣在广州并无其他优异的政绩，现在因为臣地位显耀受到宠信，造成那些人如此献媚。要革除这种风气，希望从臣开始，请求颁敕禁止。"玄宗听从了他的意见。于是其他各州都不敢再为宰相树碑立石。

正月二十六日辛酉，敕令禁止私铸劣钱，重量在二铢四分以上的钱币才可以流通。又命令收缴民间的劣质钱熔炼，重新铸成符合标准的钱币。于是京师纷然，各种交易几乎中止。宋璟、苏颋请求拨出二万太府钱来开设南北两市，用于平价收购百姓的可供官府使用的滞销物品，以及允许东西两京百官预借官俸，使优质的钱币在民间流通。玄宗听从了他们的建议。

二月二十三日戊子，把蔚州横野军驻地移往山北，屯兵三万，作为铁勒九姓的

曳固都督颉质略、同罗都督毗伽末啜、霫都督比言、回纥都督夷健颉利发、仆固都督曳勒歌等各出骑兵为前、后、左、右军讨击大使，皆受天兵军[16]节度。有所讨捕，量宜追集[17]；无事各归部落营生[18]，仍常加存抚。

三月乙巳[19]，征嵩山处士卢鸿[20]入见，拜谏议大夫，鸿固辞。

天兵军使张嘉贞入朝，有告其在军奢僭[21]及赃贿[22]者，按验无状[23]。上欲反坐[24]告者，嘉贞奏曰："今若罪之，恐塞言路，使天下之事无由上达，愿特赦之。"其人遂得减死。上由是以嘉贞为忠，有大用之意。

有荐山人[25]范知璿文学者[26]，并献其所为文，宋璟判之曰："观其《良宰论》[27]，颇涉佞谀。山人当极言谠议[28]，岂宜偷合苟容[29]！文章若高，自宜从选举求试[30]，不可别奏。"

夏，四月戊子[31]，河南参军郑铣、朱阳[32]丞郭仙舟投匦[33]献诗，敕曰："观其文理[34]，乃崇道法[35]；至于时用，不切事情[36]。宜各从所好。"并罢官，度为道士。

五月辛亥[37]，以突骑施都督苏禄为左羽林大将军、顺国公，充金方道经略大使。

契丹王李失活卒，癸巳[38]，以其弟娑固[39]代之。

秋，八月，颁乡饮酒礼[40]于州县，令每岁十二月行之。

唐初，州县官俸，皆令富户掌钱，出息[41]以给之；息至倍称[42]，多破产者。秘书少监崔沔上言，请计州县官所得俸，于百姓常赋之外，微有所加以给之。[43]从之。

冬，十一月辛卯[44]，车驾至西京。

戊辰[45]，吐蕃奉表请和，乞舅甥[46]亲署誓文；又令彼此宰相皆著名于其上。

宋璟奏："括州员外司马李邕、仪州[47]司马郑勉，并有才略文词，但性多异端[48]，好是非改变[49]。若全引进，则咎悔[50]必至，若长弃捐[51]，则才用可惜，请除渝、硖二州[52]刺史。"又奏："大理卿元行冲[53]素称才行，初用之时，实允佥议[54]。当事之后，颇非称职，请复以为左散骑常侍，以李朝隐代之。陆象先闲[55]于政体，宽不容非[56]，请以为河南尹。"从之。

后援。任命拔曳固都督颉质略、同罗都督毗伽末啜、霫都督比言、回纥都督夷健颉利发、仆固都督曳勒歌等各自统率所部骑兵为前、后、左、右军讨击大使，都受天兵军调度。如有讨伐追捕之事，便根据情况调集；无事时，就各自回到部落谋生，官府对他们要常加存问抚慰。

三月初十日乙巳，玄宗征召嵩山处士卢鸿入朝，任命他为谏议大夫，卢鸿坚决推辞。

天兵军大使张嘉贞入朝参见玄宗，有人告发他在军中有奢侈僭越以及贪污受贿的行为，但经过调查之后发现并没有证据。玄宗打算将诬告者反坐治罪，张嘉贞上奏说："现在如果把告状的人治罪，恐怕会堵塞进言的途径，使得天下的事情无从上达，希望特别赦免他。"于是这个人得以减罪免除死刑。玄宗因此认为张嘉贞是忠于朝廷的，有重用他的想法。

有人推荐隐士范知璇有文学才能，并且进献了他所写的文章。宋璟对他的文章评论说："看了他所作的《良宰论》，颇有佞谀之嫌。隐士应当极力发表正直无私的议论，怎么可以苟且取容！他的文章如果真是很高明，自然应该通过科举谋求官职，不可以采用另外的途径奏进。"

夏，四月二十四日戊子，河南府参军郑铣、朱阳县丞郭仙舟把诗章投在建议箱子中，玄宗下敕说："看他们的文辞义理，是推崇道家；至于拿来经世致用，又不切合事物的情理。应该让他们各从所好。"一起罢免了二人的官职，度为道士。

五月十八日辛亥，任命突骑施都督苏禄为左羽林大将军，封为顺国公，派他充任金方道经略大使。

契丹王李失活去世。癸巳日，用他的弟弟娑固代替他为契丹王。

秋，八月，在各州县颁布乡饮酒礼，下令在每年十二月举行乡饮酒礼。

唐初，州县官的俸禄都是当地富户掌握本金用利息来支付给他们，利息高出本金一倍，有许多人破产。秘书少监崔沔上言，请求总计州县官吏所得俸禄的数量，在百姓正常赋税之外，稍微增加一些来供给州县官员。玄宗听从了他的意见。

冬，十一月初一日辛卯，玄宗车驾抵达西京。

戊辰日，吐蕃进表请求和解，乞求按舅甥的名分来签署誓文，还要让彼此宰相在誓约上署名。

宋璟上奏说："括州员外司马李邕和仪州司马郑勉二人都有才略文辞，但他们的性情多有异端，喜欢颠倒是非。如果全都举进，必定招致灾难和懊悔，如果长期废弃不用，他们的才能就可惜了。请求任命他们为渝、硖二州刺史。"宋璟还上奏说："大理寺卿元行冲平素以才能品行被人称道，初上任时确实符合众望。主持事务之后，很不称职，请求还是任命他为左散骑常侍，由李朝隐代他担任大理寺卿。陆象先对政务很熟悉，为政宽缓而不容忍为非作歹，请任命他为河南尹。"玄宗听从了他的意见。

【段旨】

以上为第一段，写张嘉贞、宋璟公忠体国的风采。张嘉贞不报私恨，宋璟荐贤才而杜绝奸巧仕进。

【注释】

①辛丑：正月初六日。②广州吏民为宋璟立遗爱碑：宋璟开元四年（公元七一六年）自广州都督入为刑部尚书，不久入相。在广州期间，曾教当地居民用砖瓦盖房。遗爱碑，颂德碑。③异迹：优异的政绩。④光宠：光耀；显耀。⑤他州：其他州县。⑥辛酉：正月二十六日。⑦敕禁恶钱：下敕禁止流通质量粗劣的铜钱。恶钱皆由私铸所致。唐自乾封之后，私铸现象日益严重。开元初，两京恶钱泛滥，故玄宗特下令予以禁止。⑧重二铢四分以上乃得行：达到开元通宝的重量才能使用。开元通宝武德四年（公元六二一年）造，重二铢四分，为唐代法定货币。⑨如式钱：如标准钱，即开元通宝。⑩殆绝：几乎中止。⑪出太府钱：太府主管国家财货，总领京师四市、平准、左右藏、常平八署。⑫南北市：在京师长安，具体地望不详。⑬豫假：预借。⑭戊子：二月二十三日。⑮移蔚州横野军于山北：横野军初置在蔚州飞狐县，即今河北涞源。至此，移于古代郡大安城，即今河北蔚县。⑯天兵军：圣历二年（公元六九九年）四月初置，其后废置不定。开元五年（公元七一七年）张嘉贞奏请复置。在并州城中，即今山西太原内。⑰量宜追集：根据情况调集。⑱营生：谋生。⑲乙巳：三月初十日。⑳卢鸿：《旧唐书·隐逸传》作“卢鸿一”。精通书画，长期隐居嵩山。传见《旧唐书》卷一百九十二、《新唐书》卷一百九十六、《宣和画谱》卷十、《书小史》卷九。㉑奢僭：奢

【原文】

七年（己未，公元七一九年）

春，二月，俱密[57]王那罗延、康[58]王乌勒伽、安[59]王笃萨波提皆上表言为大食[60]所侵掠，乞兵救援。

敕太府及府县[61]出粟十万石粜[62]之，以敛人间恶钱，送少府[63]销毁。

三月乙卯[64]，以左武卫大将军、检校内外闲厩使、苑内营田使王毛仲行太仆卿[65]。毛仲严察有干力[66]，万骑功臣、闲厩官吏皆惮之，苑内

侈僭越。㉒赃贿：贪赃纳贿。㉓无状：没有事状。㉔反坐：坐被告人所得之罪。《唐律疏议》卷二十三规定："诸诬告人者，各反坐。"㉕山人：山野之人，即隐士。㉖范知璿文学者：范知璿是一个有文学才能的人。㉗《良宰论》：范知璿撰著论贤宰相之文，欲以此干禄仕进。㉘谠议：直议。指正直无私的议论。㉙苟容：苟且取容。㉚从选举求试：通过科举考试谋求官职。㉛戊子：四月二十四日。㉜朱阳：县名，县治在今河南灵宝西南。㉝匦：匣子。此指接受臣民建言的箱匣。㉞文理：文辞义理。㉟道法：道家之法。㊱事情：事务的情理。㊲辛亥：五月十八日。㊳癸巳：五月甲午朔，无癸巳。〖按〗李失活卒于五月初二日。若癸巳无误，则为七月初一日。㊴其弟娑固：《旧唐书》卷一百九十九下、《唐会要》卷九十六皆作"其从父弟娑固"。弟与从父弟不同，待考。㊵乡饮酒礼：古礼名称。周代乡学诸生业成，荐贤者、能者于君。届时由乡大夫做主人，为之设宴送行，待以宾礼，饮酒酬酢，皆有仪式，称为乡饮酒礼。唐代乡饮酒礼州以刺史为主人，县以县令为主人。详见《新唐书·礼乐志九》。㊶息：利息。㊷倍称：多于所借本钱的一倍。㊸于百姓常赋之外二句：稍增百姓赋税，以为州县官俸，取代让富户掌钱出息的办法。㊹辛卯：十一月初一日。㊺戊辰：十一月辛卯朔，无戊辰。十二月有之，为十二月初八日。待考。㊻舅甥：吐蕃尚文成公主，故与唐以甥舅相称。㊼仪州：本名箕州，先天元年（公元七一二年）避玄宗名讳而改名。治所在今山西左权。㊽异端：不合于正统。古代儒家称其他持不同见解的学派为异端。㊾好是非改变：喜欢颠倒是非。㊿咎悔：灾祸悔恨。51弃捐：废弃不用。52渝、硖二州：硖当为"峡"误。渝州治所在今重庆市，峡州治所在今湖北宜昌。53元行冲：元行冲（公元六五三至七二九年），本名澹，以字显，博学多识，尤通故训。官至太子宾客、弘文馆学士。传见《旧唐书》卷一百二、《新唐书》卷二百。54佥议：众议。55闲：熟习。56宽不容非：为政宽缓而不容忍为非作歹。

【语译】

七年（己未，公元七一九年）

春，二月，西域的俱密王那罗延、康王乌勒伽、安王笃萨波提都上表说被大食军队侵掠，请求派兵救援。

玄宗敕命太府和京兆府京县、畿县拿出十万石粟出售，用来回收民间的劣质钱，送到少府销毁。

三月二十六日乙卯，玄宗任命左武卫大将军、检校内外闲厩使、苑内营田使王毛仲兼任太仆寺卿。王毛仲严厉精明、有干劲，万骑军里的功臣和闲厩官吏都畏惧

所收常丰溢。上以为能，故有宠。虽有外第[67]，常居闲厩侧[68]内宅，上或时[69]不见，则悄然[70]若有所失。宦官杨思勖、高力士皆畏避之。

勃海王大祚荣卒[71]。丙辰[72]，命其子武艺[73]袭位。

夏，四月壬午[74]，开府仪同三司祁公王仁皎薨。其子驸马都尉守一[75]请用窦孝谌[76]例，筑坟高五丈一[1]尺，上许之。宋璟、苏颋固争，以为："准令[77]，一品坟高一丈九尺，其陪陵[78]者高出三丈而已。窦太尉坟，议者颇讥其高大，当时无人极言其失，岂可今日复踵[79]而为之！昔太宗嫁女，资送过于长公主，[80]魏徵进谏，太宗既用其言，文德皇后亦赏之[81]，岂若韦庶人崇其父坟，号曰酆陵，[82]以自速其祸乎！夫以后父之尊，欲高大其坟，何足为难！而臣等再三进言者，盖欲成中宫[83]之美耳。况今日所为，当传无穷，永以为法，可不慎乎！"上悦曰："朕每欲正身率下[84]，况于妻子，何敢私之！然此乃人所难言，卿能固守典礼，以成朕美，垂法将来，诚所望也。"赐璟、颋帛四百匹。

五月己丑[85]朔，日有食之。上素服以俟变[86]，彻乐减膳[87]，命中书、门下察系囚，赈饥乏，劝农功。辛卯[88]，宋璟等奏曰："陛下勤恤人隐[89]，此诚苍生之福。然臣闻日食修德，月食修刑。亲君子，远小人，绝女谒[90]，除谗慝[91]，所谓修德也。君子耻言浮于行[92]，苟推至诚而行之，不必数下制书也。"

六月戊辰[93]，吐蕃复遣使请上亲署誓文，上不许，曰："昔岁[94]誓约已定，苟信不由衷[95]，亟誓[96]何益！"

秋，闰七月，右补阙卢履冰[97]上言："礼，父在为母服周年，则天皇后改服齐衰三年[98]，请复其旧。"上下其议。左散骑常侍褚无量以履冰议为是，诸人争论，连年不决。八月辛卯[99]，敕自今五服[100]并依《丧服传》文，然士大夫议论犹不息，行之各从其意。无量叹曰："圣人岂不知母恩之厚乎？厌降之礼，所以明尊卑、异戎狄也。俗情肤浅，不知圣人之心，一紊[101]其制，谁能正之！"

他，因此苑囿的收入经常丰裕。玄宗认为他有才干，因此受到宠爱。王毛仲虽然在外有宅第，但常常住在闲厩旁边的内宅中，玄宗有时见不到他，就会忧愁而若有所失。宦官杨思勖和高力士都畏惧而回避他。

勃海王大祚荣去世。二十七日丙辰，朝廷任命他的儿子武艺承袭王位。

夏，四月二十四日壬午，开府仪同三司祈公王仁皎去世。他的儿子驸马都尉王守一请求按照窦孝谌的先例，营建五丈一尺高的坟墓，玄宗同意了他的请求。宋璟、苏颋坚决反对，他们认为："根据丧葬令，一品官的坟墓高度为一丈九尺，在皇帝陵墓附近作为陪葬墓也不过高出三丈而已。窦太尉的坟墓，有人就讥刺它高大，但当时无人彻底谈到它的失当，现在怎么能跟着再犯同样的错误呢？过去太宗出嫁女儿，嫁妆超过了长公主，魏徵进谏，太宗就采纳了他的建议，文德皇后也对魏徵表示赞赏，哪里像韦庶人加高其父的坟墓，号称为酆陵，以至于很快自招灾祸呢！皇后的父亲地位尊崇，想增高他的坟墓，有什么困难呢！而臣等再三进言的原因，是想成就皇后的美名而已。况且陛下今日所为，会世世代代传给子孙，成为常法，怎么可以不谨慎呢！"玄宗听罢高兴地说："我经常想端正自身来为下面的人做出表率，何况对于妻子儿女，哪敢有所偏爱呢！然而这件事是人们难以说出口的，你们能够坚守礼制，成就我的美德，垂范未来，确实是我所期望的。"赏赐宋璟、苏颋绢帛四百匹。

五月初一日己丑，发生日食。玄宗身着素服等待灾变，撤去音乐，减少膳食，命令中书、门下省察看在押囚犯，赈济饥民，勉励农事。初三日辛卯，宋璟等上奏说："陛下经常体恤民众疾苦，这实在是百姓的福分。然而臣听说发生日食时应当修养德行，发生月食时则应当整饬刑罚。亲近君子，疏远小人，杜绝妇人的请托，斥退谗人奸慝，这就是所谓的修德。君子把只说不做看作羞耻，如果推心至诚去修德，就不必反复下诏了。"

六月十一日戊辰，吐蕃再次派遣使者请求玄宗亲笔签署两国的誓文，玄宗没有答应，说："在去年盟约就已经签署了，假如言不由衷，多次签订誓约有什么裨益呢！"

秋，闰七月，右补阙卢履冰上言说："按礼制，父在，子为亡母服一年丧，则天皇后改为服丧三年，请求恢复原来的规定。"玄宗把他的建议交给群臣讨论。左散骑常侍褚无量认为卢履冰的主张是正确的，大家对这一问题的争议，连续几年都未有定论。八月初六日辛卯，玄宗敕令从今以后五服丧期均以《丧服传》的内容为准，然而士大夫对这个问题的争论还是不能停止，在执行时还是各行其是。褚无量感慨地说："圣人难道不知道慈母恩情的深厚吗？之所以降低服丧的礼制，是为了分明尊卑，与戎狄区别开来，世俗的感情肤浅，不了解圣人制礼的用心，一旦紊乱，谁能纠正呢！"

九月甲寅[102]，徙宋王宪[103]为宁王。上尝从复道[104]中见卫士食毕，弃余食于窦[105]中，怒，欲杖杀之，左右莫敢言。宪从容谏曰："陛下从复道中窥人过失而杀之，臣恐人人不自安。且陛下恶弃食于地者，为食可以养人也，今以余食杀人，无乃失其本乎！"上大悟，蹶然[106]起曰："微兄[107]，几至滥刑。"遽释卫士。是日，上宴饮极欢，自解红玉带，并所乘马以赐宪。

【段旨】

以上为第二段，写唐玄宗销毁恶钱，敬畏灾变，不妄杀，不擅改礼仪制度。

【注释】

57 俱密：国名，故地在今中亚喷赤河上游。58 康：国名，故地在今乌兹别克斯坦共和国撒马尔罕一带。59 安：国名，在今乌兹别克斯坦布哈拉一带。60 大食：国名，即阿拉伯帝国。61 府县：此处特指京兆府及京畿诸县。62 粜：卖出粮食。63 少府：官署名，即少府监，掌百工技巧之事。64 乙卯：三月二十六日。65 太仆卿：太仆寺最高长官，从三品，掌邦国厩牧车舆之政令。66 干力：犹"干劲"。67 外第：别宅。王毛仲外第在长安兴宁坊西南隅。68 侧：旁。69 或时：有时。70 悄然：忧愁的样子。71 勃海王大祚荣卒：先天二年（公元七一三年），唐政府遣郎将崔䜣册封大祚荣为勃海郡王。72 丙辰：三月二十七日。73 武艺：大祚荣嫡长子。公元七一九至七三七年为勃海郡王。事详见《旧唐书》卷一百九十九下《渤海靺鞨传》，《新唐书》卷二百十九《渤海传》。74 壬午：四月二十四日。75 驸马都尉守一：王守一尚玄宗女清阳公主。传见《旧唐书》卷一百八十三、《新唐书》卷二百六。76 窦孝谌：玄宗外祖父。传见《旧唐书》卷一百八十三。77 准令：根据丧葬令。78 陪陵：陪葬墓。79 踵：继。80 昔太宗嫁女二句：贞观六年（公元六三二年），长乐公主下嫁长孙冲。太宗以公主系长孙皇后所生，敕有司备嫁妆为长公主的一

【原文】

冬，十月辛卯[108]，上幸骊山温汤。癸卯[109]，还宫。

壬子[110]，册拜突骑施苏禄为忠顺可汗。

九月甲寅日，改封宋王李宪为宁王。玄宗在复道中看到卫士吃完饭后把剩余的饭菜倒入坑穴中，很生气，打算用杖刑处死他。玄宗左右的人没有敢说话的。李宪闲谈时规劝说："陛下从复道中看见卫士的过失而将他处死，臣担心人人不能自安。陛下憎恶把饭菜丢弃在地上的人，是因为饭菜能够用来养人，现在因为剩饭菜就要杀人，恐怕有失陛下的本意吧！"玄宗恍然大悟，急忙起身说："要不是兄长，几乎要滥用刑罚了。"赶忙释放了卫士。这一天，玄宗在宴席上极为高兴，亲自解下红玉带，连同所乘的马，一同赏赐给李宪。

倍。㉛ 文德皇后亦赏之：文德皇后即太宗皇后长孙氏。太宗采纳了魏徵的谏言，文德皇后亦对魏徵表示赞赏。㉜ 韦庶人崇其父坟二句：事见本书卷二百八中宗景龙元年。㉝ 中宫：皇后。㉞ 率下：为臣下之表率。㉟ 己丑：五月初一日。㊱ 俟变：等待灾变。㊲ 彻乐减膳：撤除音乐，减省饭食。彻，通"撤"。膳，饭食。㊳ 辛卯：五月初三日。㊴ 人隐：民众疾苦。㊵ 女谒：通过妇人进行干求请托。㊶ 谗慝：谗人奸慝。㊷ 君子耻言浮于行：《论语·宪问》载，孔子曰，"君子耻其言而过其行"。意思是说得多，做得少，君子以为耻。浮，超过。㊸ 戊辰：六月十一日。㊹ 昔岁：往年。㊺ 衷：本心；内心。㊻ 亟誓：多次发誓。亟，多。㊼ 卢履冰：幽州范阳（今北京西南）人。传见《新唐书》卷二百。㊽ 则天皇后改服齐衰三年：事在高宗上元元年。㊾ 辛卯：八月初六日。㊿ 五服：对丧服的统称。古时丧服以亲疏关系分为五等，即斩衰、齐衰、大功、小功、缌麻。⑩① 紊：乱。⑩② 甲寅：九月丙辰朔，无甲寅。《新唐书·玄宗纪》作"甲戌"，即九月十九日。陈垣《二十史朔闰表》作九月十九日。⑩③ 宋王宪：宋王成器开元四年正月初十改名为宪。⑩④ 复道：高楼间架空的通道，俗称天桥。⑩⑤ 窦：地穴。⑩⑥ 蹶然：急遽的样子。⑩⑦ 微兄：要不是兄长在此。微，无、非。

【校记】

［1］一：原作"二"。据章钰校，十二行本、乙十一行本皆作"一"，今据改。〖按〗两唐书之《宋璟传》皆作"一尺"。

【语译】

冬，十月初七日辛卯，玄宗幸临骊山温泉。十九日癸卯，返回宫中。

二十八日壬子，册封突骑施苏禄为忠顺可汗。

十一月壬申⑪，契丹王李娑固与公主入朝[2]。上以岐山⑫令王仁琛，藩邸故吏，墨敕⑬令与五品官。宋璟奏："故旧恩私⑭，则有大例⑮，除官资历，非无公道。仁琛向缘旧恩，已获优改⑯，今若再蒙超奖⑰，遂于[3]诸人不类⑱。又是后族⑲，须杜舆⑳言。乞下吏部检勘㉑，苟无负犯㉒，于格应留，请依资稍优注拟。"从之。

选人㉓宋元超于吏部自言侍中璟之叔父，冀得优假㉔。璟闻之，牒吏部云："元超，璟之三从叔㉕，常在洛城，不多参见。既不敢缘尊辄隐㉖，又不愿以私害公。向者无言，自依大例，既有声听，事须矫枉㉗，请放㉘。"

宁王宪奏选人薛嗣先㉙请授微官㉚，事下中书、门下。璟奏："嗣先两选斋郎㉛，虽非灼然应留，以懿亲㉜之故，固应微假官资。在景龙年[4]中，常有墨敕处分，谓之斜封。自大明㉝临御，兹事杜绝，行一赏，命一官，必是缘功与才，皆历㉞中书、门下。至公之道，唯圣能行。嗣先幸预姻戚，不为屈法，许臣等商量，望付吏部知，不出正敕。"从之。

先是，朝集使往往赍货入京师㉟，及春将还，多迁官。宋璟奏一切勒还㊱以革其弊。

是岁，置剑南节度使，㊲领益、彭等二十五州。

【段旨】

以上为第三段，写唐玄宗与宰相宋璟君臣皆不为亲故滥封官职。

【注释】

⑱辛卯：十月初七日。⑲癸卯：十月十九日。⑩壬子：十月二十八日。⑪壬申：十一月十八日。⑫岐山：县名，故治在今陕西岐山。⑬墨敕：皇帝亲笔书写，不经外廷直接下达的制敕。⑭恩私：指皇帝的私情恩宠。⑮大例：法定条例。⑯优改：从优改迁。意即晋升。⑰超奖：破格奖拔。⑱不类：不同。⑲后族：皇后一族。王仁琛与王皇后有

十一月十八日壬申，契丹王李娑固与公主入朝。玄宗因为岐山县令王仁琛曾经是自己做藩王时的故吏，便墨敕授予他五品官。宋璟上奏说："对于故旧私情恩宠，有法定的条例，对这些人任官的资历，并不是没有标准。从前王仁琛因为旧恩，已经从优晋升，现在如果再次破格提拔，就与众人不同了。王仁琛又是皇后的家族，必须杜绝公众的议论。臣请求交给吏部核查勘验，如果王仁琛没有负罪犯法，按条例应该任命，请按照资历略加优待，授予官职。"玄宗听从了他的意见。

候选官员宋元超在吏部自己说他是侍中宋璟的叔父，希望得到照顾。宋璟听说此事后，给吏部写信说："宋元超是我的远亲叔父，他常在洛城，很少去参见。我既不敢因他是长辈就隐讳真情，又不愿因私害公。从前他没有说明这层关系，自然应当照条例办事，现在既然有了这方面的传闻，就必须矫枉过正，我请求不予录用。"

宁王李宪奏称候补官薛嗣先请求授任一个小官，玄宗把此事交给中书省和门下省办理。宋璟上奏说："薛嗣先曾两次被选任斋郎，虽然他并非明显应当留任，但因为是皇室宗亲，本来应当给他一个小的官职。在景龙年间，皇帝常有墨敕委任官职的事，被称作斜封官。自从圣上即位以来，这类事情已被杜绝，朝廷每颁赐一次封赏，每委任一名官吏，一定是因为这些人有功劳，或者是有才能，都经过中书、门下二省除授。这样极其公正的办法，唯有圣明君王才能施行。薛嗣先有幸与陛下有姻亲，陛下不因为他而违法，请允许臣等商量此事，希望把此事交付吏部处理，不要颁下正式敕书任命他。"玄宗听从了他的意见。

此前，朝集使往往携带很多东西进京，等到来年开春即将返回时，大多数人得到升迁。宋璟奏请将这些人全部勒令还州，以便革除这一弊端。

这一年，朝廷设置剑南节度使，管辖益州、彭州等二十五州。

亲属关系。⑳ 舆：众。㉑ 检勘：检核勘验。㉒ 负犯：负罪犯法。㉓ 选人：候选、候补的官员。㉔ 优假：宽待；照顾。㉕ 三从叔：三从，三辈同祖，是远亲叔父，即出自同一高祖的叔父。㉖ 缘尊辄隐：因缘尊长而加以隐讳。㉗ 矫枉：矫枉要过正。意谓宋元超是远亲，不应避嫌，但宋元超既然打了叔父的旗号求官，那就要矫枉过正，不予录用。㉘ 请放：请放归，不予录用。㉙ 薛嗣先：陕州司马薛侃之子，官至卫尉少卿。见《新唐书》卷七十三下《宰相世系表三下》。㉚ 微官：小官。㉛ 两选斋郎：两次被选为办理祭祀事务的小吏。㉜ 懿亲：谓皇室宗亲。㉝ 大明：大明之君。代指玄宗。㉞ 历：经。㉟ 赍货入京师：携带财物入京，以为行贿之用。㊱ 一切勒还：全部勒命还州。㊲ 是岁二句：《唐会要》卷七十八载，开元五年二月，齐景胄除剑南节度使，始出现剑南节度使之号。

【校记】

［2］契丹王李娑固与公主入朝：原无此十一字。据章钰校，十二行本、乙十一行本、孔天胤本皆有此十一字，唯乙十一行本“娑固”作“婆固”，张敦仁《通鉴刊本识误》同，唯“固”作“国”，张瑛《通鉴校勘记》同，亦作“娑固”，今据乙十一行本补。

【原文】

八年（庚申，公元七二〇年）

春，正月丙辰[138]，左散骑常侍褚无量卒。辛酉[139]，命右散骑常侍元行冲整比[140]群书。

侍中宋璟疾[141]负罪而妄诉不已者，悉付御史台治之。谓中丞李谨度[142]曰：“服不更诉[143]者出之，尚诉未已者且系[144]。”由是人多怨者。会天旱有魃[145]，优人作魃状戏于上前，问魃：“何为出？”对曰：“奉相公处分。”又问：“何故？”魃曰：“负冤者三百余人，相公悉以系狱抑之，故魃不得不出[146]。”上心以为然。

时璟与中书侍郎、同平章事苏颋建议严禁恶钱，江、淮间恶钱尤甚，璟以监察御史萧隐之[147]充使括[148]恶钱。隐之严急烦扰，怨嗟盈路，上于是贬隐之官。辛巳[149]，罢璟为开府仪同三司，颋为礼部尚书。以京兆尹源乾曜为黄门侍郎，并州长史张嘉贞为中书侍郎，并同平章事。于是弛钱禁[150]，恶钱复行矣。

二月戊戌[151]，皇子敏卒[152]，追立为怀王，谥曰哀。

壬子[153]，敕以役莫重于军府，一为卫士，六十乃免，[154]宜促其岁限[155]，使百姓更迭[156]为之。

〖按〗前文已提及李失活死后以李娑固为契丹王一事，且两唐书《北狄契丹传》皆作“娑固”。[3] 于：据章钰校，孔天胤本作“以”，张敦仁《通鉴刊本识误》同。[4] 年：原无此字。据章钰校，十二行本、乙十一行本、孔天胤本皆有此字，张敦仁《通鉴刊本识误》同，今据补。

【语译】

八年（庚申，公元七二〇年）

春，正月初三日丙辰，左散骑常侍褚无量去世。初八日辛酉，朝廷任命右散骑常侍元行冲整理群书。

侍中宋璟痛恨犯有罪过而不停地妄自上诉的人，他把这些人全部交给御史台处理。他对御史中丞李谨度说：“那些认罪服法不再上诉的人可以释放了，那些还在不停申诉的人暂且关押起来。”因此很多人怨恨他。正赶上天旱有魃作怪，俳优装扮成魃的样子在皇帝面前戏耍，玄宗问魃说：“你为什么降临人间呢？”魃回答说：“是奉宰相的安排。”玄宗又问：“这是什么缘故？”魃回答说：“有三百多名蒙冤者，宰相全都把他们关进监狱，压制他们，所以我不得不出来示警。”玄宗心中认为是对的。

此时宋璟与中书侍郎、同平章事苏颋建议严禁劣质钱流通，而江、淮之间劣质钱尤为严重，宋璟派遣监察御史萧隐之充当使者去收缴劣质钱。萧隐之执法严厉，烦扰百姓，人们怨声载道，于是皇帝贬了萧隐之的官。正月二十八日辛巳，贬宋璟为开府仪同三司，贬苏颋为礼部尚书，任命京兆尹源乾曜为黄门侍郎，任命并州长史张嘉贞为中书侍郎，二人均为同平章事。从此朝廷放松了对劣质钱的禁令，劣质钱又流通起来。

二月十五日戊戌，皇子李敏去世，被追立为怀王，谥号为哀。

二十九日壬子，玄宗颁布敕令，认为在各种徭役中，没有比军府之役更为沉重的，一旦被征为卫士，到六十岁才能解除，应当缩短兵役年限，让百姓轮流当兵。

【段旨】

以上为第四段，写宋璟理政刚正，禁恶钱严急，被政敌中伤而罢相。

【注释】

⑬⑧ 丙辰：正月初三日。⑬⑨ 辛酉：正月初八日。⑭⓪ 整比：犹整理。⑭① 疾：痛恨。⑭② 李谨度：事见《唐尚书省郎官石柱题名考》卷八、《唐御史台精舍题名考》卷二。⑭③ 服不更诉：服罪不再上诉。⑭④ 且系：暂且关押。⑭⑤ 魃：传说中的旱神。《神异经·南荒经》载："南方有人，长二三尺，袒身而目在顶上，走行如风，名曰魃，所见之国大旱。"⑭⑥ 不得

【原文】

夏，四月丙午[157]，遣使赐乌长王、骨咄王、俱位王[158]册命。三国皆在大食之西[159]。大食欲诱之叛唐，三国不从，故褒之。

五月辛酉[160]，复置十道按察使[161]。

丁卯[162]，以源乾曜为侍中，张嘉贞为中书令。

乾曜上言："形要[163]之家多任京官，使俊乂[164]之士沈废于外。臣三子皆在京[165]，请出其二人[166]。"上从之。因下制称乾曜之公，命文武官效之，于是出者百余人。

张嘉贞吏事强敏，而刚躁[167]自用。中书舍人苗延嗣[168]、吕太一[169]、考功员外郎员嘉静[170]、殿中侍御史崔训[171]皆嘉贞所引进，常与之议政事。四人颇招权，时人语曰："令公四俊，苗、吕、崔、员。"

六月，瀍、谷涨溢，漂溺几二千人。

突厥降户仆固都督勺磨及跌跌部落散居受降城侧，朔方大使王晙言其阴引突厥，谋陷军城，密奏请诛之。诱勺磨等宴于受降城，伏兵悉杀之，河曲降户殆尽。拔曳固、同罗诸部在大同、横野军[172]之侧者，闻之皆恟惧[173]。秋，并州长史、天兵节度大使张说引二十骑，持节即其部落慰抚之，因宿其帐下。副使李宪[174]以虏情难信，驰书止之。说复书曰："吾肉非黄羊[175]，必不畏食；血非野马[176]，必不畏刺。士见危致命[177]，此吾效死之秋[178]也。"拔曳固、同罗由是遂安。

冬，十月辛巳[179]，上行幸长春宫[180]。壬午[181]，畋于下邽[182]。

不出：不得不出来造成旱灾以示警告。⑭ 萧隐之：事见《新唐书》卷七十一下《宰相世系表一下》,《唐御史台精舍题名考》卷二。⑱ 括：搜刮。⑲ 辛巳：正月二十八日。⑳ 弛钱禁：松弛对恶钱的禁令。㉑ 戊戌：二月十五日。㉒ 皇子敏卒：李敏为玄宗第十五子，武惠妃所生，美丽如画，百日而亡。见《新唐书》卷八十二。㉓ 壬子：二月二十九日。㉔ 一为卫士二句：一旦成为卫士，到六十岁才能免役。㉕ 促其岁限：缩短兵役的年限。㉖ 更迭：更替；轮流。

【语译】

夏，四月二十四日丙午，朝廷派遣使者向乌长王、骨咄王、俱位王颁赐册命。这三个国家都在大食以西。大食想引诱它们背叛唐朝，三国都不听从，因此朝廷褒奖他们。

五月初九日辛酉，朝廷又设置十道按察使。

十五日丁卯，玄宗任命源乾曜为侍中，任命张嘉贞为中书令。

源乾曜上奏说："权势之家大多担任京官，贤能之士沉滞于外地。臣的三个儿子都在京城做官，请求把其中两个调出京师。"玄宗听从了他的要求。并借此颁布诏命称赞源乾曜的公正无私，命令文武官员效仿他，于是调离京师的有一百多人。

张嘉贞处理政务精明强干，但刚愎暴躁，自以为是。中书舍人苗延嗣、吕太一、考功员外郎员嘉静和殿中侍御史崔训都是张嘉贞推荐任用的，张嘉贞经常与他们商议朝政大事。这四个人很能招揽权势，当时的人评论说："中书令张公有四位才俊，他们是苗延嗣、吕太一、崔训和员嘉静。"

六月，瀍河和谷河洪水泛滥，淹死将近两千人。

突厥归降的仆固都督勺磨以及跌跌部落散居在受降城旁边，朔方大使王晙说他们暗地里勾结突厥，策划攻占受降城，他密奏朝廷，请求诛灭他们。王晙诱骗勺磨等人来受降城赴宴，埋伏士兵把他们全部杀掉，河曲的突厥降户几乎被杀尽。在大同、横野军附近的突厥拔曳固、同罗等部落，听到此消息后都十分恐惧。秋天，并州长史、天兵节度大使张说率领二十名骑兵，手执符节到拔曳固等部落慰问安抚他们，便留宿在他们的营帐中。天兵节度副使李宪认为胡人的情况难以相信，便派人驰马送信阻止他们。张说在回信中说："我的肉不是黄羊肉，绝不怕他们吃了我；我的血也不是野马的血，绝不怕被他们刺伤。士大夫临危不顾惜生命，这正是我献身的时候。"拔曳固、同罗等部落由此才安定下来。

冬，十月初二日辛巳，玄宗巡幸长春宫。初三日壬午，在下邽狩猎。

上禁约诸王，不使与群臣交结。光禄少卿驸马都尉裴虚己[183]与岐王范游宴，仍私挟[184]谶纬。戊子[185]，流虚己于新州，离其公主[186]。万年尉刘庭琦、太祝[187]张谔数与范饮酒赋诗，贬庭琦雅州[188]司户，谔山茌[189]丞。然待范如故，谓左右曰："吾兄弟自无间[190]，但趋竞之徒[191]强相托附耳。吾终不以此责兄弟也。"上尝不豫，薛王业妃弟内直郎[192]韦宾[193]与殿中监皇甫恂[194]私议休咎[195]。事觉，宾杖死，恂贬锦州[196]刺史。业与妃惶惧待罪，上降阶执业手曰："吾若有心猜兄弟者，天地实殛[197]之。"即与之宴饮，仍慰谕妃，令复位。

【段旨】

以上为第五段，写源乾曜、张嘉贞拜相。张说以诚抚定突厥拔曳固、同罗部。玄宗禁约诸王与群臣交结。

【注释】

⑮⑦丙午：四月二十四日。⑮⑧乌长王、骨咄王、俱位王：乌长，在今巴基斯坦伊斯兰堡之北。骨咄，在今中亚法扎巴德之北。俱位，在帕米尔高原之南。⑮⑨三国皆在大食之西：《册府元龟》卷九百六十四载，"三国在安西之西，与大食邻境"。⑯⓪辛酉：五月初九日。⑯①复置十道按察使：开元五年罢按察使。⑯②丁卯：五月十五日。⑯③形要：权势。⑯④俊乂：贤能的人。⑯⑤在京：担任京官。⑯⑥出其二人：让其中的两个人出任地方官。据《新唐书》卷一百二十七，所出二人为河南参军源弼和太祝源洁。⑯⑦刚躁：刚愎暴躁。⑯⑧苗延嗣：潞州长子（今山西长子）人，官至太原少尹。事见《旧唐书》卷九十九《张嘉贞传》，《新唐书》卷七十五上《宰相世系表五上》，《唐御史台精舍题名考》卷二。⑯⑨吕太一：相州洹水（今河北魏县西南）人。事见《新唐书》卷一百二十六《魏知古传》、《元和姓纂》卷六、《唐登科记考》卷二十七。⑰⓪员嘉静：事见《旧唐书》卷九十九《张嘉贞传》，《唐尚书省郎官石柱题名考》卷三、卷八、卷十等。⑰①崔训：事见《新

玄宗约束诸王，不让诸王和群臣交结。光禄少卿驸马都尉裴虚己与岐王李范出游宴饮，还私自携带谶纬书。十月初九日戊子，裴虚己被流放到新州，并让霍国公主与他离婚。万年县尉刘庭琦和太常寺太祝张谔多次与李范饮酒赋诗，刘庭琦被贬为雅州司户，张谔被贬为山茌县丞。然而对待李范还和原来一样，他对左右侍臣说："我们兄弟亲密无间，只是那些趋炎附势的人极力巴结而已。我终究不会因此责怪我的兄弟。"玄宗曾经生病，薛王李业妃子的弟弟内直郎韦宾和殿中监皇甫恂私下议论吉凶祸福之事。事发后，韦宾被杖刑处死，皇甫恂被贬为锦州刺史。李业与其妃子非常惶恐，等待治罪，玄宗走下台阶握着李业的手说："我如果有猜忌兄弟的心，天地定会杀死我。"随即与他宴饮，还劝慰李业的妃子，让她回到座位上去。

唐书》卷七十二下《宰相世系表二下》,《唐御史台精舍题名考》卷二。⑫横野军：在今河北蔚县。⑬悩惧：恐惧。⑭李宪：事见《旧唐书》卷九十七《张说传》,《新唐书》卷一百二十五《张说传》。⑮黄羊：黄獐。形状像鹿，但比鹿小，无角，善跳跃，能游泳，肉可食，皮可制革。⑯野马：没有驯化，自生自灭的马匹。⑰士见危致命：语出《论语·子张》。致命，授命。⑱秋：时。⑲辛巳：十月初二日。⑳长春宫：在今陕西大荔西北。㉑壬午：十月初三日。㉒下邽：县名，故治在今陕西渭南东北。㉓裴虚己：官光禄少卿。娶睿宗女霍国公主。事见《旧唐书》卷九十五《惠文太子范传》,《新唐书》卷七十一上《宰相世系表一上》及卷八十三《霍国公主传》。㉔挟：挟带。㉕戊子：十月初九日。㉖离其公主：使公主与他离婚。㉗太祝：太常寺属官，有太祝六人，正九品上。㉘雅州：州名，治所在今四川雅安西。㉙山茌：县名，县治在今山东济南市长清区东北。㉚无间：无隙。㉛趋竞之徒：趋炎附势的人。㉜内直郎：东宫内直局官，从六品下，掌符玺、伞扇、几案、衣服之事。㉝韦宾：事见《旧唐书》卷九十五《惠宣太子业传》,《新唐书》卷八十一《惠宣太子业传》。㉞皇甫恂：事见《新唐书》卷七十五下《宰相世系表五下》,《元和姓纂》卷五。㉟休咎：吉凶祸福。㊱锦州：治所在今湖南怀化西北。㊲殛：诛戮。

【原文】

十一月乙卯[198]，上还京师。

辛未[199]，突厥寇甘、凉等州，败河西节度使杨敬述[200]，掠契苾部落[201]而去。

先是，朔方大总管王晙奏请西发拔悉密[202]，东发奚、契丹，期以今秋掩[203]毗伽牙帐于稽落水[204]上。毗伽闻之，大惧。暾欲谷曰："不足畏也。拔悉密在北庭，与奚、契丹相去绝远[205]，势不相及[206]，朔方兵计亦不能来此。若必能来，俟其垂至[207]，徙牙帐北行三日，唐兵食尽自去矣。且拔悉密轻而好利，得王晙之约，必喜而先至。晙与张嘉贞不相悦[208]，奏请多不相应[209]，必不敢出兵。晙兵不出，拔悉密独至，击而取之，势甚易耳。"

既而拔悉密果发兵逼突厥牙帐，而朔方及奚、契丹兵不至，拔悉密惧，引退。毗伽欲击之，暾欲谷曰："此属[210]去家千里，将死战，未可击也。不如以兵蹑之。"去北庭二百里，暾欲谷分兵间道先围北庭，因纵兵击拔悉密，大破之。拔悉密众溃走，趋北庭，不得入，尽为突厥所虏。

暾欲谷引兵还，出赤亭[211]，掠凉州羊马，杨敬述遣裨将卢公利、判官元澄将兵邀击[212]之。暾欲谷谓其众曰："吾乘胜而来，敬述出兵，破之必矣。"公利等至删丹[213]，与暾欲谷遇，唐兵大败，公利、澄脱身走[214]。毗伽[215]由是大振，尽有默啜之众。

契丹牙官可突干[216]骁勇得众心，李娑固猜畏，欲去之。是岁，可突干举兵击娑固，娑固败奔营州。营州都督许钦澹[217]遣安东都护薛泰帅骁勇五百与奚王李大酺奉娑固以讨之，战败，娑固、李大酺皆为可突干所杀，生擒薛泰，营州震恐。许钦澹移军入渝关[218]，可突干立娑固从父弟郁干为主，遣使请罪。上赦可突干之罪，以郁干为松漠都督，以李大酺之弟鲁苏为饶乐都督。

【语译】

十一月初七日乙卯，玄宗返回京师。

二十三日辛未，突厥侵犯甘、凉等州，打败唐河西节度使杨敬述，掳掠契苾部落之后离去。

在此之前，朔方道大总管王晙奏请从西面调发拔悉密的兵马，从东面调发奚、契丹的兵马，约定在这一年的秋季袭击突厥毗伽可汗设在稽落水边的牙帐。毗伽可汗听到此消息后，非常恐惧。暾欲谷说："不值得害怕。拔悉密在北庭，与奚、契丹相距很遥远，双方兵力无法呼应，估计朔方的兵马也不能来到这里。如果唐军真的来了，等他们快要到达时，我们只要迁徙牙帐向北行进三天，唐军就会因为吃的没了自己退兵。况且拔悉密向来贪图小利而轻举妄动，又得到了王晙的邀约，一定会高兴地先来此地。王晙与张嘉贞的关系不和，他的奏请很多得不到回应，他一定不敢出兵。王晙不出兵，拔悉密独自率军前来，出击战胜他，势必很容易。"

不久拔悉密果然发兵进逼突厥毗伽的牙帐，而朔方以及奚、契丹兵马没有到达，拔悉密感到畏惧，就率军撤退了。毗伽可汗打算出击拔悉密，暾欲谷说："这些人离家千里，将会拼死战斗，不能攻击他们。不如派兵跟随他们。"在拔悉密离开北庭二百里时，暾欲谷分兵从小路先围困了北庭，趁势纵兵攻击拔悉密，把他们打得大败。拔悉密的部众溃散逃向北庭，因为无法进城，全部被突厥俘获。

暾欲谷率兵撤回，由赤亭出发，抢掠凉州的牲畜，杨敬述派遣裨将卢公利和判官元澄率兵截击突厥。暾欲谷对他的部众说："我们乘胜来到这里，杨敬述如果出兵挑战，必然能击败他们。"卢公利等人到了删丹县，与暾欲谷相遇，唐军大败，卢公利和元澄脱身逃走。毗伽的势力因此大振，全部拥有了阿史那默啜可汗的部众。

契丹牙官可突干勇敢善战，深得众心，李娑固猜忌提防他，想把他除掉。这一年，可突干率兵进攻李娑固，李娑固战败奔赴营州。营州都督许钦澹派遣安东都护薛泰率领五百勇士与奚王李大酺辅助李娑固征讨可突干，被可突干打败，李娑固、李大酺都被可突干杀掉，薛泰被活捉，营州军民惊恐。许钦澹转移军队，进入渝关，可突干立李娑固的堂弟李郁干为君王，派遣使者入朝请罪。玄宗赦免了可突干的罪行，任命李郁干为松漠都督，任命李大酺的弟弟李鲁苏为饶乐都督。

【段旨】

以上为第六段，写唐边将轻启边衅，唐军大败于突厥和契丹。

【注释】

⑱ 乙卯：十一月初七日。⑲ 辛未：十一月二十三日。⑳ 杨敬述：事见《旧唐书》卷八《玄宗纪上》、卷一百九十四上《突厥传上》，《新唐书》卷二百十五下《突厥传下》。㉑ 契苾部落：贞观年间，契苾降唐，部落被安置在凉州一带。㉒ 拔悉密：突厥别部，酋长亦姓阿史那氏，居住在今蒙古国乌兰固木一带。㉓ 掩：掩袭；袭击。㉔ 稽落水：源于稽落山。在贝加尔湖以南。㉕ 绝远：极远。㉖ 势不相及：指拔悉密与奚、契丹之兵不能相呼应。相及，相合。㉗ 垂至：将至；快到的时候。㉘ 不相悦：彼此不喜欢对方。

【原文】

九年（辛酉，公元七二一年）

春，正月，制削杨敬述官爵，以白衣检校凉州都督，仍充诸使[219]。

丙辰[220]，改蒲州[221]为河中府，置中都，官僚一准京兆、河南[222]。

丙寅[223]，上幸骊山温汤。乙亥[224]，还宫。

监察御史宇文融[225]上言，天下户口逃移[226]，巧伪甚众，请加检括[227]。融，弼[228]之玄孙也，源乾曜素爱其才，赞成之。二月乙酉[229]，敕有司议招集流移、按诘巧伪之法以闻。

丙戌[230]，突厥毗伽复使来求和。上赐书，谕以："曩昔国家与突厥和亲[231]，华、夷安逸，甲兵休息。国家买突厥羊马，突厥受国家缯帛，彼此丰给。自数十年来，不复如旧，正由默啜无信，口和心叛[232]，数出盗兵，寇抄边鄙[233]，人怨神怒，陨身丧元[234]，吉凶之验，皆可汗所见。今复蹈前迹，掩袭甘、凉，随遣使人，更来求好。国家如天之覆，如海之容，[235]但取来情，不追往咎。可汗果有诚心，则共保遐福[236]，不然，无烦使者徒尔往来。若其[237]侵边，亦有以待，可汗其审[238]图之！"

丁亥[239]，制："州县逃亡户口听百日自首，或于所在附籍[240]，或牒归故乡，各从所欲。过期不首，即加检括，谪徙[241]边州[242]。公私[243]敢容

意即关系不和。⑳⑨不相应：得不到赞同，即得不到回答。⑳⑩此属：这些人。㉑①赤亭：守捉（边地驻军单位）名，在今新疆鄯善东北。㉑②邀击：截击。㉑③删丹：县名，县治在今甘肃山丹。㉑④公利、澄脱身走：两唐书之《突厥传》及《通典》卷一百九十八均作元澄脱身，不言卢公利结局。㉑⑤毗伽：毗伽可汗。㉑⑥可突干：可突干（？至公元七三四年），初任静析军副使，归唐后拜左羽林卫将军。后又叛降突厥。传见《旧唐书》卷一百九十九下、《新唐书》卷二百十九。两唐书本传均作"可突于"。㉑⑦许钦澹：事见《旧唐书》卷一百九十九下《契丹传》，《新唐书》卷七十三上《宰相世系表三上》等。㉑⑧渝关：东北军事重镇之一。又作"榆关""临渝关"等，故址即今河北秦皇岛东之山海关。

【语译】

九年（辛酉，公元七二一年）

春，正月，玄宗下诏削除杨敬述的官爵，让他以平民身份检校凉州都督，仍旧充任节度使、支度使和营田使。

初九日丙辰，改蒲州为河中府，设置中都，官僚一律依照京兆府和河南府。

十九日丙寅，玄宗驾临骊山温泉。二十八日乙亥，返回宫中。

监察御史宇文融上奏说，全国的居户丁口脱逃迁移，诈伪很多，请求加以核查。宇文融是宇文弼的玄孙，源乾曜一向爱惜他的才学，因此赞成他的主张。二月初八日乙酉，玄宗敕令有关官署商讨招集流散人口以及惩治奸诈虚伪的办法，并将结果呈报朝廷。

二月初九日丙戌，突厥可汗毗伽又派遣使者前来求和。玄宗赐给毗伽一封信，信中晓谕说："从前我唐朝与突厥和亲，华夏人和突厥人都安居乐业，军队也休战养息。我唐朝买进突厥的羊马，突厥购得唐朝的丝织品，彼此丰足。近几十年以来，两国关系不再如过去那样了，这正是由于默啜可汗不讲信用，口上讲要和好，心里想的是叛离，多次出兵，劫掠边疆，人怨神怒，身亡头落。吉凶祸福的证验，可汗都亲眼所见。如今可汗重蹈前辙，偷袭甘、凉二州，随后遣使者前来求好。我唐朝像天一样庇佑万物，似海一样容纳百川，只看来意的真实，既往不咎。可汗你果真有诚意，就能共同保持永久的幸福，否则就不要麻烦使者白白地往来了。如果你们还是侵扰边塞，我们也有准备，可汗要慎重考虑！"

二月初十日丁亥，玄宗下诏："州县逃亡的人户丁口，允许在百日内向官府自首，或者在当地落户籍，或者随公文回到故乡，各自随自己的心愿办理。凡过期不自首，官府立即核查，流徙边远州县。官府和私人敢容纳包庇者予以判罪。"任命宇

庇[244]者抵罪。”以宇文融充使，括逃移户口及籍外田[245]，所获巧伪甚众。迁兵部员外郎兼侍御史。融奏置劝农判官十人[246]，并摄御史，分行天下。其新附客户，免六年赋调。使者竞为刻急，州县承风劳扰，百姓苦之。阳翟[247]尉皇甫憬[248]上疏言其状，上方任融，贬憬盈川尉。州县希旨，务于获多，虚张其数，或以实户为客，凡得户八十余万，田亦称是[249]。

【段旨】

以上为第七段，写唐玄宗检括户口，凡得户八十余万，田亦称是。

【注释】

⑲仍充诸使：依旧充任节度、支度、营田等使。⑳丙辰：正月初九日。㉑蒲州：治所在今山西永济西南。㉒置中都二句：有标点作“置中都官僚，一准京兆、河南”者，疑误。〖按〗此云以河中府为中都，河中府官僚数额、品秩待遇等与京兆府、河南府官员完全相同。是年六月己卯，即“罢中都，复为蒲州”。京兆、河南，指两京。此以蒲州为中都，置官与两京府等同。㉓丙寅：正月十九日。㉔乙亥：正月二十八日。㉕宇文融：宇文融（？至约公元七三〇年），京兆万年人，长于吏治，以奏请搜刮逃户而著名。官至宰相，被贬而死。传见《旧唐书》卷一百五、《新唐书》卷一百三十四。㉖逃移：逃亡迁移。㉗检括：考查搜求。㉘弢：宇文弢，仕北周、隋两朝，博学多才。传见《隋书》卷五十六、《北史》卷七十五。弢，“弼”的古字。㉙乙酉：二月初八日。㉚丙戌：二月初九日。㉛曩昔国家与突厥和亲：曩昔，以往、从前。唐代前期，突厥多次遣使求婚，唐王朝也曾许婚，但由于种种原因，未能成婚。玄宗即位不久，默啜子杨我支特勒入朝，始以蜀王女南和县主妻之。㉜口和心叛：嘴上说要和好，心里却在想着叛离。㉝边

【原文】

兰池州[250]胡康待宾[251]诱诸降户同反，夏，四月，攻陷六胡州[252]，有众七万，进逼夏州[253]。命朔方大总管王晙、陇右节度使郭知运共讨之。

戊戌[254]，敕：“京官五品以上，外官刺史、四府[255]上佐[256]，各举县令

文融为朝廷的使者，搜求逃亡流徙人户丁口和清查未登记的田地，所查获的奸诈虚伪的情况很多。宇文融被提拔为兵部员外兼侍御史。宇文融上奏请求设置了十名劝农判官，并代行御史职务，分头前往全国各地。那些新附籍的客户，免除六年的赋调。这些使者竞相严苛峻急，州县的官吏迎合烦扰，百姓深受其苦。阳翟县尉皇甫憬上疏反映这一情况，玄宗正在重用宇文融，皇甫憬反被降职为盈川尉。州县官吏纷纷迎合皇上的旨意，一意追求查获更多的逃亡人口，虚报数量，有的把实户也当作客户，查获户口共有八十余万，查获隐瞒的土地数目也与户口数目相当。

鄙：靠近边界的地方。㉞丧元：丢掉脑袋。默啜于开元四年（公元七一六年）六月二十九日被杀。㉟如天之覆二句：比喻度量极大，无所不包。㊱遐福：永久之福。㊲其：还是。㊳审：慎重。㊴丁亥：二月初十日。㊵附籍：附入户籍。㊶谪徙：流徙。㊷边州：边远之州。㊸公私：官府或私人。㊹容庇：容纳包庇逃户。㊺籍外田：户籍以外的田地。㊻置劝农判官十人：《旧唐书·宇文融传》所载与此相同。《通典》及《新唐书》本传并作二十九人。〖按〗《唐会要》卷八十五载，开元九年，宇文融所奏劝农判官凡十九人，即华州录事参军慕容琦、长安县尉王冰、太原司录张均、太原兵曹宋希玉、大理评事宋珣、长安主簿韦利涉、汾州录事参军韦洽、汜水县尉薛侃、三原县尉乔梦松、大理寺丞王诱、右拾遗徐楚璧、告成县尉徐锷、长安县尉裴宽、万年县尉岑希逸、同州司法边仲寂、大理评事班景倩、榆次县尉郭庭倩、河南府法曹元将茂、洛阳县尉刘日贞。至开元十二年又奏加十人，即长安县尉王焘、河南县尉于孺卿、左拾遗王忠翼、奉天县尉何千里、伊阙县尉梁勋、富平县尉卢怡、咸阳县尉库狄履温、渭南县尉贾晋、长安县尉李登、前大理评事盛广。据此，则“十人”有误，“二十九人”系两次奏请人数的总和。㊼阳翟：县名，县治在今河南禹州。㊽皇甫憬：事见《新唐书》卷七十五下《宰相世系表五下》，《全唐文》卷三百九十七。㊾田亦称是：所得田地也相当于此。

【语译】

兰池州的胡人康待宾诱使归降的民户一同反叛。夏，四月，康待宾攻陷了六个胡州，拥有七万部众，进逼夏州。朝廷命令朔方道大总管王晙和陇右节度使郭知运共同讨伐康待宾。

四月二十二日戊戌，玄宗敕命：“五品以上的京官，外地的刺史及京兆、河南、

一人，视其政善恶，为举者赏罚[257]。”

以太仆卿王毛仲为朔方道防御讨击大使，与王晙及天兵军节度大使张说相知讨康待宾。

六月己卯[258]，罢中都，复为蒲州。[259]

蒲州刺史陆象先政尚宽简，吏民有罪，多晓谕遣之。州录事[260]言于象先曰：“明公不施棰挞[261]，何以示威！”象先曰：“人情不远，此属岂不解[262]吾言邪！必欲棰挞以示威，当从汝始！”录事惭而退。象先尝谓人曰：“天下本无事，但庸人扰之耳。苟清其源，何忧不治！”

秋，七月己酉[263]，王晙大破康待宾，生擒之，杀叛胡万五千人。辛酉[264]，集四夷酋长，腰斩康待宾于西市。

先是，叛胡潜与党项[265]通谋，攻银城[266]、连谷[267]，据其仓庾[268]，张说将步骑万人出合河关[269]掩击，大破之。追至骆驼堰[270]，党项乃更与胡战，胡众溃，西走入铁建山。说安集党项，使复其居业。讨击使阿史那献以党项翻覆[271]，请并诛之，说曰：“王者之师，当伐叛柔服[272]，岂可杀已降邪！”因奏置麟州[273]，以镇抚党项余众。

九月乙巳[274]朔，日有食之。

康待宾之反也，诏郭知运与王晙相知[275]讨之，晙上言，朔方兵自有余力，请敕知运还本军。未报，知运已至，由是与晙不协[276]。晙所招降者，知运复纵兵击之，虏以晙为卖己，由是复叛。上以晙不能遂定[277]群胡，丙午[278]，贬晙为梓州[279]刺史。

丁未[280]，梁文献公姚崇薨，遗令：“佛以清净慈悲为本，而愚者写经造像，冀以求福。昔周、齐[281]分据天下，周则毁经像[282]而修[283]甲兵，齐则崇塔庙[284]而弛[285]刑政，一朝合战，齐灭周兴。近者诸武、诸韦，造寺度人，不可胜纪，无救族诛[286]。汝曹勿效儿女子[287]终身不寤，追荐冥福[288]！道士见僧获利，效其所为，尤不可延[289]之于家。当永为后法！”

癸亥[290]，以张说为兵部尚书、同中书门下三品。

冬，十月，河西、陇右节度大使郭知运卒[291]。知运与同郡[292][5]右卫副率王君㚟，皆以骁勇善骑射著名西陲[293]，为虏所惮[294]。时人谓之王、

河中、太原四府的上层佐吏，各自举荐一名县令，根据他们的政绩好坏，作为举荐者的赏罚。”

玄宗任命太仆寺卿王毛仲为朔方道防御讨击大使，与王晙及天兵军节度大使张说共同征讨康待宾。

六月初三日己卯，废除了中都，又恢复为蒲州。

蒲州刺史陆象先为政崇尚宽缓简约，官吏和百姓如果犯了罪，多是以礼晓谕，将人遣还。蒲州录事对陆象先说："明公不使用鞭刑，用什么来显示威势呢！"陆象先说："人的性情相去不远，难道这些人不理解我的话吗？如果一定要用鞭刑来显示威势，就从你开始！"录事惭愧退下。陆象先曾经对人说过："天下本来无事，只是庸人自扰而已。倘若能够正本清源，何愁得不到治理！"

秋，七月初四日己酉，王晙把康待宾打得大败，活捉了康待宾，杀死反叛的胡人一万五千名。十六日辛酉，朝廷集中了四夷各部酋长，在西市将康待宾腰斩。

在此之前，反叛的胡人偷偷地与党项族合谋，攻打银城、连谷县，占据了该地的粮仓，张说率领一万名步兵和骑兵出合河关，向叛军发起袭击，大败叛军。张说追击到骆驼堰，党项反倒与叛胡交战，胡人溃不成军，向西逃进了铁建山。张说安抚招集党项人，让他们恢复正常的生活与生产。讨击使阿史那献认为党项人反复无常，请求一并杀掉他们，张说说："朝廷的军队应当讨伐叛军，怀柔降服之众，怎么可以杀死已归顺的人呢！"因而上奏设置麟州，以便镇抚党项余众。

九月初一日乙巳，发生日食。

康待宾叛乱时，玄宗下诏命令郭知运与王晙相互照应，共同征讨康待宾，王晙上书说，朔方的军队自身有多余的兵力，请玄宗敕令郭知运率部撤回陇右本军。尚未接到答复，郭知运已经来到，由此两人关系不和。王晙所招降的胡人，郭知运又纵兵攻击他们，胡人以为王晙出卖了自己，因此重新反叛。玄宗认为王晙不能最终平定胡人各部，九月初二日丙午，贬王晙为梓州刺史。

九月初三日丁未，梁文献公姚崇去世，有遗嘱说："佛家以清净慈悲为本，而愚昧的人抄写经卷、修造佛像，希望求得福佑。过去北周与北齐两国分据天下，北周毁弃佛经佛像而训练士卒，北齐却大量修造佛塔佛寺而废弛刑罚与政令，一场战争以后，北齐灭亡，北周兴起。近来武氏和韦氏家族，造寺度人，不可胜记，却未能挽救家族的诛灭。你们不要仿效那些男女小儿之辈终生不寤，祈祷死后的冥福！道士看见僧侣由此获利，也效法他们的做法，尤其不可把他们请进家门。这应当永远成为家法！"

九月十九日癸亥，玄宗任命张说为兵部尚书、同中书门下三品。

冬，十月，河西、陇右节度大使郭知运去世。郭知运与同郡人右卫副率王君㚟，两人都是因为骁勇擅长骑射而闻名于西部边陲，为西域胡人所忌惮，当时人称他俩郭。臮遂自知运麾下代为河西、陇右节度使，判凉州都督。

十一月丙辰[295]，国子祭酒元行冲上《群书四录》[296]，凡书四万八千一百六十九卷[297]。

庚午[298]，赦天下。

十二月乙酉[299]，上幸骊山温汤；壬辰[300]，还宫。

是岁，诸王为都督、刺史者，悉召还京师。[301]

新作蒲津桥[302]，镕铁为牛以系絙[303]。

安州[304]别驾[305]刘子玄卒。子玄即知幾也，避上嫌名[306]，以字行。

著作郎吴兢撰《则天实录》[307]，言宋璟激张说使证魏元忠事[308]。说修史见之，知兢所为，谬曰[309]："刘五[310]殊不相借！"兢起对曰："此乃兢所为，史草具在[311]，不可使明公枉怨死者。"同僚皆失色。其后说阴祈[312]兢改数字，兢终不许，曰："若徇[313]公请，则此史不为直笔，何以取信于后！"

太史上言，《麟德历》[314]浸疏[315]，日食屡不效[316]。上命僧一行[317]更造新历[318]，率府兵曹[319]梁令瓚[320]造黄道游仪[321]以测候七政[322]。

置朔方节度使，领单于都护府，夏、盐等六州，[323]定远、丰安二军[324]，三受降城[325]。

【段旨】

以上为第八段，写朔方大总管王晙大破兰池州叛胡，诛其首领康待宾。贤相姚崇薨。僧一行测日影造新历。

【注释】

㉕⓪兰池州：羁縻府州，故治在今宁夏灵武一带。㉕①康待宾：康待宾（？至公元七二一年），兰池州杂胡大首领，叛唐被诛。事见《旧唐书》卷八《玄宗纪》上、卷三十八《地理志一》、卷九十七《张说传》等。㉕②六胡州：调露元年（公元六七九年）在宥州南境以突厥降部置鲁州、丽州、塞州、含州、依州、契州，合称六胡州，在今内蒙古鄂托克旗南部一带。㉕③夏州：州名，治所在今陕西靖边东北白城子。㉕④戊戌：四月二十二日。㉕⑤四

为王、郭。郭知运死后，王君㚟以郭知运的部将代理为河西、陇右节度使，并充任凉州都督。

十一月十三日丙辰，国子祭酒元行冲进呈《群书四录》，这部书共有四万八千一百六十九卷。

二十七日庚午，大赦天下。

十二月十三日乙酉，玄宗幸临骊山温泉；二十日壬辰，返回宫中。

这一年，玄宗把担任都督、刺史的李氏诸王全部召回京师。

新修建了蒲津浮桥，熔铸了铁牛来拴系桥的粗大绳索。

安州别驾刘子玄去世。刘子玄就是刘知幾，为避皇帝名讳而以字行于世。

著作郎吴兢撰写了《则天实录》，书中谈到宋璟激励张说为魏元忠作证的事实。张说在修史时看到了有关记载，他知道是吴兢所写，故意往错了说："刘知幾很不帮我的忙！"吴兢起身回答说："这些都是我吴兢撰写的，草稿都还在，我不能让您错怪亡故的刘子玄。"同僚们听到这些话后全都惊慌失色。后来张说私下求吴兢把这段记载改写几个字，吴兢最终没有答应，他说："如果顺从您的请求，那么《则天实录》就不算是秉笔直书，我将用什么取信于后人呢！"

太史上奏说，《麟德历》逐渐疏误，对日食的预测多次未能证验。玄宗命令僧人一行重新编制新的历法，率府兵曹梁令瓒制造了黄道游仪来观测日、月、水、火、木、金、土七星的运行情况。

朝廷设置朔方节度使，兼领单于都护府，夏、盐等六州以及定远、丰安二军和三受降城。

府：指京兆府、河南府、河中府、太原府。㉖上佐：此处指少尹等。㉗为举者赏罚：对荐举的人进行奖赏或处罚。㉘己卯：六月初三日。㉙罢中都二句：正月初置中都，以蒲州为河中府。㉖⓪录事：官名，据《唐六典》卷三十，上州录事三人，从九品上，中、下州录事各一人，从九品下，为一般低级吏员。㉖①棰挞：指杖刑。㉖②解：理解。㉖③己酉：七月初四日。㉖④辛酉：七月十六日。㉖⑤党项：西北少数民族之一。原居青海、甘肃、四川交界地带，后迁至今宁夏、陕北一带。㉖⑥银城：县名，县治在今陕西神木南。㉖⑦连谷：县名，故治在今陕西神木西北。㉖⑧仓庾：粮库。㉖⑨合河关：在今山西兴县西北黄河东岸。隔黄河与银城遥遥相对。㉗⓪骆驼堰：在连谷县西北。㉗①翻覆：反复无常。㉗②柔服：怀柔安抚归服之人。㉗③因奏置麟州：此时只是奏请设置，尚未付诸实施。据《唐会要》卷七十及《新唐书》卷三十七，麟州置于开元十二年闰十二月二十九日，治所在

今陕西神木北。㉗④乙巳：九月初一日。㉗⑤相知：相互照应。㉗⑥协：协和。㉗⑦遂定：最终安定。㉗⑧丙午：九月初二日。㉗⑨梓州：州名，治所在今四川三台。㉘⓪丁未：九月初三日。㉘①周、齐：北周、北齐。㉘②经像：佛经、佛像。㉘③修：治；训练。㉘④塔庙：佛塔、佛寺。㉘⑤弛：废弛。㉘⑥无救族诛：不能挽救家族诛灭的命运。㉘⑦儿女子：指见识短浅的人。㉘⑧冥福：阴间的福禄。㉘⑨延：请。㉙⓪癸亥：九月十九日。㉙①郭知运卒：时在十月二十二日。㉙②同郡：同郡人。郭知运，瓜州晋昌人；王君㚟，瓜州常乐人。㉙③西陲：西边。㉙④惮：惧怕。㉙⑤丙辰：十一月十三日。㉙⑥《群书四录》：书名，《旧唐书·玄宗纪》作《群书目录》。《唐会要》卷三十六作《群书四部录》。名称有所差异，但实指一书。凡二百卷，为当时的图书总目。㉙⑦凡书四万八千一百六十九卷：据《唐会要》卷三十六，这些图书由二千六百五十五部组成，分为经史子集四部。经部由殷践猷、王惬编，史部由韦述、余钦编，子部由毋照、刘彦直编，集部由王湾、刘仲编。此后历代藏书，大抵皆以四部分类。经过这次整理，国家藏书迅速增加，所著录的图书达到五万三千九百一十五卷。其中唐人著作凡二万八千四百六十九卷。㉙⑧庚午：十一月二十七日。㉙⑨乙酉：十二月十三日。㉚⓪壬辰：十二月二十日。㉚①诸王为都督、刺史者二句：开元二年（公元七一四年）六月，根据有司的请求，令诸王出任外州都督、刺史。今令全部回京师。㉚②蒲津桥：连接秦晋的黄河大桥。因位于黄河渡口蒲津而得名。桥东为河东道蒲州，西为关内道同州。㉚③镕铁为牛以系絙：为保证浮桥的稳定，用铁铸成八头大牛置于两岸，系上大索。后铁牛皆沉入河中。目前已有所发现。絙，大索。㉚④安州：治所在今湖北安陆。㉚⑤别驾：官名，为州之上佐，佐助刺史纪纲众务，通判列曹，正五品下。㉚⑥避上嫌名：玄宗名隆基，“幾”与“基”音同，故需回避，而以字行。㉚⑦《则天实录》:《则天皇后实录》，二十卷。本魏元忠、武三思、祝钦明、徐彦伯、柳冲、韦承庆、崔融、岑羲、徐坚撰，后由刘知幾、吴兢删正。㉚⑧宋璟激张说使证魏元忠事：发生

【原文】

十年（壬戌，公元七二二年）

春，正月丁巳[326]，上行幸东都，以刑部尚书王志愔[327]为西京留守。

癸亥[328]，命有司收公廨钱[329]，以税钱[330]充百官俸。

乙丑[331]，收职田[332]。亩率[333]给仓粟[334]二斗。

二月戊寅[335]，上至东都。

夏，四月己亥[336]，以张说兼知朔方军节度使。

在长安三年。㉟谬曰：故意错说。㊵刘五：刘知幾。刘知幾排行第五。唐人习惯以排行敬称。㉛史草具在：史书的草稿都保存着。㉜祈：请。㉝徇：顺。㉞《麟德历》：李淳风造，麟德二年（公元六六五年）五月颁行。㉟浸疏：逐渐疏误。㊱不效：不验。㊲僧一行：僧一行（公元六八三至七二七年），俗姓张，名遂，魏州昌乐（今河南南乐）人，自幼博览经史，尤精天文历法。二十一岁出家。著述甚丰，死后被谥为大意禅师。传见《旧唐书》卷一百九十一、《宋高僧传》卷五、《佛祖历代通载》卷十三等。㊳新历：后来的《大衍历》。㊴率府兵曹：东宫官属。兵曹，即兵曹参军事。㊵梁令瓒：盛唐天文学家。事见《旧唐书》卷三十二《历志一》、卷三十五《天文志上》、卷一百九十一《一行传》等。㉑黄道游仪：一种用来测量太阳、月亮等天体变化的天文仪器。㉒七政：又称七曜。指日、月及水、火、木、金、土五星。㉓夏、盐等六州:《唐会要》卷七十八作丰（治所在今内蒙古五原南）、胜（治所在今内蒙古托克托南）、灵（治所在今宁夏灵武西南）、夏（治所在今陕西榆林市横山区西北）、盐（治所在今陕西定边）、银（治所在今陕西榆林南）、匡、长（匡、长二州即宥州，治所在今陕西定边东北）、安乐（治所在今宁夏中卫）等州。㉔定远、丰安二军:《唐会要》作经略（在今内蒙古鄂托克旗附近）、定远（在今宁夏平罗西南）、丰安（在今内蒙古五原东南）三军。待考。㉕三受降城：东受降城（在今内蒙古托克托南）、西受降城（在今内蒙古杭锦旗北）和中受降城（在今内蒙古包头西南）。

【校记】

［5］郡：原作“县”。胡三省注云:“郭知运，瓜州晋昌人，王君㚟，瓜州常乐人。”严衍《通鉴补》改作“同郡”，今从改。〖按〗二人本非同县，据《旧唐书·地理志》晋昌、常乐均属敦煌郡。

【语译】

十年（壬戌，公元七二二年）

春，正月十五日丁巳，玄宗幸临东都洛阳，任命刑部尚书王志愔为西京留守。

二十一日癸亥，朝廷命令有关官署征收公廨钱，用税收来充百官的俸禄。

二十三日乙丑，朝廷收缴百官的职分田，每亩一律给太仓粟米二斗作为补偿。

二月初七日戊寅，玄宗到达东都。

夏，四月二十九日己亥，任命张说兼任朔方军节度使。

五月，伊、汝水溢[337]，漂溺数千家。

闰月壬申[338]，张说如朔方巡边。

己丑[339]，以余姚县主[340]女慕容氏为燕郡公主，妻契丹王郁干[341]。

六月丁巳[342]，博州[343]河决，命按察使萧嵩[344]等治之。嵩，梁明帝[345]之孙也。

己巳[346]，制增太庙为九室，迁中宗主还太庙[347]。

秋，八月癸卯[348]，武强[349]令裴景仙[350]，坐赃五千匹，事觉[351]，亡命[352]。上怒，命集众斩之。大理卿李朝隐奏景仙赃皆乞取[353]，罪不至死。又，其曾祖寂[354]有建义[355]大功，载初[356]中以非罪破家[357]，惟景仙独存，今为承嫡[358]，宜宥[359]其死，投之荒远。其辞略曰："十代宥贤[360]，功实宜录；一门绝祀，情或可哀。"制令杖杀。朝隐又奏曰："生杀之柄，人主得专，轻重有条[361]，臣下当守。今若乞取得罪，便处斩刑，后有枉法当科[362]，欲加何辟[363]？所以为国惜法，期守律文，非敢以法随人，曲矜仙命。"又曰："若寂勋都弃，仙罪特加，则叔向[364]之贤，何足称者，若敖之鬼，不其馁而[365]！"上乃许之。杖景仙一百，流岭南恶处。

安南贼帅梅叔鸾[6]等攻围州县，遣骠骑将军兼内侍杨思勖讨之。思勖募群蛮子弟，得兵十余万，袭击，大破之，斩叔鸾，积尸为京观[366]而还。

初，上之诛韦氏[367]也，王皇后颇预密谋，及即位数年，色衰爱弛[368]。武惠妃[369]有宠，阴怀倾夺之志，后心不平，时对上有不逊语。上愈不悦，密与秘书监姜皎谋以后无子废之，皎泄其言。嗣濮王[7]峤[370]，后之妹夫也，奏之。上怒，张嘉贞希旨构成其罪，云："皎妄谈休咎。"甲戌[371]，杖皎六十，流钦州，弟吏部侍郎晦贬春州[372]司马。亲党坐流、死者数人，皎卒于道。乙亥[373][8]，敕："宗室、外戚、驸马，非至亲毋得往还；其卜相占候之人，皆不得出入百官之家。"

五月，伊水和汝水泛滥，淹没数千家民户。

闰五月初二日壬申，张说到朔方巡视边情。

十九日己丑，玄宗封余姚县主之女慕容氏为燕郡公主，把她嫁给契丹王郁干为妻。

六月十八日丁巳，博州境内的黄河决堤，朝廷命令按察使萧嵩等官员治理河堤。萧嵩，是后梁明帝萧岿的孙子。

三十日己巳，玄宗下诏把太庙供奉祖宗神主之室增加到九室，把中宗皇帝的神主迁回太庙。

秋，八月初四日癸卯，武强县县令裴景仙犯了贪赃五千匹布帛之罪，事情败露，弃官逃亡。玄宗很生气，命令聚众将他斩首。大理寺卿李朝隐上奏，认为裴景仙所得赃物都是乞求获取，罪不至死。另外，裴景仙的曾祖裴寂有首举义旗之功，载初年间裴承先死于非罪而家破人亡，只有裴景仙独自存活，如今他作为裴氏的嫡传继承人，应当赦免他的死刑，把他流放到荒远的地方。李朝隐的奏章大概说："贤者的十代子孙应当宽宥，贤者的功绩确实应予记取；一个家族断绝祭祀，在情理上或许有可怜之处。"玄宗还是下诏将裴景仙用杖刑处死。李朝隐又向玄宗上奏说："生杀大权，操在君主一人的手中，量刑轻重有法条，臣下应当谨守。现在如果因为乞取赃物获罪，便判处斩刑，今后假若有枉法需要论罪判刑的人，欲施加什么刑罚呢？臣为了国家而顾惜法度，期望律令能得到遵守，臣不敢因人施法，只是怜悯裴景仙的性命。"李朝隐又说："如果裴寂的功勋全部捐弃，而裴景仙之罪又特别加重量刑，那么叔向的贤明，又有什么值得称道的，若敖氏祖先的鬼魂也就会因断子绝孙无人祀奉而陷于饥饿了！"玄宗于是同意了李朝隐的意见，裴景仙被杖刑一百，流放到岭南恶地。

安南盗贼首领梅叔鸾等围攻州县，朝廷派遣骠骑将军兼内侍杨思勖讨伐他们。杨思勖招募各部蛮族子弟从军，募得兵员十余万人，杨思勖袭击梅叔鸾等人，把他们打得大败，斩杀了梅叔鸾，积尸为京观，然后返回京城。

当初，玄宗诛杀韦后时，王皇后参与了许多密谋，玄宗即位数年以后，王皇后因姿色渐衰而失去宠爱。此时武惠妃很受玄宗宠幸，暗有夺取皇后位置的意图，王皇后因此心怀不平，常常对玄宗出言不逊。玄宗更加不高兴，秘密与秘书监姜皎商议，谋划以皇后无子为理由把她废黜，姜皎泄露了玄宗的这些话。嗣濮王李峤是王皇后的妹夫，向玄宗上奏了此事。玄宗很生气，宰相张嘉贞为了迎合玄宗的旨意，罗织姜皎的罪名，声称："姜皎妄谈祸福吉凶之事。"甲戌日，姜皎被处以杖刑六十，流放到钦州，他的弟弟吏部侍郎姜晦被贬为春州司马。姜氏的亲属党羽中有几个人被判处流刑或死刑，姜皎死在去钦州的路上。九月初七日乙亥，玄宗下诏："宗室、外戚、驸马不是骨肉至亲的，一律不得往来拜访；那些问卜看相占候的人，都不许出入百官之家。"

【段旨】

以上为第九段，写唐玄宗治贪与泄禁中语极为严厉，又令宗室、外戚、驸马非至亲不得交往，卜巫之人不得登百官之门。

【注释】

㉖丁巳：正月十五日。㉗王志愔：王志愔（？至公元七二二年），博州聊城（今山东聊城东北）人，进士及第。曾任左台侍御史、大理少卿、齐州刺史等职。为政严厉，令行禁止，人称“皂雕”。传见《旧唐书》卷一百、《新唐书》卷一百二十八。㉘癸亥：正月二十一日。㉙公廨钱：公廨本钱。自唐初以来，政府拨给内外官署公廨本钱，令府史胥士等掌管，放贷取利，以充官吏俸料。㉚税钱：指税户所纳之钱。《唐会要》载，收缴公廨钱以后，官吏俸料由富户税钱支付。㉛乙丑：正月二十三日。㉜职田：职分田。唐内外官皆给职分田，名义上称公田，交农民耕种，由官署收租，作为官吏俸禄的一部分。据《唐会要》卷九十二、《通典》卷三十五及《册府元龟》卷五百五记载，职分田的数量因品秩的高低而有所差异。京官一品十二顷，二品十顷，三品九顷，四品七顷，五品六顷，六品四顷，七品三顷五十亩，八品二顷五十亩，九品二顷。雍州及外州官，二品十二顷，三品十顷，四品八顷，五品七顷，六品五顷，七品四顷，八品三顷，九品二顷五十亩。镇戍关津岳渎及在外监官，五品五顷，六品三顷五十亩，七品三顷，八品二顷，九品一顷五十亩。此次收职田是为了给还逃户及贫下户欠丁田。㉝率：一律。㉞仓粟：正仓之粟。㉟戊寅：二月初七日。㊱己亥：四月二十九日。㊲伊、汝水溢：伊水源出河南卢氏东南，东北流经嵩县、伊川、洛阳，至偃师，入洛河。汝水源于河南鲁山大盂山中，流经宝丰、襄城、上蔡、汝南，注入淮河。据《新唐书·玄宗纪》，伊、汝水溢在五月辛酉，即五月二十一日。㊳壬申：闰五月初二日。㊴己丑：闰五月十九日。㊵余姚县主：唐玄宗之堂妹，下嫁慕容嘉宾。㊶郁干：《新唐书》卷二百十九、《旧唐书》卷一百九十九下及《册府元龟》卷九百七十九皆作“郁于”，《唐会要》卷九十六作“郁于”。恐“干”字有误。㊷丁巳：六月十八日。㊸博州：治所聊城，在今山东聊城东北。㊹萧嵩：萧嵩（？至公元七四九年），唐初名臣萧瑀曾侄孙。长期担任朔方、河西节度使之职，颇有政绩。后官至宰相。著有《开元礼义镜》一百卷。传见

【原文】

己卯[374]夜，左领军兵曹[375]权楚璧[376]与其党李齐损[377]等作乱，立楚璧兄子梁山为光帝，诈称襄王[378]之子，拥左屯营兵数百人入宫城，求

《旧唐书》卷九十九、《新唐书》卷一百一。㉟45梁明帝：后梁主萧岿。传见《周书》卷四十八、《隋书》卷七十九、《北史》卷九十三。㉟46己巳：六月三十日。㉟47迁中宗主还太庙：主，即神主。开元五年徙中宗神主于别庙。㉟48癸卯：八月初四日。㉟49武强：县名，县治在今河北武强西南。㉟50裴景仙：唐初宰相裴寂曾孙。事见《旧唐书》卷一百《李朝隐传》，《新唐书》卷七十一上《宰相世系表一上》。㉟51事觉：事情败露。㉟52亡命：逃亡在外。㉟53乞取：因乞求而取得。㉟54寂：唐初宰相裴寂。㉟55建义：树立义旗。裴寂隋末任晋阳宫副监，曾以晋阳宫所藏米粮、铠甲等物支持李渊起兵。㉟56载初：武则天年号（公元六八九年）。㉟57以非罪破家：指裴寂孙承先为酷吏所杀。㉟58承嫡：承继血统；嫡传继承人。㉟59宥：赦。㊱60十代宥贤：贤者的十代子孙应当宽宥。㊱61条：条格。㊱62科：科罪。㊱63辟：刑罚。㊱64叔向：春秋时晋国大夫。㊱65若敖之鬼二句：《左传》宣公四年载，楚国司马子良生子越椒，有豺狼之声。子文说应该杀死子越椒，如果不杀死，必灭若敖氏。子文临死时泣曰："鬼犹求食，若敖氏之鬼，不其馁而！"若敖氏，楚武王之祖。此二句意谓"若敖氏之鬼不是要挨饿了吗？"即楚先王若敖氏无子孙奉祀。㊱66京观：用尸体堆成的高冢。古代战争，胜利者收集敌人尸体，堆积成丘，用土封实，称作"京观"，借以炫耀武功。㊱67上之诛韦氏：时在唐隆元年（公元七一〇年）六月二十日。㊱68色衰爱弛：姿色衰退，失去宠爱。㊱69武惠妃：恒安王武攸止之女。深得玄宗宠幸。死后追谥为贞顺皇后，葬于敬陵。传见《旧唐书》卷五十一、《新唐书》卷七十六。㊲70嗣濮王峤：濮王李峤，唐太宗子魏王李泰之孙。李泰得罪，贬封濮王。㊲71甲戌：八月庚子朔，无甲戌。《旧唐书·玄宗纪》系之于九月。九月甲戌，即九月初六日。㊲72春州：治所在今广东阳春。㊲73乙亥：九月七日。

【校记】

［6］梅叔鸾：原作"梅叔焉"。严衍《通鉴补》改作"梅叔鸾"，今从改。〖按〗两唐书之《玄宗纪》皆作"梅叔鸾"。［7］嗣濮王：原作"嗣滕王"。胡三省注据《新唐书·玄宗诸子传》《姜皎传》《太宗诸子传》认为当作"嗣濮王"，严衍《通鉴补》改作"嗣濮王"，今从改。［8］乙亥：原作"己亥"。严衍《通鉴补》改作"乙亥"，今从改。〖按〗是年九月己巳朔，无己亥。

【语译】

九月十一日己卯夜，左领军兵曹权楚璧和他的党羽李齐损等人发动叛乱，拥立权楚璧哥哥的儿子权梁山为光帝，谎称他是襄王李重茂之子，聚集了左屯营数百名

留守王志愔，不获。比晓[379]，屯营兵自溃，斩楚璧等，传首东都。志愔惊怖而薨。楚璧，怀恩[380]之侄；齐损，迥秀[381]之子也。壬午[382]，遣河南尹王怡[383]如京师，按问宣慰。

癸未[384]，吐蕃围小勃律[385]王没谨忙，谨忙求救于北庭节度使张嵩[386]曰："勃律，唐之西门，勃律亡则西域皆为吐蕃矣。"嵩乃遣疏勒副使张思礼将蕃、汉步骑四千人[9]救之，昼夜倍道[387]，与谨忙合击吐蕃，大破之，斩获数万。自是累岁，吐蕃不敢犯边。

王怡治权楚璧狱，连逮[388]甚众，久之不决[389]。上乃以开府仪同三司宋璟为西京留守。璟至，止诛同谋数人，余皆奏原[390]之。

康待宾余党康愿子反[391]，自称可汗；张说发兵追讨擒之，其党悉平。徙河曲六州残胡五万余口于许、汝、唐、邓、仙、豫等州[392]，空河南、朔方千里之地[393]。

【段旨】

以上为第十段，写唐军大败犯边西域的吐蕃。宋璟治反狱，只诛元恶。

【注释】

㉔己卯：九月十一日。㉕左领军兵曹：官名，即左领军卫兵曹参军。㉖权楚璧：万年（今陕西西安西北）人，传见《旧唐书》卷一百八十五上、《新唐书》卷一百。㉗李齐损：京兆泾阳（今陕西泾阳）人，传见《旧唐书》卷六十二、《新唐书》卷九十九。㉘襄王：中宗子李重茂。景云二年，改封重茂为襄王。㉙比晓：到天亮的时候。㉚怀恩：权怀恩曾任万年令，官至益州大都督府长史，为政清严，威名赫然。传见《旧唐书》卷一百八十五上、《新唐书》卷一百。㉛迥秀：李迥秀于则天朝官至宰相。传见《旧唐书》卷六十二、《新唐书》卷九十九。㉜壬午：九月十四日。㉝王怡：事见《旧唐书》卷

士兵闯入皇宫禁城，寻求西京留守王志愔，但没有找到。天快亮的时候，屯营兵自行溃散，斩杀了权楚璧等人，把他们的首级传送到东都洛阳。王志愔在惊慌恐惧中去世。权楚璧，是权怀恩的侄儿；李齐损，是李迥秀的儿子。十四日壬午，朝廷派遣河南尹王怡前往京师，查问此事，安抚人心。

九月十五日癸未，吐蕃军队围攻小勃律王没谨忙，没谨忙求救于北庭节度使张嵩，说："勃律是大唐西面的门户，勃律如果被灭亡，那么西域就都归吐蕃所有了。"张嵩于是派遣疏勒副使张思礼率领四千名汉、胡步骑兵前去救援没谨忙。张思礼昼夜兼程，与没谨忙夹击吐蕃，大败吐蕃军队，斩杀及俘获敌人数万。此后的几年里，吐蕃不敢进犯边塞。

王怡审理权楚璧的案子，有很多人被牵连入狱，案子久而不决。玄宗于是任命开府仪同三司宋璟为西京留守。宋璟赴任后，只诛杀权楚璧的几个同谋，其余都向玄宗上奏后赦免了他们。

康待宾的余党康愿子发动叛乱，自称为可汗，张说出兵追击讨伐，抓获了康愿子，他的党徒全部被平定。迁徙河曲六州残存的五万余口胡人到许、汝、唐、邓、仙、豫等州，黄河以南及朔方千里区域成为空旷之地。

九十六《宋璟传》，《新唐书》卷一百二十四《宋璟传》。㊴癸未：九月十五日。㊵小勃律：古西域国名，在今克什米尔巴尔提斯坦。㊶张嵩：《新唐书》作"张孝嵩"。进士及第，姿仪甚伟。在安西有政绩，官至太原尹。事见《旧唐书》卷一百三、《新唐书》卷一百三十三。㊷昼夜倍道：昼夜兼程。倍道，意即一日行两日的路程。㊸连逮：牵连逮捕。㊹决：断决。㊺原：原宥；赦免。㊻康愿子反：据《新唐书·玄宗纪》，康愿子反于开元九年九月。王晙平叛不力，被贬。至此，复遣张说讨之。㊼许、汝、唐、邓、仙、豫等州：地当今河南汝州、许昌、汝南、邓州、泌阳一带。㊽空河南、朔方千里之地：将河套以南至朔方（今陕西榆林市横山区西白城子）地区的胡人全部迁往中原。

【校记】

［9］人：原无此字。据章钰校，十二行本、乙十一行本皆有此字，张敦仁《通鉴刊本识误》同，今据补。

【原文】

先是，缘边戍兵常六十余万，说以时无强寇，奏罢二十余万使还农。上以为疑，说曰："臣久在疆埸，具知其情，将帅苟[394]以自卫及役使营私而已。若御敌制胜，不必多拥冗卒[395]以妨农务。陛下若以为疑，臣请以阖门[396]百口[397]保之。"上乃从之。

初，诸卫[398]府兵，自成丁[399]从军，六十而免，其家又不免杂徭[400]，浸以贫弱，逃亡略尽，百姓苦之。张说建议，请召募壮士充宿卫，不问色役[401]，优为之制，逋逃者[402]必争出应募，上从之。旬日，得精兵十三万，分隶诸卫，更番上下[403]。兵农之分，从此始矣。[404]

冬，十月癸丑[405]，复以乾元殿为明堂[406]。

甲寅[407]，上幸寿安[408]兴泰宫[409]，猎于上宜川。庚申[410]，还宫。

上欲耀兵[411]北边，丁卯[412]，以秦州都督张守洁[413]等为诸卫将军。

十一月乙未[414]，初令宰相共食实封三百户[415]。

前广州都督裴伷先下狱，上与宰相议其罪。张嘉贞请杖之，张说曰："臣闻刑不上大夫[416]，为其近于君，且所以养廉耻[417]也。故士可杀不可辱[418]。臣向巡北边，闻杖姜皎于朝堂。皎官登三品，亦有微功，有罪应死则死，应流则流，奈何轻加笞辱[419]，以皂隶[420]待之！姜皎事往，不可复追，伷先据状当流，岂可复蹈前失！"上深[421]然之。嘉贞不悦，退谓说曰："何论事之深也！"说曰："宰相，时[422]来则为之。若国之大臣皆可笞辱，但恐行及吾辈。吾此言非为伷先，乃为天下士君子[423]也。"嘉贞无以应。

十二月庚子[424]，以十姓可汗阿史那怀道女为交河公主[425]，嫁突骑施可汗苏禄。

上将幸晋阳，因还长安。张说言于上曰："汾阴[426]脽[427]上有汉家后土祠[428]，其礼久废，陛下宜因巡幸修之，为农祈谷。"上从之。

上女永穆公主将下嫁[429]，敕资送[430]如太平公主故事。僧一行谏曰："武后惟太平一女，故资送特厚，卒以骄败，奈何为法[431]！"上遽止之。

【语译】

在此之前，沿边境戍守的士卒通常有六十余万，张说认为当时没有强敌入侵，上奏请求裁减二十余万士兵，让这些人回乡务农。玄宗对此表示怀疑，张说说："臣久在边疆，详知这里面的情况，将帅苟且利用自卫和役使士兵谋取私利罢了。如果是为了御敌制胜，不必要拥有这么多的冗兵而妨碍了农事。陛下如果对臣的主张有怀疑，臣请求用全家百口的性命来担保。"玄宗这才听从了他的意见。

唐初，各卫的府兵，从成丁之年开始从军，六十岁免除兵役，府兵家中还不能免除各种杂役，因此逐渐贫弱，各卫的府兵几乎全部逃亡，百姓也深受兵役之苦。张说建议招募壮士充当宿卫，他们不再承担各种徭役，制定优厚的条例，逃避兵役的人一定会争相应募，玄宗听从了他的意见。十天时间，募得精兵十三万，分属于各卫，轮流值勤。士兵、农夫的分离，从这时开始了。

冬，十月十五日癸丑，又将乾元殿改为明堂。

十六日甲寅，玄宗幸临寿安兴泰宫，在上宜川狩猎。二十二日庚申，返回宫中。

玄宗打算在北部边境炫耀军威。二十九日丁卯，任命秦州都督张守洁等人为各卫将军。

十一月二十八日乙未，朝廷初次规定宰相的实封为三百户。

前任广州都督裴伷先被捕入狱，玄宗与宰相们商议对他如何定罪。张嘉贞请求对他处以杖刑，张说说："臣听说刑不上大夫，因为卿大夫靠近君主，可以培养他们的廉耻之心。因此说士可杀不可辱。从前臣巡视北部边境时，听说在朝廷上对姜皎使用了杖刑。姜皎官居三品，也曾立有微功，有罪应死就处以死刑，应该流放就流放，怎么随便施用笞杖之刑来羞辱他，把他作为衙门差役来对待呢！姜皎的事情已经过去，不可再追回，根据裴伷先的罪状应当判处流刑，陛下怎么可以重蹈前面的失误呢！"玄宗深深认为他的看法是正确的。张嘉贞很不高兴，退朝后对张说说："您何必把事情说得那么严重呀！"张说说："宰相之职，时运到来就可以担任。如果国家的大臣都可以处以笞杖之辱，恐怕也会施行到我们这些人的头上。我今天的话并不是为裴伷先一人，而是为了全国所有的士大夫说的。"张嘉贞无言对答。

十二月初三日庚子，朝廷把十姓可汗阿史那怀道的女儿封为交河公主，嫁给突骑施可汗苏禄。

玄宗即将幸临晋阳，顺路返回长安。张说对玄宗说："汾阴小土丘上有汉朝时的后土祠，祭礼废弛了很久，陛下应当趁巡幸之机重修此礼，以便为农事祈祷丰收。"玄宗听从了他的意见。

玄宗之女永穆公主将要出嫁，玄宗敕令嫁妆如同太平公主出嫁时的规格。僧人一行进谏说："武后只有太平公主一个女儿，因而陪嫁特别丰厚，但最终还是因为骄横而败亡，怎么能作为通例！"玄宗急忙停止了这种做法。

【段旨】

以上为第十一段，写张说主张裁减边兵，反对廷杖辱大臣。

【注释】

㊹苟：苟且。㊺冗卒：闲散的兵卒。㊻阖门：全家。㊼百口：泛指全家之人，并非指实。㊽诸卫：指左右卫、左右骁卫、左右武卫、左右威卫、左右领军卫、左右金吾卫。㊾成丁：唐制，男子十八成丁。㊿杂徭：正徭以外的各种徭役。[401]不问色役：免除劳役。色役，即各种各样的劳役。[402]逋逃者：此指逃避兵役的人。[403]更番上下：轮流宿值。[404]兵农之分二句：从此兵与农分离，成为专职人员。岑仲勉认为这是沿袭唐人误说。详见《府兵制度研究》。[405]癸丑：十月十五日。[406]复以乾元殿为明堂：开元五年（公元七一七年）七月二十七日改明堂为乾元殿。[407]甲寅：十月十六日。[408]寿安：县名，县治在今河南宜阳。[409]兴泰宫：长安四年（公元七〇四年）正月造。在寿安万安山上。[410]庚

【原文】

十一年（癸亥，公元七二三年）

春，正月己巳[432]，车驾自东都北巡。庚辰[433]，至潞州，给复五年[434]。辛卯[435]，至并州，置北都，以并州为太原府，刺史为尹。二月戊申[436]，还至晋州[437]。

张说与张嘉贞不平[438]，会嘉贞弟金吾将军嘉祐赃发，说劝嘉贞素服待罪于外。己酉[439]，左迁嘉贞幽州刺史。

壬子[440]，祭后土[441]于汾阴。乙卯[442]，贬平遥[443]令王同庆为赣[444]尉，坐广为储偫[445]，烦扰百姓也。

癸亥[446]，以张说兼中书令。

己巳[447]，罢天兵、大武等军[448]，以大同军[449]为太原以北节度使，领太原、辽、石、岚、汾、代、忻、朔、蔚、云十州[450]。

三月庚午[451]，车驾至京师。

夏，四月甲子[452]，以吏部尚书王晙为兵部尚书、同中书门下三品。

申：十月二十二日。㊶耀兵：炫耀兵威。㊷丁卯：十月二十九日。㊸张守洁：事见《唐御史台精舍题名考》卷一、《唐方镇年表》卷六。㊹乙未：十一月二十八日。㊺初令宰相共食实封三百户：在此之前，宰相无固定的食封。得实封者皆系因功因事所赐。至此，始共食实封三百户，并形成一种制度。共，总、凡。㊻刑不上大夫：语出《礼记·曲礼》。大夫，泛指官僚。㊼养廉耻：培养廉耻之心。㊽士可杀不可辱：《礼记·儒行》之言。士，此处为对官吏的通称。㊾笞辱：笞杖之辱。㊿皂隶：本指奴隶。转指衙门的差役。(421)深：极；很。(422)时：时运。(423)士君子：有志操、有学问的官僚。(424)庚子：十二月初三日。(425)交河公主：据《旧唐书》卷一百九十四下、《通典》卷一百九十九、《册府元龟》卷九百七十九等，"交河"当为"金河"。详见岑仲勉《唐史餘瀋》卷二。(426)汾阴：县名，故治在今山西万荣西南。(427)脽：小土山。(428)汉家后土祠：建于汉武帝元鼎四年（公元前一一三年）。(429)永穆公主将下嫁：永穆公主为玄宗长女，将下嫁于王繇。(430)资送：犹嫁妆。(431)奈何为法：怎么能作为通例。

【语译】

十一年（癸亥，公元七二三年）

春，正月初三日己巳，玄宗从东都洛阳北上巡行。十四日庚辰，到达潞州，免除当地百姓五年的赋役。二十五日辛卯，到达并州，设置北都，并州改为太原府，刺史改称府尹。二月十二日戊申，返回晋州。

张说与张嘉贞不和，恰好遇上张嘉贞的弟弟金吾将军张嘉祐贪赃的事情败露，张说劝张嘉贞在朝廷外素服待罪。二月十三日己酉，贬张嘉贞为幽州刺史。

二月十六日壬子，玄宗在汾阴祭祀土神。十九日乙卯，贬平遥县县令王同庆为赣县县尉，因为他犯了大量储备器物、烦扰百姓的罪过。

二十七日癸亥，玄宗任命张说兼任中书令。

己巳日，撤销天兵、大武等军，把大同军改为太原以北节度使，管辖太原、辽、石、岚、汾、代、忻、朔、蔚、云十个州。

三月初五日庚午，玄宗到达京师。

夏，四月三十日甲子，玄宗任命吏部尚书王晙为兵部尚书、同中书门下三品。

五月己丑[453]，以王晙兼朔方军节度大使，巡河西、陇右、河东、河北诸军。

上置丽正书院[454]，聚文学之士秘书监徐坚、太常博士会稽贺知章[455]、监察御史鼓城赵冬曦[456]等，或修书，或侍讲，以张说为修书使以总之。有司供给优厚。中书舍人洛阳陆坚[457]以为此属无益于国，徒为糜费[458]，欲悉奏罢之。张说曰："自古帝王于国家无事之时，莫不崇宫室[459]，广声色[460]。今天子独延礼[461]文儒，发挥[462]典籍，所益者大，所损者微。陆子之言，何不达[463]也！"上闻之，重说而薄坚。

秋，八月癸卯[464]，敕："前令检括逃人，虑成烦扰，天下大同，宜各从所乐，令所在州县安集[465]，遂其生业。"

戊申[466]，尊[10]宣皇帝[467]庙号献祖，光皇帝[468]庙号懿祖，祔于太庙九室。

先是，吐谷浑畏吐蕃之强，附之者数年。九月壬申[469]，帅众诣沙州[470]降，河西节度使张敬忠[471]抚纳之。

冬，十月丁酉[472]，上幸骊山，作温泉宫[473]。甲寅[474]，还宫。

十一月，礼仪使张说等奏，以高祖配昊天上帝，罢三祖[475]并配之礼。戊寅[476]，上祀南郊，赦天下。

戊子[477]，命尚书左丞萧嵩与京兆、蒲、同、岐、华州长官选府兵及白丁一十二万，谓之"长从[478]宿卫"，一年两番[479]，州县毋得杂役使。

十二月甲午[480]，上幸凤泉汤[481]。戊申[482]，还宫。

庚申[483]，兵部尚书、同中书门下三品王晙坐党引疏族，贬蕲州[484]刺史。

是岁，张说奏改政事堂曰中书门下[485]，列五房[486]于其后，分掌庶政。

初，监察御史濮阳杜暹[487]因按事至突骑施，突骑施馈[488]之金，暹固辞。左右曰："君寄身异域[489]，不宜逆[490]其情。"乃受之，埋于幕下，出境，移牒令取之。虏大惊，度碛追之，不及。及安西都护阙[491]，或荐暹往使安西，人服其清慎[492]。时暹自给事中居母忧。

五月二十五日己丑，玄宗任命王晙兼任朔方军节度大使，巡视河西、陇右、河东、河北各军。

玄宗设置丽正书院，聚集了秘书监徐坚、太常博士会稽人贺知章、监察御史鼓城人赵冬曦等文学之士，他们有的著书立说，有的给皇帝讲论经史，玄宗命令张说为修书使来总领其事，有关官署对他们供给优厚。中书舍人洛阳人陆坚认为这些人无益于国家，白白地浪费钱财，打算奏请全部罢黜这些人。张说说："自古以来帝王在国家安定时期，无不崇建宫室，扩充声乐，广招美色，如今的天子只延请和礼遇文学儒术之士，弘扬文献典籍，这样做益处很大，耗费微少。陆子的话，多么不明事理啊！"玄宗听说此事之后，看重张说而藐视陆坚。

秋，八月初十日癸卯，玄宗颁布敕命："先前曾下令清查逃亡人口，担心对百姓造成烦扰。现在天下大同，百姓应当各从所好，命令所在州县安顿抚恤，使他们安居乐业。"

十五日戊申，尊宣皇帝的庙号为献祖，追尊光皇帝的庙号为懿祖，祔祭于太庙九室。

在此之前，吐谷浑畏惧吐蕃的强大，降附吐蕃已数年之久。九月初十日壬申，吐谷浑酋长率领部众来到沙州请求归降朝廷，河西节度使张敬忠安抚并接纳了他们。

冬，十月初五日丁酉，玄宗幸临骊山，修建温泉宫。二十二日甲寅，返回宫中。

十一月，礼仪使张说等人上奏，请求将唐高祖配享昊天上帝，废止高祖、太宗、高宗三祖一起配享的礼制。十六日戊寅，玄宗在南郊祭天，大赦天下。

十一月二十六日戊子，玄宗命令尚书左丞萧嵩与京兆、蒲、同、岐、华州长官选拔府兵及平民壮丁共一十二万人，称为"长从宿卫"，每年两番宿值，州县不得对这些人再派其他杂役。

十二月初三日甲午，玄宗幸临凤泉温泉。十七日戊申，返回宫中。

二十九日庚申，兵部尚书、同中书门下三品王晙犯了与远亲结为同党罪，被贬为蕲州刺史。

这一年，张说奏请把政事堂改名为中书门下，在中书门下之后设置吏房、枢机房、兵房、户房、刑礼房等五房，分别掌理各类政务。

当初，监察御史濮阳人杜暹到突骑施查办事务，突骑施向他馈赠黄金，杜暹执意推辞。左右人员说："您现在身处异域，不应违背他们的心意。"杜暹于是接受了馈赠，把黄金埋在自己所住的帷帐下面。杜暹出境后，递送公文，让他们取出来。突骑施很惊异，穿越沙漠追赶他，没有追上。到安西都护一职空缺时，有人推荐杜暹前往出使安西，人们叹服他的清廉谨慎。此时杜暹正担任给事中，在家为母服丧。

【段旨】

以上为第十二段，写张嘉贞因弟贪赃受牵连被罢相。唐玄宗裁减边兵，置丽正书院优抚文人学士。

【注释】

㊷己巳：正月初三日。㊸庚辰：正月十四日。㊹给复五年：免除五年的徭役。玄宗曾任潞州别驾，故对潞州特别开恩。㊺辛卯：正月二十五日。㊻戊申：二月十二日。㊼晋州：治所在今山西临汾。㊽不平：不和睦。㊾己酉：二月十三日。㊿壬子：二月十六日。㊶后土：土地神。㊷乙卯：二月十九日。㊸平遥：县名，故治在今山西平遥。㊹赣：县名，县治在今江西赣州。㊺偫：储备。㊻癸亥：二月二十七日。㊼己巳：二月无"己巳"。三月有之，为三月初四日。㊽罢天兵、大武等军：天兵军于圣历二年四月初置，后又两废两置。大武军即大同军。见《唐会要》卷七十八。㊾大同军：由大武军改名而来。在今山西朔州东北。㊿太原、辽、石、岚、汾、代、忻、朔、蔚、云十州：地当今山西灵丘、大同、朔州、岢岚、离石、汾阳、太原及代县一带。辽州治所辽山，在今山西左权。⑤庚午：三月初五日。⑤甲子：四月三十日。⑤己丑：五月二十五日。⑤丽正书院：本名乾元院。聚集硕学鸿儒，讲经、著述、整理典籍。开元六年改名为丽正修书院，简称丽正书院。置使及检校官，改修书官为丽正殿学士。八年，加修撰、校理、刊正、校勘官。十一年，又置丽正院修书学士。至十三年，改为集贤殿书院，规模进一步扩大。⑤贺知章：贺知章（公元六五九至七四四年），会稽永兴（今浙江杭州萧山区）人，盛唐诗人。官至秘书监。传见《旧唐书》卷一百九十中、《新唐书》卷一百九十六。⑤赵冬曦：定州鼓城（今河北晋州）人，官至国子祭酒。著有《王政》三卷。传见《新唐书》卷二百。⑤陆坚：河南洛阳（今河南洛阳）人，善书法。官至秘书监。传

【原文】

十二年（甲子，公元七二四年）

春，三月甲子[493]，起暹为安西副大都护、碛西节度等使。

神龙初，追复泽王上金官爵[494]，求得庶子义珣于岭南，绍[495]其故封。许王素节之子瓘，利其爵邑[496]，与弟璆谋，使人告义珣非上金子，妄冒袭封，复流岭南，以璆继上金后为嗣泽王。至是，玉真公主[497]表

见《新唐书》卷二百。㊽458 糜费：浪费。459 崇宫室：崇建宫室。460 广声色：扩充声乐，广招美色。461 延礼：延请礼遇。462 发挥：弘扬；阐发。463 不达：不达事理。464 癸卯：八月初十日。465 安集：犹“安辑”，安顿抚恤。466 戊申：八月十五日。467 宣皇帝：李渊高祖李熙。武德元年追尊宣简公。上元元年八月，追尊为宣皇帝。468 光皇帝：李熙长子李天赐。武德元年赠懿王。上元元年追尊为光皇帝。469 壬申：九月初十日。470 沙州：治所在今甘肃敦煌西。471 张敬忠：曾任监察御史、吏部郎中、平卢节度使等职。事见《新唐书》卷一百十一本传，《国秀集》卷上，《唐方镇年表》卷六、卷八。472 丁酉：十月初五日。473 温泉宫：在陕西临潼骊山脚下，该地早有温泉。贞观十八年作汤泉宫。咸亨二年更名温泉宫。至此重建。474 甲寅：十月二十二日。475 三祖：高祖、太宗、高宗。三祖并配之礼，形成于垂拱元年（公元六八五年）。见《新唐书》卷十三。476 戊寅：十一月十六日。477 戊子：十一月二十六日。478 长从：长期随从。479 两番：两番宿值。480 甲午：十二月初三日。481 凤泉汤：在眉县太白山麓。482 戊申：十二月十七日。483 庚申：十二月二十九日。484 蕲州：治所在今湖北蕲春蕲州镇西北。485 改政事堂曰中书门下：政事堂为宰相议政之处，唐初设在门下省。永淳元年（公元六八二年）裴炎以中书令的身份执政，遂移政事堂于中书省。至此，改政事堂之名。政事印亦改为中书门下之印。486 五房：吏房、枢机房、兵房、户房、刑礼房。487 杜暹：杜暹（？至公元七四〇年），濮州濮阳（今河南濮阳西南）人，官至宰相，以孝友清正著称。传见《旧唐书》卷九十八、《新唐书》卷一百二十六。488 馈：赠。489 异域：他乡。490 逆：违。491 阙：空缺。492 清慎：清廉谨慎。

【校记】

［10］尊：原作“追尊”。据章钰校，十二行本、乙十一行本、孔天胤本皆无“追”字，今据删。〖按〗宣皇帝、光皇帝之称已为李唐所追之帝号，此处不应复言追赠。

【语译】

十二年（甲子，公元七二四年）

春，三月初五日甲子，征召杜暹出任安西副大都护和碛西节度等使。

神龙初年，恢复泽王李上金的官爵，在岭南找到他的庶子李义珣，承袭他过去的爵位。许王李素节的儿子李瓘贪图李义珣的爵位和封邑，就与他的弟弟李璆谋划，指使人举报李义珣不是李上金的儿子，是假冒袭封，于是李义珣又被流放到岭南，把李璆当作是李上金的后嗣并封其为嗣泽王。至此，玉真公主上表说李义珣确实是

义珣实上金子，为瓘兄弟所摈[498]。夏，四月庚子[499]，复立义珣为嗣泽王，削璆爵，贬瓘鄂州[500]别驾。壬寅[501]，敕宗室旁继为嗣王者并令归宗[502]。

壬子[503]，命太史监[504]南宫说[505]等于河南、北平地测日晷[506]及极星[507]，夏至[508]日中立八尺之表[509]，同时候之。阳城[510]晷长一尺四寸八分弱，夜视北极[511]出地高三十四度十分度之四；浚仪[512]岳台晷长一尺五寸微强，极高三十四度八分；南至朗州[513]晷长七寸七分，极高二十九度半；北至蔚州[514]，晷长二尺二寸九分，极高四十度。南北相距三千六百八十八里九十步，晷差一尺五寸三[11]分，极差十度半。又南至交州[515]，晷出表南三寸三分。八月，海中南望老人星[516]下，众星粲然，皆古所未名[517]，大率去南极二十度以上星皆见。

五月丁亥[518]，停诸道按察使[519]。

六月壬辰[520]，制听逃户自首，辟所在闲田，随宜收税，毋得差科征役，租庸一皆蠲免[521]。仍以兵部员外郎兼侍御史宇文融为劝农使，巡行州县，与吏民议定赋役。

上以山东旱，命台阁[522]名臣以补刺史；壬午[523]，以黄门侍郎王丘[524]、中书侍郎长安崔沔[525]、礼部侍郎、知制诰韩休[526]等五人出为刺史。丘，同皎[527]之从父兄子。休，大敏之弟子[12]也。

初，张说引崔沔为中书侍郎，故事，承宣制[528]皆出宰相，侍郎署位[529]而已。沔曰："设官分职，上下相维[530]，各申所见，事乃无失。侍郎，令之贰也[531]，岂得拱默[532]而已！"由是遇事多所异同[533]，说不悦，故因是出之。

秋，七月，突厥可汗遣其臣哥解颉利发来求婚[534]。

溪州蛮[535]覃行璋反，以监门卫大将军杨思勖为黔中道招讨使，将兵击之。癸亥[536]，思勖生擒行璋，斩首三万级而归。加思勖辅国大将军，俸禄、防阁[537]皆依品给。赦行璋以为洵水府[538]别驾[539]。

姜皎既得罪，王皇后愈忧畏不安，然待下有恩，故无随而谮[540]之者，上犹豫不决者累岁[541]。后兄太子少保守一，以后无子，使僧明悟为后祭南北斗[542]，剖霹雳木[543]，书天地字及上名，合而佩之，祝曰："佩

李上金的儿子，是受到李瓘兄弟的排挤。夏，四月十一日庚子，又把李义珣立为嗣泽王，削除李璆的爵位，贬李瓘为鄂州别驾。十三日壬寅，敕令宗室旁支承袭为嗣王的一律归返本宗。

四月二十三日壬子，朝廷命令太史监南宫说等人在黄河南、北两岸的平地上观测太阳的影子和北极星的位置，在夏至日中午竖起八尺长的标杆，同时测量这些标杆影子的长度。阳城县日影的长度为一尺四寸八分弱，夜里看到的北极星高出地面三十四度十分度之四；浚仪岳台日影的长度为一尺五寸微强，夜里北极星高出地面三十四度八分；南部朗州的日影长度为七寸七分，夜里北极星高出地面二十九度半；北部蔚州的日影长度为二尺二寸九分，夜里北极星高出地面四十度。南北之间相距三千六百八十八里九十步，两处的日影长度相差一尺五寸三分，夜里北极星高出地面的角度相差十度半。再往南至交州，其日影至标杆南面三寸三分处。八月，在海中南望老人星下，群星灿烂，都是古代未曾命名的，大约离南极星二十度角以上的星星都可看到。

五月二十九日丁亥，停设各道按察使。

六月初五日壬辰，诏命允许逃亡的民户自首，开垦他们所在地的闲置土地，依据实际情况征敛赋税，但不得支派差使、征发徭役，租庸均一律蠲免。仍然任命兵部员外郎兼侍御史宇文融为劝农使，到各州县巡视，与吏民商定赋税徭役的具体数额。

玄宗因为山东发生旱灾，命令台阁名臣充任刺史职务。壬午日，任命黄门侍郎王丘、中书侍郎长安人崔沔和礼部侍郎、知制诰韩休等五人外任刺史。王丘，是王同皎堂兄的儿子。韩休，是韩大敏的兄弟之子。

当初，张说推荐崔沔为中书侍郎，按照惯例，秉承皇帝旨意宣达诏命都是由宰相执行，中书侍郎仅在文书上副署而已。崔沔说："朝廷设官分职，是为了上下联系，能各抒己见，政事就不会失误。中书侍郎是中书令的副手，怎么能拱手不语呢！"由此遇事多有不同意见，张说很不高兴，所以借此机会把他调出担任刺史。

秋，七月，突厥可汗派其大臣哥解颉利发前来求婚。

溪州蛮族人覃行璋反叛，朝廷任命监门卫大将军杨思勖为黔中道招讨使，率军征讨他。七月初六日癸亥，杨思勖活捉了覃行璋，斩杀三万敌人还师。玄宗给杨思勖加授辅国大将军衔，他的俸禄、防阁都按品级提供。赦免了覃行璋之罪，任命他为洵水府别驾。

姜皎获罪之后，王皇后更加忧惧不安，但她对待手下人有恩，所以没有随即就到玄宗那里诬陷她的人，玄宗也对是否废掉皇后一事几年犹豫不决。王皇后的哥哥太子少保王守一认为皇后没有儿子，就让僧人明悟为皇后祭祀南斗六星和北斗七星，剖开霹雳木，在上面写下"天地"二字和皇帝的姓名，把两片合在一起，佩戴在皇

此有子，当如则天皇后。”事觉，己卯[544]，废为庶人，移别室安置。贬守一潭州[545]别驾，中路赐死。户部尚书张嘉贞坐与守一交通，贬台州[546]刺史。

八月丙申[547]，突厥哥解颉利发还其国，以其使者轻[548]，礼数不备，未许婚。

己亥[549]，以宇文融为御史中丞。融乘驿[550]周流[551]天下，事无大小，诸州先牒上劝农使，后申中书；省司亦待融指㧑[552]，然后处决。时上将大攘四夷，急于用度[553]，州县畏融，多张虚数[13]。岁终，增缗钱数百万，悉进入宫，由是有宠。议者多言烦扰，不利百姓，上令[14]集百寮于尚书省议之。公卿已下，畏融恩势，皆[15]不敢立异。惟户部侍郎杨玚[554]独抗议，以为“括客免税，不利居人。征籍外田税，使百姓困弊，所得不补所失”。未几，玚出为华州刺史。

壬寅[555]，以开府仪同三司宋璟为西京留守。

冬，十月丁酉[556]，谢飓[557]王特勒遣使入奏，称：“去年五月，金城公主遣使诣箇失密国[558]，云欲走归汝。箇失密王从臣国王借兵，共拒吐蕃，王遣臣入取进止[559]。”上以为然，赐帛遣之。

废后王氏卒，后宫[560]思慕[561]后不已，上亦悔之。

十一月庚午[562]，上幸东都。戊寅[563]，至东都。

辛巳[564]，司徒申王㧑薨，赠谥惠庄太子。

群臣屡上表请封禅，闰月[565]丁卯[566]，制以明年十一月十日有事于泰山[567]。时张说首建封禅之议，而源乾曜不欲为之，由是与说不平。

是岁，契丹王李郁干卒，弟吐干袭位。

后身上，祈祷说："佩戴了这个东西就会有儿子，应当像则天皇后那样。"此事败露，七月二十二日己卯，玄宗把王皇后废为庶人，迁到别室安置。贬王守一为潭州别驾，在赴任的途中赐他自杀。户部尚书张嘉贞因与王守一结交获罪，被贬为台州刺史。

八月初九日丙申，突厥使者哥解颉利发回国，因为这名使者地位低下，礼数也不完备，因此朝廷没有允许与突厥通婚。

八月十二日己亥，任命宇文融为御史中丞。宇文融乘坐驿车周行天下，无论事情大小，诸州都要先用公文向劝农使汇报，然后再申报给中书省，尚书诸省左右司主管官也都是等待宇文融的指挥，然后对具体问题做出处理。当时玄宗正准备对四夷大肆征讨，急需费用，州县官员都畏惧宇文融，大多虚报括田及括户的数额。年终时，增加财政收入几百万缗，全部缴纳宫中，因此得到玄宗的宠信。议论者大多认为他烦扰民间，不利百姓，玄宗命令把文武百官召集到尚书省来议论这件事。但公卿以下的官员畏惧宇文融所得恩宠和权势，都不敢提出不同的意见。只有户部侍郎杨玚抗辩，他认为"清查寄居的户口，允许自首的人免税，不利于当地居民。加征田籍之外民田的租税，会使百姓贫穷困苦，所得补偿不了所失"。没多久，杨玚被外放为华州刺史。

八月十五日壬寅，玄宗任命开府仪同三司宋璟为西京留守。

冬，十月十一日丁酉，谢飑国国王特勒派使者来朝上奏，说："去年五月，金城公主派使者前往箇失密国，说是要出走归附箇失密。箇失密国王向我们的国王借兵，要共同抵御吐蕃，国王派臣前来听取皇帝处分。"玄宗认为他们的做法很正确，赐给他绢帛，遣送他回国。

被废黜的王皇后去世，后宫的人思念爱慕不已，玄宗也后悔了。

十一月十四日庚午，玄宗幸临东都。二十二日戊寅，到达东都。

二十五日辛巳，司徒申王李㧑去世，赠谥号为惠庄太子。

大臣们多次向玄宗上表请求举行封禅典礼，闰十二月十二日丁卯，玄宗颁布诏命，明年十一月十日在泰山举行封禅典礼。当时张说首先建议封禅，而源乾曜不想实施，因此与张说不和。

这一年，契丹王李郁干去世，他的弟弟李吐干继承王位。

【段旨】

以上为第十三段，写唐玄宗废王皇后，检括户口。张说为相。

【注释】

[493] 甲子：三月初五日。[494] 追复泽王上金官爵：泽王上金于天授元年（公元六九〇年）七月十三日被杀。[495] 绍：继承。[496] 爵邑：爵位和封邑。[497] 玉真公主：睿宗第十女。[498] 摈：排斥。[499] 庚子：四月十一日。[500] 鄂州：治所在今湖北武汉武昌。[501] 壬寅：四月十三日。[502] 归宗：回归本宗。[503] 壬子：四月二十三日。[504] 太史监：官名，从三品，掌观察天文，稽定历数。[505] 南宫说：人名。事见《旧唐书》卷三十二《历志一》、卷三十三《历志二》、卷三十五《天文志上》，《元和姓纂》卷五等。[506] 日晷：日影。[507] 极星：北极星。[508] 夏至：二十四节气之一。公历六月二十一或二十二日。此日太阳直射北回归线。[509] 表：圭表。[510] 阳城：县名，县治在今河南登封东南告成镇。[511] 北极：北极星。[512] 浚仪：古县名，故治在今河南开封。[513] 朗州：州名，治所在今湖南常德。[514] 蔚州：州名，治所在今山西灵丘。[515] 交州：安南都护府所在地，故治在今越南河内。[516] 老人星：南极星。[517] 皆古所未名：都是古代没有命名的星星。[518] 丁亥：五月二十九日。[519] 停诸道按察使：开元八年五月九日复置十道按察使。[520] 壬辰：六月初五日。[521] 蠲免：免除。[522] 台阁：本为尚书省的别称，此处泛指中央机关。[523] 壬午：六月戊子朔，无壬午。待考。[524] 王丘：王丘（？至公元七四三年），字仲山，相州安阳（今河南安阳）人，曾任监察御史、考功员外郎、黄门侍郎等职。为政清俭，官至礼部尚书。传见《旧唐书》卷一百、《新唐书》卷一百二十九。[525] 崔沔：崔沔（公元六七三至七三九年），字善冲，京兆长安（今陕西西安）人，通《礼经》，清廉孝友，官至秘书监、太子宾客。传见《旧唐书》卷一百八十八、《新唐书》卷一百二十九。[526] 韩休：韩休（公元六七三至七四〇年），京兆长安人，早有词学，为唐玄宗所重，官至黄门侍郎、同中书门下平章事。传见《旧唐书》卷九十八、《新唐书》卷一百二十六。[527] 同皎：王同皎，官至光禄卿，曾参与张柬之政变，后为武三思所杀。传见《旧唐书》卷一百八十七上、《新唐书》卷一百九十一。[528] 承宣制：承宣承制。秉承皇帝旨意宣达诏命。[529] 署位：此谓中书侍郎在文书上副署，聊以备位。[530] 维：维系。[531] 侍郎二句：中书侍郎是中书令的副职。[532] 拱默：垂拱缄默，不发表自己的见解。[533] 多所异同：常提出不同的观点。[534] 哥解颉利发来求婚：时在七月壬戌，即七月初五日。见《册府元龟》卷九百七十五。[535] 溪州蛮：南方少数民族之一。生活在今湖南龙山县东南。[536] 癸亥：七月初六日。[537] 防阁：官名，防

【原文】

十三年（乙丑，公元七二五年）

春，二月庚申[568]，以御史中丞宇文融兼户部侍郎。制以所得客户税钱均充所在常平仓本[569]；又委使司[570]与州县议作劝农社，使贫富相

卫斋阁。唐京师文武职事官皆有防阁。一品防阁九十六人，二品七十二人，三品四十八人，四品三十二人，五品二十四人。538 洵水府：唐兵府之一，在商州境内。539 别驾：唐诸府无别驾之职，各有别将一人，上府正七品下，中府从七品上，下府从七品下。“别驾”当为“别将”之误。540 谮：谤毁。541 累岁：犹数年。542 南北斗：南斗六星和北斗七星。543 霹雳木：经过雷电震劈的树木。古人迷信，认为此木有雷气，可以镇邪。544 己卯：七月二十二日。545 潭州：州名，治所在今湖南长沙。546 台州：州名，治所在今浙江临海。547 丙申：八月初九日。548 其使者轻：其使者地位低下。549 己亥：八月十二日。550 乘驿：乘坐驿车（马）。551 周流：周行。552 指㧑：指挥。553 用度：费用；开支。554 杨玚：杨玚（公元六六八至七三五年），字瑶光，华州华阴（今陕西华阴）人，历任麟游县令、侍御史、户部侍郎、国子祭酒等职，官至左散骑常侍，被称为良吏。传见《旧唐书》卷一百八十五下、《新唐书》卷一百三十。555 壬寅：八月十五日。556 丁酉：十月十一日。557 谢飐：西域国名，高宗时称诃达罗支，武则天改之为谢飐。在今阿富汗喀布尔南。558 箇失密国：又称迦湿弥逻。在今巴基斯坦伊斯兰堡东北。559 进止：书札用语。意即所奏之事或进或止，请皇帝处分。560 后宫：指后宫诸妃而言。561 思慕：思念爱慕。562 庚午：十一月十四日。《旧唐书·玄宗纪》作庚申，即十一月初四日。563 戊寅：十一月二十二日。564 辛巳：十一月二十五日。565 闰月：闰十二月。566 丁卯：闰十二月十二日。567 有事于泰山：将在泰山举行封禅大典。

【校记】

［11］三：原作“二”。据章钰校，十二行本、乙十一行本皆作“三”，今据改。〖按〗两《唐书·天文志》皆载北至所差为“一尺五寸三分”。［12］弟子：原作“孙”。严衍《通鉴补》改作“弟子”，今从改。胡三省注云：“按《旧唐书·韩休传》，休伯父大敏，则天初，以雪反者，赐死，休父曰大智。”则韩休为韩大敏之侄。［13］数：此下原有“凡得客户八十余万田亦称是”十二字，严衍《通鉴补》将之并入“九年二月”条下，今据删。〖按〗此处所言与本书“开元九年二月十日”条所载相同，当系复文。［14］令：原作“亦令”。据章钰校，十二行本、乙十一行本皆无“亦”字，今据删。［15］皆：原无此字。据章钰校，十二行本、乙十一行本皆有此字，张敦仁《通鉴刊本识误》同，今据补。

【语译】

十三年（乙丑，公元七二五年）

春，二月初六日庚申，玄宗命令御史中丞宇文融兼任户部侍郎。玄宗诏命，把所征得的客户税钱都充作所在州县的常平仓本金。又委派劝农使司与各州县商议筹

恤[571]，耕耘以时[572]。

乙亥[573]，更命长从宿卫之士曰“彍骑[574]”，分隶十二卫[575]，总十二万人为六番[576]。

上自选诸司长官[577]有声望者大理卿源光裕[578]、尚书左丞杨承令[579]、兵部侍郎寇泚[580]等十一人为刺史，命宰相、诸王及诸司长官、台郎、御史饯于洛滨[581]，供张甚盛。赐以御膳[582]，太常具乐[583]，内坊[584]歌妓。上自书十韵诗，命将军高力士[16]赐之。光裕，乾曜[585]之从孙也。

三月甲午[586]，太子嗣谦更名鸿；徙郯王嗣真[587]为庆王，更名潭；陕王嗣昇为忠王，更名浚；鄫王嗣真为棣王，更名洽；鄂王嗣初更名涓；鄄王[588]嗣玄为荣王，更名滉。又立子涺[17]为光王，潍为仪王，沄为颍王，泽为永王，清为寿王，洄为延王，沭为盛王，溢为济王。

丙申[589]，御史大夫程行湛[590]奏：“周朝酷吏来俊臣等二十三人[591]，情状尤重，子孙请皆禁锢[592]。傅游艺等四人[593]差轻[594]，子孙不听近任[595]。”从之。

汾州刺史杨承令不欲外补[596]，意怏怏，自言“吾出守有由”。上闻之，怒，壬寅[597]，贬睦州别驾。

张说草封禅仪献之。夏，四月丙辰[598]，上与中书门下及礼官、学士宴于集仙殿[599]。上曰：“仙者凭虚[600]之论，朕所不取。贤者济理[601]之具，朕今与卿曹合宴，宜更名曰集贤殿。”其书院官五品以上为学士，六品以下为直学士，以张说知院事[602]，右散骑常侍徐坚副之。上欲以说为大学士，说固辞而止。

【段旨】

以上为第十四段，写唐玄宗外放京官任刺史，禁锢武周朝酷吏子孙。张说草封禅仪。

办劝农社，使贫人富人互相周济，按时耕种田地。

二十一日乙亥，重新把长从宿卫军改名为“彍骑”，分别隶属于十二卫，总共有十二万人，分为六个轮次入值宿卫。

玄宗亲自挑选诸司中有声望的大理寺卿源光裕、尚书左丞杨承令、兵部侍郎寇泚等十一人担任刺史，命令宰相、诸王及诸官署长官、台郎、御史们在洛水岸边为他们饯行，场面很盛大。赐给他们御膳，由太常置办乐舞，又召来内教坊中的歌伎表演。玄宗还亲笔书写了十韵诗，命将军高力士赏赐给他们。源光裕，是源乾曜的侄孙。

三月初十日甲午，太子李嗣谦改名为李鸿；改封郯王李嗣真为庆王，改名为李潭；改封陕王李嗣昇为忠王，改名为李浚；改封鄫王李嗣真为棣王，改名为李洽；鄂王李嗣初改名为李涓；改封鄄王李嗣玄为荣王，改名为李滉。玄宗又立其子李涺为光王，立李潍为仪王，立李沄为颍王，立李泽为永王，立李清为寿王，立李洄为延王，立李沭为盛王，立李溢为济王。

三月十二日丙申，御史大夫程行湛上奏说：“在武周朝的酷吏之中，来俊臣等二十三人的情节尤为严重，请陛下禁止这些人的子孙当官。傅游艺等四人罪状稍微轻一些，他们的子孙也不许在京畿地区任官。”玄宗听从了他的建议。

汾州刺史杨承令不想到外地任职，怏怏不乐，自称“我被外放，事出有因”。玄宗听说后很生气。三月十八日壬寅，把他贬为睦州别驾。

张说起草了封禅礼仪呈送给玄宗。夏，四月初三日丙辰，玄宗与中书门下及礼官、学士们在集仙殿宴饮。玄宗说：“神仙是凭空虚构之论，我并不采用。贤良之士是济世治民的工具，我今天与诸位一起宴饮，应当把集仙殿改名为集贤殿。”在这个书院任职的官员，五品以上的称为学士，六品以下的称为直学士，任命张说为知院事，右散骑常侍徐坚做他的副手。玄宗想任命张说为大学士，张说执意推辞才作罢。

【注释】

⑱庚申：二月初六日。⑲常平仓本：常平仓本钱。⑳使司：指劝农使司。㉑恤：救济。㉒耕耘以时：按时耕耘。㉓乙亥：二月二十一日。㉔彍骑：禁军名号。开元十二年，唐玄宗置长从宿卫兵，至是改名彍骑，取义为拉满弓之箭，精锐无比。彍，拉满弓。取《孙子·兵势》“势如彍弩”之意。㉕十二卫：统领府兵的左右卫、左右骁卫、左右武卫、左右威卫、左右领军卫、左右金吾卫。㉖为六番：分六番宿值。㉗诸司长官：指省、寺、监的长官。㉘源光裕：宰相源乾曜族孙，官至郑州刺史，被称作良吏。传见《旧

唐书》卷九十八、《新唐书》卷一百二十七。579 杨承令：事见《新唐书》卷七十一下《宰相世系表一下》，《严州图经》卷一。580 寇泚：人名。见《旧唐书》卷九十三《张仁愿传》，《新唐书》卷一百十一《张仁愿传》、卷一百二十八《许景先传》及《唐尚书省郎官石柱题名考》卷十二等。581 洛滨：洛水之滨。582 御膳：皇帝所用常膳。583 太常具乐：太常寺置办乐舞。584 内坊：内教坊。585 乾曜：源乾曜，相州临漳（今属河北）人，开元四年后两度为相。传见《旧唐书》卷九十八、《新唐书》卷一百二十七。586 甲午：三月初十日。587 郯王嗣真：据《旧唐书·玄宗纪》等，"嗣真"当作"嗣直"。588 鄄王：《旧唐书·玄宗诸子传》作"甄王"，恐误。589 丙申：三月十二日。590 程行谌：事见《唐御史台精舍题名考》卷二。591 周朝酷吏来俊臣等二十三人：据《旧唐书》卷一百八十六上《酷吏传上》，此二十三人为来子珣、万国俊、王弘义、侯思止、郭霸、焦仁亶、张知默、李敬仁、唐奉一、来俊臣、周兴、丘神勣、索元礼、曹仁哲、王景昭、裴籍、李

【原文】

说以大驾东巡，恐突厥乘间入寇，议加兵守边，召兵部郎中裴光庭[603]谋之。光庭曰："封禅者，告成功也。今将升中于天[604]，而戎狄是惧，非所以昭[605]盛德也。"说曰："然则若之何？"光庭曰："四夷之中，突厥为大，比屡求和亲，而朝廷羁縻，未决许[606]也。今遣一使，征其大臣从封泰山，彼必欣然承命。突厥来，则戎狄君长无不皆来。可以偃旗卧鼓[607]，高枕有余矣。"说曰："善，说所不及。"即奏行之。光庭，行俭[608]之子也。

上遣中书直省[609]袁振[610]摄鸿胪卿，谕旨于突厥，小杀[18]与阙特勒、暾欲谷环坐[611]帐中，置酒，谓振曰："吐蕃，狗种，奚、契丹，本突厥奴也，皆得尚主。突厥前后求婚独不许，何也？且吾亦知入蕃公主皆非天子女，今岂问真伪！但屡请不获，愧见诸蕃耳。"振许为之奏请。小杀乃使其大臣阿史德颉利发[612]入贡，因扈从东巡。

五月庚寅[613]，妖贼刘定高[614]帅众夜犯通洛门，悉捕斩之。

秋，八月，张说议封禅仪，请以睿宗配皇地祇，从之。

秦授、刘光业、王德寿、屈贞筠、鲍思恭、刘景阳、王处贞。⑤⑨②禁锢：禁止封闭，不许做官。⑤⑨③傅游艺等四人：指傅游艺、陈嘉言、鱼承晔、皇甫文备。⑤⑨④差轻：稍轻。⑤⑨⑤不听近任：不许在近处为官，即不允许在京畿地区任职。⑤⑨⑥不欲外补：不愿补任外州刺史。⑤⑨⑦壬寅：三月十八日。⑤⑨⑧丙辰：四月初三日。⑤⑨⑨集仙殿：在东都宫城西南崇贤门内。⑥⓪⓪凭虚：凭空。⑥⓪①济理：济世治民。⑥⓪②知院事：知掌集贤殿书院之事。

【校记】

［16］命将军高力士：原无此六字。据章钰校，十二行本、乙十一行本、孔天胤本皆有此六字，张敦仁《通鉴刊本识误》同，今据补。［17］淈：原作“琚”。严衍《通鉴补》改作“淈”，今从改。两唐书之《玄宗纪》皆作“淈”，《新唐书·玄宗诸子·光王琚传》载：“初，琚名淈……至二十三年，诏悉改今名。”则李淈改名李琚在开元二十三年。

【语译】

张说因为玄宗大驾东巡，担心突厥乘机入侵，提议增加军队守卫边疆，并召来兵部郎中裴光庭商议此事。裴光庭说：“封禅的事，是皇帝向上天报告事业成功。现在皇帝正要向上天表达衷情，却惧怕起戎狄来了，这不是彰明圣朝至德的做法。”张说说：“那么我们该怎么办呢？”裴光庭说：“在四夷当中，突厥是最强大的，近来他们屡次请求和亲通婚，朝廷采取笼络控制的政策，还未决定许婚。现在派遣一位使者，征召突厥大臣随从皇帝封泰山，他们必定会欣然从命。突厥到来，则戎狄君长无不前来。这样就可以偃旗息鼓、高枕无忧了。”张说说：“很好，我张说没有想到。”立即上奏玄宗付诸施行。裴光庭，是裴行俭的儿子。

玄宗派遣中书直省袁振代理鸿胪寺卿职务，向突厥宣谕自己的旨意。突厥可汗小杀与阙特勒、暾欲谷围坐在帷帐之中，设置酒宴，对袁振说：“吐蕃，是犬戎种族，奚、契丹，本是突厥的奴隶，他们却都能娶大唐公主为妻。唯独我们突厥前后多次向朝廷求婚不肯答应，为什么？况且我们也知道入蕃公主都不是天子的亲生女儿，现在谁还探问公主的真假呢！只是由于多次求婚未获批准，见到诸蕃心怀惭愧而已。”袁振答应为他们向玄宗上奏求婚。小杀可汗便派遣其大臣阿史德颉利发入朝纳贡，随后便侍从玄宗东行封禅。

五月初八日庚寅，妖贼刘定高率众在夜间进攻通洛门，这些人全部被抓获处斩。

秋，八月，张说讨论封禅礼仪，请求以睿宗配享皇地祇，玄宗采纳了这一建议。

九月丙戌[615]，上谓宰臣曰："《春秋》不书祥瑞，惟记有年[616]。"敕自今州县毋得更奏祥瑞。

冬，十月癸丑[617]，作水运浑天[618]成，上具列宿[619]，注水激轮[620]，令其自转，昼夜一周[621]。别置二轮，络[622]在天外，缀[623]以日月，逆天而行[624]，淹速[625]合度。置木匮[626]为地平，令仪半在地下，又立二木人，每刻[627]击鼓，每辰[628]击钟，机械皆藏匮中。

辛酉[629]，车驾发东都，百官、贵戚、四夷酋长从行。每置顿[630]，数十里中人畜被野[631]，有司辇载[632]供具之物[633]，数百里不绝。

十一月丙戌[634]，至泰山下，己丑[635]，上备法驾，至山足[19]，御马[636]登山。留从官于谷口，独与宰相及祠官[637]俱登，仪卫[638]环列于山下百余里。上问礼部侍郎贺知章曰："前代玉牒[639]之文，何故秘[640]之？"对曰："或密求神仙，故不欲人见。"上曰："吾为苍生[641]祈福耳。"乃出玉牒，宣示群臣。庚寅[642]，上祀昊天上帝于山上，群臣祀五帝百神于山下之坛，其余仿乾封故事[643]。辛卯[644]，祭皇地祇于社首[645]。壬辰[646]，上御帐殿[647]，受朝觐，赦天下，封泰山神为天齐王，礼秩加三公一等[648]。

张说多引两省吏[649]及以所亲摄官登山。礼毕推恩，往往加阶超入五品而不及百官。中书舍人张九龄谏，不听。又，扈从士卒，但[650]加勋[651]而无赐物，由是中外怨之。

初，隋末国马[652]皆为盗贼及戎狄所掠，唐初才得牝牡三千匹于赤岸泽[653]，徙之陇右，命太仆张万岁[654]掌之。万岁善于其职，自贞观至麟德，马蕃息[655]及[656]七十万匹，分为八坊、四十八监，各置使以领之[657]。是时天下以一缣易一马[658]。垂拱[659]以后，马潜耗[660]太半。上初即位，牧马有二十四万匹，以太仆卿王毛仲为内外闲厩使，少卿张景顺副之。至是有马四十三万匹，牛羊称是。上之东封，以牧马数万匹从，色别为群[661]，望之如云锦[662]。上嘉毛仲之功，癸巳[663]，加毛仲开府仪同三司。

甲午[664]，车驾发泰山，丙申[665][20]，幸孔子宅致祭[666]。

九月初六日丙戌，玄宗对宰相们说：“《春秋》不记载祥瑞，只记载丰年。”他颁布敕命，从此各州县不许再将祥瑞上奏朝廷。

冬，十月初三日癸丑，用水做动力运转的浑天铜仪造成，铜仪上一一排列着各个星宿，加满水后冲激着轮子，让它自转，每个昼夜运转一圈。铜仪的外部另外安装着两个轮子，分别捆缚在天外，连缀太阳和月亮，逆天而行，运行速度的快慢也与天体本身的运行度数相合。设置了一个木柜子作为地平面，把铜仪的一半安放在地面以下，再装上两个小木人，每一刻敲鼓，每一个时辰撞钟，铜仪的机械均藏在木柜内。

十月十一日辛酉，玄宗从东都出发，文武百官、皇亲国戚和各族酋长随行。车队每次安排顿驻，数十里中人畜遍野，有关衙门车辆运载着备办供给的物品，数百里络绎不绝。

十一月初六日丙戌，玄宗到达泰山下，初九日己丑，玄宗预备好天子的法驾仪卫，前行至山脚下，骑马登上泰山，把随行官员留在谷口，独自与宰相以及祠官一道上山，仪仗侍卫环列在山下一百多里。玄宗询问礼部侍郎贺知章说：“前世帝王封禅所用的玉制文书，为什么密不示人？”贺知章回答说：“或许是帝王秘密地向神仙祈福，因此不想让别人见到。”玄宗说：“我是为天下苍生祈祷幸福。”于是取出玉制封禅文书，向群臣宣谕。初十日庚寅，玄宗在泰山顶上祭祀了昊天上帝，群臣则在山下的祭坛上祭祀了五帝百神，其他仪程一律仿效乾封年间封禅的旧例。十一日辛卯，玄宗在社首山祭祀了皇地祇。十二日壬辰，玄宗亲临连幄而成的宫殿，接受群臣朝觐，大赦天下，册封泰山之神为天齐王，享用加三公一等的礼数。

张说带领许多中书省、门下省官吏和自己的直属官员随从玄宗登山。封禅典礼结束后玄宗推恩行赏时，这部分人一般都被破格提拔到五品官阶，其他文武百官却与之无缘。中书舍人张九龄规劝张说，张说没有听从。另外，扈从玄宗的士卒，只加勋级而不赐实物，因此朝廷内外怨恨张说。

当初，隋朝末年国有马匹全都被盗贼以及戎狄劫掠，唐朝初年在赤岸泽只获得雌雄马三千匹，把这些马匹迁徙到陇右，命令太仆张万岁掌管养马之事。张万岁对此很尽职，从贞观到麟德年间，马匹繁殖到七十万匹，分为八坊、四十八监，分别设置群牧使来管辖。此时全国用一匹细绢换到一匹马。垂拱年间以后，官马数量不知不觉地减少了大半。玄宗刚即位时，国有牧马有二十四万匹，朝廷任命太仆寺卿王毛仲担任内外闲厩使，太仆寺少卿张景顺担任他的副手。至此，国有马匹四十三万匹，官府饲养牛羊的数量大致也有这么多。玄宗东至泰山封禅时，以牧马数万匹随从，按照马的毛色分成不同的马群，一眼望去，如同彩云锦绣。玄宗嘉奖王毛仲的功绩，十一月十三日癸巳，将王毛仲加官为开府仪同三司。

十一月十四日甲午，玄宗从泰山出发，十六日丙申，到了孔子旧宅致祭。

上还，至宋州⑥⑥⑦，宴从官于楼上，刺史寇泚预焉⑥⑥⑧。酒酣，上谓张说曰："向者屡遣使臣分巡诸道⑥⑥⑨，察吏善恶，今因封禅历诸州，乃知使臣负我多矣。怀州刺史王丘，饩牵⑥⑦⓪之外，一无他献。魏州刺史崔沔，供张无锦绣，示我以俭。济州刺史裴耀卿，表数百言，莫非规谏。且曰：'人或重扰，则不足以告成。'朕常置之坐隅，且以戒左右。如三人者，不劳人以市恩⑥⑦①，真良吏矣！"顾谓寇泚曰："比亦屡有以酒馔不丰诉于朕者，知卿不借誉于左右⑥⑦②也。"自举酒赐之。宰臣帅群臣起贺，楼上皆称万岁。由是以丘为尚书左丞，沔为散骑侍郎，耀卿为宣州[21]刺史。耀卿，叔业⑥⑦③之七世孙也。

十二月乙巳⑥⑦④，还东都。

突厥颉利发⑥⑦⑤辞归，上厚赐而遣之，竟不许婚。

【段旨】

以上为第十五段，写唐玄宗上泰山封禅。

【注释】

⑥⓪③裴光庭：裴光庭（公元六七六至七三三年），字连城，绛州闻喜（今山西闻喜东北）人，历任清要之职，勤于公事，官至宰相。传见《旧唐书》卷八十四、《新唐书》卷一百八。⑥⓪④升中于天：向上天表达衷情。取《礼记》"因名山升中于天"之语。⑥⓪⑤昭：彰。⑥⓪⑥未决许：未决定许婚。⑥⓪⑦卧鼓：犹息鼓。⑥⓪⑧行俭：裴行俭善书法，通兵术，有知人之明，为高宗时名臣。⑥⓪⑨中书直省：官名，以他官值中书省，称作直省。⑥①⓪衰振：事见《旧唐书》卷一百九十四上《突厥传》，《新唐书》卷二百十五下《突厥传下》等。⑥①①环坐：围坐。⑥①②阿史德颉利发：事见《旧唐书》卷一百九十四上《突厥传》。⑥①③庚寅：五月初八日。⑥①④刘定高：生平不详。据《旧唐书》卷一百八十五下及《新唐书》卷一百三十，似为河南人。⑥①⑤丙戌：九月初六日。⑥①⑥有年：丰收之年。⑥①⑦癸丑：十月初三日。⑥①⑧水运浑天：靠水力转动的浑天仪，用铜制作。此浑天铜仪是中国公元八世纪

玄宗在返回京师途中到达宋州，在楼上设宴款待随从官员，宋州刺史寇泚参加了宴会。酒兴正浓时，玄宗对张说说："以往一再派遣使臣分巡各道，考察地方官的优劣，这次借封禅经过各州，才明白使臣欺瞒我的地方太多了。怀州刺史王丘，除了牛羊猪等牲畜之外，没有贡献其他任何珍奇之物；魏州刺史崔沔，所供给的陈设之中没有锦绣，这是向我表示节俭。济州刺史裴耀卿，向我呈进一篇几百字的表章，全都是规谏的话，而且说道：'如果百姓被严重搅扰的话，那么陛下封禅就不能报告成功于上天。'我常把此话放在座旁，并且拿它来告诫左右侍臣。像这三位官员，不劳苦百姓来邀恩求进，真是贤良的官吏呀！"玄宗回过头来对寇泚说："近来多次有人向我诉说你所供给的酒宴不太丰盛，我明白这是你没有买通我左右的人为你说好话的缘故。"说完亲自举杯赐酒给寇泚。宰相领着群臣起身称贺，楼上的人全都高呼万岁。于是玄宗任命王丘担任尚书左丞，崔沔担任散骑侍郎，裴耀卿担任宣州刺史。裴耀卿，是裴叔业的七世孙。

十二月乙巳日，玄宗返回东都。

突厥使者阿史德颉利发辞别返国，玄宗给予他丰厚的赏赐之后送走了他，最终没有答应突厥的求婚。

二〇年代的重大科技发明，模拟天象，并报时辰，是天象仪与计时仪的合体，又极为精密，可惜史书只寥寥记载，连发明人都没有做记录。⑲列宿：各种星宿。⑳激轮：冲激轴轮。㉑昼夜一周：一昼夜旋转一圈。㉒络：捆缚。㉓缀：连缀。㉔逆天而行：据《旧唐书·天文志》，天西转一匝，日东行一度，月行十三度十九分度之七。凡二十九转有余，日月相会。三百六十五转日行一周。㉕淹速：迟速；快慢。㉖匮：通"柜"。㉗刻：计时单位。古代以铜漏计时，分一昼夜为一百刻。昼与夜刻数因节令而变化。冬至昼四十五刻，夜五十五刻；夏至昼六十五刻，夜三十五刻；春分秋分，昼五十五刻半，夜四十四刻半。㉘辰：亦为计时单位，相当于两小时。㉙辛酉：十月十一日。㉚置顿：安排顿驻。㉛被野：犹遍野。㉜辇载：用辇车运载。㉝供具之物：摆设酒食的器物。此泛指备办供给的各种物品。㉞丙戌：十一月初六日。㉟己丑：十一月初九日。㊱御马：乘马。《考异》引《开天传信记》云乘白骡。司马光认为白骡近怪，遂据《旧唐书·礼仪志》立说。㊲祠官：掌管祭祀事宜的官员。㊳仪卫：仪仗和侍卫。㊴玉牒：封禅所用的玉制文书。㊵秘：秘密。㊶苍生：百姓。㊷庚寅：十一月初十日。㊸乾封故事：乾封元年（公元六六六年）封禅之事。㊹辛卯：十一月十一日。㊺社首：社首山。㊻壬辰：十一月十二日。㊼帐殿：用帷幄临时搭起的宫殿。㊽加三公一等：古制，四岳视三公。泰

山礼秩加三公一等，地位即高于其他三岳。其他三岳为西岳华山、北岳恒山、南岳衡山。㊾两省吏：中书、门下官吏。㊿但：只。㊀加勋：增加勋级。㊁国马：国家的牧马。㊂赤岸泽：在今陕西大荔西南。㊃张万岁：事见《旧唐书》卷五十五《刘武周传》，《新唐书》卷五十《兵志》、卷八十六《刘武周传》。㊄蕃息：繁殖生息。㊅及：至。㊆分为八坊、四十八监二句：八坊指保乐坊、甘露坊、南普闰坊、北普闰坊、岐阳坊、太平坊、宜禄坊、安定坊。四十八监分布于秦、兰、原、渭四州及河曲之地。唐制，凡马五千匹为上监，三千匹以上为中监，一千匹以上为下监。置使，指置群牧使。㊇以一缣易一马：用一匹缣即可换一匹马。言马价甚低。缣，双丝细绢。㊈垂拱：武则天年号（公元六八五至六八八年）。㊉潜耗：不知不觉中减少。㊊色别为群：分别以毛色相同的组成一群。㊋云锦：彩云锦绣。㊌癸巳：十一月十三日。㊍甲午：十一月十四日。㊎丙申：十一月十六日。㊏幸孔子宅致祭：至曲阜孔宅祭祀孔子。㊐宋州：治所睢阳，在今河南商丘。㊑刺史寇泚预焉：寇泚二月出任宋州刺史。㊒屡遣使臣分巡诸道：多次派遣十道按察使巡视天下。㊓饩牵：对猪、牛、羊等牲畜的称呼。㊔市恩：邀恩。㊕不借誉

【原文】

王毛仲有宠于上，百官附之者辐凑[676]。毛仲嫁女，上问何须[677]。毛仲顿首对曰："臣万事已备，但未得客。"上曰："张说、源乾曜辈岂不可呼邪？"对曰："此则得之。"上曰："知汝所不能致者一人耳，必宋璟也。"对曰："然。"上笑曰："朕明日为汝召客。"明日，上谓宰相："朕奴毛仲[678]有婚事，卿等宜与诸达官悉诣其第[679]。"既而日中，众客未敢举箸[680]，待璟，久之，方至，先执酒西向拜谢，饮不尽卮[681]，遽称腹痛而归。璟之刚直，老而弥笃。

先是，契丹王李吐干与可突干复相猜忌[682]，携公主来奔，不敢复还，更封辽阳王，留宿卫；可突干立李尽忠之弟邵固为主。车驾东巡，邵固诣行在，因从至泰山，拜左羽林大将军、静折军[683]经略大使。

上疑吏部选试不公，时选期已迫，御史中丞宇文融密奏，请分吏部为十铨。甲戌[684]，以礼部尚书苏颋等十人掌吏部选，试判[685]将毕，遽召入禁中决定，吏部尚书、侍郎皆不得预。左庶子吴兢上表，以为：

于左右：不贿赂君王之左右，以求其在皇帝面前说自己的好话。673 叔业：裴叔业初仕萧齐，东昏侯时，叛齐入魏。传见《南齐书》卷五十一、《魏书》卷七十一、《北史》卷四十五。674 乙巳：十二月庚戌朔，无乙巳。新旧两唐书之《玄宗纪》作“己巳”，即十二月二十日。当改“乙”为“己”。675 颉利发：阿史德颉利发。

【校记】

［18］小杀：严衍《通鉴补》改作“毗伽”。下同。〖按〗《旧唐书·突厥传》作“小杀”，《新唐书·突厥传》作“默棘连”。然新旧两唐书之《突厥传》皆言毗伽可汗默棘连本谓“小杀”。［19］己丑，上备法驾，至山足：原无此九字。据章钰校，十二行本、乙十一行本、孔天胤本皆有此九字，张敦仁《通鉴刊本识误》、张瑛《通鉴校勘记》同，今据补。［20］丙申：原作“庚申”。严衍《通鉴补》改作“丙申”，今从改。〖按〗两唐书之《玄宗纪》皆作“丙申”。［21］宣州：原作“定州”。严衍《通鉴补》改作“宣州”，今从改。〖按〗两唐书《裴耀卿传》皆作“宣州”。

【语译】

王毛仲获得玄宗的宠信，百官很多人依附他。王毛仲的女儿出嫁，玄宗问他要什么。王毛仲磕头回答说：“臣万事已备办好了，只是没有客人。”玄宗说：“张说、源乾曜这些人难道不能叫来吗？”答道：“这些是能请到的。”玄宗说：“我知道你请不来的只有一个人而已，他必定是宋璟。”王毛仲说：“是的。”玄宗笑着说：“我明天亲自出面替你请客。”第二天，玄宗对宰相们说：“我的奴才王毛仲有婚事，你们应该和各位显要官员一起全去他家道贺。”那天已到正午时分，所有的来宾都不敢动筷子，等待宋璟，过了好久，宋璟才到来，他先端起酒杯朝西面行礼拜谢君命，然后没饮尽一杯酒，匆忙说腹中疼痛而回到家中。宋璟的刚直，年老后更加坚定。

在此之前，契丹王李吐干因与可突干相互猜忌，便带着公主投奔唐朝，不敢重新返回契丹，玄宗改封他为辽阳王，留在京师宿卫，可突干拥立李尽忠之弟邵固为契丹君王。玄宗东行封泰山时，邵固也来到天子住处，随从玄宗到了泰山，玄宗命令他担任左羽林大将军、静折军经略大使。

玄宗怀疑吏部选官考试不公正，当时选官考试的日期已经临近，御史中丞宇文融秘密地呈奏，请求把吏部选官分为十铨。十二月二十五日甲戌，朝廷派遣礼部尚书苏颋等十人主持吏部铨选，考试书判就要结束时，玄宗突然把应试者召进宫中亲自测试决定，吏部的尚书和侍郎均不得过问。左庶子吴兢向玄宗上表，认为：“陛下

"陛下曲受谗言，不信有司，非居上临人⑥⑧⑥推诚感物⑥⑧⑦之道。昔陈平⑥⑧⑧、邴吉⑥⑧⑨，汉之宰相，尚不对钱谷之数⑥⑨⓪，不问斗死之人⑥⑨①，况大唐万乘之君，岂得下行铨选之事乎！凡选人书判，并请委之有司，停此十铨。"上虽不即从，明年复故。

是岁，东都斗米十五钱，青、齐五钱⑥⑨②，粟三钱。

于阗王尉迟眺阴结⑥⑨③突厥及诸胡谋叛，安西副大都护杜暹发兵捕斩之，更为立王。

【段旨】

以上为第十六段，写唐玄宗尊宠家奴，亲任选官主考。

【注释】

⑥⑦⑥辐凑：车辐集中于轴心。比喻归附者甚众。⑥⑦⑦须：求。⑥⑦⑧朕奴毛仲：王毛仲因父犯罪没官，曾为僮仆服侍玄宗左右，故唐玄宗称之为奴。⑥⑦⑨诣其第：前往其家祝贺。⑥⑧⓪箸：筷子。⑥⑧①卮：一种盛酒的器皿，犹酒杯。⑥⑧②契丹王李吐干与可突干复相猜忌：李吐干，契丹王李郁于之弟。两唐书之《契丹传》作"李吐于"。开元十二年袭契丹王位。猜忌，猜疑妒忌。⑥⑧③静折军：《唐会要》卷九十六、《旧唐书》卷一百九十九下、《新唐书》卷二百十九作"静析"。待考。⑥⑧④甲戌：十二月二十五日。⑥⑧⑤试判：考试书判。唐制，以身、言、书、判选士。身谓体貌丰伟，言谓言辞辨正，书谓楷法遒美，判谓文理优长。凡试判登科谓之"入等"。⑥⑧⑥临人：临民。⑥⑧⑦感物：犹感人。⑥⑧⑧陈平：陈平（？至公元前一七八年），汉初阳武（今河南原阳东南）人，西汉开国功臣之一，在汉朝建立的过程中诛诸吕之变立有大功。后迎立文帝，担任丞相。传见《史记》卷五十六、《汉书》卷四十。⑥⑧⑨邴吉：邴吉（？至公元前五五年），曾治巫蛊之狱，任宣帝丞相。传见《史记》卷九十六、《汉书》卷七十四。⑥⑨⓪不对钱谷之数：汉文帝在一次朝会上问右丞相周勃，一年之中全国的钱谷是多少，周勃回答不出，汗流浃背，十分尴尬。汉文帝问左丞相陈平，陈平回答说："请陛下问主管部门。"汉文帝说，国家政务各有主管部门，丞相职责是什么？陈平回答说："丞相上辅天子，下理万物，外抚四夷，内亲百姓，使各个主管部门各任其职。"意谓丞相管大事，不管小事。见本书卷十三汉文帝前元元年。⑥⑨①不

枉自听信谗言，不相信执掌铨选的吏部，这不是居上理民推诚感人的途径。从前陈平、邴吉担任汉朝的宰相，尚且不去回答钱谷的数额，不去过问斗殴致死人命的案件，何况大唐万乘之君，怎么可以降低身份躬行铨选之事呢！凡是选人书判，都应当交给吏部主管部门，停止实施这项十铨之法。”玄宗虽然没有马上听从，但是到了第二年就恢复了原有的方法。

这一年，东都的米价每斗十五钱，青州、齐州每斗五钱，每斗粟三钱。

于阗王尉迟眺暗地勾结突厥以及各部胡人图谋反叛，安西副大都护杜暹出兵，生擒了尉迟眺并将他斩首，又另外立了一位于阗王。

问斗死之人：汉宣帝丞相邴吉，一次外出，见到因争道而打群架死伤了许多人，邴吉像什么都没有看到一样，不去问人的死伤。邴吉的部属不理解，邴吉说："群从斗殴，死伤了人，是地方长安令应管的事。丞相不管小事，应管的是各级官员是否尽职办事。"时人称赞邴吉识大体。事见《汉书》卷七十四《邴吉传》。⑥⑨② 青、齐五钱：青、齐二州斗米五钱。⑥⑨③ 阴结：暗中勾结。

【研析】

本卷记事起开元六年到十三年，凡八年史事。此时期，唐玄宗与朝政大臣仍沿袭开元初励精图治的政治轨迹向前发展。唐玄宗还保持着清醒的头脑，纳谏用贤，宋璟、源乾曜、张嘉贞、张说相继为相，诸贤均一时之选。君臣兢兢业业，政治蒸蒸日上，仍保持君明臣贤的政治局面。开元十三年（公元七二五年）十一月，唐玄宗上泰山封禅，确实是实至名归，唐朝达于鼎盛。封禅是功成告天地的大典，唐玄宗当之无愧。

宋璟为相，荐贤才以杜绝奸巧仕进，唐玄宗与宋璟都不为亲故滥授一官。宋璟的远房叔父宋元超已被选入，由吏部授官。由于宋元超自称是宋璟族叔，想得到优待，宋璟知道后反而免了他入选资格，让他丢了官。宋璟治反狱，只诛元恶，刑法宽平。唐玄宗惩贪，依然雷厉风行。武强令裴景仙因乞求非法所得绢五千匹，唐玄宗要集众诛杀。依法，裴景仙乞取不至于死罪，又是独子，还是开国功臣裴寂的后代，大理卿李朝隐力争，才得以免死，流放岭南最偏远的地方。宰相张嘉贞，因弟弟贪赃而受株连免相。唐玄宗很重视地方官都督、刺史的任用，选拔京官中有才望的人外放任职，此时期继续推行。慎选举、缓刑、惩贪、注重地方官人选，这些是开元盛世清平政治的主流。

这一时期，唐玄宗还加强了中央集权的施政措施与制度建设。最重要的有以下几个方面。第一，检括户口。国家多得八十余万户与相应的田亩。第二，禁恶钱。开元七年（公元七一九年）二月，唐玄宗下诏由太府以及州县粮仓出粟十万卖给百姓，回收劣质钱销毁。劣质钱是私铸的恶钱，如同今之伪钞。恶钱泛滥，影响官钱流通，导致奸民与国争利，通货膨胀，百姓受害。国家储粮积久而腐败，用来回收恶钱销毁，表明国家禁绝恶钱的决心，起到动员民众抵制恶钱的作用。可是这项善政，触动了既得利益者，遭到权贵反对，唐玄宗没有贯彻到底，宋璟还因此丢了官。第三，禁闭诸王。诸王是最有可能夺取帝位的人。唐玄宗本人就是以诸王资格发动禁卫军诛杀韦皇后而取得太子地位的。开元十年（公元七二二年），唐玄宗严令宗室、外戚、驸马，非至亲不得往来，更不能与百官交结。光禄少卿驸马都尉裴虚己与岐王李范游宴，裴虚己被流放新州，逼迫与公主离婚。万年尉刘庭琦、太祝张谔与李范饮酒赋诗，两人均遭贬逐。后来宰相张说也因私入岐王李范宅而被贬官出朝。唐玄宗兄弟封王的有五人，皇子封王的有十六人，诸王被集中安置在宫城旁的诸王小区，每王各一宅，在生活上受到优越待遇，但不得任职事，行动也不自由，有宦官监管。诸王小区称为十王宅，也称十六宅。后来皇孙渐多，小区扩大为百孙院，也派宦官监管。皇太子不住东宫，紧随皇帝住在别院，实际也在宦官的监视之下。唐玄宗如此猜忌诸王和信用宦官，在中唐以后产生了严重后果，皇帝的废立和生命都掌握在宦官手中。唐宦官政权消灭，唐朝也就灭亡，重演了东汉末年的一幕。第四，改兵制。唐初实行府兵制是寓兵于农的一种兵制。府兵制，即征兵制，类似义务兵役制，兵农合一。平时大部分从事农耕，少部分轮番到京师宿卫或边关戍守。战时征发，战后士兵归农，将帅归朝，将帅不可能拥兵自重。但府兵制到开元时已经败坏。原因是唐高宗、武则天时不断用兵，府兵制难以负荷。官场腐败，贪污盛行，边兵将领自肥并向上级和朝官行贿，财源来自克剥士兵，又把戍兵当作奴仆使用，许多士兵被凌辱致死。作战立功的士兵，战后回到原籍，州县官不予承认，于是府兵逃亡日盛。在高宗后期，作战兵员已经不足，只好临时招募。开元十年，朔方节度使张说认为当时边境无强寇，建言裁减边兵二十万归农。平时戍守，边兵有六十万，京师宿卫十余万，张说建言用募兵制取代府兵制，招募壮士宿卫京师，唐玄宗采纳，用优厚条件招募，十天之内得精兵十三万，分隶诸卫，称为长从宿卫。从此，兵农分家，招募兵成了职业兵。开元十三年（公元七二五年），更名长从宿卫为“彍骑”，分隶十二卫。到了开元二十五年（公元七三七年），边镇戍兵也入为招募兵，号长征兵。第二年，招募兵足额，原有士兵一概放还本籍。《新唐书·兵志》说，唐王朝统治二百多年间兵制发生了三变。唐初府兵，府兵废而有彍骑，彍骑又废，地方武装力量兴起，即节度使割据武装。征兵制改为募兵制，兵农分离，怀有野心的镇边将帅与职业兵结合，变国家武装为私人武装，中唐以后，节度使往往拥兵自重，割据祸乱不可避免地发生了。这些都是后话，我们不能用后来的发展责备唐玄宗、张说改兵制，因为这是形势使然。开元时府兵制已完全破坏，如果不改募兵制，全国将陷于无兵的状态，一旦有事，何以应敌？唐玄宗改兵制是形势使然，但它潜在的隐忧被开元盛世掩盖了。

司马迁写《史记》，“通古今之变”，提出观察历史的方法，要“原始察终，见盛观衰”。“原始察终”，就是追原其始，察究其终，把握历史演变的全过程来看它的原因、经过、发展和结果。“见盛观衰”，就是在兴旺的时候，要看到它将转化的起点。唐玄宗的开元之治是成功的，他受任于国家危难之际，拨乱反正，纳谏用贤，把国家治理得井井有条，同时为了防范诸王夺权，信用宦官与禁闭诸王，改兵制，以及后来的增置节度使，却又埋下了唐中后期的祸患。

卷第二百十三　唐纪二十九

起柔兆摄提格（丙寅，公元七二六年），尽昭阳作噩（癸酉，公元七三三年），凡八年。

【题解】

本卷记事起公元七二六年，迄公元七三三年，凡八年，当唐玄宗开元十四年到开元二十一年。这一时期是开元之治的中期，国家制度继续完善与规范。军人戍边，五年一轮换。户籍与赋税，三年一次普查，定为九等。开元二十一年（公元七三三年），唐玄宗在全国十道的基础上分置为十五道。京师繁盛，粮食供应不足，沿河、渭广置粮仓，以储江南谷物。唐玄宗志得意满，政治悄悄地发生变化。大臣之间争权日益尖锐和公开化，李元纮与杜暹议事多异同，韩休与萧嵩在玄宗面前也争论不休。玄宗各打五十大板，统统贬官。此时唐玄宗颇尚武功，立太公庙，以古良将配享十哲，受到司马光的批评。纵容边将轻启事端，凉州都督王君㚟交恶吐蕃，连年战争不断。北方突厥策应吐蕃扰边。岭南獠人叛乱。此时唐国力盛强，边衅未酿成大祸，吐蕃纳贡求和亲。但开元之治已从鼎盛开始悄悄发生转折。韩休为相，唐玄宗节制纵兵，身为之消瘦，言于左右曰："吾貌虽瘦，天下必肥……吾用韩休，为社稷耳，非为身也。"但不足一年即罢退韩休，又宠信家奴与宦官，玄宗已失英主锐气。

【原文】

玄宗至道大圣大明孝皇帝中之上

开元十四年（丙寅，公元七二六年）

春，正月癸未[①]，更立契丹松漠王李邵固为广化王，奚饶乐王李鲁苏为奉诚王。以上从甥陈氏为东华公主[②]，妻邵固；以成安公主[③]之女韦氏为东光公主，妻鲁苏。

张说奏："今之五礼[④]，贞观、显庆两曾修纂[⑤]，前后颇有不同，其中或未折衷[⑥]。望与学士等讨论古今，删改施行。"制从之。

邕州封陵[⑦]獠梁大海等据宾、横州[⑧]反，二月己酉[⑨]，遣内侍杨思勖发兵讨之。

【语译】

玄宗至道大圣大明孝皇帝中之上

开元十四年（丙寅，公元七二六年）

春，正月初四日癸未，朝廷改立契丹松漠王李邵固为广化王，改立奚人饶乐王李鲁苏为奉诚王。封玄宗的堂外甥女陈氏为东华公主，许配给李邵固为妻；封成安公主的女儿韦氏为东光公主，许配给李鲁苏为妻。

张说上奏说："现在的五礼，在贞观、显庆年间曾两度修订编撰，前后多有不同，其中有些内容未经权衡调节使其适中。希望能与学士们对古今这方面的情况进行探讨评论，对五礼做些删改，然后施行。"玄宗下诏采纳了张说的主张。

邕州封陵县獠人梁大海等占据宾州、横州造反。二月己酉日，玄宗派内侍杨思勖发兵讨伐他们。

上召河南尹崔隐甫⑩，欲用之，中书令张说薄其无文，奏拟金吾大将军，前殿中监崔日知素与说善，说荐为御史大夫，上不从。丙辰⑪，以日知为左羽林大将军，丁巳⑫，以隐甫为御史大夫。隐甫由是与说有隙。

说有才智而好贿，百官白事⑬有不合者，好面折⑭之，至于叱骂。恶御史中丞宇文融之为人，且患其权重⑮，融所建白，多抑之。中书舍人张九龄言于说曰："宇文融承恩用事，辩给多权数，不可不备。"说曰："鼠辈⑯何能为！"夏，四月壬子⑰，隐甫、融及御史中丞李林甫⑱共奏弹说"引术士占星，徇私僭侈，受纳贿赂"。敕源乾曜及刑部尚书韦抗、大理少卿胡珪[1]与隐甫等同于御史台鞫之。林甫，叔良⑲之曾孙。抗，安石⑳之从父兄子也。

丁巳㉑，以户部侍郎李元纮为中书侍郎、同平章事。元纮以清俭著，故上用为相。

源乾曜等鞫张说，事颇有状，上使高力士视说，力士还奏："说蓬首垢面，席藁㉒，食以瓦器㉓，惶惧待罪。"上意怜之。力士因言说有功于国，上以为然。庚申㉔，但罢说中书令，余如故。

丁卯㉕，太子太傅岐王范薨，赠谥惠文太子。上为之撤膳累旬㉖，百官上表固请，然后复常。

丁亥㉗，太原尹张孝嵩奏："有李子峤者，自称皇子，云生于潞州，母曰赵妃。"上命杖杀之。

辛丑㉘，于定、恒、莫、易、沧五州置军㉙以备突厥。

玄宗召见河南尹崔隐甫，打算任用他，中书令张说因崔隐甫没有文才而瞧不起他，便上奏拟让他担任金吾大将军，前殿中监崔日知一向与张说关系很好，张说便推荐他担任御史大夫，但是玄宗没有采纳张说的建议。二月初七日丙辰，玄宗任命崔日知为左羽林大将军；初八日丁巳，任命崔隐甫为御史大夫。崔隐甫从此与张说有了矛盾。

张说具有才学智谋却贪图贿赂，百官禀报事情有不合他意思的地方，喜欢当面批评指责，甚至呵斥责骂。他厌恶御史中丞宇文融的为人，而且担心宇文融的权力过大，因此对于宇文融的建议，他大多压住不处置。中书舍人张九龄对张说说："宇文融受到皇上恩宠而当权，能言善辩，又擅长权术，您对他不能不防备。"张说说："鼠辈能有什么作为!"夏，四月初四日壬子，崔隐甫、宇文融和御史中丞李林甫共同上奏，弹劾张说"招引术士占验星相，还屈从私情，僭越奢侈，接受贿赂"。玄宗敕令源乾曜和刑部尚书韦抗、大理少卿明珪与崔隐甫等人一道在御史台审讯张说。李林甫，是李叔良的曾孙。韦抗，是韦安石堂兄的儿子。

四月初九日丁巳，玄宗任命户部侍郎李元纮为中书侍郎、同平章事。李元纮以清廉俭朴著称，所以玄宗启用他担任宰相。

源乾曜等人审讯张说，他被弹劾的事还是有些证据。玄宗派高力士去了解张说的情况，高力士回宫奏报说："张说蓬头垢面，用稻麦茎秆当席子，用粗陋的瓦钵吃饭，惶恐不安地等候治罪。"玄宗心里很怜悯张说。高力士趁机谈到张说曾对国家有功，玄宗觉得他讲得很对。四月十二日庚申，玄宗仅免去张说的中书令职务，其余官职仍与过去一样。

四月十九日丁卯，太子太傅岐王李范去世，朝廷给他追赠谥号惠文太子。玄宗因为李范的死而减膳几十天，经百官上表一再请求，玄宗才恢复常规膳食。

丁亥日，太原尹张孝嵩上奏说："有一个叫李子峤的人，自称是皇子，说出生在潞州，母亲是赵妃。"玄宗命令用杖刑将此人处死。

辛丑日，朝廷在定州、恒州、莫州、易州、沧州五个州分别设置北平军、恒阳军、唐兴军、高阳军、横海军，以防备突厥。

【段旨】

以上为第一段，写张说好贿而又爱面折于人，为政敌所构下狱，赖高力士护佑得免于刑。

【注释】

①癸未：正月初四日。②东华公主：宗室外甥女。事见《旧唐书》卷八《玄宗纪上》、卷一百九十九下《契丹传》。③成安公主：唐中宗第八女，字季姜，下嫁韦捷。事见《唐会要》卷六《公主》，《新唐书》卷八十三《成安公主传》。④五礼：指吉礼、凶礼、军礼、宾礼和嘉礼。⑤贞观、显庆两曾修纂：唐太宗贞观年间，令房玄龄、魏徵等在隋朝旧礼的基础上修成《贞观礼》一百卷。唐高宗显庆时，又令长孙无忌、杜正伦、李义府、李友益、刘祥道、许圉师、许敬宗、韦琨、史道玄、孔志约等重加辑定，增至一百三十卷，称作《显庆礼》。⑥折衷：调和二者，取其中正，无所偏颇。⑦封陵：县名，故治在今广西南宁东北。⑧宾、横州：宾州治所在今广西宾阳西南，横州治所在今广西横州。⑨己酉：二月庚戌朔，无己酉。正月有之，为正月三十日。⑩崔隐甫：贝州武城（今山东武城西）人，曾任洛阳令、太原尹、御史大夫等职，颇有威名。传见《旧唐书》卷一百八十五下、《新唐书》卷一百三十。⑪丙辰：二月初七日。⑫丁巳：二月初八日。⑬白事：陈事。⑭面折：当面折挠。⑮患其权重：时宇文融任御史中丞，兼户部侍郎。故张说患其权重。⑯鼠辈：犹鼠子。蔑视他人之词。此处指宇文融而言。⑰壬子：四

【原文】

上欲以武惠妃为皇后，或上言："武氏乃不戴天[30]之仇，岂可以为国母[31]！人间盛言[32]张说欲取立后之功，更图入相之计。且太子非惠妃所生[33]，惠妃复自有子[34]，若登宸极[35]，太子必危。"上乃止。然宫中礼秩[36]，一如皇后。

五月癸卯[37]，户部奏今岁户七百六万九千五百六十五，口四千一百四十一万九千七百一十二。

秋，七月，河南、北大水[38]，溺死者以千计。

八月丙午[39]朔，魏州言河溢[40]。

九月己丑[41]，以安西副大都护、碛西节度使杜暹同平章事。自王孝杰克复四镇[42]，复于龟兹置安西都护府，以唐兵三万戍之，百姓苦其役。为都护者，惟田杨名、郭元振、张嵩及暹皆有善政[43]，为人所称。

冬，十月庚申[44]，上幸汝州广成汤[45]。己巳[46][2]，还宫。

十二月丁巳[47]，上幸寿安，猎于方秀川[48]。壬戌[49]，还宫。

月初四日。⑱李林甫：李林甫（？至公元七五二年），唐宗室成员。善音律。曾任千牛直长、太子中允、国子司业等职。为人口蜜腹剑。在相位十九年，权倾内外，使政事日益败坏。传见《旧唐书》卷一百六、《新唐书》卷二百二十三上。⑲叔良：李林甫之曾祖李叔良为高祖从父弟，封长平王。⑳安石：韦安石相武则天及唐中宗，贬死于开元之初。㉑丁巳：四月初九日。㉒席藁：坐在藁草之上。㉓食以瓦器：用粗糙的陶器盛饭。㉔庚申：四月十二日。㉕丁卯：四月十九日。㉖累旬：数旬。㉗丁亥：四月己酉朔，无丁亥。五月有之，为五月初十日。㉘辛丑：四月无辛丑。《册府元龟》卷九百九十二作五月辛丑，即五月二十四日。㉙于定、恒、莫、易、沧五州置军：据《唐会要》卷七十八等，其时在定州置北平军，在恒州置恒阳军，在莫州置唐兴军，在瀛州置高阳军，在沧州置横海军。开元二十年（公元七三二年）移高阳军至易州。《资治通鉴》云在易州置军，不确。

【校记】

［1］胡珪：原作“明珪”。严衍《通鉴补》改作“胡珪”，今从改。〖按〗《旧唐书·张说传》亦作“胡珪”。

【语译】

玄宗打算立武惠妃为皇后，有人进言说：“武氏是不共戴天的仇人，怎么可以立为国母！民间盛传张说想借册立皇后立功，进而再作入朝为相的打算。况且太子不是武惠妃所生，她又自己有儿子，倘若她登上皇后的宝座，太子必然处境危险。”玄宗这才作罢。然而武惠妃在宫中的礼仪禄秩规格，完全和皇后一样。

五月二十六日癸卯，户部奏报，今年全国共有七百零六万九千五百六十五户，四千一百四十一万九千七百一十二口人。

秋，七月，黄河南北发大水，被淹死的人数以千计。

八月初一日丙午，魏州报告黄河泛滥。

九月十五日己丑，玄宗任命安西副大都护、碛西节度使杜暹为同平章事。自从王孝杰收复龟兹、疏勒、于阗、焉耆四镇，朝廷重新在龟兹设置安西都护府，派三万唐军戍守，百姓深受服役之苦。在历任安西都护中，唯有田杨名、郭元振、张嵩和杜暹都有好的政绩，为人所称道。

冬，十月十六日庚申，玄宗驾临汝州广成温泉。二十五日己巳，返回皇宫。

十二月十四日丁巳，玄宗驾临寿安，在方秀川狩猎。十九日壬戌，返回皇宫。

杨思勖讨反獠[50]，生擒梁大海等三千余人，斩首二万级而还。

是岁，黑水靺鞨[51]遣使入见，上以其国为黑水州，仍为置长史[52]以镇之。

勃海靺鞨王武艺曰："黑水入唐，道由我境。往者请吐屯[53]于突厥，先告我与我偕行；今不告我而请吏于唐，是必与唐合谋，欲腹背攻我也。"遣其母弟门艺与其舅任雅[54]将兵击黑水。门艺尝为质子[55]于唐，谏曰："黑水请吏于唐，而我以其故击之，是叛唐也。唐，大国也。昔高丽全盛之时，强兵三十余万，不遵唐命，扫地无遗[56]。况我兵不及高丽什之一二，一旦与唐为怨[57]，此亡国之势也。"武艺不从，强遣之。门艺至境上，复以书力谏。武艺怒，遣其从兄大壹夏代之将兵，召[58]，欲杀之。门艺弃众，间道来奔[59]，制以为左骁卫将军。武艺遣使上表罪状门艺，请杀之。上密遣门艺诣安西，留其使者，别遣报云，已流门艺于岭南。武艺知之，上表称"大国当示人以信，岂得为此欺诳？"固请杀门艺。上以鸿胪少卿[60]李道邃[61]、源复[62]不能督察官属，致有漏泄，皆坐左迁。暂遣门艺诣岭南以报之。

臣光曰："王者所以服四夷[63]，威信[64]而已。门艺以忠获罪，自归天子，天子当察其枉直，赏门艺而罚武艺，为政之体也。纵不能讨，犹当正[65]以门艺之无罪告之。今明皇威不能服武艺，恩不能庇门艺，顾效小人为欺诳之语以取困于小国，乃罪鸿胪之漏泄，不亦可羞[66]哉！"

杜暹为安西都护，突骑施交河公主[67]遣牙官以马千匹诣安西互市。使者宣公主教[68]，暹怒曰："阿史那女[69]何得宣教于我！"杖其使者，留不遣，马经雪[70]死尽。突骑施可汗苏禄大怒，发兵寇四镇。会暹入朝，赵颐贞[71]代为安西都护，婴城自守[72]。四镇人畜储积，皆为苏禄所掠，安西仅存。既而苏禄闻暹入相，稍引退，寻遣使入贡。

杨思勖讨伐反叛的獠人，活捉梁大海等三千余人，斩下首级两万颗后班师。

这一年，黑水靺鞨派使者入京朝见，玄宗下令在黑水靺鞨国设置黑水州，还为它设长史来镇守。

勃海靺鞨国王大武艺认为："黑水靺鞨进入唐朝，须从我国境内取道。以往他们到突厥请求派驻吐屯的时候，都要事先向我通报并且和我一起前往；而今他们不向我通报就请求唐朝派驻官吏，这一定是与唐朝合谋，要从腹背两个方面来攻击我。"于是派遣他的同母弟大门艺和舅父任雅率军攻打黑水靺鞨。大门艺曾经作为质子在唐朝生活过，他劝谏说："黑水靺鞨请求唐朝派驻官吏，而我们却以这个原因攻打它，这是背叛唐朝。唐朝是个大国。从前高丽国在全盛的时期，有强兵三十多万，它不遵从唐朝的命令，最终亡国灭种。何况我国的兵力还不及高丽国的十分之一二，一旦与唐朝结了仇怨，那就会形成亡国的态势了。"大武艺没有听从，强使他出征。大门艺到达边境时，再次以书信极力劝谏。大武艺很生气，派他的堂兄大壹夏取代大门艺统领军队，并召回大门艺，想杀死他。大门艺丢下部众，走小路前来投奔唐朝，玄宗下诏书任命他为左骁卫将军。大武艺派使者奏上表章，列举大门艺的罪状，请求朝廷杀掉大门艺。玄宗秘密派大门艺前往安西，同时留下了大武艺的使者，另外派人回复大武艺说已经把大门艺流放到岭南了。大武艺知道了真实情况，上表说道："大国应当向人显示诚信，怎么能够做这种欺骗人的事情？"执意请求杀掉大门艺。玄宗认为鸿胪少卿李道邃和源复没能监管好下属官员，致使有关大门艺的情况有所泄漏，二人因此都被降职。又派大门艺暂时前往岭南，以便回复大武艺。

司马光说："帝王之所以能够让四方夷狄臣服，靠的是威望和诚信。大门艺因忠于朝廷而被大武艺治罪，自己归附了唐朝天子，唐朝天子应当明察事情的曲直，奖赏大门艺而处罚大武艺，这是治理国家的原则。纵然不能讨伐大武艺，也应该严正地告诉他大门艺无罪。如今，唐明皇的威望不能让大武艺臣服，恩德又不能够庇护大门艺，反而效法小人编造欺骗人的话，以致在小国面前受窘，却归罪于鸿胪寺官员泄漏秘密，这不也是让人感到羞愧的事吗?!"

杜暹担任安西都护时，突骑施交河公主派牙官赶着一千匹马到安西来进行交易，使者向杜暹宣读交河公主的告谕，杜暹恼怒地说道："阿史那怀道的女儿，怎么能向我宣读告谕！"杜暹用杖刑处罚使者，把使者扣留下来不予遣返，那些马匹经历一场大雪后全被冻死了。突骑施可汗苏禄大怒，发兵侵犯安西四镇。正赶上杜暹返回朝廷，而由赵颐贞代理安西都护，他据城固守自保。城外的四镇居民、牲畜和储存的物品，都被苏禄抢走，仅有安西城得以保存下来。后来，苏禄听说杜暹入朝为相，这才逐渐退了回去，不久又派使者向朝廷纳贡。

【段旨】

以上为第二段，写唐玄宗诓骗勃海靺鞨国王，受到司马光的严厉批评。

【注释】

㉚不戴天：不共戴天。㉛国母：帝王之母。㉜盛言：犹盛传。㉝太子非惠妃所生：时玄宗第二子李鸿为太子，其母为赵丽妃。㉞惠妃复自有子：武惠妃生三子，夏悼王一、怀思王敏、寿王瑁。李一与李敏早夭，瑁养于宁王邸中。见《新唐书》卷八十二。㉟若登宸极：如果武惠妃登上皇后宝座。宸极，本指北极星，此处代指皇后之位。㊱礼秩：礼仪禄秩。㊲癸卯：五月二十六日。㊳河南、北大水：《旧唐书·玄宗纪》作"瀍水暴涨入漕"，与此有所不同。㊴丙午：八月初一日。㊵魏州言河溢：黄河在今濮阳至阳谷之间泛滥。㊶己丑：九月十五日。㊷王孝杰克复四镇：时在长寿元年（公元六九二年）十月。四镇，指龟兹、疏勒、于阗、焉耆四镇。㊸田杨名句：《旧唐书》卷一百九十八《西戎传》载龟兹国云："其安西都护，则天时有田扬名，中宗时有郭元振，开元初则张孝嵩、杜暹，皆有政绩，为夷人所伏。"《新唐书》卷二百二十一上亦云龟兹安西都护"以政绩称华狄者，田扬名、郭元振、张孝嵩、杜暹"。田杨名，两唐书均作"田扬名"。张嵩，两唐书均作"张孝嵩"。㊹庚申：十月十六日。㊺广成汤：以汉广成苑而得名，在汝州梁县界，即今河南汝州一带。㊻己巳：十月二十五日。㊼丁巳：十二月十四日。㊽方秀川：在寿安县境内，即今河南宜阳一带。㊾壬戌：十二月十九日。㊿杨思勖讨反獠：二月出征，至此凯旋。(51)黑水靺鞨：靺鞨诸部之一，生活在今黑龙江流域。(52)长史：胡三省注云，"'长史'恐当作'长吏'"。〖按〗《旧唐书》卷一百九十九下、《新唐书》卷二百

【原文】

十五年（丁卯，公元七二七年）

春，正月辛丑(73)，凉州都督王君㚟破吐蕃于青海之西。

初，吐蕃自恃其强，致书用敌国礼(74)，辞指(75)悖慢，上意常怒之。返自东封(76)，张说言于上曰："吐蕃无礼，诚宜诛夷(77)，但连兵十余年，甘、凉、河、鄯(78)，不胜其弊，虽师屡捷，所得不偿所亡。闻其悔过求和，愿听其款服(79)，以纾(80)边人。"上曰："俟吾与王君㚟议之。"说退，

十九、《唐会要》卷九十六均作以其首领为都督，唐置长史，就其部落监领之。据此，仍当以“长史”为是。㊽吐屯：突厥官名，掌从属国之事。㊾任雅：两唐书《渤海靺鞨传》皆作“任雅相”。㊿质子：人质。古代派往他国做质押的人多为王子或世子，故称之为质子。㊱扫地无遗：亡国灭种。㊲为怨：为仇。㊳召：召门艺。㊴间道来奔：从小路来投奔唐朝。㊵鸿胪少卿：官名，唐制，鸿胪寺少卿二人，协助鸿胪卿掌宾客及凶仪之事。㊶李道邃：鲁王灵夔之孙。传见《旧唐书》卷六十四、《新唐书》卷七十九。㊷源复：见《新唐书》卷七十五上《宰相世系表五上》及卷二百十九《渤海传》。㊸四夷：原指东夷、西戎、南蛮、北狄。这里是对周边少数民族的泛称。㊹威信：威望诚信。㊺正：正面。指严正、义正。㊻羞：羞愧，指唐玄宗以不诚外交欺瞒小国，使大唐蒙羞。大氏兄弟内讧，大门艺因忠于唐朝而被大武艺治罪，大门艺归附唐朝，唐朝大国应当理直气壮提供保护，唐玄宗却用欺诈手段搪塞。司马光的批评是中肯的。㊼交河公主：突骑施别种苏禄之妻。《旧唐书》卷一百九十四下作“金河公主”，而《新唐书》卷二百十五下作“交河公主”。㊽教：文体的一种，为上对下的告谕。㊾阿史那女：该公主系阿史那怀道之女。㊿经雪：经过雪季。㉛赵颐贞：定州鼓城（今河北晋州）人。事见《新唐书》卷二百《赵冬曦传》、《唐御史台精舍题名考》卷二、《唐方镇年表》卷八。㉜婴城自守：环城自守。

【校记】

［2］己巳：原作“己酉”。严衍《通鉴补》改作“己巳”，今从改。〖按〗两唐书之《玄宗纪》均作“己巳”。

【语译】

十五年（丁卯，公元七二七年）

春，正月二十八日辛丑，凉州都督王君㚟在青海西面击败吐蕃。

当初，吐蕃自己仗着力量强大，向唐朝递送文书采用对等国的礼节，言辞旨意狂悖傲慢，玄宗的内心经常感到愤怒。从东岳泰山封禅返京后，张说对玄宗说：“吐蕃无礼，确实应当诛戮平定，但是十余年接连出兵，甘、凉、河、鄯等州已难以承受战争带来的破坏，虽然军队屡屡报捷，但依然得不偿失。听说吐蕃打算悔过求和，希望您能准许他们诚心归服，以解除边疆百姓的痛苦。”玄宗说：“等我与王君㚟商

谓源乾曜曰："君㚟勇而无谋，常思侥幸[81]，若二国和亲，何以为功[82]！吾言必不用矣。"及君㚟入朝，果请深入讨之。

去冬，吐蕃大将悉诺逻寇大斗谷[83]，进攻甘州，焚掠而去。君㚟度其兵疲，勒兵蹑其后，会大雪，虏冻死者甚众，自积石军[84]西归。君㚟先遣人间道入虏境，烧道旁草[85]。悉诺逻至大非川，欲休士马，而野草皆尽，马死过半。君㚟与秦州[86]都督张景顺[87]追之，及于青海之西，乘冰而度。悉诺逻已去，破其后军，获其辎重羊马万计而还。君㚟以功迁左羽林大将军，拜其父寿为少府监致仕。上由是益事边功[88]。

【段旨】

以上为第三段，写凉州都督王君㚟轻启边衅，唐与吐蕃交恶。

【注释】

⑬辛丑：正月二十八日。⑭致书用敌国礼：递交书信用对等国的礼节。敌，对等、匹敌。本书卷二百十一载，玄宗开元二年（公元七一四年），"吐蕃遣其大臣宗俄因矛至洮水请和，用敌国礼"。⑮辞指：言辞旨意。⑯返自东封：自东封返回后。⑰诛夷：诛戮平定。⑱甘、凉、河、鄯：皆州名，地当今甘肃张掖、武威、和政及青海西宁、海东

【原文】

初，洛阳人刘宗器上言，请塞汜水旧汴口，更于荥泽引河入汴，[89]擢宗器为左卫率府胄曹[90]。至是，新渠填塞不通，贬宗器为循州[91]安怀戍主[92]。命将作大匠范安及[93]发河南、怀、郑、汴、滑、卫三万人疏旧渠[94]，旬日而毕。

御史大夫崔隐甫、中丞宇文融，恐右丞相张说复用，数奏毁之，各为朋党。上恶之，二月乙巳[95]，制说致仕，隐甫免官侍母，融出为魏州刺史。

议之后再做决定。”张说退下，对源乾曜说道：“王君㚟有勇无谋，时常想着能侥幸成功。假如两国和亲，他靠什么建立功劳呢！我的主张必定不会被采用了。”等到王君㚟来朝，他果然请求率军深入吐蕃境内征讨。

去年冬天，吐蕃大将悉诺逻侵犯大斗谷，进攻甘州，烧杀劫掠后离去。王君㚟估计悉诺逻的军队已经疲乏，就率军悄悄地尾随在后。适逢天降大雪，吐蕃军中被冻死的人很多，只好从积石军向西退回去。王君㚟预先派人从偏僻小道进入敌方境内，烧光了道路两旁的野草。悉诺逻退到大非川，打算让士兵战马休息，不料这里的野草都被烧光了，致使战马死去一半以上。王君㚟和秦州都督张景顺率军追击，在青海的西边追上了吐蕃军，并利用湖水结冰之机渡过湖去。此时悉诺逻已经离开，他们击败了悉诺逻的后军，缴获吐蕃数以万计的辎重和羊、马后班师。王君㚟因功升任左羽林大将军，朝廷还授予王君㚟的父亲王寿为少府监而让他退休。从此，玄宗更加致力于边疆战事。

市乐都区一带。⑲ 款服：诚服。⑳ 纾：缓解。㉑ 侥幸：偶然获得意外的利益。㉒ 若二国和亲二句：如果两国和亲，还靠什么建立战功。㉓ 大斗谷：大斗拔谷。在今甘肃民乐东南。㉔ 积石军：在今青海贵德西。原为静边镇，仪凤二年（公元六七七年）为军，东有黄沙戍。㉕ 烧道旁草：焚烧道路两边的野草。㉖ 秦州：治所在今甘肃天水。㉗ 张景顺：事见《旧唐书》卷一百三《王君㚟传》、卷一百九十六上《吐蕃传上》,《新唐书》卷一百三十三《王君㚟传》、卷二百十六《吐蕃传上》。㉘ 益事边功：更加致力于边疆战事。

【语译】

当初，洛阳人刘宗器进言，请求堵住汜水旧汴口，改从荥泽引黄河水流入汴河，玄宗提升刘宗器为左卫率府胄曹。到这时，新渠淤塞不通，便将刘宗器降职为循州安怀戍主。命令将作大匠范安及调集河南府、怀州、郑州、汴州、滑州、卫州三万民工疏浚旧渠，十天时间就完成了工程。

御史大夫崔隐甫、御史中丞宇文融担心右丞相张说被重新任用，屡次上奏诋毁他，双方各自结成朋党。玄宗厌恶他们的做法，二月初二日乙巳，下诏让张说退休，让崔隐甫免职回家侍奉母亲，把宇文融调离朝廷外任魏州刺史。

乙卯[96]，制："诸州逃户，先经劝农使括定按比[97]后复有逃来者，随到准[98]白丁[99]例输当年租庸，有征役者先差[100]。"

夏，五月癸酉[101]，上悉以诸子庆王潭等领州牧、刺史、都督、节度大使、大都护、经略使，[102]实不出外。

初，太宗爱晋王[103]，不使出阁，豫王[104]亦以武后少子不出阁，及自皇嗣为相王，始出阁。中宗之世，谯王[105][3]失爱，谪居外州。温王[106]年十七，犹居禁中。上即位，附苑城[107]为十王宅[108]，以居皇子，宦官押[109]之，就夹城参起居[110]，自是不复出阁。虽开府置官属及领藩镇，惟侍读[111]时入授书，自余王府官属，但岁时通名、起居[112]，其藩镇官属，亦不通名。及诸孙浸多，又置百孙院[113]。太子亦不居东宫[114]，常在乘舆[115]所幸之别院。

上命妃嫔以下宫中育蚕，欲使之知女功[116]。丁酉[117]，夏至，赐贵近丝，人一綟[118]。

秋，七月戊寅[119]，冀州河溢。

己卯[120]，礼部尚书许文宪公苏颋薨。

【段旨】

以上为第四段，写张说罢相，唐玄宗在禁苑置王孙院安置皇室公子王孙，实质是禁闭宗室。

【注释】

⑧⑨请塞汜水旧汴口二句:《旧唐书》卷四十九《食货志下》载刘宗器所言治水方案，堵塞汜水旧汴河口，于下游荥泽界开梁公堰，置斗门，以通淮、汴。荧泽，当作"荥泽"，县名，故治在今河南郑州西北。河，黄河。汴，汴水。⑨⓪左卫率府胄曹：东宫官名，从八品下。⑨①循州：州名，治所在今广东惠州东北。⑨②安怀戍主：唐制，兵戍长官称主。戍主有上中下之分。上戍主正八品下，中戍主从八品下，下戍主正九品下。⑨③范安及：事见《旧唐书》卷八《玄宗纪上》、卷四十九《食货志下》。⑨④疏旧渠：把汜水旧汴河口重新疏通。⑨⑤乙巳：二月初二日。⑨⑥乙卯：二月十二日。⑨⑦按比：按验排比。指

二月十二日乙卯，玄宗颁布诏令："各州逃亡来的无户籍的人，在经过劝农使检查并审验登记以后，若再有逃亡来的人，从到来之时便比照对白丁的要求缴纳当年的租庸，如遇征发徭役则首先差遣他们。"

夏，五月初一日癸酉，玄宗让自己的儿子庆王李潭等人全部兼任州牧、刺史、都督、节度大使、大都护、经略使各种职务，实际上不出外任职。

当初，唐太宗喜爱晋王李治，不让他离开宫禁出任藩封，豫王李旦也因为是武后的小儿子而不离开宫禁出任藩王，直到他由皇嗣改封为相王，才开始离开宫禁出任藩王。唐中宗的时候，谯王李重福失宠，才被贬谪居住在外州。温王李重茂年已十七，仍居住在宫禁之中。玄宗即位后，在贴近内苑城的地方营建十王的府第，让皇子们居住，由宦官管理，皇子们到夹城来问候起居，从此不再离开宫禁出任藩封。虽然他们名义上建立府署，设置官员并兼任节度使，但只有王府的侍读才能按时进府教书，其余的王府官员，也只是在逢年过节时来通报姓名、问候起居，至于他们兼领的藩镇所属官员，甚至都不用通报姓名。等到后来皇孙渐渐增多，又设置了百孙院。太子也不在东宫居住，而是常常住在玄宗所驾临处的别院。

玄宗命令妃嫔以下的宫女在宫中养蚕，想让她们懂得一些缫丝、纺织、缝纫之类的事。五月二十五日丁酉，夏至，玄宗赏赐近幸贵人每人一綟丝。

秋，七月初八日戊寅，冀州境内黄河泛滥。

初九日己卯，礼部尚书许文宪公苏颋去世。

审察年龄相貌，编排户籍。⑱准：依。⑲白丁：未隶兵籍的青壮年。⑳差：差遣。㉑癸酉：五月一日。㉒以诸子庆王潭等领州牧句：据《旧唐书》卷八，以庆王潭为凉州都督兼河西诸军节度大使，忠王浚为单于大都护、朔方节度大使，棣王洽为太原冀北牧、河北诸军节度大使，鄂王涓为幽州都督、河北节度大使，荣王滉为京兆牧、陇右节度大使，光王涺为广州都督、五府节度大使，仪王潍为河南牧，颍王沄为安东都护、平卢军节度大使，永王泽为荆州大都督，寿王清为益州大都督、剑南节度大使，延王洄为安西大都护、碛西节度大使，盛王沐为扬州大都督。㉓晋王：后来的唐高宗李治，唐太宗第九子。㉔豫王：后来的睿宗李旦。㉕谯王：唐中宗第二子李重福。㉖温王：唐中宗第四子李重茂。㉗苑城：在朱雀街东第五街安国寺东侧，十王宅即建于此。㉘十王宅：十王指庆王、忠王、棣王、鄂王、荣王、光王、仪王、颍王、永王、济王。其后盛王、寿王、陈王、丰王、恒王、凉王就封，附入内宅，十王宅改称作"十六宅"，亦称"十六王宅"。㉙押：管理。㉚参起居：参拜皇上起居。犹今之请安。㉛侍读：授课。当时引词学工书之人入教，称作"侍读"。㉜通名、起居：通报姓名，问候起居。㉝百孙院：在

十王宅附近。华清宫中亦有十王院、百孙院。此乃唐玄宗猜忌诸王，集中监管，盖华宅广厦，外示恩宠，其实质是禁闭诸王。见《旧唐书》卷一百七。⑭ 太子亦不居东宫：唐玄宗不让太子居东宫，而是居于自己寝宫的别院，亲自监管，猜疑心所使也。唐玄宗以诸王身份发动宫廷政变，得到太子之位，又以太子之重逼迫睿宗让位，所以猜疑心极重。⑮ 乘舆：皇帝车驾，代指皇帝。⑯ 女功：指妇女所从事的养蚕、缫丝、纺织、刺绣、缝纫等事。⑰ 丁酉：五月二十五日。⑱ 緉：量词。唐制，丝五两为絇，麻三斤为緉。不知丝緉关系如何，待考。⑲ 戊寅：七月初八日。⑳ 己卯：七月初九日。

【原文】

九月丙子[121]，吐蕃大将悉诺逻恭禄及烛龙莽布支[122]攻陷瓜州，执刺史田元献[123]及河西节度使王君㚟之父[124]，进攻玉门军[125]。纵所虏僧使[4]归凉州，谓君㚟曰："将军常以忠勇许国，何不一战？"君㚟登城西望而泣，竟不敢出兵。

莽布支别攻常乐县[126]，县令贾师顺[127]帅众拒守。及瓜州陷，悉诺逻悉兵会攻[128]之。旬余日[129]，吐蕃力尽，不能克，使人说降之，不从。吐蕃曰："明府[130]既不降，宜敛[131]城中财相赠，吾当退。"师顺请脱士卒衣，悉诺逻知无财，乃引去，毁瓜州城。师顺遽开门，收器械，修守备；虏果复遣精骑还，视城中，知有备，乃去。师顺，岐州人也。

初，突厥默啜之强也，迫夺铁勒之地，故回纥、契苾、思结、浑四部度碛徙居甘、凉之间以避之。王君㚟微时[132]，往来四部[133]，为其所轻，及为河西节度使，以法绳之。四部耻怨，密遣使诣东都自诉。君㚟遽发驿奏"四部难制，潜有叛计"。上遣中使往察之，诸部竟不得直[134]。于是瀚海大都督回纥承宗[135]流瀼州[136]，浑大德[137]流吉州，贺兰都督契苾承明流藤州[138]，卢山都督[139]思结归国流琼州，以回纥伏帝难为瀚海大都督。己卯[140]，贬右散骑常侍李令问[141]为抚州[142]别驾，坐其子与承宗交游故也。

丙戌[143]，突厥毗伽可汗遣其大臣梅录啜入贡。吐蕃之寇瓜州也，遗

【校记】

［3］谯王：据章钰校，十二行本、乙十一行本、孔天胤本“王”下皆有“以”字。

【语译】

九月初七日丙子，吐蕃大将悉诺逻恭禄和烛龙莽布支攻下瓜州，擒获瓜州刺史田元献和河西节度使王君㚟的父亲，并向玉门军发起进攻。他们释放了所俘虏的僧人，让僧人返回凉州，去对王君㚟说：“将军常常自诩要以忠勇报效国家，何不前来决战一场？”王君㚟登上城楼，望着西边哭了起来，但终究不敢出兵。

烛龙莽布支另外还攻打了常乐县，常乐县令贾师顺率领部众防守抵御。等到瓜州陷落后，悉诺逻恭禄集合全部兵力围攻常乐城。双方交战十多天，吐蕃军队用尽全力，依然没能攻下，于是派人游说劝降，贾师顺没有答应。吐蕃人说：“你既然不降，就应当搜集一些城中的财物送给我们，那么我们就会撤退。”贾师顺请求脱下士兵的衣服给他们看，悉诺逻明白城中已没有财物，于是带兵离去，同时毁掉了瓜州城。贾师顺急忙打开城门，搜集武器，修整防御设施。敌军果然再次派出精锐骑兵折返，观察城中的情况，知道城中已经有了防备，便又离开了。贾师顺是岐州人。

当初，突厥默啜强盛的时候，强夺了铁勒的地方，所以回纥、契苾、思结、浑四个部落穿越沙漠，移居到甘州和凉州之间以躲避突厥的锋芒。王君㚟在未显达时，曾与这四个部落有过来往，被他们轻视，等他当上河西节度使后，就利用法令惩治他们。这四个部落感到耻辱而心怀怨恨，秘密派使者到东都洛阳上诉。王君㚟急忙通过驿递上奏说“这四个部落难以控制，暗中已有反叛的计划”。玄宗派宦官前去调查，这几个部落最终未能得到申雪。结果，瀚海大都督回纥部首领承宗被流放到瀼州，浑部首领大德被流放到吉州，贺兰都督契苾部首领承明被流放到藤州，卢山都督思结部首领归国被流放到琼州，朝廷任命回纥部的伏帝难为瀚海大都督。九月初十日己卯，把右散骑常侍李令问贬谪为抚州别驾，他是因自己儿子与回纥部的承宗有交往而获罪的。

九月十七日丙戌，突厥毗伽可汗派大臣梅录啜入朝进贡。吐蕃在进犯瓜州时，

毗伽书，欲与之俱入寇，毗伽并献其书。上嘉之，听于西受降城为互市，每岁赍缣帛数十万匹就市戎马[144]，以助军旅，且为监牧之种[145]，由是国马益壮焉。

闰月[146]庚子[147]，吐蕃赞普与突骑施苏禄围安西城，安西副大都护赵颐贞击破之。

回纥承宗族子瀚海司马护输，纠合党众为承宗报仇。会吐蕃遣使间道诣突厥，王君㚟帅精骑邀之于肃州[148]。还，至甘州南巩笔驿[149]，护输伏兵突起，夺君㚟旌节，先杀其判官宋贞，剖其心曰："始谋者汝也。"君㚟帅左右数十人力战，自朝至晡[150]，左右尽死。护输杀君㚟[151]，载其尸奔吐蕃，凉州兵追及之，护输弃尸而走。

庚申[152]，车驾发东都。冬，十月[5]己卯[153]，至西京。

辛巳[154]，以左金吾卫大将军信安王祎[155]为朔方节度等副大使。祎，恪[156]之孙也。以朔方节度使萧嵩为河西节度等副大使。时王君㚟新败，河、陇震骇。嵩引刑部员外郎裴宽[157]为判官，与君㚟判官牛仙客[158]俱掌军政，人心浸安。宽，漼之从弟也。[159]仙客本鹑觚[160]小吏，以才干军功累迁至河西节度判官，为君㚟腹心。

嵩又奏以建康军[161]使河北张守珪[162]为瓜州刺史，帅余众筑故城。板干裁立[163]，吐蕃猝至[164]，城中相顾失色[165]，莫有斗志。守珪曰："彼众我寡，又疮痍之余，不可以矢刃相持[166]，当以奇计取胜。"乃于城上置酒作乐。虏疑其有备，不敢攻而退。守珪纵兵[167]击之，虏败走。守珪乃修复城市，收合流散，皆复旧业。朝廷嘉其功，以瓜州为都督府，以守珪为都督。

悉诺逻威名甚盛，萧嵩纵反间于吐蕃，云与中国通谋，赞普召而诛之，吐蕃由是少衰。

十二月戊寅[168]，制以吐蕃为边患，令陇右道及诸军团兵[169]五万六千人，河西道及诸军团兵四万人，又征关中兵万[6]人集临洮，朔方兵万人集会州[170]防秋，至冬初，无寇而罢；伺虏入寇，互出兵腹背击之。

乙亥[171]，上幸骊山温泉；丙戌[172]，还宫。

曾给毗伽送去书信，打算与突厥一道攻打唐朝，毗伽把这封信也一并献上，玄宗嘉奖了他，并准许突厥在西受降城进行贸易，每年还派人带着几十万匹丝绸到那里向他们换取战马，以增强唐军军力，并作为监牧机构的种马，因此国有马匹越来越强壮了。

闰九月初二日庚子，吐蕃赞普和突骑施苏禄率军围攻安西城，安西副大都护赵颐贞打败了他们。

回纥部承宗的族子瀚海司马护输，纠集党徒要为承宗报仇。适逢吐蕃派使者抄小道前往突厥，王君㚟率领精锐骑兵在肃州拦截吐蕃使者。王君㚟返回时，到达甘州南的巩笔驿，护输的伏兵突然杀出，夺走了王君㚟的节度使旌节，先杀了王君㚟的判官宋贞，挖出他的心说："一开始出谋划策的就是你。"王君㚟率领身边的几十个人奋力拼杀，从清晨一直战到午后，他身边的人全部战死。护输杀掉王君㚟，用车载着他的尸体去投奔吐蕃，凉州的唐军追上了他，护输丢下王君㚟的尸体逃走了。

闰九月二十二日庚申，玄宗从东都洛阳出发。冬，十月十一日己卯，到达西京长安。

十三日辛巳，玄宗任命左金吾卫大将军信安王李祎为朔方节度等副大使。李祎，是李恪的孙子。任命朔方节度使萧嵩为河西节度等副大使。当时王君㚟刚刚战败，河西、陇右地区感到震惊恐惧。萧嵩推荐刑部员外郎裴宽担任判官，与王君㚟的判官牛仙客一同掌管军政，人心才逐渐安定下来。裴宽，是裴漼的堂弟。牛仙客原来是泾州鹑觚县的小吏，凭借才干和军功，一次次受提拔当上了河西节度判官，他是王君㚟的心腹。

萧嵩又上奏玄宗任命建康军使河北人张守珪为瓜州刺史，带领瓜州剩下来的人修筑旧城。筑城的夹板刚树起来，吐蕃的军队就突然到来，瓜州城中的人吓得相视失色，都没了斗志。张守珪说："敌众我寡，瓜州又处在蒙受战乱创伤之后，我们不能靠刀箭来和他们对抗，要用奇计取胜。"于是他在城楼上设酒宴作乐。敌人怀疑他已经有了准备，不敢进攻而撤退了。张守珪纵兵追击，敌人战败逃走。于是张守珪修筑旧城，恢复集市，搜集流亡的百姓，让他们都恢复原有的生业。朝廷嘉奖张守珪的功劳，把瓜州设为都督府，任命张守珪为都督。

悉诺逻的声威很盛，萧嵩就在吐蕃施行反间计，说悉诺逻正在与朝廷结交合谋，吐蕃赞普便召回悉诺逻并把他杀了，吐蕃的势力从此稍有衰落。

十二月十一日戊寅，玄宗颁布诏书，因吐蕃已经成为边境的大患，命令集结陇右道以及各军团兵五万六千人，河西道以及各军团兵四万人；又征发关中兵一万人集结在临洮，朔方兵一万人集结在会州，以防备敌人在秋季入侵。到了冬初，若无敌人进犯就罢兵；若发现敌人入侵，就相互出兵配合，从腹背两面进行攻击。

初八日乙亥，玄宗驾临骊山温泉；十九日丙戌，返回皇宫。

【段旨】

以上为第五段，写唐西方、北方边境不宁，吐蕃与突厥交相侵扰。

【注释】

⑫¹ 丙子：九月初七日。⑫² 烛龙莽布支：事见《旧唐书》卷九十九《萧嵩传》、卷一百三《王君㚟传》、卷一百九十六上《吐蕃传上》。⑫³ 田元献：见《新唐书》卷五《玄宗纪》、卷一百一《萧嵩传》、卷一百三十三《王君㚟传》、卷二百十六上《吐蕃传上》等。⑫⁴ 王君㚟之父：名寿，拜少府监，致仕，居于故乡瓜州。⑫⁵ 玉门军：在今甘肃玉门西北。⑫⁶ 常乐县：属瓜州，在今甘肃瓜州南。⑫⁷ 贾师顺：岐州（今陕西宝鸡市凤翔区、岐山县一带）人，后官至左领军将军。事见《旧唐书》卷一百三《王君㚟传》，《新唐书》卷一百三十三《王君㚟传》，《唐方镇年表》卷八。⑫⁸ 悉兵会攻：集中全部兵力围攻。⑫⁹ 旬余日：十多天。十天为旬。⑬⁰ 明府：对县令的称呼。唐人在习惯上称县令为明府，亦将刺史称为明府。⑬¹ 敛：收敛。⑬² 微时：未显达的时候。⑬³ 四部：指回纥、契苾、思结、浑。⑬⁴ 直：申直；申雪。⑬⁵ 回纥承宗：回纥首领承宗。回纥，民族名。承宗，人名，回纥首领伏帝匐之子。见《旧唐书》卷一百九十五《回纥传》，《新唐书》卷二百十七上《回鹘传上》。⑬⁶ 瀼州：治所在今广西上思西南。⑬⁷ 浑大德：浑部首领大德。⑬⁸ 藤州：州名，治所在今广西藤县东北、北流江东岸。⑬⁹ 卢山都督：其府治所在今蒙古国车车尔勒格西南。⑭⁰ 己卯：九月初十日。⑭¹ 李令问：唐初名将李靖之孙。年轻时与唐玄宗友善。玄宗即位后，拜殿中少监。预诛窦怀贞，封宋国公。生活奢侈，常以游猎自娱。传见《旧唐书》卷六十七、《新唐书》卷九十三。⑭² 抚州：治所在今江西抚州市临川区西。⑭³ 丙戌：九月十七日。⑭⁴ 戎马：战马。⑭⁵ 种：马种。⑭⁶ 闰月：闰九月。⑭⁷ 庚子：闰九月初二日。⑭⁸ 肃州：治所在今甘肃酒泉。⑭⁹ 至甘州南巩笔驿：时在闰九月二十二日。巩笔驿，位于今甘肃张掖西南。⑮⁰ 晡：申时，当今下午三时至五时。⑮¹ 护输杀君㚟：张说《王君㚟碑》作“薨于巩笔亭”，不言被杀，是为讳词。⑮² 庚申：闰九月二十

【原文】

十六年（戊辰，公元七二八年）

春，正月壬寅[173]，安西副大都护赵颐贞[174]败吐蕃于曲子城。

甲寅[175]，以魏州刺史宇文融为户部侍郎兼魏州刺史，充河北道宣抚使[176]。

二日。⑬己卯：十月十一日。⑭辛巳：十月十三日。⑮信安王祎：李祎（？至公元七四三年），为政清严，颇有战功。官至太子太师。传见《旧唐书》卷七十六、《新唐书》卷八十。⑯恪：吴王恪，太宗第三子，有文武才干，高宗时被长孙无忌诬杀。⑰裴宽：裴宽（公元六八一至七五五年），绛州闻喜（今山西闻喜东北）人，善骑射、弹棋、投壶，历任润州参军、太常博士、户部侍郎、蒲州刺史、户部尚书等职，政尚清简，为人所爱。传见《旧唐书》卷一百三、《新唐书》卷一百三十。⑱牛仙客：牛仙客（公元六七五至七四二年），泾州鹑觚（今甘肃灵台）人，后任河西节度使，清勤奉公，官至宰相。传见《旧唐书》卷一百三、《新唐书》卷一百三十三。⑲宽二句：裴宽的堂兄裴漼曾任监察御史、中书舍人、吏部侍郎，善于敷奏，官至太子宾客。⑳鹑觚：县名，故治在今甘肃灵台。㉑建康军：在今甘肃高台西南。㉒张守珪：张守珪（？至公元七三八年），陕州河北（今山西平陆）人，善骑射。历任鄯州刺史、陇右节度使、河北节度副大使等职，曾大败契丹，官至辅国大将军、右羽林大将军。传见《旧唐书》卷一百三、《新唐书》卷一百三十三。㉓板干裁立：筑墙的夹板刚树起来。干，筑墙时立在两头的木板。裁，通“才”。㉔猝至：突然到来。㉕失色：因惊恐而改变脸色。㉖相持：对抗；相拒。㉗纵兵：全线出击。㉘戊寅：十二月十一日。㉙团兵：团结兵，府兵制度破坏后，政府拣选家境较好、身强力壮的丁男，免除其赋税徭役，定期进行训练征集，作为一种武装力量，称之为“团兵”或“团结兵”。㉚会州：治所在今甘肃靖远。㉛乙亥：十二月初八日。此条应移于“戊寅”条上。㉜丙戌：十二月十九日。

【校记】

［4］僧使：据章钰校，乙十一行本作“僧伽”，张敦仁《通鉴刊本识误》作“俘使”，且云：“无注本作‘僧’。”严衍《通鉴补》亦改作“俘使”。〖按〗《旧唐书·王君㚟传》作“僧徒”。［5］十月：原无此二字。严衍《通鉴补》有此二字，今从补。〖按〗九月己亥朔，无己卯，作“十月”义长。［6］万：据章钰校，十二行本、乙十一行本“万”上皆有“二”字。

【语译】

十六年（戊辰，公元七二八年）

春，正月初五日壬寅，安西副大都护赵颐贞在曲子城打败吐蕃。

十七日甲寅，玄宗任命魏州刺史宇文融为户部侍郎兼魏州刺史，充任河北道宣抚使。

乙卯⑰，春、泷等州⑱獠陈行范、广州獠冯璘、何游鲁⑲反，陷四十余城。行范称帝，游鲁称定国大将军，璘称南越王，欲据[7]岭表。命内侍杨思勖发桂州及岭北近道兵讨之。

丙寅⑱，以魏州刺史宇文融检校汴州刺史，充河南北沟渠堤堰决九河⑱使。融请用《禹贡》⑱九河故道开稻田，并回易陆运钱，官收其利。兴役不息，事多不就。

二月壬申⑱，以尚书右丞相致仕张说兼集贤殿学士。说虽罢政事，专文史之任，朝廷每有大事，上常遣中使⑱访之⑱。

壬辰⑱，改彍骑为左右羽林军飞骑⑱。

秋，七月，吐蕃大将悉末朗寇瓜州，都督张守珪击走之。乙巳⑱，河西节度使萧嵩、陇右节度使张忠亮⑱大破吐蕃于渴波谷⑲；忠亮追之，拔其大莫门城⑲，擒获甚众，焚其骆驼桥而还。

八月己巳⑲[8]，特进张说上《开元大衍历》⑲，行之。

辛卯⑲，左[9]金吾将军杜宾客破吐蕃于祁连城⑲下。时吐蕃复入寇，萧嵩遣宾客将强弩四千击之。战自辰至暮，吐蕃大溃，获其大将一人。虏散走投山，哭声四合。

冬，十月己卯⑲，上幸骊山温泉；己丑⑲，还宫。

十一月癸巳⑲，以河西节度副大使萧嵩为兵部尚书、同平章事。

十二月丙寅⑲，敕："长征兵⑳无有还期，人情难堪⑳，宜分五番，岁遣一番还家洗沐⑳，五年酬勋五转⑳。"

是岁，制户籍三岁一定⑳，分为九等⑳。

杨思勖讨陈行范，至泷州，破之，擒何游鲁、冯璘。行范逃于云际、盘辽二洞⑳，思勖追捕，竟生擒，斩之，凡斩首六万。思勖为人严，偏裨⑳白事者不敢仰视，故用兵所向有功。然性忍酷⑳，所得俘虏，或生剥面皮，或以刀剺发际，掣去头皮，蛮夷惮之。

正月十八日乙卯，春州、泷州等地的獠人陈行范和广州獠人冯璘、何游鲁反叛，攻陷四十余城。陈行范称皇帝，何游鲁称定国大将军，冯璘称南越王，他们想占据岭南地区。玄宗命令内侍杨思勖调发桂州和岭北附近各道的军队讨伐他们。

正月二十九日丙寅，玄宗任命魏州刺史宇文融为检校汴州刺史，充任黄河南北沟渠堤堰决九河使。宇文融请求利用《禹贡》所载九条河流的故道开垦稻田，并且折换从陆路运输的费用，这样官方可以从中获得好处。宇文融不停地征发劳役，但是事情大多没有做成功。

二月初六日壬申，玄宗任命以尚书右丞相退休的张说兼任集贤殿学士。张说虽然不再参与政务，专门掌理文史之事，但是每当朝廷有了大事，玄宗常常派中使去征询他的意见。

二十六日壬辰，朝廷把彍骑改名为左右羽林军飞骑。

秋，七月，吐蕃大将悉末朗侵犯瓜州，都督张守珪击退了他们。十一日乙巳，河西节度使萧嵩和陇右节度使张忠亮在渴波谷大败吐蕃军队，张忠亮乘胜追击，攻下了吐蕃的大莫门城，抓获的人数量众多，唐军焚毁那里的骆驼桥后返回。

八月初六日己巳，特进张说献上《开元大衍历》，玄宗命令颁行。

八月二十八日辛卯，左金吾将军杜宾客在祁连城下打败了吐蕃军队。当时，吐蕃再次进犯，萧嵩派杜宾客率领四千名强弩手出击。战斗从清晨直至黄昏，吐蕃军队大败，唐军擒获吐蕃大将一名。敌人四散逃走而进入山中，哭喊声从四处传来。

冬，十月十七日己卯，玄宗驾临骊山温泉；二十七日己丑，返回皇宫。

十一月初一日癸巳，玄宗任命河西节度副大使萧嵩为兵部尚书、同平章事。

十二月初五日丙寅，玄宗颁布敕令："长期在外服役的士兵没有返乡的日期，这是人的感情所难以承受的，应该把这些士兵分成五批，每年派一批回家休整，五年间迁转勋级五次。"

这一年，下诏命令户籍三年核定一次，把户口分成九等。

杨思勖讨伐陈行范，进军至泷州，击败陈行范，并擒获何游鲁、冯璘二人。陈行范逃往云际、盘辽二洞，杨思勖率军追捕，最终活捉了陈行范，将他斩首。这次征讨总共斩首六万人。杨思勖为人严厉，属下的副将报告事情不敢抬头看他，因此用兵打仗到哪里都能立下功绩。然而他生性残忍冷酷，所捉到的俘虏，有的被活生生地剥去脸皮，有的用刀剖开头发的边际，掀去头皮，蛮夷都畏惧他。

【段旨】

以上为第六段，唐军大败犯边之吐蕃，平定岭南獠人叛乱。唐玄宗实施戍边军人五年轮替制度，以及三年普查户口一次。

【注释】

⑰壬寅：正月初五日。⑰安西副大都护赵颐贞：据《旧唐书》卷一百九十四下所载，在赵颐贞之前，杜暹为安西都护。杜暹入知政事，赵颐贞代为安西都护。《新唐书》卷二百十五下亦云杜暹入朝当政，“赵颐贞代为都护”。《旧唐书》卷八、《新唐书》卷五皆云赵颐贞为安西副大都护，与《通鉴》相符。赵颐贞，赵冬曦之弟，擢进士第。⑰甲寅：正月十七日。⑰宣抚使：使职名称。唐政府派朝臣巡视经过战争或受过灾害的地区，称之为宣抚使。宣抚使之号始于此。⑰乙卯：正月十八日。⑰春、泷等州：地当今广东罗定、阳春一带。⑰陈行范、广州獠冯璘、何游鲁：皆獠人首领。事见《旧唐书》卷八《玄宗纪上》、卷一百八十四《杨思勖传》，《新唐书》卷二百七《杨思勖传》。⑱丙寅：正月二十九日。⑱九河：黄河自孟津以下的九条支流。据《尔雅·释水》，九河为徒骇、太史、马颊、覆釜、胡苏、简水、洁水、钩盘、鬲津。古道湮废已久，位置不详。⑱《禹贡》：《尚书》篇名，作者不详。为我国最早的地理著作，对黄河流域的山川、土壤、物产、贡赋、交通等记述较详。⑱壬申：二月六日。⑱中使：宫中派出的使者，多由宦官充任。⑱访之：咨询于张说。表明唐玄宗十分敬重张说。⑱壬辰：二月二十六日。⑱改彍骑为左右羽林军飞骑：开元十三年（公元七二五年）改长从宿卫为彍骑，今又改为左右羽林军飞骑。⑱乙巳：七月十一日。⑱张忠亮：《旧唐书》卷八、卷九十九、《新唐书》卷五、卷一百一、卷二百十六上皆作“张志亮”，唯《旧唐书·吐蕃传》作“张忠亮”。待考。⑲渴波谷：在青海湖西。⑲大莫门城：在今青海共和东南。⑲己

【原文】

十七年（己巳，公元七二九年）

春，二月丁卯⑳，嶲州都督张审素⑳[10]破西南蛮，拔昆明⑳及盐城⑳，杀获万人。

三月，瓜州都督张守珪、沙州刺史贾师顺击吐蕃大同军，大破之。

甲寅⑳，朔方节度使信安王祎攻吐蕃石堡城⑳，拔之。初，吐蕃陷

巳：八月初六日。⑲《开元大衍历》:《大衍历》。历法名，开元九年，僧人一行奉诏作新历，十五年历成，一行病死。至此，张说进上新历。因一行立法，依据《易》象大衍之数，故名《大衍历》。又因该历修于开元年间，所以亦名《开元大衍历》。⑭辛卯：八月二十八日。⑮祁连城：在今甘肃民乐东南。⑯己卯：十月十七日。⑰己丑：十月二十七日。⑱癸巳：十一月初一日。⑲丙寅：十二月初五日。⑳长征兵：所谓长征健儿。指长期在军、守捉、镇、戍服役的官兵。㉑难堪：难以承受。㉒洗沐：沐浴。这里指休息、休整。㉓五年酬勋五转：唐制，勋官十二转，以转数多少区分地位的高低。一转武骑尉，视从七品。二转云骑尉，视正七品。三转飞骑尉，视从六品。四转骁骑尉，视正六品。五转骑都尉，视从五品。六转上骑都尉，视正五品。七转轻车都尉，视从四品。八转上轻车都尉，视正四品。九转护军，视从三品。十转上护军，视正三品。十一转柱国，视从二品。十二转上柱国，视正二品。㉔户籍三岁一定：唐高祖武德六年（公元六二三年）即有此令，但未能很好执行。此后，户籍管理制度趋于完备。《唐会要》卷八十五载，户籍三年一造，起正月上旬。县司责手实记账，赴州依式勘造。乡别为卷，总写三份，其缝皆注某州某县某年籍。州名用州印，县名用县印。三月三十日修毕。装订三份，一份送交尚书省，州、县各留一份。㉕分为九等：在造户籍之前，根据资产多少将每家每户分为不同的等级，自“上上”至“下下”凡九等。㉖云际、盘辽二洞：在今广东罗定西南。㉗偏裨：偏将与裨将。泛指将佐。㉘忍酷：凶忍残酷。

【校记】

［7］据：严衍《通鉴补》改作“分”。［8］己巳：原作“乙巳”。严衍《通鉴补》改作“己巳”，今据以校正。〖按〗八月甲子朔，无乙巳。［9］左：据章钰校，十二行本、乙十一行本、孔天胤本皆作“右”，张敦仁《通鉴刊本识误》同。

【语译】

十七年（己巳，公元七二九年）

春，二月初六日丁卯，巂州都督张审素击败西南蛮，攻下昆明和盐城，斩杀、俘获敌人达一万名。

三月，瓜州都督张守珪、沙州刺史贾师顺攻打吐蕃大同军，把他们打得大败。

三月二十四日甲寅，朔方节度使信安王李祎攻打吐蕃的石堡城，攻下此城。当

石堡城，留兵据之，侵扰河右，上命袆与河西、陇右同议攻取。诸将咸以为石堡据险而道远，攻之不克，将无以自还，且宜按兵观衅㉑⑤。袆不听，引兵深入，急攻拔之，仍[11]分兵据守要害㉑⑥，令虏不得前。自是河陇诸军游弈㉑⑦，拓境千余里。上闻，大悦，更命石堡城曰振武军㉑⑧。

丙辰㉑⑨，国子祭酒杨玚㉒⓪上言，以为："省司奏限天下明经、进士及第，每年不过百人。窃见流外出身㉒①，每岁二千余人，而明经、进士不能居其什一，则是服勤道业㉒②之士不如胥史㉒③之得仕也。臣恐儒风浸坠，廉耻日衰。若以出身人太多，则应诸色㉒④裁损，不应独抑明经、进士也。"又奏："主[12]司帖试明经㉒⑤，不务求述作大指㉒⑥，专取难知，问以孤经绝句㉒⑦或年月日。请自今并帖平文㉒⑧。"上甚然之。

夏，四月庚午㉒⑨，禘于太庙。唐初，祫则序昭穆，禘则各祀于其室。至是，太常少卿韦绦㉓⓪等奏："如此，禘与常飨不异。请禘祫皆序昭穆。"从之。绦，安石㉓①之兄子也。

五月壬辰㉓②，复置十道及京、都两畿按察使㉓③。

初，张说、张嘉贞、李元纮、杜暹相继为相用事，源乾曜以清谨自守，常让事于说等，唯诺署名而已。元纮、暹议事多异同㉓④，遂有隙，更相奏列。上不悦。六月甲戌㉓⑤，贬黄门侍郎、同平章事杜暹荆州长史，中书侍郎、同平章事李元纮曹州㉓⑥刺史，罢乾曜兼侍中，止为左丞相㉓⑦；以户部侍郎宇文融为黄门侍郎，兵部侍郎裴光庭为中书侍郎，并同平章事；萧嵩兼中书令，遥领河西㉓⑧。

开府㉓⑨王毛仲与龙武将军葛福顺为昏。毛仲为上所信任，言无不从，故北门诸将多附之，进退唯其指使。吏部侍郎齐澣乘间言于上曰："福顺典禁兵㉔⓪，不宜与毛仲为婚。毛仲小人，宠过则生奸，不早为之所㉔①，恐成后患。"上悦曰："知卿忠诚，朕徐思其宜。"澣曰："君不密

初，吐蕃攻陷石堡城，留下兵马占据了它，进犯骚扰黄河以西地区，玄宗命令李祎与河西、陇右的将领一同商讨攻取石堡城。各位将领都认为石堡城依凭险要地势，而且路途遥远，如果攻不下来，自己将无法返回，应当暂且按兵不动，观察战机。李祎没有听从他们的意见，率军深入，发动猛攻，攻下了石堡城，于是分兵据守要害之地，使敌人无法前进。从此，河西、陇右各部唐军得以四出巡逻，开拓疆域一千余里。玄宗获悉这一消息，极为高兴，把石堡城改名为振武军。

三月二十六日丙辰，国子祭酒杨玚进言，认为："根据省司呈奏，限定全国考中明经、进士科的人数每年不超过一百名。我私下见到，流外出身的官吏，每年有两千多人，而考中明经、进士的人还不能占到这一人数的十分之一。这样下去，勤勉研习儒家经典的士人反而不能像办理文书的小官吏一样进入仕途。我担心儒学传统会因此而逐渐丧失，廉耻的观念会日益衰减。如果因为各种出身为官的人太多，就应当各科人员都予以裁减，而不应当独独压制明经、进士科的人员。"他又上奏说："主考官采用帖经方式考试经义，不是努力去探求经典本身的主题和精义，而是专门选取难以明了的内容，用孤立的经文、没有上下文的句子或年月日来考问人。请求从今以后帖经考问的应是平常诵读的经文。"玄宗认为他说得很对。

夏，四月初十日庚午，玄宗在太庙禘祭祖先。唐朝初期，皇帝在太庙举行祫祭时，要按照左昭右穆的次序，举行禘祭则是在供奉各位祖先的神主室中分别进行。至此，太常少卿韦绦等人上奏："如此祭祀，禘祭与平时的祭祀没有区别。请求举行禘祭、祫祭时都要按照左昭右穆的次序。"玄宗采纳了他们的建议。韦绦，是韦安石哥哥的儿子。

五月初三日壬辰，朝廷再次设置十道按察使及京、都两畿按察使。

当初，张说、张嘉贞、李元纮、杜暹相继担任宰相当权，源乾曜信守清廉谨慎的原则，遇事常常让张说等人去决策，他自己只是署个名表示同意罢了。李元纮、杜暹议事时意见经常不同，于是产生嫌隙，便轮流向玄宗上奏陈述。玄宗对此很不高兴。六月十五日甲戌，玄宗把黄门侍郎、同平章事杜暹贬为荆州长史，把中书侍郎、同平章事李元纮贬为曹州刺史，罢免了源乾曜兼任的侍中之职，只让他担任左丞相；任命户部侍郎宇文融为黄门侍郎，兵部侍郎裴光庭为中书侍郎，一起出任同平章事；任命萧嵩兼任中书令，遥领河西节度使。

开府王毛仲与龙武将军葛福顺结成亲家。王毛仲受到玄宗的信任，玄宗对他言无不从，所以北门羽林军的将领们多攀附他，行动上只听他的指挥。吏部侍郎齐澣寻找机会向玄宗说："葛福顺掌管禁军，不适宜与王毛仲结成亲家。王毛仲是个小人，对他宠信过分，他就会心生奸邪，如果不及早做出妥善安排，恐怕他会成为后患。"玄宗高兴地说："我知道你是忠诚的，我会慢慢考虑一个合适的办法。"齐澣说：

则失臣[242]，愿陛下密之。”会大理丞麻察[243]坐事左迁兴州[244]别驾，瀚素与察善，出城饯之，因道禁中谏语。察性轻险，遽奏之。上怒，召瀚责之曰：“卿疑朕不密，而以语麻察，讵[245]为密邪？且察素无行[246]，卿岂不知邪？”瀚顿首谢。秋，七月丁巳[247]，下制：“瀚、察交构[248]将相，离间君臣，瀚可高州良德[249]丞，察可浔州皇化[250]尉。”

【段旨】

以上为第七段，写齐瀚食言，麻察卖友，险诐小人，双双遭斥逐。

【注释】

⑳⑨丁卯：二月初六日。⑳⑩张审素：河中解（今山西运城西南）人，被诬杀。⑳⑪昆明：县名，县治在今四川盐源。⑳⑫盐城：在当时昆明境内。其地有盐有铁，筑城护卫，遂有盐城之称。⑳⑬甲寅：三月二十四日。⑳⑭石堡城：在今青海西宁市湟中区西。一说在今甘肃卓尼西羊巴城。⑳⑮按兵观衅：按兵不动，观察战机。衅，破绽、瑕隙。⑳⑯要害：要冲；要地。⑳⑰游弈：四出巡逻。⑳⑱更命石堡城曰振武军：据《唐会要》卷七十八，时在四月，非三月之事。⑳⑲丙辰：三月二十六日。⑳⑳杨玚：杨玚（约公元六六八至七三五年），字瑶光，华州华阴（今陕西华阴）人，曾任麟游县令、侍御史、户部侍郎等职，官至左散骑常侍。传见《旧唐书》卷一百八十五下、《新唐书》卷一百三十。㉑①流外出身：由流外官入流为职事官的称流外出身。正途入仕有科举、门荫、勋官通过纳资或番上获取散官，然后参加铨选授官。佐史、胥史、六品以下中低级官员未入仕的子弟，以至庶民，参加流外铨选取得入仕资格叫流外出身。流外官也有专门机构主持铨选。㉒②服勤道业：勤勉研习儒术。㉒③胥史：官府中办理文书的小吏。㉒④诸色：各科。㉒⑤帖试明经：唐制，明经考试以帖经为主。所谓帖经，即掩盖所习经的两端，中间只留一行，裁纸为帖，每帖三字，随时增损，根据对答情况评分。㉒⑥大指：指经文的主题、精义。㉒⑦孤经绝句：指孤立的经文、没有上下文的句子。㉒⑧平文：平常诵读的经文。平，意即难度适中。此指常见的经文要列为考试内容。㉒⑨庚午：四月初十日。㉓⓪韦绦：宰相韦安石之侄。曾

“君主如果不能保守秘密就会失去进谏的臣子，希望陛下对我讲的话保守秘密。”适逢大理丞麻察因事获罪被贬为兴州别驾，齐澣平时与麻察关系很好，出城给他饯行，顺便谈起在宫中向玄宗进谏的话。麻察生性轻浮险恶，立即上奏此事。玄宗很生气，召见了齐澣，斥责他说道：“你疑心我不能保密，自己却把事情对麻察说了，难道这是保密吗？况且麻察一向没有善行，你难道就不知道吗？”齐澣磕头请罪。秋，七月二十九日丁巳，玄宗颁布诏令：“齐澣、麻察两人在将相间播弄是非，离间君臣关系。准予把齐澣贬为高州良德县丞，把麻察贬为浔州皇化县尉。”

任集贤院修撰、光禄卿，官至太子少师。传见《新唐书》卷一百二十二。㉛安石：韦安石，韦绍叔父，相武则天、唐中宗、唐睿宗三朝。㉜壬辰：五月初三日。㉝复置十道及京、都两畿按察使：开元十二年停诸道按察使，至今恢复。雍、同、华、商、岐、邠为京畿，洛、汝为都畿。㉞异同：意为意见不一。“同”字在此无实意。㉟甲戌：六月十五日。㊱曹州：州名，治所在今山东曹县西北。㊲止为左丞相：罢去宰相之职，专门管理尚书省事务。左丞相虽有丞相之名，而无丞相之实。止，只、仅。左丞相，即左仆射。开元元年（公元七一三年）十二月一日改尚书左、右仆射为左、右丞相。㊳遥领河西：遥领河西节度使。㊴开府：官名，即开府仪同三司。㊵禁兵：此处禁兵指万骑而言。㊶不早为之所：不早点做出妥善安置。㊷君不密则失臣：语出《易经·大传》。意思是说，如果君王不能保守秘密，就会失去进谏的臣子。㊸麻察：河东（今山西永济一带）人，曾任殿中侍御史等职。传见《新唐书》卷一百二十八。㊹兴州：州名，治所在今陕西略阳。㊺讵：难道。㊻无行：无善行。㊼丁巳：七月二十九日。㊽交构：播弄是非。㊾良德：县名，县治在今广东高州东北。㊿皇化：县名，故治在今广西桂平东北。

【校记】

［10］张审素：原作“张守素”。严衍《通鉴补》改作“张审素”，今从改。〖按〗两唐书《玄宗纪》《孝友·张琇传》亦作“张审素”。［11］仍：原作“乃”。据章钰校，十二行本、乙十一行本、孔天胤本皆作“仍”，张瑛《通鉴校勘记》同，今据改。［12］主：原作“诸”。据章钰校，十二行本、乙十一行本、孔天胤本皆作“主”，张敦仁《通鉴刊本识误》同，今据改。〖按〗《旧唐书·良吏·杨玚传》载：“窃见今之举明经者，主司不详其述作之意。”

【原文】

八月癸亥[251]，上以生日宴百官于花萼楼[252]下。左丞相乾曜、右丞相说帅百官上表，请以每岁八月五日为千秋节[253]，布于天下，咸令宴乐。寻又移社就千秋节[254]。

庚辰，工部尚书张嘉贞薨。[255]嘉贞不营家产，有劝其市[256]田宅者，嘉贞曰："吾贵为将相，何忧寒馁！若其获罪，虽有田宅，亦无所用。比见朝士广占良田，身没之日[257]，适[258]足为无赖子弟酒色之资[259]，吾不取也。"闻者是之[260]。

辛巳[261]，敕以人间[262]多盗铸钱，始禁私卖铜铅锡[263]及以铜为器皿，其采铜铅锡者，官为市取。

宇文融性精敏，应对辩给[264]，以治财赋得幸于上，始广置诸使[265]，竞为聚敛，由是百官浸失其职而上心益侈[266]，百姓皆怨苦之。为人疏躁[267]多言，好自矜伐[268]，在相位，谓人曰："使吾居此数月，则海内无事[269]矣。"信安王祎，以军功有宠于上[270]，融疾之。祎入朝，融使御史李寅[271]弹之，泄于所亲。祎闻之，先以白上[272]。明日，寅奏果入，上怒，九月壬子[273]，融坐贬汝州刺史，凡为相百日[274]而罢。是后言财利以取贵仕[275]者，皆祖于融。

冬，十月戊午[276]朔，日有食之，不尽如钩。

宇文融既得罪，国用[277]不足，上复思之，谓裴光庭等[13]曰："卿等皆言融之恶，朕既黜之矣，今国用不足，将若之何！卿等何以佐朕？"光庭等惧不能对。会有飞状[278]告融赃贿事，又贬平乐[279]尉。至岭外岁余，司农少卿蒋岑奏融在汴州隐没[280]官钱巨万[281]计，制穷治其事，融坐流岩州[282]，道卒[283]。

十一月辛卯[284]，上行谒桥、定、献、昭、乾五陵[285]。戊申[286]，还宫，赦天下，百姓今年地税[287]悉蠲[288]其半。

十二月辛酉[289]，上幸新丰温泉[290]。壬申[291]，还宫。

【语译】

八月初五日癸亥，玄宗因是自己的生日，在花萼楼下设宴款待百官。左丞相源乾曜、右丞相张说带领百官上表，请求把每年的八月五日作为千秋节，布告天下，让老百姓都设宴作乐。不久，又把祭祀土地神的日子也移到千秋节那天。

八月二十二日庚辰，工部尚书张嘉贞去世。张嘉贞不置办家产，有人劝他购买田地宅院，他说："我地位显贵居于将相之职，何需忧虑饥寒！如果我被判有罪，即使拥有田地宅院，也没有什么用处。近来我见朝廷士大夫广占良田，但身死之后，这些正好成为无赖子弟酒肉、声色的资财，我是不会采取他们的做法的。"听到这番话的人都认为他说得对。

八月二十三日辛巳，玄宗颁布敕命，由于民间有很多人私自铸造钱币，开始禁止私自出售铜铅锡以及用铜制作器皿，那些采掘的铜铅锡由官府收购。

宇文融生性精明机敏，应答敏捷善辩，因治理财政赋税而得到玄宗的宠信，于是开始在各道广泛设置各种使臣，竞相征收钱物，从此百官逐渐失职，而玄宗之心也越来越奢侈，百姓都心怀怨恨而深感到困苦。宇文融为人空疏浮躁，多嘴多舌，喜欢自我夸耀，他担任宰相时，曾对人说："假使我在这个职位上能待上几个月，那么天下就太平无事了。"信安王李祎因为军功而受到玄宗的宠信，宇文融对他心怀嫉妒。李祎进京朝见，宇文融指使御史李寅弹劾李祎，他还把这件事泄露给了他亲近的人。李祎获悉这一消息，抢先将事情向玄宗禀报。第二天，李寅的奏表果然送入朝廷。玄宗大怒，九月二十五日壬子，宇文融获罪被贬为汝州刺史，他担任宰相总共仅一百天就被罢免。此后，通过谈论搜刮财利而取得显贵职位的人，都是效法宇文融的。

冬，十月初一日戊午，发生日食，太阳没有被完全遮住，形状像一个弯钩。

宇文融获罪以后，国家的经费不够了，玄宗又想起了他，便对裴光庭等人说道："你们都说宇文融有恶行，我已经贬了他的职；现在国家的经费不够，这将怎么办呢！你们拿什么办法来辅佐我？"裴光庭等人心生恐惧不能回答。恰好有匿名状子告发宇文融贪赃受贿的事情，就又把宇文融贬为平乐县尉。宇文融抵达岭外一年多，司农少卿蒋岑上奏，举报宇文融在汴州隐匿吞没了亿万的官钱，玄宗下诏彻底追查此事，宇文融因此获罪被流放岩州，在路上死去。

十一月初五日辛卯，玄宗出行拜谒桥陵、定陵、献陵、昭陵、乾陵等五陵。二十二日戊申，返回皇宫，大赦天下，下令百姓今年的地税全部免去一半。

十二月初五日辛酉，玄宗驾临新丰县骊山温泉。十六日壬申，返回皇宫。

【段旨】

以上为第八段，写宇文融为相，始开聚敛之风。

【注释】

㉛癸亥：八月初五日。㉜花萼楼：兴庆宫中的花萼相辉楼。㉝千秋节：千秋万岁节，取福寿绵长之意。后改千秋节为天长节。㉞移社就千秋节：把社日移到千秋节，即八月初五日。社日是古代祭祀土神的日子。自古以来，皆以立春、立秋后的第五个戊日为社日。㉟庚辰二句：庚辰为八月二十二日。关于张嘉贞死的时间，《旧唐书》卷八《玄宗纪上》云："秋七月辛丑，工部尚书张嘉贞卒。"七月辛丑即七月十三日，与《资治通鉴》所载不同。㊱市：购买。㊲身没之日：犹身死之后。㊳适：恰巧。㊴资：资本；资财。㊵闻者是之：听到这话的人认为他说得对。㊶辛巳：八月二十三日。㊷人间：民间。㊸禁私卖铜铅锡：私铸者以铜、铅、锡作为铸钱原料，故禁私卖旨在制止私铸货币的活动。㊹应对辩给：对答敏捷巧妙。辩给，能言善辩。㊺广置诸使：指宇文融在各道置劝农判官、劝农使，检括户口，征服赋税。㊻益侈：更加奢侈。㊼疏躁：空疏浮躁。㊽好自矜伐：喜欢自我夸耀。㊾海内无事：天下太平。㊿以军功有宠于上：所谓军功，即三月攻取吐蕃石堡城。(271)李寅：两唐书之《宇文融传》皆作"李宙"。待考。(272)先

【原文】

十八年（庚午，公元七三〇年）

春，正月辛卯(292)，以裴光庭为侍中。

二月癸酉(293)，初令百官于春月旬休(294)，选胜行乐(295)，自宰相至员外郎，凡十二筵(296)，各赐钱五千缗。上或御花萼楼邀其归骑(297)留饮，迭使起舞，尽欢而去。

三月丁酉(298)，复给京官职田(299)。

夏，四月丁卯(300)，筑西京外郭(301)，九旬而毕。

乙丑(302)，以裴光庭兼吏部尚书。先是，选司注(303)官，惟视其人之能否(304)，或不次超迁(305)。或老于下位，有出身(306)二十余年不得禄(307)者。又，

以白上：先将宇文融使李寅弹劾他的事报告皇帝。㉗³ 壬子：九月二十五日。㉗⁴ 凡为相百日：宇文融六月十五日入相，至此历时九十九日。㉗⁵ 贵仕：显贵职位。㉗⁶ 戊午：十月初一日。㉗⁷ 国用：国家的经费。㉗⁸ 飞状：飞书，犹匿名信。㉗⁹ 平乐：县名，县治在今广西平乐西平乐溪北岸。㉘⁰ 隐没：隐匿吞没，犹贪污。㉘¹ 巨万：万万。㉘² 岩州：唐高宗调露二年（公元六八〇年）分横、贵二州设置，治所在今广西贵港西南。㉘³ 道卒：死于途中。㉘⁴ 辛卯：十一月初五日。㉘⁵ 谒桥、定、献、昭、乾五陵：其顺序自东向西，以陵墓所在位置为定。又谒五陵并非一日之事。据两唐书《玄宗纪》，十一月五日为离开京师的时间。十日拜桥陵。十二日拜定陵。十三日拜献陵。十六日拜昭陵。十九日拜乾陵。桥陵，唐睿宗陵。定陵，唐中宗陵。献陵，唐高祖陵。昭陵，唐太宗陵。乾陵，唐高宗陵。㉘⁶ 戊申：十一月二十二日。㉘⁷ 地税：又名义仓税。始于贞观二年（公元六二八年），亩税二升，以备凶年。本为济荒，后被官府挪用，性质发生变化，成为正税之一。㉘⁸ 蠲：免除。㉘⁹ 辛酉：十二月初五日。㉙⁰ 新丰温泉：骊山温泉。骊山位于新丰（今陕西西安市临潼区）县境。㉙¹ 壬申：十二月十六日。

【校记】

［13］等：原无此字。据章钰校，十二行本、乙十一行本皆有此字，张敦仁《通鉴刊本识误》同，今据补。〖按〗后文言“光庭等惧不能对”，当非裴光庭一人也。

【语译】

十八年（庚午，公元七三〇年）

春，正月初六日辛卯，玄宗任命裴光庭为侍中。

二月十八日癸酉，玄宗初次敕令百官在春季每十日一休假，选择风景胜地游宴行乐，从宰相到员外郎，总共设下十二桌筵席，并赏赐每人五千缗钱。玄宗有时驾临花萼楼邀请骑马游罢归来的官员留下来饮酒，让他们轮番起舞，尽欢离去。

三月十三日丁酉，朝廷又给京官职分田。

夏，四月十三日丁卯，修筑西京长安的外城，九十天后完工。

四月十一日乙丑，任命裴光庭兼任吏部尚书。在此之前，负责铨选的官署注拟官员，只看候选人员贤能与否，有的人不按阶次越级提拔。也有的人总是处在低级职位上，甚至有取得入仕资格已二十多年了，还得不到领取官方俸禄的正式职位

州县亦无等级㉘，或自大入小，或初近[14]后远，皆无定制。光庭始奏用循资格㉙，各以罢官若干选而集㉚。官高者选少，卑者选多，无问能否，选满即[15]注㉛，限年蹑级㉜，毋得逾㉝越，非负谴㉞者，皆有升无降。其庸愚沉滞㉟者皆喜，谓之"圣书"㊱，而才俊之士无不怨叹。宋璟争之不能得。光庭又令流外行署亦过门下省审㊲。

五月，吐蕃遣使致书于境上求和。

初，契丹王李邵固遣可突干入贡，同平章事李元纮不礼焉。左丞相张说谓人曰："奚、契丹必叛。可突干狡而很㊳，专其国政久矣，人心附之。今失其心，必不来矣。"己酉㊴，可突干弑邵固，帅其国人并胁奚众叛降突厥，奚王李鲁苏及其妻韦氏、邵固妻陈氏皆来奔㊵。制幽州长史赵含章㊶讨之，又命中书舍人裴宽、给事中薛侃等于关内、河东、河南、北分道募勇士。六月丙子㊷，以单于大都护忠王浚㊸领河北道行军元帅，以御史大夫李朝隐、京兆尹裴伷先副之，帅十八总管以讨奚、契丹。命浚与百官相见于光顺门㊹。张说退，谓学士㊺孙逖㊻、韦述曰："吾尝观太宗画像，雅类㊼忠王，此社稷之福也。"可突干寇平卢㊽，先锋使张掖乌承玼㊾破之于捺禄山。

壬午㊿，洛水溢，溺东都千余家。

秋，九月丁巳[331]，以忠王浚兼河东道元帅，然竟不行。

吐蕃兵数败而惧，乃求和亲。忠王友[332]皇甫惟明[333]因奏事从容言和亲之利。上曰："赞普尝遗吾书悖慢[334]，此何可舍？"对曰："赞普当开元之初，年尚幼稚，[335]安能为此书！殆[336]边将诈为之，欲以激怒陛下耳。夫边境有事，则将吏得以因缘盗匿[337]官物[338]，妄述功状[339]以取勋爵[340]，此皆奸臣之利，非国家之福也。兵连不解，日费千金，河西、陇右由兹[341]困敝。陛下诚命一使往视公主[342]，因与赞普面相约结[343]，使之稽颡[344]称臣，永息边患，岂非御夷狄之长策乎！"上悦，命惟明与内侍张元方[345]使于吐蕃。

赞普大喜，悉出贞观以来所得敕书以示惟明。冬，十月，遣其大臣论名悉猎随惟明入贡，表称："甥世尚公主，义同一家。中间张玄表[346]等

的。另外，州县也没有等级可循，有的人从大的地方调任到小的地方，有的人起初在近地为官，后来却调往远方，都没有一定的制度规定。裴光庭开始奏请依照资历选用官员，分别按任满罢官后经过铨选次数的多少排定次序，集中报到吏部。官阶高的铨选的次数少，官阶低的铨选的次数多，不论贤能与否，铨选次数够了就可以注拟官职，限定年限升级，不许越级提拔，只要不是有罪遭谴的，官职都有升无降。那些平庸愚钝、沉滞下位升不上去的官员对此都十分高兴，称裴光庭的这道奏折是"圣书"，但是那些才能出众的士人没有一个不埋怨叹息的。宋璟为此做过争辩，未能达到目的。裴光庭又下令流外官代理官职也要经过门下省审核。

五月，吐蕃派使者送书信到边境，请求和解。

当初，契丹王李邵固派可突干入朝纳贡，同平章事李元纮对他不礼貌。左丞相张说对人说道："奚族和契丹必定会反叛。可突干狡猾凶狠，独揽契丹国政已经很久了，契丹的人心都趋附于他。如今使他心里对我们没有了好感，他一定不会再次来朝了。"五月二十六日己酉，可突干杀掉李邵固，带领契丹人并胁迫奚族民众反叛朝廷而投降了突厥，奚王李鲁苏和他的妻子韦氏、李邵固的妻子陈氏都前来投奔朝廷。玄宗诏令幽州长史赵含章前去征讨，又命令中书舍人裴宽、给事中薛侃等分别到关内道、河东道、河南道、河北道招募勇士。六月二十三日丙子，任命单于大都护忠王李浚兼任河北道行军元帅，任命御史大夫李朝隐、京兆尹裴伷先当他的副手，率领十八个总管的兵马去征讨奚族和契丹。玄宗命令李浚到光顺门与百官见面。张说回来对学士孙逖、韦述说："我曾经看过太宗的画像，忠王很像他，这真是国家的福分啊。"可突干侵犯平卢，唐军先锋使张掖人乌承玼在捺禄山击败了他。

二十九日壬午，洛水泛滥，淹没东都洛阳一千多户人家。

秋，九月初六日丁巳，任命忠王李浚兼任河东道元帅，但最后他没去赴任。

吐蕃军队几次战败而有所畏惧，于是向朝廷请求和亲。忠王的幕宾皇甫惟明借奏事的机会从容论述和亲的好处。玄宗说："吐蕃赞普曾经给我写信而言辞狂悖傲慢，这次怎么可以放过他呢？"皇甫惟明回答说："赞普在开元初年，年龄还小，怎么能写出这样的书信！大概是边关将领所伪造，想通过它来激怒陛下而已。一般说来，边境有了战事，那么边将吏员们就可以乘机偷盗隐匿国家的物资，还会谎报立功情况来获得功勋和官爵，这些都是奸臣的利益所在，而不是国家的福分。战事不断，每日都要耗费千金，河西、陇右两地由此困苦凋敝。陛下如果能派一位使臣前去探望金城公主，乘机与赞普当面订约结盟，使他俯首称臣，从此永远消除边境的祸患，这难道不是统治夷狄的好办法吗？！"玄宗听了很高兴，便命令皇甫惟明和内侍张元方出使吐蕃。

吐蕃赞普大喜，把贞观年间以来所收到的唐朝皇帝的敕书全部拿出来给皇甫惟明看。冬，十月，赞普派大臣论名悉猎随皇甫惟明一起入朝纳贡，并上表说："外甥之国吐蕃世代娶天朝公主为妻，两国的情谊如同一家人。在此期间，张玄表等人率

先兴兵寇钞，遂使二境交恶。甥深识[347]尊卑，安敢失礼！正为边将交构，致获罪于舅。屡遣使者入朝，皆为边将所遏[348]。今蒙远降使臣，来视公主，甥不胜喜荷[349]。傥使复修旧好，死无所恨！”自是吐蕃复款附。

庚寅[350]，上幸凤泉汤，癸卯[351]，还京师。

甲寅[352]，护密[353]王罗真檀入朝，留宿卫。

【段旨】

以上为第九段，写裴光庭为吏部尚书，不重人才，论资排辈升迁官吏。唐边防稳固，与吐蕃恢复和亲，国势达于鼎盛。

【注释】

㉜辛卯：正月初六日。㉝癸酉：二月十八日。㉞旬休：又称旬假。唐制，百官每十日一休假。十日为旬，故称旬休或旬假。旬假之外，又有节令假、定省假和婚丧假。详见《唐会要》卷八十二、《唐六典》卷二。㉟选胜行乐：选择名胜之地，游宴行乐。㊱凡十二筵：共十二桌酒席。㊲归骑：骑马出游归来的官员。㊳丁酉：三月十三日。㊴复给京官职田：开元十年（公元七二二年）正月收职田，至是复给京官职田。[300]丁卯：四月十三日。[301]筑西京外郭：西京长安由皇城、宫城、外郭城三部分组成。外郭城又叫罗郭城，初建于隋。唐高宗永徽五年（公元六五四年）十一月，曾征京兆百姓四万余人进行增筑。此次修筑亦带有补葺的性质。[302]乙丑：四月十一日。[303]注：拟注。[304]能否：贤能与否。[305]不次超迁：不依阶次，破格提拔。[306]出身：获得入仕资格。[307]禄：官禄。[308]无等级：没有一定等级可循。此指州县官吏而言。[309]用循资格：把资历作为注官的标准。[310]以罢官若干选而集：按任满罢官后经过铨选次数的多少排定次序，集中报到吏部。唐制，每岁一选，自一选至十二选，视官品高下而定。[311]选满即注：待选期满，即行拟注。[312]蹑级：犹升级。蹑，有追踪之意。[313]逾：超越。[314]负谴：有罪受谴。[315]沉滞：沉潜淹滞。[316]谓之“圣书”：把裴光庭的奏折称为“圣书”。[317]省审：省察审核。[318]很：通“狠”，暴戾、凶狠。[319]己酉：五月二十六日。[320]李鲁苏及其妻韦氏、邵固妻陈氏皆来奔：韦氏即东光公主，陈氏即东华公主。二人皆开元十四年（公元七二六年）出嫁。邵固被杀后，相率投奔平卢军。[321]赵含章：事见《旧唐书》卷八《玄宗纪上》、卷一百三《张守珪传》、卷一百九十九下《契丹传》和《奚传》，《元和姓纂》卷七，《唐方镇年表》卷四等。[322]丙子：六月二十三日。[323]忠王浚：玄宗第三子，元献皇后杨氏所生。初名

先发兵侵扰抢掠，使得两国边境地区关系恶化。外甥我深知尊卑有别，怎敢失礼！正因边将搬弄是非，得罪了舅舅，我多次派使者入朝，均被边将阻遏。而今承蒙舅舅从远方派来使臣探视公主，外甥我不胜欣喜感荷。假使能够重新恢复旧日的友好，我死而无憾！”从此，吐蕃又诚心归附朝廷。

十月初九日庚寅，玄宗驾临鄠县凤泉汤；二十二日癸卯，返回京都长安。

甲寅日，西域护密王罗真檀来朝，留下来充当宿卫。

嗣升，封陕王。开元十五年（公元七二七年）正月封忠王，改名浚。后即帝位，史称肃宗。㉔光顺门：在大明宫集贤殿书院东北，为百官上书及外命妇朝皇后之所。㉕学士：指集贤书院学士。㉖孙逖：博州武水（今山东聊城西南）人，一作潞州涉县（今河北涉县）人，文思敏捷，尤精于诏诰。官至中书舍人。传见《旧唐书》卷一百九十中、《新唐书》卷二百二。㉗雅类：甚似。㉘平卢：平卢军。开元初年，置平卢军于营州。㉙乌承玼：字德润，张掖（今甘肃张掖）人，沉着勇敢，颇有战功。传见《新唐书》卷一百三十六。㉚壬午：六月二十九日。㉛九月丁巳：九月六日。㉜友：诸王幕宾，从五品上，掌陪侍规谏。㉝皇甫惟明：皇甫惟明（？至公元七四六年），官至播川郡太守。事见《旧唐书》卷九《玄宗纪下》、卷九十九《李适之传》、卷一百三《王忠嗣传》、卷一百九十六上《吐蕃传上》等。㉞悖慢：指开元二年请用敌国礼之事。㉟赞普当开元之初二句：赞普生于神功元年（公元六九七年），开元二年（公元七一四年）方十七岁。㊱殆：大概；恐怕。㊲盗匿：盗窃匿藏。㊳官物：公物。㊴功状：立功的事状。㊵勋爵：功勋官爵。㊶兹：此。㊷往视公主：前去探望金城公主。㊸约结：缔结盟约。㊹稽颡：古代的一种跪拜礼。屈膝下拜，以额触地，表示极度感谢或惶恐。颡，额。㊺张元方：见《旧唐书》卷一百九十六上《吐蕃传上》，《新唐书》卷二百十六上《吐蕃传上》。㊻张玄表：官至安西都护。事见《旧唐书》卷一百九十六上《吐蕃传上》，《新唐书》卷二百十六上《吐蕃传上》。㊼识：知。㊽遏：阻。㊾喜荷：欣喜感荷。㊿庚寅：十月初九日。(351)癸卯：十月二十二日。(352)甲寅：十月壬午朔，无甲寅。十一月有之，为十一月四日。待考。(353)护密：西域国名，东拒小勃律，西临吐火罗。在今帕米尔高原西南、兴都库什山北麓。

【校记】

［14］近：原作“久”。据章钰校，十二行本、乙十一行本、孔天胤本皆作“近”，张敦仁《通鉴刊本识误》同，严衍《通鉴补》亦改作“近”，今据改。［15］即：据章钰校，十二行本、乙十一行本皆作“则”。

【原文】

十一月丁卯[354]，上幸骊山温泉[355]，丁丑[356]，还宫。

是岁，天下奏死罪止二十四人。

突骑施遣使入贡，上宴之于丹凤楼[357]，突厥使者预焉[358]。二使争长[359]，突厥曰："突骑施小国，本突厥之臣，不可居我上。"突骑施曰："今日之宴，为我设也，我不可以居其下。"上乃命设东、西幕，突厥在东，突骑施在西。

开府仪同三司[360]、内外闲厩监牧都使[361]霍国公王毛仲恃宠，骄恣日甚，上每优容[362]之。毛仲与左领军大将军葛福顺[363]、左监门将军唐地文[364]、左武卫将军李守德[365]、右威卫将军王景耀[366]、高广济亲善，福顺等倚其势，多为不法。毛仲求兵部尚书不得，怏怏形于辞色[367]，上由是不悦。

是时，上颇宠任宦官，往往为三品将军，门施棨戟[368]。奉使过诸州，官吏奉之惟恐不及[369]，所得赂遗，少者不减千缗。由是京城第舍[16]，郊畿田园，参半[370]皆宦[17]官矣。杨思勖、高力士尤贵幸，思勖屡将兵征讨[371]，力士常居中侍卫。而毛仲视宦官贵近者若无人，甚[372]卑品者，小忤意，辄詈[373]辱如僮仆[374]。力士等皆害[375]其宠而未敢言。

会毛仲妻产子，三日，上命力士赐之酒馔[376]、金帛[377]甚厚，且授其儿五品官。力士还，上问："毛仲喜乎？"对曰："毛仲抱其襁中儿示臣曰：'此儿岂不堪作三品邪！'"上大怒曰："昔诛韦氏，此贼心持两端，朕不欲言之。今日乃敢以赤子[378]怨我！"力士因言："北门奴[379]，官太盛[380]，相与一心，不早除之，必生大患。"上恐其党惊惧为变。

【语译】

十一月十七日丁卯，玄宗驾临骊山温泉；二十七日丁丑，返回皇宫。

这一年，全国上奏判死刑的罪犯只有二十四名。

突骑施派使者入朝进贡，玄宗在丹凤楼设宴款待这位使者，突厥使者也出席了。两位使者争夺上座，突厥使者说："突骑施是小国，原本是突厥的臣属，位次不能在我之上。"突骑施的使者说道："今天的宴会是为我而设的，我的位次不能在他之下。"玄宗于是下令设东西两个帐幕，突厥使者坐在东面，突骑施使者坐在西面。

开府仪同三司、内外闲厩监牧都使霍国公王毛仲依仗玄宗的宠信，日益骄横放纵，玄宗经常宽容他。王毛仲和左领军大将军葛福顺、左监门将军唐地文、左武卫将军李守德、右威卫将军王景耀、高广济亲近友善，葛福顺等人倚仗他的权势，干了许多不法之事。王毛仲要求担任兵部尚书没能如愿，在言辞神色中流露出了不痛快，玄宗因此心中很不高兴。

此时，玄宗相当宠信重用宦官，往往让他们担任三品将军，门前可设置棨戟作仪仗。他们奉命出使经过各州，官员们都尽力侍奉，唯恐有照顾不到的，他们所得到的别人赠送的财物，少的也不低于一千缗。因此京师的房屋馆舍，城郊的田园，三分之一或一半都落到了宦官手里。杨思勖、高力士尤其地位显贵并得到玄宗宠信，杨思勖多次率军出征讨伐，高力士经常在禁中侍卫。而王毛仲对那些地位显贵而且在皇上身边的宦官视若无人，其中官品卑微的如果稍稍违逆了他的心意，他就像对奴仆一样地辱骂他们。高力士等人对王毛仲受到玄宗的宠信内心忌恨，但是不敢说出来。

恰好遇上王毛仲的妻子生孩子，第三天，玄宗指派高力士赐给王毛仲佳酿美食、金银绢帛，赏赐很丰厚，并且把五品官职授予他的儿子。高力士回宫，玄宗问道："王毛仲高兴吗?"高力士回答说："王毛仲抱着襁褓中的儿子给我看，说道：'我这儿子难道就不配做三品官吗?!'"玄宗大怒，说："当年诛除韦氏，此贼就心怀犹豫，我本不想说这些。如今他竟敢拿刚出生的婴儿来抱怨我!"高力士趁机说："北门禁卫军那些奴才，当官后权势太大，彼此相交同心，如果不早日除掉这伙人，必然会带来大的祸患。"但玄宗担心王毛仲的党羽会由于惊惧而制造变乱。

【段旨】

以上为第十段，写唐玄宗家奴王毛仲恃宠骄恣。

【注释】

㉞丁卯：十一月十七日。㉟骊山温泉：在今陕西西安市临潼区骊山脚下。㊱丁丑：十一月二十七日。㊲丹凤楼：丹凤门楼，在大明宫正南门上。㊳预焉：参加这次宴会。㊴争长：争夺上座。㊵开府仪同三司：唐文散官最高品级，从一品。文散官共二十九等，五品以上称大夫，五品以下称为郎。㊶都使：犹总使。时内外十二闲、八坊、四十八监及沙苑诸牧皆归王毛仲管理，故称都使。㊷优容：宽容；宽假。㊸葛福顺：初为押万骑果毅，曾随玄宗诛韦后，有功，升任左领军大将军，后贬壁州员外别驾。㊹唐地文：曾封卢龙子，受王毛仲之败的牵连，贬振州员外别驾。㊺李守德：初名宜德，曾封成纪侯，王毛仲势败，被贬为严州员外别驾。《旧唐书》卷一百六《王毛仲传》载李守德为右武卫将军。㊻王景耀：王毛仲势败后，被贬为党州员外别驾。㊼形于辞色：在言辞神色中表现出

【原文】

十九年（辛未，公元七三一年）

春，正月壬戌[381]，下制，但述毛仲不忠怨望[382]，贬瀼州[383]别驾，福顺、地文、守德、景耀、广济[384]皆贬远州别驾，毛仲四子皆贬远州参军[385]，连坐者数十人。毛仲行至永州[386]，追赐死。

自是宦官势益盛。高力士尤为上所宠信，尝曰：“力士上直[387]，吾寝则安。”故力士多留禁中，稀至外第。四方表奏，皆先呈力士，然后奏御[388]，事[18]小者力士即决之，势倾内外。金吾大将军程伯献[389]、少府监冯绍正与力士约[390]为兄弟。力士母麦氏卒，伯献等被发受吊，擗踊[391]哭泣，过于己亲。力士娶瀛州吕玄晤[392]女为妻，擢玄晤为少卿，子弟皆王傅[393]。吕氏卒，朝野争致祭，自第至墓，车马不绝。然力士小心恭恪[394]，故上终亲任之。

来。368门施棨戟：棨戟为有缯衣或油漆的木戟。唐制，国公及上护军、护军、带职事三品门前皆列戟，以显示其身份地位。369不及：指照顾不到。370参半：三分之一或一半。371思勖屡将兵征讨：开元十年（公元七二二年）八月讨梅叔鸾，十一月讨覃行璋，十四年二月讨梁大海，十六年春又讨陈行范等。372甚：当作“其”。373詈：骂。374如僮仆：像对待奴仆一样。375害：忌恨。376酒馔：酒食。377金帛：金银布帛。378赤子：初生的婴儿。379北门奴：指王毛仲、李守德等人而言。均玄宗家奴。380官太盛：权势太大。

【校记】

［16］第舍：原无此二字。据章钰校，十二行本、乙十一行本、孔天胤本皆有此二字，张敦仁《通鉴刊本识误》、张瑛《通鉴校勘记》同，今据补。［17］宦：原作“在”。据章钰校，十二行本、乙十一行本、孔天胤本皆作“宦”，熊罗宿《胡刻资治通鉴校字记》同，今据改。

【语译】

十九年（辛未，公元七三一年）

春，正月十三日壬戌，玄宗颁布诏书，只叙述王毛仲对自己不忠并心怀怨恨，因此贬为瀼州别驾，葛福顺、唐地文、李守德、王景耀、高广济都贬为边远各州的别驾，王毛仲的四个儿子都贬为边远各州的参军，受此事牵连获罪的有几十人。王毛仲走到永州，玄宗追赐他自尽。

从此，宦官的权势更大了。高力士尤其受到玄宗的宠信，玄宗曾经说过：“高力士当值，我睡觉才安心。”因此高力士多数时间留在宫中，很少到宫外的宅第居住。各地呈进的奏表，都先送给高力士，再进奏玄宗，小的事情，高力士自己就可以决定如何处理，他的权势超过了朝廷内外的大臣。金吾大将军程伯献、少府监冯绍正与高力士结为兄弟。高力士的母亲麦氏去世，程伯献等人披散着头发接受各方的吊唁，他们捶胸顿足地哭泣，悲痛的程度超过自己死了母亲。高力士娶瀛州吕玄晤的女儿为妻，把吕玄晤提升为少卿，吕家子弟都担任了诸王傅。吕氏去世，朝野上下都争相前去祭奠，从高力士家的宅第到墓地，车马络绎不绝。然而高力士做事小心，恭敬谨慎，因此玄宗始终宠信重用他。

【段旨】

以上为第十一段，写唐玄宗宠信宦官高力士，唐宦官势力开始滋盛。

【注释】

[381]壬戌：正月十三日。[382]怨望：心怀不满，犹怨恨。[383]瀼州：州名，治所在今广西上思西南。[384]广济：王毛仲势败，高广济贬道州员外别驾。[385]毛仲四子皆贬远州参军：守贞贬施州司户参军，守廉贬溪州司户参军，守庆贬鹤州司仓参军，守道贬涪州参军。[386]永州：州名，治所在今湖南永州。[387]上直：犹当值。[388]奏御：进奏皇帝。[389]程伯献：济州东阿（今山东东阿西南）人，唐初左卫大将军程知节之孙。事见《旧唐书》卷六十八《程知节传》、卷九十八《韩休传》、卷一百八十四《高力士传》等。[390]约：

【原文】

辛未[395]，遣鸿胪卿崔琳[396]使于吐蕃。琳，神庆[397]之子也。吐蕃使者称公主求《毛诗》[398]《春秋》《礼记》。正字[399]于休烈[400]上疏，以为："东平王汉之懿亲，求《史记》《诸子》，汉犹不与。[401]况吐蕃，国之寇仇，今资之以书，使知用兵权略，愈生变诈，非中国之利也。"事下中书门下议之。裴光庭等奏："吐蕃聋昧顽嚚[402]，久叛新服，因其有请，赐以《诗》《书》，庶使之渐陶[403]声教[404]，化流无外。休烈徒知书有权略变诈之语，不知忠、信、礼、义，皆从书出也。"上曰："善！"遂与之。休烈，志宁[405]之玄孙也。

丙子[406]，上躬耕[407]于兴庆宫侧，尽三百步。

三月，突厥左贤王阙特勒卒，赐书吊之。

丙申[408]，初令两京诸州各置太公庙[409]，以张良[410]配享，选古名将，以备十哲；[411]以二、八月上戊[412]致祭，如孔子礼。

臣光曰："经纬天地之谓文，戡定祸乱之谓武，自古不兼斯二者而称圣人，未之有也。故黄帝、尧、舜、禹、汤、文、武、伊尹、周公莫不有征伐之功，孔子虽不试，犹能兵莱夷[413]，却费[414]人，曰'我战则克'，岂孔子专文而太公专武乎？孔子所以祀

结。㉛ 擗踊：亦作“辟踊”。用手拍胸，以脚顿地，表示极度悲哀。㉜ 吕玄晤：瀛州（今河北河间一带）人。事见《旧唐书》卷一百八十四《高力士传》，《新唐书》卷二百七《高力士传》，《元和姓纂》卷六等。㉝ 王傅：唐制，诸王傅从三品，辅相赞导，匡正过失。㉞ 恭恪：恭敬谨慎。

【校记】

［18］事：原无此字。据章钰校，十二行本、乙十一行本、孔天胤本皆有此字，张敦仁《通鉴刊本识误》同，今据补。

【语译】

正月二十二日辛未，朝廷派鸿胪寺卿崔琳出使吐蕃。崔琳是崔神庆的儿子。吐蕃使者声称金城公主请求得到《毛诗》《春秋》《礼记》。正字于休烈呈上奏疏，认为：“东平王刘宇是汉成帝的宗亲，他请求得到《史记》《诸子》，汉成帝尚且不给他，何况吐蕃是国家的仇敌，如果现在把这些书提供给他们，使他们知道了用兵的权术谋略，他们就会做出更多机变欺诈的事来，这不是对国家有利的事。”玄宗把此事交给中书门下商议。裴光庭等上奏说：“吐蕃蒙昧、愚妄而奸诈，反叛了很久，新近才归服；应该趁这次他们提出请求，把《诗经》《书经》赐给他们，希望能使他们逐渐受到声威教化的熏陶，让教化流布，无所不及。于休烈只知道书里有关于权术谋略、机变欺诈的语句，却不知道忠、信、礼、义也都来自书里。”玄宗说：“说得好！”于是把《诗经》等典籍交给吐蕃的使者。于休烈是于志宁的玄孙。

二十七日丙子，玄宗亲自在兴庆宫旁耕地，耕完了三百步。

三月，突厥左贤王阙特勒去世，玄宗赐送书信表示吊唁。

丙申日，首次下令两京和各州分别设置太公庙，以汉代张良配享；还挑选了一些古代名将，配成十名先哲，在每年二月、八月的第一个戊日举行祭祀，和祭祀孔子的礼仪一样。

司马光说：“经纬天地称为文，戡定祸乱称为武。自古以来，不是兼有这两方面而被称为圣人的人，未曾有过。因此黄帝、唐尧、虞舜、夏禹、商汤、周文王、周武王、伊尹、周公无不具有征伐之功，孔子虽然没有亲自率军征伐，但是仍能够阻止齐国用莱夷之兵劫持鲁定公，还在鲁国‘堕三都’中击退费人，并且说‘如果我作战，就一定能取胜’，难道说孔子只擅长文而姜太公只擅长武吗？

于学者，礼有先圣先师故也。自生民[415]以来，未有如孔子者，岂太公得与之抗衡哉！古者有发[416]，则命大司徒教士以车甲，裸股肱[417]，决射御[418]，受成献馘[419]，莫不在学。所以然者，欲其先礼义而后勇力也。君子有勇而无义为乱，小人有勇而无义为盗。若专训之以勇力而不使之知礼义，奚[420]所不为矣！自孙、吴[421]以降[422]，皆以勇力相胜，狙诈[423]相高，岂足以数[424]于圣贤之门而谓之武哉！乃复诬引以偶[425]十哲之目[426]，为后世学者之师，使太公有神，必羞与之同食矣。”

五月壬戌[427]，初立五岳真君祠[428]。

秋，九月辛未[429]，吐蕃遣其相论尚它硉[430]入见，请于赤岭[431]为互市，许之。

冬，十月丙申[432]，上幸东都。

或告嶲州都督解人张审素[433]赃污，制遣监察御史杨汪[434]按之。总管董元礼[435]将兵七百围汪，杀告者，谓汪曰：“善奏审素则生，不然则死。”会救兵至，击斩之。汪奏审素谋反，十二月癸未[436][19]，审素坐斩[437]，籍没其家。

浚苑中洛水，六旬而罢。

【段旨】

以上为第十二段，写唐玄宗立太公庙，选古名将以备十哲，司马光认为此举以武胜文，严厉批评。

孔子之所以在学宫受祭祀，是因为礼制中规定要祭祀先圣先师。自有人类以来，还不曾有过像孔子那样的人，姜太公哪里能够与他相提并论呢！古时候，军队出兵，就命令大司徒教会士兵乘兵车、穿铠甲，让他们露出大腿、胳膊，比赛射箭、驾车，接受已定的谋略，呈献割下的敌方左耳，这些事无不在学宫进行。之所以这样做，就是想让他们先知晓礼义，然后再训练勇气和力量。君子有勇力而无礼义会作乱，小人有勇力而无礼义会做贼。如果单单训练他们勇气和力量，而不让他们知晓礼义，那他们什么事做不出来啊！自孙武、吴起以来，都是靠勇力争胜，以狡猾奸诈来争高下，这哪里足以排在圣贤之列而称为武啊！竟然还无中生有地用这些人配出十哲之称，作为后世学者的尊师，假使太公在天有灵，必定会以与这类人一同受祭而感到羞耻。”

五月十五日壬戌，下令开始建造五岳真君祠。

秋，九月二十五日辛未，吐蕃派丞相论尚它硉入朝晋见玄宗，请求在赤岭开设集市进行贸易，玄宗答应了他的请求。

冬，十月二十一日丙申，玄宗驾临东都洛阳。

有人告发嶲州都督解县人张审素贪污受赃，玄宗下诏派监察御史杨汪去查办。张审素的总管董元礼率七百士兵包围了杨汪，杀掉了告发的人，并对杨汪说：“奏报时为张审素说好话，你就可以活命；不然的话，你就会死掉。”恰好救兵赶到，攻杀了董元礼。杨汪奏称张审素谋反，十二月初八日癸未，张审素被判罪斩首，抄没了他的家产。

疏浚流经禁苑中的洛水，六十天后竣工。

【注释】

㊎辛未：正月二十二日。㊏崔琳：崔琳（？至公元七四三年），曾任中书舍人，明于政事，为宋璟所重。后官至太子少保。传见《旧唐书》卷七十七、卷一百八十九上，《新唐书》卷一百九。㊐神庆：崔神庆进用于武周时期，历官有佳政。㊑《毛诗》：《诗经》。㊒正字：秘书省官，正九品下。㊓于休烈：于休烈（公元六九二至七七二年），京兆高陵（今陕西西安市高陵区）人，进士及第，善写文章。官至工部尚书，封东海郡公。恭俭仁爱，笃意经籍。有文集十卷。传见《旧唐书》卷一百四十九、《新唐书》卷一百四。㊔东平王汉之懿亲三句：东平王宇为汉成帝之弟，入朝时上疏求诸子及《史记》。成帝问大将军王凤，王凤以为不可，遂不与其书。㊕顽嚚：顽愚奸诈。㊖陶：熏陶。㊗声

教：声威和教化。(405)志宁：于志宁相高宗。(406)丙子：正月二十七日。(407)躬耕：亲自耕地，行籍田之礼。(408)丙申：三月己酉朔，无丙申。新旧两唐书之《玄宗纪》均系之于四月。四月丙申即四月十八日。当在“丙”前补“四月”二字。(409)太公庙：吕尚庙。吕尚姓姜，西周初官太师，辅佐武王灭商有功，封于齐，人称姜太公。(410)张良：张良（？至公元前一八六年），字子房，汉初开国大臣，为刘邦重要谋士。传见《史记》卷五十五、《汉书》卷四十。(411)选古名将二句：十哲本指孔子的十位门徒。孔庙祀典，列颜渊、闵子骞、冉伯牛、仲弓、宰我、子贡、冉有、季路、子游、子夏于侧，称为“十哲”。此次所选名将共九名，即田穰苴、孙武、吴起、乐毅、白起、韩信、诸葛亮、李靖、李勣。合张良为十，以仿“十哲”之制。(412)上戊：上旬之戊日。祀太公自此始。后肃宗上元元年（公元七六〇年），又追封太公为武成王，改太公庙为武成王庙。见《唐会要》卷二十三。(413)莱夷：古莱国。位于今山东龙口一带。(414)费：古国名，在今山东费县一带。(415)生民：人类产生。(416)古者有发：古时候出兵。(417)裸股肱：捋起衣袖裤管，露出臂胫。股，大腿。肱，手臂从肘到腕的部分。(418)射御：射箭驾车。(419)受成献馘：接受已定的谋略，汇报所得战功。馘，指截耳。古时作战，割取敌人的左耳，以献耳多少论功行赏。(420)奚：

【原文】

二十年（壬申，公元七三二年）

春，正月乙卯[438]，以朔方节度副大使信安王祎为河东、河北行军副大总管，将兵击奚、契丹。壬申[439]，以户部侍郎裴耀卿为副总管。

二月癸酉朔[440]，日有食之。

上思右骁卫将军安金藏忠烈[441]，三月，赐爵代国公，仍于东、西岳[442]立碑，以铭[443]其功。金藏竟以寿终。

信安王祎帅裴耀卿及幽州节度使赵含章分道击奚[20]、契丹，含章与虏遇，虏望风遁去。平卢先锋将乌承玼言于含章曰：“二虏，剧贼[444]也。前日遁去，非畏我，乃诱我也，宜按兵以观其变。”含章不从，与虏战于白山[445]，果大败。承玼别引兵出其右，击虏，破之。己巳[446]，祎等大破奚、契丹，俘斩甚众，可突干帅麾下远遁，余党潜窜山谷。奚酋李诗琐高[447]帅五千余帐来降，祎引兵还。赐李诗爵归义王，充归义州[448]都督，徙其部落置[449]幽州境内。

何。㉑孙、吴：孙武、吴起。㉒以降：以后。㉓狙诈：狡猾奸诈。㉔数：列。㉕偶：配。㉖目：称。㉗壬戌：五月十五日。㉘五岳真君祠：根据天台山道士司马承祯的建议而立。见程大昌《演繁露》及《旧唐书·司马承祯传》。㉙辛未：九月二十五日。㉚论尚它硉：人名，《旧唐书》卷八作"论尚他律"。㉛赤岭：在今青海西宁西南。㉜丙申：十月二十一日。㉝张审素：河中解县（今山西运城西南）人。事见《旧唐书》卷一百八十八《张琇传》、《新唐书》卷一百九十五《张琇传》。㉞杨汪：杨汪（？至公元七三五年），初官监察御史，奏斩张审素。累转殿中侍御史，改名万顷，为张审素子张琇所杀。事见《旧唐书》卷一百八十八《张琇传》，《唐御史台精舍题名考》卷二。㉟董元礼：《新唐书》卷一百九十五作"董堂礼"。㊱癸未：十二月初八日。㊲坐斩：坐罪被斩。

【校记】

［19］癸未：原无此二字。据章钰校，十二行本、乙十一行本皆有此二字，张瑛《通鉴校勘记》同，今据补。

【语译】

二十年（壬申，公元七三二年）

春，正月十一日乙卯，任命朔方节度副大使信安王李祎为河东、河北行军副大总管，率军攻打奚和契丹。二十八日壬申，任命户部侍郎裴耀卿为副总管。

二月癸酉朔，发生日食。

玄宗思念右骁卫将军安金藏为人忠烈，三月，赐给他代国公爵位，还在东岳泰山、西岳华山立碑，铭刻他的功绩。安金藏最后以天年而终。

信安王李祎带领裴耀卿以及幽州节度使赵含章分路攻打奚、契丹，赵含章与敌人遭遇，敌人望风逃走。平卢的先锋将乌承玼对赵含章说："奚和契丹，都是强大的敌寇，前日逃走，并不是畏惧我们，而是在引诱，我们应该按兵不动以观察敌情的变化。"赵含章不听，追至白山与敌人交战，果然大败。乌承玼另外带领一支部队从赵含章右翼杀出，攻击敌人，把他们击败。三月二十六日己巳，李祎等人大败奚、契丹，擒获并杀死了很多敌人，可突干带领部下逃往远方，他的余党偷偷逃窜到山谷中。奚族首领李诗琐高率领本族五千多帐前来投降，李祎率军返回。玄宗赐给李诗琐高归义王的爵位，充任归义州都督，把他的部落迁徙到幽州境内安置。

夏，四月乙亥[450]，宴百官于上阳东洲[451]，醉者赐以衾褥[452]，肩舆以归，相属于路。

六月丁丑[453]，加信安王祎开府仪同三司。上命裴耀卿赍绢二十万匹分赐立功奚官[454]，耀卿谓其徒曰："戎狄贪婪，今赍重货深入其境，不可不备。"乃命先期[455]而往，分道并进，一日，给之俱毕。突厥、室韦果发兵邀隘道，欲掠之，比至，耀卿已还。

赵含章坐赃巨万，杖于朝堂，流瀼州，道死。

秋，七月，萧嵩奏："自祠后土[456]以来，屡获丰年，宜因还京赛祠[457]。"上从之。

敕裴光庭、萧嵩分押左、右厢兵[458]。

八月辛未[459]朔，日有食之。

初，上命张说与诸学士刊定五礼。说薨，萧嵩继之。起居舍人王仲丘[460]请依《明庆礼》[461]，祈谷、大雩[462]、明堂，皆祀昊天上帝。嵩又请依上元[463]敕，父在为母齐衰三年[464]，皆从之。以高祖配圜丘、方丘，太宗配雩祀及神州地祇，睿宗配明堂。九月乙巳[465]，新礼成，上之，号曰《开元礼》[466]。

勃海靺鞨王武艺遣其将张文休帅海贼寇登州[467]，杀刺史韦俊[468]，上命右领军将军葛福顺[469]发兵讨之。

壬子[470]，河西节度使牛仙客加六阶[471]。初，萧嵩在河西，委军政于仙客，仙客廉勤，善于其职。嵩屡荐之，竟代嵩为节度使。

冬，十月壬午[472]，上发东都。辛卯[473]，幸潞州。辛丑[474]，至北都[475]。十一月庚申[476]，祀后土于汾阴，赦天下。十二月辛未[477]，还西京。

是岁，以幽州节度使兼河北采访处置使，增领卫、相、洺[21]、贝、冀、魏、深、赵、恒、定、邢、德、博、棣、营、鄚十六州[478]及安东都护府。

天下户七百八十六万一千二百三十六，口四千五百四十三万一千二百六十五。

夏，四月初三日乙亥，玄宗在上阳宫东洲设宴款待百官，喝醉的官员被赐予被褥，用轿子把他们抬回去，一路上络绎不绝。

六月初六日丁丑，加封信安王李祎为开府仪同三司。玄宗命裴耀卿携带二十万匹绢，分别赏赐立功的奚族官员，裴耀卿对属下说："戎狄很贪婪，如今我们带着贵重的物品深入他们的境内，不能不加防备。"于是命令他们提前出发，分道一起前进，只花了一天时间，就把物品颁赐完毕。突厥、室韦果然派兵在险要的道路上拦截，打算把物品抢走，可是等到他们赶到，裴耀卿已经回去了。

赵含章因贪赃数额巨大获罪，在朝堂上被处杖刑，并被流放到瀼州，死在流放途中。

秋，七月，萧嵩上奏说："自从祭祀后土以来，连年获得丰收，应该因此回京城设祭酬报后土之神。"玄宗听从了他的意见。

玄宗敕命裴光庭、萧嵩分别统辖左、右厢兵。

八月初一日辛未，发生日食。

当初，玄宗命张说与众学士修改审定五礼。张说去世后，由萧嵩继续主持。起居舍人王仲丘请依据《明庆礼》，在举行祈谷、祈雨、祀明堂的典礼时，都祭祀昊天上帝。萧嵩又请求依据上元年间的敕命，凡父亲在世的，儿子要为亡母服齐衰丧三年，玄宗都采纳了他们的建议。规定以唐高祖配享圜丘、方丘，以唐太宗配享祈雨及神州土地神，以唐睿宗配享明堂。九月初五日乙巳，新的礼书拟定完成，呈报给玄宗，称为《开元礼》。

勃海靺鞨王大武艺派他的将领张文休率海贼进犯登州，杀死刺史韦俊，玄宗命令右领军将军葛福顺发兵讨伐他。

九月十二日壬子，河西节度使牛仙客晋升六级官阶。当初，萧嵩在河西道的时候，把军政事务交给牛仙客办理，牛仙客廉明勤勉，非常称职。萧嵩多次推荐他，他最终代替萧嵩担任了河西节度使。

冬，十月十二日壬午，玄宗从东都洛阳出发。二十一日辛卯，驾临潞州。辛丑日，抵达北都太原。十一月二十一日庚申，在汾阴祭祀后土并大赦天下。十二月初二日辛未，返回西京长安。

这一年，让幽州节度使兼任河北采访处置使，管辖的范围增加了卫州、相州、洺州、贝州、冀州、魏州、深州、赵州、恒州、定州、邢州、德州、博州、棣州、营州、鄚州等十六个州及安东都护府。

全国共计七百八十六万一千二百三十六户，人口为四千五百四十三万一千二百六十五人。

【段旨】

以上为第十三段，写唐军大破契丹。张说薨，而其所主持的《开元礼》修成。是岁普查，户口繁息。

【注释】

㊳乙卯：正月十一日。㊴壬申：正月二十八日。㊵癸酉朔：《新唐书·玄宗纪》作“甲戌朔”。〖按〗正月乙巳朔，癸酉当为正月二十九日。甲戌为二月初一日，应改癸酉为甲戌。㊶安金藏忠烈：武则天长寿二年（公元六九三年），有人诬告皇嗣（即玄宗父睿宗）谋反，武则天令来俊臣审讯，安金藏用佩刀自剖，以表明皇嗣无谋反之意。㊷东、西岳：泰山、华山。㊸铭：记。㊹剧贼：势力强大的敌寇。㊺白山：长白山。㊻己巳：三月二十六日。㊼李诗琐高：人名，又称李诗、琐高。事见《旧唐书》卷一百九十九下《奚传》及《新唐书》卷二百十九《奚传》等。㊽归义州：唐高宗总章年间以新罗降户置，治所在今河北涿州东北。后废，至此复置。㊾置：安置。㊿乙亥：四月初三日。51上阳东洲：上阳宫南临洛水，引洛水在宫东造成中洲，称为上阳东洲。52衾褥：被褥。53丁丑：六月初六日。54奚官：奚族官员。55先期：提前。56祠后土：事在开元十一年（公元七二三年）。57赛祠：祭祀还愿，酬神。58左、右厢兵：指南牙左、右厢兵而言。59辛未：八月一日。60王仲丘：官至礼部员外郎。曾参与《开元礼》及《群书四录》两书的撰写。传见《新唐书》卷二百。61《明庆礼》：《显庆礼》。显庆为高宗年号，后避中宗李显名讳，改作“明庆”。62大雩：祈雨。雩，指为祈雨而进行的祭祀。63上

【原文】

二十一年（癸酉，公元七三三年）

春，正月乙巳[479]，祔肃明皇后[480]于太庙，毁仪坤庙[481]。

丁巳[482]，上幸骊山温泉。

上遣大门艺诣幽州发兵[483]，以讨勃海王武艺[484]。庚申[485]，命太仆员外卿金思兰[486]使于新罗，发兵击其南鄙[487]。会大雪丈余，山路阻隘，士卒死者过半，无功而还。武艺怨门艺不已，密遣客[488]刺门艺于天津桥南，不死。上命河南[489]搜捕贼党，尽杀之。

元：唐高宗年号（公元六七四至六七六年）。㊹父在为母齐衰三年：最初由武则天提出并在上元初发敕实行。武则天退位后一度废止，至此复行。㊺乙巳：九月初五日。㊻《开元礼》：全名《大唐开元礼》，凡一百五十卷。分序例及吉礼、宾礼、军礼、嘉礼、凶礼等类。㊼登州：治所牟平，在今山东烟台市牟平区。㊽杀刺史韦俊：《旧唐书》卷八《玄宗纪》上、《新唐书》卷五《玄宗纪》皆云勃海靺鞨寇登州，杀刺史韦俊，而《旧唐书》卷一百九十九《渤海靺鞨传》只言"攻登州刺史韦俊"，未言其死。㊾葛福顺：《新唐书》卷五作"盖福慎"。《旧唐书》卷八及《册府元龟》卷九百八十六作"盖福顺"。待考。㊿壬子：九月十二日。471加六阶：晋升六级。472壬午：十月十二日。473辛卯：十月二十一日。474辛丑：十月无辛丑。《新唐书》卷五系之于十一月。十一月辛丑，即十一月初二日。当移此条于"十一月"三字下。475北都：太原。476庚申：十一月二十一日。477辛未：十二月初二日。478增领卫、相句：洺州治所在今河北邯郸市永年区东南。深州治所在今河北饶阳。邢州治所在今河北邢台。德州治所在今山东德州陵县。"鄚"当作"莫"。鄚州置于景云二年六月十四日，开元十三年十二月二日以"鄚""郑"二字相似，已改为"莫"。见《旧唐书》卷三十九、《唐会要》卷七十一。

【校记】

［20］奚：原无此字。据章钰校，十二行本、乙十一行本、孔天胤本皆有此字，张敦仁《通鉴刊本识误》同，今据补。［21］洺：原作"洛"。据章钰校，十二行本、孔天胤本皆作"洺"，熊罗宿《胡刻资治通鉴校字记》同，今据改。〖按〗玄宗开元元年已改洛州为河南郡，属河南府，且地处河南，不应归河北采访使管辖。

【语译】

二十一年（癸酉，公元七三三年）

春，正月初六日乙巳，玄宗把肃明皇后放在太庙祔祭，毁弃了仪坤庙。

十八日丁巳，玄宗驾临骊山温泉。

玄宗派大门艺前往幽州发兵，去讨伐勃海王大武艺。正月二十一日庚申，命太仆员外卿金思兰出使到新罗，发兵进攻勃海靺鞨的南部边境。适逢天降大雪，雪深一丈有余，山路被堵，更加险要而难以通行，士兵死亡过半，无功而返。大武艺对大门艺怨恨不已，秘密派刺客在洛阳天津桥南刺杀大门艺，大门艺遇刺未死。玄宗命令河南府搜捕大武艺派来的党徒，把他们全部处死。

二月丁酉[490]，金城公主请立碑于赤岭以分唐与吐蕃之境，许之。

三月乙巳[491]，侍中裴光庭薨。太常博士孙琬议[492]："光庭用循资格，失劝奖之道，请谥曰克[493]。"其子稹[494]讼之，上赐谥忠献[495]。

上问萧嵩可以代光庭者，嵩与右散骑常侍王丘善，将荐之。丘闻之[22]固让[496]于右丞韩休。嵩言休于上。甲寅[497]，以休为黄门侍郎、同平章事。

休为人峭直[498]，不干[499]荣利[500]。及为相，甚允[501]时望。始，嵩以休恬和，谓其易制，故引之。及与共事，休守正不阿，嵩渐恶之。宋璟叹曰："不意[502]韩休乃能如是！"上或宫中宴乐及后苑游猎，小有过差[503]，辄谓左右曰："韩休知否？"言终，谏疏已至。上尝临镜默然不乐，左右曰："韩休为相，陛下殊瘦于旧[504]，何不逐之！"上叹曰："吾貌虽瘦，天下必肥。萧嵩奏事常顺指[505]，既退，吾寝不安。韩休常力争，既退，吾寝乃安。吾用韩休，为社稷耳，非为身[506]也。"

有供奉侏儒[507]名黄䌹[508]，性警黠[509]。上常冯[510]之以行，谓之"肉几[511]"，宠赐甚厚。一日晚入，上怪之。对曰："臣向入宫，道逢捕盗官与臣争道，臣掀之坠马，故晚。"因下阶叩头。上曰："但使外无章奏，汝亦无忧。"有顷，京兆奏其状。上即叱出，付有司杖杀之。

闰月[512]癸酉[513]，幽州道副总管郭英杰[514]与契丹战于都山[515]，败死。时节度[23]薛楚玉[516]遣英杰将精骑一万及降奚击契丹，屯于榆关[517]之外。可突干引突厥之众来合战，奚持两端，散走保险[518]，唐兵不利，英杰战死。余众六千余人犹力战不已，虏以英杰首示之，竟不降，尽为虏所杀。楚玉，讷[519]之弟也。

二月二十九日丁酉，金城公主请求在赤岭立碑，用作唐朝与吐蕃边境的分界线，玄宗答应了她的请求。

三月初七日乙巳，侍中裴光庭去世。太常博士孙琬建议："裴光庭依据资格用人，失去了劝勉鼓励人才的正确方式，请把他谥为克。"裴光庭的儿子裴稹争辩，玄宗赐裴光庭谥号为忠献。

玄宗向萧嵩询问可以替代裴光庭的人选，萧嵩与右散骑常侍王丘关系很好，准备推荐他。王丘听说后，执意要推让给尚书右丞韩休。于是，萧嵩向玄宗提名韩休。三月十六日甲寅，玄宗任命韩休为黄门侍郎、同平章事。

韩休为人严峻刚直，不贪图名位利禄。他担任宰相后，很符合当时人们的期望。开始，萧嵩认为韩休恬淡平和，以为他容易受控制，因此举荐了他。等到与他共同担任宰相后，才发现韩休恪守正道，不屈从迎合，于是渐渐地厌恶他了。宋璟叹息道："没想到韩休竟能这样！"玄宗有时在宫中设宴作乐或到后苑出游打猎，稍有过失差错，便问左右侍从："韩休知道吗？"话音刚落，韩休劝谏的表章就已送来了。玄宗曾经对着镜子沉默不快，左右侍从说："韩休担任宰相后，陛下比以前瘦了很多，为什么不斥逐他！"玄宗叹息说："我的面容虽然消瘦了，但天下一定会富足。萧嵩上奏言事经常顺着我的心意，可是退朝后，我连睡觉都不安宁。韩休经常与我竭力争论，可是退朝后，我睡觉就安稳了。我任用韩休，是为了国家啊，不是为了我自己。"

有个侍奉玄宗的侏儒名叫黄䑛，本性机警狡黠。玄宗常靠着他行走，称他为"肉几"，非常宠幸他，赏赐也多。有一天，黄䑛进宫迟了，玄宗责怪了他，他回答说："适才我进宫时，在路上遇到捕盗官与我争道，我把他掀落马下，所以来迟了。"接着走下台阶磕头谢罪。玄宗说："只要宫外没有关于此事的奏章，你也就用不着担忧了。"过了一会儿，京兆尹上奏黄䑛的案情。玄宗立即把他呵斥出去，交付主管衙门用杖刑打死了他。

闰三月初六日癸酉，幽州道副总管郭英杰与契丹在都山交战，战败身亡。当时，节度薛楚玉派郭英杰率领一万名精锐骑兵及降附的奚族部众进攻契丹，屯驻在榆关之外。可突干带领突厥军队前来协同作战，奚族部众骑墙观望，临阵逃散，去把守险要之处，唐军失利，郭英杰战死。六千余名唐军余部依然不停地奋力拼杀，敌人把郭英杰的首级挂起来给唐军看，但是唐军始终没有投降，最后全都被敌人杀死。薛楚玉，是薛讷的弟弟。

【段旨】

以上为第十四段，写唐军征讨契丹失利。韩休为相，唐玄宗为之消瘦。

【注释】

[479]乙巳：正月初六日。[480]肃明皇后：睿宗肃明顺圣皇后刘氏。[481]仪坤庙：位于长安亲仁坊西南隅。开元初为祭祀昭成、肃明二皇后而置。睿宗死后，昭成皇后神主迁入太庙，肃明皇后神主仍留于此。至此，复迁肃明皇后于太庙。仪坤庙已无神主，故毁之。[482]丁巳：正月十八日。[483]遣大门艺诣幽州发兵：大门艺降唐后拜左骁卫将军，大武艺上书请求将他处死，玄宗密遣门艺前往安西，事泄，复遣往岭南。见《旧唐书》卷一百九十九下《渤海靺鞨传》。[484]讨勃海王武艺：因大武艺去年遣张文休侵扰登州之故。[485]庚申：正月二十一日。[486]金思兰：新罗王侍子，留京师为官。事见《旧唐书》卷一百九十九《新罗传》《渤海靺鞨传》，《新唐书》卷一百三十六《乌承玼传》、卷二百十九《渤海传》。[487]南鄙：南境。[488]客：刺客。[489]河南：指河南府而言。[490]丁酉：二月二十九日。[491]乙巳：三月初七日。[492]孙琬议：孙琬之议，见《旧唐书》卷八十四《裴光庭传》、《新唐书》卷一百八《裴光庭传》。[493]请谥曰克：《新唐书·裴光庭传》载孙琬所议之谥为"克平"，《旧唐书·裴光庭传》与《通鉴》同。[494]稹：裴稹后官至祠部员外郎。[495]忠献：《新唐书·裴光庭传》作"忠宪"，《旧唐书·裴光庭传》与《通鉴》

【原文】

夏，六月癸亥[520]，制："自今选人有才业操行，委吏部临时擢用；流外奏[24]用不复引过门下[521]。"虽有此制，而有司以循资格便于己，犹踵行[522]之。是时，官自三师[523]以下一万七千六百八十六员，吏自佐史[524]以上五万七千四百一十六员，而入仕之涂甚多，不可胜纪。

秋，七月乙丑[525]朔，日有食之。

九月壬午[526]，立皇子沔为信王，泚为义王，漼为陈王，澄为丰王，潓为恒王，潍为凉王[25]，滔为汴王。

关中久雨谷贵，上将幸东都，召京兆尹裴耀卿谋之，对曰："关中帝业所兴，当百代不易，但以地狭谷少，故乘舆时幸东都以宽[527]之。臣闻贞观、永徽之际，禄廪[528]不多，岁漕关东一二十万石，足以周赡[529]，乘舆得以安居。今用度浸广，运[530]数倍于前，犹不能给，故使陛下数冒寒暑以恤西人[531]。今若使司农[532]租米悉输东都，自都转漕，稍实

同。㊾固让：坚持推让。㊿甲寅：三月十六日。498峭直：严峻刚直。499干：求。500荣利：名位利禄。501允：孚。502不意：不料。503过差：过失差错。504殊瘦于旧：比过去瘦多了。殊，极、甚。505指：通“旨”。506身：自身；自己。507侏儒：亦作“朱儒”，指身材矮小的人。508黄䶉：侏儒之人名。509警黠：机警狡黠。510冯：通“凭”，凭借，依靠。511肉几：肉案。512闰月：闰三月。513癸酉：闰三月初六日。514郭英杰：名将郭知运之子，字孟武，官至左卫将军。传见《旧唐书》卷一百三、《新唐书》卷一百三十三。515都山：在今河北迁安东北。516薛楚玉：传见《旧唐书》卷九十三、《新唐书》卷一百十一等。517榆关：渝关。故址在今河北秦皇岛东山海关一带。518保险：保守险要之地。519讷：薛讷，系薛仁贵之子，善用兵。

【校记】

［22］丘闻之：原无此三字。据章钰校，十二行本、乙十一行本、孔天胤本皆有此三字，张敦仁《通鉴刊本识误》、张瑛《通鉴校勘记》同，今据补。［23］节度：据章钰校，十二行本、乙十一行本、孔天胤本“度”下皆有“使”字。〖按〗两唐书之《郭知运传附子英杰传》《契丹传》皆载薛楚玉为“幽州长史”。

【语译】

夏，六月二十八日癸亥，玄宗颁布诏书：“从今以后候补官员中有才能、学业和品德的人，交付吏部临时提拔任用；九品以外的官员在奏报任用时，不必再经过门下省。”虽然有了这道诏令，但是有关官署因依据资格用人对自己方便，仍然继续推行。此时，自太师、太傅、太保以下的官员共计一万七千六百八十六名，自佐史以上的小吏共计五万七千四百一十六名，而且做官的途径很多，难以一一列举。

秋，七月初一日乙丑，发生日食。

九月十八日壬午，玄宗册封皇子李沔为信王，李泚为义王，李漼为陈王，李澄为丰王，李潓为恒王，李漎为凉王，李滔为汴王。

关中久雨，谷价昂贵，玄宗准备前往东都洛阳，召京兆尹裴耀卿来商议此事，裴耀卿回答说：“关中是帝业兴起的地方，应当百代不做变更，只因土地狭小，粮食短缺，所以皇上不时驾临东都洛阳，以缓解关中的困难。我听说贞观、永徽年间，百官禄米不多，每年由水路从关东运来一二十万石，足可以满足供给，皇帝也得以安居长安。如今国家的开支越来越大，漕运比以前多上好几倍，还不能够满足供应，致使陛下多次冒着严寒酷暑东行来救济西部百姓。现在如果把司农寺收的租米全部

关中。苟关中有数年之储，则不忧水旱矣。且吴人[533]不习河漕[534]，所在停留，日月既久，遂生隐盗[535]。臣请于河口[536]置仓，使吴船至彼即输米而去，官自雇载[537]分入河、洛。又于三门[538]东西各置一仓，至者贮纳，水险则止，水通则下，或开山路[539]，车运而过，则无复留滞[540]，省费巨万矣。河、渭之滨，皆有汉、隋旧仓，葺之非难也。"上深然其言。

冬，十月庚戌[541]，上幸骊山温泉。己未[542]，还宫。

【段旨】

以上为第十五段，写官员升迁论资排辈从开元十年（公元七二二年）以来，数年间已成积习。唐沿河、渭置仓以储江南粮食供京师。

【注释】

⑳癸亥：六月二十八日。㉑流外奏用不复引过门下：开元十八年（公元七三〇年）四月，裴光庭奏用循资格，又令流外行署亦过门下省审。㉒踵行：继续推行。㉓三师：太师、太傅、太保。㉔佐史：地位最低的小吏。㉕乙丑：七月初一日。㉖壬午：九月十八日。㉗宽：缓解。㉘禄廪：禄米。㉙周赡：周给。㉚运：漕运。㉛西人：以关中为中心的西北百姓。㉜司农：司农寺。唐制，司农寺主管邦国仓储委积之事。㉝吴人：泛

【原文】

戊子[543]，左丞相宋璟致仕，归东都。

韩休数与萧嵩争论于上前，面折嵩短，上颇不悦。嵩因乞骸骨，上曰："朕未厌卿，卿何为遽去？"对曰："臣蒙厚恩，待罪宰相，富贵已极，及陛下未厌臣，故臣得从容引去。若已厌臣，臣首领[544]且不保，安能自遂[545]！"因泣下。上为之动容，曰："卿且归，朕徐思之。"丁

运往东都，再从东都通过陆路水路运到关中，使关中的粮食稍得充实，如果关中有几年的储备，那么就不必为旱涝灾害担忧了。再者吴地人不熟悉黄河水运，沿途到处停留，时间长了，便会发生隐藏盗取的事。我请求在河口设置粮仓，让吴地的漕船到那里就交纳粮米离去，官府再雇人运载，分别进入黄河、洛水。另外，在三门山的东西各设置一座粮仓，将运到的粮食收储起来。倘若水路有危险就停止运输，当水路通畅时就下河运输，或者开通山路，用车运粮通过险段，那么就不会再发生滞留的情况了，这样节省的费用将数以万计。黄河、渭水岸边，都有汉代、隋代的旧粮仓，修整并非难事。”玄宗非常同意他的这番话。

冬，十月十七日庚戌，玄宗驾临骊山温泉。二十六日己未，返回皇宫。

指东南一带的人。㉞河漕：黄河漕运。㉟隐盗：隐匿盗窃。㊱河口：汴水与黄河的交汇处。㊲雇载：雇人运载。㊳三门：山名，又名砥柱。在河南三门峡东北黄河中。相传禹凿砥柱，二石落入水中，形成二柱。河水至此分为三股下流，故谓之三门。当时在三门东置集津仓，西置盐仓。㊴开山路：于三门侧凿山路以避砥柱之险。㊵留滞：停留淹滞。㊶庚戌：十月十七日。㊷己未：十月二十六日。

【校记】

［24］奏：据章钰校，十二行本、乙十一行本皆作“甲”。［25］凉王：原作“梁王”。严衍《通鉴补》改作“凉王”，今从改。〖按〗两唐书之《玄宗纪》《玄宗诸子传》皆作“凉王”。

【语译】

戊子日，左丞相宋璟退休，回到东都洛阳。

韩休多次在玄宗面前与萧嵩发生争论，还当面批评萧嵩的短处，玄宗对此颇不高兴。萧嵩于是请求告老退休，玄宗说：“我并没有嫌弃您，您为什么要匆匆离开?”萧嵩回答道：“我蒙受皇上厚恩，很不称职地担任了宰相，富贵已到极顶。趁着陛下还没有嫌弃我，我才能从容地离去。若是陛下已经嫌弃我了，我的头颅和颈项尚且难保，哪里还能够按自己的意愿去做!”说着便流下了眼泪。玄宗听了这番话脸上也显出了感动的神色，说：“您先回去，让我慢慢考虑此事。”丁巳日，玄宗把萧嵩罢免

巳[546]，嵩罢为左丞相，休罢为工部尚书。以京兆尹裴耀卿为黄门侍郎，前中书侍郎张九龄时居母丧，起复中书侍郎，并同平章事。

是岁，分天下为京畿、都畿、关内、河南、河东、河北、陇右、山南东道、山南西道、剑南、淮南、江南东道、江南西道、黔中、岭南，凡十五道，各置采访使，[547]以六条检察非法，两畿以中丞领之，余皆择贤刺史领之。非官有迁免[548]，则使无废更[549]。惟变革旧章，乃须报可[550]，自余听便宜从事，先行后闻。

太府卿杨崇礼[551]，政道[552]之子也，在太府二十余年，前后为太府者莫能及。时承平日久，财货山积，尝经杨卿[553]者，无不精美。每岁句驳省便[554]，出钱数百万缗。是岁，以户部尚书致仕，年九十余矣。上问宰相："崇礼诸子，谁能继其父者？"对曰："崇礼三子，慎余、慎矜、慎名，皆廉勤有才，而慎矜为优。"上乃擢慎矜自汝阳令为监察御史[555]，知太府出纳，慎名摄监察御史，知含嘉仓[556]出给，亦皆称职，上甚悦之。慎矜奏诸州所输布帛有渍[557]污穿[558]破者，皆下本州征折估钱[559]，转市轻货，征调始繁矣。

【段旨】

以上为第十六段，写韩休为相不足一年而罢。唐玄宗开元二十一年（公元七三三年）分天下为十五道。

【注释】

[543]戊子：十月甲午朔，无戊子。《旧唐书·玄宗纪》系之于十一月。十一月戊子即十一月二十五日。当在"戊子"上补"十一月"三字。[544]首领：头颈。引申为性命。[545]自遂：自遂其愿。[546]丁巳：《旧唐书·玄宗纪》作十二月丁未，即十二月十四日。《新唐书》卷五《玄宗纪》及卷六十二《宰相表》均作十二月丁巳，即十二月二十四日。二书所载日期虽有差异，但皆系之于十二月，故当补"十二月"三字。[547]凡十五道二句：贞观元年（公元六二七年），分天下为十道。至此，在十道基础上重新划分，分山南、江南为东

为左丞相，把韩休罢免为工部尚书，任命京兆尹裴耀卿为黄门侍郎，前任中书侍郎张九龄当时正在为母亲服丧，守制未满便征召他重新担任中书侍郎，二人均为同平章事。

这一年，朝廷把全国分为京畿道、都畿道、关内道、河南道、河东道、河北道、陇右道、山南东道、山南西道、剑南道、淮南道、江南东道、江南西道、黔中道、岭南道，共十五道，分别设置采访使，用六条法规约束官员的不法行为，两畿的采访使由御史中丞兼任，其他都选择贤能的刺史来兼任。如果不是官职有升迁或罢免，采访使就不会被废止或更换。只有变革旧的规章时，才需要奏报朝廷批准，其余事务允许采访使根据情况自行处置，先施行再上报。

太府卿杨崇礼，是杨政道的儿子，在太府任职二十多年，在他前后担任太府卿的官员没有人能及得上他。当时天下太平日久，资财货物堆积如山，曾经经过杨崇礼之手的东西，没有一件不是精美的。每年他查核账目、驳正欺弊、节省费用、便利贩运买卖，省出的钱有数百万缗之多。这一年，杨崇礼以户部尚书的身份退休，已九十多岁了。玄宗问宰相："杨崇礼的几个儿子，谁能继承他父亲的职务？"宰相回答说："杨崇礼有三个儿子，名叫杨慎余、杨慎矜和杨慎名，都清廉勤勉有才能，而杨慎矜为优。"玄宗于是把杨慎矜从汝阳县令提拔为监察御史，掌管太府出纳事务，杨慎名代理监察御史，掌管含嘉仓支出供给，他们都很称职，玄宗对此十分高兴。杨慎矜上奏建议各州所交纳的布匹丝绸，有污渍破损的都发回本州折价，按价征钱，用来转买些轻便货物。从此征调开始变得繁杂了。

西道，增置黔中道、都畿道及京畿道，置十五道采访使。据《旧唐书》卷三十八，京畿采访使治京师，都畿采访使治东都，关内采访使由京官兼领，河南采访使治汴州，河东采访使治蒲州，河北采访使治魏州，陇右采访使治鄯州，山南东道采访使治襄州，山南西道采访使治梁州，剑南采访使治益州，淮南采访使治扬州，江南东道采访使治苏州，江南西道采访使治洪州，黔中采访使治黔州，岭南采访使治广州。548 迁免：升迁或罢免。549 废更：废止更换。550 报可：奏请朝廷批准。551 杨崇礼：本名杨隆礼，曾任天官郎中及洛、梁等州刺史，皆以清严著称。后以名犯玄宗讳，改为崇礼。在太府二十年，公清如一，甚有善政。传见《旧唐书》卷一百五、《新唐书》卷一百三十四。552 政道：杨正道为隋炀帝之孙，齐王暕之子。据两唐书，"政"当为"正"之误。553 杨卿：对杨崇礼的爱称。554 句驳省便：句，通"勾"。此指考核太府出入多少。驳，此指根据账簿驳正虚实。省，节省不必要的支出。便，便利贩运买卖。555 慎矜自汝阳令为监察御史：杨

慎矜早有能名。官至户部侍郎，为王鉷、李林甫所害。汝阳县属河南道，故治在今河南汝阳。556 含嘉仓：在今河南洛阳北岳家村一带，是隋唐时期东都最重要的粮仓。公元一九七一年考古工作者对含嘉仓城做了详细的钻探和发掘，探出粮窖二百八十七个。557 渍：沾染。558 穿：洞孔。559 征折估钱：将物折价，征收不足之钱。

【研析】

本卷记事起开元十四年到二十一年，当公元七二六至七三三年，凡八年。此时期是开元之治的中期，国家制度继续完善与规范。军人戍边五年一次轮换，户口三年一次普查成为制度。唐玄宗完成《开元礼》的制定。国力继续发展，周边冲突，唐军取胜有绝对优势。京师繁盛，人口大增，唐政府在沿黄河、渭河广置粮仓储粮以供京师。大唐是一片太平景象。唐玄宗志得意满，臣僚不求上进，君臣励精图治的意气逐渐消沉，欣欣向荣的政治悄悄地发生变化，向着骄奢淫逸和怠惰方向发展。具体标志有以下五个方面。第一，唐玄宗纳谏从主动求言转向勉强忍受。韩休为相，守正不阿，唐玄宗宴乐以及禁苑游猎，每有小过必谏。唐玄宗照镜，闷闷不乐。身边的人说："韩休为相，陛下消瘦了许多，何不把他赶走!"唐玄宗感叹地说："我的身体瘦了，天下的人肥了。我用韩休，是为国家，不是为我个人。"唐玄宗话是这样说，勉强忍受之情溢于言表。不到一年，到底还是赶走了韩休。第二，积极进取、选用人才的吏治风气转向论资排辈，成为积习。裴光庭为吏部尚书，不重人才，升迁官吏，论资排辈，数年间成为积习。第三，君臣聚敛，渐染贪贿之风。宇文融为相，广置诸使，聚敛财货，史称"由是百官浸失其职而上心益侈"。宇文融个人也因赃贿事发，贬官流放，死于流放岭南道中。张说为相，亦因贪贿免官。第四，君臣骄恣，好大喜功。唐玄宗始立太公庙，选古名将以备十哲，与孔子庙并存，表示文武并重。文庙、武庙并存并重，具有重要意义。儒家倡导太平盛世要偃武修文，这是一种偏见，国无武备而不重，唐玄宗文武并重，没有什么错，但他崇武而轻视与周边各民族的关系，纵容边将轻启边衅，于是四方有警，幸赖当时唐朝国力强大，没有酿成大祸。但周边从此不那么平静了。第五，唐玄宗从宠信宦官渐至依赖宦官，导致宦官势力开始滋盛。唐玄宗开元元年（公元七一三年）即帝位伊始，就用高力士为右监门将军，又使一些亲信宦官为三品将军掌握禁卫军，还用宦官监管诸王。高力士最受唐玄宗信任，唐玄宗曾经对人说："只有高力士当值，我才能睡安稳觉。"唐玄宗勤政，未能慎终如始，取得成就后就有所松懈，日渐滋长的骄侈心代替了求治心。唐玄宗让高力士留在禁中，四方表奏都要先送高力士，然后由高力士奏进。于是高力士权倾内外，公卿巴结，车马不绝。不过高力士也小心自克，终唐玄宗之朝，没有宦官之祸，但唐玄宗倚重宦官，流毒后世，十分严重。君骄臣逸，唐玄宗的家奴王毛仲也恃宠骄恣。

唐朝的盛世在开元，这是唐玄宗励精图治成就的中兴。开元之治，超过了贞观之治，因贞观之治是新建国家，开元之治是拨乱反正，时势不同，不可同日而语。唐玄宗不及唐太宗，最大的弱点是唐玄宗不能慎终如始。唐玄宗在开元初振兴的贞观遗风，只坚守了十几年，到了开元中期就日渐淡去。唐太宗经常说“守成难”，用在唐玄宗身上是十分恰当的。

卷第二百十四　唐纪三十

起阏逢阉茂（甲戌，公元七三四年），尽重光大荒落（辛巳，公元七四一年），凡八年。

【题解】

本卷记事起公元七三四年，迄公元七四一年，凡八年，当唐玄宗开元二十二年至开元二十九年。这八年是唐玄宗执政，开元盛世的晚期，是唐帝国由盛转衰的拐点，也是唐玄宗个人由明转昏的过渡时期。开元后期，唐帝国的繁荣达到顶点。漕运通畅，又用和籴法储粮，京师粮食供应充足。开元二十五年，全国死刑只有五十八例，户八百四十余万，口近五千万，是唐百年承平的新高。唐玄宗于是产生了骄侈心，怠于政事，开始迷信神仙、讲排场，要修改祭祀礼及丧礼，崇尚奢靡。特别是唐玄宗已厌恶直谏，喜欢听奉承话。直言敢谏的张九龄被罢相，而奸巧谄谀的李林甫主宰中枢，因后宫之宠而废立太子，这是唐玄宗由明转昏的标志。安史之乱的两位主角——安禄山和史思明，就是在这一背景下登场的。安禄山兵败死罪，也是唐玄宗不听张九龄之言而直接赦免的。此时唐帝国盛强，而边将失信轻启边衅，唐帝国的东、北、西三面有警，吐蕃犯边，唐军虽胜，但已无绝对优势。

【原文】

玄宗至道大圣大明孝皇帝中之中

开元二十二年（甲戌，公元七三四年）

春，正月己巳①，上发西京②。己丑③，至东都④。张九龄⑤自韶州⑥入见，求终丧⑦，不许。

二月壬寅⑧，秦州⑨地连震，坏公私屋殆⑩尽，吏民压死者四千余人，命左丞相⑪萧嵩⑫赈恤⑬。

方士⑭张果⑮自言有神仙术，诳⑯人云尧⑰时为侍中⑱，于今数千岁，多往来恒山⑲中。则天⑳以来，屡征㉑不至。恒州㉒刺史㉓韦济荐㉔之，上遣中书舍人㉕徐峤㉖赍㉗玺书㉘迎之。庚寅㉙，至东都，肩舆㉚入宫，恩礼甚厚。

张九龄请不禁铸钱㉛。三月庚辰㉜，敕㉝百官议之。裴耀卿㉞等皆曰："一启此门，恐小人弃农逐利，而滥恶㉟更甚。"秘书监㊱崔沔㊲曰："若税铜折役㊳，则官冶㊴可成，计估度庸㊵，则私铸无利，易

【语译】

玄宗至道大圣大明孝皇帝中之中

开元二十二年（甲戌，公元七三四年）

春，正月初六日己巳，玄宗从西京长安出发。二十六日己丑，到达东都洛阳。张九龄从韶州来入朝觐见，请求守完丧期，玄宗没有答应。

二月初十日壬寅，秦州地区连续发生地震，公私房屋几乎全部倒塌了，压死官民四千多人，玄宗派左丞相萧嵩前去救济抚恤。

方士张果自称有神仙之术，骗人说他在尧时就担任侍中，到现在有几千年了，常常往来于恒山之中。武则天当政以来，多次征召，他都不来。恒州刺史韦济推荐他，玄宗派中书舍人徐峤带着诏书迎接他。庚寅日，张果到达东都洛阳，乘坐轿子入宫，玄宗对他的恩赐礼遇十分优厚。

张九龄请求不要禁止私人铸钱。三月十九日庚辰，玄宗敕命百官讨论此事。裴耀卿等人都说："这个口子一旦放开，恐怕小人就会弃农逐利，而民间滥造的恶钱会更加严重。"秘书监崔沔说："如果采取交铜纳税并折算成徭役以充冶铸，那么国家铸钱就可以成功，计算铸钱的成本和工钱，那么私人铸钱无利可图，此法简易而能持

而可久，简而难诬㊶。且夫钱之为物，贵以通货㊷，利不在多㊸，何待私铸然后足用也。”左[1]监门录事参军㊹刘秩㊺曰：“夫人富则不可以赏劝㊻，贫则不可以威禁，若许其私铸，贫者必不能为之。臣恐贫者益贫而役于富，富者益富而逞㊼其欲。汉文帝㊽时，吴王濞㊾富埒㊿天子，铸钱所致也。”上乃止。秩，子玄51之子也。

夏，四月壬辰52，以朔方节度使53信安王祎54兼关内道采访处置使55，增领泾、原56等十二州。

【段旨】

以上为第一段，写秦州大地震，唐玄宗迷信神仙，朝廷评议禁铸私钱。

【注释】

①己巳：正月初六日。②上发西京：上，指唐玄宗。发，出发、启程。西京，都城名，在今陕西西安。③己丑：正月二十六日。④东都：都城名，在今河南洛阳。唐高宗显庆二年（公元六五七年）始以洛阳为东都。⑤张九龄：张九龄（公元六七三至七四〇年），字子寿，一名博物，韶州曲江（今广东韶关西南）人，擅长著文。官至中书令。传见《旧唐书》卷九十九、《新唐书》卷一百二十六。⑥韶州：州名，治所在今广东韶关西南。⑦求终丧：张九龄居母丧未终便夺哀拜中书侍郎、同中书门下平章事，故请求服满母丧三年之孝再任职。⑧壬寅：二月初十日。⑨秦州：州名，治所在今甘肃天水市。⑩殆：几乎；将近。⑪左丞相：官名，开元元年（公元七一三年）左右仆射改名为左右丞相，为尚书省长官，总管吏、户、礼、兵、刑、工六部政务。⑫萧嵩：萧嵩（公元六七〇至七四九年），官至中书令。传见《旧唐书》卷九十九、《新唐书》卷一百一。⑬赈恤：救济。⑭方士：方术之士。指古代讲求神仙、炼丹、占卜、星相之类仙方法术，自称能预测吉凶祸福，能长生不死的人。⑮张果：号通玄先生。传见《旧唐书》卷一百九十一、《新唐书》卷二百四。⑯诳：欺骗。⑰尧：传说中的远古帝王。⑱侍中：此指为尧的侍从官。⑲恒山：山名，五岳之一。在今河北曲阳西北与山西接壤处。⑳则天：武则天，公元六九〇至七〇五年在位。由后妃登帝位，改唐为周。事详《旧唐书》卷六、《新唐书》卷四。㉑征：征召。指朝廷以礼聘请有学问才行的人出任官职。㉒恒州：州名，治所在今河北正定。㉓刺史：官名，州长官，总掌一州政务。㉔荐：推荐。向朝廷推荐博学异能的人才，是唐代刺史的一项任务。㉕中书舍人：官名，中书省要

久，便于操作而且难以被蒙蔽。况且钱这个东西，贵在能使货物流通，好处不在钱的数量多，何必要靠私人铸钱来满足用度呢?”左监门录事参军刘秩说：“人富有就不能用赏赐来勉励，人穷就不能用严刑来禁止。如果允许私人铸钱，那么穷人肯定不能去做。臣担心穷人越来越穷而被富人役使，富人越来越富而放纵他们的欲望。汉文帝时，吴王刘濞富比天子，就是允许私人铸钱所造成的。”唐玄宗于是禁止私人铸钱。刘秩，是刘知幾的儿子。

夏，四月初一日壬辰，任命朔方节度使信安王李祎兼任关内道采访处置使，并增领泾、原等十二州。

员，掌起草诏令，参与百官奏议和文武官考课的裁决。㉖徐峤：字巨山，官至中书舍人。传见《新唐书》卷一百九十九。㉗赍：携带。㉘玺书：古时用印章封记的文书，秦以后专指皇帝诏书。㉙庚寅：本年二月无庚寅，当为庚申之误。庚申为二月二十八日。㉚肩舆：用人力抬的代步工具。起初上无覆盖，后加遮蔽物，成为轿舆。俗称轿子。㉛张九龄请不禁铸钱：唐初以来行用官铸钱，严禁私铸。高宗以后，私铸蜂起，恶滥钱充斥，屡禁不止，影响物价。开元初官铸开元通宝，宋璟为相，官方用粟回收恶钱，重申严禁私铸，开元二十二年（公元七三四年）三月，张九龄提出不禁止私人铸钱的主张。见《敕议放私铸钱》，载《全唐文》卷二百八十四。㉜庚辰：三月十九日。㉝敕：自上命下之词。南北朝以后，专指皇帝诏书。㉞裴耀卿：裴耀卿（公元六八〇至七四三年），字焕之，绛州稷山（今山西稷山）人，官至中书令。此时为黄门侍郎、同中书门下平章事，充转运使。传见《旧唐书》卷九十八、《新唐书》卷一百二。㉟滥恶：滥铸恶钱。㊱秘书监：官名，秘书省长官，主管国家经籍图书。㊲崔沔：崔沔（公元六七二七三九年），字善冲，京兆长安（今陕西西安西）人，官至中书侍郎。传见《旧唐书》卷一百八十八、《新唐书》卷一百二十九。㊳税铜折役：崔沔主张采取由人民交铜以折合徭役的措施。税铜，以铜纳税。折役，折合徭役。㊴冶：冶铸。此指冶铜铸钱。㊵计估度庸：计算所铸钱的价值和用费。计，计算、计量。估，物价。度，衡量、计算。庸，用。㊶易而可久二句：税铜折役办法，既容易施行，可以持久，又简明扼要，不易欺骗。易，容易。久，持久。简，简明。诬，欺骗。㊷贵以通货：钱币的重要作用在于使货物流通。贵，重要。通货，流通货物。㊸利不在多：并不是钱币愈多愈有利。利，利益。㊹左监门录事参军：唐军制，中央十六卫中有左右监门卫。左监门录事参军为左监门卫大将军的僚属，掌印发。凡凭簿籍出入宫殿房门的京官，经左右监门卫大将军判押（签署意见）后，由录事参军加盖印署然后才能通行。㊺刘秩：字祚卿，彭城（今江苏徐州）人，刘知幾

之子，历官左监门录事参军、宪部员外郎、给事中、尚书右丞、国子祭酒。著有《政典》三十五卷、《止戈记》七卷、《至德新议》十二卷、《指要》三卷。传见《旧唐书》卷一百二、《新唐书》卷一百三十二。㊻劝：奖励。㊼逞：扩张。㊽汉文帝：汉文帝（公元前二〇二至前一五七年），名恒，汉高祖之子。公元前一七九至前一五七年在位。事详《史记》卷十、《汉书》卷四。㊾吴王濞：刘濞（？至公元前一五四年），汉高祖刘邦兄刘仲之子，初封吴王，后因不满汉景帝削藩而发动七国之乱。事见《史记》卷一百六、《汉书》卷三十五。㊿埒：相等。(51)子玄：刘知幾（公元六六一至七二一年），史学家，徐州彭城（今江苏徐州）人，因名与唐玄宗李隆基音近避嫌，故以字行。任史官二十年，撰述甚多。今存《史通》二十卷，是我国古代重要史评著作。传见《旧唐书》卷一百二、《新唐书》卷一百三十三。(52)壬辰：四月初一日。(53)朔方节度使：使职名。使职是唐朝职事官以外因事为名、无品秩无定员的差遣官。节度使为方镇的差遣长官。朔方差遣长官节度使，始置于开元九年（公元七二一年，据岑仲勉考定，参见《唐史餘瀋》卷

【原文】

吏部侍郎(57)李林甫(58)柔佞(59)多狡数(60)，深结宦官及妃嫔家，伺候(61)上动静，无不知之。由是每奏对(62)，常称旨(63)，上悦之。时武惠妃(64)宠幸倾(65)后宫(66)，生寿王清(67)，诸子莫得为比，太子(68)浸疏薄(69)。林甫乃因(70)宦官言于惠妃，愿尽力保护寿王。惠妃德之，阴为内助，由是擢黄门侍郎(71)。五月戊子(72)，以裴耀卿为侍中(73)，张九龄为中书令(74)，林甫为礼部尚书、同中书门下三品(75)。

上种麦于苑(76)中，帅(77)太子以下亲往芟(78)之，谓曰："此所以荐宗庙(79)，故不敢不亲，且欲使汝曹(80)知稼穑(81)艰难耳。"又遍以赐侍臣(82)，曰："比(83)遣人视田中稼，多不得实，故自种以观之(84)。"

六月壬辰(85)，幽州节度使(86)张守珪(87)大破契丹(88)，遣使献捷(89)。

薛王业(90)疾病，上忧之，容发为变。七月己巳(91)，薨(92)，赠谥(93)惠宣太子。

上以裴耀卿为江、淮、河南转运使(94)，于河口(95)置输场(96)。八月壬寅(97)，于输场东置河阴仓，西置柏崖仓，(98)三门(99)东置集津仓，西置盐

二），其目的是抗御北方的突厥，治所在今宁夏灵武西南，为玄宗时御边十节度经略使之一。㊹信安王祎（公元六六四至七四三年）：唐太宗孙李琨之子，开元十二年（公元七二四年）封为信安郡王。传见《旧唐书》卷七十六、《新唐书》卷八十。㊺关内道采访处置使：使职名，采访使为固定的地方监察差遣官。开元二十一年（公元七三三年）置十五道采访使（见本书卷二百十三），以六条检差地方官吏的非法行为。因有“便宜行事，先行后闻”的处置权力，故并称采访处置使。关内道采访处置使，治所在今陕西西安，初由京官领职，至此由朔方节度使兼领。㊻泾、原：州名，即泾州、原州。泾州治所在今甘肃泾川北，原州治所在今宁夏固原。

【校记】

［1］左：原作“右”。据章钰校，十二行本、乙十一行本皆作“左”，今据改。〖按〗《新唐书》卷一百三十二《刘秩传》载秩为左监门录事参军。

【语译】

吏部侍郎李林甫谄媚邪佞，狡诈多变，与宦官和妃嫔家族深加交结，窥伺玄宗的动静，对玄宗的举动无不知晓。因此，每次上奏对答，常常符合皇帝的旨意，玄宗很喜欢他。当时武惠妃在后宫中最受玄宗宠幸，她生下寿王李清，各个皇子都不能和他相比，太子渐渐地被疏远、冷淡，李林甫就通过宦官对武惠妃说，他愿意尽力保护寿王。武惠妃很感激他，暗地从中相助，因此，他被提拔为黄门侍郎。五月二十八日戊子，任命裴耀卿为侍中，张九龄为中书令，李林甫为礼部尚书、同中书门下三品。

玄宗在禁苑中种植麦子，率领太子以下诸子亲自前往锄草，对他们说：“这是为了献祭于祖先，所以不敢不亲自进行，而且想让你们了解耕种收获的艰难。”玄宗又遍赐侍臣，说道：“近来派人查看田里庄稼，我大多得不到实际情况，所以亲自耕种，以便观察实情。”

六月初三日壬辰，幽州节度使张守珪大败契丹，派使者进献所获俘虏及战利品。

薛王李业患病，玄宗很忧虑，面容头发都变了。七月初十日己巳，李业去世，赠谥号为惠宣太子。

玄宗任命裴耀卿为江、淮、河南转运使，在黄河口设置货物转运场。八月十四日壬寅，在转运场的东边设置河阴仓，西边设置柏崖仓，在三门山东边设置集津仓，西边设

仓，凿漕渠十八里[100]，以避三门之险。先是[101]，舟运江、淮之米至东都含嘉仓[102]，僦车[103]陆运，三百里至陕[104]，率[105]两斛[106]用千钱[107][2]。耀卿令江、淮舟运悉输河阴仓，更用河舟运至含嘉仓及太原仓[108]，自太原仓入渭[109]输关中[110]，凡三岁，运米七百万斛，省僦车钱三十万缗[111]。或说[112]耀卿献所省钱[113]，耀卿曰："此公家赢缩[114]之利耳，奈何以之市宠乎！"悉奏以为市籴[115]钱。

【段旨】

以上为第二段，写张九龄、裴耀卿、李林甫同时入相，李林甫营私阴附武惠妃，裴耀卿为转运使公忠体国。

【注释】

㊺吏部侍郎：官名，吏部尚书之副，协助吏部尚书掌管官吏的铨选拟授、勋亲封爵、考功课绩等政务。㊻李林甫：李林甫（？至公元七五二年），唐宗室，玄宗时攀援武惠妃而为宰相。传见《旧唐书》卷一百六、《新唐书》卷二百二十三。㊼柔佞：谄媚邪佞。㊽狡数：狡猾多变。㊾伺候：候望、观察。㊿奏对：臣僚当面回答皇帝提出的问题。(63)称旨：符合皇帝的旨意。称，符合。旨，意见、主张。宋以后专称皇帝的意见、命令为旨。(64)武惠妃：武惠妃（？至公元七三七年），唐玄宗的宠妃，死后赠贞顺皇后。传见《旧唐书》卷五十一、《新唐书》卷七十六。(65)倾：超越。(66)后宫：皇帝妃嫔所居宫室，此借指妃嫔。(67)寿王清：唐玄宗第十八子，初名清，后改名瑁，开元十三年（公元七二五年）封为寿王。传见《旧唐书》卷一百七、《新唐书》卷八十二。(68)太子：指玄宗第二子李瑛，开元三年（公元七一五年）立为太子。(69)浸疏薄：逐渐疏远淡薄。(70)因：依托。(71)黄门侍郎：官名，门下省副长官，主要职责是协助长官侍中行使门下省的审议、封驳职能，并参议政事。(72)戊子：五月二十八日。(73)侍中：官名，门下省长官，佐天子总大政的宰相。主掌宣达帝命，接纳奏章，行使审议、封驳职能。(74)中书令：官名，中书省长官，佐天子执大政的宰相。主掌起草诏书，对军政大事提出处理意见，再经门下省审议，然后宣付尚书省执行。(75)礼部尚书、同中书门下三品：礼部尚书，官名，尚书省礼部长官，主管礼仪、祭祀、贡举等政事。同中书门下三品，是指非三省长官而预议国政为宰相的职称。唐制，中书、门下省长官为正三品知政事官，是

置盐仓，为了避开三门山的险恶，开凿漕运渠道十八里。此前，船运江、淮的粮米到东都含嘉仓，雇车陆运，三百里抵达陕州，大约运两斛米花费千钱。裴耀卿让江、淮的船运粮米都输送到河阴仓，换用黄河的船运到含嘉仓和太原仓，从太原仓进入渭水运往关中，一共三年，运米七百万斛，节省雇车费三十万缗。有人劝说裴耀卿把所省下的钱献给玄宗，裴耀卿说："这是国家盈亏之间节省下来的利钱，怎么能够拿来向皇帝买好呢！"就上奏全部用来买粮食。

宰相。贞观（公元六二七至六四九年）以后，其他非三省长官的官员被皇帝指定担任宰相职务或预闻宰相事务的，另加同中书门下三品、同中书门下平章事、参议朝政、参知政事、参知机务等专衔。礼部尚书、同中书门下三品则表示本官为礼部尚书，而参议政事，担任宰相职务。⑯苑：畜养禽兽并种植林木供帝王游玩之地，此指宫城北的禁苑。⑰帅：通"率"。⑱芟：锄草。⑲荐宗庙：荐，献。宗庙，即太庙，供奉皇帝祖先神主的庙宇。古礼制，吉礼中有荐新于太庙之礼，以初熟五谷或时鲜果蔬至太庙祭献祖先。⑳汝曹：你们。曹，辈。㉑稼穑：稼，种植谷物。穑，收获谷物。稼穑也用作泛指农业劳动。㉒侍臣：侍从皇帝左右的官员。㉓比：副词，近来。㉔自种以观之：指唐玄宗亲自种麦来调查地力的生产量。㉕壬辰：六月初三日。㉖幽州节度使：使职名，又称范阳节度使。为幽州（范阳）方镇的差遣长官。治所在今北京城西南。为开元御边十节度经略使之一。㉗张守珪：张守珪（？至公元七三九年），唐守边将领，官至御史大夫。传见《旧唐书》卷一百三、《新唐书》卷一百三十三。㉘契丹：族名，唐东北辽河上游少数民族，太宗时始在该地置松漠都督府，任契丹首领为都督，其后时叛时服。详见《旧唐书》卷一百九十九下、《新唐书》卷一百四十四。㉙献捷：犹如献俘。古代军礼的一种，战胜归来，将俘虏和战利品献于太庙。㉚薛王业：薛王业（？至公元七三四年），唐玄宗同父异母弟，本名隆业，避玄宗讳单名业。睿宗即位，进封薛王。传见《旧唐书》卷九十五、《新唐书》卷八十一。㉛己巳：七月初十日。㉜薨：周代天子死称崩，诸侯死称薨。唐制，三品以上官死称薨，五品以上称卒，自六品至于庶人称死。㉝谥：帝王、贵族、大臣死后，给予的褒贬评价性称号。帝王谥号，由礼官议上。贵族、大臣谥号，由考功郎中上行状，太常博士拟谥号，若名实不副，给事中驳奏再议。议定后奏请皇帝赠赐之。㉞江、淮、河南转运使：江、淮、河南，指江南道、淮南道、河南道。此系贞观时按地理形势划分十道中的三道。转运使，使职名，主管粮食、财赋转运事务的财政使职，多以大臣兼领。裴耀卿任江淮河南转运使，为转运使的首次设置。设置时间有开元十八年（公元七三〇年）、二十一年、二十二年三种不同记载。应以《唐会要·转

运使》《通典·食货·漕运》所载二十一年为是。⑨河口：汴水达黄河处。在今河南荥阳东北。⑩输场：《通典·食货·漕运》作递场，为转运时装卸粮谷的聚散场所。⑪壬寅：八月十四日。⑫于输场东置河阴仓二句：《通典·食货·漕运》作“置河阴县及河阴仓、河清县置柏崖仓”。河阴县在今河南郑州西北，河清县在今河南济源西南。⑬三门：三门山，又名砥柱。位于今河南三门峡市东北黄河之中，形成三门，中为神门，南为鬼门，北为人门，只有人门稍可行舟。⑭凿漕渠十八里：凿漕渠，误。据《通典·食货·漕运》和《新唐书·食货志》，裴耀卿凿三门北山十八里陆行，以避急流险滩。⑮先是：此前。追叙以前史事的常用语。⑯含嘉仓：隋在洛阳建立的官仓，唐不断扩大，成为当时大型官仓之一。公元一九六九年考古发现其遗址，已探明二百五十九个仓窖，其中一窖还存有碳化谷子五十万斤。⑰僦车：雇车。僦，雇。⑱陕：陕州。治所在今河南三门峡市陕州区。⑲率：大概。⑳斛：量器名，古代以十斗为一斛。㉑千钱：从含嘉仓用车运粮到

【原文】

张果固请归恒山，制⑯以为银青光禄大夫⑰，号通玄先生，厚赐而遣之。后卒，好异者奏以为尸解⑱，上由是颇信神仙⑲。

冬，十二月戊子⑳朔㉑，日有食之。

乙巳㉒，幽州节度使张守珪斩契丹王屈烈㉓及可突干㉔，传首㉕。

时可突干连年为边患，赵含章㉖、薛楚玉㉗皆不能讨。守珪到官，屡击破之。可突干困迫，遣使诈降，守珪使管记王悔就抚之。悔至其牙帐㉘，察契丹上下殊㉙无降意，但稍徙营帐近西北，密遣人引突厥，谋杀悔以叛。悔知之。牙官㉚李过折与可突干分典兵马，争权不叶㉛，悔说过折使图之。过折夜勒㉜兵斩屈烈及可突干，尽诛其党，帅余众来降。守珪出师紫蒙川㉝[3]，大阅㉞以镇抚之。枭㉟屈烈、可突干首于天津桥㊱[4]之南。

突厥毗伽可汗㊲为其大臣梅录啜所毒，未死，讨诛梅录啜及其族党。既卒，子伊然可汗立，寻㊳卒，弟登利可汗㊴立。庚戌㊵，来告丧。

禁京城丐者，置病坊㊶以廪㊷之。

三门峡市陕州区，陆行三百里，运送两斛粮大约需用佣工钱一千钱。⑩⑧ 太原仓：隋文帝建立的官仓，初名常平仓。唐朝继续使用，成为控东西二京漕运的重要转运仓。仓在今河南三门峡市陕州区西南四里，占地周回六里，规模宏大。⑩⑨ 渭：渭河。发源于甘肃，流经西安，在潼关入黄河。⑪⑩ 关中：地区名，相当于今陕西中部。旧说在东函谷关、南武关、西散关、北萧关等四关之中。⑪⑪ 缗：古代铜钱一千文为一缗。⑪⑫ 说：游说，劝说别人接受自己的意见。⑪⑬ 献所省钱：将所节省的运费献给皇帝。⑪⑭ 赢缩：盈亏。赢，有余。缩，不足。⑪⑮ 市籴：和籴，唐政府出钱向农民征购粮食。市，买。

【校记】

［2］千钱：原作“十钱”。严衍《通鉴补》改作“千钱”，当是，今据校改。胡三省注亦云：“‘十钱’误，当从‘千钱’为是。”

【语译】

张果坚决请求返回恒山，玄宗下诏任命他为银青光禄大夫，号通玄先生，给他优厚的赏赐，送走了他。后来张果死了，喜好怪异之事的人上奏说他尸解成仙了，玄宗从此十分相信神仙。

冬，十二月初一日戊子，发生日食。

十八日乙巳，幽州节度使张守珪斩杀契丹王屈烈及可突干，首级传送京师。

当时可突干连年为患边境，赵含章、薛楚玉都不能讨平他。张守珪到任后，多次打败可突干。可突干处境窘迫，派使者诈降，张守珪派管记王悔就地安抚他。王悔到了可突干的牙帐，觉察契丹上下没有一点投降的意思，只是把营帐稍稍地移向西北，秘密派人招引突厥，谋划杀害王悔反叛。王悔知道了这一内情。牙官李过折与可突干分别掌管兵马，争权不和，王悔劝说李过折让他谋害可突干。李过折在夜间率兵杀死屈烈和可突干，杀死了他们的全部党羽，率领余下的部众来降。张守珪出师紫蒙川，大规模地检阅部队，对士兵加以镇抚。斩下屈烈、可突干的首级挂在天津桥的南端示众。

突厥毗伽可汗被他的大臣梅录啜毒害，没有死，便攻杀了梅录啜和他的家族党羽。毗伽可汗死后，儿子伊然可汗嗣立，不久就死了，弟弟登利可汗嗣立。十二月二十三日庚戌，来朝廷报丧。

禁止在京城乞讨，设置病坊供给他们粮米。

【段旨】

以上为第三段，写幽州节度使张守珪大破契丹。

【注释】

⑯ 制：唐代皇帝发布命令的一种。本称诏，武则天时因“曌”“诏”同音，改称制。凡重要的赏罚政刑都用制书。⑰ 银青光禄大夫：文散官名，唐文散官，是无实职、不治事但又表示身份、地位的加官，共二十九阶。银青光禄大夫为从三品，属第五阶。⑱ 尸解：神仙家所谓尸解，犹如蝉蜕，灵魂离去而尸体还在。⑲ 上由是颇信神仙：唐玄宗开元初改集仙殿为集贤殿，表明他不信神仙。至是则颇信神仙，到了晚年，更是深信不疑。颇信，十分相信。⑳ 戊子：十二月初一日。㉑ 朔：农历的每月初一日。㉒ 乙巳：十二月十八日。㉓ 屈烈：又作“屈剌”，契丹王，权臣可突干所立，公元七三〇至七三四年在位。事见《新唐书》卷二百十九。㉔ 可突干：可突干（？至公元七三四年），一作“可突于”，契丹大臣，骁勇专权。事见《旧唐书》卷一百九十九下、《新唐书》卷二百十九。㉕ 传首：把首级传送到京师。㉖ 赵含章：赵含章（？至公元七三二年），时任幽州长史，知范阳节度使事。其事散见《旧唐书》卷一百九十九下、《新唐书》卷二百十

【原文】

二十三年（乙亥，公元七三五年）

春，正月，契丹知兵马中郎[143]李过折来献捷，制以过折为北平王、检校松漠州都督[144]。

乙亥[145]，上耕藉田[146]，九推[147]乃止，公卿以下皆终亩。赦天下，都城酺[148]三日。

上御五凤楼酺宴，观者喧隘[149]，乐不得奏。金吾[150]白梃[151]如雨，不能遏[152]，上患之。高力士[153]奏河南[154]丞[155]严安之为理[156]严，为人所畏，请使止之，上从之。安之至，以手板[157]绕场画地曰：“犯此者死！”于是尽三日，人指其画以相戒[158]，无敢犯者。

时命三百里内刺史、县令各帅所部音乐集于楼下，各较胜负。怀州[159]刺史以车载乐工数百，皆衣文绣[160]，服箱[161]之牛皆为虎豹犀象之

九《契丹传》等篇。⑫⑦薛楚玉：曾任幽州长史，知范阳节度使事。事见《旧唐书》卷九十三、《新唐书》卷一百十一。⑫⑧牙帐：将帅树牙旗于军帐前，故称将帅所居幕帐为牙帐。⑫⑨殊：甚。⑬⓪牙官：副武官。⑬①叶：和洽。⑬②勒：统率。⑬③紫蒙川：古水名，在今辽宁朝阳西北。⑬④大阅：大规模检阅军队。⑬⑤枭：斩头悬挂于木上。⑬⑥天津桥：古桥名，洛水上架设的一座以船相连的浮桥。故址在今河南洛阳旧城西南。⑬⑦毗伽可汗：名默棘连，骨咄禄之子。先为左贤王，被其弟阙特勤拥立为可汗，公元七一六至七三二年在位。事见《旧唐书》卷二百十五下。⑬⑧寻：不久。⑬⑨登利可汗：又称毗伽骨咄禄可汗，系毗伽可汗之子，开元二十八年（公元七四〇年）为其叔父所杀。事见《旧唐书》卷一百九十四上、《新唐书》卷二百十五下。⑭⓪庚戌：十二月二十三日。⑭①病坊：悲田养病坊。唐国家拨给田地，收养孤贫老病平民的慈善机构。先设使专管，开元初改由僧尼主领，会昌灭佛后，选耆寿主持。⑭②廪：廪食，官府供给粮食。

【校记】

［3］紫蒙川：原作“紫蒙州”。据章钰校，十二行本、乙十一行本、孔天胤本皆作“紫蒙川”，今据改。［4］天津桥：原脱“桥”字，当是刻工脱落。

【语译】

二十三年（乙亥，公元七三五年）

春，正月，契丹知兵马中郎李过折来京献俘虏和战利品，下制书任命李过折为北平王、检校松漠州都督。

正月十八日乙亥，玄宗耕种籍田，九推才停止，公卿以下都耕完一亩。大赦天下，京城中聚饮三天。

玄宗亲临五凤楼聚会宴饮，观看的人喧闹拥堵，音乐不能演奏。金吾卫兵的棍棒挥动如雨，也不能阻止，玄宗很担心。高力士上奏说河南丞严安之治政严厉，被人们畏惧，请让他来稳定混乱局面，玄宗同意了。严安之到了，用手板绕着场子画地为线说：“越过这条线的处死！”于是整整三天，人们指着这条线互相告诫，没有敢越过的。

当时命令京师三百里以内的刺史、县令各自率领所统属的乐队聚集楼下，各自比赛胜负。怀州刺史用车装载几百个乐工，都穿着彩色绣衣，拉车箱的牛都打扮

状。鲁山[162]令元德秀[163]惟遣乐工数人，联袂歌《于蒍》[164]。上曰：“怀州之人，其涂炭[165]乎！”立[166]以刺史为散官[167]。德秀性介洁质朴[168]，士大夫皆服其高。

上美张守珪之功，欲以为相。张九龄谏曰：“宰相者，代天理物，[169]非赏功之官也。”上曰：“假以其名，而不使任其职，可乎？”对曰：“不可。惟名与器不可以假人[170]，君之所司[171]也。且守珪才破契丹，陛下[172]即以为宰相，若尽灭奚、厥[173]，将以何官赏之？”上乃止。二月，守珪诣[174]东都献捷，拜右羽林大将军[175]，兼御史大夫[176]，赐二子官，赏赉甚厚。

初，殿中侍御史[177]杨汪既杀张审素[178]，更名万顷。审素二子瑝、琇[179]皆幼，坐流岭表[180]，寻逃归，谋伺便复仇[181]。三月丁卯[182]，手杀万顷于都城，系表[183]于斧，言父冤状。欲之江外[184]杀与万顷同谋陷其父者，至汜水[185]，为有司[186]所得。议者多言二子父死非罪，稚年[187]孝烈[188]，能复父仇，宜加矜宥[189]，张九龄亦欲活之。裴耀卿、李林甫以为如此，坏国法。上亦以为然，谓九龄曰：“孝子之情，义不顾死[190]。然杀人而赦之，此涂[191]不可启也。”乃下敕[192]曰：“国家设法，期于止杀。各伸[193]为子之志，谁非徇[194]孝之人！展转相仇，何有限极！咎繇[195]作士，法在必行。曾参杀人，亦不可恕。[196]宜付河南府[197]杖杀[198]。”士民皆怜之，为作哀诔[199]，榜[200]于衢路[201]。市人[202]敛[203]钱葬之于北邙[204]，恐万顷家发之，仍为作[5]疑冢[205]数处。

唐初，公主[206]实封[207]止[208]三百户，中宗[209]时，太平公主[210]至五千户，率以七丁为限。开元以来，皇妹止千户，皇女又半之，皆以三丁为限。驸马[211]皆除三品员外官[212]，而不任以职事。公主邑[213]入至少[6]，至不能具车服。左右或言其太薄，上曰：“百姓租赋，非我所有。战士出死力，赏不过束[214]帛。女子何功，而享多户邪？且欲使之知俭啬[215]耳。”秋，七月，咸宜公主[216]将下嫁，始加实封至千户。公主，武惠妃之女也。于是诸公主皆加至千户。

冬，十月戊申[217]，突骑施[218]寇北庭[219]及安西[220]拨换城[221]。

闰月壬午[222]朔，日有食之。

十二月乙亥[223]，册[224]故蜀州[225]司户[226]杨玄琰[227]女为寿王妃。玄琰，汪[228]之曾孙也。

成老虎、豹子、犀牛、大象的样子。鲁山县令元德秀只派遣几个乐工，手拉手唱着《于蔿》歌。玄宗说："怀州的民众，大概会生灵涂炭吧!"立即把怀州刺史任为散官。元德秀品性耿介清白质朴，士大夫都钦佩他的高尚。

玄宗赞赏张守珪的功劳，想任命他为宰相。张九龄劝谏说："宰相是代天子治理万物的，不是赏功的官职。"玄宗说："给他宰相的名义，而不让他担任实职，可以吗?"张九龄回答说："不可以。只有名位和礼器不能给人，这是国君所主管的。况且张守珪才打败契丹，陛下就任命他为宰相，如果他尽灭奚、突厥，将用什么官职来赏赐他呢?"玄宗这才作罢。二月，张守珪到东都进献俘虏和战利品，被任命为右羽林大将军，兼御史大夫，赐予他两个儿子官职，赏赐极为丰厚。

当初，殿中侍御史杨汪杀了张审素后，改名叫杨万顷。张审素的两个儿子张瑝、张琇都年幼，连坐流放岭南，不久就逃了回来，谋划伺机报仇。三月十一日丁卯，在都城亲手杀了杨万顷，把表章系在斧头上，陈诉父亲蒙冤的情况。他们想去江南杀掉和杨万顷同谋陷害他们父亲的人，到了汜水，被有关部门抓获。议论的人大多说两个孩子的父亲死于非罪，幼年孝行显赫，能为父报仇，应该予以怜悯和宽宥，张九龄也想救他们。裴耀卿、李林甫认为如果这样，便破坏了国法。玄宗也这样认为，对张九龄说："孝子之情，为了义而不怕死。但是杀了人而被赦免，此例不可开。"便下令说："国家立法，希望制止杀戮。各人要表达做人子的志向，那么谁不是殉身孝道的人呢！辗转相仇，还有什么极限！咎繇做法官，立法就必须实行。曾参杀了人，也不能宽恕。应该把两人交付河南府用棍棒打死。"士民都怜悯这两个孩子，替他们撰写哀文诔词，悬贴在大道上。市民聚资把他俩安葬在北邙，担心杨万顷家人挖坟，便造了几处迷惑人的假坟。

唐初，公主实封只有三百户，中宗时，太平公主封至五千户，大体以七丁为限。开元以来，皇帝的妹妹只封一千户，皇帝的女儿又减半，都以三丁为限。驸马全都封三品员外官，而不担任实际职务。公主封邑的收入极少，以致不能置办齐全车马服饰。玄宗身边的人说公主封邑收入太微薄，玄宗说："百姓租赋，非我所有。战士们出死力，赏赐不过一束帛。女子有什么功劳，而享受许多封户呢?而且我想让她们知道节俭啊。"秋，七月，咸宜公主将要下嫁，才开始实封加到一千户。咸宜公主是武惠妃的女儿。从这时起诸公主的封户都增加到一千户。

冬，十月二十六日戊申，突骑施侵扰北庭和安西拨换城。

闰十一月初一日壬午，发生日食。

十二月二十四日乙亥，册封原蜀州司户杨玄琰之女为寿王妃。杨玄琰是杨汪的曾孙。

是岁，契丹王过折为其臣涅礼[229]所杀，并其诸子，一子刺乾奔安东[230]得免。涅礼上言，过折用刑残虐，众情不安，故杀之。上赦其罪，因以涅礼为松漠都督，且赐书责之曰："卿之蕃法多无义于君长，自昔如此，朕亦知之。然过折是卿之王，有恶辄杀之，为此王者，不亦难乎！但恐今[7]卿为王后，人亦尔。常不自保，谁愿作王？亦应防虑后事，岂得取快目前。"突厥寻引兵东侵奚、契丹，涅礼与奚王李归国共[8]击破之。

【段旨】

以上为第四段，写唐玄宗耕籍田九推，娱乐有度，禁报私仇，仍不失为明主。

【注释】

⑭③知兵马中郎：李过折的官衔。新旧两唐书之《契丹传》作衙官，似为突厥派到契丹的官员，与契丹大臣可突干分掌兵力。后李过折杀可突干，被唐封为北平郡王，授特进、检校松漠州都督。这里言李过折为突厥知兵马中郎，不详其故。⑭④检校松漠州都督：官名。检校，指诏除而非正式任命的官。初唐时，带检校的官表示任其事而未实授其官，中唐后成为虚衔。松漠州，唐羁縻州，治所在今内蒙古巴林右旗南。都督，唐在内属的蕃夷部落所在地设置都督府，任命其首领为都督。松漠州都督府，契丹酋长内属时置。⑭⑤乙亥：正月十八日。⑭⑥藉田：籍田。古时帝王于孟春之月（正月）在城郊举行祭祀，即亲耕农田的仪式，以示劝农之意。⑭⑦九推：依旧制，籍田之仪，天子三推，公卿九推，庶人终亩。据杜佑《通典·礼·籍田》载，当年玄宗欲重耕籍，遂进耕五十余步，尽陇（田埂）乃止。推，以手扶犁作耕田状。⑭⑧酺：聚会饮酒。⑭⑨喧隘：喧闹拥堵。喧，声音大而杂。隘，通"阨"，阻塞。⑮⓪金吾：警卫兵士。唐朝由金吾卫将军率所属翊府和番上兵士担任宫中及京城的巡警。⑮①白梃：大木棍。⑮②遏：阻止。⑮③高力士：高力士（公元六八四至七六二年），宦官。玄宗宠任极专，官至骠骑大将军，封渤海郡公。传见《旧唐书》卷一百八十四、《新唐书》卷二百七。⑮④河南：县名，县治在今河南洛阳西。⑮⑤丞：县丞，为县的副长官。⑮⑥理：治。唐避高宗李治讳，改"治"为"理"。⑮⑦手板：笏。古代官员上朝或谒见上司时所执，备记事用。⑮⑧戒：通"诫"。告诫；警告。⑮⑨怀州：州名，治所在今河南沁阳。⑯⓪文绣：刺绣华美的丝织品。⑯①服箱：牵拉车箱。服，通"负"。箱，车箱。⑯②鲁山：县名，县治在今河南鲁山。⑯③元德秀：元德秀（公元六九五至七五四年），字紫芝，河南县人，开元进士，为卓行之士，曾任鲁山令。著有《季子听乐论》《蹇士赋》。传见《旧唐书》卷一百九十下、《新唐书》卷

这一年，契丹王过折被他的大臣涅礼杀死，他的儿子们也一起被杀，只有一个儿子剌乾跑到安东得免一死。涅礼上书朝廷说，过折用刑残酷暴虐，民情不安，所以把他杀了。玄宗赦免了他的罪过，便任命涅礼为松漠都督，并赐书责备他说："你们的蕃法大多对君长不义，从过去就是这样，朕也知道。然而过折是你们的君王，有恶行就杀掉他，做这样的君王，不也太难了吗?！只怕你今天做了君王后，别人也这样做。君王常常不能自保，谁愿意做君王？你也该防备考虑后事，怎能只顾眼前的快活。"突厥不久率兵东侵奚、契丹，涅礼与奚王李归国一起打败了突厥。

一百九十四。⑯④《于芀》：元德秀所作之歌。《新唐书》元德秀本传作《于芀于》。《明皇杂录》卷十尚有"玄宗闻而异之，试征其词，乃叹曰：'贤人之言也'"。说明其词有规劝的寓意。⑯⑤涂炭：烂泥和炭火，比喻灾难困苦。此指唐玄宗不满怀州刺史大摆排场，所进乐队庞大，加重民众负担。⑯⑥立：立即。⑯⑦散官：无职事的清闲官。⑯⑧介洁质朴：言其品性高尚。介，耿直。洁，清白。质，诚实。朴，朴素。⑯⑨宰相者二句：意思是宰相职位崇高，责任重大。代天，代表天子。理物，治理万事。⑰⓪名与器不可以假人：《左传》成公二年孔子语。名，表示职务地位的名称。器，标志名位、爵号的器物，如钟鼎宝器。⑰①司：掌管。⑰②陛下：秦以后臣下对天子的专称，表示以卑达尊之意。陛，殿坛的台阶。⑰③奚、厥：奚和突厥，唐朝东北和北方的少数民族。⑰④诣：往；到。⑰⑤右羽林大将军：武官名，唐有左右羽林军，各置大将军一员、将军二员，统领所部禁兵，担任大朝会和天子巡幸的警卫。⑰⑥御史大夫：官名，御史台长官，主管对百官的弹劾、纠察，执掌监察大权。⑰⑦殿中侍御史：官名，御史台所属殿院的官员，主管纠察殿廷供奉仪式的违失。⑰⑧杨汪既杀张审素：张审素为嶲州（治所在今四川西昌）都督，被告有贪污罪，朝廷派殿中侍御史杨汪前去按治，路上为张审素同党拦劫要挟。杨汪遂奏称张审素谋反而斩之，并抄没其家。事见本书卷二百十三开元十九年九月。⑰⑨瑝、琇：张审素的两个儿子张瑝、张琇。事见《旧唐书》卷一百八十八。⑱⓪岭表：指五岭以南地区，即广东、广西一带。⑱①仇：仇恨。⑱②丁卯：三月十一日。⑱③表：唐代臣下上给皇帝的奏章有奏抄、奏弹、露布、议、表、状六种。表是一种最常用的形式，一般臣下给天子的文书都可称为表。⑱④江外：泛指长江以南。⑱⑤汜水：水名，发源于今河南巩义东南，北流经河南荥阳市汜水镇西，北注入黄河。⑱⑥有司：官吏，或主管部门。⑱⑦稚年：幼年。⑱⑧孝烈：孝行显赫。⑱⑨矜宥：矜，怜悯。宥，宽免。⑲⓪义不顾死：不怕死是应该的。义，合宜的道德、行为或道理。顾，畏忌、怕。⑲①涂：通"途"，道路。⑲②敕：皇帝颁发命令的一种形式。唐代的敕有发日敕（手诏）、敕旨、论事敕书和敕牒的分别。见《唐六典》卷九《中书省》。此敕当为发日敕。⑲③伸：伸展；陈述。⑲④徇：通"殉"。为达到某种目的

而献身。⑲⑤咎繇：也称皋陶，传说为舜之臣，掌刑狱之事。⑲⑥曾参杀人二句：曾参（公元前五〇五至前四三五年），孔子弟子，以孝闻名。孔子收他为弟子，也是因为他“通孝道”。据载，他曾作《孝经》，死于鲁。此二句言孝如曾参，他杀了人，也不可宽恕。曾参事见《史记》卷六十七。⑲⑦河南府：府名，治所在今河南洛阳东北。⑲⑧杖杀：用棍棒打死。⑲⑨哀诔：一种哀祭文体。叙述死者生前事迹，表示哀悼。⑳⓪榜：布告。⑳①衢路：四通八达的道路。⑳②市人：城市居民。⑳③敛：搜集。⑳④北邙：山名，亦作“北芒”，即邙山。在今河南洛阳北。⑳⑤疑冢：指做多处坟墓，使人疑惑，不知其实葬之处。冢，坟墓。⑳⑥公主：帝王女的称号。皇帝之女称公主，大姐称长公主，姑称大长公主。⑳⑦实封：唐贵族、功臣有食邑封户之制。食封户数有虚数与实数之别。实封是指实际收取衣食租税的户数。实封可传之子孙，但有递减的规定。封户的租调初由贵族直接收取，后改交官府，再由太府寺发给封主。⑳⑧止：副词，只有、仅仅。⑳⑨中宗：唐中宗（公元六五六至七一〇年），名显，高宗之子，公元七〇五至七一〇年在位。事详见《旧唐书》卷七、《新唐书》卷四。㉑⓪太平公主：太平公主（？至公元七一三年），武则天之女。传见《旧唐书》卷一百八十三、《新唐书》卷八十三。㉑①驸马：官名，北魏、南齐以后皇帝女婿例授驸马都尉，简称驸马，但已非实官。唐代驸马都尉都由尚公主者担任，只食俸禄。㉑②员外官：正员以外的官员。唐初员外官少，神龙（公元七〇五至七〇七年）后大为增加。有员外和员外同正之别，前者俸禄减正官之半，后者不给职田，俸禄同正官。㉑③公主邑：公主食邑。食邑即食封。㉑④束：一小捆。帛的计量单位。㉑⑤俭啬：俭，节约。啬，不浪费。㉑⑥咸宜公主：武惠妃所生。传见《新唐书》卷八十二。㉑⑦戊申：十月二十六日。㉑⑧突骑施：西突厥的别部，牙帐在碎叶城（今吉尔吉斯斯坦北部托克马克

【原文】

二十四年（丙子，公元七三六年）

春，正月庚寅[231]，敕：“天下逃户，听尽今年内自首，有旧产者令还本贯[232]，无者别俟[233]进止。逾限不首，当命专使搜求，散配诸军。”

北庭都护盖嘉运[234]击突骑施，大破之。

二月甲寅[235]，宴新除县令于朝堂[236]。上作《令长新戒》一篇，赐天下县令。

庚午[237]，更皇子[238]名，鸿曰瑛，潭曰琮，浚曰玙，洽曰琰，涓曰瑶，滉曰琬，涺曰琚，潍曰璲，沄曰璬，泽曰璘，清曰瑁，洄曰玢，沭曰琦，溢

附近）。事见《旧唐书》卷一百九十四下、《新唐书》卷二百十五下。⑲北庭：北庭都护府，治所在今新疆吉木萨尔北破城子。唐在边地所设六大都护府之一，长安二年（公元七〇二年）置，统辖天山北路及中亚一带羁縻州府，与安西都护府相犄角，共治西域。⑳安西：安西都护府，唐六大都护府之一，贞观十四年（公元六四〇年）置。初总辖西域，置北庭后，专治天山南道及葱岭以西羁縻州府。治所初在今新疆吐鲁番东高昌故城，后移至今新疆库车。㉑拨换城：古城名，故址在今新疆阿克苏。㉒壬午：闰十一月初一日。㉓乙亥：十二月二十四日。㉔册：册封。唐制，凡立后妃、建太子、封诸王及封立少数民族首领都要行册封之礼。其仪主要是当面宣读册文，授印玺。㉕蜀州：州名，治所在今四川崇州。㉖司户：官名，即州僚佐司户参军，掌管户口、籍账、婚嫁、田宅、杂徭、道路等事务。㉗杨玄琰：杨贵妃之父，赠太尉、齐国公。事见《旧唐书》卷五十一、《新唐书》卷七十六。㉘汪：杨汪，字符度，仕隋至大理卿、国子祭酒。传见《隋书》卷五十六。㉙涅礼:《旧唐书·契丹传》作泥礼，乃写音的不同，但是以泥礼为可突干的余党，则与《通鉴》为过折之臣稍异。㉚安东：安东都护府。唐六大都护府之一。总章元年（公元六六八年）置，辖高丽各府州。治所常迁，此时在河北卢龙。

【校记】

［5］作：原无此字。据章钰校，十二行本、乙十一行本皆有此字，今据补。［6］至少：据章钰校，十二行本、乙十一行本皆无“至”字。〖按〗如无“至”字，“少”字则应连下读。［7］今：原无此字。据章钰校，十二行本、乙十一行本皆有此字，今据补。［8］共：原无此字。据章钰校，十二行本、乙十一行本皆有此字，今据补。

【语译】

二十四年（丙子，公元七三六年）

春，正月初十日庚寅，敕令：“天下逃户，准许在今年内自首，有旧产业的人让他们返回原籍，没有产业的人另外等候安置。超过期限不自首的，当令专使搜查，分散配发给各军。”

北庭都护盖嘉运攻打突骑施，打败了他。

二月初四日甲寅，在朝堂上宴请新任命的县令。玄宗撰写了一篇《令长新戒》，颁赐给全国的县令。

二月二十日庚午，更改皇子的名：鸿为瑛，潭为琮，浚为玙，洽为琰，涓为瑶，滉为琬，涺为琚，潍为璲，沄为璬，泽为璘，清为瑁，洄为玢，沭为琦，溢为环，

曰环，沔曰理[9]，漼曰玭，灌曰珪，澄曰珙，漶曰瑱，潍曰璇，滔曰璥。

旧制，考功员外郎[239]掌试贡举人[240]。有进士[241]李权，陵侮[242]员外李昂，议者以员外郎位卑，不能服众。三月壬辰[243]，敕自今委礼部侍郎[244]试贡举人。

张守珪使平卢讨击使[245]、左骁卫将军[246]安禄山[247]讨奚、契丹叛者。禄山恃[248]勇轻进，为虏所败。夏，四月辛亥[249]，守珪奏请斩之。禄山临刑呼曰："大夫不欲灭奚、契丹邪？奈何杀禄山！"守珪亦惜其骁勇，欲活之[10]，乃更执送京师。张九龄批曰："昔穰苴诛庄贾[250]，孙武斩宫嫔[251]，守珪军令若行，禄山不宜免死。"上惜其才，敕令免官，以白衣[252]将领。九龄固争曰："禄山失律丧师，于法不可不诛。且臣观其貌有反相，不杀必为后患。"上曰："卿勿以王夷甫识石勒[253]，枉害忠良。"竟赦之[254]。

安禄山者，本营州[255]杂胡[256]，初名阿荦山。其母，巫也，父死，母携之再适[257]突厥安延偃。会其部落破散，与延偃兄子思顺[258]俱逃来，故冒姓安氏，名禄山。又有史窣干[259]者，与禄山同里闬[260]，先后一日生。及长，相亲爱，皆为互市牙郎[261]，以骁勇闻。张守珪以禄山为捉生将。禄山每与数骑出，辄擒契丹数十人而返。狡黠[262][11]，善揣人情。守珪爱之，养以为子。

窣干尝负官债亡入奚中，为奚游弈[263]所得，欲杀之，窣干绐[264]曰："我，唐之和亲使[265]也。汝杀我，祸且[266]及汝国。"游弈信之，送诣牙帐。窣干见奚王，长揖[267]不拜。奚王虽怒，而畏唐，不敢杀，以客礼馆[268]之，使百人随窣干入朝。窣干谓奚王曰："王所[12]遣人虽多，观其才，皆不足以见天子。闻王有良将琐高[269]者，何不使之入朝！"奚王即命琐高与牙下三百人随窣干入朝。窣干将至平卢，先使人谓军使[270]裴休子曰："奚使琐高与精锐俱来，声云入朝，实欲袭军城。宜谨为之备，先事图之。"休子乃具军容出迎，至馆，悉坑杀其从兵，执琐高送幽州。张守珪以窣干为有功，奏为果毅[271]，累迁将军[272]。后入奏事，上与语，悦之，赐名思明。

沔为理，沘为玭，潅为珪，澄为珙，潓为瑱，漩为璇，滔为璬。

旧制，由考功员外郎掌管考试贡举士人，有一位名叫李权的进士，凌辱员外郎李昂，朝中议论的人认为员外郎职位低下，不能服众。三月十二日壬辰，敕令从现在起任命礼部侍郎考试贡举士人。

张守珪派平卢讨击使、左骁卫将军安禄山讨伐奚、契丹的反叛者。安禄山自恃勇武轻率进军，被敌人打败。夏，四月初二日辛亥，张守珪奏请处死安禄山。安禄山临刑前呼喊说："大夫您不是想灭掉奚、契丹吗？怎么要杀死我安禄山！"张守珪也怜惜他的骁勇，想让他活命，就抓起来改送京师。张九龄在奏章上批示说："从前司马穰苴杀庄贾，孙武斩吴王宠姬，张守珪军令如果执行，安禄山就不应免死。"玄宗爱惜安禄山的才能，下敕令免去他的官职，以平民身份为将领兵。张九龄力争说："安禄山违令丧师，在军法上不能不杀。而且臣观看他的外貌有反相，不杀必为后患。"玄宗说："你不要用王衍识辨石勒的典故，错杀忠良。"最终玄宗赦免了安禄山。

安禄山，原本营州杂胡，原名阿荦山。他的母亲是个女巫，父亲死后，母亲带着他改嫁突厥人安延偃。遇上部落败散，他和安延偃哥哥之子安思顺一起逃过来，所以就冒姓安氏，名禄山。又有一个名叫史窣干的人，与安禄山同乡里，前后一天生的。等到长大了，彼此亲爱，都做了互市牙郎，因骁勇而闻名。张守珪任命安禄山为捉生将。安禄山每次和几个骑兵出去，就能活捉几十个契丹人回来。他狡猾诡诈，善揣人意。张守珪喜欢他，收养为义子。

史窣干曾欠官债逃到奚中，被奚人的巡逻兵抓住，打算杀死他，史窣干欺骗他们说："我是唐的和亲使者。你们杀我，灾祸就将降临到你们国家。"巡逻兵相信了他的话，把他送到牙帐。史窣干见到奚王，拱手行礼不去下拜。奚王虽然生气，但畏惧唐，不敢杀他，用宾客之礼留宿他，派一百人随从史窣干入朝。史窣干对奚王说："大王所派遣的人虽然很多，但观察他们的才能，都不足以朝见天子。听说大王有位良将名叫琐高的，为什么不派他入朝呢?!"奚王当即命琐高与牙下三百人随从史窣干入朝。史窣干快到平卢，先派人对军使裴休子说："奚人派遣琐高和精兵一起来了，声称入朝，实际是想偷袭军城。你们应严加防备，先下手对付他们。"裴休子就安排军队仪仗出迎，到了馆舍，全部活埋了随从琐高的士兵，抓住琐高送往幽州。张守珪认为史窣干有功，上奏任命他为果毅都尉，累次升迁为将军。他后来入朝奏事，玄宗和他交谈，很喜欢他，赐名思明。

【段旨】

以上为第五段，写杂胡安禄山、史思明登场。

【注释】

㉛庚寅：正月初十日。㉜贯：原籍。㉝俟：等待。㉞盖嘉运：开元后期任北庭都护，破突骑施有功，加河西、陇右节度使，后在与吐蕃的争战中受挫。其事散见《旧唐书》卷一百九十四下、《新唐书》卷二百十五下等篇。㉟甲寅：二月初四日。㊱朝堂：汉代百官治事、会议大事的地方称朝堂。唐代大明宫的朝堂，在含元殿前翔鸾阁与栖凤阁下。㊲庚午：二月二十日。㊳皇子：据《旧唐书》卷一百七、《新唐书》卷八十二，玄宗皇子三十人，七人早夭。这里列举二十一人，因另二人夏悼王一、怀哀王敏也早亡。㊴考功员外郎：官名，吏部考功司副官，与考功郎中共掌内外文武官吏的考课。郎中管京官考，员外郎掌外官考。㊵贡举人：唐代科举制，常科考生有两个来源，一是学馆课试合格的生员，一是投牒自举（自己报名）经州县考试合格的乡贡。这两种被送到尚书省参加考试的，就是这里所说的贡举人。㊶进士：唐科举制，凡试于礼部的，都谓之进士，及第的称为前进士。㊷陵侮：侵凌侮辱。陵，通“凌”。㊸壬辰：三月十二日。㊹礼部侍郎：官名，礼部副长官，协助礼部尚书执掌天下礼仪、祭享、贡举等政事。开元二十四年（公元七三六年）以后，考试贡举人由礼部侍郎专掌。㊺平卢讨击使：平卢，军镇名，治所在今辽宁朝阳。平卢讨击使，为幽州节度使所属平卢军专事征讨的使职。姚汝能《安禄山事迹》作“充（张守珪）衙前讨击使”。㊻左骁卫将军：武官名，唐中央十二卫将军之一，掌宫廷警卫，督摄队伍。安禄山在平卢无从履行此职。姚汝能《安禄山事迹》作“以军功加员外左骑（骁之误）卫将军”为是。㊼安禄山：安禄山（？至公元七五七年），营州柳城（今辽宁朝阳南）胡人，幽州节度使张守珪以子养之，取得玄宗信任后，任平卢、范阳、河东三节度使，后反唐称帝，至德间被其子安庆绪杀死。传见《旧唐书》卷二百上、《新唐书》卷二百二十五上。㊽恃：仗恃；依赖。㊾辛亥：四月初二日。㊿穰苴诛庄贾：齐景公任命司马穰苴为将，穰苴说：“愿得君之宠臣以监军。”景公派庄贾前往。庄贾平素骄贵，穰苴和他相约，日中会于军门，而他夕时才到。穰苴以庄贾不守时，将他斩首以号令三军。事见《史记》卷六十四。(251)孙武斩宫嫔：孙武以《兵法》十三篇见吴王阖闾，吴王用百八十名宫女让他试行演习。孙武将宫女分为两队，以吴王的宠姬二人各为队长，手中持戟。操演方法和纪律布置停当，并摆出刑罚用具，三令五申。于是击鼓使之右，妇人只是大笑。孙子说：“约束不行，申令不熟，将之罪也。”再三令五申而击鼓使之左，妇人又大笑。孙子腰斩队长，吴王阻止，孙子以“将在军，君命有所不受”而斩之，用其次为队长。再击鼓，妇人左右

前后跪起都能合乎规矩，无人敢再出声。于是吴王知孙子能用兵，任命为将。事见《史记》卷六十五。㉜白衣：古代平民着白衣，因以称无功名官位的人为白衣。㉝王夷甫识石勒：王夷甫，即西晋士族王衍。石勒，羯人。石勒年十四，随邑人行贩于洛阳。一天，他依靠在上东门吹口哨，王衍见了甚为奇异，对左右的人说："那个小胡儿，我观察他的声音、眼神，定有奇志，恐怕将来为天下之患。"急忙回去派人来收捕，石勒已经离去。事见《晋书》卷一百四。王衍，传见《晋书》卷四十三。石勒，传见《晋书》卷一百四、卷一百五。㉞竟赦之：唐玄宗终于赦免了安禄山的死罪。唐玄宗不杀安禄山，是误听李林甫的邪说，用胡人做边将，以利制夷，终于留下了隐患。㉟营州：州名，治所在今辽宁朝阳。㊱杂胡：混血胡人。㊲适：女子出嫁。㊳思顺：安思顺（？至公元七五六年），曾任河西节度使、工部尚书（《旧唐书·哥舒翰传》作户部尚书）。后因哥舒翰诬奏他与安禄山潜通而被杀。㊴窣干：史思明（？至公元七六一年），唐玄宗赐名思明。营州杂胡。传见《旧唐书》卷二百上、《新唐书》卷二百二十五上。㊵闬：闾里的门；巷门。㊶互市牙郎：互市，唐在与少数民族接壤地区开辟物资贸易市场，称为互市，并设立互市监进行管理。牙郎，即牙侩、牙人，在市场上从事说合买卖双方成交的人。㊷狡黠：狡猾。㊸游弈：游动哨兵。㊹绐：欺骗。㊺和亲使：使职名，中原汉族王朝与少数民族首领之间进行有政治目的的联姻，称为和亲。和亲使是为进行和亲而专门派遣的使臣。㊻且：将要。㊼长揖：相见时拱手自上而至极下以为礼，以示恭敬。揖，古拱手礼。㊽馆：住宿。㊾琐高：奚中酋豪人名，奚族名琐高者颇常见。参见岑仲勉《唐史餘瀋》卷二。㊿军使：使职名，天宝以前戍守边防的军队，有军、守捉、城、镇四种大小不同的制置，都设使职以统领，总归于道。详见《新唐书·兵志》。(271)果毅：军官名，即果毅都尉，为折冲府（亦称军府）的副将。(272)将军：唐制，南衙十六卫有上将军、大将军、将军，北衙诸军亦有大将军、将军。此处所说，是指武散官将军。唐武散官二十九阶，从一品至从五品下各阶称大将军、将军或中郎将、郎将。

【校记】

［9］理：严衍《通鉴补》改作"瑝"。［10］欲活之：原无此三字。据章钰校，十二行本、乙十一行本、孔天胤本皆有此三字，张敦仁《通鉴刊本识误》同，今据补。［11］黠：原作"猾"。据章钰校，十二行本、乙十一行本、孔天胤本皆作"黠"，今从改。［12］所：原无此字。据章钰校，十二行本、乙十一行本皆有此字，今据补。

【原文】

故连州[273]司马[274]武攸望[275]之子温昚坐交通[276]权贵，杖死。乙丑[277]，朔方、河东节度使[278]信安王祎贬衢州[279]刺史，广武王承宏[280]贬房州[281]别驾[282]，泾州刺史薛自劝贬澧州[283]别驾，皆坐与温昚交游故也。承宏，守礼[284]之子也。辛未[285]，蒲州[286]刺史王琚[287]贬通州[288]刺史，坐与祎交书也。

五月，醴泉[289]妖人刘志诚作乱，驱掠路人，将趣咸阳[290]。村民走告县官，焚桥断路以拒之，其众遂溃。数日，悉擒斩之。

六月，初分月给百官俸钱[291]。

初，上因藉田赦[292]，命有司议增宗庙笾豆之荐[293]及服纪[294]未通者。太常卿[295]韦绦[296]奏请宗庙每坐笾豆十二[297]。

兵部侍郎[298]张均[299]、职方郎中[300]韦述[301]议曰："圣人知孝子之情深，而物类之无限，故为之节制。人之嗜好本无凭准，宴私[302]之馔与时迁移，故圣人一切同归于古。屈到嗜芰，屈建不以荐，[303]以为不以私欲干国之典。今欲取甘旨肥浓[304]，皆充祭用，苟逾旧制，其何限焉！《书》曰：'黍稷非馨，明德惟馨。'[305]若以今之珍馔[306]，平生所习，求神无方，何必泥古，则簠簋[307]可去，而盘盂杯案[308]当在御[309]矣，《韶》《濩》[310]可息，而箜篌[311]筝[312]笛当在奏矣。既非正物，后嗣何观！夫神，以精明临人者也，不求丰大。苟失于礼，虽多何为！岂可废弃礼经以从流俗！且君子爱人以礼，不求苟合，况在宗庙，敢忘旧章！"

太子宾客[313]崔沔议曰："祭祀之兴，肇[314]于太古[315]。茹毛饮血[316]，则有毛血之荐。未有曲糵[317]，则有玄酒[318]之奠。施及后王，礼物渐备。然以神道致敬，不敢废也。笾豆簠簋樽罍[319]之实，皆周人之时馔也，其用通于宴飨宾客。而周公制礼[320]，与毛血玄酒同荐鬼神。国家由礼立训，因时制范，清庙[321]时飨，礼馔毕陈，用周制也。园寝[322][13]上食，时膳具设，遵汉法也。职贡[323]来祭，致远物也。有新必荐，顺时令[324]也。苑囿[325]之内，躬稼[326]所收，搜狩[327]之时，亲发所中，莫不荐而后食，尽诚敬也。若此至矣，复何加焉！但当申敕[328]有司，无或简怠，则鲜美肥浓，尽在是矣，不必加笾豆之数也[329]。"

【语译】

原连州司马武攸望之子武温昚犯了勾结权贵罪，被杖刑打死。四月十六日乙丑，朔方、河东节度使信安王李祎被贬为衢州刺史，广武王李承宏被贬为房州别驾，泾州刺史薛自劝被贬为澧州别驾，都是与武温昚交游的缘故。李承宏是李守礼之子。二十二日辛未，蒲州刺史王琚被贬为通州刺史，因为犯了与李祎通书信的罪过。

五月，醴泉妖人刘志诚作乱，驱赶抢劫路上行人，即将前往咸阳。村民跑去报告县官，烧桥断路，对他进行抵御，他的部众便溃散了。几天之间，全部被抓获处死。

六月，开始按月给百官发放薪水。

当初，玄宗因亲耕籍田而大赦天下，命令有关部门讨论增加祭祀宗庙的笾豆祭品和丧服制度不适宜的地方。太常卿韦縚上奏请求宗庙中每个灵座设置笾豆十二。

兵部侍郎张均、职方郎中韦述建议说："圣人知道孝子情感深厚，而事物的种类无穷，所以加以节制。人的嗜好本来就没有可依据的标准，私人宴会中的食物随着时代的变迁而改变，所以圣人一切都回归古制。屈到喜欢吃菱角，屈建却不祭献菱角，认为不要用个人的嗜好来干扰国家的典制。现在想把甜美肥腻的食品，都拿来用作祭祀，如果逾越旧有的制度，那还有什么限制！《尚书》说：'黍稷并不馨香，只有明德才馨香。'如果认为今天的珍馐美味，平生所常食，求神没有规则，何必拘泥古制，那么簠、簋可以撤除，而盘、盂、杯、案应当进用，《韶》乐、《濩》乐可以停止，而箜篌、筝、笛应当演奏了。既然不是礼定的正规物品，后世子孙观瞻什么呢！神，是用精灵神明来感应人的，不求丰富隆盛。如果有违于礼，即使再多有什么用呢！怎么可以废弃正规的礼制而顺从流俗！况且君子用礼来爱人，不求随便迎合，何况是在宗庙里，怎敢忘记旧有的典章制度！"

太子宾客崔沔建议说："祭祀的兴起，肇始于远古。茹毛饮血时，就用毛血献祭；没有酒时，就用清水祭奠。到了后代的帝王，典章文物渐渐完备。然而向神灵致敬，不敢有所偏废。笾、豆、簠、簋、樽、罍所盛的祭品，都是周朝人当时的食物，其用途与宴飨宾客相同。而周公制定礼仪，把这些东西跟毛血、清水一起荐享鬼神。国家依据礼来建立法则，根据时代的变化来制定规范。宗庙四时祭飨，礼法所规定的祭品全部陈列，这是采用周代的制度。向祖宗陵寝献祭食品，把日常的膳食全都摆上，这是遵循汉代的法制。职方贡物用来祭祀，是向祖先送来远方的物品。有新鲜的食物一定献祭，是顺应季节的变化。在苑囿内天子亲自耕作所收获的粮食，在打猎时天子亲自射中的猎物，无不先献祭给祖先而后食用，极尽诚敬之意。如果这样做就足以完美了，还要增加什么祭品呢！只要敕命有关部门，对祭祀之事不要简略怠慢，那么鲜美肥腻的祭品，都包括在内了，不必再增加笾豆的数量了。"

上固欲量加品味。絛又奏每室加笾豆各六，四时各实以新果珍羞[330]，从之。

絛又奏：“《丧服》：‘舅，缌麻[331]三月，从母[332]、外祖父母皆小功[333]五月。’外祖至尊，同于从母之服。姨、舅一等，服则轻重有殊。堂姨、舅亲即未疏，恩绝不相为服。舅母来承外族，不如同爨[334]之礼。窃[335]以古意犹有所未畅者也，请加外祖父母为大功[336]九月，姨、舅皆小功五月，堂舅、堂姨、舅母并加至袒免[337]。”

崔沔议曰：“正家之道，不可以贰。总一定义，理归本宗。是以内有齐、斩[338]，外皆缌麻，尊名所加，不过一等，此先王不易之道也。愿守八年明旨[339]，一依古礼，以为万代成法。”

韦述议曰：“《丧服传》曰：‘禽兽知母而不知父。野人曰，父母何等[14]焉！都邑之士则知尊祢[340]矣，大夫及学士则知尊祖矣。’圣人究天道而厚于祖祢，系族姓而亲其子孙，母党比于本族，不可同贯，明矣。今若外祖与[15]舅加服一等，堂舅及姨列于服纪，则中外之制，相去几何！废礼徇情，所务者末。古之制作者，知人情之易摇，恐失礼之将渐，别其同异，轻重相悬，欲使后来之人永不相杂。微旨斯在，岂徒然哉！苟可加也，亦可减也。往圣可得而非，则《礼经》可得而隳[341]矣。先王之制，谓之彝伦[342]，奉以周旋，犹恐失坠，一紊其叙，庸可止乎！请依《仪礼》丧服为定。”

礼部员外郎[343]杨仲昌[344]议曰：“郑文贞公魏徵[345]始加舅服至小功五月[346]。虽文贞贤也，而周、孔[347]圣也，以贤改圣，后学何从！窃恐内外乖[348]序，亲疏夺[349]伦，情之所沿，何所不至！昔子路有姊之丧而不除，孔子曰：‘先王制礼，行道之人，皆不忍也。’子路[350]除[351]之。此则圣人援[352]事抑情之明例也。《记》[353]曰：‘毋轻议礼。’明其蟠于天地[354]，并彼日月，贤者由之，安敢损益也！”

敕：“姨舅既服小功，舅母不得全降，宜服缌麻，堂姨舅宜服袒免。”

均，说[355]之子也。

玄宗执意要适量增加祭品的品种。韦绦又奏请每室增加笾豆各六,四季各供以新鲜水果和珍异食物,玄宗同意了。

韦绦又上奏:"《丧服》上说:'为舅舅守缌麻之丧三个月,为姨母、外祖父母守小功之丧都是五个月。'外祖父母是至尊,所以同于姨母的服制。姨母、舅舅是同等的,但服制轻重有所差别。堂姨、堂舅关系虽不疏远,但超出五服,不为他们服丧。舅母来自外姓,不能像同吃同住的亲属那样服丧礼。臣以为古人丧服之意还有些不够通达之处,请为外祖父母服丧加到九个月,为姨母、舅父都服丧五个月,堂舅、堂姨、舅母都加到服袒衣免冠。"

崔沔建议说:"治家的正确原则,在于不能有歧义。统一定义,道理都回到根本之处。因此对内有齐衰、斩衰,对外都为缌麻,有尊者名号的所增加不过一等,这是先王不可改变的原则。希望遵守开元七年天子圣明的诏旨,一律遵循古礼,作为万世不变的成法。"

韦述建议说:"《丧服传》说:'禽兽知母而不知父。乡野之人说,父母有什么尊卑等级!都邑之士则知尊先父,大夫和学士则知尊先祖。'圣人探究天道而重视祖、父,维系族人的姓氏而亲近他们的子孙,娘家的人和本族的人相比,不能同等,这是很明显的。现在如果外祖父与舅父加服一等,堂舅及姨母列入丧服条文中,那么内外的服制,有什么差别呢!违弃礼制以徇私情,是追求细枝末节。古代制定礼制的人,知道人情容易改变,担心逐渐违背礼制,就区别同异,服丧之制轻重悬殊,想让后来的人永远不相混淆。精微的宗旨就在这里,哪里是无所用心呢!如果可以增加,也就可以减少。前圣可以非议,而《礼经》也可以废弃了。先王的典制,称之常理,遵奉执行,还怕失误,一旦乱了秩序,哪里还能止住!请遵循《仪礼》的丧服制度为准。"

礼部员外郎杨仲昌建议说:"郑文贞公魏徵首先把舅服增加到小功五月。虽然文贞公贤能,而周公、孔子是圣人,用贤人来改变圣人,使后学者何所依从!臣担心内外次序混乱,亲疏失去伦常,任凭情感发展,什么事情做不出来!过去子路为姐姐服丧期满而不除服,孔子说:'先王制定礼仪,行仁义的人都不忍心除服。'于是子路便除服。这就是圣人援引事理抑制私情的明显例子。《礼记》说:'不要轻率议论礼仪。'表明礼是遍及天地,与日月并存,贤人遵循它,怎么敢增减呢!"

玄宗敕令:"姨舅已服小功,舅母不得全行降服,应服缌麻,堂姨舅应服袒免。"

张均,是张说的儿子。

【段旨】

以上为第六段，写唐玄宗要增加宗庙祭祀的礼品与加重丧服之礼。

【注释】

㉗㉓连州：州名，唐有二连州，一治所桂阳，在今广东连州，一治所在今四川筠连，不知孰是。㉗㉔司马：官名，为州刺史的副官，佐理州府众务，掌列曹事宜。㉗㉕武攸望：武则天叔父之子。武则天时曾封为会稽郡王，中宗降为邺国公，任太常卿（《新唐书·外戚传》作叶国公、太府卿）。韦后之乱平定后，贬春州（今广东阳春）司马而死。《通鉴》言攸望为故连州司马，与两唐书之《外戚传》不合。㉗㉖交通：交往；勾结。㉗㉗乙丑：四月十六日。㉗㉘河东节度使：使职名，为河东方镇的差遣长官，治所在今山西太原西南晋源区，开元十一年（公元七二三年）置。见《唐会要》卷七十八《节度使》。其目的是配合抗击突厥，太原以北诸镇受其节制。㉗㉙衢州：州名，治所在今浙江衢州。㉘⓪承宏：章怀太子之孙，开元初年封广武郡王。传见《旧唐书》卷八十六、《新唐书》卷八十一。㉘①房州：州名，治所在今湖北房县。㉘②别驾：官名，州副官，佐刺史总理州郡众务，掌管列曹事宜。㉘③澧州：州名，治所在今湖南澧县。㉘④守礼：嗣雍王李守礼（？至公元七四一年），章怀太子之子。传见《旧唐书》卷八十六、《新唐书》卷八十一。㉘⑤辛未：四月二十二日。㉘⑥蒲州：州名，治所在今山西永济西南蒲州镇。㉘⑦王琚：王琚（？至公元七四六年），官至中书侍郎。传见《旧唐书》卷一百六、《新唐书》卷一百三十一。㉘⑧通州：州名，治所在今四川达州市达川区。㉘⑨醴泉：县名，县治在今陕西礼泉东北。㉙⓪咸阳：县名，县治在今陕西咸阳东北二十里。㉙①俸钱：官员从国家领得俸禄的钱币部分（另有职分田和禄米），又称俸料钱。据《唐会要》卷九十一《内外官料钱上》，开元二十四年（公元七三六年）六月二十三日敕，百官俸料钱，月俸、食料、防阁或庶仆和杂用合为一色，都以月俸为名，随月给付。㉙②上因藉田赦：据《旧唐书·礼仪志四》，开元二十三年（公元七三五年）正月，玄宗亲祀神农于东都，礼毕，躬耕耒耜于千亩之甸，礼毕大赦。㉙③笾豆之荐：又叫笾祭，据《仪礼注》，笾祭乃是枣栗之祭，用笾豆盛枣、栗等果脯进行祭祀。笾豆，祭礼的礼器，用竹编制，形如豆，用来盛果脯等食物。㉙④服纪：服制，丧服制度，按其与死者的亲疏关系而分别有斩衰、齐衰、大功、小功、缌麻五等。服，旧时丧礼规定穿戴的衣服，也用来指居丧。㉙⑤太常卿：官名，为太常寺长官，主掌礼乐、郊庙、社稷事务。㉙⑥韦縚：宰相韦安石侄子。官至太子少师。传见《新唐书》卷一百二十二。㉙⑦笾豆十二：显庆（公元六五六至六六一年）中许敬宗建议，宗庙祭祀所供笾豆，大祀十二，中祀十，小祀八。至此，韦縚请皆为十二。㉙⑧兵部侍郎：官名，为兵部副长官，协助兵部尚书掌管中央及地方武官的选用、考查，以及有关兵籍、军械、军令等事宜。㉙⑨张均：开元时宰相张说之子，累官至刑部尚书，后受

安禄山伪命为中书令。传见《旧唐书》卷九十七、《新唐书》卷一百二十五。㊿职方郎中：官名，兵部职方司长官，掌地图、城隍、镇戍、烽候之事。301韦述：韦述（？至约公元七五七年），史学家，嗜学著书，居史职二十年，封方城县侯。著有《开元谱》二十卷、《国史》一百一十三卷、《唐职仪》三十卷、《高宗实录》三十卷、《御史台记》十卷、《两京新记》五卷。传见《旧唐书》卷一百二、《新唐书》卷一百三十二。302宴私：私人宴饮。303屈到嗜芰二句：《国语·楚语》载，楚国贵族屈到喜食芰，有病，召其宗老吩咐说："祭我必须用芰。"至祭祀时，宗老将祭芰，屈建命去掉，说："国君有牛享，大夫有羊馈，士用豚犬作奠，庶人用鱼炙祭祀，笾豆脯醢，则上下都可用。不献珍异，不摆放过多，不以自己的私欲干扰国典。"便不用芰献。芰，菱角。304甘旨肥浓：原文为"甘旨之物，肥浓之味"(《唐会要》卷十七《祭器议》)，泛指美物佳味。甘，甜。旨，美味，多用来形容酒。肥，肥腻，指油脂多的厚味食物。浓，浓厚，非清淡之味。305黍稷非馨二句：语出《尚书·君陈》。意思是敬神的黍稷本身并不香，只有敬神的人德性完美、心地虔诚，黍稷才香。馨，香。明德，完美的德性。306珍馔：珍贵食物。馔，食物。307簠簋：祭器。簠，古代盛稻粱的器皿，多方形，或说内圆外方。簋，古代盛黍稷的器皿，多圆形，或说外圆内方。308盘盂杯案：盘，浅而敞口的盛器。盂，盛汤浆或食物的器皿。杯，盛饮料的器皿。案，摆放、递送食物的有脚器物。此数种都属一般盛物器皿。309御：进用。310《韶》《濩》：舜乐曰《韶》，汤乐曰《濩》，指庙堂之乐，或泛指古乐。311箜篌：古代乐器，似瑟而比较小。312筝：古代的一种弦乐器。313太子宾客：官名，属东宫之官。主要职务是侍从太子，进行规谏，祭祀、典礼时导引礼仪。314肇：始。315太古：远古；上古时代。316茹毛饮血：吃生肉。茹，吃。317曲糵：酿酒发酵的曲母，称为酒母。此指代酒。318玄酒：上古祭祀用水。传说司烜氏月下以镜取明水为玄酒。319樽罍：酒器。320周公制礼：周公，名姬旦，周文王子，辅助武王灭纣建周。武王死，成王年幼，周公摄政。周代的礼乐制度相传都是周公所制定。事见《史记》卷三十三。321清庙：宗庙的通称。322园寝：帝王园庙陵寝。323职贡：职方所进献的贡物。职方，掌天下地图，主四方贡献之官。324时令：按季节制定的政令，或作季节解。325苑囿：畜养禽兽的园地。326躬稼：天子亲身耕种。327搜狩：打猎。328申敕：告诫。329不必加笾豆之数也：胡三省注，"自此以上，诸人之议，皆因旧礼而申之"。330珍羞：指珍贵的食物。羞，通"馐"，食物。331缌麻：丧服名，五服（斩衰、齐衰、大功、小功、缌麻）中最轻的一种。用疏织细麻布制成孝服，服丧三月，凡疏远亲属、亲戚皆服缌麻。332从母：姨母，母亲的姐妹。333小功：丧服名，五服之一。用较粗的熟布制成。服期五个月。334同爨：指同居同炊。爨，即灶。335窃：自己的谦称。336大功：丧服名，五服之一。用熟麻布做成，较齐衰稍细，较小功为粗。服期九个月。337袒免：袒衣免冠。露左臂曰袒，去冠扎发曰免。免是用一寸宽的布，从脖项中部向前交于额上，然后向后绕于髻。古代丧礼，凡五服外的远亲，无丧服之制，只袒衣免冠，以示哀思。338齐、斩：齐衰、斩衰。丧服名，属五服。据《仪礼·丧服》，齐衰次于斩衰，以粗麻布做成丧服，因其缉边缝齐，故名齐衰。服期有一年的，如孙为祖父，夫为妻；有五个月的，如为曾祖父母；有三个月的，如为高祖父母。斩衰，是五种丧服中最重的一种。用最粗的麻布制成丧服，衣不缝，以示无修饰。服期三年。凡子和未嫁女对父，媳对公，承重孙对祖父，妻对夫，都服斩衰。㊳㊴八年明旨：指开元七年（公元七一九年）八月，敕自今五服并依《丧服传》文，见本书卷二百十二。八年是指玄宗以先天元年（公元七一二年）即位，至开元七年，在位已八年。㉞⓪祢：古时父死在宗庙中立的神主。㉞①黩：毁坏。㉞②彝伦：天地人之常道。彝，常。㉞③礼部员外郎：官名，礼部司副官，佐礼部郎中掌五礼，举措仪制，辨别礼仪运用是否恰当。㉞④杨仲昌：字蔓，虢州阌乡（今河南灵宝西）人，官至吏部郎中。传见《旧唐书》卷一百八十五下、《新唐书》卷一百二十。㉞⑤郑文贞公魏徵：魏徵（公元五八〇至六四三年），字玄成，馆陶（今属河北）人，唐太宗时著名宰相，封郑国公，谥曰文贞。传见《旧唐书》卷七十一、《新唐书》卷九十七。㉞⑥加舅服至小功五月：贞观十四年（公元六四〇年）太宗令礼官议丧服未为得礼者，魏徵等请加改之条中，有“舅，旧服缌麻，请加与从母同服小功五月”。见《贞观政要》卷七《礼乐》。㉞⑦周、孔：周公、孔子。

【原文】

秋，八月壬子[356]，千秋节[357]，群臣皆献宝镜。张九龄以为以镜自照见形容，以人自照见吉凶，乃述前世兴废之源，为书五卷，谓之《千秋金镜录》，上之。上赐书褒美。

甲寅[358]，突骑施遣其大臣胡禄达干来请降，许之。

御史大夫李适之[359]，承乾[360]之孙也，以才干得幸于上，数为承乾论辩。甲戌[361]，追赠承乾恒山愍王。

乙亥[362]，汴哀王璥[363]薨。

冬，十月戊申[364]，车驾发东都。先是，敕以来年二月二日行幸[365]西京，会宫中有怪，明日，上召宰相，即议西还。裴耀卿、张九龄曰：“今农收未毕，请俟仲冬[366]。”李林甫潜知上指[367]，二相退，林甫独留，言于上曰：“长安、洛阳，陛下东西宫耳，往来行幸，何更择时！借使妨于农收，但应蠲[368]所过租税而已。臣请宣示百司，即日西行。”上悦，从之。过陕州[369]，以刺史卢奂[370]有善政，题赞于其听事[371]而去。

孔子（公元前五五一至前四七九年），春秋鲁国人，传说有弟子三千人，身通六艺者七十二人。曾删《诗经》《尚书》，定《礼》《乐》，赞《周易》，修《春秋》，为儒家的创始人。事详见《史记》卷四十七。㊽乖：违背。㊾夺：乱。㊿子路：子路（公元前五四二至前四八〇年），孔子弟子。事详见《史记》卷六十七。(351)除：除丧，除去丧礼之服。(352)援：援引；引证。(353)《记》：指《礼记》，亦称《小戴记》或《小戴礼记》，儒家经典之一。秦汉以前各种礼仪论著的选集。相传为西汉戴圣编纂。(354)蟠于天地：语出《礼记·乐记》"及夫礼乐之极乎天而蟠乎地"。蟠，充满。(355)说：张说（公元六六六至七三〇年），开元时政治家，官至中书令，封燕国公，卒谥文贞。传见《旧唐书》卷九十七、《新唐书》卷一百二十五。

【校记】

［13］寝：原作"陵"。据章钰校，十二行本、乙十一行本皆作"寝"，今从改。［14］等：据章钰校，十二行本、乙十一行本皆作"筭"，张瑛《通鉴校勘记》同。［15］与：据章钰校，十二行本、乙十一行本皆作"及"。

【语译】

秋，八月初五日壬子，千秋节，群臣全都进献宝镜。张九龄认为用镜子自照可以看见形貌，用人自照可以看见吉凶，于是撰述前世兴亡的根源，著书五卷，称之为《千秋金镜录》，呈献给玄宗。玄宗赐书称美。

八月初七日甲寅，突骑施派他的大臣胡禄达干前来请求归降，玄宗准许了。

御史大夫李适之，是李承乾的孙子，因有才干而得到玄宗的宠幸，屡次替李承乾申辩。八月二十七日甲戌，追赠李承乾为恒山愍王。

二十八日乙亥，汴哀王李璥去世。

冬，十月初二日戊申，玄宗车驾从东都出发。此前，敕令在第二年二月二日驾临西京。遇到宫中有怪异，次日，玄宗召宰相，商议立刻西行，返回西京。裴耀卿、张九龄说："现在庄稼还没有收割完，请求等到十一月出发。"李林甫暗中探知玄宗的想法，两位宰相退出后，李林甫单独留下来，对玄宗说："长安、洛阳，是陛下的东宫、西宫而已，往来驾临，何须另择时日！假使妨碍农民收获，只要免除所经之地的租税就行了。臣请求宣示百官，当天西行回京。"玄宗很高兴，同意了他的意见。路过陕州，因刺史卢奂为政优秀，就在他办公的厅堂上题词称赞，然后离去。卢奂，

奂，怀慎[372]之子也。丁卯[373]，至西京。

朔方节度使牛仙客[374]，前在河西[375]，能节用度，勤职业，仓库充实，器械精利。上闻而嘉之，欲加尚书[376]。张九龄曰："不可。尚书，古之纳言，唐兴以来，惟旧相及扬历中外有德望者乃为之。仙客本河湟使典[377]，今骤居清要[378]，恐羞朝廷。"上曰："然则但加实封可乎?"对曰："不可。封爵[379]所以劝有功也。边将实仓库，修器械，乃常务耳，不足为功。陛下赏其勤，赐之金帛可也，裂土封[380]之，恐非其宜。"上默然。李林甫言于上曰："仙客，宰相才也，何有于尚书！九龄书生，不达大体。"上悦。明日，复以仙客实封为言，九龄固执[381]如初。上怒，变色曰："事皆由卿邪！"九龄顿首[382]谢曰："陛下不知臣愚，使待罪[383]宰相。事有未允，臣不敢不尽言。"上曰："卿嫌仙客寒微，如卿有何阀阅[384]?"九龄曰："臣岭海孤贱[385]，不如仙客生于中华[386]。然臣出入台阁[387]，典司诰命[388]有年矣。仙客边隅小吏，目不知书，若大任之，恐不惬[389]众望。"林甫退而言曰："苟有才识，何必辞学[390]！天子用人，有何不可！"十一月戊戌[391]，赐仙客爵[392]陇西县公[393]，食实封三百户。

初，上欲以李林甫为相，问于中书令张九龄，九龄对曰："宰相系国安危，陛下相林甫，臣恐异日[394]为庙社[395]之忧。"上不从。时九龄方以文学为上所重，林甫虽恨，犹曲意[396]事之。侍中裴耀卿与九龄善，林甫并疾[397]之。是时，上在位岁久，渐肆[398]奢欲，怠于政事，而九龄遇事无细大皆力争，林甫巧伺[399]上意，日思所以中伤之。

上之为临淄王[400]也，赵丽妃[401]、皇甫德仪、刘才人皆有宠，丽妃生太子瑛[402]，德仪生鄂王瑶[403]，才人生光王琚[404]。及即位，幸武惠妃，丽妃等爱皆弛。惠妃生寿王瑁，宠冠诸子。太子与瑶、琚会于内第[405]，各以母失职有怨望[406]语。驸马都尉杨洄尚[407]咸宜公主，常伺三子过失以告惠妃。惠妃泣诉于上曰："太子阴结党与，将害妾[408]母子，亦指斥至尊[409]。"上大怒，以语宰相，欲皆废之。九龄曰："陛下践阼[410]垂三十年[411]，太子诸王不离深宫[412]，日受圣训。天下之人皆庆陛下享国久长，子孙蕃昌。今三子皆已成人，不闻大过，陛下奈何一旦以无根之语，喜怒之际，尽废之乎！且太子天下本，不可轻摇。昔晋献公听骊姬之谗杀申生，三世大乱。[413]汉武帝信江充之诬罪戾太子，京城流血。[414]晋

是卢怀慎的儿子。二十一日丁卯，到达西京。

朔方节度使牛仙客，以前在河西，能够节约费用，勤于职事，仓库充盈，器械精良。玄宗听说后就嘉奖他，想提拔他为尚书。张九龄说："不可以。尚书，是古代的纳言，唐建立以来，只有原来的宰相和扬名朝廷内外、有德行威望的人才任此职。牛仙客本是河陇节度使典吏，如今突然位居清要高位，恐使朝廷蒙羞。"玄宗说："那么只加实封可以吗?"回答说："也不可以。封爵是用来勉励有功的人。边防将领使仓库充盈，整修器械，是日常的事务，不足以作为功绩。陛下奖赏他的勤勉，赏赐给他黄金绢帛是可以的，裂土分封他，恐怕不适宜。"玄宗沉默无语。李林甫对玄宗说："牛仙客，是宰相之才，任尚书有什么不可以！张九龄一介书生，不识大体。"玄宗很高兴。次日，又说起实封牛仙客这件事，张九龄像当初一样固执己见。玄宗很生气，脸色都变了，说："事事都由着你吗?!"张九龄磕头谢罪说："陛下不知道臣愚昧，让臣任职宰相，事情有不当之处，臣不敢不详尽直言。"玄宗说："你嫌牛仙客出身寒微，像你这样又有什么门第?"张九龄说："臣是岭南海边孤陋卑微之人，比不上牛仙客生长在中原。然而臣出入于尚书省，典掌诰命已有多年，牛仙客是边陲小吏，没有看过书，如重用他，恐怕不符合大家的期望。"李林甫退朝后说："如果有才干识见，为什么一定要会遣词为文！天子任用一个人，有什么不可以的！"十一月二十三日戊戌，赐牛仙客爵位为陇西县公，实封食邑三百户。

当初，玄宗想任命李林甫为宰相，询问中书令张九龄，张九龄回答说："宰相关系到国家的安危，陛下任用李林甫为宰相，臣担心将来成为国家的忧患。"玄宗不加采纳。当时张九龄正因为有文学才能被玄宗器重，李林甫虽然心怀怨恨，但还是委曲心意奉事张九龄。侍中裴耀卿和张九龄关系好，李林甫也一并忌恨他。当时，玄宗在位年久，渐渐地恣意奢侈，怠于政事，而张九龄遇到事情无论大小都尽力谏诤，李林甫善于窥伺玄宗的心意，天天想方设法中伤他。

玄宗为临淄王时，赵丽妃、皇甫德仪、刘才人都受宠，赵丽妃生太子李瑛，皇甫德仪生鄂王李瑶，刘才人生光王李琚。等到即帝位，玄宗宠幸武惠妃，对丽妃等人的恩爱都淡薄了。武惠妃生寿王李瑁，玄宗对他的宠爱超过诸子。太子与瑶、琚在宫中相会，每人都因母亲失宠有些不满的话。驸马都尉杨洄迎娶咸宜公主，他时常打探三位皇子的过失，向武惠妃报告。武惠妃向玄宗哭诉："太子暗中纠结党羽，将要害我母子，还指责陛下。"玄宗大怒，把此事告诉了宰相，想把他们全都废黜。张九龄说："陛下登上帝位近三十年，太子和诸王没有离开深宫，天天接受圣上的训导。天下的人都庆幸陛下在位长久，子孙繁衍昌盛。如今三位皇子都已长大成人，没有听说有大的过错，陛下怎么能够一朝因为一些无根据的话，在喜怒之际，把他们都废黜呢！况且太子是天下之本，不能轻易动摇。从前晋献公听信骊姬的谗言杀了太子申生，三世大乱。汉武帝听信江充的诬告治罪戾太子，引起京城流血事件。

惠帝用贾后之谮废愍怀太子，中原涂炭。[415]隋文帝纳独孤后之言黜太子勇，立炀帝，遂失天下。[416]由此观之，不可不慎。陛下必欲为此，臣不敢奉诏[417]。”上不悦。林甫初无所言，退而私谓宦官之贵幸[418]者曰：“此主上家事，何必问外人！”上犹豫未决。惠妃密使官奴[419]牛贵兒谓九龄曰：“有废必有兴，公为之援[420]，宰相可长处。”九龄叱之，以其语白上，上为之动色。故讫[421]九龄罢相，太子得无动。林甫日夜短[422]九龄于上，上浸[423]疏之。

林甫引萧炅[424]为户部侍郎[425]。炅素不学，尝对中书侍郎[426]严挺之[427]读“伏腊[428]”为“伏猎”。挺之言于九龄曰：“省中岂容有‘伏猎侍郎’！”由是出炅为岐州[429]刺史，故林甫怨挺之。九龄与挺之善，欲引以为相，尝谓之曰：“李尚书[430]方承恩，足下[431]宜一造门[432]，与之款昵[433]。”挺之素负气[434]，薄林甫为人，竟不之诣，林甫恨之益深。挺之先娶妻，出[435]之，更嫁蔚州[436]刺史王元琰。元琰坐赃罪[437]下三司按鞫[438]，挺之为之营解。林甫因左右使于禁中[439]白上，上谓宰相曰：“挺之为罪人请属所由[440]。”九龄曰：“此乃挺之出妻，不宜有情。”上曰：“虽离乃复有私。”于是上积前事，以耀卿、九龄为阿党[441]。壬寅[442]，以耀卿为左丞相，九龄为右丞相，并罢政事。[443]以林甫兼中书令，仙客为工部尚书、同中书门下三品[444]，领朔方节度如故。严挺之贬洺州[445]刺史，王元琰流[446]岭南[447]。

上即位以来，所用之相，姚崇尚通[448]，宋璟尚法[449]，张嘉贞尚吏[450]，张说尚文[451]，李元纮、杜暹尚俭[452]，韩休、张九龄尚直[453]，各其所长也。九龄既得罪，自是朝廷之士，皆容身保位，无复直言。

李林甫欲蔽塞人主视听，自专[454]大权，明召诸谏官[455]谓曰：“今明主在上，群臣将顺之不暇，乌[456]用多言！诸君不见立仗马[457]乎？食三品料，一鸣辄斥去，悔之何及！”补阙杜琎尝上书言事，明日，黜为下邽令[458]，自是谏争[459]路绝矣。

牛仙客既为林甫所引进[16]，专给唯诺[460]而已。然二人皆谨守格式[461]，百官迁除[462]，各有常度。虽奇才异行，不免终老常调，其以巧谄邪险自进者，则超腾[463]不次，自有他蹊[464]矣。

晋惠帝听信贾后的谗言废黜愍怀太子，中原地区生灵涂炭。隋文帝采纳独孤后之言废黜太子勇，改立炀帝，便失去了天下。从这些例子看来，废立太子不能不慎重。陛下一定要这样做，臣不敢接受诏命。”玄宗很不高兴。李林甫一开始没有说话，退朝后私下对受玄宗宠信的宦官说：“这是皇上家里的事，何必询问外人！”玄宗犹豫不决。武惠妃暗地派官奴牛贵兒对张九龄说：“有废的必有立的，相公出手相助，宰相之位便可长久。”张九龄斥责了他，把他的话告诉了玄宗，玄宗对此很感动。所以直到张九龄被罢去相位，太子得以没有变动。李林甫日夜向玄宗说张九龄的坏话，玄宗渐渐疏远了张九龄。

李林甫推荐萧炅担任户部侍郎。萧炅一向不好学习，曾当着中书侍郎严挺之的面把“伏腊”读成“伏猎”。严挺之对张九龄说：“台省中怎可容许有‘伏猎侍郎’！”因此把萧炅外任为岐州刺史，所以李林甫怨恨严挺之。张九龄与严挺之相好，打算推荐他为宰相，曾对严挺之说：“李林甫尚书正受到玄宗的宠信，足下应当登门拜访一次，与他亲热一下。”严挺之一向自恃意气，鄙薄李林甫的为人，始终没有登门，李林甫对他怨恨更深了。严挺之先前娶的妻子，被他休了，改嫁蔚州刺史王元琰。王元琰因贪污罪被交付三司审讯，严挺之替他谋求免罪。李林甫身边人趁到宫中的机会告诉了玄宗，玄宗对宰相说：“严挺之替罪人请托经办的官员。”张九龄说：“这是严挺之被休的妻子，其中不应该有私情。”玄宗说：“虽然离了婚，仍然还有私情。”于是加上以前积累的事情，玄宗认为裴耀卿、张九龄是结党营私。十一月二十七日壬寅，以裴耀卿为左丞相，张九龄为右丞相，一并不再参议政事。任命李林甫兼中书令，牛仙客为工部尚书、同中书门下三品，领朔方节度使不变。严挺之被贬为洺州刺史，王元琰被流放岭南。

玄宗即位以来，所任用的宰相，姚崇崇尚通达，宋璟崇尚法治，张嘉贞崇尚吏治，张说崇尚文学，李元纮、杜暹崇尚节俭，韩休、张九龄崇尚正直，各有所长。张九龄获罪后，从此朝廷官员，都安身保位，不再直言。

李林甫想蒙蔽玄宗的视听，自己独揽大权，公然召集谏官，对他们说：“当今圣明的君主在上，群臣想要顺从他都来不及，哪里用得着多说话！各位没有看到朝廷上设置的仪仗马匹吗？吃的是三品等级的饲料，鸣叫一声就被赶出去，后悔也来不及了！”补阙杜琎曾上书言事，第二天，贬为下邽县令，从此谏诤之路就断绝了。

牛仙客是李林甫所推荐的，只会唯诺附和。然而两人都谨守法令章程，百官升迁任免，各有常规。即使有奇才异行的人，免不了到老也是按照常规调动，那些用巧言谄媚、奸邪阴险、自谋升迁的人，则可破格腾飞，自有其他的捷径。

林甫城府[465]深密，人莫窥其际。好以甘言啖人，而阴中伤之，不露辞色。凡为上所厚者，始则亲结之；及位势稍逼，辄以计去之。虽老奸巨猾，无能逃于其术者。

【段旨】

以上为第七段，写李林甫、牛仙客以谄谀入相，张九龄因直谏被唐玄宗疏远。小人进，君子退，唐玄宗由明转昏。

【注释】

㊱壬子：八月初五日。㊲千秋节：皇帝生日。唐玄宗生于八月初五日。开元十七年（公元七二九年），张说等请以这天为千秋节。天宝二年（公元七四三年）改名天长节，至元和二年（公元八〇七年）停止。㊳甲寅：八月初七日。㊴李适之：一名昌，恒山王李承乾之孙，官至左相（天宝元年改官名，侍中为左相）。传见《旧唐书》卷九十九、《新唐书》卷一百三十一。㊵承乾：唐太宗长子李承乾（？至公元六四四年），先立为皇太子，以谋反罪废为庶人。传见《旧唐书》卷七十六、《新唐书》卷八十。㊶甲戌：八月二十七日。㊷乙亥：八月二十八日。㊸汴哀王璥：李璥（？至公元七三六年），唐玄宗第三十子，封汴王。传见《旧唐书》卷一百七、《新唐书》卷八十二。㊹戊申：十月初二日。㊺幸：皇帝亲临。㊻仲冬：农历十一月，处于冬季之中，故称仲冬。仲，第二，位次在中。㊼指：通“旨”。意向。㊽蠲：通“捐”。减免。㊾陕州：州名，治所在今河南三门峡市陕州区。㊿卢奂：官至尚书右丞。传见《旧唐书》卷九十八、《新唐书》卷一百二十六。[371]听事：官府办公的地方。听，通“厅”。[372]怀慎：卢怀慎（？至公元七一六年），官至黄门侍郎，封渔阳伯。传见《旧唐书》卷九十八、《新唐书》卷一百二十六。[373]丁卯：十月二十一日。[374]牛仙客：牛仙客（公元六七四至七四二年），泾州鹑觚（今甘肃灵台）人，初为县小吏，累官至侍中兼兵部尚书，封豳国公。传见《旧唐书》卷一百三、《新唐书》卷一百三十三。[375]前在河西：河西，即河西节度使。使职名，为河西方镇的差遣长官，景云元年（公元七一〇年）置，其目的是阻隔吐蕃与突厥。治所在今甘肃武威。牛仙客开元十六年（公元七二八年）至二十四年为河西节度使。[376]尚书：官名，此时有尚书左右丞相、六部尚书。据两唐书牛仙客本传，张九龄反对牛仙客为尚书，是在开元二十四年十月。次月张九龄便罢知政事，玄宗遂以牛仙客为工部尚书、同中书门下三品，仍知门下事。于此可以看出，玄宗所“欲加尚书”，当是工部尚书。[377]河湟使典：指牛仙客曾任陇右洮州司马、河西节度使判官等使府典吏之职。河湟，犹言河

李林甫心机深隐难测，人们无法窥知他的心计所在。他喜欢用甜言蜜语引诱人，而在暗中伤人，不露声色。凡是被玄宗亲厚的人，李林甫开始时亲密地结交他；等到他的官位权势稍微威胁到自己，就用计谋铲除他。即使是老奸巨猾的人，也不能逃脱他的权术。

陇。指河西、陇右两节度使所辖之地。因为开元元年（公元七一三年）所置陇右节度使治所在鄯州（今青海海东市乐都区），鄯州城亦名湟水，故简称陇右为湟。使典，使府典吏。㊳⑦⑧ 清要：清要官，又称清望官。据《唐六典》卷二吏部尚书条，内外三品以上官及中书、黄门侍郎、尚书左右丞、诸司侍郎并太常少卿、秘书少监、太子少詹事、左右庶子、左右率及国子司业为清望官。379 封爵：唐制，封爵有亲王至开国县男九等，各有相应的食邑封户和品阶。见《新唐书》卷四十六。380 裂土封：实食封。实封要将封户租调由国家划分给封主，故称裂土封。381 固执：坚持己见，不肯变通。382 顿首：古礼拜的一种。周礼有稽首、顿首等九拜。稽首是头至地多时；顿首是头至地则举，如以头叩物。见《周礼·春官·大祝》的注疏。383 待罪：大臣对帝王陈奏时的自谦之词。意思是身居其职而力不胜任，必将获罪，故称任职为待罪。384 阀阅：功绩和资历。也指门第。385 岭海孤贱：岭海，指出生边远地域。张九龄为韶州（今广东韶关）人，生在五岭之外、大海之涯的边远地方。孤贱，指出生门第卑微。张九龄仅曾祖做过州别驾，为一般庶族地主，门第不高。386 生于中华：出生在中原。牛仙客，泾州人，在今甘肃泾川北，属中原。387 出入台阁：张九龄于开元十年（公元七二二年）任过尚书省吏部的司勋员外郎，故言出入台阁。台阁，指尚书省。388 典司诰命：指张九龄于开元十一年（公元七二三年）任中书舍人，主要任务是起草诏旨敕制和玺书册命。诰命，皇帝赐爵或授官的诏令。389 惬：符合；满意。390 辞学：文辞之学。指会作文章。391 戊戌：十一月二十三日。392 爵：表示身份地位的一种称号。393 县公：唐九等爵的第五等。食邑一千五百户（虚封），从二品。唐代封爵分为九等：亲王、郡王、国公、开国郡公、开国县公、开国县侯、开国县伯、开国县子、开国县男。各有不同的品阶和食邑。394 异日：他日。此指将来。395 庙社：宗庙社稷，也指国家朝廷。396 曲意：委曲己意而奉承别人。397 疾：通“嫉”，妒忌、忌恨。398 肆：放纵。399 巧伺：巧妙地侦探。400 上之为临淄王：玄宗未即位前，曾在武则天长寿二年（公元六九三年）封为临淄王。401 赵丽妃：赵元礼女，本乐伎人，有才貌，善歌舞。玄宗为临淄王时在潞州所纳。事见《旧唐书》卷一百七。402 太子瑛：李瑛（？至公元七三七年），玄宗第二子。开元三年（公元七一五年）立为太子，二十五年废为庶人并赐死。传见《旧唐书》卷一百七、《新唐书》卷八十二。403 鄂王瑶：

李瑶（？至公元七三七年），玄宗第五子。传见《旧唐书》卷一百七、《新唐书》卷八十二。㊹光王琚：李琚（？至公元七三七年），玄宗第八子。传见《旧唐书》卷一百七、《新唐书》卷八十二。㊺内第：指宫禁中。当时太子、诸王皆居禁中。㊻怨望：心怀不满。㊼尚：仰攀婚姻，特指娶公主为妻。㊽妾：旧时女子自称的谦辞。㊾至尊：对帝王的尊称。㊿践阼：天子即位。㊶垂三十年：玄宗延和元年（公元七一二年，即先天元年）七月即位，至此（开元二十四年）共二十五年。垂，将近。㊷太子诸王不离深宫：玄宗不令诸王出阁，于安国寺东附苑城作十王宅居住，引词学工书之人入教。诸孙成长，又在十宅院外置百孙院，并在宫中设置维城库，专门给用诸王俸物。事见《旧唐书》卷一百七。㊸晋献公听骊姬之谗杀申生二句：晋献公，晋武公之子，公元前六七六至前六五一年在位。事见《史记》卷三十九。骊姬（？至公元前六五一年），晋献公宠妃，献公伐骊戎所得，深受宠爱，生子奚齐，后被大夫里克鞭杀。申生，晋献公子，母为齐桓公女，立为太子，后因骊姬生子而被疏远，最终被迫自杀。据《左传》僖公四年至二十四年（公元前六五六至前六三六年）和《史记·晋世家》记载，僖公四年，晋献公听信骊姬谗言，以为太子申生心存不轨，太子被迫自杀。欲立骊姬子奚齐。大夫里克杀奚齐。公子夷吾、重耳及子圉争国，晋三世大乱。㊹汉武帝信江充之诬罪戾太子二句：汉武帝（公元前一五六至前八七年），名彻，景帝之子，公元前一四〇至前八七年在位。事详见《汉书》卷六。江充（？至公元前九一年），官至直指绣衣使者，负责镇压三辅盗贼，禁察贵贱奢谮。传见《汉书》卷四十五。戾太子（公元前一二八至前九一年），汉武帝太子刘据的谥号。传见《汉书》卷六十三。汉武帝末年，权臣江充专擅，惧怕武帝死后太子诛己，欲诬其为巫蛊诅咒皇上。太子乃发长乐宫侍卫斩充，并与丞相等激战，长安城中大乱。太子败逃，藏匿不得而自杀。后武帝知太子冤，遂族灭江充家及参与者。㊺晋惠帝用贾后之谮废愍怀太子二句：晋惠帝（公元二五九至三〇六年），名衷，晋武帝之子，公元二九〇至三〇六年在位。事详见《晋书》卷四。贾后（？至公元三〇〇年），惠帝皇后。传见《晋书》卷三十一。愍怀太子（公元二七六至二九九年），名遹，惠帝长子，母为谢才人，卒谥愍怀。传见《晋书》卷五十三。贾后忌非己出的太子名声好，便以酒醉之，得其手书，因此称太子不轨，惠帝将太子废为庶人，又杀之，引起宗室诸王不满。后来八王为争皇权反复厮杀。“八王之乱”使中原人民受尽灾难。㊻隋文帝纳独孤后之言黜太子勇三句：隋文帝（公元五四一至六〇四年），即杨坚，公元五八一至六〇四年在位。事详见《隋书》卷一、卷二和《北史》卷十一。独孤后（公元五五二至六〇二年），隋文帝皇后。传见《隋书》卷三十六。太子勇（？至公元六〇四年），隋文帝长子，先立为太子，开皇二十年（公元六〇〇年）废。传见《隋书》卷四十五。炀帝，即杨广（公元五八九至六一八年），公元六〇四至六一七年在位。事详见《隋书》卷三、卷四和《北史》卷十二。太子杨勇直率任情，与隋文帝多有不和。独孤皇后欲另立次子晋王杨广，使人侦视东宫，构成其罪。遂废太子，立晋王广，后即位，是为炀帝。炀帝骄奢淫逸，暴虐无道，导致隋朝灭亡。㊸奉诏：接受诏命。㊹贵幸：地位尊贵而为君王所亲近。⑲官奴：没入官府的奴隶。⑳援：援助；引进。㉑讫：通“迄”。到。㉒短：缺点；过失。此作动词，为指出缺点之意。㉓浸：逐渐。㉔萧炅：开元天宝时人，曾任河南府尹、京兆尹、户部侍郎、岐州刺史、河西节度使，与李林甫友善。其事散见《旧唐书》卷一百九十六上《吐蕃传》、《新唐书》卷二百九《王旭传》等篇。㉕户部侍郎：官名，户部副长官，佐户部尚书掌管全国田户、均输、钱谷等政令。据《旧唐书》卷一百九十六上《吐蕃传》，开元二十四年玄宗诏令以岐州刺史萧炅为户部侍郎判凉州事，代崔希逸为河西节度使。㉖中书侍郎：官名，中书省副长官。其主要职责是参加朝廷各种重大政务的讨论，实际负责以起草诏令为中心的中书省工作。㉗严挺之：严挺之（公元六七三至七四二年），华州华阴（今陕西华阴）人，官至太府卿。传见《旧唐书》卷九十九、《新唐书》卷一百二十九。㉘伏腊：伏，伏日。夏季有三伏，夏至后第三个庚日为初伏，第四个庚日为中伏，立秋后第一个庚日为末伏。腊，腊日。汉代以冬至后第二个戌日为腊日，后改为十二月初八。旧时伏日、腊日都要举行祭祀。㉙岐州：州名，治所在今陕西宝鸡市凤翔区。㉚李尚书：指李林甫，时为礼部尚书、同中书门下三品。㉛足下：称对方的敬辞。古代可用于下称上或同辈相称，后专用于对同辈的敬称。㉜造门：指登门拜访。造，到、去。㉝款昵：款洽；亲昵。㉞负气：自恃意气，不肯屈从于人下。㉟出：出妻，指古时遗弃妻子。㊱蔚州：州名，治所在今山西灵丘。㊲坐赃罪：坐，获罪。赃罪，贪污受贿或盗窃财物罪。㊳三司按鞫：三司，唐代刑法机构。按鞫，审讯。唐代执行刑法的机构有御史台主管监察审核，刑部主管司法行政，大理寺主管折狱详刑。这三个机构称为“三法司”。一般案件，大理寺审讯完毕，报刑部审核批准即可。但遇重大案件，或经大理寺判决而本人不服，则御史台、刑部、大理寺各出一官员组成“三司使”重审。这叫“小三司”。特别重大的案件，还要组织御史台、中书、门下三个机构的官员再行审理，常常是御史中丞、中书舍人、门下省的给事中参加，有时还由更高级的官员参加。这应是“大三司”。这些都可称为三司按鞫。㊴禁中：帝王宫中。帝王宫殿的门户有禁卫，非侍御者不得进入，故称禁中。㊵请属所由：请属，即请托、私相嘱托。属，通“嘱”。所由，必经其手的官吏、经管其事的官吏。㊶阿党：阿私党同；结党营私。㊷壬寅：十一月二十七日。㊸以耀卿为左丞相三句：开元元年（公元七一三年）改左右仆射为左右丞相。左右丞相为尚书省长官，带同中书门下三品为宰相，不带则不去中书门下参议政事，不是宰相职。裴耀卿、张九龄为左右丞相，未带同中书门下三品，故云并罢政事。㊹工部尚书、同中书门下三品：官名。工部尚书，工部长官。同中书门下三品，宰相职称。表示牛仙客以工部尚书的本官而任宰相职务。㊺洺州：州名，治所在今河北邯郸市永年区东南。㊻流：刑法名，五刑（笞、杖、徒、流、死）之一。㊼岭南：地区名，或称岭表、岭外。指五岭以南地区。㊽姚崇尚通：姚崇（公元六四九至七二一年），本名元崇，武则天改名元之，陕州峡石（今河南三门峡）人，武则天、睿宗、玄宗三朝都用为宰相。尚通，崇尚通变。开元初年，姚崇独当重任，敢于“违经合道”“反道适权”，使蝗害不成患，庙坏不为忧，通情达理，化灾为祥，“善应变以成天下之务”，故云“尚通”。详见《旧唐书》卷九十六、《新唐书》卷一百二十六。㊾宋璟尚法：宋璟（公元六六二至七三七年），邢州南和（今河北邢台）人，历任凤阁舍人、御史中丞、吏部侍郎、黄门侍郎，睿宗用为宰相，玄宗复任宰相。尚法，崇尚法治。言宋璟执法无私，刚直清严，“善守文以持天下之正”。事详见《旧唐书》卷九十六、《新唐书》卷一百二十四。㊿张嘉贞尚吏：张嘉贞（公元六六五至七三〇年），本范阳旧姓，隋时迁家蒲州猗氏（今山西临猗），官至中书侍郎、同中书门下平章事。尚吏，指崇尚为吏之道。张嘉贞为政严肃，判事条理清晰，善于奏对，敏于裁遣，虽文牍盈几，也不致稽滞。详见《旧唐书》卷九十九、《新唐书》卷一百二十七。(451)张说尚文：张说（公元六六七至七三〇年），字道济，或字说之，洛阳（今河南洛阳）人，三次出任宰相，终尚书左丞相。尚文，指张说擅长文辞，掌文学三十年，著文辞藻俊丽，思绪精密，朝廷大述作多出其手，碑志尤为当代所不及。且倡修太宗“偃武修文”之政，建封禅，开集贤，引儒士，锐意于粉饰盛时，以致御笔赐谥文贞。详见《旧唐书》卷九十七、《新唐书》卷一百二十五。(452)李元纮、杜暹尚俭：李元纮（？至公元七三三年），本姓丙氏，唐高祖赐为李姓，字大纲，京兆万年（治今陕西西安东）人，历任京兆尹及工、兵、吏、户诸部官而至宰相。为政清俭，当权累年，未尝改治宅第，僮马敝弱，所得赏赐资给亲族，宋璟赞美他“为国相，家无留储”。传见《旧唐书》卷九十八、《新唐书》卷一百二十六。杜暹（公元六八一至七四〇年），濮州濮阳（今河南濮阳西南）人，官至黄门侍郎、同中书门下平章事，终礼部尚书。杜暹为官不辞勤苦，不受赠遗，素有清直之名。传见《旧唐书》卷九十八、《新唐书》卷一百二十六。(453)韩休、张九龄尚直：韩休（公元六七一至七三九年），京兆长安（今陕西西安西）人，官至黄门侍郎、同中书门下平章事。为人志

【原文】

二十五年（丁丑，公元七三七年）

春，正月，初置玄学博士(466)，每岁依明经(467)举。

二月，敕曰：“进士以声韵为学(468)，多昧(469)古今，明经以帖诵(470)为功，罕穷旨趣(471)。自今明经问大义(472)十条，对时务策(473)三首，进士试大经十帖。”

戊辰(474)，新罗王兴光(475)卒，子承庆(476)袭位。

乙酉(477)，幽州节度使张守珪破契丹于捺禄山。

行方直，甘心忤宰相之意而为百姓谋利，坚持先去大奸后治细罪，即使皇帝也无法动摇。传见《旧唐书》卷九十八、《新唐书》卷一百二十六。张九龄坚持名器不可以假人，屡以政事直谏玄宗，虽以直道被黜，仍不失为国家之柱石，帝业之辅臣。㊺④专：独断。㊺⑤谏官：专门以直言规劝帝王的官员。唐代门下省的左散骑常侍、左谏议大夫、左补阙、左拾遗和中书省的右散骑常侍、右谏议大夫、右补阙、右拾遗，都是谏官。谏，直言规劝。㊺⑥乌：疑问助词。㊺⑦立仗马：站立仪仗处的马匹。仗，仪仗。唐制，每天尚乘以仗马八匹分为左右两厢，立于正殿侧宫门外，候仗下即散。如果有盛大宴饮，则马在乐悬之北，与大象相次，进马二人，戎服执鞭，侍立马匹左侧，随马进退。㊺⑧黜为下邽令：唐制，补阙从七品上，华州的下邽属望县，按"赤畿望紧等县，不限户数，并为上县"(《唐会要》卷七十《置户口定州县等第例》)的规定，下邽县令为从六品上，以官品秩说，由补阙迁下邽令，不应称黜。可是唐人重内官，轻外职，并且补阙属供奉官，位居清要，调出京城做县令，虽品秩未降，但也视为贬黜。㊺⑨谏争：通"谏诤"。以直言劝告，使人改正错误。㊻⓪唯诺：卑恭顺从。㊻①格式：唐代政府机关必须遵行的两种法律名称。格，是国家机关遵行的偏重于禁防的条例，根据诏敕按政府机关为篇目整理而成。式，主要是执行律令所规定的细则以及百官有司的办事章程，篇目也以官府为名。㊻②迁除：官吏的迁转除授。迁转有升迁和贬谪的不同。㊻③超腾：超迁腾越。㊻④蹊：小路。㊻⑤城府：比喻心机深隐难测。

【校记】

［16］进：原无此字。据章钰校，十二行本、乙十一行本皆有此字，今据补。

【语译】

二十五年（丁丑，公元七三七年）

春，正月，开始设置玄学博士，每年依照明经科考试选用。

二月，敕令说："进士以声韵为学业，大多不了解古今史实制度，明经以背诵试帖为功效，极少探讨经义要旨。从现在起明经考试问大义十条，对时务策三题，进士考试大经十帖。"

二月二十四日戊辰，新罗王兴光去世，其子承庆继位。

三月十一日乙酉，幽州节度使张守珪在捺禄山打败契丹。

己亥⑱，河西节度使崔希逸⑲袭吐蕃，破之于青海⑳西。初，希逸遣使谓吐蕃边将[17]乞力徐曰："两国通好，今为一家，何必更置兵守捉㊽，妨人耕牧，请皆罢之。"乞力徐曰："常侍忠厚，言必不欺。然朝廷未必专以边事相委，万一有奸人交斗其间，掩吾不备，悔之何及！"希逸固请，乃刑白狗为盟㊽，各去守备，于是吐蕃畜牧被野。时吐蕃西击勃律㊽，勃律来告急，上命吐蕃罢兵，吐蕃不奉诏，遂破勃律，上甚怒。会希逸傔人㊽孙诲入奏事，自欲求功，奏称吐蕃无备，请掩击㊽，必大获。上命内给事㊽赵惠琮与诲偕往，审察事宜。惠琮等至，则矫诏㊽令希逸袭之。希逸不得已，发兵自凉州南入吐蕃境[18]二千余里，至青海西，与吐蕃战，大破之，斩首二千余级，乞力徐脱身走。惠琮、诲皆受厚赏。自是吐蕃复绝朝贡㊽。

【段旨】

以上为第八段，写唐边将失信于吐蕃，挑起边衅。

【注释】

㊻初置玄学博士：据《通典·选举》《唐会要·崇玄生》和《旧唐书·玄宗纪》《新唐书·选举志》等载，玄宗开元二十九年（公元七四一年）置崇玄学馆于玄元皇帝庙，诸州置道学，令习《老子》等"四经"，生员习成后，每年随举人送尚书省，准明经考试。其博士置一员。《通鉴》载于二十五年，误。玄学博士，崇玄学馆教授官。教习《老子》《庄子》《文子》《列子》。㊼明经：唐科举取士科目。主要考儒经。先试帖经，然后口试经义十条，并答时务策三条，按成绩列为甲、乙、丙、丁四等。㊽进士以声韵为学：永隆二年（公元六八一年）进士科始试杂文，故进士须注重声韵之学。声韵，又称音韵，汉字字音中声、韵、调三要素的总称。辨析字音的三要素是音韵学的重要内容。㊾昧：不了解。㊿帖诵：帖，帖经，唐代进士、明经科考试项目之一。其办法是以所习经书掩盖两端，中间唯开一行，裁纸为帖。凡帖三字，随时增损，让考生说出被帖的字。这种考试实际上是考对经文熟读背诵的程度，以致考生取偏僻隐幽的经文，编为歌诀，熟读记忆，以应付考试，因此称帖诵。㉛旨趣：宗旨；意义。㉜问大义：口试经文意义。㉝对时务策：对策，科举考试的一种方式。具体做法是把设问写在简策上，让

三月二十五日己亥，河西节度使崔希逸袭击吐蕃，在青海湖西边打败了他们。当初，崔希逸派遣使者对吐蕃边将乞力徐说：“两国互通友好，如今是一家人，何必又在守捉布置兵力，妨碍耕种放牧，请都撤走。”乞力徐说：“崔常侍忠厚，所说的话一定不假。然而唐朝廷未必把边境事务全部委托给你，万一有坏人在中间挑起冲突，趁我不备进行偷袭，那我后悔都来不及！”崔希逸再三请求，于是杀白狗缔结盟约，各自撤去守备，于是吐蕃放牧的牲畜漫山遍野。这时吐蕃向西进攻勃律，勃律来朝廷告急，玄宗命令吐蕃撤兵，吐蕃不接受诏命，便打败了勃律，玄宗大怒。恰好崔希逸的侍从孙诲回朝奏事，自己想求取功劳，上奏说吐蕃没有防备，请求偷袭，必定大获全胜。玄宗派内给事赵惠琮与孙诲一同前往，仔细观察情况。赵惠琮等人抵达后，便伪托诏命要崔希逸偷袭吐蕃。崔希逸不得已，发兵从凉州南行进入吐蕃境内二千余里，到达青海湖西边，与吐蕃交战，大败吐蕃，斩首两千多级，乞力徐脱身逃走。赵惠琮、孙诲都受到重赏。从此吐蕃又断绝了朝贡。

考者对答。以当代政事为对策内容的，称为对时务策。㊝戊辰：二月二十四日。㊞新罗王兴光：新罗，公元四至九世纪在朝鲜半岛东南部发展起来的一个政权，与唐朝关系甚为密切。兴光，新罗王理洪弟，兄死继任为王，公元七〇二至七三七年在位。袭兄为唐所封的豹韬卫大将军鸡林州都督之号。事见《旧唐书》卷一百九十九上、《新唐书》卷二百二十。㊟承庆：新罗国王，兴光之子。公元七三七至七四三年在位。唐授开府仪同三司。㊠乙酉：三月十一日。㊡己亥：三月二十五日。㊢崔希逸：崔希逸（？至公元七三八年），曾任宇文融劝农判官、郑州刺史、江淮河南转运副使。开元二十四年（公元七三六年）以散骑常侍为河西节度使，二十六年迁河南尹，赴任途中卒。其事散见《旧唐书》卷一百九十六上、《新唐书》卷二百十六上《吐蕃传》等篇。㊣青海：湖名，我国最大的咸水湖。在今青海东北部。㊤守捉：唐代前期戍边军队，大者称军，小者称守捉，其下还有城、镇。军、守捉、城、镇皆有使。㊥盟：各方于神前立誓缔约。㊦勃律：西域城邦名，有大勃律和小勃律。大勃律在今克什米尔东北部巴尔提斯坦；小勃律在其西北，今克什米尔吉尔吉特的雅辛河流域。唐开元中，先后册封为王。小勃律王入朝于唐，以其地为绥远军，隶安西都护府。㊧傔人：又称傔从，是唐军镇各级军将所拥有的低级幕府成员。军镇大使三品以上有傔二十五人，递减至子将只有傔二人。傔人由军使自招，以供临时遣用。㊨掩击：掩袭。乘人不备，突然袭击。掩，遮蔽。㊩内给事：宦官名，内侍省宦官有内给事，地位仅次于内侍，掌管内侍省事。凡元正、冬至群臣朝贺皇后，则出入宣旨传命。宫人衣服费用，亦由其承办。㊪矫诏：诈称皇帝的诏令。矫，假托、诈称。㊫朝贡：朝聘、进贡。

【校记】

［17］边将：原无此二字。据章钰校，十二行本、乙十一行本皆有此二字，张敦仁《通鉴刊本识误》、张瑛《通鉴校勘记》同，今据补。［18］境：原无此字。据章钰校，十二行本、乙十一行本皆有此字，今据补。

【原文】

夏，四月辛酉⑱，监察御史⑲周子谅⑲弹牛仙客非才，引谶书⑲为证。上甚［19］怒，命左右㨃⑲于殿庭，绝而复苏，仍杖之朝堂，流瀼州⑲，至蓝田⑲而死。李林甫言："子谅，张九龄所荐也。"甲子⑲，贬九龄荆州⑲长史⑲。

杨洄⑲又谮⑳［20］太子瑛、鄂王瑶、光王琚⑳，云与太子妃兄驸马薛锈⑳潜构异谋⑳。上召宰相谋之，李林甫对曰："此陛下家事，非臣等所宜豫⑳。"上意乃决。乙丑⑳，使宦者宣制于宫中，废瑛、瑶、琚为庶人，流锈于瀼州。瑛、瑶、琚寻赐死城东驿，锈赐死于蓝田。瑶、琚皆好学有才识，死不以罪，人皆惜之。丙寅⑳，瑛舅家赵氏、妃家薛氏、瑶舅家皇甫氏，坐流贬者数十人，惟瑶妃家韦氏，以妃贤得免。

【段旨】

以上为第九段，写唐玄宗拒谏，贬张九龄，李林甫主政，太子瑛被废。瑛、瑶、琚三子，以及驸马薛锈，均被赐死。

【语译】

夏，四月十七日辛酉，监察御史周子谅弹劾牛仙客没有才干，引用谶书作为证明。玄宗大怒，命令身边的人在殿庭中暴打他，周子谅被打昏后又醒过来，仍然在朝堂上用棍棒打他，把他流放瀼州，他到蓝田县就死了。李林甫说："周子谅是张九龄推荐的人。"二十日甲子，张九龄被贬为荆州长史。

杨洄又谮毁太子李瑛、鄂王李瑶、光王李琚，跟太子妃的哥哥驸马薛锈暗中图谋不轨。玄宗召集宰相商议此事，李林甫回答说："这是陛下的家事，不是臣等所应参与的。"于是玄宗下定决心。四月二十一日乙丑，派宦官在宫中宣读制书，废李瑛、李瑶、李琚为庶人，把薛锈流放到瀼州。李瑛、李瑶、李琚不久被赐死在城东驿，薛锈被赐死在蓝田。李瑶、李琚都好学而有才识，不是因罪而死，人们都很惋惜。二十二日丙寅，李瑛舅家赵氏、妃子家薛氏、李瑶舅家皇甫氏，被牵连流放降职的有几十人，只有李瑶妃子家韦氏，因妃子贤惠而免于处罚。

【注释】

㊾辛酉：四月十七日。㊿监察御史：官名，御史台所属察院的御史，执掌分察百官、巡按州县，凡狱讼、军戎、祭祀、营作、太府出纳等都由监察御史监临。(491)周子谅：汝南（今河南汝南）人。见《柳宗元集》卷九，又散见《旧唐书》卷一百六《李林甫传》、《新唐书》卷一百二十六《张九龄传》等。(492)谶书：载记巫师、方士制造的隐语或预言的书，被用来作为吉凶祸福符验或征兆的判断依据。(493)搒：掷击。(494)瀼州：州名，治所在今广西上思西。(495)蓝田：县名，县治在今陕西蓝田。(496)甲子：四月二十日。(497)荆州：州名，治所在今湖北荆州江陵城。(498)长史：官名，州属官。据《唐六典》，上州、中州设长史一人，下州不设。长史与别驾、司马一起作为刺史的副贰，佐掌本州各曹事务。(499)杨洄：唐玄宗惠妃所生咸宜公主驸马。此时唐玄宗宠爱惠妃，杨洄受惠妃指使谮

害太子瑛，替惠妃之子寿王李瑁夺太子之位。⑩谮：打小报告；背后说人坏话。⑪太子瑛、鄂王瑶、光王琚：太子李瑛，唐玄宗第二子，其母赵丽妃，有才貌，善歌舞，深得唐玄宗宠爱，故李瑛在开元二年立为太子。鄂王李瑶之母皇甫德仪，光王李琚之母刘才人，均是唐玄宗在临淄王邸时得幸的妃子。瑛、瑶、琚，三人之母，都是以色得幸。此时唐玄宗移情于惠妃，三人之母被冷落。惠妃于是趁机谮害太子瑛，以及瑶、琚，为己子寿王瑁夺太子之位。⑫薛锈：太子妃之兄，尚玄宗第四女唐昌公主。⑬潜构异谋：暗中图谋不轨。⑭豫：通“与”。参与。李林甫代张九龄为相，称扬寿王李瑁依附惠妃。李林甫用李勣回答唐高宗之问，以助成武则天夺取皇后之位，这里李林甫助成寿王李瑁夺取太子之位。⑮乙丑：四月二十一日。⑯丙寅：四月二十二日。

【原文】

五月，夷州[507]刺史杨濬坐赃当死，上命杖之六十，流古州[508]。左丞相裴耀卿上疏[509]，以为：“决杖赎死，恩则甚优。[510]解体受笞，事颇为辱，止可施之徒隶[511]，不当及于士人[512]。”上从之。

癸未[513]，敕以方隅[514]底定，令中书门下[515]与诸道节度使量军镇闲剧利害[516]，审计兵防定额，于诸色征人[517]及客户[518]中召募丁壮，长充边军，增给田宅，务加优恤[519]。

辛丑[520]，上命有司选宗子[521]有才者，授以台省[522]及法官[523]、京县[524]官。敕曰：“违道慢[525]常，义无私于王法。修身效节[526]，恩岂薄于他人！期于帅先，励我风俗。”

秋，七月己卯[527]，大理少卿[528]徐峤[529]奏：“今岁天下断死刑五十八。大理狱院，由来相传杀气太盛，鸟雀不栖，今有鹊巢其树。”于是百官以几致刑措[530]，上表称贺。上归功宰辅[531]，庚辰[532]，赐李林甫爵晋国公，牛仙客豳国公。

上命李林甫、牛仙客与法官删修《律令格式》[533]成，九月壬申[534]，颁行之。

先是，西北边数十州多宿重兵，地租[535]营田[536]皆不能赡[537]，始用和籴[538]之法。有彭果[539]者，因牛仙客献策，请行籴法于关中。戊子[540]，敕以岁稔[541]谷贱伤农，命增时价什二三，和籴东、西畿[542]粟各数百万斛，

【校记】

［19］甚：原无此字。据章钰校，十二行本、乙十一行本皆有此字，今据补。［20］谮：原作“奏”。据章钰校，十二行本、乙十一行本皆作“谮”，今据改。

【语译】

五月，夷州刺史杨濬犯贪赃罪该处死刑，玄宗命令打六十杖，流放到古州。左丞相裴耀卿上疏，认为：“判杖刑赎死罪，恩泽十分优厚。脱掉身上的衣服，遭受鞭笞，此事颇为侮辱，只能用于囚徒奴隶，不该用于士大夫。”玄宗同意了他的意见。

五月初十日癸未，下敕书说因四方安定，命令中书门下与各道节度使衡量军镇的缓急和利害关系，审计边防士兵的定额，在各种被征发的人和寄籍户口中招募壮丁，长期充当边防军，增加他们的田地住宅，务必加以优恤。

五月二十八日辛丑，玄宗命令有关部门选拔皇族子弟中有才干的，授予他们台省官、法官、京县官。下敕书说：“如果你们违背正道，漠视纲常，我正义无私于王法。如果你们能修身效忠，皇恩难道会少于别人！希望你们率先示范，激励我朝风俗。”

秋，七月初七日己卯，大理少卿徐峤上奏：“今年全国判处死刑的有五十八人。大理狱院内，从来相传杀气太重，鸟雀都不栖息，现在有喜鹊在院内树上筑巢了。”于是百官认为刑罚几乎停止不用，上表祝贺。玄宗把功劳归于宰相。初八日庚辰，赐李林甫爵号为晋国公，牛仙客爵号为豳国公。

玄宗任命李林甫、牛仙客与法官一起删改修订《律令格式》的工作完成，九月初一日壬申，颁布施行。

此前，西北边境几十个州屯驻重兵，地租和营田收入都不能供养，便开始采用和籴的办法。有个叫彭果的人，通过牛仙客献策，请在关中实行和籴法。九月十七日戊子，下敕书说：“因年岁丰收谷贱伤农，命令在当时粮价基础上加价十分之二三，

停今年江、淮所运租。自是关中蓄积羡溢[543]，车驾不复幸东都矣。癸巳[544]，敕河南、北租应输含嘉、太原仓者，皆留输本州。

太常博士[545]王玙[546]上疏请立青帝坛[547]以迎春，从之。冬，十月辛丑[548]，制自今立春[549]亲迎春于东郊。

时上颇好祀神鬼，故玙专习祠祭[550]之礼以干时。上悦之，以为侍御史[551]，领祠祭使[552]。玙祈祷或焚纸钱[553]，类巫觋[554]。习礼者羞之。

壬申[555]，上幸骊山温泉[556]。乙酉[557]，还宫。

己丑[558]，开府仪同三司[559]广平文贞公宋璟薨。

十二月丙午[560]，惠妃武氏薨，赠谥贞顺皇后。

是岁，命将作大匠[561]康䛒素[21]之东都毁明堂[562]。䛒素上言："毁之劳人，请去上层，卑于旧九十五尺，仍旧为乾元殿[563]。"从之。

初令租庸调、租资课，皆以土物输京都。[564]

【段旨】

以上为第十段，唐玄宗完成募兵制的改革，用招募的长征兵戍边。用和籴法储粮京师，两京用土物代租赋，有利于国计民生。

【注释】

⑤⓪⑦夷州：州名，治所初在今贵州石阡，不久移至今贵州石阡西南，后移至今贵州凤冈西北绥阳镇。⑤⓪⑧古州：州名，贞观十二年（公元六三八年）置，治所今缺，当在广西境。⑤⓪⑨疏：书面向皇帝陈述政见。⑤①⓪决杖赎死二句：据《唐六典·刑部员外郎》，赎罪用铜，绞斩死罪，赎铜不超过一百二十斤，但无以杖赎死的规定。故《旧唐书·裴耀卿传》所载疏文有"杂犯死罪，（赎）无杖刑"。此谓"决杖赎死，恩则甚优"，乃奉承之言。决，判决。赎，赎罪。⑤①①徒隶：徒，服劳役的人。隶，奴仆。⑤①②士人：士大夫。⑤①③癸未：五月初十日。⑤①④方隅：边境四方。⑤①⑤中书门下：唐代宰相议政、办公机构。唐承隋制，置中书、尚书、门下三省，三省长官和他官所任宰相共同在门下省的政事堂议论政事。永淳二年（公元六八三年）中书令裴炎执政事笔，迁政事堂于中书省。开元十一年（公元七二三年）中书令张说，改政事堂为中书门下，设吏、枢机、兵、户、刑礼五房，分科办理政务。原来的政事堂只是宰相议政之所，现在，中书门下成为

收购东都、西都附近粟米各几百万斛，停止今年江、淮地区所运的租粮。”从此关中粮储充溢，玄宗不再亲临东都了。二十二日癸巳，下敕书河南、河北粮租应输往含嘉仓、太原仓的，都留下输往本州。

太常博士王玙上疏请求建立青帝坛用来迎春，玄宗采纳了。冬，十月初一日辛丑，玄宗下制书从现在开始立春日亲自在东郊迎春。

当时玄宗十分喜欢祭祀鬼神，所以王玙专门学习祭祀的礼仪以求利当时。玄宗很喜欢王玙，任命他为侍御史，领祠祭使。王玙祈祷有时焚烧纸钱，好像巫师。熟悉礼仪的人为他感到羞耻。

十一月初二日壬申，玄宗到达骊山温泉。十五日乙酉，回宫。

十九日己丑，开府仪同三司广平文贞公宋璟去世。

十二月初七日丙午，武惠妃去世，赠谥号为贞顺皇后。

这一年，命令将作大匠康謷素去东都拆毁明堂。康謷素上奏说：“毁掉明堂人很劳苦，请拆除上层，低于原来九十五尺，仍旧为乾元殿。”玄宗采纳了这一建议。

朝廷首次下令各地征收的租庸调、租资课，都用各地土产运送到京都。

宰相办公的机构。⑯闲剧利害：指军镇事务的轻重缓急。闲，轻松。剧，事务繁重，情况紧急。利害，谓权衡兵多与兵少所产生的影响。⑰诸色征人：各种被征发的戍边军士。色，种类。⑱客户：流寓他乡、非土著的住户。⑲优恤：从优安置。⑳辛丑：五月二十八日。㉑宗子：皇族子弟。㉒台省：唐代曾以尚书省为中台、门下省为东台、中书省为西台，故总称三省为台省。㉓法官：指刑部、御史台、大理寺官，皆与刑狱司法有关。㉔京县：唐以长安（在今陕西西安西）、万年（在今陕西西安东）、河南（县治在洛水南外郭城的宽政坊，在今河南洛阳）、洛阳（县治在洛水北外郭城的毓德坊，在今河南洛阳南）、太原（在今山西太原西南）、晋阳（在今山西太原南）六县为京县。㉕慢：怠慢；轻忽。㉖效节：效忠、守节操。㉗己卯：七月初七日。㉘大理少卿：官名，大理寺副长官，协助长官大理卿掌邦国折狱详刑之事。㉙徐峤：字巨山，徐坚之子，开元中任驾部员外郎、集贤院直学士、中书舍人、河南尹、大理少卿。传见《新唐书》卷一百九十九。㉚几致刑措：刑法几乎不用。措，废弃、放弃。㉛宰辅：辅政大臣，指宰相。㉜庚辰：七月初八日。㉝《律令格式》：唐朝四种法律文书。律，是刑法，用刑治罪的条文，具有根本法性质。令，是规则制度的规定，偏重于教诫。格，是禁人违反的条例。式，是要人遵循的章程。李林甫等删修《律令格式》，见《旧唐书》卷五十。㉞壬申：九月初一。㉟地租：唐代前期的地租，一是武德（公元六一八至六二六年）以来在均田制基础上征收课户的每丁租粟二石，二是普遍征收的每亩二升的地税。㊱营田：屯

田的另一种称呼。唐代的边防镇守军，供给转输困难的，便就地屯垦田地以增加军储。开始主要是军屯。后来逐渐把屯田称为营田。营田由边区发展到内地，军营之外，增加了民营。管理营田的有工部的屯田郎中、司农寺，军士营田掌握在节度使兼任的营田使手中。㊲赡：供给。㊳和籴：官府出钱购买民粮，以供军用。名义上双方协商交易，称和籴。实际上往往按户摊派，限期征购，强制民户贱价出售，和赋税没有本质区别。唐代后期的和籴就是如此。㊴彭果：彭果（？至公元七四七年），累官南海太守，后因赃罪决杖，死于流放途中。㊵戊子：九月十七日。㊶岁稔：丰收年。㊷东、西畿：畿，古代王都所在的千里地区称畿，即所谓“邦畿千里”。唐显庆二年（公元六五七年）以洛阳为东都，又称东京，因称长安为西都，又称西京。故东畿指洛阳地区，西畿指长安地区。㊸美溢：美，剩余。溢，满。㊹癸巳：九月二十二日。㊺太常博士：官名，太常卿属员，掌管五礼仪式的增减，大祭祀和大典礼时导引乘舆、唱行礼仪以及拟定谥号等事。㊻王玙：王玙（？至公元七六八年），以祭祀、妖妄承恩而官至中书侍郎、同中书门下平章事。传见《旧唐书》卷一百三十、《新唐书》卷一百七。㊼青帝坛：为祭祀青帝的祭坛。青帝，天帝名，东方之神。又东方为春，青帝又为春神。㊽辛丑：十月初一日。㊾立春：二十四节气之一。时间在每年阳历二月初四日或初五日，为春季的开始。㊿祠祭：此谓祭祀礼仪。或据《诗·小雅·天保》注，春祭曰祠，认为祠祭即春祭。(551)侍御史：官名，为御史台三院御史中地位最高的台院御史，主要执掌台内常务，弹奏百官，推鞫狱讼，并参与三司理事。(552)祠祭使：使职名，主持春祭的专使。此时始置。(553)焚纸钱：汉朝已有钱币殉葬之俗，见《史记·酷吏列传》及其集解。后世演变为焚纸钱以事鬼神。(554)巫觋：男女巫的合称。巫，女巫。觋，男巫。(555)壬申：十一月初二日。(556)骊山温泉：骊山是秦岭一支脉，在今陕西西安市临潼区南部，其北麓有温泉。贞观十八年（公元六四四年）太宗建汤泉宫，高宗改名温泉宫，玄宗改名华清宫，温泉又称华清池。(557)乙酉：十一月十五日。(558)己丑：十一月十九日。(559)开府仪同三司：散官名，唐文散官二十九阶，开府仪同三司为最高阶，从一品。(560)丙午：十二月初

【原文】

二十六年（戊寅，公元七三八年）

春，正月乙亥(565)，以牛仙客为侍中。

丁丑(566)，上迎气(567)于浐水之东。

制边地长征兵，召募向足(568)。自今镇兵勿复遣，在彼者纵还。

令天下州、县，里别置学。(569)

七日。561 将作大匠：官名，将作监长官，职掌两京宫室、宗庙、城郭、官廨、楼台、桥道的土木营建。562 明堂：古代帝王布政施教的地方。凡朝会、祭祀、庆赏、选士等大典，均在此举行。唐明堂武则天垂拱四年（公元六八八年）于东都建成，证圣元年（公元六九五年）焚于火，天册万岁二年（公元六九六年，即万岁登封元年、万岁通天元年）重建。至是拆去上层。563 乾元殿：宫殿名，麟德二年（公元六六五年）在隋含元殿旧址建成。564 初令租庸调、租资课二句：租庸调，唐初高祖、太宗时定下的赋役制度。规定每丁每年向官府交粟二石，叫租；交绫绢各二丈，布加五分之一，交绫绢絁的兼交棉三两，交布的兼交麻三斤，叫调；每丁每年服役二十日叫役，若不服役，每日交绢三尺，叫庸。资课，是开元以来的新法，以资代色役（诸色差役）的课税，同纳庸代正役相似，不过其种类复杂，情况多变。《通鉴》此条记载系综合本年下述敕令：一是鉴于关辅蚕桑寡少，百姓贱粜菽粟、贵买绢帛以输庸调，三月敕令今后关内庸、调、资课，按时价折交粟米，送于京师，路远处还可交当地收贮，而有蚕桑的河南、河北，则可折租粟为绢，以代关中的调课（见《通典》卷六《食货·租税下》）；二是鉴于原来所定各地贡献物资多非土产，有的需向外地买来，有的本地产物又未规定交纳，故敕令中书门下会同朝集使，按“随便”原则提出改革意见，作为今后贡献的定准。这就是载于《唐六典·户部郎中》的十道赋调和土贡的新规定。《通鉴》虽未完全反映这些敕令的内容，但它取其以土物输纳租庸调和资课，注重其补漏救弊的新意，故冠以“初令”，表明编者的见识和用心。

【校记】

［21］康詈素：原作“康𧦝素”。严衍《通鉴补》于“𧦝”字加方括号，已意识到“𧦝”系误字。《旧唐书·礼仪志二》《新唐书·礼乐志三》皆作“康詈素”，当是，今据校正。𧦝，同“愆”，罪也、过也，不宜用作人名。詈，同“辩”，用作人名，义尚可取。本卷下文“詈素”，原亦误作“𧦝素”，今一并校正。

【语译】

二十六年（戊寅，公元七三八年）

春，正月初六日乙亥，任命牛仙客为侍中。

正月初八日丁丑，玄宗在浐水的东边祭祀迎接春气。

下制书说边疆的长征兵，招募接近满额。从今以后，镇兵不再派送，已在边地的放回去。

下令全国的州、县，里另行设置学校。

壬辰[570]，以李林甫领陇右节度副大使[571]，以鄯州都督[572]杜希望[573]知留后[574]。

二月乙卯[575]，以牛仙客兼河东节度副大使。

己未[576]，葬贞顺皇后[577]于敬陵[578]。

壬戌[579]，敕河曲六州胡坐康待宾散隶诸州者[580]，听还故土，于盐[581]、夏[582]之间置宥州[583]以处之。

三月，吐蕃寇河西，节度使崔希逸击破之。鄯州都督、知陇右留后杜希望攻吐蕃新城，拔之，以其地为威戎军[584]，置兵一千戍之。

夏，五月乙酉[585]，李林甫兼河西节度使。

丙申[586]，以崔希逸为河南尹。希逸自念[587]失信于吐蕃，内怀愧恨，未几而卒。

太子瑛既死，李林甫数劝上立寿王瑁。上以忠王玙[588]年长，且仁孝恭谨，又好学，意欲立之，犹豫岁余不决。自念春秋[589]浸高，三子同日诛死，继嗣未定，常忽忽不乐，寝膳为之减。高力士乘间请其故，上曰："汝，我家老奴，岂不能揣我意！"力士曰："得非以郎君[590]未定邪?"上曰："然。"对曰："大家[591]何必如此虚劳圣心，但推长而立，谁敢复争！"上曰："汝言是也！汝言是也！"由是遂定。

六月庚子[592]，立玙为太子。

辛丑[593]，以岐州刺史萧炅为河西节度使总留后事，鄯州都督杜希望为陇右节度使，太仆卿[594]王昱为剑南节度使，分道经略吐蕃，仍毁所立赤岭碑[595]。

突骑施可汗苏禄[596]素廉俭，每攻战所得，辄与诸部分之，不留私蓄，由是众乐为用。既尚唐公主[597]，又潜通突厥及吐蕃，突厥、吐蕃各以女妻之。苏禄以三国女为可敦[598]，又立数子为叶护[599]，用度浸广。由是攻战所得，不复更分。晚年病风，一手挛缩[600]，诸部离心。酋长莫贺达干、都摩度两部最强，其部落又分为黄姓、黑姓[601]，互相乖阻[602]，于是莫贺达干勒兵夜袭苏禄，杀之。都摩度初与莫贺达干连谋，既而复与之异，立苏禄之子骨啜为吐火仙可汗，以收其余众，与莫贺达干相攻。莫贺达干遣使告碛西节度使[603]盖嘉运，上命嘉运招集突骑施、拔汗那[604]以西诸国。吐火仙与都摩度据碎叶城[605]，黑姓可汗尔微

正月二十三日壬辰，任命李林甫兼领陇右节度副大使，任命鄯州都督杜希望知留后。

二月十七日乙卯，任命牛仙客兼河东节度副大使。

二十一日己未，把贞顺皇后安葬在敬陵。

二十四日壬戌，敕令河曲六州的胡人因受康待宾叛乱牵连而散属各州的，准许他们返回故土，在盐州、夏州之间设置宥州来安置他们。

三月，吐蕃入侵河西，节度使崔希逸打败了他们。鄯州都督、知陇右留后杜希望攻打吐蕃新城，攻克了它，在那里设置威戎军，派兵一千戍守。

夏，五月十八日乙酉，李林甫兼河西节度使。

二十九日丙申，任命崔希逸为河南尹。崔希逸自己想到失信于吐蕃，内怀愧恨，没多久就死了。

太子李瑛死后，李林甫一再劝说玄宗立寿王李瑁为太子。玄宗认为忠王李玙年长，而且仁孝恭谨，又好学，心里的主意是立他为太子，犹豫了一年多也没有决定。玄宗想到自己年岁渐大，三个儿子同一天被处死，继承人又没有定下来，常常闷闷不乐，睡眠、饮食都减少了。高力士乘机询问其中的缘故，玄宗说："你啊，是我家的老仆人，难道还不能猜到我的心思！"高力士说："莫不是因为太子没有定下来吧？"玄宗说："是的。"高力士回答说："皇上何必这样虚劳圣心，只需推年长的立为太子，谁还敢再争！"玄宗说："你说得对啊！你说得对啊！"由此便定了下来。

六月初三日庚子，立李玙为太子。

六月初四日辛丑，任命岐州刺史萧炅为河西节度使总留后事，鄯州都督杜希望为陇右节度使，太仆卿王昱为剑南节度使，分道策划处理吐蕃事宜，还毁掉所立的赤岭碑。

突骑施可汗苏禄一向廉洁节俭，每次攻战得到的战利品，常与各部落分享，不留私人积蓄，因此大家都很乐意为他效力。他娶了唐朝公主后，又暗中联络突厥和吐蕃，突厥、吐蕃分别把女儿嫁给他。苏禄封唐、突厥、吐蕃这三国之女都为可敦，又立几个儿子为叶护，费用支出越来越大。因此，攻战得到的战利品，不再分给部众。苏禄晚年中风，一只手蜷曲，因此，各部都离心离德。酋长莫贺达干、都摩度两个部落最为强大，其部落又分为黄姓、黑姓，彼此隔阂失和，这时莫贺达干率兵夜袭苏禄，把他杀了。都摩度开始时与莫贺达干合谋，后来又与他分裂，立苏禄的儿子骨啜为吐火仙可汗，借此来收聚他的余部，与莫贺达干互相攻击。莫贺达干派遣使者告诉碛西节度使盖嘉运，玄宗命令盖嘉运招集突骑施、拔汗那以西各国。吐

特勒[606]据怛逻斯城[607]，相与连兵以拒唐。

太子将受册命[608]，仪注[609]有中严、外办[610]及绛纱袍，太子嫌与至尊同称，表请易之。左丞相裴耀卿奏停中严，改外办曰外备，改绛纱袍为朱明服。秋，七月己巳[611]，上御宣政殿[612]，册太子。故事，太子乘辂[613]至殿门。至是，太子不就辂，自其宫步入。是日，赦天下。己卯[614]，册忠王妃韦氏为太子妃。

杜希望将鄯州之众夺吐蕃河桥，筑盐泉城[615]于河左。吐蕃发兵三万逆战。希望众少不敌，将卒皆惧。左威卫郎将[616]王忠嗣[617]帅所部先犯其陈，所向辟易，杀数百人，虏陈乱。希望纵兵乘之，虏遂大败。置镇西军于盐泉。忠嗣以功迁左金吾将军[618]。

八月辛巳[619]，勃海王武艺[620]卒，子钦茂立。

九月丙申[621]朔，日有食之。

初，仪凤[622]中，吐蕃陷安戎城[623]而据之。其地险要，唐屡攻之，不克。剑南节度使王昱[624]筑两城于其侧，顿军蒲婆岭[625]下，运资粮以逼之。吐蕃大发兵救安戎城，昱众大败，死者数千人。昱脱身走，粮仗军资皆弃之。贬昱栝州[626]刺史，再贬高要[627]尉而死。

戊午[628]，册南诏蒙归义[629]为云南王。归义之先本哀牢夷[630]，地居姚州[631]之西，东南接交趾[632]，西北接吐蕃。蛮语谓王曰诏。先有六诏[633]：曰蒙舍，曰蒙越，曰越析，曰浪穹，曰样备，曰越澹，兵力相埒，莫能相壹，历代因之以分其势。蒙舍最在南，故谓之南诏。高宗时，蒙舍细奴逻初入朝。细奴逻生逻盛，逻盛生盛逻皮，盛逻皮生皮逻阁[634]。皮逻阁浸强大，而五诏微弱。会有破渳河蛮之功，乃赂王昱，求合六诏为一。昱为之奏请，朝廷许之，仍赐名归义。于是以兵威胁服群蛮，不从者灭之。遂击破吐蕃，徙居大和城[635]，其后卒为边患[636]。

冬，十月戊寅[637]，上幸骊山温泉。壬辰[638]，上还宫。

是岁，于西京、东都往来之路作行宫[639]千余间。

分左右羽林置龙武军[640]，以万骑营[641]隶焉。

润州[642]刺史齐澣[643]奏："旧[22]自瓜步[644]济江迂六十里，请自京口埭[645]下直济江，穿伊娄河二十五里即达扬子县[646]，立伊娄埭。"从之。

火仙和都摩度占据碎叶城，黑姓可汗尔微特勒占据怛逻斯城，相互连兵抵抗唐军。

太子将受册命，《仪礼注》中有中严、外办及绛纱袍等仪式规定，太子嫌这些规定与天子名称相同，上表请求更改。左丞相裴耀卿便奏请停止中严，把外办改称为外备，把绛纱袍改为朱明服。秋，七月初二日己巳，玄宗亲临宣政殿，册立太子。旧制，太子乘辂车到殿门。到这时，太子并不乘辂车，从他的宫中步行入殿。这一天，大赦天下。十二日己卯，册立忠王妃韦氏为太子妃。

杜希望率领鄯州的部众夺取吐蕃河桥，在河的左岸修建盐泉城。吐蕃发兵三万迎战。杜希望兵少抵挡不了，将领和士兵都很害怕。左威卫郎将王忠嗣率领所辖部队先攻打吐蕃军阵，所向披靡，杀死几百人，敌人军阵大乱。杜希望纵兵乘势攻击，于是敌人大败。在盐泉设置镇西军。王忠嗣因功升迁为左金吾将军。

闰八月十五日辛巳，勃海王武艺去世，儿子钦茂即位。

九月初一日丙申，发生日食。

当初，仪凤年间，吐蕃攻陷安戎城并占据了它。这里地势险要，唐军多次攻城，都不能攻克。剑南节度使王昱在它的侧面修建了两座城，把军队驻扎在蒲婆岭下，运来物资粮米，压迫安戎城。吐蕃出动大量军队救援安戎城。王昱的部队大败，死了几千人。王昱逃脱，粮草、军械物资都丢弃了。王昱被贬为栝州刺史，再贬为高要县尉而死。

九月二十三日戊午，册封南诏蒙归义为云南王。归义的先人本是哀牢夷，地处姚州西边，东南与交趾接壤，西北和吐蕃相邻。蛮语称王为诏。原先有六诏：叫作蒙舍、蒙越、越析、浪穹、样备、越澹，兵力相当，相互不能统一，历代君主利用这点来分散他们的力量。蒙舍在最南边，所以称它南诏。高宗时，蒙舍细奴逻初次来朝。细奴逻生逻盛，逻盛生盛逻皮，盛逻皮生皮逻阁。皮逻阁逐渐强大，而五诏力量微弱。正遇上皮逻阁破洱河蛮有功，就贿赂王昱，请求把六诏合并在一起。王昱替他向朝廷奏请，朝廷答应了，并赐名“归义”。于是，皮逻阁用武力威胁征服各蛮族，不服从的就消灭他。还打败了吐蕃，移居大和城，后来终于成为边患。

冬，十月十四日戊寅，玄宗亲临骊山温泉。二十八日壬辰，玄宗回宫。

这一年，在西京和东都往来的路上修筑了行宫一千多间。

分左右羽林军设置龙武军，把万骑营隶属它。

润州刺史齐澣奏言：“旧时从瓜步渡长江迂回六十里，请从京口埭下直接渡江，开凿伊娄河二十五里就可抵达扬子县，建伊娄埭。”玄宗采纳了这个建议。

【段旨】

以上为第十一段，写唐玄宗立第三子李玙为太子，即唐肃宗。唐联南诏制约吐蕃，留下西南边境隐患。

【注释】

565乙亥：正月初六日。566丁丑：正月初八日。567迎气：据《旧唐书·礼仪志》，每岁立春之日，祀青帝于东郊，立夏，祀赤帝于南郊，立秋，祀白帝于西郊，立冬，祀黑帝于北郊，是谓迎气。此次迎气，当是祀青帝迎春之礼。祀青帝，祠祭迎春。气，节气。568向足：指招募长征健儿已接近足够。向，趋向、接近。569令天下州、县二句：他本此处标点里与州、县并列，误。《唐大诏令集》《册府元龟》载正月丁丑制："宜令天下州县，每一乡之内，里别各置学，仍择师资，令其教授。"故应读作"令天下州、县，里别置学"。570壬辰：正月二十三日。571陇右节度副大使：使职名，为陇右方镇的差遣副长官。陇右节度使，陇右方镇长官。开元元年（公元七一三年）始置，其目的是抵御吐蕃，治所在今青海海东市乐都区。节度使一般由亲王遥领或空缺，执行节度使由副大使到任，称某某节度副大使知节度事，省称为节度使。即节度使实为副大使。572鄯州都督：鄯州，州名，治所在今青海海东市乐都区。都督，官名，为边区地方军事长官，掌所统诸州兵马、甲械、城隍、镇戍、粮廪等军事行政事务。573杜希望：杜佑之父。传见《旧唐书》卷一百四十七、《新唐书》卷一百六十六。574留后：地方军政长官因进京朝觐，或遥领未曾到任，或因其他公务离开治所，则常择一人总摄后事或监留府事，称为留后。开元时亲王授节度、都护、都督之职，但不到任，称亲王遥领，由在镇副职知节度、都护、都督职事。有的镇将入朝为宰相，但节度、都督之职如故，或宰相授节度、都督而不到任，称宰相遥领，其镇务由留后摄知。此时，陇右是二者兼有，荣王滉为陇右节度大使，李林甫为副大使，都属遥领，实际镇务由鄯州都督杜希望以留后摄知。575乙卯：二月十七日。576己未：二月二十一日。577贞顺皇后：武惠妃谥号。578敬陵：在今陕西西安东。579壬戌：二月二十四日。580河曲六州胡坐康待宾散隶诸州者：河曲六州胡，调露元年（公元六七九年）于灵州（治所在今宁夏灵武）、夏州（治所在今内蒙古乌审旗南白城子）南界置鲁、丽、含、塞、依、契六州以处降胡，故称为河曲六州胡，称这些州为六胡州。开元九年（公元七二一年）胡人康待宾反，次年余党尽平后，迁残胡五万余口于许、汝、唐、邓、仙、豫等州。至是，允许散居的六州胡归还故土。581盐：盐州，州名，治所在今陕西定边。582夏：州名，治所在今陕西榆林市横山区西。583宥州：州名，治所在今内蒙古鄂托克旗南。584威戎军：军镇名，在今青海门源回族自治县。585乙酉：五月十八日。586丙申：五月二十九日。587念：考虑。588忠王玙：肃宗李亨（公元七一一至七六二年），玄宗第三子。公元七五六至七六二年在位。事详见《旧唐书》卷十、《新唐书》卷六。589 春秋：指年龄。590 郎君：指嗣君。591 大家：宫中近臣或后妃对皇帝的称呼。592 庚子：六月初三日。593 辛丑：六月初四日。594 太仆卿：官名，太仆寺长官，掌舆马及监牧之事。595 赤岭碑：开元二十一年（公元七三三年）应金城公主之请，立碑于赤岭（今青海湟源日月山），为唐与吐蕃的分界。596 苏禄：苏禄（？至公元七三八年），本为突骑施首领娑葛的部将，娑葛为突厥默缀杀后，乃自立为可汗。势力渐强，称雄西域，受唐封为左羽林大将军、金方道经略大使，册立为忠顺可汗。事见《旧唐书》卷一百九十四下、《新唐书》卷二百十五下。597 尚唐公主：唐玄宗以突厥阿史那怀道之女为金河公主，妻苏禄。〖按〗本书卷二百十二作“交河公主”，但据岑仲勉考证应是“金河公主”。见《唐史餘瀋》卷二《金河与交河公主》。598 可敦：可汗之妻。599 叶护：突厥官名，突厥大臣有二十八等，叶护为最高一等官。600 挛缩：蜷曲而不能伸。601 黄姓、黑姓：突骑施种人自谓娑葛后者为黄姓，苏禄部为黑姓。602 乖阻：乖违隔阂；不和谐。603 碛西节度使：使职名，又称安西四镇节度使，或四镇节度使，为碛西方镇的差遣长官，开元六年（公元七一八年）置。其目的是安抚西域诸族。统安西、疏勒、于阗、焉耆四镇，伊吾、翰海二军和西州，治所与安西都护府相同，先在西州（今新疆吐鲁番东高昌故城），后移龟兹（今新疆库车），节度使例兼都护。604 拔汗那：大宛，西域城邦名，王治贵山城（今乌兹别克斯坦境内）。唐玄宗改其国名为宁远，并以宗室女为公主，妻其王。605 碎叶城：城名，故址在吉尔吉斯斯坦北部托克马克附近。606 特勒：特勤之误。《资治通鉴》的“特勒”，据公元一八八九年发现的《阙特勤碑》皆“特勤”之误。特勤为突厥可汗子弟的称呼，犹言王子。607 怛逻斯城：城名，在今哈萨克斯坦江布尔。608 册命：册封。609 仪注：《仪礼注》。《仪礼》是儒家经典之一，春秋战国时代部分礼制的汇编。共十七篇。相传是周公制作，孔子订定。而实际成书是在战国初期至中叶。《仪礼注》是东汉郑玄所著。610 中严、外办：在举行临轩册立皇太子礼仪中，准备活动过程的称号。据《新唐书·礼乐志》，册立皇太子的礼仪，当宫官和卫队布置完毕后，左庶子奏请“中严”，便开始由侍卫官迎皇太子出宫。侍中请“中严”，有司与群臣就位。侍中奏“外办”，皇帝出房就座，皇太子就位。这样一切准备完毕，接着便举行读册、受册、受玺绶的仪式。611 己巳：七月初二日。612 宣政殿：为天子常朝之所，在大明宫含元殿之后，门下省和中书省便在殿的左右两侧。613 辂：辂车、挽车。二人挽（拉），一人推。车前有一横木，供挽车用。614 己卯：七月十二日。615 盐泉城：城名，在陇右道河州西北，今青海循化撒拉族自治县境内。616 左威卫郎将：武官名，唐兵制十二卫有左右威卫，但无郎将，只有所隶属的翊府有左右郎将，故此左威卫郎将应是其翊府中郎将的省称。威卫翊府中郎将掌领本府校尉旅帅从事宿卫。617 王忠嗣：王忠嗣（公元七〇四至七四九年），本名训，太原祁（今山西祁县）人，以其父死王事，玄宗赐名忠嗣。官至河西、陇右、朔方、河东四镇节度使。后为李林甫使人诬陷而贬死。传见《旧唐书》卷一百三、《新唐书》卷一百三十三。618 左金吾将军：武官名，唐十二卫有左右金吾卫，左金吾将军位居该卫府长官左金吾大将军之次，职掌宫中及京城昼夜巡警，执捕奸人。皇帝出行则为仪仗，狩猎则为营卫。⑲辛巳：闰八月十五日。⑳勃海王武艺：武艺（？至公元七三七年），勃海靺鞨首领，大祚荣之子，公元七一九至七三七年在位。事见《旧唐书》卷一百九十九下、《新唐书》卷二百十九。㉑丙申：九月初一日。㉒仪凤：唐高宗年号（公元六七六至六七八年）。㉓安戎城：城名，在今四川马尔康东南。高宗时筑。㉔王昱：开元时人，曾任太仆卿、益州刺史、剑南节度使。其事散见《旧唐书》卷一百九十六上、《新唐书》卷二百十六上《吐蕃传》等。㉕蒲婆岭：《新唐书·吐蕃传》作蓬婆岭。在今四川阿坝州西南。㉖栝州：括州，州名，治所在今浙江丽水东南。㉗高要：县名，县治在今广东肇庆市高要区。㉘戊午：九月二十三日。㉙蒙归义：蒙归义（？至公元七四八年），南诏王，本名皮逻阁，唐玄宗赐名归义。事见《旧唐书》卷一百九十七、《新唐书》卷二百二十二中。㉚哀牢夷：汉朝时居住在今云南地区的少数民族。㉛姚州：州名，治所在今云南姚安北。㉜交趾：汉代州名，后分置交、广二州，再析置越州。唐初交州属岭南道。调露元年（公元六七九年）于此置安南都护府，治所在宋平（今越南境内），由交州刺史充任。㉝六诏：乌蛮在洱海地区建立的六个王国名。六诏名称，《新唐书·南诏传》作蒙巂诏、越析诏、浪穹诏、邆睒诏、施浪诏、蒙舍诏。樊绰《云南志》同。与《资治通鉴》（据《云南别录》所载）有蒙越、样备、越澹三诏相异。据前人考证，“样备”是“邆睒”之别名，“蒙越”与“蒙巂”当即一地。唯“越澹”众说纷纭，尚难确定。参见赵吕甫《云南志校释》。㉞盛逻皮生皮逻阁：南诏蒙氏父名后一个字，为子名前一个字，有父子连名的习俗。皮逻阁，著名的南诏王，赐名蒙归义、归义，封越国公、台登郡王。传

【原文】

二十七年（己卯，公元七三九年）

春，正月壬寅[647]，命陇右节度大使荣王琬[648]自至本道巡按处置诸军，选募关内[649]、河东[650]壮士三五万人，诣陇右防遏，至秋末无寇，听还。

群臣请加尊号曰圣文。二月己巳[651]，许之。因赦天下，免百姓今年田租。

夏，四月癸酉[652]，敕：“诸阴阳术数[653]，自非婚丧卜择[654]，皆禁之。”

己丑[655]，以牛仙客为兵部尚书[656]兼侍中，李林甫为吏部尚书[657]兼中书令，总文武选事。

六月癸酉[658]，以御史大夫李适之兼幽州节度使。

见《旧唐书》卷一百九十七、《新唐书》卷二百二十二上。㊿35 大和城：城名，在今云南大理南十五里太和村。636 卒为边患：指南诏统一，留下西南边境隐患。637 戊寅：十月十四日。638 壬辰：十月二十八日。639 行宫：京城以外供帝王出行时居住的宫殿。640 分左右羽林置龙武军：左右羽林，即左右羽林军，唐北衙禁军名。龙朔二年（公元六六二年）改左右屯营置。主要职责是守护宫城，警卫皇宫，大朝会和行幸则护卫天子。羽林军为天子直接掌握，历来被用以牵制南衙禁军。龙武军，左右羽林军分置左右龙武军，分置时间，《通典》卷二十八作本年十一月。从此，唐北门四军正式确立。641 万骑营：唐朝皇帝的贴身警卫部队。唐太宗整顿“北门屯兵”设置左右屯营，定名为“飞骑”，并从中选出骁勇善骑射的百人做贴身警卫，称“百骑”。武则天扩大其规模，改“百骑”为“千骑”，中宗又扩“千骑”为“万骑”，分左右营，称万骑营。642 润州：州名，治所在今江苏镇江市。643 齐澣：齐澣（公元六七五至七四六年），字洗心，定州义丰（今河北安国）人，官至尚书右丞。传见《旧唐书》卷一百九十中、《新唐书》卷一百二十八。644 瓜步：在今江苏南京市六合区南。645 京口埭：京口，即今江苏镇江。埭，提高水位的土坝。646 穿伊娄河二十五里即达扬子县：伊娄河为在瓜州上穿凿的运河，全长二十五里。《全唐文》卷三百五十三有《请开伊娄河奏》。〖按〗《元和郡县图志》卷二十五“丹徒县”条云：“江今阔一十八里。”伊娄河当以一十五里为是。扬子县，县名，县治在今江苏扬州。

【校记】

［22］旧：原无此字。据章钰校，十二行本、乙十一行本皆有此字，今据补。

【语译】

二十七年（己卯，公元七三九年）

春，正月初九日壬寅，命令陇右节度大使荣王李琬亲自到本道去巡视处理各军军务，选择招募关内、河东壮士三五万人，去陇右防卫，到秋末若没有敌寇，准许返回。

大臣们请求给玄宗加尊号为圣文。二月初七日己巳，玄宗同意了。因此大赦天下，免除百姓当年的田租。

夏，四月十二日癸酉，下敕令：“各种阴阳术数，不是用于婚丧卜择的，全都禁止。”

四月二十八日己丑，任命牛仙客为兵部尚书兼侍中，李林甫为吏部尚书兼中书令，总管文、武铨选事务。

六月十二日癸酉，任命御史大夫李适之兼幽州节度使。

幽州将赵堪、白真陁罗矫节度使张守珪之命，使平卢军使[659]乌知义邀[23]击叛奚余党于横水[660]之北。知义不从，白真陁罗矫称制指以迫之。知义不得已出师，与虏遇，先胜后败。守珪隐其败状，以克获闻。事颇泄，上令内谒者监[661]牛仙童往察之。守珪重赂仙童，归罪于白真陁罗，逼令自缢死。仙童有宠于上，众宦官疾之，共发其事。上怒，甲戌[662]，命杨思勖[663]杖杀之。思勖缚格，杖之数百，刳[664]取其心，割其肉啖之。守珪坐贬括州刺史。太子太师[665]萧嵩尝赂仙童以城南良田数顷，李林甫发之，嵩坐贬青州[666]刺史。

秋，八月乙亥[667]，碛西节度使盖嘉运擒突骑施可汗吐火仙。嘉运攻碎叶城，吐火仙出战，败走，擒之于贺逻岭。分遣疏勒镇守使[668]夫蒙灵詧[669]与拔汗那王阿悉烂达干潜引兵突入怛逻斯城，擒黑姓可汗尔微，遂入曳建城，取交河公主[670]，悉收散发之民[671]数万以与拔汗那王，威震西陲[672]。

壬午[673]，吐蕃寇白草、安人等军[674]，陇右节度使萧炅击破之。

甲申[675]，追谥孔子为文宣王。先是，祀先圣先师，周公南向，孔子东向坐。制："自今孔子南向坐，被王者之服，释奠[676]用宫悬[677]。"追赠弟子皆为公、侯、伯[678]。

九月戊午[679]，处木昆、鼠尼施、弓月等诸部先隶突骑施者，皆帅众内附，仍请徙居安西[680]管内。

太子更名绍[681]。

冬，十月辛巳[682]，改修东都明堂[683]。

丙戌[684]，上幸骊山温泉。十一月辛丑[685]，还宫。

甲辰[686]，明堂成。

剑南节度使张宥[687]，文吏，不习军旅，悉以军政委团练副使[688]章仇兼琼[689]。兼琼入奏事，盛言安戎城可取，上悦之。丁巳[690]，以宥为光禄卿[691]。十二月，以兼琼为剑南节度使。

初，睿宗[692]丧既除，祫[693]于太庙[694]。自是三年一祫，五年一禘[695]。是岁，夏既禘，冬又当祫。太常议以为祭数则渎，请停今年祫祭。自是通计五年一祫、一禘。从之。

幽州将领赵堪、白真陁罗伪造节度使张守珪的命令，令平卢军使乌知义在横水的北边拦击叛奚残余党羽。乌知义不服从，白真陁罗伪称圣上制书来强迫他。乌知义迫不得已而出兵，与敌人相遇，先胜后败。张守珪隐瞒了失败的情况，奏报他胜利并有所获。事情泄漏了，玄宗命令内谒者监牛仙童前往调查。张守珪重金贿赂牛仙童，把过错推给白真陁罗，逼迫他自缢而死。牛仙童有宠于玄宗，宦官们都痛恨他，一起揭发了这件事。玄宗大怒，六月十三日甲戌，命令杨思勖用棍棒打死牛仙童。杨思勖把牛仙童捆绑起来击打，用棍棒打了几百下，剖腹取心，割下他的肉来吃。张守珪因罪被贬为括州刺史。太子太师萧嵩曾经拿城南数顷良田贿赂牛仙童，李林甫揭发了此事，萧嵩因罪被贬为青州刺史。

秋，八月十五日乙亥，碛西节度使盖嘉运生擒突骑施可汗吐火仙。盖嘉运攻打碎叶城，吐火仙出来迎战，失败逃走，在贺逻岭被抓获。盖嘉运分别派遣疏勒镇守使夫蒙灵詧与拔汗那王阿悉烂达干秘密带兵突然进入怛逻斯城，抓获黑姓可汗尔微，便进入曳建城，获得了交河公主，把几万散发之民全部汇集起来，交给拔汗那王，唐军威震西部边陲。

八月二十二日壬午，吐蕃侵犯白草、安人等军，陇右节度使萧炅打败了他们。

八月二十四日甲申，追赠孔子谥号为文宣王。此前，祭祀先圣先师，周公神位朝南，孔子神位朝东安置。玄宗下制书："从今天起，孔子的神位朝南安置，穿王者的服装，释奠礼乐器用宫悬。"追赠孔子弟子的爵位都为公、侯、伯。

九月二十九日戊午，处木昆、鼠尼施、弓月等原先隶属于突骑施的各部落，都率领部众归附朝廷，仍请求移居安西都护府管辖区内。

太子改名为李绍。

冬，十月二十二日辛巳，改修东都明堂。

二十七日丙戌，玄宗亲临骊山温泉。十一月十三日辛丑，回宫。

十六日甲辰，明堂建成。

剑南节度使张宥，是个文官，不懂军事，把军政全部委托给团练副使章仇兼琼。章仇兼琼入朝奏事，大谈安戎城可以夺取，玄宗很高兴。十一月二十九日丁巳，任命张宥为光禄卿。十二月，任命章仇兼琼为剑南节度使。

当初，睿宗的丧事已经除服，便在太庙举行祫祭。从此三年举行一次祫祭，五年举行一次禘祭。这一年，夏季已举行禘祭，冬季又当举行祫祭。太常讨论认为祭祀频繁就会有渎神明，请求停止当年的祫祭。从此通计五年一次祫祭、一次禘祭。玄宗采纳了这一建议。

【段旨】

以上为第十二段，写唐边患日益严重，东、北、西三面有警。孔子被追谥为文宣王。

【注释】

⑭壬寅：正月初九日。⑭荣王琬：玄宗第六子李琬（？至公元七五五年），初名嗣玄，开元十二年（公元七二四年）改名滉，封荣王。二十五年改名琬。卒赠靖恭太子。传见《旧唐书》卷一百七、《新唐书》卷八十二。⑭关内：地区名，指潼关以西关中之地。⑮河东：地区名，泛指今山西全省。⑮己巳：二月初七日。⑮癸酉：四月十二日。⑮阴阳术数：用阴阳五行相生相克演化的数理，来推断人事吉凶，如占候、卜筮、星命等。⑮婚丧卜择：用占卜选择婚嫁、丧葬日期。⑮己丑：四月二十八日。⑮兵部尚书：官名，尚书省兵部长官，主管武官的选用、考核，以及有关兵籍、军械、军令等事宜。⑮吏部尚书：官名，尚书省吏部长官，掌天下官吏选授、勋封、考课等政令。⑮癸酉：六月十二日。⑮平卢军使：使职名，幽州节度使所属平卢军的长官。⑯横水：潢水，今内蒙古西拉木伦河。⑯内谒者监：宦官名，内侍省有内谒者监六人，正六品下，掌宫内宣布传达诏令及诸亲命妇朝会事宜。⑯甲戌：六月十三日。⑯杨思勖：杨思勖（？至公元七四〇年），宦官，残忍好杀，封虢国公。传见《旧唐书》卷一百八十四、《新唐书》卷二百七。⑯刳：剖开。⑯太子太师：官名，东宫官属之首，掌教谕太子。⑯青州：州名，治所在今山东青州。⑯乙亥：八月十五日。⑯疏勒镇守使：使职名，为碛西节度使所属城镇疏勒的军事长官。治所在今新疆喀什。⑯夫蒙灵詧：守边将领，官至安西节度使、河西节度使。夫蒙，本西羌姓。其事散见《旧唐书》卷一百四、《新唐书》卷一百三十五《高仙芝传》等。⑰交河公主：应为金河公主之误。见岑仲勉《唐史餘瀋》卷二。玄宗以阿史那怀道女为金河公主，嫁苏禄。至是取回。⑰散发之民：《新唐书·突厥传下》作“西国散亡数万人”。《册府元龟》卷三百五十八作“遂收诸散落百姓凡数万人”。⑰西陲：西部边疆。⑰壬午：八月二十二日。⑰白草、安人等军：戍军名。据胡三省注，白草军在蔚茹水之西，蔚茹水在原州萧关县，此时吐蕃兵不能到此，疑“白草”当作“白水”。白水军，治所在今青海大

【原文】

二十八年（庚寅，公元七四〇年）

春，正月癸巳[696]，上幸骊山温泉。庚子[697]，还宫。

二月，荆州长史张九龄卒。上虽以九龄忤旨[698]逐之，然终爱重其

通西北。安人军，治所在今青海湟源西北。⑥⑦⑤甲申：八月二十四日。⑥⑦⑥释奠：古代学校陈设酒食祭奠先圣先师孔子的一种典礼，置爵于神前进行祭祀。⑥⑦⑦宫悬：古代祭祀已故国王所用乐器。《周礼》规定，王用宫悬，诸侯用轩悬，卿大夫用判悬，士用特悬。宫悬是将钟磬四面悬挂，象宫室四面有墙。轩悬三面悬挂，成曲形。判悬二面，特悬一面。表示不同身份和地位。⑥⑦⑧公、侯、伯：据《礼记·王制》，古代爵位分公、侯、伯、子、男五等。唐玄宗追赠孔子的弟子颜渊为公，闵子骞等九人为侯，曾参等六十七人为伯。⑥⑦⑨戊午：九月二十九日。⑥⑧⓪安西：安西节度使，或安西都护府。⑥⑧①太子更名绍：太子即后来继位的肃宗李亨。初名嗣昇，开元十五年（公元七二七年）改名浚，二十三年改名玙，至此改名绍，后又改名亨。⑥⑧②辛巳：十月二十二日。⑥⑧③改修东都明堂：明堂为武则天时修建。据《旧唐书·玄宗纪》，此次改修，毁其上层，改折下层为新乾元殿。⑥⑧④丙戌：十月二十七日。⑥⑧⑤辛丑：十一月十三日。⑥⑧⑥甲辰：十一月十六日。⑥⑧⑦张宥：曾任华州刺史、益州长史、剑南节度使、光禄卿、扬州长史。其事散见《旧唐书》卷一百九十六上、《新唐书》卷二百十六上《吐蕃传》等。⑥⑧⑧团练副使：使职名，团练使、副使，为统领地方武装团练兵的差遣官。⑥⑧⑨章仇兼琼：开元天宝时人，曾任主客员外郎、益州司马、益州长史、剑南节度使。《资治通鉴》言章仇兼琼衔为团练副使，有误。据《通典·职官典·都督》注、《旧唐书·职官志》、《新唐书·百官志》，团练使为至德（公元七五六至七五八年）后防御使改置。考之《旧唐书·吐蕃传上》，时张宥兼衔为剑南防御使，章仇兼琼为防御副使。《通鉴》误防御副使为团练副使。⑥⑨⓪丁巳：十一月二十九日。⑥⑨①光禄卿：官名，光禄寺长官，掌酒醴膳珍馐之政，凡是祭祀的牺牲、朝会宾客的酒膳珍馐皆总管之。⑥⑨②睿宗：睿宗（公元六六二至七一六年），名旦，高宗第八子。公元六八四年、七一〇至七一二年在位。事详见《旧唐书》卷七、《新唐书》卷五。⑥⑨③祫：古代一种祭礼名称，天子或诸侯把远近祖先的牌位集合在太庙举行的大合祭。三年举行一次。⑥⑨④太庙：亦称宗庙，天子的祖庙。⑥⑨⑤禘：古代帝王诸侯祭祀祖先的一种大祭礼，与祫并称为殷祭。行礼之期，有说五年，而后世多用三十个月或四十二个月。

【校记】

［23］邀：原无此字。据章钰校，十二行本、乙十一行本皆有此字，今据补。

【语译】

二十八年（庚寅，公元七四〇年）

春，正月初六日癸巳，玄宗亲临骊山温泉。十三日庚子，回宫。

二月，荆州长史张九龄去世。玄宗虽然因为张九龄违逆自己的旨意，把他逐出

人，每宰相荐士，辄问曰："风度得如九龄不⑥⁹⁹？"

三月丁亥⑦⁰⁰朔，日有食之。

章仇兼琼潜与安戎城中吐蕃翟都局及维州⑦⁰¹别驾⑦⁰²董承晏结谋，使局开门引内唐兵，尽杀吐蕃将卒，使监察御史许远⑦⁰³将兵守之。远，敬宗⑦⁰⁴之曾孙也。

甲寅⑦⁰⁵，盖嘉运入献捷。上赦吐火仙罪，以为左金吾大将军。嘉运请立阿史那怀道⑦⁰⁶之子昕为十姓可汗⑦⁰⁷，从之。夏，四月辛未⑦⁰⁸，以昕妻李氏为交河公主⑦⁰⁹。

六月，吐蕃围安戎城。

上嘉盖嘉运之功，以为河西、陇右节度使，使之经略吐蕃。嘉运恃恩流连⑦¹⁰，不时发⑦¹¹。左丞相裴耀卿上疏，以为："臣近与嘉运同班⑦¹²，观其举措，诚勇烈⑦¹³有余，然言气矜夸⑦¹⁴，恐难成事。昔莫敖忸于蒲骚之役，卒丧楚师。⑦¹⁵今嘉运有骄敌之色，臣窃忧之。况防秋⑦¹⁶非远，未言发日，若临事始去，则士卒尚未相识，何以制敌！且将军受命，凿凶门⑦¹⁷而出。今乃酣饮[24]朝夕，殆非忧国爱人之心。若不可改易，宜速遣进涂⑦¹⁸，仍乞圣恩严加训励⑦¹⁹。"上乃趣⑦²⁰嘉运行。已而嘉运竟无功。

秋，八月甲戌⑦²¹，幽州奏破奚、契丹。

冬，十月甲子⑦²²，上幸骊山温泉。辛巳⑦²³，还宫。

吐蕃寇安戎城及维州。发关中彍骑⑦²⁴救之，吐蕃引去。更命安戎城曰平戎。

十一月，罢牛仙客朔方、河东节度使。

突骑施莫贺达干闻阿史那昕为可汗，怒曰："首诛苏禄，我之谋也。今立史昕，何以赏我！"遂帅诸部叛。上乃立莫贺达干为可汗，使统突骑施之众，命盖嘉运招谕之。十二月乙卯⑦²⁵，莫贺达干降。

金城公主⑦²⁶薨。吐蕃告丧，且请和，上不许。

是岁，天下县千五百七十三，户八百四十一万二千八百七十一，口四千八百一十四万三千六百九。⑦²⁷西京、东都米斛⑦²⁸直⑦²⁹钱不满二百，绢匹⑦³⁰亦如之。海内富安，行者虽万里不持寸兵。

外任，但是终究喜欢敬重他的为人，每当宰相推荐士人，就问道:“风度是否像张九龄?”

三月初一日丁亥，发生日食。

章仇兼琼暗中和安戎城中吐蕃翟都局及维州别驾董承晏合谋，让翟都局开门接纳唐军进城，把吐蕃将士全部杀死，派监察御史许远率兵守城。许远，是许敬宗的曾孙。

三月二十八日甲寅，盖嘉运入朝进献战利品和俘虏。玄宗赦免了吐火仙的罪过，任命他为左金吾大将军。盖嘉运请求立阿史那怀道之子阿史那昕为十姓可汗，玄宗同意了。夏，四月十五日辛未，封阿史那昕的妻子李氏为交河公主。

六月，吐蕃包围安戎城。

玄宗嘉奖盖嘉运的功绩，任命他为河西、陇右节度使，让他经营谋划吐蕃事宜。盖嘉运倚仗玄宗的恩遇流连京城，不按时出发。左丞相裴耀卿上疏，认为:“臣近来和盖嘉运在朝会中同一个班次，观察他的行为举止，确实勇烈有余，然而言语气势骄傲自大，恐怕难以成事。从前莫敖因袭于蒲骚战役，最终导致楚军失败。如今盖嘉运有骄傲轻敌的神色，臣私下替他担忧。况且防备秋天抢粮的事情已经不远了，他也不说出发的日期，如果大事临头才去赴任，那么他与士兵还不认识，凭什么来制服敌人！而且将军接到任命，开凿凶门，从凶门出去。现在盖嘉运竟日夜酣饮，恐怕没有忧国爱民之心。如果任命不能改变，应当尽快送他上路，仍请圣上严加训诫勉励。”玄宗便催促盖嘉运出发。后来盖嘉运果然没有功绩。

秋，八月二十日甲戌，幽州奏报打败奚、契丹。

冬，十月十一日甲子，玄宗亲临骊山温泉。二十八日辛巳，回宫。

吐蕃侵犯安戎城和维州。调关中旷骑前去援救，吐蕃率军离去。安戎城改名为平戎。

十一月，免去牛仙客的朔方、河东节度使。

突骑施莫贺达干听说阿史那昕为可汗，大怒，说:“最先杀苏禄，是我的计谋。现在立了阿史那昕，用什么来封赏我!”于是率领各部落反叛。玄宗就立莫贺达干为可汗，让他统领突骑施的部众，命令盖嘉运招抚晓谕他。十二月初三日乙卯，莫贺达干投降。

金城公主去世。吐蕃来报丧，并且请求和好，玄宗没有答应。

这一年，全国有一千五百七十三个县、八百四十一万两千八百七十一户、四千八百一十四万三千六百零九人。西京、东都的米一斛价格不到二百钱，绢一匹也是这个价格。海内富庶安宁，走路的人即使行程万里也不用携带任何武器。

【段旨】

以上为第十三段，写吐蕃此时为唐西边最大边患，唐玄宗凭恃国力强大，不许吐蕃和亲。当时户口八百四十余万，人口近五千万，达到唐朝的极盛。

【注释】

[696]癸巳：正月初六日。[697]庚子：正月十三日。[698]忤旨：指不顺从皇帝的意见。忤，不顺从。[699]不：通“否”。[700]丁亥：三月初一日。[701]维州：州名，治所在今四川理县东北。[702]别驾：官名，为州之上佐，佐刺史纪纲众务，通判列曹。因品高俸厚而职闲，常安排贬退大臣和宗室充任。[703]许远：许远（公元七〇九至七五七年），字令威，杭州盐官（今浙江海宁西南）人，官至侍御史。安史之乱时，为死守睢阳的名将。传见《旧唐书》卷一百八十七下、《新唐书》卷一百九十二。[704]敬宗：许敬宗（公元五九一至六七二年），官至侍中。参与修《五代史》《晋书》《东殿新书》《西域图志》等书。传见《旧唐书》卷八十二、《新唐书》卷二百二十三上。[705]甲寅：三月二十八日。[706]阿史那怀道：西突厥一部落首领，斛瑟罗之子。[707]十姓可汗：西突厥阿史那氏世统十姓部落，自立为可汗，称十姓可汗。阿史那昕为十姓可汗事，《旧唐书·突厥传下》、《唐会要·西突厥》、《新唐书·突厥传下》与《玄宗实录》（已佚）诸书所载，互有歧义。《资治通鉴》于此略采诸书，存其梗概。详见《通鉴考异》。[708]辛未：四月十五日。[709]交河公主：前载阿史那怀道女为交河公主（本书卷二百十二），今又载其儿媳为交河公主。岑仲勉据《唐大诏令集》卷四十二册交河公主文，认定昕妻为交河公主是，怀道女应是金河公主之讹。见岑仲勉《唐史馀瀋》卷二。[710]流连：留恋不止，舍不得离去。指盖嘉运恃功逗留京师。[711]不时发：不按时出发赴任。[712]同班：指朝会时排在同一个班列。当时裴耀卿为左

【原文】

二十九年（辛巳，公元七四一年）

春，正月癸巳[731]，上幸骊山温泉。

丁酉[732]，制：“承前[733]诸州饥馑[734]，皆待奏报，然始[735]开仓赈给。道路悠远，何救悬绝！自今委州县长官与采访使量事给讫奏闻。”

庚子[736]，上还宫。

上梦玄元皇帝[737]告云：“吾有像在京城西南百余里，汝遣人求之，

丞相，从二品，盖嘉运为安西都护也是从二品，故朝会在同班。班，班次。⑬勇烈：勇敢刚直。⑭矜夸：骄傲自大。⑮莫敖忸于蒲骚之役二句：莫敖，楚官名，相当于司马一职。忸，通“狃”，习惯、因袭。蒲骚，古邑名，在今湖北应城西北。据《左传·桓公十三年》（公元前六九九年）记载，楚莫敖屈瑕大败郧国军队于蒲骚，又伐罗国。大夫斗伯比为之送行，屈瑕心高气傲，斗伯比认为屈瑕此行必败，于是把自己的看法告诉了楚子，楚子不听，回宫告诉夫人邓曼，邓曼说：“莫敖习惯于蒲骚之役以少胜多的打法，自以为是，不会设防。”莫敖果不设防，被罗国及卢戎打败。⑯防秋：唐朝中后期，吐蕃常在粮熟马肥、天高气爽的秋天向唐境进行掠夺侵扰。唐朝每年都从内地各军镇调集军队去防御。一般是初秋去，无寇则冬初还，称为防秋。⑰凶门：古代将军出征时，凿一扇向北的门，由此出发，以示必死的决心，称为凶门。⑱涂：通“途”。⑲训励：训诫勉励。⑳趣：通“促”，催促。㉑甲戌：八月二十日。㉒甲子：十月十一日。㉓辛巳：十月二十八日。㉔彍骑：本义犹言武艺精强的骑士，此用作宿卫兵士名称。唐代府兵制逐渐衰弛，番上宿卫兵士不足，开元十一年（公元七二三年）据张说建议，招募十二万人宿卫京师，称长从宿卫，第二年改称彍骑。彍骑成为专事宿卫的职业兵士。彍，拉满弓。㉕乙卯：十二月初三日。㉖金城公主：景龙元年（公元七〇七年），唐中宗以雍王李守礼之女为金城公主，嫁吐蕃王。金城公主在蕃三十多年，至是卒。㉗户八百四十一万二千八百七十一二句：胡三省注，“以开元之承平，而户口犹不及汉之盛时，唐兴以来，治日少而乱日多也”。㉘斛：计算粮食的单位，十斗为一斛。㉙直：通“值”。㉚匹：计算帛的单位。唐代帛阔一尺八寸，长四丈为一匹。

【校记】

［24］饮：据章钰校，十二行本、乙十一行本皆作“宴”。

【语译】

二十九年（辛巳，公元七四一年）

春，正月十一日癸巳，玄宗亲临骊山温泉。

十五日丁酉，下制书：“从前各州发生饥荒，都是等待奏章回批，然后才开仓赈济。路程遥远，怎能救急呢！从今起交付州县长官与采访使斟酌情况赈济，事后再奏报。”

十八日庚子，玄宗回宫。

玄宗梦见玄元皇帝老子告诉他说：“我有像在京城西南一百余里的地方，你派

吾当与汝兴庆宫[738]相见。”上遣使求得之于盩厔[739]楼观山[740]间。夏，闰四月，迎置兴庆宫。五月，命画玄元真容[741]，分置诸州开元观[742]。

六月，吐蕃四十万众入寇，至安仁军，浑崖峰骑将臧希液[743]帅众五千击破之。

秋，七月丙寅[744]，突厥遣使来告登利可汗[745]之丧。初，登利从叔[746]二人分典兵马，号左、右杀[747]。登利患两杀之专，与其母谋，诱右杀斩之，自将其众。左杀判阙特勒[748]勒兵攻登利，杀之，立毗伽可汗之子为可汗。俄为骨咄[749]叶护所杀，更立其弟。寻又杀之，骨咄叶护自立为可汗。上以突厥内乱，癸酉[750]，命左羽林将军孙老奴招谕回纥、葛逻禄、拔悉密[751]等部落。

乙亥[752]，东都洛水[753]溢，溺死者千余人。

平卢兵马使[754]安禄山倾巧[755]，善事人，人多誉之。上左右至平卢者，禄山皆厚赂之，由是上益以为贤。御史中丞[756]张利贞为河北采访使，至平卢，禄山曲事[757]利贞，乃至左右皆有赂。利贞入奏，盛称禄山之美。八月乙未[758]，以禄山为营州都督，充平卢军使，两蕃、勃海、黑水四府经略使[759]。

冬，十月丙申[760]，上幸骊山温泉。

壬寅[761]，分北庭、安西为二节度[762]。

十一月庚戌[763]，司空[764]邠王守礼薨。守礼庸鄙无才识，每天将雨及霁[765]，守礼必先言之，已而皆验。岐[766]、薛[767]诸王言于上曰：“邠兄有术。”上问其故，对曰：“臣无术。则天时以章怀之故，幽闭宫中十余年，[768]岁赐敕杖者数四，背瘢[769]甚厚，将雨则沉闷，将霁则轻爽，臣以此知之耳。”因流涕[770]沾[771]襟。上亦为之惨然。

辛酉[772]，上还宫。

辛未[773]，太尉[774]宁王宪[775]薨。上哀惋特甚，曰：“天下，兄之天下也。兄固让于我，[776]为唐、太伯[777]，常名不足以处之。”乃谥曰让皇帝。其子汝阳王琎[778]，上表追述先志[779]，谦冲[780]不敢当帝号，上不许。敛[781]日，内出服[782]，以手书致于灵座，书称“隆基白”。又名其墓曰惠陵，追谥其妃元氏曰恭皇后，祔[783]葬焉。

十二月乙巳[784]，吐蕃屠达化县[785]，陷石堡城[786]，盖嘉运不能御。

人寻找，我当与你在兴庆宫相见。”玄宗派使者在盩厔县楼观山中找到了老子的像。夏，闰四月，把像迎放在兴庆宫。五月，命令画老子的肖像，分别放在各州的开元观中。

六月，吐蕃四十万部众入侵，抵达安仁军，浑崖峰骑将臧希液率领部众五千人打败了吐蕃。

秋，七月十八日丙寅，突厥派使者前来就登利可汗之死告丧。当初，登利的堂叔二人分别掌管兵马，号称左、右杀。登利担心两杀专权，和他的母亲谋划，诱杀了右杀，自己统领他的部众。左杀判阙特勒带兵攻打登利，杀了登利，立毗伽可汗之子为可汗。不久便被骨咄叶护杀死，另立他的弟弟。不久又杀了他，骨咄叶护自立为可汗。玄宗因突厥内乱，二十五日癸酉，命令左羽林将军孙老奴招抚晓谕回纥、葛逻禄、拔悉密等部落。

七月二十七日乙亥，东都洛水泛滥，淹死的有一千多人。

平卢兵马使安禄山奸诈狡猾，善于侍奉别人，人们大多赞誉他。玄宗的身边人到平卢去的，安禄山都重金贿赂他们，因此玄宗更认为安禄山贤能。御史中丞张利贞任河北采访使，到达平卢，安禄山曲意侍奉张利贞，甚至连他的身边人都受到贿赂。张利贞回朝上奏，极力称赞安禄山的优点。八月十七日乙未，任命安禄山为营州都督，充平卢军使，两蕃、勃海、黑水四府经略使。

冬，十月十九日丙申，玄宗亲临骊山温泉。

十月二十五日壬寅，把北庭、安西分为两个节度。

十一月初三日庚戌，司空邠王李守礼去世。李守礼平庸浅薄、没有才识，每当天即将下雨和放晴，李守礼一定事先说出来，后来都应验了。岐王、薛王等诸王告诉玄宗说：“邠兄有道术。”玄宗询问李守礼其中缘故，李守礼回答说：“臣没有道术。武则天时因为章怀太子，臣被幽禁宫中十余年，每年下敕书杖打臣三四次，背上的疤痕很厚，要下雨时便感觉沉闷，即将天晴时就感觉清爽，臣因此而知道罢了。”说罢流泪，沾湿了衣襟。玄宗也为他惨然伤感。

十一月十四日辛酉，玄宗回宫。

十一月二十四日辛未，太尉宁王李宪去世。玄宗特别悲痛惋惜，说：“天下，原是哥哥的天下。哥哥坚持要让位给我，他是唐尧、太伯，平常的名号不足以匹配他。”于是谥为让皇帝。他的儿子汝阳王李琎，上表追述先父的心志，谦让不敢担当帝号，玄宗没有答应。殡殓那天，从宫中拿出天子的衣服，玄宗亲手书写挽词于灵座，自称“隆基白”。又命名宁王的坟墓为惠陵，追谥他的妃子元氏为恭皇后，合葬在惠陵。

十二月二十八日乙巳，吐蕃军队在达化县屠城，攻陷石堡城，盖嘉运不能抵抗。

【段旨】

以上为第十四段，安禄山倾巧，贿赂大臣得美誉。吐蕃寇边，唐军不胜。

【注释】

㉛癸巳：正月十一日。㉜丁酉：正月十五日。㉝承前：犹言从前。㉞饥馑：谷不熟为饥，蔬不熟为馑。饥馑连用，表示荒年。㉟然始：犹言然后。㊱庚子：正月十八日。㊲玄元皇帝：先秦道家老子即老聃，被道教徒奉为教主，称太上老君。李渊尊为皇祖。乾封元年（公元六六六年）高宗封为玄元皇帝。㊳兴庆宫：皇宫名，玄宗开元二年（公元七一四年）以藩王时住宅改建，开元十六年于此听政，有夹墙与大明宫通。㊴盩厔：县名，县治在今陕西周至。㊵楼观山：终南山名峰之一，山中今存楼观台，距西安城七十多公里。相传春秋时函谷关令尹喜在此结草为楼观，后老子西游入关，他便迎住草楼。老子著《道德经》五千言，并在草楼南筑台授经，称说经台或授经台。故楼观山为道教传说的发源地。㊶真容：肖像。㊷开元观：开元二十六年（公元七三八年）玄宗下令每州选择一地势好的观寺改名开元观。至天宝元年（公元七四二年）又改名大唐开元天宝之观。㊸浑崖峰骑将臧希液：浑崖峰，《新唐书·吐蕃传上》作浑崖烽，当是安仁军一烽火台名。臧希液，《旧唐书·吐蕃传上》作盛希液，应是守烽火台的骑将。㊹丙寅：七月十八日。㊺登利可汗：突厥苾伽可汗之子，伊然可汗之弟。开元二十年（公元七三二年）伊然可汗立，不久病死，其弟继位为登利可汗。后为判阙特勒所杀。㊻从叔：父亲的伯父、叔父之子，年幼于父者称从叔。㊼左、右杀：杀，又作设、察，为突厥可汗的兄弟或非继位子而掌兵马者，即所谓“别部领兵者”。杀或分左、右厢，称左、右杀。登利即位年幼，叔父二人分掌兵马，在东者为左杀，在西者为右杀。㊽判阙特勒：特勒，应作特勤，突厥可汗子弟的称呼。㊾骨咄：突厥判阙特勤之子，后自立为可汗。㊿癸酉：七月二十五日。⑺招谕回纥、葛逻禄、拔悉密：此次招谕无回纥在内。见岑仲勉《通鉴隋唐纪比事质疑》。⑻乙亥：七月二十七日。⑼洛水：古水名，即今河南洛河。⑽平卢兵马使：使职名，兵马使为军镇幕府掌知兵马、领兵作战的武职差遣官。此为平卢军专知兵马的武官。⑾倾巧：狡诈；见风行事。⑿御史中丞：官名，御史台副长官，佐长官御史大夫执掌对百官的弹劾、纠察等监察政务。⒀曲事：指凡事都委屈己意而奉承别人。曲，曲意。⒁乙未：八月十七日。⒂两蕃、勃海、黑水四府经略使：两蕃，唐代称奚、契丹二族为两蕃。四府，指贞观二十二年（公元六四八年）契丹首领窟哥内附，唐在其地置松漠都督府，同年，奚酋长可度者内附，唐置饶海东市乐都区督府，先天二年（公元七一三年）在勃海靺鞨地置忽汗州都督府，开元十年（公元七二二年）在黑水靺鞨地置黑水都督府，合称四府。经略使，使职名，唐初始置于边州，主要掌管少数民族兵民事务。节度使出现后，经略使成为所辖或兼任的使职。后节度使发展

到内地，而经略使却始终在有少数民族的边州设置。⑩ 丙申：十月十九日。⑪ 壬寅：十月二十五日。⑫ 分北庭、安西为二节度：北庭、安西早有分合，《资治通鉴》失书。此略举之。开元十五年（公元七二七年）三月，分伊西、北庭为二节度，十九年合伊西、北庭二节度，二十二年四月伊西、北庭依旧为二节度，二十三年移伊西、北庭隶属四镇节度使，二十九年分置安西、北庭，即为本书此次所载。参见岑仲勉《通鉴隋唐纪比事质疑》。⑬ 庚戌：十一月初三日。⑭ 司空：官名，三公之一。三公之官，佐天子，理邦国，但仅坐而论道，不视职事。⑮ 霁：雨雪停止，云雾散去，天放晴。⑯ 岐：岐王李范（？至公元七二五年），睿宗第四子，本名隆范，后避与玄宗连名，遂单称范，封历郑王、卫王、巴陵郡王，卒赠惠文太子。传见《旧唐书》卷九十五、《新唐书》卷八十一。⑰ 薛：薛王李业。⑱ 则天时以章怀之故二句：邠王李守礼是章怀太子李贤次子。调露二年（公元六八〇年）李贤得罪，被废为庶人，文明元年（公元六八四年）被杀。李守礼因此被禁于宫中，十余年不准出庭院。⑲ 瘢：疮伤好后留下的痕迹。⑳ 涕：眼泪，亦可释为鼻涕。㉑ 沾：润湿。㉒ 辛酉：十一月十四日。㉓ 辛未：十一月二十四日。㉔ 太尉：官名，为三公之官。自唐太宗任太尉后，亲王拜太尉者都不视事。㉕ 宁王宪：睿宗长子李宪（公元六七九至七四一年），曾立为皇太子，封历永平郡王、寿春郡王、蔡王、宋王、宁王，谥曰让皇帝。传见《旧唐书》卷九十五、《新唐书》卷八十一。㉖ 天下三句：睿宗即位后，李宪为皇太子。武则天称帝，睿宗降为皇嗣，李宪为皇孙。其后睿宗复位，李宪为嫡长子，应立为太子，然而睿宗第三子李隆基（即玄宗）讨平韦氏（中宗皇后）有功，李宪请让储位于隆基。遂以隆基为太子。㉗ 唐、太伯：唐，即传说中的陶唐氏，也就是尧。尧禅位于舜。太伯，周先祖太王长子，相传太王欲传王位给第三子季历（周文王父），太伯和二弟仲雍因此避居江南，断发文身，开发吴地，成为吴国始祖。㉘ 汝阳王琎：李宪之子李琎（？至公元七五〇年）。传见《旧唐书》卷九十五、《新唐书》卷八十一。㉙ 先志：先父意志。㉚ 谦冲：谦虚。㉛ 敛：同“殓”。古丧制，为死者更换衣服称小殓，入棺称大殓。又棺埋入墓穴也称为殓。㉜ 内出服：由宫内拿出天子的衣服以为殓。内，宫内。㉝ 祔：合葬。㉞ 乙巳：十二月二十八日。㉟ 达化县：县名，县治在今青海贵德东。㊱ 石堡城：古城名，一名铁刃城。在今青海湟源西南，为唐蕃交通要地，相互争夺的重要据点。

【研析】

本卷最值得研析的问题有三：一是唐玄宗由明转昏，二是太子废立，三是安史之乱主角登场。

明主的标志是纳谏与用人。开元二十五年（公元七三七年），张九龄罢相之前，唐玄宗纳谏，任用清正廉直之士，名相辈出。史称：“上即位以来，所用之相，姚崇尚通，宋璟尚法，张嘉贞尚吏，张说尚文，李元纮、杜暹尚俭，韩休、张九龄尚直，各其所长也。”张九龄因抗直罢相，从此，“朝廷之士，皆容身保位，无复直言”。唐玄宗的耳朵聋了，眼睛也瞎了，用人信谗，奸相李林甫、杨国忠相继为首辅，蛊惑圣听，奸诈无比。李林甫，甘言谄人，而暗中伤人，不露声色，人称“口有蜜，腹有剑”。张九龄在相位，太子瑛不废，李林甫上台，太子及诸王立即遭杀戮。杨国忠更是祸国殃民。君主昏昏，小人进，君子退，自李林甫入相以后，唐玄宗也就由明转昏，再无贤相矣。

废立太子，是一件国家大事，唐玄宗说废就废了，视同儿戏。唐玄宗废太子在开元二十五年（公元七三七年），唐玄宗五十三岁。唐玄宗卒于唐肃宗上元二年（公元七六一年），享年七十七岁。唐玄宗在帝王中算是一个高寿的皇帝。五十三岁，是知天命的中年，精力旺盛，但骄侈心和美色迷住了唐玄宗的眼睛，使他由明转昏。唐玄宗废太子瑛，同时遇害的还有鄂王瑶、光王琚、驸马薛锈。一朝害三子和一个女婿，在亲情上对唐玄宗是一个沉重打击。唐玄宗废太子也是经历了长时期思想感情斗争才痛下决心的。唐玄宗做此决定又是他性格的必然。唐玄宗善音律，重感情，天生好色。太子瑛的母亲赵丽妃、鄂王瑶的母亲皇甫德仪、光王琚的母亲刘才人都是以色被唐玄宗选为王妃。太子母更是以娼进，善歌舞得宠。太子瑛是唐玄宗第二子，因母亲得宠而立为皇太子。后来武惠妃专宠，太子瑛、鄂王瑶、光王琚三子之母，皆色衰爱弛而失宠，三子被玄宗疏远，同病相怜而亲近。武惠妃借专宠而进谗言，诋毁太子，替自己的儿子寿王李瑁夺太子位。武惠妃女咸宜公主婿杨洄秉承武惠妃之意，诬告太子瑛、鄂王瑶、光王琚与驸马薛锈图谋不轨。薛锈是太子瑛妃之兄，尚玄宗第四女唐昌公主。由于宰相张九龄直言废长立幼祸害无穷，反对废太子，唐玄宗下不了决心。李林甫，奸邪小人，趁机而入，通过杨洄与武惠妃结成同盟，先排挤张九龄出朝，然后再由杨洄出面诬告三王与薛锈通谋造反。武惠妃假称宫中有贼，宣召三王穿甲入宫捉贼，回头又去告诉唐玄宗说：“三王造反，带甲入宫。”如此拙劣的戏法，唐玄宗岂会不知。他已下决心要废立太子，装模作样问李林甫的意见。李林甫告以帝王家事，大臣不问。唐玄宗于是废三子及驸马为庶子，随即杀害。当三子及驸马均死后，唐玄宗又感心痛，所以没有立武惠妃之子寿王瑁为太子。唐玄宗想起了张九龄的警告，废长立幼将引起诸王争位。唐玄宗闷闷不乐，武惠妃惊惧病死。高力士劝唐玄宗立长以安国。于是，在太子瑛死后一年多，唐玄宗立第三子忠王玙为皇太子。武惠妃机关算尽，反误了性命。忠王玙渔翁得利，三王悲剧结局。二十五年之后，代宗即位，宝应元年（公元七六二年），才为三王平反。

唐玄宗专宠女色而废立太子，后又因专宠杨贵妃而招致安史之乱。唐玄宗爱美人不爱江山，这一性格弱点促成了他的骄侈心，是他由明转昏的一个决定性因素。

开元二十四年（公元七三六年），安史之乱的两位主角——安禄山与史思明登场，两人入朝，行动就十分诡异。安禄山与史思明，本是营州杂胡，两人同里闾，史思明先一日生，长安禄山一天。两人一起长大，互相亲爱，同为市侩，以骁勇闻名。安禄山从军，在平卢节度使张守珪帐下任捉生将，就是专门抓敌人活口的侦察兵。安禄山每次带几个骑兵深入契丹、奚人的领地，总能抓几个活口回来，张守珪十分爱惜他，将他收为养子。开元二十四年，安禄山以左骁卫将军之职领兵讨奚、契丹，违反军令，恃勇轻进，打了败仗，按律当斩。张守珪不忍诛杀，押送京师听候唐玄宗处置。时张九龄为相，批示说：“从前齐司马穰苴诛杀庄贾，孙武练兵斩了宫嫔，张守珪按军令行动，安禄山不应当免死。”张守珪把败军之将上交朝廷处置，就是不想诛杀，张九龄坚持按军法从事。唐玄宗碍于地方大员的情面，赦免了安禄山的死罪，是一种姑息养奸的行为。胜败乃兵家常事，打了败仗，追究情事，未必就有死刑。如果败军之将骄傲、抗命，是违纪行为，必须正法。东汉末，太尉张温统军讨金城叛羌，将军董卓抗命，言辞不顺，孙坚主张诛杀，认为像董卓这样抗命的人终为祸源。安禄山为张守珪之养子，一定是违纪犯罪当斩，不仅仅是败军，所以张九龄说安禄山有反相。相貌长有反骨，只是一个借口的说法。唐玄宗姑息，导致了后来的大祸。史思明，更是奸诈，欺骗奚王，诱杀友好使者，轻启边衅，张守珪与史思明均有大罪。边将擅杀冒功，唐玄宗不察反而嘉奖。史思明，原名史窣干，思明为唐玄宗的赐名，在当时是莫大的荣誉。史称史思明入朝奏事，唐玄宗与之对话，十分满意。唐玄宗原本“英断多艺”，这时明察的一双慧眼已经蒙上烟雾，自然遇事不明了。专制君王，只要昏聩，就更加固执。明主纳谏，昏主拒谏。唐玄宗听不进张九龄的话，等到安史之乱蒙尘入蜀时，唐玄宗想起张九龄，特别派专使到张九龄的故里厚抚其家属。唐玄宗能反思过失，这是他有别于暴君的个性特质。尽管世上没有后悔药，但唐玄宗能反思过失，也可让人同情。

卷第二百十五　唐纪三十一

起玄黓敦牂（壬午，公元七四二年），尽强圉大渊献（丁亥，公元七四七年）十一月，凡五年有奇。

【题解】

本卷记事起公元七四二年，迄公元七四七年十一月，凡五年又十一个月，当唐玄宗天宝元年至天宝六载十一月。此时期天下承平，社会仍呈现上升发展态势，而国家上层政治日益走向腐败，动乱危机潜滋暗长。政治腐败，有三大原因。一是最高统治者唐玄宗怠于政事，喜逸乐，好声色。唐玄宗竟然以乱伦方式霸占儿媳，得到杨贵妃，杨氏一门贵幸，一个乱国奸臣杨国忠即将登上政治舞台。杨贵妃得专宠，不但君王不早朝，而且还放纵了一个乱臣贼子安禄山。不过此时期危险还只是潜在的。二是唐玄宗好大喜功，沿边置十节度使，常备边兵五十万。耗费大量国库资财，加上唐玄宗无节制的逸乐赏赐，增加民众负担。边将轻启事端，特别是与吐蕃的关系日益恶化。三是奸相李林甫权势日隆，节节攀升而大权独揽。唐玄宗一度有“无为”而交权李林甫的想法。李林甫“口蜜腹剑”，排挤才望之士，专断朝政，贪财受贿，以致有交白卷的“魁首”。上述三大原因是天宝年间的基本政治生态。君王怠政于上，奸相为恶于下，只是还未大坏。李林甫还引用酷吏为恶，加重政治的腐败。一般论史者认为，天宝元年是中唐的起始点，也就是唐代政治由盛转衰，由治转乱的起始点。

【原文】

玄宗至道大圣大明孝皇帝中之下

天宝元年（壬午，公元七四二年）

春，正月丁未[①]朔，上御勤政楼[②]受朝贺，赦天下，改元。

壬子[③]，分平卢别为节度[④]，以安禄山为节度使。

是时，天下声教[⑤]所被之州三百三十一，羁縻之州[⑥]八百，置十节度、经略使以备边。安西节度抚宁[⑦]西域[⑧]，统龟兹、焉耆、于阗、疏勒[⑨]四镇，治龟兹城，兵二万四千。北庭节度[⑩]防制突骑施、坚昆[⑪]，统瀚海、天山、伊吾三军[⑫]，屯伊、西二州之境，治北庭都护府，兵二万人。河西节度断隔吐蕃、突厥，统赤水、大斗、建康、宁寇、玉门、墨离、豆卢、新泉八军[⑬]，张掖、交城、白亭三守捉[⑭]，屯

【语译】

玄宗至道大圣大明孝皇帝中之下

天宝元年（壬午，公元七四二年）

春，正月初一日丁未，玄宗驾临勤政楼接受朝拜庆贺，大赦天下，改换年号。

初六日壬子，分平卢另置节度，任命安禄山为节度使。

此时，朝廷的声威和教化所施及的州有三百三十一个，在边远少数民族地区所设的州有八百个，设置十个节度、经略使来防御边境。安西节度镇抚西域，统管龟兹、焉耆、于阗、疏勒四镇，治所在龟兹城，有士卒两万四千人。北庭节度防制突骑施、坚昆，统管瀚海、天山、伊吾三军，屯驻在伊州、西州境内，治所在北庭都护府，有士卒两万人。河西节度阻隔吐蕃、突厥，统管赤水、大斗、建康、宁寇、玉门、墨离、豆卢、新泉八军以及张掖、交城、白亭三守捉，屯驻在凉州、肃州、

凉、肃、瓜、沙、会五州之境，治凉州，兵七万三千人。朔方节度捍御突厥，统经略、丰安、定远三军⑮，三受降城⑯，安北、单于二都护府⑰，屯灵、夏、丰⑱三州之境，治灵州，兵六万四千七百人。河东节度与朔方掎角⑲以御突厥，统天兵、大同、横野、岢岚四军⑳，云中守捉㉑，屯太原府㉒忻㉓、代㉔、岚三州之境，治太原府，兵五万五千人。范阳节度㉕临制㉖奚、契丹，统经略、威武、清夷、静塞、恒阳、北平、高阳、唐兴、横海九军㉗，屯幽、蓟、妫、檀、易、恒、定、漠、沧九州之境，治幽州，兵九万一千四百人。平卢节度镇抚室韦、靺鞨㉘，统平卢、卢龙㉙二军，榆关守捉㉚，安东都护府，屯营、平二州之境，治营州，兵三万七千五百人。陇右节度备御吐蕃，统临洮、河源、白水、安人、振威、威戎、漠门、宁塞、积石、镇西㉛十军，绥和、合川、平夷三守捉㉜，屯鄯、廓、洮、河之境，治鄯州，兵七万五千人。剑南节度西抗吐蕃，南抚蛮獠㉝，统天宝、平戎、昆明、宁远、澄川、南江六军㉞，屯益、翼、茂、当、嶲、柘、松、维、恭、雅、黎、姚、悉㉟十三州之境，治益州，兵三万九百人。岭南五府经略㊱绥静夷、獠㊲，统经略、清海二军㊳，桂、容、邕、交四管㊴，治广州，兵万五千四百人。此外又有长乐经略㊵，福州㊶领之，兵千五百人。东莱守捉㊷，莱州㊸领之，东牟守捉㊹，登州㊺领之，兵各千人。凡镇兵四十九万人，马八万余匹。开元㊻之前，每岁供边兵衣粮，费不过二百万。天宝㊼之后，边将奏益兵浸多㊽，每岁用衣千二十万匹㊾，粮百九十万斛，公私劳费，民始困苦矣。

【段旨】

以上为第一段，写唐玄宗天宝初，全国置十节度使，戍兵达四十九万，再加上行政费用，民始疲困。

瓜州、沙州、会州五州境内，治所在凉州，有士卒七万三千人。朔方节度抵御突厥，统管经略、丰安、定远三军和三受降城以及安北、单于两个都护府，屯驻在灵州、夏州、丰州三州境内，治所在灵州，有士卒六万四千七百人。河东节度与朔方节度互为犄角以抵御突厥，统管天兵、大同、横野、岢岚四军和云中守捉，屯驻在太原府忻州、代州、岚州三州境内，治所在太原府，有士卒五万五千人。范阳节度监临控制奚、契丹，统管经略、威武、清夷、静塞、恒阳、北平、高阳、唐兴、横海九军，屯驻在幽州、蓟州、妫州、檀州、易州、恒州、定州、漠州、沧州九州境内，治所在幽州，有士卒九万一千四百人。平卢节度镇抚室韦、靺鞨，统管平卢、卢龙二军和榆关守捉、安东都护府，屯驻在营州、平州两州境内，治所在营州，有士卒三万七千五百人。陇右节度防备吐蕃，统管临洮、河源、白水、安人、振威、威戎、漠门、宁塞、积石、镇西十军和绥和、合川、平夷三守捉，屯驻在鄯州、廓州、洮州、河州境内，治所在鄯州，有士卒七万五千人。剑南节度西抗吐蕃，南抚蛮獠，统管天宝、平戎、昆明、宁远、澄川、南江六军，屯驻在益州、翼州、茂州、当州、嶲州、柘州、松州、维州、恭州、雅州、黎州、姚州、悉州十三州境内，治所在益州，有士卒三万零九百人。岭南五府经略绥靖夷人和獠人，统管经略、清海二军和桂府、容府、邕府、交府四管，治所在广州，有士卒一万五千四百人。此外又有长乐经略，福州统领，有士卒一千五百人。东莱守捉，莱州统领，东牟守捉，登州统领，各有士卒一千人。总计各镇兵力共有四十九万人，马八万余匹。开元以前，每年供给边境士卒衣服粮食，军费开支不超过两百万。天宝以后，边将奏请增加的士兵逐渐增多，每年用布料一千零二十万匹、粮食一百九十万斛，政府和百姓都烦扰耗费，百姓开始困苦了。

【注释】

①丁未：正月初一日。②勤政楼：全称为勤政务本楼，天子料理政事之地。开元八年（公元七二〇年）于兴庆宫西南建造，西邻花萼相辉楼。③壬子：正月初六日。④分平卢别为节度：本书上文所载平卢讨击使、军使、兵马使，都从属于幽州节度使，至此平卢分置节度使。平卢节度使，使职名，为平卢方镇的差遣长官，主要职责是镇抚东北室韦、靺鞨诸族。《唐会要·节度使》和《新唐书·方镇表》载平卢节度使始置于开元七年（公元七一九年）。《资治通鉴》载于此年，当另有所据。⑤声教：声威和教化。⑥羁縻之州：边疆民族地区设置的地方行政单位。唐代在归属的边疆民族地区，按部落大小分别设置府、州，任命民族首领为都督、刺史等官，各民族内部仍保持原有称号，并可

世袭，称为羁縻州。⑦抚宁：安定；安抚。⑧西域：汉朝以后，对玉门关（今甘肃敦煌西北）以西地区的总称。广义西域包括亚洲中、西部，甚至欧洲东部、非洲北部。⑨龟兹、焉耆、于阗、疏勒：军镇名，唐安西四镇，龟兹故地在今新疆库车，焉耆故地在今新疆焉耆西南，于阗故地在今新疆和田西南，疏勒故地在今新疆喀什。⑩北庭节度：北庭节度使，使职名，为北庭方镇的差遣长官，先天元年（公元七一二年）始置，其目的是防制西北的突骑施、坚昆、突厥等族，治所在今新疆吉木萨尔北破城子。节度使例兼北庭都护。开元后与安西四镇节度使时有分合。⑪坚昆：古部落名，又称融昆、结骨、纥骨、居勿、黠戛斯。在今叶尼塞河上游。⑫瀚海、天山、伊吾三军：军镇名，瀚海军在北庭都护府城内，天山军在西州（今新疆吐鲁番东南）城内，伊吾军在伊州（今新疆哈密）西北甘露川。⑬赤水、大斗句：军镇名，赤水军在凉州（今甘肃武威）城内，大斗军在今甘肃武威西，建康军在今甘肃高台东南，宁寇军在今甘肃武威东北，玉门军在今甘肃玉门西北，墨离军在今阿富汗东北孔杜兹城附近，豆卢军在沙州（今甘肃敦煌西）城内，新泉军在会州（今甘肃靖远）西北。⑭张掖、交城、白亭三守捉：张掖守捉在今甘肃武威南，交城守捉在今甘肃武威西，白亭守捉在今甘肃武威北。守捉次于军，其下又有城、镇，总之者曰道。⑮经略、丰安、定远三军：军镇名，经略军在灵州（今宁夏灵武西南）城内，丰安军在今宁夏灵武西南，定远军在今宁夏灵武东北。⑯三受降城：指西、中、东三受降城。景龙二年（公元七〇八年）张仁愿筑以防御突厥。西受降城在今内蒙古杭锦后旗乌加河北岸狼山口南，中受降城在今内蒙古包头西南黄河北岸，东受降城在今内蒙古托克托南，黄河北大黑河东岸。⑰安北、单于二都护府：属唐六大都护府。安北都护府，始名燕然都护府，贞观二十一年（公元六四七年）置，治所在今内蒙古包头西南黄河北岸。单于都护府，永徽元年（公元六五〇年）置，治所在今内蒙古和林格尔西北土城子。⑱丰：丰州，州名，治所在今内蒙古巴彦淖尔市临河区东。⑲掎角：分兵牵制或夹击敌人。⑳天兵、大同、横野、岢岚四军：军镇名，天兵军在今山西太原西南晋源镇内，大同军在今山西代县北，横野军在今山西灵丘东北，岢岚军在岚州（今山西岚县北）北。㉑云中守捉：在今内蒙古和林格尔西北土城子西北。㉒太原府：府名，开元十一年（公元七二三年）升并州置府。治所在今山西太原西南晋源镇。㉓忻：忻州，州名，治所在今山西忻州。㉔代：代州，州名，治所在今山西代县。㉕范阳节度：范阳节度使，又称幽州节度使。㉖临制：管理；辖治。㉗经略、威武、清夷句：军镇名，经略军在幽州（今北京城西南）城内，威武军在檀州（今北京市密云区）城内，清夷军在妫州（今河北怀来东南）城内，静塞军在蓟州（今北京西南）城内，恒阳军在恒州（今河北正定）城东，北平军在定州（今河北定州）城西，高阳军在易州（今河北易县）城内，唐兴军在莫州（今河北任丘北故莫州城内）城内，横海军在沧州（今河北沧县东南）城内。㉘室韦、靺鞨：唐东北地区的两个少数民族。室韦分布在嫩江流域和黑龙江南北两岸。唐代有二十多部，曾附属于突厥，贞观后朝贡不绝。靺鞨分布在松花江、牡丹江流域和黑龙江中下游。㉙卢龙：军镇名，卢龙军在平州（今河北卢龙）城内。㉚榆关守捉：在今河北秦皇岛市东山海关。㉛临洮、河源句：皆军镇名，临洮军在鄯州（今青海海东市乐都区）城内，河源军在今青海西宁东南，振威军在鄯州西，威戎军在鄯州西北，漠门军在洮州（今甘肃临潭）城内，宁塞军在廓州（今青海化隆西黄河北岸）城内，积石军在今青海贵德西，镇西军在河州（今甘肃临夏东北）城内。㉜绥和、合川、平夷三守捉：绥和守捉在今青海西宁西南，合川守捉在今青海海东市乐都区南，平夷守捉在河州西南。㉝蛮獠：蛮，古代对南方少数民族的泛称。獠（僚），魏晋以后对分布在川、黔、滇、桂等省区部分少数民族的泛称。㉞天宝、平戎、昆明句：军镇名，天宝军在恭州（今广西今永福县百寿镇）东南，平戎军在恭州南，昆明军在嶲州（今四川西昌）南，宁远军在嶲州西。澄川，据《通典·州郡》《旧唐书·地理志》为守捉，在姚州（今云南姚安北）东。南江军不详所在。㉟益、翼、茂、当、嶲句：皆州名，益州治所在今四川成都，翼州治所在今四川松潘垒溪营西，茂州治所在今四川阿坝藏族羌族自治州，当州治所在今四川黑水，柘州治所在今四川平武西，松州治所在今四川松潘，维州治所在今四川理县东北，雅州治所在今四川雅安，黎州治所在今四川汉源北，悉州治所在今四川松潘垒溪营西。㊱岭南五府经略：岭南五府经略使，使职名，治所在今广东广州。五府指广州、桂州、容州、邕州、交州五都督府。五府都由广州都督府统摄。其后名称屡有变更，或改桂、容、邕为三管经略，交州为安南都护，但仍统于广州都督府，由广州刺史兼五府经略使。至德（公元七五六至七五八年）时始置岭南节度使。㊲夷、獠：此用作对南方少数民族的泛称。㊳经略、清海二军：军镇名，经略军在今广东广州城内，清海军在今广东恩平东北。㊴桂、容、邕、交四管：管，本管、管内。桂管，桂州管内经略使的略称，治所在今广西桂林。容管经略使，治所在今广东普宁。邕管经略使，治所在今广西南宁。交州，武德五年（公元六二二年）为交州总管府，七年改总管为都督，调露元年（公元六七九年）改置南安都护府，刺史充都护，治所在今越南河内东。㊵长乐经略：长乐经略使，治所在今福建长乐。㊶福州：州名，治所在今福建福州。㊷东莱守捉：在今山东莱州。㊸莱州：州名，治所在今山东莱州。㊹东牟守捉：在今山东烟台市蓬莱区。㊺登州：州名，治所在今山东烟台市蓬莱区。㊻开元：唐玄宗年号（公元七一三至七四一年）。开元之前，《通典》卷一百四十八《兵典》作“开元初”。㊼天宝：唐玄宗年号（公元七四二至七五六年）。㊽益兵浸多：增加的兵员逐渐加多。㊾千二十万匹：《通典》卷一百四十八《兵典》作“开元末已至一千万贯，天宝末更加四五百万矣”。故“匹”应是“贯”字之误。参考岑仲勉《通鉴隋唐纪比事质疑》。

【原文】

甲寅[50]，陈王[51]府参军[52]田同秀上言："见玄元皇帝于丹凤门之空中，告以'我藏灵符，在尹喜[53]故宅'。"上遣使于故函谷关[54]尹喜台[55]旁求得之。

陕州[56]刺史李齐物[57]穿三门运渠[58]，辛未[59]，渠成。齐物，神通[60]之曾孙也。

壬辰[61]，群臣上表，以函谷灵符潜应年号[62]，先天不违[63]，请于尊号[64]加"天宝"字。从之。

二月辛卯[65]，上享[66]玄元皇帝于新庙[67]。甲午[68]，享太庙。丙申[69]，合祀天地于南郊[70]，赦天下。改侍中为左相，中书令为右相，尚书左、右丞相复为仆射[71]，东都、北都[72]皆为京，州为郡，刺史为太守。改桃林县曰灵宝[73]。田同秀除朝散大夫[74]。

时人皆疑宝符同秀所为。间一岁，清河[75]人崔以清复言："见玄元皇帝于天津桥北，云藏符在武城[76]紫微山。"敕使往求，亦得之。东都留守[77]王倕[78]知其诈，按问[79]，果首服[80]，奏之。上亦不深罪，流之而已。

三月，以长安令韦坚[81]为陕郡[82]太守，领江、淮租庸转运使[83]。初，宇文融[84]既败，言利者稍息。及杨慎矜[85]得幸，于是韦坚、王鉷[86]之徒竞以利进，百司有利权者，稍稍[87]别置使以领之，旧官充位而已。坚，太子之妃兄也，为吏以干敏[88]称。上使之督江、淮租运，岁增巨万。上以为能，故擢[89]任之。王鉷，方翼[90]之曾孙也，亦以善治租赋为户部员外郎[91]兼侍御史。

【段旨】

以上为第二段，写唐玄宗因人造符瑞而改元"天宝"，启用善治财赋的官吏以足国用。

【语译】

正月初八日甲寅，陈王府参军田同秀上奏说："在丹凤门的上空看见了玄元皇帝老子，他告诉我'我藏的灵符，在尹喜的旧宅中'。"玄宗派遣使者在原函谷关尹喜台旁边搜寻找到了灵符。

陕州刺史李齐物开凿三门运渠，二十五日辛未，河渠完成。李齐物，是淮安王李神通的曾孙。

二月十六日壬辰，群臣上表，认为函谷关发现的灵符暗合年号，改年号在先而不违天意，请在尊号前加上"天宝"二字。玄宗答应了。

二月十五日辛卯，玄宗在新庙祭祀玄元皇帝老子。十八日甲午，祭祀太庙。二十日丙申，在南郊合祭天地，大赦天下。改侍中为左相，中书令为右相，尚书左、右丞相恢复为仆射，东都、北都都称京，州称郡，刺史称太守。改桃林县为灵宝县。田同秀被任命为朝散大夫。

当时人们都怀疑宝符是田同秀伪造的。隔了一年，清河人崔以清又上言说："在天津桥北见到了玄元皇帝老子，他说把宝符藏在武城紫微山。"玄宗命令使者前去寻找，也找到了。东都留守王倕知道其中有诈，加以审讯，崔以清果然服罪，王倕奏报了这件事。玄宗也没有深究崔以清的罪过，只是把他流放了。

三月，任命长安县令韦坚为陕郡太守，兼领江、淮租庸转运使。起初，宇文融失败后，官吏进言财利的人渐渐止息。等到杨慎矜得幸于玄宗，于是韦坚、王铁之流追逐利用进言财利来晋升官位，政府中掌有财权的部门，逐渐另设官员来主管财务，原有官员备位而已。韦坚，是太子妃子的哥哥，为官办事以干练机敏著称。玄宗委派他督察江、淮的租运，每年增收以亿万计。玄宗认为他有能力，所以就提拔任用他。王铁，是王方翼的曾孙，也因擅长管理赋税，任官户部员外郎兼侍御史。

【注释】

㊿甲寅：正月初八日。51陈王：玄宗第二十五子李珪。传见《旧唐书》卷一百七、《新唐书》卷八十二。52参军：官名，亲王府官名参军的有谘议参军、记室参军事、录事参军事、功仓户兵骑法士七曹参军事，不知此是何种参军。53尹喜：春秋时函谷关令。相传老子西游至函谷关，尹喜迎住其宅，老子授《道德经》五千言而去。尹喜自著书名《关尹子》。54函谷关：关名，故址在今河南灵宝东北。55尹喜台：楼观山的

楼观台。原为尹喜住宅，故又名尹喜台。㊻陕州：州名，治所在今河南三门峡市陕州区。㊼李齐物：李齐物（？至公元七六一年），字道用，淮安王李神通曾孙，官至刑部尚书、太常卿。传见《旧唐书》卷一百十二、《新唐书》卷七十八。㊽三门运渠：李齐物凿三门山以通漕，开其山巅为挽路。㊾辛未：正月二十五日。㊿神通：唐高祖堂弟李神通（？至公元六三〇年），官至左武卫大将军，封郑国公、永康王、淮安王。传见《旧唐书》卷六十、《新唐书》卷七十八。(61)壬辰：二月十六日。《旧唐书·玄宗纪下》作丁亥，二月十一日。(62)潜应年号：指与年号暗合。潜，暗地、暗自。(63)先天不违：改年号在先而不违天意。(64)尊号：臣下所上尊崇帝、后的称号。玄宗的尊号有：先天二年（公元七一三年）所上的开元神武皇帝，开元二十七年（公元七三九年）加为开元圣文神武皇帝，至是又加为开元天宝圣文神武皇帝。此后还加尊号三次。(65)辛卯：二月十五日。(66)享：祭礼。(67)新庙：玄宗在尹喜台得灵符后，便在长安大宁坊西南角建玄元皇帝庙，雕刻大白石的玄元皇帝像，并雕刻自己和李林甫、陈希烈的白石像侍立左右。新庙即指此庙。(68)甲午：二月十八日。(69)丙申：二月二十日。(70)合祀天地于南郊：古礼，祭天于圜丘，在国都的南方；祭地于泽中的方丘，在国都的北方，各有不同。武则天有合祭天地于南郊之举，但未成定制。玄宗制定《开元礼》，于此年合祭天地于南郊，以后遂成惯例，终唐之世未改。(71)复为仆射：开元初，改左、右仆射为尚书，左、右丞相至是复为仆射。(72)北都：开元十一年（公元七二三年）升并州为太原府，建北都。故址在今山西太原西南。(73)改桃林县曰灵宝：桃林县，县名，县治在今河南三门峡西宏衣涧（水）入黄河处。灵宝，以得玄元灵宝而改名。(74)朝散大夫：官名，散官第十三阶，从五品下。(75)清河：郡名，天宝元年（公元七四二年）改贝州为清河郡，治所在今河北清河。(76)武城：县名，县治在今山东武城。(77)留守：古代皇帝巡幸、出征时，以亲王或重

【原文】

李林甫为相，凡才望功业出己右(92)，及为上所厚、势位将逼己者，必百计去之。尤忌(93)文学之士(94)，或阳与之善，啖(95)以甘言(96)，而阴陷之。世谓李林甫"口有蜜，腹有剑"。

上尝陈乐于勤政楼下[1]，垂帘观之。兵部侍郎(97)卢绚谓上已起，垂鞭按辔(98)，横过楼下。绚风标(99)清粹(100)，上目送之，深叹其蕴藉(101)。林甫常厚以金帛赂上左右，上举动必知之，乃召绚子弟(102)谓曰："尊君(103)素望清崇，今交、广(104)藉才(105)，圣上(106)欲以尊君为之，可乎？若

臣镇守京师，得便宜行事，称京城留守。其他行都、陪都亦有常设或间设的留守，多以地方长官兼任。⑱ 王倕：曾任新丰尉、东都留守、河南节度使。其事散见《旧唐书》卷九十二、卷一百四，《新唐书》卷一百三十五、卷一百六十等篇。⑲ 按问：审问。⑳ 首服：自首服罪。㉑ 韦坚：韦坚（？至公元七四六年），字子全，京兆万年（今陕西西安东）人，以转运租庸而受重用，官至御史中丞、刑部尚书，封韦城男。传见《旧唐书》卷一百五、《新唐书》卷一百三十四。㉒ 陕郡：郡名，天宝元年（公元七四二年）陕州改名，治所在今河南三门峡市陕州区。㉓ 领江、淮租庸转运使：自先天二年（公元七一三年）李杰以陕州刺史充陕州陆运使以后，陕州刺史都循例带使，故韦坚应是以陕州水运使衔而领江、淮租庸的转运使。㉔ 宇文融：宇文融（？至公元七二九年），京兆万年人，开元九年（公元七二一年）钦准清理逃亡户口，置劝农判官十人，分赴各地，查出客户八十余万和大量籍外土地。官至黄门侍郎、同中书门下平章事，后被流放而死。传见《旧唐书》卷一百五、《新唐书》卷一百三十四。㉕ 杨慎矜：杨慎矜（？至公元七四七年），隋炀帝玄孙，官至御史中丞、诸道铸钱使、太府出纳使，为官勤谨清白，兄弟三人皆为李林甫、王鉷陷害而死。传见《旧唐书》卷一百五、《新唐书》卷一百三十四。㉖ 王鉷：王鉷（？至公元七五二年），太原祁（今山西祁县）人，做户口色役使，恣行割剥百姓，岁进钱宝百亿万，贮于内库，供玄宗作后宫赏赐费用。深受玄宗重用，身兼二十余使。传见《旧唐书》卷一百五、《新唐书》卷一百三十四。㉗ 稍稍：逐渐。㉘ 干敏：干练、敏捷。㉙ 擢：提拔。㉚ 方翼：王方翼（公元六二二至六八四年），并州祁（今山西祁县）人，高宗至武后朝，著功于西域。传见《旧唐书》卷一百八十五上、《新唐书》卷一百十一。㉛ 户部员外郎：官名，户部司副官，掌户口、土田、赋役等事。

【语译】

李林甫担任宰相，凡是才能声望功业超过自己的，以及被玄宗器重、权势职位将对自己构成威胁的，必定千方百计地除之。尤其嫉恨文学之士，有时表面上友善，送给人甜言蜜语，而暗中加以陷害。世人称李林甫“口有蜜，腹有剑”。

玄宗曾在勤政楼下布置乐队，垂帘观赏。兵部侍郎卢绚以为玄宗已经起身离开，便垂下鞭子，扣紧马缰，从楼下横穿而过。卢绚的风度仪态清丽纯正，玄宗目送他远去，深深地赞叹他含蓄宽容。李林甫常常以丰厚的金银布帛贿赂玄宗的左右，玄宗的一举一动他必定能获悉，于是召见卢绚的子弟对他们说：“尊君向来声望清高，现在交州、广州需要人才，圣上想要委派尊君前去，可以吗？如果担心到远方去，

惮⑩⑦远行，则当左迁⑩⑧。不然，则以宾、詹分务东洛⑩⑨，亦优贤之命也，何如？”绚惧，以宾、詹为请。林甫恐乖⑪⓪众望，乃除华州⑪①刺史。到官未几，诬其有疾，州事不理，除詹事、员外同正⑪②。

上又尝问林甫以“严挺之今安在？是人亦可用”。挺之时为绛州⑪③刺史。林甫退，召挺之弟损之，谕⑪④以“上待尊兄意甚厚，盍⑪⑤为见上之策，奏称风疾⑪⑥，求还京师就医”。挺之从之。林甫以其奏白上云：“挺之衰老得风疾，宜且授以散秩⑪⑦，使便医药。”上叹咤⑪⑧久之。夏，四月壬寅⑪⑨，以为詹事，又以汴州⑫⓪刺史、河南采访使⑫①齐澣为少詹事⑫②，皆员外同正，于东京养疾。澣亦朝廷宿望⑫③，故并忌之。

上发兵纳十姓可汗阿史那昕于突骑施，至俱兰城，为莫贺达干所杀。突骑施大纛官⑫④都摩度来降，六月乙未⑫⑤，册都摩度为三姓叶护⑫⑥。

秋，七月癸卯⑫⑦朔，日有食之。

【段旨】

以上为第三段，写奸相李林甫“口蜜腹剑”，排挤才望功业高于自己的有识之士以专断朝政。

【注释】

⑨②右：古以右为尊为上，故称胜于己者为右。⑨③忌：忌刻；忌妒刻薄。⑨④文学之士：文辞博学的士人。⑨⑤啖：给别人吃，此指奉承、恭维。⑨⑥甘言：甜蜜的语言。⑨⑦兵部侍郎：官名，尚书省兵部副长官，佐长官兵部尚书掌管武官选授和地图、甲仗等政令。⑨⑧垂鞭按辔：放下鞭子，扣紧马缰，使马慢步前行。⑨⑨风标：风度、仪态。⑩⓪清粹：清丽纯正。⑩①蕴藉：含蓄宽容。⑩②子弟：据《新唐书·奸臣传》，“弟”字衍。⑩③尊君：对别人父亲的敬称。⑩④交、广：皆州名，交州治所在今越南河内东天德江北岸，广州治所番禺在今广东广州。⑩⑤藉才：借重有才能之人。藉，同“借”。⑩⑥圣上：颂称当今皇帝之词。⑩⑦惮：畏惧。⑩⑧左迁：降职。古以右为尊，左为卑，故以降职为左迁。⑩⑨以宾、詹分务东洛：以太子宾客、詹事分司东都。太子宾客，官名，东宫之官，掌侍从规

就会降职。不然，就用太子宾客、詹事分司东都洛阳，这也是优待贤才的任命，你们觉得怎么样?”卢绚很恐惧，请求担任太子宾客、詹事。李林甫担心违背众人的意愿，就任命他为华州刺史。到任不久，又诬称他有病，不能处理州中事务，改任詹事、员外同正。

玄宗又曾询问李林甫：“严挺之如今在哪里？这个人也可任用。”严挺之当时担任绛州刺史。李林甫退朝后，召见严挺之的弟弟严损之，告诉他说：“皇上对待尊兄情意很深厚，为何不写一封觐见皇上的表章，奏明自己得了风疾，请求返回京城治病就医。”严挺之听从了。李林甫就把他的奏章禀告玄宗说：“严挺之衰老得了风疾，应当授予他一个闲散的官职，便于他就医吃药。”玄宗听后叹息了很久。夏，四月二十八日壬寅，任命严挺之为詹事，又任命汴州刺史、河南采访使齐澣为少詹事，都是员外同正，在东京养病。齐澣也是朝廷素负重望的老臣，所以李林甫也一并嫉恨他。

玄宗发兵护送十姓可汗阿史那昕去突骑施，抵达俱兰城，被莫贺达干杀害。突骑施的大纛官都摩度前来归降，六月二十二日乙未，玄宗册封他为三姓叶护。

秋，七月初一日癸卯，发生日食。

谏，赞相礼仪。太子詹事，官名，东宫属官，统管东宫三寺十率府之政令。分务东洛，东洛即东都洛阳，唐东都有分司之官，为优待贤士的职任。⑩ 乖：违背。⑪ 华州：州名，治所在今陕西渭南市华州区。⑫ 员外同正：唐制，官有定员。凡正员以外的官员称为员外官。员外官有员外与员外同正之别，前者俸禄减正员官之半，后者只是不给职田，俸禄同正员官。⑬ 绛州：州名，治所在今山西新绛。⑭ 谕：晓谕。⑮ 盍：何不。⑯ 风疾：病名，按中医理论，风病有风热、风寒、风湿、风瘫等症。不详严挺之属何种风疾。⑰ 散秩：散官，闲散而无职守。⑱ 叹咤：叹息。⑲ 壬寅：四月二十八日。⑳ 汴州：州名，治所在今河南开封。㉑ 河南采访使：使职名，对河南道地方官吏行使监察职权的差遣官。㉒ 少詹事：官名，太子詹事的副职，佐掌东宫三寺十率府之政令。㉓ 宿望：老成望重，即有威望的老前辈。㉔ 大纛官：掌握大纛的军官。大纛，大将用来指挥全军的旗帜，又称牙旗。㉕ 乙未：六月二十二日。㉖ 三姓叶护：管辖三个部落的突厥叶护大臣。㉗ 癸卯：七月初一日。

【校记】

［1］下：原无此字。据章钰校，十二行本、乙十一行本、孔天胤本皆有此字，今据补。

【原文】

辛未[128]，左相牛仙客薨。八月丁丑[129]，以刑部尚书[130]李适之[131]为左相。

突厥拔悉密、回纥、葛逻禄三部共攻骨咄叶护[132]，杀之，推拔悉密酋长为颉跌伊施可汗，回纥、葛逻禄自为左、右叶护。突厥余众共立判阙特勒之子为乌苏米施可汗，以其子葛腊哆为西杀[133]。

上遣使谕乌苏令内附，乌苏不从。朔方节度使王忠嗣盛兵碛口以威之，乌苏惧，请降，而迁延[134]不至。忠嗣知其诈，乃遣使说拔悉密、回纥、葛逻禄使攻之，乌苏遁去。忠嗣因出兵击之，取其右厢[135]以归。

丁亥[136]，突厥西叶护阿布思[137]及西杀葛腊哆、默啜[138]之孙勃德支[139]、伊然小妻、毗伽、登利之女[140]帅部众千余帐相次来降，突厥遂微。九月辛亥[141]，上御花萼楼[142]宴突厥降者，赏赐甚厚。

护密先附吐蕃，戊午[143]，其王颉吉里匐遣使请降。

冬，十月丁酉[144]，上幸骊山温泉。己巳[145][2]，还宫。

十二月，陇右节度使皇甫惟明[146]奏破吐蕃大岭[147]等军。戊戌[148]，又奏破青海道[149]莽布支营三万余众，斩获五千余级。庚子[150]，河西节度使王倕奏破吐蕃渔海及游弈等军。

是岁，天下县一千五百二十八，乡一万六千八百二十九，户八百五十二万五千七百六十三，口四千八百九十万九千八百。

回纥叶护[151]骨力裴罗[152]遣使入贡，赐爵奉义王。

【段旨】

以上为第四段，写突厥归服，唐大破吐蕃。是年户口普查，人口继续增长。

【语译】

七月二十九日辛未，左丞相牛仙客去世。八月初五日丁丑，任命刑部尚书李适之为左丞相。

突厥拔悉密、回纥、葛逻禄三部一起进攻骨咄叶护，杀死了他，推举拔悉密酋长为颉跌伊施可汗，回纥、葛逻禄各自担任左、右叶护。突厥余众共同推立判阙特勒的儿子为乌苏米施可汗，任命他的儿子葛腊哆为西杀。

玄宗派使者告谕乌苏让他归附朝廷，乌苏不听从。朔方节度使王忠嗣重兵屯集碛口来威慑他们，乌苏恐惧，请求投降，然而拖延不来。王忠嗣察晓他们的欺诈，就派使者劝说拔悉密、回纥、葛逻禄让他们去攻打乌苏，乌苏逃走。王忠嗣趁机出兵进击，俘虏了他的西杀部众返回。

八月十五日丁亥，突厥西叶护阿布思及西杀葛腊哆、默啜的孙子勃德支、伊然的小妻、毗伽、登利的女儿等率领部众一千余帐相继前来归降，突厥便衰落了。九月初九日辛亥，玄宗驾临花萼楼宴请突厥归降的人，赏赐很丰厚。

护密起初归附吐蕃，十六日戊午，他的国王颉吉里匐派使者来请求归降。

冬，十月二十六日丁酉，玄宗驾临骊山温泉。十一月二十八日己巳，回宫。

十二月，陇右节度使皇甫惟明上奏打败吐蕃大岭等军。二十七日戊戌，又上奏打败青海道莽布支营三万余人，斩首或俘虏五千余人。二十九日庚子，河西节度使王倕上奏打败吐蕃渔海及巡逻队等军。

这一年，全国共有一千五百二十八个县、一万六千八百二十九个乡、八百五十二万五千七百六十三户、四千八百九十万九千八百人。

回纥叶护骨力裴罗派使者朝贡，赐爵奉义王。

【注释】

⑱辛未：七月二十九日。⑲丁丑：八月初五日。⑳刑部尚书：官名，尚书省刑部长官，主管刑法颁布和诸狱按覆等司法行政事务。㉑李适之：一名昌，唐宗室，官至左相。传见《旧唐书》卷九十九、《新唐书》卷一百三十一。㉒叶护：突厥最高职官名，有左、右。次为特勤，再次为叶利发等共二十八级。㉓西杀：右杀。杀，突厥掌兵的将领，有东、西两人，东杀即左杀，西杀即右杀。㉔迁延：拖延。㉕右厢：指右杀统率的兵马。突厥左、右杀所统率的兵马，称为左、右厢。㉖丁亥：八月十五日。㉗阿布思：阿布思（？至公元七五四年），突厥九姓首领。开元三年（公元七一五年）和天宝元年（公元七

四二年）两次降唐，玄宗赐名李献忠，任朔方节度副使。天宝十二载叛归碛北，数为边患，次年被唐俘斩。⑬⑧默啜：默啜（？至公元七一六年），突厥可汗。事见《旧唐书》卷一百九十四上、《新唐书》卷二百十五上。⑬⑨勃德支：默啜可汗之孙，为突厥特勤。⑭⓪伊然小妻、毗伽、登利之女：伊然，突厥伊然可汗，毗伽可汗之子，其小妻名余塞匐。突厥毗伽可汗，名默矩，骨咄禄之子，其女为大洛公主；登利可汗之女为余烛公主。事见《旧唐书》卷一百九十四上、《新唐书》卷二百十五下。⑭①辛亥：九月初九日。⑭②花萼楼：花萼相辉楼，在兴庆宫西南隅。唐玄宗常与诸王宴饮、戏谑于此，因取棠棣之花意而题名为花萼相辉楼。⑭③戊午：九月十六日。⑭④丁酉：十月二十六日。⑭⑤己巳：十一月二十八日。⑭⑥皇甫惟明：皇甫惟明（？至公元七四六年），曾任忠王友（王府官），开元十七年（公元七二九年）为通和使者出使吐蕃，官至陇右、河西节度使及鸿胪卿。天宝

【原文】

二年（癸未，公元七四三年）

春，正月，安禄山入朝，上宠待甚厚，谒见无时。禄山奏言：“去年营州虫食苗，臣焚香祝天[153]云：‘臣若操心不正，事君不忠，愿使虫食臣心。若不负神祇，愿使虫散。’即有群鸟从北来，食虫立尽。请宣付[154]史官。”从之。

李林甫领吏部尚书，日在政府[155]，选事悉委侍郎宋遥[156]、苗晋卿[157]。御史中丞张倚[158]新得幸于上，遥、晋卿欲附之。时选人集者以万计，入等[159]者六十四人，倚子奭[160]为之首，群议沸腾。前蓟[161]令苏孝韫以告安禄山，禄山入言于上，上悉召入等人面试之。奭手持试纸，终日不成一字，时人谓之“曳白[162]”。癸亥[163]，遥贬武当[164]太守，晋卿贬安康[165]太守，倚贬淮阳[166]太守，同考判官礼部郎中[167]裴朏等皆贬岭南官。晋卿，壶关人也。

三月壬子[168]，追尊玄元皇帝父周上御大夫为先天太皇，又尊皋繇[169]为德明皇帝，凉武昭王[170]为兴圣皇帝。

江、淮南租庸等使韦坚引浐水抵苑东望春楼[171]下为潭，以聚江、淮运船，役夫匠通漕渠[172]，发人丘垄[173]，自江、淮至京城，民间萧然愁怨[174]。

五载（公元七四六年）李林甫进谗言，称皇甫惟明与韦坚谋立太子，被贬杀。其事散见《旧唐书》卷一九六、《新唐书》卷二百十六上等篇。⑭大岭：疑即大非岭，在青海湖之南。⑱戊戌：十二月二十七日。⑲青海道：《新唐书·吐蕃传》云“战青海，破莽布支”。故青海道疑指青海湖以南地区，或为吐蕃之青海道。⑳庚子：十二月二十九日。㉑回纥叶护：回纥官制同突厥，故叶护为回纥大臣。㉒骨力裴罗：骨力裴罗（？至公元七五九年），回纥可汗。初与葛逻禄自称左、右叶护，后自称骨咄禄毗伽阙可汗，唐诏拜为怀仁可汗，赐爵奉义王。事见《旧唐书》卷一百九十五、《新唐书》卷二百十七上。

【校记】

［2］己巳：张敦仁《通鉴刊本识误》认为上脱“十一月”三字，当是。

【语译】

二年（癸未，公元七四三年）

春，正月，安禄山入朝，玄宗宠待他十分优厚，随时可以进见。安禄山上奏说：“去年营州害虫吃禾苗，臣烧香向上天祷告说：‘臣假如心术不正，侍奉皇帝不忠，情愿让害虫吃掉臣的心。假如没有辜负天地神灵，希望使害虫散去。’当即有一群鸟从北边飞来，很快将虫吃光了。请宣诏交付史官记载。”玄宗听从了。

李林甫领吏部尚书，每天在政事堂，铨选方面的事务都交付给侍郎宋遥、苗晋卿。御史中丞张倚最近得到玄宗的宠幸，宋遥、苗晋卿想依附他。当时候选的官员总计上万人，以文理优长被录取的有六十四人，张倚的儿子张奭名列榜首，大家议论纷纷。先前的蓟县县令苏孝韫把这事告诉了安禄山，安禄山进宫奏报于玄宗，玄宗召集全部被录取的人进行面试。张奭手拿试卷纸，一整天写不出一个字，当时的人称之为“曳白”。正月二十三日癸亥，宋遥降职为武当太守，苗晋卿降职为安康太守，张倚降职为淮阳太守，同考判官礼部郎中裴朏等人都被贬降为岭南官。苗晋卿，是壶关人。

三月十二日壬子，追尊玄元皇帝老子的父亲周朝的上御大夫为先天太皇，又尊奉皋繇为德明皇帝，凉武昭王为兴圣皇帝。

江、淮以南租庸等使韦坚疏导浐水到禁苑东边望春楼下汇积成潭，用来集中停泊江、淮的漕运船只，役使民夫工匠开通漕运河道，刨挖百姓的坟墓，从江、淮到

二年而成。丙寅[175]，上幸望春楼观新潭。坚以新船数百艘，扁榜[176]郡名，各陈郡中珍货于船背。陕尉[177]崔成甫著锦半臂[178]，缺胯绿衫[179]以裼[180]之，红袹首[181]，居前船唱《得宝歌》[182]，使美妇百人盛饰而和之，连樯[183]数里。坚跪进诸郡轻货[184]，仍上百牙盘[185]食。上置宴，竟日[186]而罢，观者山积[187]。夏，四月，加坚左散骑常侍[188]，其僚属吏卒褒赏有差。名其潭曰广运。时京兆尹[189]韩朝宗[190]亦引渭水置潭于西街，以贮材木。

丁亥[191]，皇甫惟明引军出西平[192]，击吐蕃，行千余里，攻洪济城[193]，破之。

上以右赞善大夫[194]杨慎矜知御史中丞事。时李林甫专权，公卿之进，有不出其门者，必以罪去之。慎矜由是固辞，不敢受。五月辛丑[195]，以慎矜为谏议大夫[196]。

冬，十月戊寅[197]，上幸骊山温泉。乙卯[198]，还宫。

【段旨】

以上为第五段，写官场腐败，选举凌迟，有交白卷的魁首。唐玄宗歌舞升平。

【注释】

[153]祝天：向天祈祷。[154]宣付：皇帝的命令交外廷官署办理。[155]政府：指政事堂，宰相议政治事的地方。[156]宋遥：初为密县尉，官至吏部侍郎，因选才不实而被贬为武当太守。其事散见《旧唐书》卷一百十三、《新唐书》卷一百四十等篇。[157]苗晋卿：苗晋卿（公元六八五至七六五年），潞州壶关（今山西壶关）人，官至侍中。传见《旧唐书》卷一百十三、《新唐书》卷一百四十。[158]张倚：天宝初为御史中丞，二年（公元七四三年）因子张奭考选交白卷，张倚以不能训子而被贬淮阳太守，后起为吏部侍郎。天宝末，唐玄宗奔蜀，张倚以失恩不赴难。其事散见《旧唐书》卷一百十三、《新唐书》卷一百四十等篇。[159]入等：唐代考取官吏，凡试判登科，即所作判词文理优长被录取者，称为入等。[160]奭：张倚之子张奭。[161]蓟：县名，县治在今北京西南。[162]曳白：卷纸空白；考试交白卷。[163]癸亥：正月二十三日。[164]武当：郡名，天宝元年（公元七四二年）均州改名，治所在今湖北十堰。[165]安康：郡名，天宝元年金州改名，治所在今陕西安康。[166]淮阳：郡名，天宝元年陈州改名，治所在今河南周口市淮阳区。[167]礼部郎中：官

京城，民间骚动愁怨。工程两年才完成。三月二十六日丙寅，玄宗驾临望春楼观赏新潭。韦坚利用几百艘新船，都悬挂书写有各郡名称的匾额，在船上分别陈列各郡出产的奇珍异货。陕县县尉崔成甫身穿锦制短袖上衣、短裤绿衫，袒胸露臂，红巾裹头，站在前面的船上高唱《得宝歌》，让一百名美女装扮华丽、随声唱和，桅杆相连，绵延数里。韦坚跪着进献各郡的丝绸绢帛，同时进呈一百个盛有美食的牙盘。玄宗设宴，吃了一整天才结束，观看的人聚集如山。夏，四月，提拔韦坚为左散骑常侍，他的属官吏卒各有不同的奖赏。把那个潭命名为广运。当时京兆尹韩朝宗也疏导渭水在西街汇流成一个潭，用来贮存木材。

四月十八日丁亥，皇甫惟明率军出西平郡，攻打吐蕃，行进一千余里，攻打洪济城，攻破了它。

玄宗任命右赞善大夫杨慎矜主掌御史中丞事务。当时李林甫专权，公卿被晋升的，如果有不是出自他门下的人，一定罗织罪名而罢黜这个人。杨慎矜因此坚决推辞，不敢接受任命。五月初三日辛丑，任命杨慎矜为谏议大夫。

冬，十月十三日戊寅，玄宗驾临骊山温泉。十一月二十日乙卯，回宫。

名。礼部下设礼部、祠部、膳部、主客四司，礼部郎中从五品上，为礼部司长官，主管礼仪。⑱ 壬子：三月十二日。⑲ 皋繇：皋陶，一作咎繇。传说为东夷族首领，舜之管刑法臣，后被禹选为继承人，因早死而未继位。⑰ 凉武昭王：李暠（公元三五一至四一七年），十六国时期西凉的建立者，李渊的七世祖。世为陇右大姓。公元四〇〇年，暠在敦煌自称冠军大将军、沙州刺史、凉公，史称西凉。病死后谥为武昭王。传见《晋书》卷八十七。⑰ 望春楼：西京禁苑二十四宫亭之一，有南、北望春亭，又名望春宫。望春楼当指望春宫亭之楼。⑰ 漕渠：长安至黄河的人工运渠。西汉元光六年（公元前一二九年）凿，傍南山（秦岭），长三百余里，有漕运和灌溉之利。北魏后堙塞。隋复浚。唐朝时通时塞，天宝时韦坚、太和（公元八二七至八三五年）时韩辽两度修复。⑰ 丘垄：坟墓。⑰ 萧然愁怨：骚动不安、愁虑怨恨。⑰ 丙寅：三月二十六日。⑰ 扁榜：扁，通“匾”，匾额，题字的长方形牌子，挂在门上或墙上。榜，榜示、公开的告示。⑰ 陕尉：陕县尉。陕县，县治在今河南三门峡市陕州区。尉，县尉，官名，县令的佐官，掌判功、仓、户、兵、法、士等曹及催征课税，追捕盗贼。⑰ 锦半臂：锦缎短袖上衣。⑰ 缺胯绿衫：《旧唐书·韦坚传》作缺胯绿衫，即短裤绿衣。⑱ 裼：袒衣。袒开或脱去外衣，露出内衣或身体。⑱ 红袹首：红巾缠头。袹，头巾。⑱《得宝歌》：崔成甫改民歌《纥体歌》而成，歌词曰：“得宝弘农野，弘农得宝邪？潭里舟船闹，扬州铜器多。三郎当殿坐，听

唱《得宝歌》。”[183]樯：船桅杆。[184]轻货：指金银、丝绸等质轻易带的珍贵物品。[185]牙盘：皇帝进膳所用食器。[186]竟日：一整天。[187]山积：人山人海。[188]左散骑常侍：官名，门下省属官，掌侍奉规讽，备皇帝顾问应对。[189]京兆尹：官名，京兆府长官，总掌本府行政大权。[190]韩朝宗：京兆长安（今陕西西安西）人，官至京兆尹。传见《旧唐书》卷一百一、《新唐书》卷一百十八。[191]丁亥：四月十八日。[192]西平：郡名，天宝元年（公元七

【原文】

三载（甲申，公元七四四年）

春，正月丙申[199]朔，改年曰载。

辛丑[200]，上幸骊山温泉。二月庚午[201]，还宫。

辛卯[202]，太子更名亨。

海贼吴令光等抄掠[203]台、明[204]，命河南尹[205]裴敦复[206]将兵讨之。

三月己巳[207]，以平卢节度使安禄山兼范阳节度使，以范阳节度使裴宽[208]为户部尚书。礼部尚书席建侯[209]为河北黜陟使[210]，称禄山公直，李林甫、裴宽皆顺旨称其美。三人皆上所信任，由是禄山之宠益固不摇矣。

夏，四月，裴敦复破吴令光，擒之。

五月，河西节度使[211]夫蒙灵詧讨突骑施莫贺达干，斩之，更请立黑姓伊里底蜜施骨咄禄毗伽。六月甲辰[212]，册拜骨咄禄毗伽为十姓可汗。

秋，八月，拔悉蜜[213]攻斩突厥乌苏可汗[214]，传首京师。国人立其弟鹘陇匐白眉特勒，是为白眉可汗。于是突厥大乱，敕朔方节度使王忠嗣出兵乘之[215]。至萨河内山，破其左厢阿波达干等十一部，右厢未下。会回纥、葛逻禄共攻拔悉蜜颉跌伊施可汗，杀之。回纥骨力裴罗自立为骨咄禄毗伽阙可汗，遣使言状，上册拜裴罗为怀仁可汗。于是怀仁南据突厥故地，立牙帐于乌德犍山[216]，旧统药逻葛等九姓[217]，其后又并拔悉蜜、葛逻禄，凡十一部，各置都督，每战则以二客部[218]为先。

李林甫以杨慎矜屈附[219]于己，九月甲戌[220]，复以慎矜为御史中丞，充诸道铸钱使[221]。

冬，十月癸巳[222]，上幸骊山温泉。十一月丁卯[223]，还宫。

四二年）鄯州改名，治所在今青海海东市乐都区。其为陇右道节度使治所。⑲³ 洪济城：城名，在今青海贵德西。⑲⁴ 右赞善大夫：官名，东宫之官，掌太子的讽谕规劝。⑲⁵ 辛丑：五月初三日。⑲⁶ 谏议大夫：官名，谏官，掌侍从赞相，规谏讽谕。⑲⁷ 戊寅：十月十三日。⑲⁸ 乙卯：十一月二十日。

【语译】

三载（甲申，公元七四四年）

春，正月初一日丙申，改年为载。

初六日辛丑，玄宗到达骊山温泉。二月初六日庚午，回宫。

二十七日辛卯，太子改名为亨。

海盗吴令光等人劫掠台州、明州，命令河南尹裴敦复率军讨伐他们。

三月初五日己巳，任命平卢节度使安禄山兼任范阳节度使，任命范阳节度使裴宽为户部尚书。礼部尚书席建侯为河北黜陟使，称赞安禄山公平正直，李林甫、裴宽都顺从玄宗的心意赞扬安禄山的美德。这三个都是玄宗所信任的人，因此玄宗对安禄山的宠幸更加稳固而不可动摇。

夏，四月，裴敦复打败吴令光，抓获了他。

五月，河西节度使夫蒙灵詧讨伐突骑施莫贺达干，杀死了他，请求改立黑姓伊里底蜜施骨咄禄毗伽。六月十二日甲辰，册封骨咄禄毗伽为十姓可汗。

秋，八月，拔悉蜜击杀突厥乌苏可汗，把他的首级传送到京师。突厥人拥立他的弟弟鹘陇匐白眉特勒，这就是白眉可汗。当时突厥大乱，玄宗敕命朔方节度使王忠嗣出兵乘机进攻突厥。抵达萨河内山，打败突厥左厢阿波达干等十一部，右厢没有攻克。会合回纥、葛逻禄一起进攻拔悉蜜颉跌伊施可汗，杀死了他。回纥骨力裴罗自立为骨咄禄毗伽阙可汗，派遣使者到朝廷说明情况，玄宗册封裴罗为怀仁可汗。于是，怀仁南面据有突厥的旧地，在乌德犍山建立牙帐，原来统辖药逻葛等九姓，后来又兼并拔悉蜜、葛逻禄，总共十一部，每部分别设置都督，每次作战就让两客部充当先锋。

李林甫因杨慎矜屈意依附于自己，九月十四日甲戌，又任命杨慎矜为御史中丞，充任诸道铸钱使。

冬，十月初四日癸巳，玄宗到达骊山温泉。十一月初八日丁卯，回宫。

术士[224]苏嘉庆上言："遁甲术[225]有九宫贵神[226]，典司水旱，请立坛于东郊，祀以四孟月[227]。"从之。礼在昊天上帝[228]下，太清宫[229]、太庙上，所用牲玉[230]皆侔[231]天地。

十二月癸巳[232]，置会昌县[233]于温泉宫[234]下。

户部尚书裴宽素为上所重，李林甫恐其入相，忌之。刑部尚书裴敦复击海贼还，受请托，广序[235]军功，宽微奏其事[236]。林甫以告敦复，敦复言宽亦尝以亲故属[237]敦复。林甫曰："君速奏之，勿后于人。"敦复乃以五百金赂女官[238]杨太真[239]之姊，使言于上。甲午[240]，宽坐贬睢阳[241]太守。

初，武惠妃薨[242]，上悼念不已，后宫数千，无当意者。或言寿王妃杨氏[243]之美，绝世无双。上见而悦之，乃令妃自以其意乞为女官，号太真，更为寿王娶左卫郎将[244]韦昭训女，潜内[245]太真宫中。太真肌态丰艳，晓音律，性警颖[246]，善承迎上意，不期岁，宠遇如惠妃，宫中号曰"娘子"，凡仪体[247]皆如皇后。

癸卯[248]，以宗女为和义公主，嫁宁远奉化王阿悉烂达干[249]。

癸丑[250]，上祀九宫贵神，赦天下。

初令百姓十八为中，二十三成丁。[251]

初，上自东都还，李林甫知上厌巡幸[252]，乃与牛仙客谋增近道粟赋及和籴以实关中[253]，数年，蓄积稍丰。上从容谓高力士曰："朕不出长安近十年[254]，天下无事，朕欲高居无为，悉以政事委林甫，何如?"对曰："天子巡狩[255]，古之制也。且天下大柄[256]，不可假人。彼威势既成，谁敢复议之者!"上不悦。力士顿首[257]自陈："臣狂疾，发妄言，罪当死。"上乃为力士置酒，左右皆呼万岁。力士自是不敢深言天下事矣。

术士苏嘉庆向玄宗进言："遁甲术中有九宫贵神，主管水灾和旱灾，请在东郊设立神坛，在每年的孟春、孟夏、孟秋、孟冬等四个孟月进行祭祀。"玄宗答应了。礼仪规格在昊天上帝之下，太清宫、太庙之上，所使用的猪、牛、羊等祭祀品以及玉、帛都等同于祭祀天地的规格。

十二月初四日癸巳，在温泉宫旁设置会昌县。

户部尚书裴宽平素被玄宗器重，李林甫担心他入朝为相，嫉恨他。刑部尚书裴敦复攻打海盗回来，接受请托，多记军功，裴宽悄悄奏报此事。李林甫把这件事告诉了裴敦复，裴敦复说裴宽也曾把他的亲戚故旧嘱托给自己。李林甫说："您赶快奏报此事，不要落在别人后面。"裴敦复就用五百金贿赂女官杨太真的姐姐，让她告诉玄宗。十二月初五日甲午，裴宽坐罪被贬为睢阳太守。

当初，武惠妃去世，玄宗悼念不已，后宫数千人，没有一个中意的。有人说寿王妃子杨氏的美丽，举世无双。玄宗见了很喜欢她，就让王妃说是自己的意愿请求做女官，号太真，另外为寿王娶左卫郎将韦昭训的女儿，暗中把太真接入宫中。太真肌肤丰满，仪态艳丽，通晓音律，秉性机警而颖悟，善于迎合玄宗的心意，不到一年，所受到的宠幸恩遇就像武惠妃一样，宫中称她为"娘子"，所有的礼仪体制都和皇后相同。

十二月十四日癸卯，以宗室女为和义公主，嫁给宁远奉化王阿悉烂达干。

二十四日癸丑，玄宗祭祀九宫贵神，大赦天下。

初次下诏规定百姓十八岁为中丁，二十三岁成丁。

起初，玄宗从东都返回，李林甫知道玄宗厌烦巡幸，就与牛仙客谋划增加邻近京城各道的粟米赋税以及购买民间粮食用以充实关中，几年后，储积渐渐丰足。玄宗悠闲自得地对高力士说："朕不出长安快十年了，天下平安无事，我想高居君位无为而治，把政事都托付给李林甫，怎么样?"高力士回答说："天子巡视天下，这是古代的制度。而且国家大权，不可交给别人。别人的威势形成后，谁敢再议论他的是非呢!"玄宗很不高兴。高力士磕头自我表白说："臣狂妄有病，说出胡言乱语，罪该死。"玄宗于是为高力士摆设酒席，左右的人都高呼"万岁"。高力士从此不敢深谈天下大事了。

【段旨】

以上为第六段，写李林甫奸诈无比，深得唐玄宗宠幸，玄宗欲"无为"而交权力于奸相。玄宗以公公霸占儿媳的方式，使杨贵妃登场。

【注释】

⑲丙申：正月初一日。⑳辛丑：正月初六日。㉑庚午：二月初六日。㉒辛卯：二月二十七日。㉓抄掠：抢劫财物。㉔台、明：州名，台州治所在今浙江临海，明州治所在今浙江宁波南。㉕河南尹：官名，河南府长官，主掌府政。治所在今河南洛阳。㉖裴敦复：裴敦复（？至公元七四六年），曾任河南府尹、刑部尚书。后被李林甫谗构致死。㉗己巳：三月初五日。㉘裴宽：裴宽（公元六八〇至七五五年），绛州闻喜（今山西闻喜东北）人，官至户部尚书，终礼部尚书。传见《旧唐书》卷一百、《新唐书》卷一百三十。㉙席建侯：席豫（公元六七九至七四八年），襄阳（今湖北襄阳）人，官至尚书左丞，封襄阳县子。传见《旧唐书》卷一百九十中、《新唐书》卷一百二十八。㉚黜陟使：使职名，天子向地方派出的监察官，负责考察州县官吏政绩，以决定官吏的升（陟）降（黜）。因此，常称这种差遣到地方的监察使臣为黜陟使。后也曾以黜陟名使。㉛河西节度使：为“安西节度使”之误。见岑仲勉《通鉴隋唐纪比事质疑》。㉜甲辰：六月十二日。㉝拔悉蜜：突厥之一部，其酋长在攻杀骨咄叶护后被推为颉跌伊施可汗。㉞乌苏可汗：乌苏米施可汗，突厥左杀判阙特勤之子。㉟乘之：指乘其乱而取之。㊱乌德犍山：今蒙古国西部杭爱山。㊲药逻葛等九姓：据《旧唐书·回纥传》，回纥九姓部落是药逻葛、胡咄葛、咄罗勿、貊歌息讫、阿勿嘀、葛萨、斛嗢素、药勿葛、奚耶勿。㊳二客部：指拔悉蜜、葛逻禄二部。㊴屈附：屈身顺从。㊵甲戌：九月十四日。㊶铸钱使：使职名，专掌钱币铸造的差遣官。㊷癸巳：十月初四日。㊸丁卯：十一月初八日。㊹术士：以巫祝、占卜、星相等方术为业的人。㊺遁甲术：古代术数之一。其法以天干的乙、丙、丁为三奇，以戊、己、庚、辛、壬、癸为六仪。三奇、六仪，分置九宫，而以甲统之。视甲加临三奇、六仪而推算吉凶，以为趋利避害，故称遁甲。㊻九宫贵神：阴阳家崇奉的所谓管理人世间水旱的神。㊼四孟月：一年四季，每季第一月为孟月，故正月、四

【原文】

四载（乙酉，公元七四五年）

春，正月庚午[258]，上谓宰相曰：“朕比[259]以甲子日[260]于宫中为坛，为百姓祈福，朕自草黄素[261]置案上，俄[262]飞升天，闻空中语云：‘圣寿延长。’又朕于嵩山[263]炼药成，亦置坛上，及夜，左右欲收之，又闻空中语云：‘药未须收，此自守护。’达曙[264]乃收之。”太子、诸王、宰相皆上表贺。

月、七月、十月为四孟月。㉘昊天上帝：天神；天帝。㉙太清宫：天宝元年（公元七四二年）在长安西南大宁坊建玄元皇帝庙，二年改名太清宫。㉚牲玉：牺牲玉帛。即祭祀用的牛羊豕和瑞玉、缣帛。㉛侔：等同；相等。㉜癸巳：十二月初四日。㉝会昌县：县名，县治在今陕西西安市临潼区。㉞温泉宫：在今陕西西安市临潼区骊山北麓。唐太宗于此建汤泉宫，唐高宗改名温泉宫。㉟序：同"叙"。叙录、记载。㊱微奏其事：悄悄奏报此事。㊲属：通"嘱"。嘱托。㊳女官：宫官，后宫之官。㊴杨太真：杨贵妃（公元七一九至七五六年），小字玉环，蜀州司户杨玄琰女，初为玄宗子寿王妃，后为女道士，号太真。得玄宗宠爱，封为贵妃。天宝十五载（公元七五六年）在马嵬驿被赐死。传见《旧唐书》卷五十一、《新唐书》卷七十六。㊵甲午：十二月初五日。㊶睢阳：郡名，天宝元年（公元七四二年）宋州改名，治所在今河南商丘南。㊷武惠妃薨：武惠妃死于开元二十五年（公元七三七年）。㊸杨氏：前述之杨贵妃。㊹左卫郎将：武官名，左卫所隶属的亲勋翊五中郎将的副职，掌领宿卫和仪仗。㊺内：通"纳"，接纳、迎纳。㊻警颖：机警颖悟；机敏过人。㊼仪体：仪，礼仪。体，体法、规格。㊽癸卯：十二月十四日。㊾宁远奉化王阿悉烂达干：阿悉烂达干，拔汗那王。玄宗以拔汗那助平吐火仙，册其王为奉化王，改其国名宁远。㊿癸丑：十二月二十四日。(251)初令百姓十八为中二句：唐武德六年（公元六二三年）规定十六岁为中丁，二十一岁成丁。神龙元年（公元七〇五年）韦后奏定二十二岁成丁，至景云元年（公元七一〇年）停。至此又做新规定。因所定成丁年龄最大，于民有利，故《通鉴》书"初令"，以示褒笔。(252)巡幸：帝王到京城以外地方巡视。这里实指去东都乞食。(253)增近道粟赋及和籴以实关中：指开元二十五年（公元七三七年）开始命令关内诸州的租、庸、调、资课折变粟米送京，以及在关中推行和籴法。(254)不出长安近十年：玄宗于开元二十四年（公元七三六年）自东都还长安，至今已九年未去洛阳。(255)巡狩：帝王离开国都巡行境内。(256)大柄：国家军政大权。柄，权柄。(257)顿首：头叩地而拜。

【语译】

四载（乙酉，公元七四五年）

春，正月十二日庚午，玄宗对宰相说："我最近在初六日甲子在宫中设置祭坛，为百姓祈求福祉。我亲自用黄笔在白绢上书写祝词并放在案上，它顷刻飞上天空，听到空中有声音说：'圣寿延长。'另外我在嵩山炼成了丹药，也摆放在祭坛上，等到夜晚，身边人想把它收起来，又听到空中有声音说：'丹药不必收起，这里自有守护。'到了天亮才收起来。"太子、诸王和宰相都上表庆贺。

回纥怀仁可汗击突厥白眉可汗㉖⑤，杀之，传首京师。突厥毗伽可敦[266]帅[267]众来降。于是北边晏然[268]，烽燧[269]无警矣。

回纥斥地[270]愈广，东际室韦，西抵金山[271]，南跨大漠，尽有突厥故地。怀仁卒，子磨延啜[272]立，号葛勒可汗。

二月己酉[273]，以朔方节度使王忠嗣兼河东节度使。忠嗣少以勇敢自负，及镇方面[274]，专以持重安边为务，常曰："太平之将，但当抚循[275]训练士卒而已，不可疲中国之力以邀[276]功名。"有漆弓百五十斤，常贮之橐[277]中，以示不用。军中日夜思战，忠嗣多遣谍人[278]伺其间隙[279]，见可胜，然后兴师，故出必有功。既兼两道节制[280]，自朔方[281]至云中[282]，边陲[283]数千里，要害之地，悉列置城堡，斥地各数百里。边人以为自张仁亶[284]之后，将帅皆不及。

三月壬申[285]，上以外孙独孤氏为静乐公主，嫁契丹王李怀节[286]，甥杨氏为宜芳公主，嫁奚王李延宠[287]。

乙巳[288]，以刑部尚书裴敦复充岭南五府经略等使。五月壬申[289]，敦复坐逗留不之官，贬淄川[290]太守，以光禄少卿[291]彭杲[292][3]代之。上嘉敦复平海贼之功，故李林甫陷之。

李适之与李林甫争权有隙[293]。适之领兵部尚书，驸马[294]张垍[295]为侍郎，林甫亦恶[296]之，使人发兵部铨曹奸利事，收吏六十余人付京兆与御史对鞫[297]之，数日，竟不得其情。京兆尹萧炅使法曹[298]吉温[299]鞫之。温入院，置兵部吏于外，先于后厅取二重囚[300]讯之，或杖或压，号呼之声，所不忍闻。皆曰："苟存余生，乞纸尽答。"兵部吏素闻温之惨酷，引入，皆自诬服[301]，无敢违温意者。顷刻而狱成，验囚，无榜掠[302]之迹。六月辛亥[303]，敕诮责[304]前后知铨侍郎[305]及判南曹郎官[306]而宥[307]之。垍，均之兄；[308]温，顼[309]之弟子也。

温始为新丰[310]丞[311]，太子文学[312]薛嶷荐温才。上召见，顾嶷曰："是一不良人，朕不用也。"

萧炅为河南尹，尝坐事，西台[313]遣温往按[314]之，温治炅甚急。及温为万年丞，未几，炅为京兆尹。温素与高力士相结，力士自禁中归，温度[315]炅必往谢官[316]，乃先诣[317]力士，与之谈谑[318]，握手甚欢。炅后至，温阳[319]为惊避。力士呼曰："吉七不须避。"谓炅曰："此亦吾故人[320]也。"

回纥怀仁可汗攻打突厥白眉可汗，杀死了他，把他的首级传送到京师。突厥毗伽可敦率领部众前来归降。于是，北方边境平安无事，没有烽火报警了。

回纥开拓的领土越来越广，东面界至室韦，西达金山，南跨大漠，全部保有突厥故地。怀仁死后，儿子磨延啜即位，号称葛勒可汗。

二月二十一日己酉，任命朔方节度使王忠嗣兼任河东节度使。王忠嗣年轻时勇敢自负，等到他镇守西北边塞，一心一意把保持稳重、安定边塞作为首要任务。他常说："太平时期的将领，只需安抚训练士卒，不能消耗中原的力量以求取功名。"他有一张漆弓，拉力一百五十斤，经常放在弓袋里，用以表示不使用。军中将士日夜都想打仗，王忠嗣派遣很多间谍去侦察敌人的可乘之机，发现可以取胜，然后就发兵，所以每次出兵必能成功。兼任两道节度使后，从朔方到云中，在边疆几千里，每处战略要地都设置城堡，开拓的疆土分别有数百里。边塞上的人认为自从张仁亶之后，所有的将帅都赶不上他。

三月十四日壬申，玄宗以外孙女独孤氏为静乐公主，嫁给契丹王李怀节，以外甥女杨氏为宜芳公主，嫁给奚王李延宠。

四月十八日乙巳，任命刑部尚书裴敦复担任岭南五府经略等使。五月十五日壬申，裴敦复犯了逗留不实时赴任之罪，被贬为淄川太守，让光禄少卿彭杲替代他。玄宗嘉奖裴敦复平定海盗有功，所以李林甫就陷害他。

李适之与李林甫争权，有了嫌隙。李适之任兵部尚书，驸马都尉张垍为侍郎，李林甫也厌恨他，让人告发兵部铨选官员违法牟利的事情，逮捕官吏六十余人交付京兆尹与御史一起审讯，审了数日，竟然得不到实情。京兆尹萧炅派法曹吉温去审讯。吉温进入院中，把兵部的官吏留在外面，先在后厅提取两名重犯审讯他们，时而杖击，时而狠压，号叫之声，惨不忍闻。囚犯都说："只要能保全余生，请拿纸来全部招认。"兵部的官吏向来听说吉温的残酷，被带入后，全部自诬服罪，没有人敢违背吉温的想法。顷刻之间，狱讼结案，检验囚犯，没有被拷打的痕迹。六月二十五日辛亥，下诏谴责兵部前后掌管铨选事务的侍郎以及吏部掌判选院事务的郎官，并且原谅了他们的过失。张垍，是张均的哥哥；吉温，是吉顼弟弟的儿子。

吉温起初任新丰县丞，太子文学薛嶷举荐吉温有才能。玄宗召见，回头对薛嶷说："这是一个不好的人，我不用他。"

萧炅担任河南尹，曾因事获罪，西京御史台委派吉温前去审讯。吉温审讯萧炅甚为急切。等到吉温做了万年县丞，不久，萧炅做了京兆尹。吉温平素和高力士相交结，高力士从宫中回来，吉温猜想萧炅一定为新任的官位前去感谢高力士，于是就先到了高力士那里，同他谈笑戏谑，握着手非常高兴。萧炅后到，吉温假装吃惊回避。高力士喊道："吉七不必回避。"对萧炅说："他也是我的旧时好友。"高力士把

召还，与炅坐。炅接之甚恭，不敢以前事为怨。他日，温谒炅曰：“曩者[321]温不敢隳[322]国家法，自今请洗心[323]事公。”炅遂与尽欢，引为法曹。

及林甫欲除不附己者，求治狱吏[324]，炅荐温于林甫。林甫得之，大喜。温常曰：“若遇知己，南山白额虎[325]不足缚[326]也。”时又有杭州[327]人罗希奭[328]，为吏深刻[329]，林甫引之，自御史台主簿[330]再迁[331]殿中侍御史。二人皆随林甫所欲深浅，锻炼[332]成狱，无能自脱者，时人谓之“罗钳[333]吉网”。

秋，七月壬午[334]，册韦昭训女为寿王妃。

【段旨】

以上为第七段，写唐玄宗炼丹求长生，李林甫用酷吏为爪牙。君王怠政于上，奸臣为恶于下，国事日非。

【注释】

㉘庚午：正月十二日。㉙比：近来；最近。㉚甲子日：正月初六日。㉛黄素：写黄色字于白色绢绸上。㉜俄：俄而；俄顷。形容时间短暂。㉝嵩山：古称中岳。在今河南登封北。㉞曙：天刚亮。㉟白眉可汗：突厥乌苏米施可汗之弟，乌苏被拔悉蜜颉跌伊施可汗杀死后，其弟立为白眉可汗，统突厥余部。㊱毗伽可敦：突厥毗伽可汗之妻。㊲帅：通“率”。率领。㊳晏然：平静；安定。㊴烽燧：古代边防报警的两种信号。夜晚举烽，白天燃燧。㊵斥地：开拓疆土。㊶金山：阿尔泰山，“阿尔泰”蒙语为“金子”之意，位于新疆北部和蒙古国西部，西北延伸至俄罗斯和哈萨克斯坦境内。㊷磨延啜：磨延啜（？至公元七五八年），怀仁可汗之子。继位称葛勒可汗，肃宗册封为英武威远毗伽可汗。事见《旧唐书》卷一百九十五、《新唐书》卷二百十七上。㊸己酉：二月二十一日。㊹镇方面：主持一方的军政。此指兼朔方、河东二节度使。㊺抚循：通“拊循”，安抚。㊻邀：求。㊼橐：收藏衣甲或弓矢的器具。㊽谍人：间谍。㊾间隙：空隙，指可乘之机。㊿节制：指节度使。[281]朔方：郡名，天宝元年（公元七四二年）灵州改名，治所在今宁夏灵武西南。[282]云中：郡名，天宝元年云州改名，治所在今山西大同。[283]边陲：边境。[284]张仁亶：张仁亶（？至公元七一四年），因名与睿宗李旦音相似，故改名仁愿。华州下邽（今陕西渭南东北）人，官至左卫大将军、同中书门下三品，封韩国公。景龙二年（公元七〇八年，两唐书本传作三年，今依《旧唐书·中宗纪》为二年三月）筑三受降城于黄河之北，

吉温叫回来，和萧炅坐在一起。萧炅对待吉温十分恭敬，不敢因为以前的事情怨恨他。一天，吉温去拜见萧炅说："以前吉温不敢毁损国家法律，从今以后愿意革心改过来侍奉您。"于是，萧炅和吉温非常和谐，引荐他做了法曹。

等到李林甫想要铲除不依附自己的人，寻求审理狱讼的官吏，萧炅把吉温推荐给李林甫。李林甫得到吉温，非常高兴。吉温常说："如果遇到知己，就是南山白额虎也能轻易捆绑起来。"当时还有一个杭州人罗希奭，为官严厉刻薄，李林甫引荐他，从御史台主簿超升为殿中侍御史。二人都依据李林甫想要的处罚轻重，罗织成刑狱案件，没有人能够自己逃脱，当时的人称他们为"罗钳吉网"。

秋，七月二十六日壬午，册封韦昭训的女儿为寿王妃。

三城相距三百多里，又于牛头朝那山置烽候一千八百所，称守备之最。传见《旧唐书》卷九十三、《新唐书》卷一百十一。㉘⑤ 壬申：三月十四日。㉘⑥ 契丹王李怀节：《新唐书》卷二百十九《北狄·契丹传》云，"天宝四载，契丹大酋李怀秀降，拜松漠都督，封崇顺王，以宗室出女独孤为静乐公主妻之。是岁，杀公主叛去，范阳节度使安禄山讨破之"。怀节作怀秀，不知谁是。㉘⑦ 李延宠：奚王李诗琐高之子，继立为王，拜饶乐都督、怀信王，后叛。㉘⑧ 乙巳：四月十八日。㉘⑨ 壬申：五月十五日。㉙⓪ 淄川：郡名，天宝元年（公元七四二年）淄州改名，治所在今山东淄博市淄川区。㉙① 光禄少卿：官名，光禄寺副长官，佐光禄卿掌国家祭祀和宴享的酒膳之事。㉙② 彭杲：彭杲（？至公元七四七年），曾任光禄少卿、南海太守、岭南五府经略使。因在郡贪赃，天宝六载（公元七四七年）流溱溪郡（今重庆市綦江区南），死于路。其事散见《旧唐书》卷九十八、《新唐书》卷一百二十六等篇。㉙③ 有隙：有怨恨、纷争。㉙④ 驸马：驸马都尉的简称。㉙⑤ 张垍：宰相张说之子，尚宁亲公主，官至太常卿。后受任安禄山宰相。传见《旧唐书》卷九十七、《新唐书》卷一百二十五。㉙⑥ 恶：厌恨。㉙⑦ 鞫：审讯；审问。㉙⑧ 法曹：法曹司法参军事。官名，府州僚佐，掌刑法。㉙⑨ 吉温：吉温（？至公元七五五年），又称吉七郎，唐玄宗时酷吏，官至御史中丞。传见《旧唐书》卷一百八十六下、《新唐书》卷二百九。㉚⓪ 重囚：重罪囚犯。㉚① 诬服：无辜认罪；自诬服罪。㉚② 榜掠：鞭笞。㉚③ 辛亥：六月二十五日。㉚④ 诮责：责备；谴责。㉚⑤ 知铨侍郎：领铨选事的吏兵部侍郎。唐代吏兵部铨选，尚书、侍郎分三铨领其事。尚书主持六品、七品选，称尚书铨，二侍郎分二组主持八品、九品选，分别称为中铨和东铨。㉚⑥ 南曹郎官：南曹又称选院。南曹郎官，指掌选院的员外郎。唐吏兵部员外郎，有专人掌选院，负责审核选人的解状、簿书、资历、考课。核实，然后上送三铨。㉚⑦ 宥：宽免；赦罪。㉚⑧ 垍二句：据《旧唐书·张说传》《曲江集·张说墓志》，均为长，垍为次，垍非均之

兄。《资治通鉴》误。见岑仲勉《通鉴隋唐纪比事质疑》。㉙项：吉顼，武则天时酷吏。官至天官侍郎、同凤阁鸾台平章事。传见《旧唐书》卷一百八十六上、《新唐书》卷一百十七。⑩新丰：县名，县治在今陕西西安市临潼区新丰街道。⑪丞：官名，县令的副职，佐县令掌劝课农桑，征督赋税，编造户籍，听鞫狱讼等政事。⑫太子文学：官名，东宫司经局属官，职责是为太子草拟文章。⑬西台：指西京御史台。《旧唐书·吉温传》作"京台"。⑭按：审问。⑮度：估计。⑯谢官：向替自己谋到官职的人表示感谢。⑰诣：去；到。⑱谈谑：谈笑。⑲阳：通"佯"。假装。"阳"释为外表、表面，亦通。⑳故人：旧时好友。㉑曩者：从前；过去。㉒隳：毁坏。㉓洗心：革心；洗去邪恶之心。㉔治狱吏：推鞫狱讼的官吏。㉕南山白额虎：指凶猛的老虎。㉖缚：捆绑。㉗杭州：州名，治所在今浙

【原文】

八月壬寅[335]，册杨太真为贵妃。赠其父玄琰兵部尚书，以其叔父玄珪为光禄卿，从兄[336]铦为殿中少监[337]，锜为驸马都尉。癸卯[338]，册武惠妃女为太华公主，命锜尚之。及贵妃三姊[339]，皆赐第京师，宠贵赫然[340]。

杨钊[341]，贵妃之从祖兄[342]也，不学无行，为宗党[343]所鄙。从军于蜀，得新都[344]尉，考满，家贫不能自归，[345]新政[346]富民鲜于仲通[347]常资给之。杨玄琰卒于蜀，钊往来其家，遂与其中女[348]通[349]。

鲜于仲通名向，以字行，颇读书，有材智[350]，剑南节度使章仇兼琼引为采访支使[351]，委以心腹。尝从容谓仲通曰："今吾独为上所厚，苟无内援，必为李林甫所危。闻杨妃新得幸[352]，人未敢附[353]之。子能为我至长安与其家相结，吾无患矣。"仲通曰："仲通蜀人，未尝游上国[354]，恐败公事，今为公更求得一人。"因言钊本末[355]。兼琼引见钊，仪观丰伟[356]，言辞敏给[357]。兼琼大喜，即辟为推官[358]，往来浸亲密。乃使之献春绨[359]于京师，将别，谓曰："有少物在郫[360]，以具一日之粮，子过，可取之。"钊至郫，兼琼使亲信大赍[361]蜀货精美者遗[362]之，可直[363]万缗。钊大喜过望，昼夜兼行，至长安，历抵诸妹，以蜀货遗之，曰："此章仇公所赠也。"时中女新寡，钊遂馆于其室，中分蜀货以与之。于是诸杨日夜誉兼琼，且言钊善樗蒲[364]，引之见上，得随供奉官[365]出入禁中，改金吾兵曹参军[366]。

江杭州。㉘罗希奭：天宝时酷吏，官至刑部郎中。传见《旧唐书》卷一百八十六下、《新唐书》卷二百九。㉙深刻：严峻刻薄。㉚御史台主簿：官名，御史台佐吏，主掌台印及台内日常受发勾检诸事。㉛迁：升迁。㉜锻炼：罗织罪名。㉝钳：金属夹具。又为古代一种刑法之名，以铁束颈称为钳。㉞壬午：七月二十六日。

【校记】

［3］彭杲：原作“彭果”。据章钰校，十二行本、乙十一行本、孔天胤本皆作“彭杲”，今从改。〖按〗《旧唐书》卷九十八、《新唐书》卷一百二十六《卢怀慎传》皆作“彭杲”，《旧唐书》卷九《玄宗纪下》作“彭果”，疑“果”乃“杲”之误。

【语译】

八月十七日壬寅，册封杨太真为贵妃。追赠贵妃的父亲杨玄琰为兵部尚书，任命她的叔父杨玄珪为光禄卿，堂兄杨铦为殿中少监，杨锜为驸马都尉。十八日癸卯，册封武惠妃的女儿为太华公主，命令杨锜娶她为妻。还有贵妃的三个姐姐，都赐给京师的宅第，宠幸尊贵，显赫无比。

杨钊是杨贵妃同曾祖父的哥哥，没有学问，品行不好，为乡里族人所鄙视。在四川从军，做了新都县尉，任期届满，家里贫穷自己不能回到故乡，新政县的富人鲜于仲通经常资助他。杨玄琰死在四川，杨钊来往他的家中，便和他的第二个女儿私通。

鲜于仲通名向，以字行，读了很多书，有才智，剑南节度使章仇兼琼引荐他为采访支使，委以心腹之任。章仇兼琼曾在闲谈中对鲜于仲通说：“现在只有我一人被皇上厚待，如果没有宫内的援助，必定被李林甫危害。听说杨贵妃新近得到皇帝的宠幸，人们还不敢依附她。您能替我到长安与她家联系上，我就没有后患了。”仲通说：“我是蜀地人，未曾游历京城，担心坏了您的大事，现在替您另外找到一个人。”于是介绍了杨钊的来龙去脉。兼琼接见杨钊，杨钊容貌壮美，言谈敏捷。兼琼非常高兴，立刻征召为推官，往来渐渐亲密。于是派遣他到京师去进献春绨，临别时，对他说：“我有少许东西在郫县，以备你一天的口粮，你经过郫县时，可以拿走它。”杨钊到达郫县，兼琼让亲信带大量精美的蜀中货物赠送给他，价值一万缗。杨钊喜出望外，日夜兼程赶路，到达长安，依次到杨家姐妹那里，把蜀地物产送给她们，说：“这是章仇公所赠送的。”当时杨家二女儿刚死了丈夫，杨钊就住在她家里，把一半蜀地物产分给她。于是，杨家人日夜说章仇兼琼的好话，并且说杨钊善于樗蒲，引荐他进见玄宗，得以跟随供奉官出入宫中，改任他为金吾兵曹参军。

九月癸未[367]，以陕郡太守、江淮租庸转运使韦坚为刑部尚书，罢其诸使，以御史中丞杨慎矜代之[368]。坚妻姜氏，皎[369]之女，林甫之舅子也，故林甫昵之。及坚以通漕有宠于上，遂有入相之志，又与李适之善。林甫由是恶之，故迁以美官，实夺之权也。

安禄山欲以边功市宠[370]，数侵掠[371]奚、契丹。奚、契丹各杀公主[372]以叛，禄山讨破之。

陇右节度使皇甫惟明与吐蕃战于石堡城，为虏所败，副将褚詡[373]战死。

冬，十月甲午[374]，安禄山奏："臣讨契丹至北平郡[375]，梦先朝名将李靖[376]、李勣[377]从臣求食。"遂命立庙。又奏荐奠[378]之日，庙梁产芝。

丁酉[379]，上幸骊山温泉。

上以户部郎中[380]王鉷为户口色役使[381]，敕赐百姓复除[382]。鉷奏征其輂[383]运之费，广张[384]钱数；又使市本郡轻货，百姓所输乃甚于不复除。旧制，戍边者免其租庸，六岁而更[385]。时边将耻败，士卒死者皆不申牒[386]，贯籍[387]不除。王鉷志在聚敛，以有籍无人者皆为避课[388]，按籍戍边六岁之外，悉征其租庸，有并征三十年者，民无所诉。上在位久，用度日侈，后宫赏赐无节，不欲数于左、右藏[389]取之。鉷探知上指[390]，岁贡额外钱帛[4]百亿万，贮于内库[391]，以供宫中宴赐，曰："此皆不出于租庸调，无预经费。"上以鉷为能富国，益厚遇之。鉷务为割剥以求媚，中外嗟怨。丙子[392]，以鉷为御史中丞、京畿采访使。

杨钊侍宴禁中，专掌樗蒲文簿[393]，钩校[394]精密。上赏其强明，曰："好度支郎[395]。"诸杨数征[396]此言于上，又以属[397]王鉷，鉷因奏充判官[398]。

十二月戊戌[399]，上还宫。

九月二十九日癸未，任命陕郡太守、江淮租庸转运使韦坚为刑部尚书，罢免他的诸使职位，让御史中丞杨慎矜替代他。韦坚的妻子姜氏，是姜皎的女儿、李林甫舅舅的女儿，所以李林甫对他很亲近。等到韦坚因开通漕运有宠于玄宗，便有了入朝做宰相的想法，而且又和李适之相友好。李林甫因此讨厌他，所以让他改任一个美官，实际上夺了他的权。

安禄山想用守边的功劳换得玄宗的恩宠，多次侵掠奚、契丹。奚、契丹各自杀掉唐朝的公主而叛变，安禄山讨伐打败他们。

陇右节度使皇甫惟明与吐蕃在石堡城交战，被敌人打败，副将褚诩战死。

冬，十月初十日甲午，安禄山上奏："臣讨伐契丹到达北平郡，梦见先朝名将李靖、李勣向臣索要食物吃。"玄宗便命令为李靖、李勣建庙。安禄山又上奏说，进献祭品祭奠的那天，庙中梁上长出灵芝。

十月十三日丁酉，玄宗亲临骊山温泉。

玄宗任命户部郎中王铁为户口色役使，敕命赏赐百姓免除赋税徭役。王铁上奏向百姓征收运输的费用，广收钱币；又使百姓购买本郡的轻货，老百姓所输纳的钱财比不免除赋税徭役时还多。过去的制度规定，戍守边疆的人免交租庸赋税，六年一轮替。当时的边将以失败为耻辱，士卒战死了的都不申报名单，原籍户籍上也不除名。王铁的想法在于聚敛钱财，把有户籍而人不在的都作为逃避赋税，根据户籍戍守边疆六年以后，都要征收他们的租庸赋税，有的人连征三十年，百姓无处申诉。玄宗在位时间长了，用费日渐奢侈，后宫的赏赐没有节制，又不想频繁从左藏、右藏中支取财物。王铁察知了玄宗的想法，每年额外贡献钱帛百亿万，贮藏在内库，以供玄宗在宫中宴乐和赏赐，说："这些钱都不出自租庸调，与国家的经费没有关系。"玄宗认为王铁能使国家富足，对待他更加优厚。王铁专务剥削百姓，讨好玄宗，朝廷内外叹息怨恨。十一月二十三日丙子，任命王铁为御史中丞、京畿采访使。

杨钊在宫中侍奉玄宗宴饮，专管樗蒲的记录簿，核校精密。玄宗赏识他的强干精明，说："是个很好的度支郎。"杨家人多次在玄宗那里求实这句话，又嘱咐王铁，王铁便上奏让杨钊任判官。

十二月十五日戊戌，玄宗回宫。

【段旨】

以上为第八段，写杨氏外戚因贵妃受宠而染指政坛。唐玄宗聚敛财货。

【注释】

㉟壬寅：八月十七日。㊱从兄：堂兄。㊲殿中少监：官名，殿中省副长官，佐殿中监掌管天子的乘舆服御，侍奉天子的衣食住行。㊳癸卯：八月十八日。㊴贵妃三姊：大姐韩国夫人，三姐虢国夫人，八姐秦国夫人。㊵赫然：显赫盛大。㊶杨钊：杨钊（？至公元七五六年），杨贵妃堂兄，玄宗赐名国忠，因裙带关系与为人便佞而官至右相、兼吏部尚书，领四十余使。传见《旧唐书》卷一百六、《新唐书》卷二百六。㊷从祖兄：同曾祖而不同祖父的兄弟。㊸宗党：族人、乡邻。㊹新都：县名，县治在今四川新都。㊺考满二句：唐制，职事官任期四年，或因一年一考课而称四考。开元以前，考满便可以参加铨选而任新官，以后因选人越来越多，于是规定，凡官罢或任期满后，必须等若干选（年）后才能参加铨选，少者等待一年，多者十二年。故考满要归家待选。考满，指任期已满。考，考课，官吏政绩的考核。㊻新政：县名，县治在今四川南部东南。㊼鲜于仲通：名向，新政人，轻财好施，后任剑南节度使、京兆尹等官。其事散见《旧唐书》卷一百十七《崔宁传》、《新唐书》卷二百六《杨国忠传》等。㊽中女：仲女，第二女。㊾通：通奸。㊿材智：材，通“才”，才能、才干。智，知识、谋略。(351)采访支使：唐采访、节度等使幕僚有判官、支使、掌书记、推官、巡官、衙推等。一说即掌书记，有出身的为书记，无出身的为支使。(352)幸：受皇帝宠爱。(353)附：附款，指通情归附。(354)上国：指京师、首都。(355)本末：来龙去脉。(356)仪观丰伟：容貌壮美，仪表堂堂。(357)言辞敏给：谈吐敏捷。(358)推官：官名，节度使、观察使、团练使、防御使僚属中都有推官。掌审讯，推鞫狱讼。(359)绨：一种粗厚光滑的丝织品。(360)郫：县名，县治在今四川成都市郫都区。(361)赍：携带。(362)遗：给予；赠送。(363)直：通“值”。价值。(364)樗蒲：古代的一种赌博。(365)供奉官：唐代侍中、中书令、左右散骑常侍、门下中书侍郎、谏议大夫、给事中、中书舍人、起居郎、起居舍人、通事舍人、左右补阙拾遗、御史大夫、御史中丞、侍御史等供职在皇帝左右的官员为供奉官。(366)金吾兵曹参军：武官僚佐名，金吾卫有仓、兵、骑、胄四曹，各置参军事为之长，兵曹参军事掌武官宿卫番第之事。(367)癸未：九月二十九日。(368)杨慎矜代之：《旧唐书·食货志》误作“三载，以杨钊为水陆运使”。《资治通鉴》系据《玄宗实录》（已佚）。见《通鉴考异》。(369)皎：姜皎（公元六七三至七二二年），秦州上邽（今甘肃天水市西南）人，官至太常卿，封楚国公。传见《旧唐书》卷五十九、《新唐书》卷九十一。(370)市宠：讨好皇帝，取得皇帝宠爱。(371)侵掠：侵犯掠夺。(372)奚、

契丹各杀公主：契丹王李怀节杀静乐公主，奚王李延宠杀宜芳公主。㊲褚诩：陇右节度副使。事见《新唐书》卷五《玄宗纪》。㊳甲午：十月初十日。㊴北平郡：郡名，天宝元年（公元七四二年）平州改名，治所在今河北卢龙。㊵李靖：李靖（公元五七一至六四九年），名药师，雍州三原（今陕西富平西）人，隋名将韩擒虎甥，精熟兵法。唐初，从李世民征王世充，随李孝恭平肖铣，贞观时平定突厥、吐谷浑，皆有功。官至尚书右仆射，封卫国公。传见《旧唐书》卷六十七、《新唐书》卷九十三。㊶李勣：李勣（公元五九四至六六九年），本姓徐，名世勣，曹州离狐（今山东东明东北）人，曾参加瓦岗寨义军。后降唐，赐姓李，因避太宗李世民讳，单名勣。官至太子詹事兼左卫率、同中书门下三品。以军功封英国公。传见《旧唐书》卷六十七、《新唐书》卷九十三。㊷荐奠：以食物祭祀。㊸丁酉：十月十三日。㊹户部郎中：官名。户部尚书下辖四司：户部、度支、金部、仓部。户部郎中系户部司长官，主管户口、土田、赋役等事。㊺户口色役使：户口使、色役使。使职名，户口使是唐代在逃户日益严重、户籍管理制度弛坏过程中，为清查隐匿逃亡户口而设置的差遣官。不常设。见于记载的有开元九年（公元七二一年）宇文融为诸色安辑户口使，天宝四载（公元七四五年）王鉷为户口使。色役使，是经管征调工匠、门夫、白直、执衣、防阁、庶仆、手力、随身、士力等诸色徭役的差遣官。㊻复除：免除赋税徭役。㊼辇：人力车。㊽广张：无限扩张，犹言虚张。㊾更：调换；轮换。㊿申牒：指向上报告。牒，文书。(387)贯籍：本贯户籍。(388)避课：逃避赋税。(389)左、右藏：国库。唐太府寺管左、右藏，各设令丞掌之，左藏纳赋调的钱帛绢布，右藏纳四方贡献的金玉、珠贝及玩好之物。(390)指：通“旨”，旨意。(391)内库：皇宫的府库，指大盈库。(392)丙子：十一月二十三日。(393)樗蒲文簿：唐玄宗与宫妃摴戏，杨钊为之记录摴戏输赢账簿，称樗蒲文簿。樗蒲，又作摴蒱、樗蒱，古代摴戏。(394)钩校：查对；核校。(395)度支郎：度支郎中、员外郎。官名，户部度支司官，主掌国家租赋的征敛、转运、送纳，根据每年的收入而支付军国费用。(396)征：通“证”，证明、求实。(397)属：通“嘱”。嘱咐。(398)判官：唐诸使职都设有判官为僚属，以佐理使务。判官有时泛指所有幕职，专称判官多是掌判使府某方面事务的僚属。(399)戊戌：十二月十五日。

【校记】

［4］帛：原无此字。据章钰校，十二行本、乙十一行本皆有此字，张敦仁《通鉴刊本识误》同，今据补。

【原文】

五载（丙戌，公元七四六年）

春，正月乙丑⁽⁴⁰⁰⁾，以陇右节度使皇甫惟明兼河西节度使。

李适之性疏率⁽⁴⁰¹⁾，李林甫尝谓适之曰："华山有金矿，采之可以富国，主上未之知也。"他日，适之因奏事言之。上以问林甫，对曰："臣久知之，但华山陛下本命，王气所在，凿之非宜，故不敢言。"上以林甫为爱己，薄适之虑事不熟，谓曰："自今奏事，宜先与林甫议之，无得轻脱⁽⁴⁰²⁾。"适之由是束手⁽⁴⁰³⁾矣。适之既失恩，韦坚失权，益相亲密，林甫愈恶之。

初，太子之立，非林甫意。⁽⁴⁰⁴⁾林甫恐异日为己祸，常有动摇东宫⁽⁴⁰⁵⁾之志；而坚，又太子之妃兄也。皇甫惟明尝为忠王⁽⁴⁰⁶⁾友⁽⁴⁰⁷⁾，时破吐蕃，入献捷，见林甫专权，意颇不平。时因见上，乘间微劝⁽⁴⁰⁸⁾上去林甫。林甫知之，使杨慎矜密伺其所为。会正月望夜⁽⁴⁰⁹⁾，太子出游，与坚相见，坚又与惟明会于景龙观⁽⁴¹⁰⁾道士之室。慎矜发其事，以为坚戚里⁽⁴¹¹⁾，不应与边将狎昵⁽⁴¹²⁾。林甫因谮[5]坚与惟明结谋，欲共立太子。坚、惟明下狱，林甫使慎矜与御史中丞王鉷、京兆府法曹吉温共鞫之。上亦疑坚与惟明有谋而不显其罪，癸酉⁽⁴¹³⁾，下制，责坚以干进⁽⁴¹⁴⁾不已，贬缙云⁽⁴¹⁵⁾太守，惟明以离间君臣，贬播川⁽⁴¹⁶⁾太守，仍别下制戒⁽⁴¹⁷⁾百官。

以王忠嗣为河西、陇右节度使，兼知朔方、河东节度事。忠嗣始在朔方、河东，每互市，高估⁽⁴¹⁸⁾马价。诸胡闻之，争卖马于唐，忠嗣皆买之。由是胡马少，唐兵益壮。及徙陇右、河西，复请分朔方、河东马九千匹以实之，其军亦壮。忠嗣杖四节⁽⁴¹⁹⁾，控制万里，天下劲兵重镇，皆在掌握，与吐蕃战于青海、积石，皆大捷。又讨吐谷浑于墨离军，虏其全部而归。

夏，四月癸未⁽⁴²⁰⁾，立奚酋娑固⁽⁴²¹⁾为昭信王，契丹酋楷洛⁽⁴²²⁾为恭仁王。

己亥⁽⁴²³⁾，制："自今四孟月，皆择吉日祀天地、九宫⁽⁴²⁴⁾。"

韦坚等既贬，左相李适之惧，自求散地⁽⁴²⁵⁾。庚寅⁽⁴²⁶⁾，以适之为太子少保⁽⁴²⁷⁾，罢政事。其子卫尉少卿⁽⁴²⁸⁾雪⁽⁴²⁹⁾尝盛馔⁽⁴³⁰⁾召客，客畏李林甫，竟日无一人敢往者。

【语译】

五载（丙戌，公元七四六年）

春，正月十三日乙丑，任命陇右节度使皇甫惟明兼任河西节度使。

李适之性格粗疏率直，李林甫曾对李适之说："华山有金矿，开采它可以使国家富足，皇上还不知道这个情况。"一天，李适之借上奏言事谈及此事。玄宗询问李林甫，李林甫回答说："我早就知道了，但是华山是陛下的命根，王气所在，开凿它很不适宜，所以不敢向陛下谈及。"玄宗认为李林甫是爱护自己，批评李适之考虑事情不成熟，对他说："从今以后上奏言事，应该先同李林甫商量，不要轻佻不稳。"从此李适之对政事束手不问。李适之已失去恩宠，韦坚也丧失权力，彼此更加亲密，李林甫也愈加憎恶他们。

之前，册封的太子不符合李林甫的心意。李林甫担心他日成为自己的祸患，时常有改立太子的想法。而韦坚又是太子妃子的哥哥。皇甫惟明曾担任忠王友，当时打败吐蕃，入朝献捷，看到李林甫专权，心中很是愤愤不平。当时借觐见玄宗，乘机悄悄劝说玄宗罢黜李林甫。李林甫知道了，派杨慎矜秘密监视他的行动。适逢正月十五日的夜晚，太子出宫游赏，与韦坚相见，韦坚又与皇甫惟明在景龙观道士的房里相会。杨慎矜揭发了这件事，认为韦坚是外戚，不应该和边将亲密。李林甫借机谮毁韦坚与皇甫惟明结谋，想要一起拥立太子。韦坚、皇甫惟明入狱，李林甫派杨慎矜和御史中丞王𫟹、京兆府法曹吉温一起审问他们。玄宗也怀疑韦坚和皇甫惟明有谋划，而罪过却没有暴露出来，二十一日癸酉，下制书批评韦坚谋求加官晋爵没有止境，降为缙云太守，皇甫惟明离间君臣，降为播川太守，还另外下制书告诫百官。

任命王忠嗣为河西、陇右节度使，兼任朔方、河东节度使事。忠嗣起初在朔方、河东，每次交易都高抬马价。各部胡人听到后，争着把马卖给唐朝，王忠嗣便把马都买下。从此，胡人的马少了，唐军越来越壮大。等到调任陇右、河西节度使，又请求划分朔方、河东的九千匹马来充实陇右、河西，陇右、河西的兵力也很强大。王忠嗣手握四个符节，控制疆域万里，天下劲兵重镇都掌握在手，和吐蕃在青海、积石交战，都取得重大胜利。又在墨离军讨伐吐谷浑，俘虏他的全部人马后回军。

夏，四月初一日癸未，封奚部酋长娑固为昭信王，契丹酋长楷洛为恭仁王。

十七日己亥，下制书："自现在起四个孟月，全都选择吉日祭祀天地、九宫。"

韦坚等人被贬官后，左丞相李适之很恐惧，自求散职。四月初八日庚寅，任命李适之为太子少保，罢免理政职权。他的儿子卫尉少卿李霅曾设盛宴请客，客人们畏惧李林甫，整天没有一个人敢前往赴宴的。

以门下侍郎[431]、崇玄馆大学士[432]陈希烈[433]同平章事。希烈，宋州[434]人，以讲《老》《庄》得进，专用神仙符瑞取媚于上。李林甫以希烈为上所爱，且柔佞易制，故引以为相，凡政事一决于林甫，希烈但给唯诺。故事[435]，宰相午[436]后六刻乃出。林甫奏，今太平无事，巳[437]时即还第，军国机务皆决于私家，主书[438]抱成案[439]诣希烈书名而已。

五月壬子[440]朔，日有食之。

乙亥[441]，以剑南节度使章仇兼琼为户部尚书，诸杨引之也。

秋，七月丙辰[442]，敕："流贬人多在道逗留，自今左降[443]官日驰十驿[444]以上。"是后流贬者多不全[445]矣。

【段旨】

以上为第九段，写李林甫加害太子，排斥太子妃外戚韦氏子弟与李适之，巩固专擅之权。

【注释】

⑳乙丑：正月十三日。[401]疏率：疏略；粗疏。[402]轻脱：轻佻；不稳重。[403]束手：捆缚双手，言无从工作。[404]太子之立二句：太子瑛死，李林甫劝玄宗立寿王瑁。终未遂林甫之意而立忠王玙为太子。见本书前一卷开元二十六年。[405]东宫：太子所居之宫，借指太子。[406]忠王：李玙，开元十五年（公元七二七年）封忠王。即后来即位的唐肃宗。[407]友：官名，为王府之职，从五品下，掌侍游处，规讽道义。[408]微劝：悄悄劝告。[409]望夜：农历每月十五日之夜。[410]景龙观：道观名，在长安城中崇仁坊，原为长宁公主宅，韦后被诛，遂立为观，以中宗年号为名。[411]戚里：外戚。[412]狎昵：亲密。[413]癸酉：正月二十一日。[414]干进：谋求晋升为官。[415]缙云：郡名，天宝元年（公元七四二年）括州改名，治所在今浙江丽水西。[416]播川：郡名，天宝元年播州改名，治所在今贵州遵义。[417]戒：通"诫"，告诫。[418]估：估量物价。[419]杖四节：指充任河西、陇右、朔方、河东四道节度使。杖节，古代大臣出使或大将出师，皇帝授予符节，作为凭证及权力的象征。[420]癸未：四月初一日。[421]娑固：奚族它部首领，奚王延宠叛后，唐立娑固为王以安定奚部。[422]楷洛：契丹首领，开元初，为左羽林将军、朔方节度副使，封蓟国公，以骁勇果敢闻名。李怀秀叛后，唐立为王。[423]己亥：四月十七日。[424]九宫：玄宗天

任命门下侍郎、崇玄馆大学士陈希烈为同平章事。陈希烈，是宋州人，因讲授《老子》《庄子》得以晋升，专门用神仙符瑞学说取媚于玄宗。李林甫认为陈希烈为玄宗所喜爱，而且奸巧逢迎，易于制服，所以推荐他做宰相，所有政事全部由李林甫决断，陈希烈只是应声附和。根据先例，宰相午后六刻才退朝。李林甫奏言，当今太平无事，巳时就可以回家，军中和国家的机要大事都在李林甫私宅决定，主管文书的官员抱着已经办好的文件案卷到陈希烈那里签名而已。

五月初一日壬子，发生日食。

五月二十四日乙亥，任命剑南节度使章仇兼琼为户部尚书，这是杨家人推荐他的。

秋，七月初六日丙辰，下敕书："流放贬官的人大多在路上逗留，从今以后，被贬逐的官员每天要行进十个驿站以上。"此后被流放贬官的人大多性命难保。

宝三载，置太一、天一、招摇、轩辕、咸池、青龙、太阴、天符、摄提九宫神坛，四时祭祀。㉕散地：闲散之地。此借指闲散的官职。㉖庚寅：四月初八日。㉗太子少保：官名，东宫之官，掌教谕太子。㉘卫尉少卿：官名，卫尉寺副长官，主掌国家的兵器和祭祀、朝会用的仪器。㉙霅：李霅，李适之的儿子，任卫尉少卿。㉚盛馔：丰盛的美食。馔，食物、美食。㉛门下侍郎：官名，门下省副长官，其长官侍中治宰相事，则门下侍郎总理省内封驳诸事，并侍从祭祀朝会大典。㉜崇玄馆大学士：官名，玄宗设讲习道教的崇玄学，置博士，教生员。后改崇玄学为崇玄馆，博士改称学士，并置大学士一人，领两京玄元宫及道院，以宰相兼任。㉝陈希烈：官至宰相，封许国公。杨国忠执政后罢相，后投安禄山任伪相。传见《旧唐书》卷九十七、《新唐书》卷二百二十三上。㉞宋州：州名，治所在今河南商丘南。㉟故事：先例。指旧时的典章、制度、成例。㊱午：十二时辰之一。中午十一时至一时。㊲巳：十二时辰之一。上午九时至十一时。㊳主书：官名，中书省属官，主管文书。㊴成案：已办好的公文案卷。㊵壬子：五月初一日。㊶乙亥：五月二十四日。㊷丙辰：七月初六日。㊸左降：古以右为尊，左为卑。左降是指降职贬官。㊹驿：传驿，官置交通设施。唐代传驿归兵部驾部司管辖，凡三十里一驿，置驿长，陆驿的马和水驿的船均依该驿闲要而定数量。乘驿者必须持门下省或诸州发给的证券。㊺不全：性命不全，指被折磨死去。

【校记】

［5］谮：原作"奏"。据章钰校，十二行本、乙十一行本皆作"谮"，今从改。

【原文】

杨贵妃方有宠，每乘马则高力士执辔授鞭，织绣之工专供贵妃院者七百人，中外争献器服珍玩。岭南经略使张九章[446]、广陵[447]长史王翼[448]以所献精美，九章加三品，翼入为户部侍郎，天下从风而靡[449]。民间歌之曰：“生男勿喜女勿悲，君今看女作门楣[450]。”妃欲得生荔支[451]，岁命岭南驰驿致之[452]，比至长安，色味不变。

至是，妃以妒悍[453]不逊[454]，上怒，命送归兄铦之第。是日，上不怿[455]，比日中，犹未食，左右动不称旨，横被棰挞[456]。高力士欲尝[457]上意，请悉载院中储偫[458]送贵妃，凡百余车，上自分御膳以赐之。及夜，力士伏奏请迎贵妃归院，遂开禁门[459]而入。自是恩遇[460]愈隆，后宫莫得进矣。

将作少匠[461]韦兰、兵部员外郎韦芝为其兄坚讼冤，且引太子为言，上益怒。太子惧，表请与妃离婚，乞不以亲废法。丙子[462]，再贬坚江夏[463]别驾，兰、芝皆贬岭南。然上素知太子孝谨，故谴怒[464]不及。李林甫因言坚与李适之等为朋党[465]，后数日，坚长流临封[466]，适之贬宜春[467]太守，太常少卿[468]韦斌[469]贬巴陵[470]太守，嗣薛王琄[471]贬夷陵[472]别驾，睢阳太守裴宽贬安陆[473]别驾，河南尹李齐物贬竟陵[474]太守，凡坚连[6]亲党坐流贬者数十人。斌，安石[475]之子。琄，业之子，坚之甥也，琄母亦令随琄之官。

冬，十月戊戌[476]，上幸骊山温泉。十一月乙巳[477]，还宫。

赞善大夫[478]杜有邻女为太子良娣[479]，良娣之姊为左骁卫兵曹[480]柳勣妻。勣性狂疏[481]，好功名，喜交结豪俊。淄川太守裴敦复荐于北海[482]太守李邕[483]，邕与之定交[484]。勣至京师，与著作郎[485]王曾等为友，皆当时名士也。

勣与妻族不协，欲陷之，为飞语[486]，告有邻妄称图谶[487]，交构东宫[488]，指斥乘舆[489]。林甫令京兆士曹[490]吉温与御史鞫之，乃勣首谋也。温令勣连引曾等入台。十二月甲戌[491]，有邻、勣及曾等皆杖死[492]，积尸大理[493]，妻子流远方，中外震栗[494]。嗣虢王巨[495]贬义阳[496]司马[497]。巨，邕之子也。别遣监察御史罗希奭往按李邕，太子亦出良娣为庶人。

【语译】

杨贵妃正得宠幸，每次骑马高力士就给她牵马缰、拿马鞭，专供贵妃院织绣的工人有七百人，朝廷内外争相进献器具、服饰、珍宝、玩物。岭南经略使张九章、广陵长史王翼因所进献的物品精美，张九章官阶加至三品，王翼入朝为户部侍郎，天下风从。民间歌谣唱道："生了男孩莫欢喜，生了女孩莫悲伤，请你今日看看，女孩让你宗门显扬。"贵妃想要得到新鲜的荔枝，每年命令岭南驿马驰送，等到了长安，荔枝的颜色和味道都没有改变。

就在这时，贵妃因嫉妒凶悍不恭顺，玄宗很生气，下令把她送回哥哥杨铦的家中。这一天，玄宗不高兴，快到中午还没有吃饭，身边的人干什么都不合玄宗的心意，无缘无故地遭受鞭笞。高力士想试探玄宗的心意，请求把贵妃院中储备的器物全部装载送给贵妃，共有一百多车，玄宗亲自把自己的饭食分赐给她。到了夜晚，高力士跪伏奏请玄宗迎接贵妃回院，于是打开宫门，贵妃回到院内。从此玄宗对贵妃的恩宠礼遇更加隆重，后宫没有人得以进幸了。

将作少匠韦兰、兵部员外郎韦芝替他们的哥哥韦坚申诉冤枉，而且利用太子作为借口，玄宗更加生气。太子恐惧，上表请求与妃子韦氏离婚，乞求不要因为亲属的关系而破坏法律。七月二十六日丙子，再贬韦坚为江夏别驾，韦兰、韦芝都被贬往岭南。然而玄宗素来知道太子孝顺谨慎，所以不责怒于他。李林甫借机说韦坚与李适之等人结党营私，过后几天，韦坚被永远流放在临封，李适之被贬为宜春太守，太常少卿韦斌被贬为巴陵太守，嗣薛王李琄被贬为夷陵别驾，睢阳太守裴宽被贬为安陆别驾，河南尹李齐物被贬为竟陵太守，韦坚的亲戚朋友被牵连获罪流放贬官的共有几十人。韦斌是韦安石的儿子。李琄是李业的儿子、韦坚的外甥，李琄的母亲也被命令随从李琄去往任所。

冬，十月二十日戊戌，玄宗亲临骊山温泉。十一月二十八日乙巳，回宫。

赞善大夫杜有邻女儿为太子良娣，良娣的姐姐是左骁卫兵曹柳勣的妻子。柳勣的性格狂放粗疏，爱好功名，喜欢结交豪侠俊杰。淄川太守裴敦复把他引荐给北海太守李邕，李邕就和柳勣结交为友。柳勣到达京师，和著作郎王曾等人交友，他们全是当时的名士。

柳勣与妻子娘家人不和，想要陷害他们，造作流言蜚语，告发杜有邻妄言图谶，与东宫交结，指责玄宗。李林甫命令京兆士曹吉温和御史审理，原来柳勣是首谋。吉温让柳勣牵连王曾等人下御史台狱。十二月二十七日甲戌，杜有邻、柳勣以及王曾等人都被棍棒打死，尸体堆放在大理寺，妻儿流放远地，朝廷内外震颤。嗣虢王李巨被贬为义阳司马。李巨，是李邕的儿子。另派监察御史罗希奭去审理李邕，太子把良娣逐出为庶人。

乙亥⁽498⁾，邺郡⁽499⁾太守王琚⁽500⁾坐赃贬江华⁽501⁾司马。琚性豪侈，与李邕皆自谓耆旧⁽502⁾，久在外，意怏怏⁽503⁾。李林甫恶其负材使气⁽504⁾，故因事除之。

【段旨】

以上为第十段，写杨贵妃专宠，李林甫专权，继续加害于太子之党及韦氏外戚。

【注释】

⑯张九章：宰相张九龄之弟，官至鸿胪卿。传见《旧唐书》卷九十九。⑰广陵：郡名，天宝元年（公元七四二年）扬州改名，治所在今江苏扬州。⑱王翼：曾任盩厔令、广陵长史、户部侍郎，余不详。事略见《新唐书》卷七十六《杨贵妃传》。⑲从风而靡：指由此而广泛流行，成为社会风气。靡，倾倒。⑳门楣：门上横梁，为门外易见之物，可由此而显示内室的堂皇。比喻杨家生女而宗门崇显。㉑生荔支：新鲜荔枝。支，通"枝"。㉒岭南驰驿致之：由岭南通过最快的驿传送至长安。宋代苏轼等人认为，贵妃所食荔枝是今四川涪陵地区送至长安，并非来自岭南。可备一说。㉓妒悍：嫉妒、凶狠。㉔逊：恭顺。㉕怿：喜悦。㉖棰挞：棰，杖击。挞，鞭打。㉗尝：试探。㉘储偫：存备。指储存的宝货。㉙禁门：宫门。㉚恩遇：恩幸宠遇。㉛将作少匠：官名，将作监副长官，掌土木工程建筑。㉜丙子：七月二十六日。㉝江夏：郡名，天宝元年（公元七四二年）鄂州改名，治所在今湖北武汉武昌。㉞谴怒：责备愤怒。㉟朋党：结党营私、排斥异己的宗派集团。㊱临封：郡名，天宝元年（公元七四二年）封州改名，治所在今广西梧州。㊲宜春：郡名，天宝元年袁州改名，治所在今江西宜春。㊳太常少卿：官名，太常寺副长官，佐太常卿掌管礼乐、郊庙、社稷等礼仪。㊴韦斌：韦斌（？至公元七五五年），京兆万年（今陕西西安东）人，官至太常少卿。传见《旧唐书》卷九十二、《新唐书》卷一百二十二。㊵巴陵：郡名，天宝元年岳州改名，治所在今湖南岳阳。㊶嗣薛王瑁：李瑁，玄宗弟薛王李业之子，官至鸿胪卿。传见《旧唐书》卷九十五、《新唐书》卷八十一。㊷夷陵：郡名，天宝元年峡州改名，治所在今湖北宜昌西北。㊸安陆：郡名，天宝元年安州改名，治所在今湖北安陆。㊹竟陵：郡名，天宝元年复州改名，治所在今湖北仙桃西南沔城。㊺安石：韦安石（公元六五一至七一四年），京兆万年（今陕西西安东）人，为政清严，武则天、中宗、睿宗三朝著名宰相。传见《旧唐书》卷九十二、《新唐书》卷一百二十二。㊻戊戌：十月二十日。㊼乙巳：十一月二十八日。㊽赞

十二月二十八日乙亥，邺郡太守王琚因犯贪赃罪被贬为江华司马。王琚性情豪放，与李邕都自称是耆旧老臣，长期为外官，心里怏然不平。李林甫厌恶他恃才使气，所以借故除掉他。

善大夫：官名，太子左右春坊有左右赞善大夫，掌对太子的讽诵规谏。⑷⑺⑼良娣：太子内官名，太子内官良娣二人与良媛六人、承徽十人、昭训十六人、奉仪二十四人，皆太子之妾。⑷⑻⓪左骁卫兵曹：左骁卫兵曹参军，武官名，左骁卫的属官，掌武官宿卫番第。⑷⑻①狂疏：狂放粗疏。⑷⑻②北海：郡名，天宝元年（公元七四二年）青州改名，治所在今山东青州。⑷⑻③李邕：李邕（公元六七七至七四六年），文学家，字泰和，扬州江都（今江苏扬州）人，父李善以注《文选》闻名于世。李邕少以词高行直知名，官至御史中丞。然屡遭贬逐，终为李林甫构陷而死。其文名于天下，以碑颂见长，时称李北海。传见《旧唐书》卷一百九十中、《新唐书》卷二百二。⑷⑻④定交：约定交谊。⑷⑻⑤著作郎：官名，秘书省著作局长官，掌修撰碑志、祝文、祭文，与著作佐郎分治局事。⑷⑻⑥飞语：无根据之说或恶意的诽谤。⑷⑻⑦图谶：宣扬符命占验的书。此指以图谶为据而发狂妄之言。⑷⑻⑧交构东宫：与东宫之人（指杜良娣）交相结合。交构，交合、结合。⑷⑻⑨指斥乘舆：指责皇上。乘舆，皇帝、诸王乘的车。此指皇帝。⑷⑨⓪京兆士曹：京兆府士曹参军事，为京兆府属吏，掌津梁、舟车、舍宅等百工众艺之事。诸州亦设此官职，称司士参军。⑷⑨①甲戌：十二月二十七日。⑷⑨②杖死：杖刑而死，即以棍棒打死。⑷⑨③大理：大理寺，官署名，九寺之一，掌刑狱。⑷⑨④震栗：震恐颤抖。⑷⑨⑤嗣虢王巨：嗣虢王李邕（高祖第十四子虢王凤之嫡孙）之子。开元中为嗣虢王，涉猎书史，好写作，官至御史大夫，兼统岭南、黔中、南阳三节度使。传见《旧唐书》卷一百十二、《新唐书》卷七十九。⑷⑨⑥义阳：郡名，天宝元年申州改名，治所在今河南信阳。⑷⑨⑦司马：官名，郡守的上佐（高级僚属），佐刺史、太守掌治府州众事，通判列曹。刺史、太守或阙时，可代主州郡政务。但因品高俸厚职闲，常安排贬退大臣、武官担任。⑷⑨⑧乙亥：十二月二十八日。⑷⑨⑨邺郡：郡名，天宝元年相州改名，治所在今河南安阳。⑸⓪⓪王琚：王琚（公元六五七至七四六年），怀州河内（今河南沁阳）人，官至紫微侍郎。传见《旧唐书》卷一百六、《新唐书》卷一百二十一。⑸⓪①江华：郡名，天宝元年道州改名，治所在今湖南道县。⑸⓪②耆旧：年高而久负声望的人。⑸⓪③快快：不服气；不乐意。⑸⓪④使气：意气用事。

【校记】

［6］连：原无此字。据章钰校，十二行本、乙十一行本皆有此字，今据补。

【原文】

六载（丁亥，公元七四七年）

春，正月辛巳[505]。李邕、裴敦复皆杖死。邕才艺出众，卢藏用[506]常语之曰："君如干将、莫邪[507]，难与争锋，然终虞[508]缺折耳。"邕不能用。

林甫又奏分遣御史即贬所赐皇甫惟明、韦坚兄弟等死。罗希奭自青州[509]如[510]岭南，所过杀迁谪[511]者，郡县惶骇[512]。排马牒[513]至宜春，李适之忧惧，仰药[514]自杀。至江华，王琚仰药不死，闻希奭已至，即自缢[515]。希奭又迂路过安陆，欲怖杀[516]裴宽，宽向希奭叩头祈生，希奭不宿而过，乃得免。李适之子霅迎父丧至东京，李林甫令人诬告霅，杖死于河南府。给事中[517]房琯[518]坐与适之善，贬宜春太守。琯，融[519]之子也。

林甫恨韦坚不已，遣使于循[520]河及江、淮州县求[521]坚罪，所在[7]收系[522]纲典[523]船夫，溢于牢狱，征剥逋负[524]，延及邻伍[525]，皆裸露死于公府[526]，至林甫薨乃止。

丁亥[527]，上享太庙。戊子[528]，合祭天地于南郊[529]，赦天下。制免百姓今载田租，又令除[8]削绞、斩条。上慕好生之名，故令应绞、斩者皆重杖流岭南，其实有司[530]率[531]杖杀之。又令天下为嫁母服三载。

上欲广求天下之士，命通一艺[532]以上皆诣京师。李林甫恐草野之士[533]对策[534]斥言其奸恶，建言："举人[535]多卑贱愚聩[536]，恐有俚言[537]污浊圣听[538]。"乃令郡县长官精加试练，灼然超绝[539]者，具名送省[540]，委尚书覆[541]试，御史中丞监之，取名实相副[542]者闻奏。既而[543]至者皆试以诗、赋、论，遂无一人及第[544]者。林甫乃上表贺野无遗贤。

【语译】

六载（丁亥，公元七四七年）

春，正月初五日辛巳，李邕、裴敦复全被杖打致死。李邕才华出众，卢藏用常对他说："您就如同宝剑干将、莫邪，难与争锋，但终究担心有所折损。"李邕没有采纳他的意见。

李林甫又奏请分别派遣御史到贬官处所将皇甫惟明、韦坚兄弟等人赐死。罗希奭从青州前往岭南，所过之处，杀死被贬逐的人，郡县惶恐。排马牒到了宜春，李适之忧伤恐惧，饮药自杀。到了江华，王琚服药未死，听说罗希奭已经到了，立刻自缢而死。罗希奭又绕道经过安陆，想吓杀裴宽，裴宽向罗希奭磕头乞求活命，罗希奭没有宿留就走了，裴宽才得以免死。李适之的儿子李霅把父亲的灵柩迎至东京，李林甫派人诬告李霅，用棍棒把他打死在河南府。给事中房琯因与李适之相善而入罪，被贬为宜春太守。房琯，是房融的儿子。

李林甫憎恨韦坚不已，派使者沿着黄河和长江、淮河两岸的州县搜集韦坚的罪状，所到之处拘捕纲典和船夫，牢房人满为患，榨取百姓拖欠的租税，祸及邻里，人们赤身裸体地死在公府，直到李林甫去世才停止。

正月十一日丁亥，玄宗祭祀太庙。十二日戊子，在南郊合祭天地之神，大赦天下。下令免除百姓当年的田租，又下令废除绞刑、斩刑的法条。玄宗仰慕好生之名，所以下令应当处以绞刑、斩刑的犯人，都用棍棒重打后流放岭南，其实主管官员大都杖杀了他们。又下令天下为改嫁的母亲服丧三年。

玄宗想广泛地寻求天下的才士，命令通晓一种学艺以上的人都到京师来。李林甫害怕民间文士在对策时指责他的奸恶，向玄宗建议说："地方举荐的人大多卑贱愚昧，恐怕有粗言俗语污浊了圣上的视听。"于是命令郡县长官精心加以考试训练，明显超出常人的，开列姓名送到尚书省，委托尚书复试，御史中丞监考，选取名实相符的人奏报玄宗。不久，到来的人都用诗、赋、论进行考试，就没有一个人及格中选。李林甫便上表祝贺民间没有遗漏的贤人。

【段旨】

以上为第十一段，写李林甫一手遮天，用酷法对待政敌，用巧佞阻挡后进，唐玄宗全被蒙在鼓里。

【注释】

⑤05 辛巳：正月初五日。⑤06 卢藏用：卢藏用（约公元六六四至七一三年），文学家，字子潜，人称随驾隐士，幽州范阳（今北京）人，武则天时官至左拾遗，中宗时官至工部侍郎、尚书右丞。传见《旧唐书》卷九十四、《新唐书》卷一百二十三。⑤07 干将、莫邪：古剑名，据《吴越春秋》卷四载，春秋时吴人干将与妻莫邪善铸剑，铸有两把锋利无比的宝剑，命名为干将、莫邪，献给吴王阖闾。⑤08 虞：忧虑；担心。⑤09 青州：州名，治所在今山东青州。⑤10 如：介词。往、到。⑤11 迁谪：贬逐；徙官降职。⑤12 惶骇：惶恐害怕。⑤13 排马牒：驿站乘马的证明文件。御史所过，沿路郡县供给驿马，所以御史还未到某地，先送达排马牒。⑤14 仰药：服药。⑤15 缢：勒颈气绝而死。⑤16 怖杀：骇死。⑤17 给事中：官名，门下省要员，掌奏抄驳正、制敕宣行、三司决狱、遣使发驿及审校六品以下官的授职。⑤18 房琯：房琯（公元六九七至七六三年），字次律，河南县（今河南洛阳南）人，官至文（吏）部尚书、同中书门下平章事，封清河郡公。传见《旧唐书》卷一百十一、《新唐书》卷一百三十九。⑤19 融：房融，武则天朝官至正谏大夫、同平章事。传见《新唐书》卷一百三十九。⑤20 循：沿；顺着。⑤21 求：寻找。⑤22 收系：拘囚。⑤23 纲典：十船为一纲，以吏为纲典，掌管运事。⑤24 征剥逋负：征收拖欠税赋。逋负，拖欠税赋。⑤25 延及邻伍：指牵连到邻居。古代五家为邻，或五家为伍，唐以四家为邻。⑤26 公府：官府。⑤27 丁亥：正月

【原文】

戊寅[545]，以范阳、平卢节度使安禄山兼御史大夫。

禄山体充肥[546]，腹垂过膝，尝自称腹重[9]三百斤。外若痴直[547]，内实狡黠[548]。常令其将刘骆谷留京师诇[549]朝廷指趣[550]动静皆报之，或应有笺[551]表者，骆谷即为代作通之。岁献俘虏、杂畜、奇禽、异兽、珍玩之物，不绝于路，郡县疲于递运[552]。

禄山在上前应对敏给[553]，杂以诙谐。上尝戏指其腹曰："此胡腹中何所有？其大乃尔！"对曰："更无余物，正有赤心耳！"上悦。又尝命见太子，禄山不拜。左右趣[554]之拜，禄山拱立[555]曰："臣胡人，不习朝仪，不知太子者何官？"上曰："此储君[556]也。朕千秋万岁后，代朕君汝者也。"禄山曰："臣愚，向者[557]惟知有陛下一人，不知乃更有储君。"不得已，然

十一日。㉘戊子：正月十二日。㉙合祭天地于南郊：古人在国都南郊祭天于圜丘，在国都北郊祭地于泽中之方丘，以顺阴阳。唐朝初建，因袭旧典，武德初年定令，每年祭天于圜丘，其坛设在京城明德门外道东二里。夏至祭地于方丘，其坛在宫城之北十四里。到了武则天天册万岁元年（公元六九五年），亲享南郊，始合祭天地。玄宗开元间撰定《开元礼》，据所定祀典，天宝元年（公元七四二年），合祭天地于南郊，此后形成有唐一代定制。㉚有司：官吏。古代设官分职，事各有专司，故称有司。㉛率：大都；往往。㉜一艺：本指“六经”之一经。此泛言一种才艺、技能。㉝草野之士：民间有才识之人。㉞对策：汉代以来，皇帝选拔人才所举行考试的一种内容。把所提问题写在竹简上叫策，应考人按问题回答，称对策。㉟举人：地方荐举之人。㊱愚瞶：愚昧糊涂。㊲俚言：方言俗语。㊳圣听：圣上视听。臣下称颂皇帝明察的套语。㊴灼然超绝：明显地超出寻常，世上少有。㊵具名送省：开列姓名送尚书省。㊶覆：通“复”。㊷副：符合。㊸既而：不久。一事过去未久，又有一事发生时用之。㊹及第：科举应试中选。

【校记】

［7］所在：原无此二字。据章钰校，十二行本、乙十一行本皆有此二字，今据补。［8］除：原无此字。据章钰校，十二行本、乙十一行本皆有此字，今据补。

【语译】

三月初二日戊寅，任命范阳、平卢节度使安禄山兼任御史大夫。

安禄山身体肥胖，肚子下垂超过膝部，他自己曾说他的肚子重三百斤。外表好像呆傻朴直，其实内心非常诡诈。曾让他的部将刘骆谷留在京师窥探朝廷的意向和动静，向他报告，有时应该上奏表章，刘骆谷就替他写好送进朝中。每年进献的俘虏、牲畜、奇禽、异兽及珍宝玩物，不绝于路，郡县疲于传运。

安禄山在玄宗面前应对敏捷，间杂诙谐。玄宗曾经开玩笑，指着他的肚子说：“这个胡人的肚子里有什么东西？它怎么大成这个样子！”安禄山回答说：“没有别的东西，只有一颗赤心！”玄宗听了很高兴。玄宗又曾叫他见太子，安禄山对太子不行拜礼。左右的人催促他行拜礼，安禄山拱手站着说：“臣是胡人，不熟悉朝廷中的礼仪，不知道太子是什么官？”玄宗说：“这是储君。我死后，代替我做你君主的人。”安禄山说：“臣愚昧，过去只知道有陛下一个人，不知道另外还有储君。”不得已，然

后拜。上以为信然，益爱之。上尝宴勤政楼，百官列坐楼下，独为禄山于御座东间设金鸡障[558]，置榻使坐其前，仍命卷帘以示荣宠。命杨铦、杨锜、贵妃三姊皆与禄山叙兄弟。禄山得出入禁中，因请为贵妃儿。上与贵妃共坐，禄山先拜贵妃。上问何故，对曰："胡人先母而后父。"上悦。

李林甫以王忠嗣功名日盛，恐其入相，忌之。安禄山潜蓄异志，托以御寇，筑雄武城[559]，大贮兵器，请忠嗣助役，因欲留其兵。忠嗣先期而往，不见禄山而还。数上言禄山必反，林甫益恶之。夏，四月，忠嗣固辞兼河东、朔方节度，许之。

【段旨】

以上为第十二段，写安禄山巧佞，河西、陇右节度使王忠嗣多次上奏安禄山必反，唐玄宗竟浑然不悟。

【注释】

㊺戊寅：三月初二日。㊻充肥：肥胖。㊼痴直：愚傻朴直。㊽狡黠：诡诈。㊾诇：

【原文】

冬，十月己酉[560]，上幸骊山温泉，改温泉宫曰华清宫。

河西、陇右节度使王忠嗣以部将哥舒翰[561]为大斗军副使，李光弼[562]为河西兵马使[563]、充赤水军使。翰父祖本突骑施别部酋长，光弼，契丹王楷洛之子也，[564]皆以勇略[565]为忠嗣所重。忠嗣使翰击吐蕃，有同列为之副，倨慢[566]不为用，翰挝杀[567]之，军中股栗[568]。累功至陇右节度副使。每岁积石军麦熟，吐蕃辄来获之，无能御者，边人谓之"吐蕃麦庄"。翰先伏兵于其侧，虏至，断其后，夹击之，无一人得返者，自是不敢复来。

后才行拜礼。玄宗都当以为真，更加喜欢他。玄宗曾在勤政楼设宴，群臣百官依次坐在楼下，单独在玄宗座位的东间替安禄山设置了金鸡屏风，又放置坐榻让他坐在玄宗的前面，还命令他卷起帘子以表示荣耀和尊宠。命令杨铦、杨锜、贵妃三姐妹都和安禄山行兄弟之礼。安禄山能出入宫中，乘机请求做贵妃的儿子。玄宗与贵妃一起坐着，安禄山先拜贵妃。玄宗问他是什么原因，安禄山回答说："胡人先拜母亲后拜父亲。"玄宗很高兴。

李林甫因王忠嗣的功名日益隆盛，担心他入朝为相，对他很嫉恨。安禄山暗怀异心，借口抵御敌寇，修建雄武城，贮藏大量兵器，请求王忠嗣帮助筑城，打算乘机留下他的士兵。王忠嗣早于约定的日期到达，不和安禄山会面就回去了。王忠嗣多次向玄宗进言说安禄山一定反叛，李林甫就更加厌恶王忠嗣。夏，四月，王忠嗣坚决辞去兼任河东、朔方节度使，朝廷答应了。

侦探；刺探。⑤⑤⓪指趣：通"旨趣"，宗旨，意向。⑤⑤①笺：给上司或尊长的文件。⑤⑤②递运：传递运输。⑤⑤③敏给：敏捷。⑤⑤④趣：通"促"。催促。⑤⑤⑤拱立：抱手而立。⑤⑤⑥储君：被确定为君位的继承者，即君主之储。指太子。⑤⑤⑦向者：从前；往昔。⑤⑤⑧金鸡障：画有金鸡图饰的屏风。⑤⑤⑨雄武城：城名，故址在今天津市蓟州区东北。

【校记】

［9］腹重：据章钰校，十二行本、乙十一行本皆无"腹"字。

【语译】

冬，十月初七日己酉，玄宗亲临骊山温泉，把温泉宫改名为华清宫。

河西、陇右节度使王忠嗣任用部将哥舒翰为大斗军副使，李光弼为河西兵马使、充任赤水军使。哥舒翰的父亲、祖父本是突骑施的别部酋长，李光弼是契丹王李楷洛的儿子，都因为勇武善谋被王忠嗣倚重。王忠嗣派哥舒翰攻打吐蕃，有一个同等级别的人做他的副佐，傲慢不听指挥，哥舒翰用鞭子打死了他，军中战栗。积累功劳，官至陇右节度副使。每年积石军的麦子熟了，吐蕃就来收割，没有人能够防御，边塞上的人称之为"吐蕃麦庄"。哥舒翰先把军队埋伏在两侧。敌人到了，截断他们的后路，两面夹击，吐蕃没有一个人能够逃回，从此不敢再来。

上欲使王忠嗣攻吐蕃石堡城[569]，忠嗣上言："石堡险固，吐蕃举国守之。今顿兵其下，非杀数万人不能克。臣恐所得不如所亡，不如且厉兵秣马，俟其有衅[570]，然后取之。"上意不快。将军董延光自请将兵取石堡城，上命忠嗣分兵助之。忠嗣不得已奉诏，而不尽副延光所欲，延光怨之。

李光弼言于忠嗣曰："大夫[571]以爱士卒之故，不欲成延光之功，虽迫于制书，实夺其谋也。何以知之？今以数万众授之而不立重赏，士卒安肯为之尽力乎！然此天子意也。彼无功，必归罪于大夫。大夫军府充牣[572]，何爱数万段帛不以杜其谗口[573]乎！"忠嗣曰："今以数万之众争一城，得之未足以制敌，不得亦无害于国，故忠嗣不欲为之。忠嗣今受责天子，不过以金吾、羽林一将军归宿卫，其次不过黔中上佐[574]，忠嗣岂以数万人之命易一官乎！李将军，子诚爱我矣，然吾志决矣，子勿复言。"光弼曰："向者恐为大夫之累，故不敢不言。今大夫能行古人之事，非光弼所及也。"遂趋出[575]。

延光过期不克，言忠嗣沮挠军计[576]，上怒。李林甫因使济阳[577]别驾魏林告"忠嗣尝自言我幼养宫中，与忠王相爱狎[578]"，欲拥兵以尊奉太子。敕征忠嗣入朝，委三司鞫之。

【段旨】

以上为第十三段，写李林甫加害功臣王忠嗣。王忠嗣破坏董延光的军事计划，致使唐军无功。

【注释】

⑤⑥⓪己酉：十月初七日。⑤⑥①哥舒翰：哥舒翰（？至公元七五六年），突厥族哥舒部人，世居安西。曾任陇右节度副大使，兼河西节度使，封西平郡王。安禄山反，起用为皇太子先锋兵马元帅，守潼关，兵败投降，被安禄山杀害。传见《旧唐书》卷一百四、《新唐书》卷一百三十五。⑤⑥②李光弼：李光弼（公元七〇八至八六四年），营州柳城（今辽宁朝阳）人，契丹酋长李楷洛之子。幼善骑射，曾为河西、朔方将。安史兵起，朝廷倚重其军以御敌，任天下兵马副元帅，知节度行营事。御军严整，屡建战功，乱平，以功封临

玄宗想让王忠嗣攻打吐蕃石堡城，王忠嗣向玄宗进言说："石堡城险要坚固，吐蕃利用全国的力量来守卫它。如今屯兵城下，不杀死几万人不能攻克。臣担心得不偿失，不如暂且厉兵秣马，等到有机可乘，然后夺取它。"玄宗心里不高兴。将军董延光主动请求率军攻取石堡城，玄宗命令王忠嗣分出一部分部队帮助他。王忠嗣迫不得已接受诏书，但没有尽量满足董延光的要求，董延光对他很怨恨。

李光弼对王忠嗣说："您因为爱护士卒，不想成就董延光的功劳，虽然是迫于皇上的命令，但其实是毁掉了他的计划。我为什么知道这一点呢？如今您把几万部众给他，但又不设立重赏，士兵怎么肯替他尽力呢！然而这是天子的主意。他没有功劳，必然归罪于您。您军中府库充盈，何必爱惜几万匹缎帛，而不用来防止他说您的坏话呢！"王忠嗣说："现在利用数万之众争夺一座城，得到它不足以制服敌人，得不到它对国家也没有什么损害，所以我不想这样做。我王忠嗣今天受到天子的责备，不过是做一个金吾或羽林将军回京宿卫，再次一等，也不过做个黔中上等佐吏，怎么能用几万人的生命换取一个官职呢！李将军，您确实是爱护我啊，然而我的主意已经决定了，您不必再说了。"李光弼说："以前害怕此事成为您的负担，所以不敢不说。如今您做事能践行古人风范，不是我李光弼所能企及的。"于是快步走出。

董延光超过期限没有攻克，说是王忠嗣阻挠了军事计划，玄宗非常生气。李林甫乘机让济阳别驾魏林上告"王忠嗣曾自己说我小时候抚养宫中，与忠王相亲昵"，想要拥兵以尊奉太子。玄宗下敕书征召王忠嗣回朝，交由三司来审问他。

淮郡王。传见《旧唐书》卷一百十、《新唐书》卷一百三十六。563 河西兵马使：使职名，河西节度使幕府掌知兵马、领兵作战的武职差遣官。564 光弼二句：李光弼父亲李楷洛天宝二年（公元七四三年）前已卒，不是五载所封之契丹王楷洛。据岑仲勉《通鉴隋唐纪比事质疑》，《资治通鉴》误。565 勇略：勇敢有谋略。566 倨慢：傲慢。倨与慢同义。567 梃杀：用鞭子打死。梃，鞭子。568 股栗：大腿发抖，形容十分恐惧。569 石堡城：边塞哨卡城，为唐与吐蕃边境必争的要塞城堡，三面悬崖，只一路可通，易守难攻。在今青海西宁市湟中区西。570 有衅：指有可乘之机。衅，间隙、破绽。571 大夫：唐中叶以前，多呼将帅为大夫。572 充牣：充满。573 杜其谗口：防止他说坏话。杜，杜绝、防止。谗，说别人坏话。574 黔中上佐：黔中，指黔中道，玄宗开元二十一年（公元七三三年）分江南道西部置，治所黔州，在今重庆彭水。上佐，指长史、别驾、司马之类的高级僚佐。575 趋出：快步走出。576 沮挠军计：指破坏军事计划。沮，破坏。挠，扰乱。577 济阳：郡名，天宝元年（公元七四二年）济州改名，治所在今山东聊城市茌平区西南。578 爱狎：友爱亲昵。

【原文】

上闻哥舒翰名，召见华清宫，与语，悦之。十一月辛卯[579]，以翰判[580]西平[581]太守，充陇右节度使；以朔方节度使安思顺[582]判武威[583]郡事，充河西节度使。

户部侍郎兼御史中丞杨慎矜为上所厚，李林甫浸忌之。慎矜与王𫟹父晋，中表[584]兄弟也，少与𫟹狎[585]，𫟹之入台[586]，颇因慎矜推引。及𫟹迁中丞，慎矜与语，犹名之[587]。𫟹自恃与林甫善，意稍不平。慎矜夺𫟹职田[588]，𫟹母本贱[589]，慎矜尝以语人，𫟹深衔[590]之。慎矜犹以故意[591]待之，尝与之私语谶书。

慎矜与术士史敬忠[592]善，敬忠言天下将乱，劝慎矜于临汝[593]山中买庄为避乱之所。会慎矜父墓田[594]中草木皆流血，慎矜恶之，以问敬忠。敬忠请禳[595]之，设道场[596]于后园，慎矜退朝辄裸贯桎梏[597]坐其中。旬日血止，慎矜德之。慎矜有侍婢明珠，色美，敬忠屡目之。慎矜即以遗敬忠，车载过贵妃姊柳氏楼下。姊邀敬忠上楼，求车中美人，敬忠不敢拒。明日，姊入宫，以明珠自随。上见而异之，问所从来，明珠具以实对。上以慎矜与术士为妖法，恶之，含怒未发。

杨钊以告𫟹，𫟹心喜，因侮慢慎矜，慎矜怒。林甫知𫟹与慎矜有隙，密诱使图[598]之。𫟹乃遣人以飞语告慎矜隋炀帝孙，与凶人[599]往来，家有谶书，谋复祖业。上大怒，收慎矜系狱，命刑部、大理与侍御史杨钊、殿中侍御史卢铉[600]同鞫之。太府少卿张瑄[601]，慎矜所荐也，卢铉诬瑄尝与慎矜论谶，拷掠[602]百端，瑄不肯答辩[603]。乃以木缀[604]其足，使人引其枷柄，向前挽之，身加长数尺，腰细欲绝，眼鼻出血，瑄竟不答。

又使吉温捕史敬忠于汝州[605]。敬忠与温父素善，温之幼也，敬忠常抱抚之。及捕获，温不与交言，锁其颈，以布蒙首，驱之马前。至戏水[606]，温使吏诱之曰："杨慎矜已款服[607]，惟须子一辩。若解人意则生，不然必死。前至温汤[608]，则求首不获矣。"敬忠顾谓温曰："七郎，求一纸。"温阳[609]不应。去温汤十余里，敬忠祈[10]请哀切，乃于桑下令答三纸，辩皆如温意。温徐谓曰："丈人[610]且勿怪。"因起拜之。

【语译】

玄宗听说了哥舒翰的名声，在华清宫召见，跟他谈话，很喜欢他。十一月十九日辛卯，任命哥舒翰判西平太守，充任陇右节度使；任命朔方节度使安思顺判武威郡事，充任河西节度使。

户部侍郎兼御史中丞杨慎矜被玄宗厚待，李林甫渐渐嫉恨他。杨慎矜和王铁的父亲王晋是中表兄弟，小时候与王铁亲昵，王铁进入御史台供职，很大程度上借助杨慎矜的引荐。等到王铁迁升为御史中丞，杨慎矜和他说话，仍然直呼其名。王铁自恃和李林甫的关系好，心中多少有些不平。杨慎矜夺取了王铁的职田，王铁的母亲本来出身低贱，杨慎矜曾把此事告诉别人，王铁怀恨在心。杨慎矜还是以旧友的情意对待他，曾和他私下谈论谶书。

杨慎矜和术士史敬忠相友善，史敬忠说天下即将动乱，劝杨慎矜在临汝山中购置庄园作为避乱的地方。恰巧杨慎矜父亲坟地上草木都流血，杨慎矜很厌恶，拿此事询问史敬忠。史敬忠请求祭祷消灾，就在后园设置道场，杨慎矜退朝后就赤身裸体地戴着脚镣手铐坐在当中。十天后就不流血了，杨慎矜很感激史敬忠。杨慎矜有一个叫明珠的侍婢，容貌美丽，史敬忠一再看她。杨慎矜就把明珠送给史敬忠，车拉着她经过贵妃的姐姐柳氏楼下。柳氏邀请史敬忠上楼，索求车中的美人，史敬忠不敢拒绝。次日，柳氏入宫，让明珠跟随自己。玄宗看见后感到很惊异，问她是从哪里来的，明珠便把自己的情况全部如实相告。玄宗因为杨慎矜和术士兴作妖术，很厌恶他，强忍怒气，没有发泄。

杨钊把此事告诉了王铁，王铁心里很高兴，借机侮辱怠慢杨慎矜，杨慎矜很生气。李林甫知道王铁和杨慎矜有了隔阂，暗中诱使王铁谋害杨慎矜。王铁便派人散布流言控告杨慎矜是隋炀帝的孙子，与恶人来往，家里有谶书，图谋恢复祖业。玄宗大怒，逮捕杨慎矜，囚禁狱中，命令刑部、大理寺和侍御史杨钊、殿中侍御史卢铉一起审问杨慎矜。太府少卿张瑄，是杨慎矜所推荐的，卢铉诬蔑张瑄曾与杨慎矜谈论谶书，百般拷打，张瑄就是不肯承认。于是就用木头绑在他的脚上，让人牵引他的枷锁，向前拉，身体被拉长了好几尺，腰细得快要断了，眼鼻流血，张瑄竟然不回答。

朝廷又派吉温在汝州逮捕史敬忠。史敬忠与吉温的父亲一向关系很好，吉温小的时候，史敬忠经常抱着抚爱他。等到捕获后，吉温不跟他交谈，锁住他的脖子，用布蒙起脑袋，在马前赶着走。到了戏水，吉温派官吏诱骗他说:“杨慎矜已经认罪，只需你的一个证词。如果善解人意就可以活命，不然必死无疑。到了前面温泉宫，就是想要自首也办不到了。”史敬忠回头对吉温说:“七郎，我要一张纸。”吉温假装不理他。离温泉宫还有十几里时，史敬忠乞求悲切，才在桑树下叫他答辩三张纸，证词全都符合吉温的意思。吉温慢慢地对他说:“老伯暂且不要责怪。”于是站起身来拜谢。

至会昌，始鞫慎矜，以敬忠为证。慎矜皆引服[611]，惟搜谶书不获。林甫危之，使卢铉入长安搜慎矜家，铉袖谶书入暗中[612]，诟[613]而出曰："逆贼深藏秘记。"至会昌，以示慎矜。慎矜叹曰："吾不蓄谶书，此何从在吾家哉！吾应死而已。"丁酉[614]，赐慎矜及兄少府少监慎余[615]、洛阳令慎名[616]自尽，敬忠杖百，妻子皆流岭南，瑄杖六十，流临封，死于会昌。嗣虢王巨虽不预谋，坐与敬忠相识，解官，南宾[617]安置，自余连坐者数十人。慎名闻敕，神色不变，为书别姊，慎余合掌指天而缢。

三司按王忠嗣，上曰："吾儿居深宫，安得与外人通谋，此必妄也。但劾忠嗣沮挠军功[618]。"哥舒翰之入朝也，或劝多赍金帛以救忠嗣。翰曰："若直道[619]尚存，王公必不冤死。如其将丧，多赂何为！"遂单囊而行。三司奏忠嗣罪当死。翰始遇知于上，力陈忠嗣之冤，且请以己官爵赎忠嗣罪。上起，入禁中，翰叩头随之，言与泪俱[620]。上感寤[621]，己亥[622]，贬忠嗣汉阳[623]太守。

李林甫屡起大狱，别置推事院[624]于长安。以杨钊有掖庭之亲[625]，出入禁闼[626]，所言多听，乃引以为援，擢为御史。事有微涉东宫者，皆指擿[627]使之奏劾，付罗希奭、吉温鞫之。钊因得逞其私志，所挤陷[628]诛夷者数百家，皆钊发之。幸太子仁孝谨静，张垍、高力士常保护于上前，故林甫终不能间也。

十二月壬戌[629]，发冯翊[630]、华阴[631]民夫筑会昌城，置百司。王公各置第舍，土亩直[632]千金。

癸亥[633]，上还宫。

丙寅[634]，命百官阅[635]天下岁贡物于尚书省，既而悉以车载赐李林甫家。上或时不视朝，百司悉集林甫第门，台省[636]为空。陈希烈虽坐府[637]，无一人入谒[638]者。

林甫子岫为将作监[639]，颇以满盈[640]为惧。尝从林甫游后园，指役夫言于林甫曰："大人久处钧轴[641]，怨仇满天下，一朝祸至，欲为此得乎！"林甫不乐曰："势已如此，将若之何！"

先是，宰相皆以德度自处[642]，不事威势，驺从[643]不过数人，士民或不之避。林甫自以多结怨，常虞[644]刺客，出则步骑百余人为左右翼，

到了会昌，开始审问杨慎矜，以史敬忠的答词为证据。杨慎矜全都认罪，只是没有搜查到谶书。李林甫感到有些危险，就派卢铉去长安搜查杨慎矜的家，卢铉把谶书藏在袖子里，走到黑暗的地方，骂着走出来说："逆贼把秘籍深藏了起来。"到了会昌，拿给杨慎矜看。杨慎矜哀叹说："我不收藏谶书，这书怎么会在我家啊?！我该死罢了。"十一月二十五日丁酉，玄宗赐杨慎矜和他的哥哥少府少监杨慎余、洛阳令杨慎名自杀，史敬忠被打一百杖，妻子儿女都被流放到岭南，张瑄被打六十杖，流放临封，死在会昌。嗣虢王李巨虽然没有参与谋划，坐罪与史敬忠相识，解除官职，安置在南宾，其余连坐的有几十个人。杨慎名听到玄宗敕令，神色不变，写信告别姐姐，杨慎余合掌指天自缢。

三司审问王忠嗣，玄宗说："我的儿子深居宫中，怎么能与外人勾通合谋，这一定是虚假的。只审问王忠嗣破坏军队建功的罪过。"哥舒翰入朝时，有人劝他多携带金银布帛来援救王忠嗣。哥舒翰说："如果正道还在，王公一定不会冤死。如果正道将要丧失，贿赂再多又有什么用!"于是只带了一件行李包裹就起程了。三司上奏王忠嗣罪该处死。哥舒翰刚得到玄宗的赏识，极力申诉王忠嗣的冤枉，而且请求用自己的官职爵位来给王忠嗣赎罪。玄宗起身，走入宫中，哥舒翰磕头跟随玄宗，声泪俱下。玄宗感悟，十一月二十七日己亥，把王忠嗣贬为汉阳太守。

李林甫一再制造重大刑狱，在长安另设推事院。因杨钊与后宫有亲戚关系，可出入宫禁，所言玄宗大多听从，于是就拉拢他作为帮手，提升为御史。事情只要稍有涉及太子，都找碴揭发，让杨钊奏请弹劾，交给罗希奭、吉温审问。杨钊因此得以满足他的私欲，所排挤、陷害、诛杀、灭族的有好几百家，都是杨钊告发的。幸亏太子仁爱孝顺、谨慎沉静，张垍、高力士又常常在玄宗面前加以保护，所以李林甫始终不能离间。

十二月二十一日壬戌，征调冯翊郡、华阴郡的民工修建会昌城，设置百官，王公各自修建宅第，土地一亩价值千金。

二十二日癸亥，玄宗回宫。

二十五日丙寅，命令百官在尚书省察看当年全国贡献的物品，不久全部用车子装载，赏赐给李林甫家。玄宗有时不上朝理事，百官全都聚集在李林甫家中，各台省空无一人。陈希烈虽然坐在府里办公，但没有一个进去拜见的。

李林甫的儿子李岫做将作监，因为家中权势太盛深为恐惧。他曾跟随李林甫游赏后花园，指着服役的民工对李林甫说："大人您久处枢机，冤家仇人满天下，一旦来了祸患，想要做一个服役民工办得到吗?！"李林甫不高兴地说："大势已经如此，又该怎么办呢!"

此前，宰相都以道德气度自居，不利用权势，车马前后的侍从不过几个人，士人百姓有时也不回避。李林甫自以为结怨太多，经常担心有刺客，出外时就有步兵骑兵一百多人分为左右两翼，金吾巡行视察，肃清街上行人，前导卫队走在几百步

金吾静街[645]，前驱[646]在数百步外，公卿走避；居则重关复壁[647]，以石甃地[648]，墙中置板，如防大敌，一夕屡徙床，虽家人莫知其处。宰相驺从之盛，自林甫始。

【段旨】

以上为第十四段，写李林甫谋害御史中丞杨慎矜。

【注释】

⑸辛卯：十一月十九日。⑻判：唐代官衔加“判”，表示判处某官事，非实授其官。⑻西平：郡名，天宝元年（公元七四二年）鄯州改名，治所在今青海海东市乐都区。⑻朔方节度使安思顺：岑仲勉疑是朔方节度副使，见《通鉴隋唐纪比事质疑》。⑻武威：郡名，天宝元年凉州改名，治所在今甘肃武威。⑻中表：父亲姐妹（姑母）的儿女叫外表，母亲的兄弟（舅父）姐妹（姨母）的儿女叫内表，互称中表。⑻狎：爱狎。⑻入台：入御史台，指开元年间王鉷任监察御史，时杨慎矜任侍御史。⑻名之：直呼其名。⑻慎矜夺鉷职田：职田，唐代职事官按官品等级所得的土地，亦称职分田。京官一品十二顷，二品十顷，下至九品二顷。外官州府官略高于此，镇戍官略低于此。取百里内土地给之。职田一般按亩六升的租率出租，离任后需将田转给下任。杨慎矜先为御史中丞，王鉷后迁御史中丞时，杨慎矜夺占王鉷应得职田。⑻鉷母本贱：王鉷是王瑨（开元中为中书舍人）出身低微的妾所生子（孽子），故云母贱。⑼衔：怀恨在心。⑼故意：旧友的情意。⑼史敬忠：据《通鉴考异》所引《唐历》，史敬忠本为胡人，出家还俗，涉猎过书传、阴阳、玄象。⑼临汝：郡名，天宝元年（公元七四二年）汝州改名，治所梁县，在今河南汝州。⑼墓田：坟墓范围内的土地。《明皇实录》作“慎矜父墓封域之内”。⑼禳：古代以祭祷消除灾祸的一种迷信活动。⑼道场：佛教诵经礼拜仪式。⑼贯桎梏：戴上脚镣手铐。⑼图：谋害。⑼凶人：险恶之人。⑽卢铉：酷吏。传见《旧唐书》卷一百八十六上、《新唐书》卷一百三十四。⑽张瑄：张瑄（？至公元七四七年），两唐书无传，仅知曾任殿中侍御史、太府出纳使，杨慎矜荐为太府少卿。⑽拷掠：鞭打。泛指刑讯。⑽答辩：按照讯问作证词。答，对话。辩，证词。⑽缀：缝合；联结。⑽汝州：天宝元年改名临汝，乾元初年复名汝州，治所梁县。⑽戏水：河名，在今陕西西安临潼区东。⑽款服：服罪。⑽温汤：指骊山温泉宫，当时玄宗住于

以外，公卿都快步回避。居家时则门户重重，墙壁层层，以石铺地，墙中夹置木板，如防大敌，一晚上要几次转移床铺，即使是家里人也不知道他的住处。宰相出行侍从众多，是从李林甫开始的。

此。⑥⑨阳：表面上；假装。⑥⑩丈人：对老人的通称。⑥⑪引服：认罪；服罪。⑥⑫暗中：暗室之中。⑥⑬诟：骂。⑥⑭丁酉：十一月二十五日。⑥⑮慎余：杨慎矜之兄杨慎余（？至公元七四七年），历官司农丞、太子舍人、少府少临。⑥⑯慎名：杨慎矜之兄杨慎名（？至公元七四七年），历官大理评事，摄监察御史，充东都含嘉仓出纳使、洛阳令。杨慎余、杨慎名二人事迹散见《旧唐书》卷一百五、《新唐书》卷一百三十四《杨慎矜传》等。⑥⑰南宾：郡名，天宝元年忠州改名，治所在今重庆忠县。⑥⑱军功：军事行动的功效。功，成效。⑥⑲直道：正直、公理。⑥⑳言与泪俱：声泪俱下。⑥㉑寤：通“悟”。醒悟。⑥㉒己亥：十一月二十七日。⑥㉓汉阳：郡名，天宝元年沔州改名，治所在今湖北武汉汉阳。⑥㉔推事院：审问罪犯之所。⑥㉕掖庭之亲：言与妃嫔有亲戚关系。掖庭，宫中旁舍，妃嫔居住的地方。⑥㉖禁闼：宫禁之门。闼，门。⑥㉗指擿：挑出缺点错误。指，指出、揭发。⑥㉘挤陷：排斥、陷害。⑥㉙壬戌：十二月二十一日。⑥㉚冯翊：郡名，天宝元年同州改名，治所在今陕西大荔。⑥㉛华阴：郡名，天宝元年华州改名，治所在今陕西渭南市华州区。⑥㉜直：通“值”。⑥㉝癸亥：十二月二十二日。⑥㉞丙寅：十二月二十五日。⑥㉟阅：察看。⑥㊱台省：唐曾以尚书省为中台，门下省为东台，中书省为西台。故统称三省为台省。⑥㊲坐府：在官府中办事。⑥㊳谒：拜见。⑥㊴将作监：官署名，将作监长官，唐初为大匠、少匠，天宝中改大匠为大监，少匠为少监。⑥㊵满盈：极充盈。此指李林甫所得权力已达到无以复加的境地。⑥㊶钧轴：喻执掌国政，指宰相之职。钧，制陶的转轮。轴，车轴，车以轴而转动。⑥㊷以德度自处：谓以道德气度约束自己。德度，道德气度。自处，自居、自持。⑥㊸驺从：显贵出行，车前车后的侍从。⑥㊹虞：担心。⑥㊺金吾静街：金吾巡徼，禁止他人上街。⑥㊻前驱：前导。⑥㊼重关复壁：重重门户，层层围墙。⑥㊽以石甃地：用坚石铺砌房屋的地面，防备仇敌由地下而入。甃，铺砌。

【校记】

［10］祈：据章钰校，十二行本、乙十一行本皆作“恳”。

【原文】

初，将军高仙芝[649]，本高丽人，从军安西。仙芝骁勇[650]，善骑射，节度使夫蒙灵詧屡荐至安西副都护、都知兵马使，充四镇节度副使。

吐蕃以女妻小勃律王[651]，及其旁二十余国，皆附吐蕃，贡献不入。前后节度使讨之，皆不能克。制以仙芝为行营节度使[652]，将万骑讨之。自安西行百余日，乃至特勒满川，分军为三道[653]，期以七月十三日会吐蕃连云堡[654]下。有兵近万人，不意唐兵猝至[655]，大惊，依山拒战，炮櫑[656]如雨。仙芝以郎将高陵李嗣业[657]为陌刀将[658]，令之曰："不及日中，决须破虏。"嗣业执一旗，引陌刀缘险先登力战，自辰[659]至巳[660]，大破之，斩首五千级，捕虏千余人，余皆逃溃。

中使[661]边令诚[662]以入虏境已深，惧不敢进。仙芝乃使令诚以羸弱[663]三千守其城，复进。三日，至坦驹岭[664]，下峻阪[665]四十余里，前有阿弩越城。仙芝恐士卒惮险不肯下，先令人胡服诈为阿弩越城守者迎降，云："阿弩越赤心归唐，娑夷水[666]藤桥已斫断[667]矣。"娑夷水，即弱水[668]也，其水不能胜草芥。藤桥者，通吐蕃之路也。仙芝阳喜，士卒乃下。又三日，阿弩越城迎者果至。

明日，仙芝入阿弩越城，遣将军席元庆将千骑前行，谓曰："小勃律闻大军至，其君臣百姓必走山谷，第[669]呼出，取缯帛[670]称敕赐之。大臣至，尽缚之以待我。"元庆如其言，悉缚诸大臣。王及吐蕃公主逃入石窟，取不可得。仙芝至，斩其附吐蕃者大臣数人。

藤桥去城犹六十里，仙芝急遣元庆往斫之。甫毕[671]，吐蕃兵大至，已无及矣。藤桥阔尽一矢，力修之，期年[672]乃成。

八月，仙芝虏小勃律王及吐蕃公主而还。九月，至连云堡，与边令诚俱。月末，至播密川，遣使奏状[673]。

至河西[674]，夫蒙灵詧怒仙芝不先言己而遽[675]发奏，一不迎劳，骂仙芝曰："啖狗粪高丽奴[676]！汝官皆因谁得，而不待我处分[677]，擅奏捷书！高丽奴，汝罪当斩，但以汝新有功不忍耳。"仙芝但谢罪。边令诚奏仙芝深入万里，立奇功，今旦夕忧死。

【语译】

当初，将军高仙芝，本是高丽人，从军到安西。高仙芝矫健勇猛，善于骑马射箭，节度使夫蒙灵詧一再推荐，官至安西副都护、都知兵马使，充任四镇节度副使。

吐蕃把女儿嫁给小勃律王，小勃律和它旁边的二十几个小国都归附吐蕃，不向唐朝贡纳。前后节度使讨伐他们，都不能取胜。玄宗命令高仙芝为行营节度使，统率一万骑兵去讨伐。从安西行军一百多天，才到达特勒满川，把部队分为三路，约定七月十三日在吐蕃连云堡下会合。连云堡有士兵近万人，这些驻军没有料到唐军突然到达，大为惊慌，依傍山险来抵抗作战，炮石、檑木如雨。高仙芝用郎将高陵人李嗣业为陌刀将，命令他说："中午之前，必须打败敌人。"李嗣业手拿一面旗帜，率领陌刀兵从险要的地方先爬上去，奋力作战，从辰时到巳时，大败敌人，斩首五千级，俘虏敌军一千多人，其余的都溃逃了。

宫中派来的监军使者边令诚认为已经深入敌境，心里惧怕，不敢前进。高仙芝就让边令诚带领瘦弱士兵三千人守卫连云堡，他又继续进军。三天后，到达坦驹岭，下行陡峭山路四十多里，前面有阿弩越城。高仙芝担心士卒惧怕危险不肯下山，就先派人穿着胡服假装成阿弩越城的守军来迎降，说："阿弩越忠心归顺唐朝，娑夷水上的藤桥已经砍断了。"娑夷水，就是弱水，它的水连草芥都不能浮起来。藤桥，是通往吐蕃的道路。高仙芝假装很高兴，士兵们才下了山。又过了三天，阿弩越城迎接的人果然到了。

第二天，高仙芝进入阿弩越城，派遣将军席元庆率领一千名骑兵在前面行进，对他说："小勃律听说大军到了，它的君臣百姓必然跑往山谷，只管把他们喊出来，拿出缯帛说是皇上赏赐他们的。等那些大臣到了，把他们全部捆绑起来等候我。"席元庆照他的吩咐做了，把各大臣全都捆绑起来。国王和吐蕃公主逃进石洞，抓不到他们。高仙芝到达后，杀了几个归附吐蕃的大臣。

藤桥离城还有六十里，高仙芝急忙派席元庆前去砍断它。刚砍断，大量的吐蕃士兵就到了，但是已经来不及了。藤桥有一箭宽，竭力修建，满一年才能完成。

八月，高仙芝俘虏小勃律王和吐蕃公主后返回。九月，到达连云堡，与边令诚会合。月底，到达播密川，派遣使者向朝廷上奏捷报。

到达河西，夫蒙灵詧对高仙芝不先向他说就急忙奏报很生气，没有任何迎接和慰劳，他骂高仙芝说："你这个吃狗粪的高丽奴才！你的官职都是靠谁得到的，你不等我来处理，就擅自上奏捷书！高丽奴才，你罪当斩首，只是因为你刚刚有功劳，不忍心杀你。"高仙芝只好谢罪。边令诚上奏说高仙芝深入敌境万里，建立奇功，现在朝夕为死罪担忧。

【段旨】

以上为第十五段，写高仙芝大破吐蕃。

【注释】

⑥⑨高仙芝：高仙芝（？至公元七五五年），高丽族人，开元末任安西副都护、都知兵马使。天宝六载（公元七四七年）远征小勃律，使拂菻、大食等西域诸国震慑。天宝十载于怛逻斯城败于大食。官至右羽林大将军，封密云郡公。传见《旧唐书》卷一百四、《新唐书》卷一百二十五。⑥⑤⓪骁勇：矫健勇猛。⑥⑤①小勃律王：指小勃律国王苏失利之。⑥⑤②行营节度使：使职名，统帅出征军的差遣长官。⑥⑤③分军为三道：据《旧唐书·高仙芝传》，三道为：疏勒守捉使赵崇玭统三千骑兵，自北谷入；拨换守捉使贾崇瓘自赤佛堂路入；高仙芝与监军边令诚自护密国入。⑥⑤④连云堡：古城堡名，故址在今甘肃泾川西。⑥⑤⑤猝至：突然到来。⑥⑤⑥炮檑：指炮石、檑木。炮，古代以机发石的战具。檑，檑木，长五尺、径一尺，小者径六七寸。⑥⑤⑦李嗣业：李嗣业（？至公元七五九年），京兆高陵（今陕西西安市高陵区）人，曾任右威卫将军、左金吾大将军、卫尉卿，封虢国公。后战死于相州。传见《旧唐书》卷一百九、《新唐书》卷一百三十八。⑥⑤⑧陌刀将：统率陌刀队的将领。陌刀，长刀，步兵所用武器。⑥⑤⑨辰：十二时辰之一。相当于上午七时至九时。⑥⑥⓪巳：十二时辰之一。相当于上午九时至十一时。⑥⑥①中使：帝王宫中派出的使者，多由宦官充任。⑥⑥②边令诚：玄宗信任的宦官，曾任监军、监门将军等职，奏斩名将高仙芝、封常清。后因投降安禄山，为肃宗所杀。⑥⑥③羸弱：瘦弱。⑥⑥④坦驹岭：在今克什米尔北端。⑥⑥⑤峻阪：陡坡。⑥⑥⑥娑夷水：今印度河的上游。⑥⑥⑦斫断：砍断。⑥⑥⑧弱水：言其水弱，不胜草芥。凡是由于水浅不通舟楫，或只用皮筏交通的，古人往往认为水弱，因称弱水。辗转传闻，便有力不胜草芥之说。⑥⑥⑨第：但；只管。⑥⑦⓪缯帛：丝织品的总称。⑥⑦①甫毕：刚刚完成。⑥⑦②期年：一年。⑥⑦③奏状：奏捷状于京师。⑥⑦④河西：为“安西”之讹。据岑仲勉《通鉴隋唐纪比事质疑》。⑥⑦⑤遽：急忙；急速。⑥⑦⑥啖狗粪高丽奴：骂高仙芝是吃狗粪的高丽奴才。啖，吃。⑥⑦⑦处分：指挥；处置。

【研析】

开元时期，唐玄宗纳谏用贤，与士君子交接，励精图治，创造了开元盛世，史称明皇，是可以上比唐太宗的一位明主。天宝时期，唐玄宗炼丹求长生，醉心于祥瑞，因人造宝符而改元“天宝”，拒谏用佞，与奸邪小人交接而耳聋目蒙，成为一个昏主。本卷集中研析，进入天宝年间，开元盛世是怎样由盛转衰，朝政腐败，国事日非的。

君明臣贤是清平盛世的政治基础，反之君暗臣奸则政治昏暗。本卷所载，唐玄宗器重的大臣，李林甫险诈，杨慎矜敛财，安禄山骄狂，杨国忠无行，还有一个多才善奉承的杨贵妃，他们全都在天宝初登上政治舞台，唐玄宗在这一群人的包围下陶醉其间。这时的政治，君王怠政于上，奸臣为恶于下，于是开元的盛世风采日益衰微。不过，整体社会仍是一片太平景象，人口继续增长，政治腐败集中在上层，突出的表现是朝政腐败，用四个字概括，就是“君暗臣奸”。

君王昏暗是朝政腐败的第一主因。由开元步入天宝，唐玄宗的骄侈心膨胀，怠于政事而成昏主。当时唐朝强大，四境平静，而唐玄宗没有巩固张说裁减边兵的成果，反而扩充武备，欲用强力以威四夷，沿边置十节度使，国家常备边兵五十万，不仅加重了人民的负担，而且轻启边衅，发动与吐蕃的战争，唐军先胜后败，有损国威。安禄山滥杀奚人、契丹人，制造边衅以自重其身，不断邀功请赏，欺蒙唐玄宗，暗中图谋不轨，唐玄宗不察、不觉、不信，养虎为患。其昏者一。唐玄宗炼丹求长生，迷信神仙，歌舞升平，人造符瑞，改元“天宝”，沉醉不醒。其昏者二。唐玄宗远贤人，亲小人。任用的杨慎矜敛财，韦坚课税，民怨沸腾。李林甫领吏部，选举凌迟，有交白卷的魁首。唐玄宗一度要交权给李林甫这个奸相，差点重演燕王哙让位子之的闹剧。其昏者三。唐玄宗乱伦霸占儿媳，专宠杨贵妃，从此君王不早朝。杨贵妃堂兄杨国忠，无行无德，为乡里所不齿，因贵妃专宠而腾达，唐玄宗委以国政，大唐政权落入无赖之手，潜伏的祸乱不可避免。其昏者四。唐玄宗的这些昏聩之举，以宠爱杨贵妃而纵欲怠政为最大的昏乱行为。为祸唐室、葬送开元盛世最大的两个奸人，则是杨国忠与安禄山，均与杨贵妃直接关联。杨国忠，贵妃之兄。安禄山，贵妃义子。如果说唐高宗夺父之妾带来武则天登台，唐祚一度中断，那么唐玄宗霸占儿媳而有安史之乱，生民遭涂炭。春秋时楚平王抢夺儿媳招来鞭尸三百的报复，楚国差点灭亡。女宠乱政，这是旧史家的观点，把祸国殃民的罪责推给女人，颠倒了主次，当然不对，但不能全盘否定。君王昏聩，不爱江山爱美人，对历史负责的首要人物是昏君，所以本卷研析，天宝朝政腐败，第一个应被谴责的人就是唐玄宗李隆基。

天宝前期朝政腐败的第二个主因是奸相李林甫执政。李林甫“口蜜腹剑”，他敢在唐玄宗身边安插耳目，了解皇上的一举一动。兵部侍郎卢绚仪态端庄，动静有节，一派大臣风度，唐玄宗对他有好感。绛州刺史严挺之有好名声，传到了唐玄宗的耳里。李林甫打探到这些消息，害怕唐玄宗重用两人，于是用甜言蜜语拉拢卢绚和严挺之，替两人的前途策划，结果是两人钻入他的圈套，被唐玄宗弃置。凡有才望、能力高于自己的人，李林甫就巧设陷阱，把他们挤出权力核心。为了更有效地掌控朝政，李林甫又引用酷吏为爪牙。武则天时酷吏吉顼的侄儿吉温，还有一个杭州人罗希奭，两人生性严厉刻薄，见风转舵，“有奶便是娘”。李林甫引荐为殿中侍御史，两个感戴李林甫的提拔，卖身投靠为爪牙。吉温经常说：“如果遇到知己，就是南山白额虎也能抓起来。”凡是李林甫所要加罪的人，两人罗织罪状，严刑逼供，没有人能够逃脱。当时的人称这两人为“罗钳吉网”。李林甫的狡诈与狠毒，两手抓，两手硬，震慑朝野，一手遮天，竟然得以善终，未被中途罢相，在有唐一代，也是罕见的。李林甫的得志，反衬唐玄宗的昏聩。一个唐玄宗，开元时为明皇，天宝时为昏主，判若两人。

天宝初，社会承平，仍是一番太平景象。人口增长，生产发展。政治腐败集中在上层。唐玄宗原本是纨绔子弟，英年有为靠的是政变夺权，不懂创业之艰苦，经历不能与唐太宗相比。长期执政，骄矜自满，一旦意沮，一头栽倒在石榴裙下，遂至国事不可为。

卷第二百十六　唐纪三十二

起强圉大渊献（丁亥，公元七四七年）十二月，尽昭阳大荒落（癸巳，公元七五三年），凡六年有奇。

【题解】

本卷记事起公元七四七年十二月，迄公元七五三年，凡六年又一个月，当唐玄宗天宝六载十二月至天宝十二载。天宝后期，唐朝社会承继盛世惯性，仍呈现升平发展的表象，而上层政治在急速恶化。唐玄宗整日沉湎在深宫逸乐，更加迷信神仙求长生，只听奉承话，不听逆耳之言，对国家大事毫不知情。安禄山黠猾奉迎，完全蒙蔽了唐玄宗的视听。杨慎矜聚敛，府库充盈，唐玄宗尽情挥霍，不知民众艰难。府兵制败坏，募兵制也积弊丛生，劲兵置于沿边，中原空虚，武备废弛，中央与地方尾大不掉，国家已处于动乱边缘，而唐玄宗浑然不觉，还在做虚幻的强国之梦，喜听沿边胜利消息。边将用诈术滥杀周边少数民族百姓冒功，四周紧张。唐军征南诏、讨西域、袭契丹，全线败没。李林甫未去，又来了一个杨国忠争权倾轧，政治一团混乱。李林甫死后，杨国忠主政，身兼四十余职，贪贿渎职甚于李林甫。杨国忠滥授职官，收买人心，吏治大坏。杨国忠交恶安禄山，唯恐安禄山不反，加速了动乱的来临。

【原文】

玄宗至道大圣大明孝皇帝下之上

天宝六载（丁亥，公元七四七年）

十二月己巳[①]，上以仙芝为安西四镇节度使，征灵詧入朝，灵詧大惧。仙芝见灵詧，趋走[②]如故，灵詧益惧。副都护[③]京兆程千里[④]、押牙[⑤]毕思琛及行官[⑥]王滔等，皆平日构[⑦]仙芝于灵詧者也。仙芝面责千里、思琛曰："公面如男子，心如妇人[⑧]，何也？"又捽[⑨]滔等，欲笞之，既而皆释之，谓曰："吾素所恨于汝者，欲不言，恐汝怀忧[⑩]，今既言之，则无事矣。"军中乃安。

初，仙芝为都知兵马使[⑪]，猗氏人封常清[⑫]少孤贫，细瘦颣目[⑬]，一足偏短，求为仙芝傔[⑭]，不纳。常清日候仙芝出入，不离其门，凡数十

【语译】

玄宗至道大圣大明孝皇帝下之上

天宝六载（丁亥，公元七四七年）

十二月二十八日己巳，玄宗任命高仙芝为安西四镇节度使，征召夫蒙灵詧入朝，灵詧非常害怕。高仙芝见到夫蒙灵詧，像以前一样快步行走，灵詧更加害怕了。副都护京兆人程千里、押牙毕思琛和行官王滔等人，都是平日在夫蒙灵詧面前陷害高仙芝的人。高仙芝当面斥责程千里、毕思琛说："你们的面貌像个男子汉，内心却像个妇人，这是什么原因？"又揪住王滔等人，想要鞭打他们，随后又放了他们，对他们说："我平素痛恨你们的原因，本来不想说，怕你们心怀忧惧，今天既然说出来了，就没有事了。"军中的情绪便安定了。

当初，高仙芝做都知兵马使，猗氏人封常清小时候孤苦贫穷，身材瘦小，眼睛有毛病，一只脚偏短，要求做高仙芝的侍从，高仙芝不收他。封常清每天等候高仙芝进进出出，不离开他家门口，一共有几十天，高仙芝不得已收留了他。正遇上达

日，仙芝不得已留之。会达奚部叛走[1]，夫蒙灵詧使仙芝追之，斩获略尽。常清私作捷书⑮以示仙芝，皆仙芝心所欲言者，由是一府奇之。仙芝为节度使，即署常清判官⑯，仙芝出征，常为留后⑰。仙芝乳母子郑德诠为郎将⑱，仙芝遇之如兄弟，使典家事⑲，威行军中。常清尝出，德诠自后走马[2]突之而过⑳。常清至使院㉑，使召德诠，每过一门，辄阖㉒之。既至，常清离席谓曰："常清本出寒微，郎将所知。今日中丞㉓命为留后，郎将何得于众中相陵突㉔！"因叱之曰："郎将须暂㉕死以肃军政。"遂杖之六十，面仆地，曳出。仙芝妻及乳母于门外号哭救之，不及，因以状㉖白仙芝。仙芝览之，惊曰："已死邪?"及见常清，遂不复言，常清亦不之谢，军中畏之惕息㉗。

【段旨】

以上为第一段，写封常清敢于惩治节度使的傲慢家奴，胆识不凡。

【注释】

①己巳：十二月二十八日。②趋走：疾走；小步快走。表示恭敬。③副都护：官名，都护府的副长官，佐都护管理府内军政事务。④程千里：程千里（？至公元七五七年），武将，官至礼部尚书。传见《旧唐书》卷一百八十七下、《新唐书》卷一百九十三。⑤押牙：节度使的武职幕僚，其主官为都押牙，掌衙内警卫。⑥行官：节度使的幕僚，职责是受命往来京师和邻道及巡行管内郡县。⑦构：构陷。把某些事情掺和在一起作为罪状陷害别人。⑧心如妇人：内心像个妇人。指高仙芝不深究报复程千里等人，欲大事化小，故意调侃说心如女人，爱搬弄是非。⑨捽：揪住。⑩怀忧：心怀忧虑；提心吊胆。⑪都知兵马使：节度使府或兵马元帅府的幕职有前、中、后军兵马使，都知兵马使则总掌诸兵马使。⑫封常清：封常清（？至公元七五五年），蒲州猗氏（今山西临猗）人，傔从出身，官至安西四镇节度使、权知北庭都护。后与安史乱军交战，兵败，被宦官边令诚进谗言赐死。传见《旧唐书》卷一百四、《新唐书》卷一百三十五。⑬细瘦颣

奚部叛逃，夫蒙灵詧派高仙芝追击他们，几乎把他们都斩杀或俘虏了。封常清私自写了报捷的文书拿给高仙芝看，都是高仙芝心里想要说的话，因此全府中的人对封常清很惊奇。高仙芝做了节度使，立即让封常清代理判官；高仙芝外出征战，封常清经常做留后。高仙芝奶妈的儿子郑德诠任郎将，高仙芝待他如同兄弟，让他主管家中事务，在军中很有威望。封常清曾经外出，郑德诠骑马从他身后疾速跑过。封常清到节度使办公大院，派人叫来郑德诠，每经过一道门，就把门关上。已经到达后，封常清离开座席，对他说："我封常清本来出身寒微，这是郎将所知道的，今天中丞命令我做留后，郎将怎么能在大众面前欺凌冒犯我！"就大声责骂他说："必须暂且处死你来严肃军纪。"于是打他六十大棍，面部朝地，拉了出去。高仙芝的妻子和奶妈在门外号啕大哭要救他，已经来不及，就把情况写成状子告诉高仙芝。高仙芝看了，大惊道："已经死了吗？"等见到封常清，又不再提起此事，封常清也不对这件事表示谢罪，军中对封常清怕得不敢出气。

目：身材瘦小，眼睛有毛病。颣，缺点。⑭傔：傔人、傔从，低级侍从。⑮捷书：军事捷报。⑯判官：官名，节度使属官，位次节度副使，总管府事。⑰留后：官名。节度使出征、入朝，或死后未有代者，皆有知留后事，其后遂以节度留后为称。⑱郎将：武散官名，唐武散官有怀化郎将和归德郎将，不详郑德诠是何郎将。⑲典家事：典，主掌。家事，指节度使的家庭事务。⑳突之而过：指郑德诠自后冲开封常清的侍从队伍疾驰向前。突，急速向前。㉑使院：节度使使府庭院，为治事之处。㉒阖：关闭。封常清在节度使府办公大厅宣召郑德诠，厅连节度使府宅院，郑德诠到前厅，关闭宅院之门，隔断高仙芝妻及郑德诠之母呼救郑德诠，以便惩处。㉓中丞：御史中丞，为高仙芝任安西四镇节度使时所带朝官职。唐外官带职，有宪衔，有检校。以带职称呼，有尊崇之意。㉔陵突：以冲撞表示凌侮。陵，侵侮。㉕暂：暂且；暂时。㉖状：文体的一种，向上级陈述事实的文书。此为诉状。㉗惕息：指戒惧不敢喘息，形容恐惧之极。惕，戒惧。息，喘息。

【校记】

［1］走：原无此字。据章钰校，十二行本、乙十一行本皆有此字，今据补。［2］自后走马：据章钰校，此四字十二行本、乙十一行本皆作"走马自后"。

【原文】

自唐兴以来，边帅皆用忠厚名臣，不久任，不遥领㉘，不兼统，功名著者往往入为宰相。其四夷之将，虽才略如阿史那社尔㉙、契苾何力㉚，犹不专大将之任，皆以大臣为使以制之㉛。及开元中，天子有吞四夷之志，为边将者十余年不易㉜，始久任矣；皇子则庆、忠诸王，宰相则萧嵩、牛仙客，始遥领矣；㉝盖嘉运、王忠嗣专制数道，始兼统矣。㉞李林甫欲杜边帅入相之路，以胡人不知书，乃奏言："文臣为将，怯当矢石㉟，不若用寒畯㊱胡人。胡人则勇决习战，寒族㊲则孤立无党㊳，陛下诚以恩洽㊴其心，彼必能为朝廷尽死㊵。"上悦其言，始用安禄山。至是，诸道节度使[3]尽用胡人㊶，精兵咸戍北边㊷，天下之势偏重，卒使禄山倾覆㊸天下，皆出于林甫专宠固位㊹之谋也。

【段旨】

以上为第二段，写李林甫迎合唐玄宗骄侈心，多引胡人为边将，固位误国。

【注释】

㉘遥领：担任职官而不亲自赴任。㉙阿史那社尔：阿史那社尔（？至公元六五五年），突厥处罗可汗之子，以智勇著名。武德九年（公元六二六年）率众内附，官至右卫大将军，封毕国公。传见《旧唐书》卷一百九、《新唐书》卷一百十。㉚契苾何力：契苾何力（？至公元六七七年），铁勒人，其先为铁勒一部落酋长。贞观六年（公元六三二年）率众内附，官至左卫大将军，封凉国公。传见《旧唐书》卷一百九、《新唐书》卷一百十。㉛皆以大臣为使以制之：阿史那社尔讨高丽，以侯君集为元帅；契苾何力讨高丽，以李勣为元帅。㉜为边将者十余年不易：开元时边将久任情况，如王晙，开元三年（公元七一五年）至二十年间在朔方任节度使等职。㉝皇子则庆、忠诸王三句：庆王琮（玄宗长子）开元四年遥领安西大都护，安抚河东、关内、陇右诸蕃落大使，开元十五年遥领凉州都督，兼河西诸军节度大使。忠王亨（即肃宗）五岁拜安西大都护、河西四镇诸蕃落大使，开元十五年遥领朔方大使、单于大都护，开元十八年，奚、契丹入侵，以忠王为河北道元帅，遥领八总管兵以讨之。萧嵩以兵部尚书、同中书门下平章事遥领河

【语译】

自从唐朝建国以来，边塞的将帅都任用忠厚名臣，不长期任职，任职而不赴任，不兼统他镇，功名显著的往往入朝做宰相。那些四周夷人将领，即使才干谋略像阿史那社尔、契苾何力，也不能独任大将的职务，都任用大臣为元帅来制约他们。等到开元年间，天子有吞并四周夷人的想法，担任边将的人十几年不调换，才开始长期任职。皇子则有庆王、忠王诸王，宰相则有萧嵩、牛仙客，才开始身为将帅而不赴任；盖嘉运、王忠嗣专权统辖数道，才开始兼统他镇。李林甫想杜绝边帅入朝为相的途径，认为胡人不知道读书学习，就上奏说："文臣做将军，害怕抵挡敌人的弓箭、炮石，不如任用贫寒有才的胡人。胡人则勇敢果决、善于作战，出身寒族则孤立没有朋党，陛下真诚地用恩德去感化他们的心灵，他们就一定会替朝廷尽忠献身。"玄宗很喜欢这番话，开始任用安禄山。到这个时候，各道的节度使全部任用胡人，精兵全部戍守北方边境，天下大势，偏重北方，终于使安禄山得以颠覆天下，这都是源自李林甫想独享恩宠、稳固相位的阴谋。

西节度使。牛仙客开元二十四年拜工部尚书、同中书门下三品，遥领朔方节度使。㉞盖嘉运、王忠嗣专制数道二句：盖嘉运以破突厥有功，开元二十八年兼领河西、陇右二节度使，经略吐蕃；王忠嗣以数有边功，天宝五载（公元七四六年）任河西、陇右节度使，兼知朔方、河东节度使，"杖四节，控制万里，天下劲兵重镇，皆在掌握"。参见本书卷二百十五玄宗天宝五载。㉟怯当矢石：害怕去抵挡箭矢、炮石。指不敢亲临战场作战。㊱寒畯：通"寒俊"。出身寒微而才能杰出之人。㊲寒族：门第寒微的家族。㊳党：朋党。㊴洽：和谐；融洽。㊵尽死：尽忠效死。㊶诸道节度使尽用胡人：边镇用胡人，至天宝六载，有安禄山（营州杂胡）为平卢、范阳二道节度使，安思顺（营州胡人）为朔方节度副使，哥舒翰（突厥人）为陇右节度使，高仙芝（高丽人）为安西四镇节度使。但云"尽用胡人"，似有夸张。㊷精兵咸戍北边：据本书卷二百十五天宝元年，时天下镇兵四十九万人，戍北边（安西、北庭、河西、朔方、河东、范阳、平卢、陇右八镇）兵员占四十四万余人。㊸倾覆：颠覆。㊹专宠固位：独占皇帝恩宠，稳固自己的地位。

【校记】

［3］节度使：原无"使"字。据章钰校，十二行本、乙十一行本皆有"使"字，张敦仁《通鉴刊本识误》同，今据补。

【原文】

七载（戊子，公元七四八年）

夏，四月辛丑[45]，左监门大将军[46]、知内侍省[47]事高力士加骠骑大将军[48]。力士承恩[49]岁久，中外畏之，太子亦呼之为兄，诸王公呼之为翁[50]，驸马辈直[51]谓之爷[52]，自李林甫、安禄山辈皆因之以取将相，其家富厚不赀[53]。于西京作宝寿寺[54]，寺钟成，力士作斋[55]以庆之，举朝毕集。击钟一杵[56]，施钱百缗，有求媚者至二十杵，少者不减十杵。然性和谨[57]少过，善观时俯仰[58]，不敢骄横，故天子终亲任之，士大夫亦不疾恶也。

五月壬午[59]，群臣上尊号曰开元天宝圣文神武应道皇帝[60]，赦天下，免百姓来载租庸，择后魏子孙一人为三恪[61]。

六月庚子[62]，赐安禄山铁券[63]。

度支郎中兼侍御史杨钊善窥上意所爱恶而迎之，以聚敛[64]骤[65]迁，岁中领十五余使[66]。甲辰[67]，迁给事中，兼御史中丞，专判度支事[68]，恩幸[69]日隆。

苏冕论曰[70]：“设官分职，各有司存。[71]政有恒而易守[72]，事归本而难失[73]。经远之理，舍此奚据！[74]洎奸臣广言利以邀恩，多立使以示宠，[75]刻下民以厚敛，张虚数以献状，[76]上心荡而益奢，人望怨而成祸，[77]使天子有司守其位而无其事，受厚禄而虚其用。[78]宇文融首唱其端[79]，杨慎矜、王𫓩继遵其轨[80]，杨国忠终成其乱。仲尼[81]云宁有盗臣而无聚敛之臣[82]。诚哉是言！前车既覆，后辙未改，[83]求达化本[84]，不亦难乎！”

冬，十月庚戌[85]，上幸华清宫。

十一月癸未[86]，以贵妃姊适崔氏者为韩国夫人[87]，适裴氏者为虢国夫人，适柳氏者为秦国夫人。三人皆有才色，上呼之为姨[88]，出入宫掖[89]，并承恩泽，势倾天下。每命妇[90]入见，玉真公主[91]等皆让不敢就位。

【语译】

七载（戊子，公元七四八年）

夏，四月初二日辛丑，左监门大将军、知内侍省事高力士加官骠骑大将军。高力士受到玄宗恩宠时间很长，朝廷内外都畏惧他，太子也称他为兄，诸王公称他为翁，驸马辈直接称他为爷，从李林甫、安禄山这帮人开始，都借着他来得到大将和宰相的职位，家中富有丰厚得无法统计。在西京修建宝寿寺，寺内大钟铸成时，高力士斋戒庆贺，满朝官员全都聚集在一起。用杵敲一下钟，布施一百缗钱，有求媚讨好的人甚至用杵敲钟二十下，敲得少的也不少于十下。然而高力士的性格谦和谨慎，很少有过错，善于观察时势、俯仰行事，不敢骄傲蛮横，所以天子始终亲近信任他，士大夫也不痛恨讨厌他。

五月十三日壬午，群臣给玄宗上尊号称开元天宝圣文神武应道皇帝，大赦天下，免除老百姓来年的租庸，选择后魏的子孙一人为三恪。

六月初一日庚子，赏赐安禄山铁券。

度支郎中兼侍御史杨钊善于窥视玄宗好恶而迎合玄宗。因聚敛钱财而迅速升迁，一年内兼领十五个以上的使职。六月初五日甲辰，升任给事中，兼御史中丞，专判度支事，恩宠越来越隆盛。

苏冕评论说："朝廷设立官位分掌职事，各有自己的管理范围。政治制度稳定不变就容易遵守，事物找到根本所在就难有失误。管理国家长治久安的道理，除此之外还有什么依据！等到奸臣们大谈财利以求得恩幸，朝廷多设使职以示荣宠，刻削老百姓，厚敛钱财，夸大虚假的数字，呈献功状，皇上心摇意动，更加奢侈，百姓怨恨而酿成祸难，使得天子和群臣居其位而无所事事，享受厚禄而没有实际作用。宇文融首开其端，杨慎矜、王𫓹仿效其后，杨国忠最终酿成大乱。孔子说国家宁愿有盗窃的臣子，也不要有聚敛的臣子。这话说得太对了！前面的车子已经翻了，后面的车辙没有改变，要求达到教化的根本，不也太困难了吗?!"

冬，十月十三日庚戌，玄宗驾临华清宫。

十一月十七日癸未，封杨贵妃嫁给崔氏的姐姐为韩国夫人，嫁给裴氏的姐姐为虢国夫人，嫁给柳氏的姐姐为秦国夫人。三个人都有才艺和美色，玄宗称呼她们为"姨"，出入宫廷，都受到皇帝的恩泽，势倾天下。每当命妇入宫拜见玄宗，玉真公

三姊与铦、锜㉒五家，凡有请托㉓，府县承迎㉔，峻㉕于制敕。四方赂遗㉖，辐凑其门㉗，惟恐居后，朝夕如市。十宅㉘诸王及百孙院㉙婚嫁，皆先[4]以钱千缗赂韩、虢使请，无不如志。上所赐与及四方献遗⑩，五家如一。竞开第舍，极其壮丽，一堂之费，动逾千万。既成，见他人有胜己者，辄毁而改为。虢国尤为豪荡⑩，一旦，帅工徒突入韦嗣立⑩宅，即撤去旧屋，自为新第，但授韦氏以隙地⑩十亩而已。中堂既成，召工圬墁⑩，约钱二百万。复求赏技，虢国以绛罗⑩五百段赏之。嗤⑩而不顾，曰："请取蝼蚁⑩、蜥蜴⑩，记其数置堂中，苟失一物，不敢受直。"

十二月戊戌⑩，或言玄元皇帝降于朝元阁⑩。制改会昌县曰昭应，废新丰入昭应。辛酉⑪，上还宫。

哥舒翰筑神威军⑫于青海上，吐蕃至，翰击破之。又筑城于青海中龙驹岛⑬，谓之应龙城，吐蕃屏迹⑭不敢近青海。

是岁，云南王归义卒，子阁罗凤⑮嗣，以其子凤迦异⑯为阳瓜州⑰刺史。

【段旨】

以上为第三段，写宦官高力士专宠，杨国忠满门贵盛，炙手可热。

【注释】

㊺辛丑：四月初二日。㊻左监门大将军：武官名，左监卫长官，掌宫门禁卫，查核进入宫门人员名帖、物件。㊼知内侍省：唐代官衔前有"知"或"判知"或"知……事"，表示执掌此官职事而非正命。内侍省，宦官官署名，设内侍（四人）、内常侍（六人）辖五局官属，执掌侍奉皇帝，出入宫掖，宣传诏令。知内侍省事始于此。㊽骠骑大将军：武散官名，为武散官二十九阶之首，从一品。㊾承恩：蒙受皇帝恩泽。㊿翁：对年长者的尊敬称呼。51直：副词，径直、直接。52爷：俗呼父为爷。53富厚不赀：意为财富多得不可计算。赀，计算、估量。54宝寿寺：高力士在长安来庭坊（在朱雀门街东第三街翊善坊与永兴坊之间）所造的佛寺。55斋：古人祭祀前沐浴更衣、不饮酒、不吃荤，以表示诚敬，叫斋戒。后道教有所谓斋醮，为一种供斋祭神的宗教仪

主等人都谦让，不敢就座。贵妃的三个姐姐与杨铦、杨锜五家，凡是请托之事，府、县承办逢迎，比玄宗的制敕还要看重。四面八方的贿赂聚集其门，唯恐落于人后，从早到晚门庭若市。十宅各王以及百孙院的婚姻嫁娶，都先用一千缗钱贿赂韩国夫人、虢国夫人，让她们向玄宗请托，没有不如愿以偿的。玄宗所赏赐的以及四方贡献的物品，五家都一样。五家竞相修建宅第，极其壮观华丽，一个厅堂的费用，动辄超过千万钱。已经建好了宅第，看见别人有超过自己的，就毁掉重建。虢国夫人尤其强横、放纵，有一天，带领工人冲进韦嗣立的家中，立刻拆掉旧屋，自建新宅，仅仅给韦氏十亩闲地。中堂建成后，叫工人来涂饰墙壁，大约二百万的费用。工人又要求奖赏技艺，虢国夫人拿深红色的罗缎五百段赏给他们。工人不屑一顾地讥笑说："请您取来蝼蚁、蜥蜴，记下它们的数目，放在堂中，如果丢失一个，就不敢接受工钱。"

十二月初二日戊戌，有人说玄元皇帝降临在朝元阁。玄宗下制书改会昌县为昭应县，撤销新丰县，并入昭应县。二十五日辛酉，玄宗回宫。

哥舒翰在青海旁建神威军，吐蕃来了，哥舒翰打败了他们。又在青海中的龙驹岛上筑城，称之为应龙城，吐蕃敛迹不敢靠近青海。

这一年，云南王归义去世，儿子阁罗凤继位，任命他的儿子凤迦异为阳瓜州刺史。

式。佛教仪式中不见有斋或醮之称，而受戒乃是接受戒条的仪式，与高力士建寺"作斋以庆"不合。故此所谓斋，似借用道教"斋醮"的用语。㊺杵：棒槌。㊼和谨：和顺而谨慎。㊽观时俯仰：见机行事，顺风使舵。㊾壬午：五月十三日。㊿开元天宝圣文神武应道皇帝：玄宗的尊号。此前玄宗尊号是"开元天宝圣文神武皇帝"，天宝元年（公元七四二年）所上，今加"应道"二字。61三恪：古代新建的王朝为笼络人心，巩固统治，封前代三个王朝的子孙，给以公侯爵号，称三恪。唐武德元年（公元六一八年）已封北周、隋二王，玄宗再封后魏子孙，是为三恪。62庚子：六月初一日。63铁券：帝王颁赐功臣，授以世代享受免死特权的铁契。分左、右二者，左颁功臣，右藏内府。如功臣或其后代犯罪，则取券合之，推念其功，予以赦减。64聚敛：搜刮财货。65骤：快速。66岁中领十五余使：一年内兼领十五个以上的使职。洪迈《容斋随笔》云：杨国忠为度支郎，领十五余使，至宰相，凡领四十余使，新旧唐书皆不详载其职。〖按〗其拜相制前衔云：御史大夫，判度支，权知太府卿事，兼蜀郡长史，剑南节度、支度、营田等副大使，本道兼山南西道采访处置使；两京太府，出纳，监仓，祀祭，木炭，宫市，长春、九成宫等使，关内道及京畿采访处置使；拜右相，兼吏部尚书，集贤殿、崇玄馆学士，修国史，太清、紫微宫使；其余所领，又有管当租庸、铸钱等使。清朝乾隆时和珅

也身兼数十个职务，两人颇相类似。⑰甲辰：六月初五日。⑱专判度支事：判，裁决、处理。度支，度支司，为户部四司之一，主掌支度国用，即根据财政收入来开支国家费用。唐中宗以后，凡官衔中带“判”或“专判”某官事，就是根据诏命掌握某官司的裁决、处理权而不是正式任命其官。这种“判知之官”往往成为使职产生的过渡。杨钊专判度支事，就是他以本官给事中、御史中丞而专掌度支司的裁决处理权。⑲恩幸：指皇帝的宠爱。幸，宠爱。⑳苏冕论曰：指苏冕在《唐会要》中所发议论。本段文字综录自《唐会要》卷七十八《诸使杂录上》。苏冕（？至公元八〇五年），京兆武功（今陕西武功西北）人，撰有《唐会要》四十卷，记载唐高祖至德宗九朝制度增损沿革。传见《旧唐书》卷一百八十九下、《新唐书》卷一百三。㉑设官分职二句：设置官吏分掌职责，各有其管理的权限和范围。司，管理。存，存在、所在。此二句系综合《文献通考》记载苏冕下述一段文字：“九寺三监，东宫三寺，十二卫及京兆、河南府，是王者之有司，各勤所守，以奉职焉。尚书准旧章，立程度以颁之；御史台按格令，采奸滥以绳之；中书门下立百司之体要，察群吏之能否。善绩著而必进，败德闻而且贬。”㉒政有恒而易守：国家政治制度稳定不变，就容易遵守。政，指政治制度。恒，不变。㉓事归本而难失：事物找到根本所在，就难有过失。本，根本。㉔经远之理二句：管理国家长治久安的道理，除此之外还会有什么别的依据呢？经远，长治久安。奚，疑问代词，什么、哪里。据，根据、依据。㉕洎奸臣广言利以邀恩二句：本句意为及至奸臣以大谈增加财赋来获取皇帝的恩宠，皇帝则以多设立使职来表示宠爱。洎，到。广，大肆。利，指财货赋税。邀恩，求恩、获得恩宠。立使，设立使职。示宠，显示宠爱。㉖刻下民以厚敛二句：本句意为刻剥平民百姓，大量搜刮财富，夸大不真实的数目，呈献功状，捞取好处。刻，刻剥。下民，平民百姓。厚敛，重敛、大量搜刮。张，夸张，虚数，不真实的数目。献状，呈献功状。㉗上心荡而益奢二句：皇上心摇意动更加奢侈，人心怨恨而酿成大祸。荡，摇动。奢，奢侈。望怨，怨恨。㉘守其位而无其事二句：守着职位而无事可干，接受厚俸而没有作用。㉙宇文融首唱其端：指开元九年（公元七二一年）宇文融奏请搜刮天下逃户及隐匿不报的田产。事见本书卷二百十二、《旧唐书》卷一百五、《新唐书》卷一百三十四。㉚杨慎矜、王鉷继遵其轨：指开元二十一年，杨慎矜知太府出纳，诸州所纳输物稍有次劣者，皆令征折估钱，并用以购买金银绸帛等轻货，使得州县征调，不绝于岁月。事见本书卷二百十三、《旧唐书》卷一百五、《新唐书》卷一百三十四。王鉷任户口色役使，恣行割剥百姓，岁进钱宝百亿万，贮于内库。事见本书卷二百十五、《旧唐书》卷一百五、《新唐书》卷一百三十四。㉛仲尼：孔子字。㉜宁有盗臣而无聚敛之臣：语出《礼记·大学》：“百乘之家，不畜聚敛之臣；与其有聚敛之臣，宁有盗臣。”本句意即宁愿要有偷窃行为的臣子，也不愿有专事搜刮百姓的臣子。宁，宁可、宁愿。盗臣，盗窃之臣。聚敛之臣，搜刮积聚之臣。㉝前车既覆二句：语出《韩诗外传》五：“前车覆而后车不诫，是以后车覆也。”前面的车已翻倒，后面的车还没有改变方向。既，已经。覆，翻倒、倾倒。辙，车轮压出的痕迹。㉞ 求达化本：要求达到教化的根本，指国家的长治久安。㉟ 庚戌：十月十三日。㊱ 癸未：十一月十七日。㊲ 国夫人：唐命妇之制，凡文武官一品和爵为国公者，其母、妻为国夫人。㊳ 姨：妻子的姐妹。㊴ 宫掖：宫，皇帝、皇后的住所。掖，掖庭，宫内的旁舍，妃嫔的住所。皇宫和掖庭统称为宫掖。㊵ 命妇：受封邑号的妇女。唐有内外命妇之别。内命妇指皇帝的妃、嫔，太子的良娣、女御等。外命妇一指与皇帝有亲属关系的受封邑妇女，如大长公主（皇姑）、长公主（皇姐妹）、公主（皇女）、郡主（太子女）、县主（诸王女），也指高爵高品官受封邑母、妻，如亲王郡王母、妻为妃，一品官及国公母、妻为国夫人，二品、三品官母、妻为郡夫人，四品官母、妻为郡君，五品官母、妻为县君。散官并同职事官。勋官二品有封者同四品职事官，三品有封者同五品职事官，四品有封者母、妻为乡君。母邑号皆加“太”字。㊶ 玉真公主：睿宗之女。传见《新唐书》卷八十三。㊷ 铦、锜：杨贵妃堂兄杨铦、杨锜。㊸ 请托：请求、托付。指私相嘱托。㊹ 承迎：承办迎奉。㊺ 峻：严厉；严峻。㊻ 赂遗：贿赂、赠送。㊼ 辐凑其门：此指各种人纷纷去巴结杨氏。辐凑，也作辐辏，车辐集中于轴心，比喻人或物聚集一处。㊽ 十宅：十王宅。玄宗即位后，在西京安国寺东附苑城为大宅以处诸王，称十王宅。㊾ 百孙院：十王宅外，安置皇孙的宅院。㊿ 献遗：奉献、赠送。(101) 豪荡：强横、放纵。(102) 韦嗣立：韦嗣立（？至公元七一九年），郑州阳武（今河南原阳）人，官至兵部尚书、同中书门下三品，封逍遥公。传见《旧唐书》卷八十八、《新唐书》卷一百十六。(103) 隙地：闲地；空地。(104) 圬墁：亦作圬镘，涂墙壁的工具，又指泥瓦工人涂饰墙壁。(105) 绛罗：深红色的稀疏轻软丝织品。(106) 嗤：讥笑；嘲笑。(107) 蝼蚁：蝼蛄、蚂蚁，小昆虫名。(108) 蜥蜴：爬行动物。种类很多，一般指壁虎、草蜥一类动物。(109) 戊戌：十二月初二日。(110) 朝元阁：玄宗在骊山华清宫建老君殿，祭奉道教始祖太上老君，殿北有朝元阁。后传言太上老君降临此阁，便改名降圣阁。(111) 辛酉：十二月二十五日。(112) 神威军：军镇名，在今青海海晏西。(113) 龙驹岛：岛名，在青海湖中，即魁孙拖罗海山。(114) 屏迹：收敛行迹。(115) 阁罗凤：云南王皮逻阁（即蒙归义）之子。因受唐剑南节度使鲜于仲通进攻，天宝十一载（公元七五二年）叛唐而臣服吐蕃，吐蕃授其号曰东帝。事见《旧唐书》卷一百九十七、《新唐书》卷二百二十二上。(116) 凤迦异：凤迦异（？至公元七七九年），皮逻阁之孙，阁罗凤之子。天宝四载唐授官鸿胪卿。(117) 阳瓜州：州名，治所在今云南巍山彝族回族自治县。

【校记】

［4］先：原无此字。据章钰校，十二行本、乙十一行本皆有此字，今据补。

【原文】

八载（己丑，公元七四九年）

春，二月戊申[118]，引百官观左藏[119]，赐帛有差[120]。是时州县殷富，仓库积粟帛，动以万计。杨钊奏请所在粜变为轻货，及征丁租地税[121]皆变布帛输京师。屡奏帑藏[122]充牣，古今罕俦[123]，故上帅群臣观之，赐钊紫衣金鱼[124]以赏之。上以国用丰衍，故视金帛如粪壤，赏赐贵宠之家，无有限极[125]。

三月，朔方节度等使张齐丘[126]于中受降城西北五百余里木剌山筑横塞军[127]，以振远军[128]使郑人郭子仪[129]为横塞军使。

夏，四月，咸宁[130]太守赵奉璋告李林甫罪二十余条。状未达，林甫知之，讽御史逮捕，以为妖言，杖杀之。

先是，折冲府[131]皆有木契[132]、铜鱼[133]，朝廷征发，下敕书、契、鱼，都督、郡府参验[134]皆合，然后遣之。自募置彍骑，府兵日益堕坏，死及逃亡者，有司不复点补[135]，其六驮马牛、器械、糗粮[136]，耗散略尽。府兵入宿卫[137]者，谓之侍官，言其为天子侍卫也。其后本卫多以假人[138]，役使如奴隶，长安人羞之，至以相诟病[139]。其戍边者，又多为边将苦使，利其死而没其财。由是应为府兵者皆逃匿，至是无兵可交。五月癸酉[140]，李林甫奏停折冲府上下鱼书[141]，是后府兵徒有官吏而已。其折冲、果毅，又历年不迁，士大夫亦耻为之。其彍骑之法，天宝以后，稍亦变废[142]，应募者皆市井负贩[143]、无赖子弟[144]，未尝习兵。时承平日久，议者多谓中国[145]兵可销[146]，于是民间挟[147]兵器者有禁，子弟为武官，父兄摈不齿[148]。猛将精兵，皆聚于西北[5]，中国无武备矣。

太白山[149]人李浑等上言见神人，言金星洞有玉板石记圣主[150]福寿之符，命御史中丞王𫟹入仙游谷求而获之。上以符瑞相继，皆祖宗休烈[151]，六月戊申[152]，上圣祖号曰大道玄元皇帝，上高祖谥曰神尧大圣皇帝，太宗谥曰文武大圣皇帝，高宗谥曰天皇大圣皇帝，中宗谥曰孝和大圣皇帝，睿宗谥曰玄真大圣皇帝，窦太后[153]以下，皆加谥曰顺圣皇后。

辛亥[154]，刑部尚书、京兆尹萧炅坐赃左迁汝阴[155]太守。

【语译】

八载（己丑，公元七四九年）

春，二月十三日戊申，玄宗带领百官视察左藏库，各按等级差别赏赐绢帛。这时各州、县殷实富足，仓库里积藏的粮米布帛，动辄数以万计。杨钊奏请玄宗，命令各州县就地把粮食卖出，变换为轻货，以及征收的丁租地税都换成布帛运送京城。多次上奏说国库充盈，古今少有同类情况，所以玄宗带领群臣察看左藏库，把紫衣金鱼赏赐给杨钊。玄宗因为国用丰富，所以视金银绢帛如粪土，赏赐富贵宠幸之家没有限度。

三月，朔方节度等使张齐丘在中受降城西北五百余里的木剌山修筑横塞军，任用振远军使郑人郭子仪为横塞军使。

夏，四月，咸宁郡太守赵奉璋控告李林甫罪过二十余条。状子没有送到，李林甫就知道了，暗示御史逮捕赵奉璋，说他造作妖言，用棍棒打死了他。

此前，折冲府都有木契、铜鱼，朝廷要征调军队，就下敕书、木契、铜鱼，都督、郡府会同检验，木契、铜鱼都符合了，然后派遣军队。自从招募设置彍骑，府兵就日益堕毁，有死亡和逃跑的，主管官员也不再检点、补充，那些府兵的六驮马牛、器械、干粮，都快消耗散失尽了。府兵进京宿卫的，称之为侍官，是说他成为天子的侍卫。后来各卫大多把卫士借给他人，像奴隶一样役使他们，长安人对他们感到很羞耻，以致加以侮辱。那些戍守边疆的人，又多被守边的将领当苦役差使，希望整死他们而没收他们的钱财。因此，应该当府兵的人都逃跑躲藏起来，到这时已无兵可以送交。五月初十日癸酉，李林甫奏请停发折冲府的上下铜鱼和敕书，此后府兵仅有官吏。那些折冲、果毅等军官，又多年不能升迁，士大夫也耻于担任这些官职。所谓彍骑之法，天宝以后，也逐渐变化废弃，应募参军的都是街市担货叫卖的小贩和无赖子弟，未曾习武。当时天下长期太平，议论的人大多说中原的兵器可以销毁，于是就禁止民间私藏兵器，家中子弟做了武官，父兄辈就排斥看不起。猛将精兵都聚集在西北，中原没有武备了。

太白山人李浑等人上书说看见了神人，说在金星洞有玉板石，记载着圣主福寿的符命，玄宗命令御史中丞王鉷进入仙游谷寻求，得到了符命。玄宗认为符命瑞兆相继出现，都是祖宗盛美的功业所致。六月十五日戊申，尊圣祖老子称号为大道玄元皇帝，尊高祖谥号为神尧大圣皇帝，太宗谥号为文武大圣皇帝，高宗谥号为天皇大圣皇帝，中宗谥号为孝和大圣皇帝，睿宗谥号为玄真大圣皇帝，窦太后以下，都加谥号为顺圣皇后。

六月十八日辛亥，刑部尚书、京兆尹萧炅犯贪赃罪降职为汝阴郡太守。

上命陇右节度使哥舒翰帅陇右、河西及突厥阿布思兵，益以朔方、河东兵，凡六万三千，攻吐蕃石堡城。其城三面险绝，唯一径可上，吐蕃但以数百人守之，多贮粮食，积檑木及石。唐兵前后屡攻之，不能克。翰进攻数日不拔，召裨将⑯高秀岩、张守瑜，欲斩之。二人请三日期可克，如期拔之，获吐蕃铁刃悉诺罗等四百人，唐士卒死者数万，果如王忠嗣之言⑰。顷之，翰又遣兵于赤岭西开屯田⑱，以谪卒⑲二千戍龙驹岛。冬冰合，吐蕃大集，戍者尽没。

闰月乙丑⑳，以石堡城为神武军，又于剑南西山索磨川置保宁都护府。

丙寅⑯①，上谒⑯②太清宫⑯③。丁卯，群臣上尊号曰开元天地大宝圣文神武应道皇帝，赦天下，禘、祫自今于太清宫圣祖前设位序正⑯④。

秋，七月，册突骑施移拨为十姓可汗。

八月乙亥⑯⑤，护密⑯⑥王罗真檀入朝，请留宿卫，许之，拜左武卫将军⑯⑦。

冬，十月乙丑⑯⑧，上幸华清宫。

十一月乙未⑯⑨，吐火罗⑰⓪叶护失里怛伽罗遣使表称："朅师⑰①王亲附吐蕃，困苦小勃律镇军，阻其粮道。臣思破凶徒，望发安西兵，以来岁正月至小勃律，六月至大勃律。"上许之。

【段旨】

以上为第四段，写唐承平日久，府兵制坏废，募兵制敷衍，武备松弛，劲兵备边，国内空虚。

【注释】

⑪⑧戊申：二月十三日。⑪⑨左藏：太府寺有左藏署，为管理国库的机构，置令丞，掌国家赋调之物，辖有东库（又称东左藏库，在长乐门内）、西库（又称西左藏库，在广运门内）、朝堂库（在大明宫），还有东都库。⑫⓪赐帛有差：唐代天子赐物，凡称"赐帛有差"或"赐束帛有差"，都是赐绢，五品以上五匹，六品以下三匹，命妇以其夫、子品秩

玄宗命令陇右节度使哥舒翰带领陇右、河西及突厥阿布思的部队，加上朔方、河东的部队，共六万三千人，攻打吐蕃石堡城。这座城三面险峻，只有一条小路可以上去，吐蕃仅用几百人把守，贮存很多粮食，堆积檑木和石头。唐朝军队前后多次攻打它，都没有攻克。哥舒翰攻打了好多天，不能夺取，叫来裨将高秀岩、张守瑜，想要杀掉他们。两人请求三天为期，可以攻克，结果如期攻了下来，俘虏吐蕃铁刃悉诺罗等四百人，唐朝士兵死亡好几万人，果然如同王忠嗣所说的那样。不久，哥舒翰又派兵在赤岭西部开垦屯田，用贬谪的士兵两千人戍守龙驹岛。冬天湖水冰封，吐蕃大量士兵会合，戍守的唐兵全部阵亡。

闰六月初三日乙丑，以石堡城为神武军，又在剑南西山索磨川设立保宁都护府。

闰六月初四日丙寅，玄宗拜谒太清宫。初五日丁卯，大臣们给玄宗加尊号为开元天地大宝圣文神武应道皇帝，赦免天下，禘祭、祫祭祖宗，从今以后在太清宫圣祖前依昭穆次序设置神位。

秋，七月，册封突骑施移拨为十姓可汗。

八月十四日乙亥，护密王罗真檀来朝，请求留京宿卫，玄宗允许了，任命他为左武卫将军。

冬，十月初四日乙丑，玄宗亲临华清宫。

十一月初五日乙未，吐火罗叶护失里怛伽罗派遣使者上表说："朅师王亲近归附吐蕃，使镇守小勃律的军队境地困苦，切断他们运粮的道路。臣下想要打败这些凶恶之徒，希望安西发兵，来年正月到达小勃律，六月到达大勃律。"玄宗准许了。

而定。⑫丁租地税：丁租，即租庸调的租，每丁年输谷二石。地税，以建立义仓的名义，亩征二升的土地税。⑫帑藏：国库。帑，财帛。⑫俦：同类；类似。⑫紫衣金鱼：紫衣，紫色官服。金鱼，刻成鱼状的金符，以袋盛之。唐制，三品以上官着紫衣，佩金鱼袋。杨国忠此时为御史中丞，官秩正四品下，尚无穿紫袍佩金袋的资格，玄宗特赐紫衣金鱼以示恩宠。⑫限极：限，限制。极，尽头、极点。⑫张齐丘：张后胤之孙，历官监察御史、朔方节度使，终于东都留守。传见《新唐书》卷一百九十八《张后胤传》。⑫横塞军：军镇名，在今内蒙古乌拉特中后联合旗西阴山北麓。⑫振远军：军镇名，在关内道。⑫郭子仪：郭子仪（公元六九七至七八一年），中唐名将，华州郑县（今陕西渭南市华州区）人，因平安史之乱而声名大振，官至副元帅、中书令，封汾阳郡王，德宗尊为"尚父"。传见《旧唐书》卷一百二十、《新唐书》卷一百三十七。⑬咸宁：郡名，天宝元年（公元七四二年）丹州改名，治所在今陕西宜川县。⑬折冲府：府兵制军府的统

称。⑬² 木契：木刻信契。太子监国或庶官镇守时，供调遣军队使用。⑬³ 铜鱼：铜鱼符，铜铸鱼形信符，调遣军队和更易守长时使用。⑬⁴ 参验：参考验证。⑬⁵ 点补：检点、补充。⑬⁶ 六驮马牛、器械、糗粮：指府兵队、火和个人的携带物。糗，干粮。唐府兵制规定，每十人为火，火有长，火备六匹驮马及火具、乌布、幕铁、马盂、布槽、锸、镢、凿、碓、筐、斧、钳、锯、甲床、镰等物，每五十人为队，队备火钻、胸马绳、首羁、足绊等物。每个卫士自备弓、矢、胡禄（箭囊）、横刀、砺石（用以磨刀取火）、大觿（解绳结用的锥子）、毡帽、毡装、行縢（今称为绑腿）及麦饭九斗，米二斗。⑬⁷ 宿卫：在京城值宿，担任警卫。⑬⁸ 本卫多以假人：各卫把卫士借与别人役使。假，借。⑬⁹ 诟病：耻辱；侮辱。⑭⁰ 癸酉：五月初十日。⑭¹ 奏停折冲府上下鱼书：奏请停发折冲府铜鱼符、敕书。这是府兵制被废除的标志。《通典》卷二十九《职官十一》云“天宝八年五月停折冲府”，即是指此。⑭² 变废：变化和破坏。⑭³ 市井负贩：市井，进行买卖的地方。负贩，担货叫卖的小商贩。⑭⁴ 无赖子弟：无德无才、无所倚仗的游手好闲分子。⑭⁵ 中国：中原之地。⑭⁶ 兵可销：兵器可以销毁。⑭⁷ 挟：藏着。⑭⁸ 摈不齿：摈，嫌弃。不齿，不与同列，表示极端鄙视。⑭⁹ 太白山：山名，在今陕西眉县南。⑮⁰ 圣主：指太上老君。⑮¹ 休烈：盛美的事业。⑮² 戊申：六月十五日。⑮³ 窦太后：窦毅女，唐高祖李渊的皇后，太宗生母，初谥曰穆，后改谥太穆顺圣皇后。传见《旧唐书》卷五十一、《新唐书》

【原文】

九载（庚寅，公元七五〇年）

春，正月己亥[172]，上还宫。

群臣屡表请封西岳[173]，许之。

二月，杨贵妃复忤旨[174]，送归私第。户部郎中吉温因宦官言于上曰：“妇人识虑[175]不远，违忤圣心。陛下何爱宫中一席之地，不使之就死[176]，岂忍辱之于外舍邪？”上亦悔之，遣中使赐以御膳[177]。妃对使者涕泣[178]曰：“妾罪当死，陛下幸不杀而归之。今当永离掖庭，金玉珍玩，皆陛下所赐，不足为献，惟发者父母所与，敢以荐诚[179]。”乃翦[180]发一缭[181]而献之。上遽使高力士召还，宠待益深。

时诸贵戚竞以进食相尚[182]，上命宦官姚思艺为检校进食使[183]，水陆珍羞[184]数千盘，一盘费中人[185]十家之产。中书舍人窦华[186]尝退朝[187]，值

卷七十六。⑭ 辛亥：六月十八日。⑮ 汝阴：郡名，天宝元年汝州改名，治所在今河南汝州。⑯ 裨将：副将。⑰ 果如王忠嗣之言：天宝六载，玄宗欲使王忠嗣攻石堡城。王忠嗣上奏，以为此城险固，若要夺取，定会造成数万人的死亡，而所得不如所亡。事见本书卷二百十五天宝六载。⑱ 屯田：利用军队及其所在空闲地种植粮食作物，以收获物助军饷。屯田有军屯、民屯之别，此为军屯。⑲ 谪卒：因罪遣送边地的士卒。谪，被罚流放或贬职。⑳ 乙丑：闰六月初三日。㉑ 丙寅：闰六月初四日。㉒ 谒：晋见。㉓ 太清宫：天宝元年在西京大宁坊修建玄元皇帝庙，东京置于东宫积善坊临淄旧邸。次年，西京玄元宫改称太清宫，东京改称太极宫。㉔ 设位序正：正式按祖宗顺序摆设座位。㉕ 乙亥：八月十四日。㉖ 护密：古国名，在今帕米尔地区乌浒河上游地区。㉗ 左武卫将军：武官名，左武卫副长官，佐左武卫大将军掌宫掖禁卫，以及率卫士在大朝会时着白铠甲为仪仗。㉘ 乙丑：十月初四日。㉙ 乙未：十一月初五日。㉚ 吐火罗：古西域国名，即汉代的大夏，《大唐西域记》作“睹货逻”，在今阿姆河上游一带。㉛ 朅师：古西域国名，与吐火罗相邻。

【校记】

［5］西北：据章钰校，此下十二行本、乙十一行本皆有“边”字。

【语译】

九载（庚寅，公元七五〇年）

春，正月初十日己亥，玄宗回宫。

群臣多次上表请求封西岳，玄宗准许了。

二月，杨贵妃又一次违背玄宗的旨意，被送回杨家私宅。户部郎中吉温通过宦官对玄宗说：“妇道人家考虑不深远，违背了圣上的心意。陛下为什么爱惜宫中的一席之地，不让她去死，却忍心让她在外面住处蒙受屈辱呢？”玄宗也后悔了，派宫中使者赏赐御膳。贵妃面对使者哭泣着说：“妾罪当死，陛下哀怜不杀我，还送回娘家。现在应当永远离开宫掖，金玉珍宝玩物，都是陛下所赐，不足以献给陛下。只有头发是父母所给，才敢送上，进献我的诚意。”于是剪下一束头发献给玄宗，玄宗赶快派高力士把贵妃召回宫，对她的宠爱更加深厚了。

当时贵戚们以竞相向宫中进献食品为时尚，玄宗任命宦官姚思艺为检校进食使，水陆珍肴几千盘，一盘的费用就相当于十户中等人家的家产。中书舍人窦华曾经退

公主进食，列于中衢[188]，传呼[189]按辔出其间。宫苑小儿[190]数百奋梃于前，华仅以身免。

安西节度使高仙芝破朅师，虏其王勃特没。三月庚子[191]，立勃特没之兄素迦为朅师王。

上命御史大夫王𫟹凿华山路，设坛场于其上。是春，关中旱，辛亥[192]，岳祠[193]灾，制罢封西岳。

夏，四月己巳[194]，御史大夫宋浑[195]坐赃巨万，流潮阳[196]。初，吉温因李林甫得进，及兵部侍郎兼御史中丞杨钊恩遇浸深，温遂去林甫而附之，为钊画代林甫执政之策。萧炅及浑，皆林甫所厚也，求得其罪，使钊奏而逐之，以翦其心腹，林甫不能救也。

五月乙卯[197]，赐安禄山爵东平郡王，唐将帅封王自此始。

秋，七月乙亥[198]，置广文馆[199]于国子监[200]，以教诸生习进士[201]者。

八月丁巳[202]，以安禄山兼河北道采访处置使。

朔方节度使张齐丘给粮失宜，军士怒，殴其判官[203]，兵马使[204]郭子仪以身捍齐丘，乃得免。癸亥[205]，齐丘左迁济阴[206]太守，以河西节度使安思顺权知[207]朔方节度事。

辛卯[208]，处士[209]崔昌[210]上言："国家宜承周、汉，以土代火。[211]周、隋皆闰位[212]，不当以其子孙为二王后。"事下公卿集议[213]。集贤殿学士[214]卫包上言："集议之夜，四星聚于尾[215]，天意昭然[216]。"上乃命求殷、周、汉后为三恪[217]，废韩、介、酅公[218]。以昌为左赞善大夫[219]，包为虞部员外郎[220]。

冬，十月庚申[221]，上幸华清宫。

太白山人王玄翼上言见玄元皇帝，言宝仙洞有妙宝真符[222]。命刑部尚书张均[223]等往求，得之。时上尊道教[224]，慕长生，故所在争言符瑞[225]，群臣表贺无虚月。李林甫等皆请舍宅为观，以祝圣寿，上悦。

朝回家，碰上公主进献食品，排列在大道当中，窦华传呼左右控制马的缰绳从献食行列中间通过。好几百个宫苑小儿在窦华前面高举棍棒，窦华仅仅只身逃脱。

安西节度使高仙芝打败朅师，俘虏朅师王勃特没。三月十二日庚子，立勃特没的哥哥素迦为朅师王。

玄宗命令御史大夫王鉷开凿华山的道路，在山上设立祭祀的坛场。这年春季，关中干旱，三月二十三日辛亥，西岳祠庙发生火灾，玄宗下制书停止封祭西岳。

夏，四月十一日己巳，御史大夫宋浑犯了贪赃巨万罪，被流放到潮阳。当初，吉温依靠李林甫得到进用，等到兵部侍郎兼御史中丞杨钊受玄宗恩宠礼遇日渐深厚，吉温便离开李林甫而依附杨钊，替杨钊谋划替代李林甫执政的策略。萧炅和宋浑都被李林甫厚待，吉温找到他们的罪过，让杨钊上奏放逐他们，借以剪除李林甫的心腹，李林甫不能援救。

五月二十八日乙卯，赐予安禄山东平郡王爵位，唐朝将帅封王从这时开始。

秋，七月乙亥日，在国子监设立广文馆，用来教育准备考进士科的学生。

八月初一日丁巳，任命安禄山兼河北道采访处置使。

朔方节度使张齐丘供应粮食不公平，军士很生气，殴打他的判官，兵马使郭子仪用身体保护张齐丘，他才免遭挨打。八月初七日癸亥，张齐丘被降职为济阴郡太守，让河西节度使安思顺暂时代理朔方节度使。

九月初六日辛卯，处士崔昌向玄宗进言说："国家应当直接继承周朝、汉朝，以土德代替火德。北周、隋朝都不是正统王朝，不应该让两朝的子孙成为二王的后人。"玄宗就把此事下交公卿集会商议。集贤殿学士卫包进言说："集会商议的那天夜里，有四颗星聚集在尾宿，天意很明显。"玄宗于是下令寻找殷朝、周朝、汉朝王族后裔为三恪，废弃韩公、介公、酅公。任命崔昌为左赞善大夫，卫包为虞部员外郎。

冬，十月初五日庚申，玄宗亲临华清宫。

太白山人王玄翼上书说看到了玄元皇帝老子，说宝仙洞有妙宝真符。玄宗命令刑部尚书张均等人前往寻找，找到了它。当时玄宗尊崇道教，希望长生，所以到处都争相上言符箓祥瑞，群臣没有一个月不上表祝贺的。李林甫等人都请求捐献私宅作为道观，来向玄宗祝寿，玄宗很高兴。

【段旨】

以上为第五段，写唐玄宗信奉神仙道教，醉心于符兆，与杨贵妃日处深宫逸乐，而国事日非。

【注释】

⑰己亥：正月初十日。⑰封西岳：西岳，即华山。玄宗曾于先天二年（公元七一三年）封华山神为金天王。⑰忤旨：违反皇帝旨意。忤，违反、抵触。⑰识虑：见识、考虑。⑰就死：去死；死。吉温所言“就死”云云，全是正话反说，欲以结好杨贵妃。⑰御膳：皇帝的饮食。⑰涕泣：哭泣。⑰荐诚：进献诚意。荐，进、献。⑱翦：通“剪”。⑱缭：一束。⑱相尚：互相攀比。⑱进食使：使职名，掌进食事宜的临时所命差遣官。⑱水陆珍羞：山珍海味。羞，通“馐”，食物。⑱中人：中等人户；中产之家。⑱窦华：杨国忠亲信，官至中书舍人。及杨国忠败，被诛。其事散见《旧唐书》卷一百六、《新唐书》卷二百六《杨国忠传》等篇。⑱退朝：朝，朝参。据《唐会要》卷二十五引《仪制令》，凡京司文武职事九品以上官，每月朔望朝参。五品以上及供奉官、员外郎、监察御史、太常博士，每日朝参。朝参完毕，即退朝。⑱中衢：大道之中。衢，四通八达的道路。⑱传呼：传唤身边人。⑲宫苑小儿：幼小宦官，由宫苑使统领。⑲庚子：三月十二日。⑲辛亥：三月二十三日。⑲岳祠：供奉山岳神的祠庙。⑲己巳：四月十一日。⑲宋浑：宰相宋璟之子。官至御史大夫。传见《旧唐书》卷九十六、《新唐书》卷一百三十四。⑲潮阳：郡名，天宝元年（公元七四二年）潮州改名，治所在今广东潮州市潮安区。⑲乙卯：五月二十八日。⑲乙亥：七月丁巳朔无“乙亥”，当为“己亥”之误。己亥，七月十三日。⑲广文馆：玄宗新设学校，置博士、助教，专门教授准备参加进士考试的生徒。至德后废。⑳国子监：管理学校的最高机关。置祭酒一人、司业二人，掌其训导之政令。国子监下辖国子学、太学、四门学、律学、书学、算学等学。⑳习进士：习读进士考试的学科。⑳丁巳：八月初一日。⑳判官：节度使属官，有两人，一掌后勤，一掌书记。发放军粮为后勤判官。⑳兵马使：为都知兵马使的省称，是节度使属官掌兵马的武官。⑳癸亥：八月初七日。⑳济阴：郡名，天宝元年曹州改名，治所在今山东曹县西北。⑳权知：有暂代之意。衔带“权知”的官，亦属诏除而非正命。⑳辛卯：九月初六日。⑳处士：未做官的士人。⑳崔昌：崔昌（？至公元七六一年），官至试都水使者。嗣薛王李珍阴谋不轨，崔昌以同党被斩。其事散见《旧唐书》卷九十五《惠文太子范传》，《新唐书》卷二百一《王勃传》等篇。㉑国家宜承周、汉二句：

【原文】

安禄山屡诱奚、契丹，为设会，饮以莨菪酒[226]，醉而坑之，动数千人，函其酋长之首以献，前后数四。至是请入朝，上命有司先为起第

据阴阳家土、木、金、火、水五行相生相克的五德终始理论，火克金，水克火，土克水，周朝为火德，汉朝为水德，故崔昌认为唐承周、汉正统，应为土德。㉑②闰位：古人称非正统的王朝或帝位为闰位。㉑③公卿集议：朝廷百官共议。唐朝凡军国大政，或大臣提出的重要建议，多要交付公卿集议，然后由皇帝决策。㉑④集贤殿学士：集贤殿书院，开元十三年（公元七二五年）置，以五品以上官为学士，六品以下为直学士。宰相为学士，则任知院事，另设副知院事。集贤殿学士主掌校刊撰集古今经籍图书。㉑⑤四星聚于尾：《新唐书·天文志二》云，“天宝九载八月，五星聚于尾、箕”。尾、箕，星宿名，中国古天文学所称二十八宿中，属东方七宿。五星聚于尾、箕，是说有五星聚合于尾、箕宿舍。这种所谓星聚现象，按《史记·天官书》所说：“五星皆从而聚于一舍，其下国可以礼致天下。”《史记正义》云：“五星者合，是谓易行。有德者受庆，掩有四方；无德者受殃，乃以死亡也。”这是占星术家的谎言。但古人信以为真。故卫包以星聚论证应该求殷、周、汉后为三恪，以示“有德”，因此可以“受庆”，会有喜庆之事到来。㉑⑥昭然：明显；显然。㉑⑦恪：敬。敬其先人而封其后，与诸侯无异，是一种特别的封爵。周武王封虞、夏、殷之后为三恪，此效周封殷、周、汉之后为三恪。㉑⑧韩、介、酅公：韩公，为北魏皇室后裔。介公，北周皇室之后。酅公，隋代皇室之后。公，为封爵之称。周封五等爵为公、侯、伯、子、男。唐代的公，为低于王爵的封号。㉑⑨左赞善大夫：官名，太子东宫有左、右赞善大夫，相当于天子的左、右谏议大夫，掌讽谕规谏。㉒⓪虞部员外郎：官名，尚书省工部所属虞部司副长官，佐掌京城街巷的种植、山泽苑囿的采捕渔猎及草木薪炭的供应。㉒①庚申：十月初五日。㉒②符：符篆。指用朱笔或墨笔在纸上画成的似字非字的图形。施术者诳言，符可驱使鬼神，医治疾病，用来实现人的愿望。㉒③张均：玄宗命往宝仙洞求妙宝真符者尚有王鉷、王倕、王济、王翼、王岳灵等，可见玄宗笃信道教之深。㉒④上尊道教：唐玄宗是唐朝最崇奉道教的皇帝，自称日夜斋心礼谒老子近三十年。尊玄元皇帝为“大圣祖”，改其庙为太清宫。规定朝廷祭祀，先朝太清宫。令人画老子像颁于天下。王公以下皆习《老子》。在京师设置专门讲习道教的崇玄学，实行道举，每年贡举加试《老子》。唐玄宗还亲自注疏《老子》，颁布全国令士庶均家藏一本。派遣求道使，搜求道经，纂成三千多卷的《三洞琼纲》，并缮写传布。在他的带动下，尊礼道教在全国达到狂热的程度。㉒⑤符瑞：符箓显示的祥瑞。

【语译】

安禄山多次诱骗奚人和契丹人，为他们设宴聚会，给他们喝莨菪酒，喝醉了就把他们活埋掉，动辄坑杀几千人。把他们酋长的首级装在盒子里献给朝廷，这种情况前后有好多次。到了这时，安禄山请求入朝，玄宗命令有关部门先在昭应替他修

于昭应[227]。禄山至戏水，杨钊兄弟姊妹皆往迎之，冠盖[228]蔽野，上自幸望春宫以待之。辛未[229]，禄山献奚俘八千人，上命考课[230]之日书上上考[231]。前此听[232]禄山于上谷[233]铸钱五垆[234]，禄山乃献钱样千缗。

杨钊，张易之[235]之甥也，奏乞昭雪易之兄弟[236]。庚辰[237]，制引易之兄弟迎中宗于房陵之功[238]，复其官爵，仍赐一子官[239]。

钊以图谶有“金刀”，请更名，上赐名国忠。

十二月乙亥[240]，上还宫。

关西[241]游弈使[242]王难得[243]击吐蕃，克五桥，拔树敦城[244]。以难得为白水军使[245]。

安西四镇节度使高仙芝伪与石国[246]约和，引兵袭之，虏其王及部众以归，悉杀其老弱。仙芝性贪，掠得瑟瑟[247]十余斛，黄金五六橐驼[248]，其余口马杂货称是，皆入其家。

杨国忠德[249]鲜于仲通，荐为剑南节度使。仲通性褊急，失蛮夷[250]心。

故事，南诏常与妻子俱谒都督，过云南[251]，云南太守张虔陀皆私之，又多所征求。南诏王阁罗凤不应，虔陀遣人詈辱[252]之，仍密奏其罪。阁罗凤忿怨[253]，是岁，发兵反，攻陷云南，杀虔陀，取夷州三十二。

【段旨】

以上为第六段，写唐玄宗好大喜功，边将以诈术杀戮周边民族百姓以冒功。

【注释】

㉖莨菪酒：莨菪籽所酿之酒，甚毒。莨菪，多年生草本植物，根茎块状，灰黑色，叶子互生，长椭圆形，花紫黄色，结蒴果。有毒。种子和根、茎、叶都可供药用，有镇痛、安神等作用。㉗起第于昭应：当时王公皆在昭应私置宅第，唯独安禄山之宅系由玄宗命有司所建。㉘冠盖：指官吏的服饰和车乘。冠，礼帽。盖，车盖。㉙辛未：十月十六日。㉚考课：考核官吏政绩。唐制，尚书考功司掌内外文武官吏考课。凡应考之官，具录当年功过行能，本司或本州长官对众宣读，议其优劣，定为九等考第。再由敕定的校考官（京官位望高者二人充任）、监考官（给事中、中书舍人各一人充任）、判

建宅第。安禄山到达戏水，杨钊兄弟姐妹都前往迎接他，车马冠盖漫山遍野，玄宗也亲临望春宫等待他。十月十六日辛未，安禄山进献奚人俘虏八千人，玄宗命令在考核官吏功绩的时候记为上上考。在此以前朝廷听任安禄山在上谷铸钱五垆，于是安禄山向朝廷进献钱的样品一千缗。

杨钊，是张易之的外甥，上奏请求为张易之兄弟平反昭雪。十月二十五日庚辰，玄宗下制书援引张易之兄弟在房陵迎接中宗的功劳，恢复他们的官爵，还对他们的一个儿子赐予官职。

杨钊因图谶书上有“金刀”文字，请求改名，玄宗赐名国忠。

十二月二十日乙亥，玄宗回宫。

关西游弈使王难得攻打吐蕃，攻克五桥，夺取树敦城。任命王难得为白水军使。

安西四镇节度使高仙芝伪装和石国缔结和约，率兵偷袭，俘虏了石国的国王和部众回来，把那些年老和体弱的人都杀了。高仙芝性情贪婪，抢获十多斛碧珠、五六头骆驼驮的黄金，其他的人口、马匹、杂货，价值与此相等，这些都归入他家中。

杨国忠感恩于鲜于仲通，推荐他做剑南节度使。鲜于仲通性情狭隘急躁，丧失蛮夷之心。

旧制，南诏王经常带着妻子、儿子一起去拜谒都督，路过云南，云南太守张虔陀都和南诏王的妻子私通，又多有索取。南诏王阁罗凤不答应，张虔陀便派人去辱骂他，还秘密奏报他的罪过。阁罗凤非常愤恨，这一年，起兵反叛，攻陷云南，杀死张虔陀，夺取了夷地三十二个州。

考官（考功郎中、员外郎充任）进行检覆。最后一道程序是注定，京官集应考人对读注定，外官对朝集使注定。考课标准，有四善二十七最。详见《旧唐书》卷四十三。㉛上上考：考课九等为上上、上中、上下，中上、中中、中下，下上、下中、下下。上上考为第一等。㉜听：任凭。㉝上谷：郡名，天宝元年（公元七四二年）易州改名，治所在今河北易县。㉞铸钱五垆：冶炼铸钱五炉。开元二十二年（公元七三四年）唐玄宗禁天下私铸钱。此时特听安禄山铸钱，以示恩宠。垆，通“炉”。㉟张易之：张易之（？至公元七〇五年），武则天的内宠。传见《旧唐书》卷七十八、《新唐书》卷一百四。㊱乞昭雪易之兄弟：张易之、张昌宗兄弟在武则天时以内宠专政。中宗神龙元年（公元七〇五年），宰相崔玄暐、张柬之等趁武则天病笃，起兵迎太子（即中宗），诛易之兄弟，枭首于天津桥南。㊲庚辰：十月二十五日。㊳易之兄弟迎中宗于房陵之功：光宅元年（公元

六八四年）二月武则天废中宗为庐陵王，后迁于房陵（房州治所，今湖北房县）。圣历元年（公元六九八年），在狄仁杰、王方庆、王及善等人的劝言下，迎还庐陵王，复立为皇太子。张易之兄弟时任控鹤监供奉，为武则天所亲信。二张在吉顼怂恿下，为了免于天下切齿之祸，曾向武则天进言立庐陵王。㉓赐一子官：唐代贵族子弟以及五品以上官员的子孙可以门荫任官，亦称赐官。张易之官至秘书监（从三品），复官后其子可荫任从七品下官。㉔乙亥：十二月二十日。㉔关西：古地区名，汉唐时代泛指函谷关或潼关以西的地区。㉔游弈使：使职名，统率士兵执行游动警戒任务的差遣军官。㉔王难得：王难

【原文】

十载（辛卯，公元七五一年）

春，正月壬辰[254]，上朝献[255]太清宫。癸巳[256]，朝享太庙。甲子[257]，合祭天地于南郊，赦天下，免天下今载地税。

丁酉[258]，命李林甫遥领朔方节度使，以户部侍郎李晖知留后事。

庚子[259]，杨氏五宅[260]夜游，与广平公主[261]从者争西市门[262]，杨氏奴挥鞭及公主衣，公主坠马，驸马程昌裔下扶之，亦被数鞭。公主泣诉于上，上为之杖杀杨氏奴。明日，免昌裔官，不听朝谒。

上命有司为安禄山治第[6]于亲仁坊[263]，敕令但穷壮丽，不限财力。既成，具幄帟[264]器皿，充牣其中。有帖白檀床[265]二，皆长丈，阔六尺，银平脱[266]屏风[267]，帐一方一丈八尺[7]，于厨厩[268]之物皆饰以金银，金饭罂[269]二，银淘盆[270]二，皆受五斗，织银丝筐[271]及笊篱[272]各一，他物称是。虽禁中服御之物[273]，殆[274]不及也。上每令中使为禄山护役[275]，筑第及造储偫赐物，常戒之曰："胡眼大[276]，勿令笑我。"

禄山入新第，置酒，乞降墨敕[277]请宰相至第。是日，上欲于楼下击球[278]，遽为罢戏，命宰相赴之。日遣诸杨与之选胜[279]游宴，侑[280]以梨园[281]教坊[282]乐。上每食一物稍美，或后苑校猎获鲜禽，辄遣中使走马赐之，络绎[283]于路。

甲辰[284]，禄山生日，上及贵妃赐衣服、宝器、酒馔甚厚。后三日，

得（？至公元七六三年），琅邪临沂（今山东临沂北）人，武将。官至卫尉卿，封琅邪郡公。传见《旧唐书》卷一百八十三、《新唐书》卷一百四十七。㉔㉔ 树敦城：城名，在今青海共和南。㉔㉕ 白水军使：使职名，统率白水军戍兵的差遣长官，治所在今青海大通西北，属陇右节度使。㉔㉖ 石国：古国名，故地在今中亚乌兹别克斯坦塔什干一带。㉔㉗ 瑟瑟：一种碧绿色的珠宝。㉔㉘ 橐驼：骆驼。㉔㉙ 德：感激；报恩。㉕㉚ 蛮夷：古代泛指中原华夏民族以外的少数民族。此指西南少数民族。㉕㉑ 云南：郡名，天宝元年姚州改名，治所在今云南祥云东南云南驿。㉕㉒ 詈辱：责骂、侮辱。㉕㉓ 忿怨：愤怒、怨恨。

【语译】

十载（辛卯，公元七五一年）

春，正月初八日壬辰，玄宗祭祀太清宫。初九日癸巳，享祭太庙。甲子日，在南郊合祭天地之神，赦免天下，免除全国当年的地税。

正月十三日丁酉，任命李林甫遥领朔方节度使，任命户部侍郎李暐知留后事。

正月十六日庚子，杨铦、杨锜和韩国、虢国、秦国三夫人等五家夜晚出游，与广平公主的随从在西市门争斗，杨家奴仆挥鞭打到了公主的衣服，公主从马上掉下来，驸马程昌裔下马搀扶她，也被打了好几鞭子。公主向玄宗哭诉，玄宗为此杖杀了杨家奴仆。次日，罢免程昌裔的官职，不让他朝拜。

玄宗让有关部门在亲仁坊替安禄山修建宅第，命令只管尽量壮观华丽，不限制花费多少财力物力。宅第修好后，备齐帐幕器皿，布满宅第。有贴金白檀床两张，都是一丈长，六尺宽，用平脱工艺制成银叶屏风，帐一方一丈八尺，厨房、马厩中的东西全用金银装饰，有金饭罂两个、银淘米盆两个，都可以盛放五斗米，银丝编织的筐子和笊篱各一个，其他物品和上述物品一样华贵。即使宫禁中皇帝使用的东西，大概也比不上。玄宗经常命令宫中使者替安禄山监护工役，建筑宅第以及制作储备赏赐物品时，常告诫他们说："胡人眼大贪多，不要让他笑话我们小气。"

安禄山入住新宅，设酒宴，请求玄宗下达墨敕让宰相到新宅来。这一天，玄宗打算在楼下打球，为此立刻取消了游戏，命令宰相赴宴。每天派遣杨氏各家和安禄山选择名胜之地游玩宴饮，又用梨园子弟演奏的教坊音乐来助兴。玄宗每次吃到一种食物稍有甘美，或者后苑中打猎得到新鲜禽鸟，就派宫中使者驰马送去，路上马匹络绎不绝。

正月二十日甲辰，是安禄山生日，玄宗和杨贵妃赏赐的衣服、宝器、酒食非常

召禄山入禁中，贵妃以锦绣为大襁褓[285]，裹禄山，使宫人以彩舆[286]舁[287]之。上闻后宫欢笑，问其故，左右以贵妃三日洗禄儿[288]对。上自往观之，喜，赐贵妃洗儿金银钱，复厚赐禄山，尽欢而罢。自是禄山出入宫掖不禁，或与贵妃对食，或通宵不出，颇有丑声闻于外，上亦不疑也。

安西节度使高仙芝入朝，献所擒突骑施可汗、吐蕃酋长、石国王、朅师王，加仙芝开府仪同三司。寻以仙芝为河西节度使，代安思顺。思顺讽群胡割耳剺面[289]请留己，制复留思顺于河西。

安禄山求兼河东节度。二月丙辰[290]，以河东节度使韩休珉为左羽林将军[291]，以禄山代之。

户部郎中吉温见禄山有宠，又附之，约为兄弟，说禄山曰："李右丞相[292]虽以时事亲三兄[293]，不必[8]肯以兄为相。温虽蒙驱使，终不得超擢。兄若荐温于上，温即奏兄堪[294]大任[295]，共排林甫出之，为相必矣。"禄山悦其言，数称温才于上，上亦忘曩日之言[296]。会禄山领河东，因奏温为节度副使、知留后，以大理司直[297]张通儒[298]为留后判官，河东事悉以委之。

是时，杨国忠为御史中丞，方承恩用事。禄山登降殿阶，国忠常扶掖[299]之。禄山与王𫓧俱为大夫，𫓧权任亚于李林甫。禄山见林甫，礼貌颇倨。林甫阳以他事召王大夫，𫓧至，趋拜甚谨。禄山不觉自失，容貌益恭。林甫与禄山语，每揣知[300]其情，先言之，禄山惊服。禄山于公卿皆慢侮[301]之，独惮[302]林甫，每见，虽盛冬，常汗沾[303]衣。林甫乃引与坐于中书厅[304]，抚以温言[305]，自解披袍以覆之。禄山忻荷[306]，言无不尽，谓林甫为十郎[307]。既归范阳，刘骆谷[308]每自长安来，必问："十郎何言？"得美言则喜。或但云："语安大夫，须好检校[309]！"辄[310]反手据[311]床曰："噫嘻[312]，我死矣！"

禄山既兼领三镇[313]，赏刑己出，日益骄恣。自以曩时不拜太子，见上春秋高，颇内惧。又见武备堕弛[314]，有轻中国之心。孔目官[315]严庄[316]、掌书记[317]高尚[318]因为之解图谶，劝之作乱。

禄山养同罗[319]、奚、契丹降者八千余人，谓之"曳落河[320]"。曳落河者，胡言壮士也。及家僮百余人，皆骁勇善战，一可当百。又畜战马数万匹，多聚兵仗，分遣商胡诣诸道贩鬻[321]，岁输珍货数百万。私作

丰厚。后来第三天，叫安禄山进入宫中，杨贵妃用锦绣做了一个婴儿用的大被子，裹住安禄山，让宫女用花轿抬着他。玄宗听到后宫里欢声笑语，询问是什么缘故，左右的人回答说是贵妃替禄儿洗三日澡。玄宗亲自前往观看，很高兴，赏赐贵妃洗儿金银钱，又丰厚地赏赐安禄山，尽欢散去。从此不禁止安禄山出入宫廷，有时与杨贵妃相对而食，有时整夜不出宫，有不少丑闻传到外面，玄宗也不起疑心。

安西节度使高仙芝入朝，献上抓获的突骑施可汗、吐蕃酋长、石国王、朅师王，玄宗加任高仙芝开府仪同三司。不久又任命高仙芝为河西节度使，替代安思顺。安思顺示意各部胡人用刀割耳朵、划破脸皮，请求把自己留下来，玄宗下制书又把安思顺留在河西。

安禄山请求兼任河东节度使。二月初二日丙辰，任命河东节度使韩休珉为左羽林将军，让安禄山替代他做河东节度使。

户部郎中吉温看到安禄山有宠于玄宗，又去依附他，结为兄弟，他劝安禄山说："李右丞相虽然识时务和你亲近，但不一定愿意让你做宰相。我吉温虽然受他使唤，最后也得不到提升。你如果向玄宗推荐我吉温，我吉温立刻上奏玄宗，说你能够担当大任，我们一起把李林甫排挤出朝廷，你做宰相是必然的了。"安禄山对他的话很有兴趣，多次在玄宗面前称赞吉温的才干，玄宗也忘记了自己过去说的话。赶上安禄山领河东节度使，借机奏请吉温为节度副使、知留后，让大理司直张通儒为留后判官，河东道的政务全部委派他们处理。

这时，杨国忠为御史中丞，正受皇恩主理政事。安禄山上下宫殿的台阶，杨国忠常常搀扶他。安禄山与王铁都为大夫，王铁的权力职位在李林甫之下。安禄山见到李林甫，态度相当傲慢。李林甫假装有别的事叫王大夫，王铁到了，趋步礼拜非常恭谨。安禄山下意识地感到自己失礼，容貌便渐显恭敬。李林甫和安禄山谈话，每每揣摩到他的想法，事先说出来，安禄山惊奇佩服。安禄山对朝廷公卿都轻慢无礼，唯独畏惧李林甫，每次相见，即使隆冬严寒，也常常汗湿衣服。李林甫就带着他坐在中书省的办公厅里，用温和言语安抚他，亲自解下自己的披袍披在安禄山身上。安禄山心存感激，言无不尽，称李林甫为十郎。回到范阳后，刘骆谷每次从长安回来，安禄山一定询问："十郎说了什么？"听到好话就高兴。有时只说："告诉安大夫，要好自检点！"安禄山就反手按着床说："哎呀，我要死了！"

安禄山兼领三镇节度使后，赏罚出自一己之手，日益骄恣。自认为过去不跪拜太子，看到玄宗现在年事已高，内心非常恐惧。又看到朝廷武备弛毁，便产生了轻视中原的念头。孔目官严庄、掌书记高尚趁机替他讲解图谶，劝他作乱。

安禄山收养了同罗、奚、契丹各部族投降的八千多人，称他们为"曳落河"。所谓曳落河，胡语是壮士的意思。还有家童一百多人，都骁勇善战，以一当百。又蓄养几万匹战马，大量聚集兵器，分别派遣胡族商人前往各道经商贩卖，每年运回好几

绯紫袍、鱼袋㉜，以百万计。以高尚、严庄、张通儒及将军孙孝哲㉝为腹心，史思明、安守忠、李归仁、蔡希德、牛廷玠、向润容、李庭望、崔乾祐、尹子奇、何千年、武令珣、能元皓、田承嗣㉞、田乾真、阿史那承庆为爪牙㉟。尚，雍奴㊱人，本名不危，颇有辞学，薄游㊲河朔㊳，贫困不得志，常叹曰："高不危当举大事而死，岂能啮㊴草根求活邪！"禄山引置幕府，出入卧内。尚典笺奏，庄治㊵簿书㊶。通儒，万岁㊷之子。孝哲，契丹也。承嗣世为卢龙㊸小校，禄山以为前锋兵马使。治军严整[9]，尝大雪，禄山按行㊹诸营，至承嗣营，寂若无人，入阅士卒，无一人不在者，禄山以是重之。

【段旨】

以上为第七段，写安禄山狡黠，深得唐玄宗、杨贵妃宠信，被任命为平卢、范阳、河东三镇节度使而轻视唐室，遂有叛逆之心。

【注释】

㉔壬辰：正月初八日。㉕朝献：古祭祀名，其仪式是尸（活人装扮的受祭者）入祭室，享食祭品，然后主祭人酌酒敬尸。㉖癸巳：正月初九日。㉗甲子：正月乙酉朔，无"甲子"，壬辰以来连日祭祀，故"甲子"当为"甲午"之误。甲午，正月初十日。㉘丁酉：正月十三日。㉙庚子：正月十六日。㉚杨氏五宅：指杨贵妃宗兄杨铦、杨锜及韩国夫人、秦国夫人、虢国夫人五家贵戚。㉛广平公主："平"字据《唐大诏令集》卷四十一封制应改为"宁"。广宁公主，玄宗第二十六女，始封顺成公主，天宝八载（公元七四九年）改封广宁公主，九载四月二十六日出降程昌胤（裔）。传见《新唐书》卷八十三。㉜西市门：西市，在唐长安外郭城内朱雀门大街西第四街，怀远坊之北、醴泉坊之南。占二坊之地，为长安县所属商业贸易市场。西市四面各二门，所云"西市门"当指此。㉝亲仁坊：唐长安城坊之一，在朱雀门大街东第三街，宣阳坊南、永宁坊北。㉞幄帟：帐幕。㉟帖白檀床：雕花贴金的白檀木床。帖，贴金。白檀，檀香木中最好的一种，色白而香。㊱银平脱：把镂成花纹图案的金、银薄叶，用胶漆贴在所制器物表面，重行上漆，加工细磨，使花纹脱露，这种工艺称平脱。纯用银叶制成的为银平脱。平脱，古代漆器工艺名。㊲屏风：室内陈设的作为挡风或遮蔽的用具。㊳厨厩：厨房、马圈。㊴饭罂：罂形盛饭器。罂，腹大口小的盛酒器。㊵淘盆：淘米的盆子。㊶织银丝

百万珍贵的货物。私下制作绯紫袍、鱼袋，数以百万计。以高尚、严庄、张通儒及将军孙孝哲为心腹，以史思明、安守忠、李归仁、蔡希德、牛廷玠、向润容、李庭望、崔乾祐、尹子奇、何千年、武令珣、能元皓、田承嗣、田乾真、阿史那承庆为爪牙。高尚，是雍奴人，本名叫不危，很有文学修养，周游河朔，贫穷不得志，经常感叹说："我高不危应当做大事而死，怎么能够靠吃草根求得活命呢！"安禄山把他请来安排在幕府里，出入寝内。高尚主管笺表奏章，严庄管理文书簿籍。张通儒，是张万岁的儿子。孙孝哲，是契丹人。田承嗣世世代代都是卢龙的小校尉，安禄山任命他为前锋兵马使。他治军严整，曾经下大雪，安禄山巡视各军营，到了田承嗣的军营，安静得好像没有人，进去检阅士卒，却没有一个人不在军营，安禄山因此很器重他。

筐：以银丝织成的滤米筐。㉗②笊篱：本用竹篾编成的勺形滤器。此为银丝织成。㉗③禁中服御之物：皇帝宫中使用物。㉗④殆：大概；恐怕。㉗⑤护役：监护工役。㉗⑥眼大：贪多。㉗⑦墨敕：由皇帝亲自书写的，不经过中书出旨、门下审覆、尚书省颁行而直接下达的敕令。㉗⑧球：古代习武用具，用皮做成，以毛充实其中，足踏或杖击为戏。㉗⑨选胜：选择名胜之地。㉘⓪侑：侑欢，犹言助兴。㉘①梨园：玄宗曾选乐工三百人、宫女数百人，于禁苑的梨园教练歌舞，亲自纠正声音差误，号"皇帝弟子"，又称"梨园弟子"。后世因此称戏班为梨园，戏曲演员为梨园子弟。㉘②教坊：掌管女乐的官署。本来，高祖已于禁中置内教坊，教习乐舞，隶属太常；玄宗开元二年（公元七一四年），置内教坊于蓬莱宫侧（徐松《唐两京城坊考》认为此即梨园弟子），京都置左右教坊，以教俗乐，以中官为教坊使。后凡祭祀朝会，则用太常雅乐，岁时宴享，则用教坊诸部乐。㉘③络绎：往来不绝。㉘④甲辰：正月二十日。㉘⑤襁褓：婴儿的被子。㉘⑥彩舆：彩车。㉘⑦舁：抬。㉘⑧三日洗禄儿：新生儿三天后沐浴。安禄山认贵妃为母，贵妃便以安禄山生日后第三天浴以为戏。㉘⑨割耳剺面：我国古代匈奴、回纥等民族的风俗，凡遇大忧大丧，就用刀划脸或割去耳朵，表示悲愁。剺，划。㉙⓪丙辰：二月初二日。㉙①左羽林将军：武官名，唐有左右羽林军，各设大将军一人、将军二人，统领所属北衙禁兵，宿卫宫城。㉙②李右丞相：李林甫。天宝元年（公元七四二年），改侍中为左相，中书令为右相。李林甫官中书令，故称右相。据胡三省注，"丞"为衍字。㉙③三兄：安禄山排行第三。㉙④堪：能够；可以。㉙⑤大任：重任，指宰相。㉙⑥曩日之言：曩，过去、以往。吉温做新丰县丞时，太子文学薛嶷曾把他推荐给玄宗，玄宗召见吉温后说："是一不良人，朕不用也。"事见上卷天宝四载。㉙⑦大理司直：官名，大理寺属员，掌出使推鞫查核，参议疑狱。㉙⑧张通儒：安禄山心腹谋士，曾任为西京留守。安庆绪时为中书令。其事散见《旧唐书》卷二

百上、《新唐书》卷二百二十五上《安禄山传》等篇。㉙扶掖：搀扶。㉚揣知：试探；猜测。㉛慢侮：轻慢；不礼貌。㉜惮：畏惧；害怕。㉝沾：浸湿。㉞中书厅：指中书省的办公厅堂。㉟抚以温言：用温和言语进行安慰。㊱忻荷：忻，通“欣”。心中高兴。荷，感荷、感谢。㊲十郎：李林甫排行第十。㊳刘骆谷：安禄山幕僚，常替禄山入朝奏事，充当耳目。其事散见《旧唐书》卷二百上《安禄山传》、《新唐书》卷二百二十五上《安禄山传》等篇。㊴检校：检点。㊵辄：就；则。㊶据：靠着；按着。㊷噫嘻：感叹词。㊸三镇：平卢、范阳、河东。此时安禄山兼三镇节度使。㊹武备堕弛：军备松弛、毁坏。武备，军备。堕，通“隳”，毁坏。弛，松弛。㊺孔目官：地方军府衙前吏职名，掌管文书档案。事无大小，都经其手，一孔一目，无不综理，故名。㊻严庄：安禄山幕僚，为其谋主。后谋杀安禄山，立其子安庆绪为主。至德二载（公元七五七年）降唐。其事散见《旧唐书》卷二百上《安禄山传》、《新唐书》卷二百二十五上《安禄山传》等篇。㊼掌书记：节度使的幕职，掌表奏书檄的起草。㊽高尚：安禄山心腹。传见《旧唐书》卷二百上、《新唐书》卷二百二十五上《安禄山传》等篇。㊾同罗：古部族名，早为铁勒的别部。后为回纥外九姓部落之一，活动在今蒙古国境内图拉河北。贞观时内属，二十一年（公元六四七年）唐于其地置龟林都督府。㊿曳落河：又作曳敕、拽剌，契丹语，意为壮士、健儿。(321)贩鬻：贩卖。(322)绯紫袍、鱼袋：绯，红色。唐制，文武官员三品以上服紫，金玉带；四品服深绯，五品服浅绯，并金带。又，五品以上官员，给随身鱼符，皆盛以袋，谓之鱼袋。安禄山私作大量绯袍、紫袍和鱼袋，以备起事后封

【原文】

夏，四月壬午(335)，剑南节度使鲜于仲通讨南诏蛮，大败于泸南(336)。时仲通将兵八万，分二道出戎(337)、巂州，至曲州(338)、靖州(339)。南诏王阁罗凤遣使[10]谢罪，请还所俘掠，城云南(340)而去，且曰：“今吐蕃大兵压境，若不许我，我将归命吐蕃，云南非唐有也。”仲通不许，囚其使。进军至西洱河(341)，与阁罗凤战，军大败，士卒死者六万人，仲通仅以身免。杨国忠掩其败状，仍叙其战功。阁罗凤敛战尸，筑为京观(342)，遂北臣(343)于吐蕃。蛮语谓弟为钟，吐蕃命阁罗凤为赞普(344)钟，号曰东帝，给以金印。阁罗凤刻碑于国门，言己不得已而叛唐，且曰：“我世世事唐，受其封爵[11]。后世容复归唐，当指碑以示唐使者，知吾之叛非本心也。”

制大募两京及河南、北兵以击南诏。人闻云南多瘴疠(345)，未战，士

授官爵之用。㉓孙孝哲：安禄山将领，后降唐。传见《旧唐书》卷二百上、《新唐书》卷二百二十五上《安禄山传》等篇。㉔田承嗣：田承嗣（公元七〇四至七七八年），平州（今河北卢龙）人，初事安禄山，后降唐，为魏博节度使，割据一方。官至检校尚书仆射、同中书门下平章事，封雁门郡王。传见《旧唐书》卷一百四十一、《新唐书》卷二百十。㉕爪牙：得力的助手、亲信或党羽。㉖雍奴：县名，县治在今天津市武清东。㉗薄游：周游。薄，发语词。㉘河朔：地区名，泛指黄河以北。㉙啮：咬。㉚治：管理；处理。㉛簿书：官署文书簿籍。㉜万岁：张万岁，初为刘武周的骁将，降唐，贞观（公元六二七至六四九年）至麟德（公元六六四至六六五年）间，任太仆少卿，领群牧。故胡三省注云："通儒必非其子，或者其孙也；否则别又有一张万岁。"其事散见《旧唐书》卷五十五《刘武周传》、《新唐书》卷八十六《刘武周传》等篇。㉝卢龙：古塞名，在今河北喜峰口附近。㉞按行：巡行。

【校记】

［6］治第：据章钰校，十二行本、乙十一行本皆作"起第"。［7］一方一丈八尺：原作"方丈六尺"。据章钰校，十二行本、乙十一行本、孔天胤本皆作"一方一丈八尺"，张瑛《通鉴校勘记》同，今据校改。［8］不必：据章钰校，十二行本、乙十一行本二字互乙，张敦仁《通鉴刊本识误》同。［9］治军严整：原无此四字。据章钰校，十二行本、乙十一行本、孔天胤本皆有此四字，张敦仁《通鉴刊本识误》、张瑛《通鉴校勘记》同，今据补。

【语译】

夏，四月三十日壬午，剑南节度使鲜于仲通讨伐南诏蛮，在泸水南面大败。当时鲜于仲通率军八万，分两路从戎州、巂州出发，到达曲州、靖州。南诏王阁罗凤遣使谢罪，请求归还俘虏的人员以及掠夺的物品，修复云南城后离去，并且说："如今吐蕃大兵压境，如果不允许我的请求，我将归附吐蕃，云南就不归唐所有了。"鲜于仲通不同意，囚禁了他的使者。进军到西洱河，与阁罗凤交战，唐军大败，士卒死了六万人，鲜于仲通仅仅一个人逃脱。杨国忠遮掩他战败的实况，仍然记录他的战功。阁罗凤收殓战死的唐兵尸体，修筑了一个高大的土堆，于是称臣吐蕃。蛮语称弟弟为钟，吐蕃任命阁罗凤为赞普钟，号称东帝，给他金印。阁罗凤在都城的大门前刻了一座石碑，说明自己迫不得已背叛唐朝，并且说："我世代侍奉唐朝，接受唐朝的封爵。后世还容许我归附唐朝，应该指着这个碑让唐朝使者看，知道我之所以背叛并非本意。"

玄宗下制书大量征募两京及河南、河北的士兵去攻打南诏。人们听说云南多有

卒死者什八九，莫肯应募。杨国忠遣御史分道捕人，连枷[346]送诣军所。旧制，百姓有勋者免征役。时调兵既多，国忠奏先取高勋。于是行者愁怨，父母妻子送之，所在哭声振野。

高仙芝之虏石国王也，石国王子逃诣诸胡，具告仙芝欺诱贪暴之状。诸胡皆怒，潜引大食[347]欲共攻四镇。仙芝闻之，将蕃、汉三万众击大食，深入七百余里，至恒罗斯城[348]，与大食遇。相持五日，葛罗禄[349]部众叛，与大食夹攻唐军。仙芝大败，士卒死亡略尽，所余才数千人，右威卫将军李嗣业劝仙芝宵遁[350]。道路阻隘，拔汗那部众在前，人畜塞路。嗣业前驱，奋大梃击之，人马俱毙，仙芝乃得过。将士相失，别将[351]汧阳段秀实[352]闻嗣业之声，诟[353]曰："避敌先奔，无勇也，全己弃众，不仁也，幸而得达，独无愧乎！"嗣业执其手谢[354]之，留拒追兵，收散卒，得俱免。还至安西，言于仙芝，以秀实兼都知兵马使，为己判官。

八月丙辰[355]，武库火，烧兵器三十七万。

安禄山将三道[356]兵六万以讨契丹，以奚骑二千为乡导[357]，过平卢千余里，至土护真水[358]。遇雨，禄山引兵昼夜兼行[359]三百余里，至契丹牙帐，契丹大骇。时久雨，弓弩筋胶皆弛。大将何思德言于禄山曰："吾兵虽多，远来疲弊，实不可用，不如按甲息兵以临之，不过三日，虏必降。"禄山怒，欲斩之。思德请前驱效死。思德貌类禄山，虏争击，杀之，以为已得禄山，勇气增倍。奚复叛，与契丹合，夹击唐兵，杀伤殆尽。射禄山，中鞍，折冠簪[360]，失履，独与麾下二十骑走。会夜，追骑解[361]，得入师州[362]。归罪于左贤王哥解[363]、河东兵马使鱼承仙而斩之。

平卢兵马使史思明惧，逃入山谷近二旬，收散卒，得七百人。平卢守将史定方将精兵二千救禄山，契丹引去，禄山乃得免。至平卢，麾下皆亡，不知所出。史思明出见禄山，禄山喜，起，执其手曰："吾得汝，复何忧！"思明退，谓人曰："向使[364]早出，已与哥解并斩矣！"契丹围师州，禄山使思明击却之。

冬，十月壬子[365]，上幸华清宫。

杨国忠使鲜于仲通表请己遥领剑南。十一月丙午[366]，以国忠领剑南节度使。

瘴气瘟疫，没有开战，士卒死去的就有十分之八九，因此没有人愿意应募。杨国忠派御史分别到各地抓人，用枷锁牵连，送往军营。过去的制度，老百姓中有功勋的人免除兵役。因为当时调集的士卒已经很多，杨国忠便奏请首先选取功勋高的人服兵役。于是当兵远行的人愁苦怨恨，父母妻儿为他们送行，到处哭声震野。

高仙芝俘虏石国王的时候，石国王的儿子逃往各个胡人部落，全部诉说高仙芝欺诈诱骗和贪婪残暴的情形。各个胡人部落都很生气，秘密联络大食，想要一起攻打四镇。高仙芝听说这个消息，率领蕃兵和汉兵三万多人攻打大食，深入七百多里，抵达恒罗斯城，与大食的军队相遇。相互对峙了五天，葛罗禄的部队叛变，和大食军队夹攻唐军。高仙芝大败，士卒死亡殆尽，剩下士卒才几千人，右威卫将军李嗣业劝高仙芝夜里逃走。道路险要，前面有拔汗那的部队，人和牲畜堵塞了道路。李嗣业在前面开路，举着大棍猛打，人马都被打死，高仙芝才得以通过。将领和士兵互相失去联系，别将汧阳人段秀实听到李嗣业的声音，大骂道："躲避敌人率先逃跑，毫无勇气，保全自己抛弃大家，毫无仁德，即使侥幸逃脱成功，难道不感到惭愧吗?!"李嗣业握着他的手道歉，于是留下来抵挡追兵，收拾散兵，全都得以脱身。回到安西，李嗣业把这事告诉了高仙芝，高仙芝任命段秀实兼都知兵马使，做自己的判官。

八月初六日丙辰，武库失火，烧毁兵器三十七万件。

安禄山率领幽州、平卢、河东三道部队六万人讨伐契丹，让奚人骑兵两千人做向导，过了平卢一千多里，到达土护真水。遇上下雨，安禄山率领部队昼夜兼行三百多里，抵达契丹统帅的营帐前，契丹大惊。当时长时间下雨，弓弩弦松胶弛。大将何思德对安禄山说："我们的士卒虽然很多，但是从远方赶来非常疲惫，实际上不能用兵，不如按甲息兵逼近他，过不了三天，敌人一定投降。"安禄山大怒，想要杀死他。何思德请求打前锋以死相报。何思德的相貌与安禄山相像，敌人争相进攻，杀死了他，以为已经杀了安禄山，勇气倍增。奚人又叛变了，与契丹联合，夹击唐军，唐军几乎被全部杀伤。敌人箭射安禄山，射中马鞍，安禄山折断了帽子上的簪子，丢掉了鞋子，仅仅和部下二十个骑兵逃走。赶上夜晚，追赶的骑兵松懈了，安禄山等人才得以进入师州。安禄山归罪于左贤王哥解和河东兵马使鱼承仙，把他们杀了。

平卢兵马使史思明很恐惧，逃进山谷近二十天，收拢散卒，得到七百人。平卢守将史定方率领精兵两千人援救安禄山，契丹兵撤走，安禄山才得以脱身。到达平卢，部下都阵亡了，不知如何是好。史思明出来见安禄山，安禄山很高兴，起身拉着他的手说："我得到了你，还有什么忧虑!"史思明退出后，对人说："如果我早些出来，已经和哥解一起被处斩了!"契丹包围师州，安禄山派史思明把他们打退了。

冬，十月初三日壬子，玄宗亲临华清宫。

杨国忠让鲜于仲通上表请求派自己遥领剑南节度使。十一月二十七日丙午，任命杨国忠领剑南节度使。

【段旨】

以上为第八段，写唐军征南诏、讨西域、袭契丹，全线败北。

【注释】

㉟壬午：四月三十日。㊱泸南：泸水之南。古泸水指今雅砻江下游和金沙江会合雅砻以后一段。㊲戎：戎州，州名，治所在今四川宜宾。㊳曲州：州名，治所在今云南昭通。㊴靖州：州名，治所今缺，当在今四川宜宾境内。㊵城云南：前一年南诏攻陷云南城，当有毁坏处，所以请修治云南城以谢罪。㊶西洱河：洱海。在今云南大理城东。㊷京观：古代战争，胜者为了炫耀武功，搜集敌人尸首，封土成高冢，称为京观。阁罗凤所筑京观在今云南下关。㊸北臣：北面称臣。古代君见臣，南面而坐，故以"北面"指向人称臣。㊹赞普：吐蕃君长称号，意为雄强的丈夫。㊺瘴疠：山林湿热地区流行的恶性疟疾等传染病。㊻连枷：枷锁相连。㊼大食：当时的阿拉伯帝国。㊽恒罗斯城：据《旧唐书·段秀实传》，"恒"为"怛"之误。古城名，唐时为西域交通中心之一，故址在俄罗斯和哈萨克斯坦东南部江布尔城。㊾葛罗禄：西突厥的一支，分布在今新疆准噶尔盆地，唐高宗时，在该地设有都督府。后加入回纥外九姓部落集团。天宝中，徙西突厥故地，建庭于碎叶城。㊿宵遁：乘夜逃走。(351)别将：军官名，圣历三年（公元七〇〇年）始置，每折

【原文】

十一载（壬辰，公元七五二年）

春，正月丁亥[367]，上还宫。

二月庚午[368]，命有司出粟帛及库钱数十万缗[369]于两市[370]易恶钱。先是，江、淮多恶钱，贵戚大商往往以良钱一易恶钱五，载入长安，市井[371]不胜其弊。故李林甫奏请禁之，官为易取，期一月，不输官者罪之。于是商贾嚣然[372]，不以为便，众共遮[373]杨国忠马自言。国忠为之言于上，乃更命非铅锡所铸及穿穴者[374]，皆听用之如故。

三月，安禄山发蕃、汉步骑二十万击契丹，欲以雪去秋之耻。初，突厥阿布思来降[375]，上厚礼之，赐姓名李献忠，累迁朔方节度副使，赐爵奉信王。献忠有才略，不为安禄山下，禄山恨之。至是，奏请献忠

冲府一员，居果毅都尉之下，其职责是随折冲都尉操练卫士和出发戍卫。若征调府兵数量较少，则由别将领队出发。若折冲府缺兵曹、长史，则别将兼判府事。㉜段秀实：段秀实（？至公元七八三年），汧阳（今陕西千阳）人，有智谋。朱泚之乱，段秀实欲谋杀朱泚而壮烈牺牲。传见《旧唐书》卷一百二十八、《新唐书》卷一百五十三。㉝诟：骂。㉞谢：道歉。㉟丙辰：八月初六日。㊱三道：唐代在军政方面有不同含义的道。这里指的是由监察区演变为方镇的道，即一个节度使管辖的地区称为道。三道，指幽州、平卢、河东三节度使辖区。㊲乡导："向导"，在前带路者。㊳土护真水：又作吐护真河。即今内蒙古老哈河。㊴兼行：加倍赶路。㊵冠簪：指别住帽子的针簪。冠，帽子。簪，古代用来绾住头发或把帽子别在头发上的一种针形首饰。㊶解：懈怠。㊷师州：河北道羁縻州名，侨治良乡之东闾城。今在何处不详。㊸左贤王哥解：哥解，突厥降将。左贤王为汉朝时匈奴单于下的最高官职，通常为单于的继承者担任。唐代突厥官职中未见此名。此亦当为哥解的官名。㊹向使：假使；如果。㊺壬子：十月初三日。㊻丙午：十一月二十七日。

【校记】

［10］遣使：原无此二字。据章钰校，十二行本、乙十一行本、孔天胤本皆有此二字，张敦仁《通鉴刊本识误》同，今据补。［11］封爵：据章钰校，十二行本、乙十一行本皆作"封赏"。

【语译】

十一载（壬辰，公元七五二年）

春，正月初九日丁亥，玄宗回宫。

二月二十二日庚午，命令有关部门拿出粟米布帛和国库几十万缗钱在两市交换恶钱。此前，江、淮一带有很多恶钱，高官国戚和巨商往往用一个好钱交换五个恶钱，运进长安，市井百姓不胜其害。所以，李林甫奏请禁行恶钱，官府出面交换兑取，期限一个月，不把恶钱交给官府的人要治罪。于是，商人们大吵大闹，认为很不方便，大家一起拦住杨国忠的马亲自申诉。杨国忠替他们向玄宗申诉，于是就改变命令，不是用铅、锡铸造的以及穿孔的钱，都允许像以前一样使用。

三月，安禄山调发蕃、汉步兵和骑兵二十万攻打契丹，想要雪洗前一年秋天的耻辱。当初，突厥阿布思前来投降，玄宗对他厚礼相待，赐予姓名李献忠，多次升迁，官至朔方节度副使，赐爵奉信王。李献忠具有才干和谋略，不愿处于安禄山之下，安禄山很恨他。到这时，上奏请让李献忠率领同罗几万骑兵和他一起攻打契丹。

帅同罗数万骑与俱击契丹。献忠恐为禄山所害，白留后张昨，请奏留不行，昨不许。献忠乃帅所部大掠仓库，叛归漠北，禄山遂顿兵不进。

乙巳㉗⑥，改吏部为文部，兵部为武部，刑部为宪部。

户部侍郎、御史大夫、京兆尹王鉷权宠日盛，领二十余使㉗⑦。宅旁为使院，文案盈积，吏求署一字，累日不得前。中使赐赉㉗⑧不绝于门，虽李林甫亦畏避之。林甫子岫㉗⑨为将作监，鉷子准为卫尉少卿，俱供奉禁中㊳⓪。准陵侮岫，岫常下之。然鉷事林甫谨，林甫虽忌其宠，不忍害也。

准尝帅其徒过驸马都尉王繇㊳①，繇望尘拜伏，准挟㊳②弹㊳③命中于繇冠，折其玉簪，以为戏笑。既而繇延准置酒，繇所尚永穆公主，上之爱女也，为准亲执刀匕㊳④。准去，或谓繇曰："鼠㊳⑤虽挟其父势，君乃使公主为之具㊳⑥食，有㊳⑦如上闻，无乃㊳⑧非宜?"繇曰："上虽怒无害。至于七郎㊳⑨，死生所系，不敢不尔㊴⓪。"

鉷弟户部郎中焊凶险不法，召术士任海川问："我有王者之相否?"海川惧，亡匿。鉷恐事泄，捕得，托以他事杖杀之。王府司马㊴①韦会，定安公主㊴②之子，王繇之同产㊴③也，话之私庭㊴④，鉷又[12]使长安尉贾季邻收会系狱，缢杀之，繇不敢言。

焊所善邢縡㊴⑤，与龙武万骑㊴⑥谋杀龙武将军，以其兵作乱，杀李林甫、陈希烈、杨国忠。前期㊴⑦二日，有告之者。夏，四月乙酉㊴⑧，上临朝㊴⑨，以告状面授鉷，使捕之。鉷意焊在縡所，先使人召之。日晏㊵⓪，乃命贾季邻等捕縡。縡居金城坊㊵①，季邻等至门，縡帅其党数十人持弓刀格斗突出。鉷与杨国忠引兵继至，縡党曰："勿伤大夫人㊵②。"国忠之傔密谓国忠曰："贼有号㊵③，不可战也。"縡斗且走，至皇城㊵④西南隅。会高力士引飞龙禁军㊵⑤四百至，击斩縡，捕其党，皆擒之。

国忠以状白㊵⑥上，曰："鉷必预谋。"上以鉷任遇深，不应同逆，李林甫亦为之辩解㊵⑦，上乃特命原㊵⑧焊不问。然意欲鉷表请罪之。使国忠讽之，鉷不忍㊵⑨，上怒。会陈希烈极言鉷大逆当诛，戊子㊶⓪，敕希

李献忠担心被安禄山陷害，告诉留后张暐，请求他上奏，留下自己，不与安禄山同行，张暐没有答应。李献忠便带领所统部众大肆抢掠仓库，背叛朝廷回到漠北，安禄山也因此按兵不动。

三月二十八日乙巳，把吏部改为文部，兵部改为武部，刑部改为宪部。

户部侍郎、御史大夫、京兆尹王鉷权势和恩宠日益隆盛，兼领二十多个使职。宅第旁边就是使院，文书案卷堆积，官吏为了请他签一个字，好几天都不能上前。宫中使者赐送物品不绝于家门，即使是李林甫也畏避他。李林甫的儿子李岫任将作监，王鉷的儿子王准任卫尉少卿，都供职宫中。王准欺凌李岫，李岫常常甘居下风。然而王鉷对待李林甫很恭谨，李林甫虽然嫉恨他受玄宗宠信，但也不忍心陷害。

王准曾经带领他的部下去驸马都尉王繇那里，王繇望着王准车尘叩拜，王准拿着弹弓射中王繇的帽子，折断帽子上的玉簪，拿着开玩笑。接着王繇设酒宴款待王准，王繇所娶的永穆公主，是玄宗的爱女，她为王准亲执刀匙备馔。王准走后，有人对王繇说："鼠辈虽然依仗他父亲的权势，你却让公主为他准备饭食，如果皇上知道了，岂不是不合适?"王繇说："皇上虽然生气，但没有什么妨害。至于王鉷，是我生死所系，不敢不这样做啊。"

王鉷的弟弟户部郎中王焊凶狠险恶，不守法度，把术士任海川叫来问道："我有王者的相貌吗?"任海川非常害怕，逃走躲藏起来。王鉷担心事情泄露，抓到任海川，假借其他的事由用棍棒打死了他。王府司马韦会，是安定公主的儿子，是王繇同母异父兄弟，在自己家里谈及此事，王鉷又派长安尉贾季邻把韦会逮捕下狱，把他吊死了，王繇不敢作声。

王焊的好友邢縡，与龙武万骑谋划杀害龙武将军，利用他的部队作乱，杀死李林甫、陈希烈、杨国忠等人。在约定日期前两天，有人告发了他们。夏，四月初九日乙酉，玄宗亲临朝堂，把上告状当面交给王鉷，让他抓捕企图作乱的人。王鉷猜想王焊在邢縡家中，先派人叫回王焊。傍晚，才命令贾季邻等人去抓捕邢縡。邢縡住在金城坊，贾季邻等人到了他家门口，邢縡带领他的党徒几十人手持弓箭刀剑格斗，冲了出去。王鉷与杨国忠带兵相继赶到，邢縡的党徒说："不要伤害王大夫的人。"杨国忠的副官暗中对杨国忠说："贼党有暗号，不能与他们作战。"邢縡边打边跑，到了皇城西南角。正遇上高力士带领飞龙禁军四百人赶到，击杀邢縡，逮捕他的党羽，全部活捉了他们。

杨国忠把情况告诉玄宗，说："王鉷肯定参与了这个阴谋。"玄宗认为王鉷深受自己的信任和恩遇，不应该一起叛逆，李林甫也替他辩解，玄宗就特地下令宽恕王焊，不加追究。但心里想让王鉷上表请求治他的罪。派杨国忠去暗示他，王鉷不愿上表请罪，玄宗非常生气。遇上陈希烈极力称说王鉷大逆不道，应当处死，四月

烈与国忠鞫之，仍以国忠兼京兆尹。于是任海川、韦会等事皆发，狱具，铁赐自尽，焊杖死于朝堂，铁子准、偁[411]流岭南，寻杀之。有司籍[412]其第舍，数日不能遍。铁宾佐莫敢窥其门，独采访判官[413]裴冕[414]收其尸葬之。

初，李林甫以陈希烈易制，引为相，政事常随林甫左右，晚节[415]遂与林甫为敌，林甫惧。会李献忠叛，林甫乃请解朔方节制，且荐河西节度使安思顺自代[416]。庚子[417]，以思顺为朔方节度使。

五月戊申[418]，庆王琮薨，赠靖德太子。

【段旨】

以上为第九段，写权臣倾轧，杨国忠逼杀御史大夫王鉷，威震天下，李林甫亦畏避之。

【注释】

㊲丁亥：正月初九日。㊳庚午：二月二十二日。㊴数十万缗:《旧唐书·食货志》和《册府元龟·邦计部·钱币三》皆作“三数十万贯”,《新唐书·食货志四》作“三十万缗”。㊵两市：指长安的东市和西市。㊶市井：此指市井之人，即进行买卖的人们。㊷嚣然：喧哗；吵闹。㊸遮：拦住。㊹非铅锡所铸及穿穴者：新旧两唐书之《食货志》和《册府元龟·邦计部·钱币三》皆作“非铁锡、铜沙、穿穴、古文，并许依旧行用”。《通鉴》作“铅锡”不合原意。㊺突厥阿布思来降：天宝元年（公元七四二年），朔方节度使王忠嗣趁突厥内乱出兵，西叶护阿布思率众降唐。㊻乙巳：三月二十八日。㊼领二十余使：据《旧唐书·王鉷传》，此时王鉷所领使职有和市和籴使，长春宫使，户口色役使，京畿采访使，京畿关内道黜陟使，关内采访使，闲厩使，苑内营田、五坊、宫苑等使，陇右群牧使，支度营田使，都知总监及栽接等使。㊽赐赉：赏赐。㊾岫：人名，李林甫之子。㊿供奉禁中：在禁苑侍奉皇帝。〖按〗将作监和卫尉少卿非供奉官，只有因优宠而特命才能供奉于禁中。[381]王繇：相州安阳（今河南安阳）人，王同皎（神龙时任光禄卿，谋诛武三思被杀）之子。尚唐玄宗长女永穆公主。其事散见《旧唐书》卷一百五《王鉷传》、《新唐书》卷一百九十一《王同皎传》等篇。[382]挟：携带。[383]弹：用弹弓发射弹丸。[384]亲执刀匕：亲手拿起刀匙做饭菜。刀匕，刀和匙，借指炊具。[385]鼠：犹言鼠

十二日戊子，玄宗下敕书命令陈希烈和杨国忠审理此案，仍然用杨国忠兼任京兆尹。这时任海川、韦会等人的事情都被揭发出来，狱讼结案，赐王鉷自杀，把王焊用棍棒打死在朝堂上，王鉷的儿子王准、王偁流放岭南，不久杀死了他们。有关部门抄没王鉷的房产，好几天都不能登记完毕。王鉷的宾客僚属没有一个人敢窥探他的门户，只有采访判官裴冕收了王鉷的尸体并安葬了他。

当初，李林甫认为陈希烈容易控制，推荐他为宰相。陈希烈处理政事经常跟随李林甫左右，晚年才与李林甫为敌，李林甫害怕了。遇上李献忠叛变，李林甫就请求免去他的朔方节度使，并且推荐河西节度使安思顺代替自己。四月二十四日庚子，任命安思顺为朔方节度使。

五月初三日戊申，庆王李琮去世，赠谥靖德太子。

辈，蔑视他人之词。㊲具：备；置备。㊳有：助词，无义，常加于他词之前以成句。㊴无乃：岂不是。表示委婉语气。㊵七郎：王鉷排行第七。㊶尔：助词，用于句末，表示语气。㊷王府司马：官名，王府属官，与长史共统府内僚属，总管王府政务。㊸定安公主：中宗之女，下嫁王同皎，生繇，又嫁韦濯，生会。㊹同产：同母兄弟。㊺私庭：自己家里。㊻邢縡：人名，乱党首领。其事散见《旧唐书》卷一百六《杨国忠传》、《新唐书》卷一百三十四《王鉷传》等篇。㊼龙武万骑：禁军名，即左右龙武军所隶左右万骑营。㊽前期：在约定日期之前。㊾乙酉：四月初九日。㊿临朝：当朝处理国事。400日晏：日暮。401金城坊：长安城坊之一。在朱雀大街西第四街之北第三坊。402勿伤大夫人：言不要伤害王鉷所带之人。王鉷当时兼御史大夫。403号：暗号。404皇城：京城之内有皇城，皇城之内有宫城。405飞龙禁军：飞龙，本是武则天万岁通天元年（公元六九六年）所置仗内闲厩之一。同时，又置飞龙使，由宦官担任，掌管闲厩马匹，并领有大量养马、调马人员，是一种潜在的军事力量。飞龙禁军，一种理解是乘飞龙闲厩马匹的北衙禁军；另一种理解是把飞龙使掌握的人马武装起来充当的禁军。406白：下对上告诉、陈述。407辩解：辩护、解释。408原：宽恕；赦免。409不忍：不愿上表请罪。410戊子：四月十二日。411偁："称"的本字。412籍：没收入官。413采访判官：王鉷曾兼京畿采访使，采访判官为采访使的幕职，是处理使府实际事务的僚佐。414裴冕：裴冕（？至公元七六九年），河东冠族。官至中书侍郎、同中书门下平章事，封冀国公。传见《旧唐书》卷一百十三、《新唐书》卷一百四十。415晚节：晚年。416自代：代替自己。417庚子：四月二十四日。418戊申：五月初三日。

【校记】

［12］又：原无此字。据章钰校，十二行本、乙十一行本皆有此字，今据补。

【原文】

丙辰[419]，京兆尹杨国忠加御史大夫，京畿、关内采访等使，凡王𫓩所绾[420]使务，悉归国忠。

初，李林甫以国忠微才[421]，且贵妃之族，故善遇之。国忠与王𫓩俱为中丞，𫓩用[422]林甫荐为大夫，故国忠不悦，遂深探邢縡狱，令引[423]林甫交私𫓩兄弟及阿布思事状，陈希烈、哥舒翰从而证之。上由是疏林甫。国忠贵震天下，始与林甫为仇敌矣。

六月甲子[424]，杨国忠奏吐蕃兵六十万救南诏，剑南兵击破之于云南，克故隰州[425]等三城，捕虏[426]六千三百。以道远，简[427]壮者千余人及酋长降者献之。

秋，八月己丑[428]［13］，上复幸左藏，赐群臣帛[429]。癸巳[430]，杨国忠奏有凤皇[431]见左藏库屋，出纳判官[432]魏仲犀[433]言凤集[434]库西通训门[435]。

九月，阿布思入寇，围永清栅[436]，栅使[437]张元轨拒却之。

冬，十月戊寅[438]，上幸华清宫。

己亥[439]，改通训门曰凤集门。魏仲犀迁殿中侍御史，杨国忠属吏率以凤皇优得调[440]。

南诏数寇边，蜀人请杨国忠赴镇，左仆射兼右相李林甫奏遣之。国忠将行，泣辞，上言必为林甫所害，贵妃亦为之请。上谓国忠曰："卿暂[441]到蜀区处[442]军事，朕屈指[443]待卿，还当入相。"林甫时已有疾，忧懑[444]不知所为。巫言一见上可小愈，上欲就视之，左右固谏。上乃令林甫出庭中，上登降圣阁[445]遥望，以红巾招之。林甫不能拜，使人代拜。国忠比[446]至蜀，上遣中使召还。至昭应，谒林甫，拜于床下。林甫流涕谓曰："林甫死矣，公必为相，以后事累公！"国忠谢不敢当，汗流［14］覆面。十一月丁卯[447]，林甫薨。

【语译】

五月十一日丙辰，京兆尹杨国忠加任御史大夫，京畿、关内采访等使，凡是王铁所管辖的使职事务，全归杨国忠辖理。

当初，李林甫认为杨国忠才能微小，而且是杨贵妃的族亲，所以待他很好。杨国忠和王铁都担任中丞时，王铁由于李林甫的推荐做了大夫，所以杨国忠很不高兴，便深究邢縡的案子，叫他牵引出来李林甫与王铁兄弟和阿布思私自勾结的情况，陈希烈、哥舒翰又跟着证实这些罪状。玄宗因此疏远李林甫。杨国忠贵震天下，开始和李林甫结仇为敌。

六月甲子日，杨国忠奏报吐蕃派兵六十万援救南诏，剑南的军队在云南把他们打败了，攻下以前的隰州等三座城池，俘虏敌军六千三百人。因为路途遥远，挑选健壮的一千多人以及投降的酋长进献给朝廷。

秋，八月十五日己丑，玄宗又亲临国库左藏，赏赐群臣绢帛。十九日癸巳，杨国忠奏言有凤凰出现在左藏的库房上，出纳判官魏仲犀说凤凰落在库西的通训门。

九月，阿布思入侵，包围永清栅，栅使张元轨进行抵抗，把他打退了。

冬，十月初五日戊寅，玄宗亲临华清宫。

二十六日己亥，改名通训门为凤集门。魏仲犀迁升为殿中侍御史，杨国忠的下属官吏大都因凤凰飞落优先得到调升。

南诏一再侵犯边境，蜀地人请求杨国忠前往镇所，左仆射兼右相李林甫奏请派他前去。杨国忠即将上路，哭着向玄宗辞行，对玄宗说他肯定会被李林甫陷害，杨贵妃也替他说情。玄宗对杨国忠说："你暂时到蜀地处理军务，我屈指计日等着你，你回来后当入朝为相。"李林甫这时已经有病，忧愁烦闷，不知所措。巫医说见玄宗一面可以稍微好些，玄宗想到他家看望他，身边的人坚持劝阻。玄宗就让李林甫出来，到庭院中，玄宗登上降圣阁遥望，用红手巾招呼他。李林甫不能跪拜，派人代行跪拜礼。等杨国忠到了蜀地，玄宗派遣宫中使者叫他回来。到了昭应，拜谒李林甫，在他床前行跪拜礼。李林甫流着眼泪对他说："我李林甫死了，您必定出任宰相，我的身后事让您受累啦!"杨国忠辞谢不敢担当，汗流满面。十一月二十四日丁卯，李林甫去世。

上晚年自恃[448]承平[449]，以为天下无复可忧，遂深居禁中，专以声色自娱，悉委政事于林甫。林甫媚事左右[450]，迎合上意，以固其宠；杜绝言路[451]，掩蔽聪明[452]，以成其奸；妒贤疾能，排抑胜己，以保其位；屡起大狱，诛逐贵臣，以张其势。自皇太子以下，畏之侧足[453]。凡在相位十九年，养成[454]天下之乱，而上不之寤[455]也。

庚申[456]，以杨国忠为右相[457]，兼文部尚书[458]，其判使[459]并如故。国忠为人强辩而轻躁，无威仪[460]。既为相，以天下为己任，裁决机务[461]，果敢不疑。居朝廷，攘袂扼腕[462]，公卿以下，颐指气使，莫不震慑[463]。自侍御史至为相，凡领四十余使，台省官[464]有才行时名[465]，不为己用[466]者，皆出之。

或劝陕郡进士张彖谒国忠，曰："见之，富贵立可图。"彖曰："君辈[467]倚[468]杨右相如泰山[469]，吾以为冰山[470]耳。若皎日既出，君辈得无失所恃乎！"遂隐居嵩山[471]。

国忠以司勋员外郎[472]崔圆[473]为剑南留后，征魏郡太守吉温为御史中丞，充京畿、关内采访等使。温诣范阳辞安禄山，禄山令其子庆绪送至境，为温控马[474]出驿数十步。温至长安，凡朝廷动静，辄报禄山，信宿[475]而达。

十二月，杨国忠欲收人望[476]，建议："文部选人，无问贤不肖，选深[477]者留[478]之，依资[479]据阙注官[480]。"滞淹[481]者翕然[482]称之。国忠凡所施置[483]，皆曲徇[484]时[15]人所欲，故颇得众誉。

甲申[485]，以平卢兵马使史思明兼北平太守，充卢龙军使。

丁亥[486]，上还宫。

丁酉[487]，以安西行军司马[488]封常清为安西四镇节度使。

哥舒翰素与安禄山、安思顺不协，上常和解之，使为兄弟。是冬，三人俱入朝，上使高力士宴之于城东。禄山谓翰曰："我父胡，母突厥，公父突厥，母胡，族类颇同，何得不相亲？"翰曰："古人云，狐向窟嗥，不祥[489]，为其忘本故也。兄苟见亲，翰敢不尽心！"禄山以为讥其胡也，大怒，骂翰曰："突厥敢尔[490]！"翰欲应之。力士目翰，翰乃止，阳醉[491]而散，自是为怨愈深。

玄宗晚年自己仗着太平无事，以为天下不再有什么可忧虑的，便深居宫禁，一心以声色自娱，把政事全部委托给李林甫。李林甫对玄宗身边人谄媚奉承，迎合玄宗的想法，以巩固玄宗对他的恩宠。切断臣下进言的通道，遮掩玄宗耳目，以实现他的奸恶。嫉贤妒能，排斥压制比自己强的人，以保全他的职位。一再挑起重大案件，诛杀放逐重臣，来扩张他的势力。从皇太子以下，都惧怕他，侧足而立。他在宰相的位置上一共十九年，酿成天下大乱，而玄宗没有看清这一点。

十一月十七日庚申，任命杨国忠为右丞相，兼文部尚书，他的判职、使职全都依旧不变。杨国忠为人强势善辩，而且轻浮急躁，没有威严仪表。做了宰相后，以天下为己任，裁定机要大事，果断敢为，毫不犹豫。身处朝廷，挽起衣袖，握着手腕，对公卿以下的大臣，颐指气使，没有人不惊恐畏惧。他从侍御史到做宰相，一共兼任了四十多个使职，台省官员有才能品行、闻名当时，而不为自己所用的，全都调走。

有人劝告陕郡进士张彖拜谒杨国忠，说："拜见杨国忠，富贵马上就可得到。"张彖说："诸位依靠杨右相犹如泰山，我认为是座冰山罢了。如果光明的太阳升起后，诸位岂不失去了依靠吗?!"于是隐居在嵩山。

杨国忠任用司勋员外郎崔圆为剑南留后，征召魏郡太守吉温为御史中丞，兼任京畿、关内采访等使。吉温到范阳向安禄山辞行，安禄山派儿子安庆绪送他到边境，替吉温牵着马走出驿站好几十步。吉温到达长安，凡是朝廷所有动静，立刻报告安禄山，过两个夜晚消息就到达了。

十二月，杨国忠想收买人心，向玄宗建议："文部选拔人员，不管是否贤能，参加铨选时间久远的人留下来任用，根据资历和空缺授予官职。"长期滞留不得升迁的人都一致称赞他。杨国忠所有的举措，都曲从当时人们的欲望，所以深得大家的赞誉。

十二月十二日甲申，用平卢兵马使史思明兼北平太守，充卢龙军使。

十五日丁亥，玄宗回宫。

二十五日丁酉，任命安西行军司马封常清为安西四镇节度使。

哥舒翰一向和安禄山、安思顺不和，玄宗经常调解他们，让他们结为兄弟。这年冬天，三人一起来朝，玄宗派高力士在城东宴请他们。安禄山对哥舒翰说："我的父亲是胡人，母亲是突厥人，你的父亲是突厥人，母亲是胡人，我们的种族非常相同，怎么能不相互亲近呢?"哥舒翰说："古人说，狐狸向着洞穴号叫，不是好兆头，这是因为它忘本。兄长如果亲近我，哥舒翰岂敢不竭尽心意!"安禄山认为这是讥讽他是胡人，大怒，骂哥舒翰说："你这突厥人竟敢如此!"哥舒翰想要回应他。高力士向哥舒翰使眼色，哥舒翰才忍住了，假装醉酒散去，从此两人结怨更深了。

棣王琰[492]有二孺人[493]，争宠，其一使巫书符置琰履中以求媚。琰与监院宦者[494]有隙，宦者知之，密奏琰祝诅[495]上。上使人掩[496]其履而获之，大怒。琰顿首谢："臣实不知有符。"上使鞫之，果孺人所为。上犹疑琰知之，囚于鹰狗坊[497]，绝朝请[498]，忧愤而薨。

故事，兵、吏部尚书知政事[499]者，选事悉委侍郎以下，三注三唱[500]，仍过门下省审，自春及夏，其事乃毕。及杨国忠以宰相领文部尚书，欲自示精敏，乃遣令史[501]先于私第密定名阙[502]。

【段旨】

以上为第十段，写杨国忠继李林甫为相，以滥授官职收买人心。

【注释】

㊾丙辰：五月十一日。⑳绾：绾摄；专管；控制。㉑微才：才能微小。㉒用：介词，因为、由于。㉓引：牵引。㉔甲子：六月丙子朔，无"甲子"，当为"甲午"之误。甲午，六月十九日。㉕隰州：今地不详。上文云剑南兵击败吐蕃兵于云南（治所在今云南弥渡），旋即"克故隰州"，隰州当在云南附近。胡三省注引《唐历》，云"拔故洪州等三城"。㉖捕虏：抓获的俘虏。㉗简：选择。㉘己丑：八月十五日。㉙赐群臣帛：赐帛有差。㉚癸巳：八月十九日。㉛凤皇：凤凰，古代传说中的鸟王。雄曰凤，雌曰凰。㉜出纳判官：官名，出纳使的属官，佐理使务。㉝魏仲犀：又名魏犀，为杨国忠党羽，先后任襄阳太守、襄阳节度使等官。其事散见《旧唐书》卷一百十四《鲁炅传》、《新唐书》卷二百六《杨国忠传》等篇。㉞集：鸟落木上谓集。㉟通训门：西京宫城内门。在太极宫东面。隋朝曰建春门。㊱永清栅：又名永济栅。在中受降城西二百里大同川。隋防御突厥所筑，故址在今内蒙古乌拉特前旗北。㊲栅使：守护永清栅的差遣官。㊳戊寅：十月初五日。㊴己亥：十月二十六日。㊵调：迁转。㊶暂：暂时。㊷区处：安排。㊸屈指：弯曲手指计算时间。㊹忧懑：忧愁、烦闷。㊺降圣阁：朝元阁。㊻比：及。㊼丁卯：十一月二十四日。㊽恃：仗恃。㊾承平：太平。㊿媚事左右：以谄媚侍奉皇帝左右之人。[451]杜绝言路：阻塞向天子进言的途径。[452]掩蔽聪明：蒙蔽天子，使其不知道真实情况。掩蔽，遮掩、掩盖。[453]侧足：形容因畏惧而不敢正立。[454]养成：酿成；造成。[455]寤：通"悟"，醒悟。[456]庚申：十一月十七日。[457]右相：中书令，天宝元年（公

棣王李琰有两个妃妾，互相争宠。其中有一个让巫师画符放在李琰的鞋子里来求得媚爱。李琰与监院宦官有矛盾，宦官知道此事，秘密上奏说李琰诅咒玄宗。玄宗派人突然搜查李琰的鞋子，获取了画符，大怒。李琰磕头谢罪说："臣确实不知道有画符。"玄宗派人审讯，果然是妃妾所为。玄宗还是怀疑李琰知道这件事，把他囚禁在鹰狗坊，禁止他朝见，李琰忧愤而死。

根据过去的惯例，兵部和吏部尚书担任宰相的，铨选事务全都委托给侍郎以下的官员，三注三唱后，还要经过门下省审核，从春天到夏天，这件事情才能结束。等到杨国忠以宰相兼领文部尚书，想显示自己精明敏捷，就派吏部司令史事先在他的私人宅第秘密确定姓名和职缺。

元七四二年）更名。㊺⑧文部尚书：吏部尚书。㊺⑨判使：判职、使职。㊻⓪无威仪：没有庄严的容貌举止。㊻①机务：机要事务，多指军国大事。㊻②攘袂扼腕：挽袖子，捋胳膊，是一种飞扬跋扈的情态。攘，撩起、挽起。袂，袖子。扼腕，用力握住手腕。㊻③震慑：震恐畏惧。㊻④台省官：唐时统称尚书省、门下省、中书省为台省，故在三省供职的官员即台省官。㊻⑤有才行时名：有才能、品行，名闻当时。㊻⑥为己用：为自己所用；能听候自己使用。㊻⑦君辈：你们。君，敬称。㊻⑧倚：倚仗；倚靠。㊻⑨泰山：山名，在山东泰安，古称东岳，为中国五岳之一。㊼⓪冰山：冰山遇日即消融。比喻其权势一时显赫，但不可久长。㊼①嵩山：山名，古称中岳，为中国五岳之一。在河南登封北。㊼②司勋员外郎：官名，吏部司勋司副长官，佐掌勋官的核定、奏拟。㊼③崔圆：崔圆（公元七〇四至七六八年），清河东武城（今山东武城西）人，官至中书令，封赵国公。传见《旧唐书》卷一百八、《新唐书》卷一百四十。㊼④控马：引马；牵马。㊼⑤信宿：连宿两夜；过两个夜晚。㊼⑥收人望：收买人心。㊼⑦选深：参加铨选时间久，即多次铨选而未注官。㊼⑧留：留下注官。㊼⑨资：资历。㊽⓪注官：注拟官职，即授官。㊽①滞淹：滞留；淹留。指久居于下而不得升进。㊽②翕然：一致。㊽③施置：施行、设置。㊽④曲徇：曲意顺从。㊽⑤甲申：十二月十二日。㊽⑥丁亥：十二月十五日。㊽⑦丁酉：十二月二十五日。㊽⑧安西行军司马：安西节度使幕职。行军司马，掌军籍、号令、印信等务，是最重要的军事行政官员。㊽⑨狐向窟嗥二句：狐狸向洞窟嗥叫不是好兆头。野兽咆哮。㊾⓪突厥敢尔：你这突厥人竟敢这样。㊾①阳醉：假装喝醉。阳，佯。㊾②棣王琰：玄宗第四子李琰（？至公元七五二年），初名嗣真，后改名洽，又改名琰，封鄫王、棣王。传见《旧唐书》卷一百七、《新唐书》卷八十二。㊾③孺人：唐代称王的妾，宋朝以后成为一种封号。㊾④监院官者：玄宗把诸皇子、皇孙安置在"十王宅"和"百孙院"分院居住，以宦官监视。监院宦者指此。㊾⑤祝诅：诉于鬼神，使降祸于憎恶之人。㊾⑥掩：乘其不备而袭取之。㊾⑦鹰狗坊：五坊之属。

唐有饲养供天子狩猎用的雕、鹘、鹰、鹞、狗五坊，设五坊宫苑使掌之。开元、天宝时闲厩使兼掌五坊宫苑之职。㊽绝朝请：朝请，汉代诸侯朝见皇帝，春朝叫朝，秋朝叫请。后泛指朝见皇帝。绝朝请就是不准朝见皇帝。[499]知政事：任宰相之职。[500]三注三唱：唐制，六品以下官员的选拔，始集试书判，次铨察身言，然后注拟和唱名。被注官若官资不相当，任所不便，听至三注，即更改两次。唱名，有未听清的，可再唱三唱。称为三注三唱。[501]令史：吏员名，内外官司多有设置，专门从事本司的具体事务，无品秩。此指吏部司令史。唐吏部司有令史三十人。[502]密定名阙：暗地确定姓名和职缺；秘密确定谁补官谁不补官。

【原文】

十二载（癸巳，公元七五三年）

春，正月壬戌[503]，国忠召左相陈希烈及给事中、诸司长官皆集尚书都堂[504]，唱注选人，一日而毕，曰："今左相、给事中俱在座，已过门下[505]矣。"其间资格差缪甚众，无敢言者。于是门下不复过官[506]，侍郎但掌试判而已。侍郎韦见素[507]、张倚趋走门庭，与主事[508]无异。见素，凑[509]之子也。

京兆尹鲜于仲通讽选人请为国忠刻颂[510]，立于省门。制仲通撰其辞，上为改定数字，仲通以金填之。

杨国忠使人说安禄山诬李林甫与阿布思谋反，禄山使阿布思部落降者诣阙，诬告林甫与阿布思约为父子。上信之，下吏按问。林甫婿[511]谏议大夫杨齐宣惧为所累[512]，附国忠意证成之。时林甫尚未葬，二月癸未[513]，制削林甫官爵，子孙有官者除名，流岭南及黔中，给随身衣及粮食，自余赀产并没官，近亲及党与坐贬者五十余人。剖林甫棺，抉取含珠[514]，褫金紫[515]，更以小棺如庶人礼葬之。己亥[516]，赐陈希烈爵许国公，杨国忠爵魏国公，赏其成林甫之狱也。

夏，五月己酉[517]，复以魏、周、隋后为三恪[518]，杨国忠欲攻李林甫之短也。卫包以助邪贬夜郎[519]尉，崔昌贬乌雷[520]尉。

阿布思为回纥所破，安禄山诱其部落而降之。由是禄山精兵，天下莫及。

【校记】

［13］己丑：原作“乙丑”。胡三省注云：“蜀本作‘己丑’，当从之。”据章钰校，十二行本、乙十一行本、孔天胤本皆作“己丑”，张敦仁《通鉴刊本识误》同，今据改。［14］流：原作“出”。据章钰校，十二行本、乙十一行本、孔天胤本皆作“流”，张敦仁《通鉴刊本识误》同，今据改。［15］时：原无此字。据章钰校，十二行本、乙十一行本、孔天胤本皆有此字，张敦仁《通鉴刊本识误》同，今据补。

【语译】

十二载（癸巳，公元七五三年）

春，正月二十日壬戌，杨国忠召集左相陈希烈和给事中、各司长官都会集在尚书厅堂，唱名授官铨选人才，一天就结束了，说：“今天左相、给事中都在座，就等于已经通过门下省的审核了。”其中有很多资格上的差错，没有敢说话的。于是，门下省就不再审核新授的官员了，侍郎仅仅主持考试书判。侍郎韦见素、张倚奔走厅堂，与具体办事的主事没有什么不同。韦见素是韦凑的儿子。

京兆尹鲜于仲通暗示被选上的人请求替杨国忠刻碑颂功，竖立在中书省的门口。玄宗下制书命令鲜于仲通撰写碑文，玄宗替他改定了几个字，这几个字鲜于仲通用黄金填写。

杨国忠派人劝说安禄山诬陷李林甫和阿布思谋反，安禄山派阿布思部落投降的人前往宫阙，诬告李林甫和阿布思结为父子。玄宗相信了这件事，交付法官审问。李林甫的女婿谏议大夫杨齐宣害怕被牵连，附和杨国忠的想法做证定案。当时李林甫尚未安葬，二月十一日癸未，玄宗下诏削除李林甫的官爵，把有官职的子孙除名，流放到岭南和黔中，只给随身穿戴的衣服和粮食，其余的财产都没入官府，近亲和党羽坐罪贬官的有五十多人。剖开李林甫的棺材，挖出口中含珠，取掉身上的金鱼袋和紫袍，改用小棺材，按平民的礼制埋葬他。二十七日己亥，玄宗赐予陈希烈许国公的爵位，赐予杨国忠魏国公的爵位，嘉奖他们完成了李林甫案子的审定。

夏，五月初九日己酉，又以北魏、北周、隋朝的后裔为三恪，这是杨国忠想要揭露李林甫的过错。卫包因帮助李林甫为恶，被贬为夜郎县尉，崔昌被贬为乌雷尉。

阿布思被回纥打败，安禄山诱降他的部落。从此，安禄山的精兵，天下没有人能比得上。

壬辰[521]，以左武卫大将军何复光将岭南五府[522]兵击南诏。

安禄山以李林甫狡猾[523]逾[524]己，故畏服之。及杨国忠为相，禄山视之蔑如[525]也，由是有隙[526]。国忠屡言禄山有反状，上不听。

陇右节度使哥舒翰击吐蕃，拔洪济[527]、大漠门[528]等城，悉收九曲部落[529]。

初，高丽人王思礼与翰俱为押牙，事王忠嗣。翰为节度使，思礼为兵马使兼河源军使。翰击九曲，思礼后期。翰将斩之，既而复召释之。思礼徐曰："斩则遂斩，复召何为！"

杨国忠欲厚结翰，与[16]共排安禄山，奏以翰兼河西节度使。秋，八月戊戌[530]，赐翰爵西平郡王。翰表侍御史裴冕为河西行军司马。是时中国盛强，自安远门[531]西尽唐境，凡[17]万二千里，闾阎相望[532]，桑麻翳野[533]，天下称富庶者无如陇右[534]。翰每遣使入奏，常乘白橐驼，日驰五百里。

九月甲辰[535]，以突骑施黑姓可汗登里伊罗蜜施为突骑施可汗。

北庭都护程千里追阿布思至碛西，以书谕葛逻禄，使相应。阿布思穷迫，归葛逻禄，葛逻禄叶护执之，并其妻子、麾下数千人送之。甲寅[536]，加葛逻禄叶护顿毗伽开府仪同三司，赐爵金山王。

冬，十月戊寅[537]，上幸华清宫。

杨国忠与虢国夫人居第相邻[538]，昼夜往来，无复期度。或并辔走马入朝，不施障幕[539]，道路为之掩目[540]。

三夫人将从车驾幸华清宫，会于国忠第，车马仆从，充溢数坊，锦绣珠玉，鲜华夺目。国忠谓客曰："吾本寒家，一旦缘椒房至此[541]，未知税驾[542]之所。然念[543]终不能致令名[544]，不若且极乐耳。"杨氏五家，队各为一色衣以相别，五家合队，粲若云锦[545]，国忠仍以剑南旌节[546]引于其前。

国忠子暄举明经[547]，学业荒陋，不及格。礼部侍郎达奚珣[548]畏国忠权势，遣其子昭应尉抚先白之。抚伺国忠入朝上马，趋至马下。国忠意其子必中选，有喜色。抚曰："大人[549]白相公[550]，郎君所试，不中程式[551]，然亦未敢落[552]也。"国忠怒曰："我子何患不富贵，乃令鼠辈相卖[553]！"策马不顾而去。抚惶遽，书白其父曰："彼恃挟[554]贵势，令人

六月二十三日壬辰，命令左武卫大将军何复光率领岭南五府的军队攻打南诏。

安禄山因为李林甫狡猾程度超过自己，所以敬畏佩服他。等到杨国忠担任宰相，安禄山看他如同没有此人一样，从此两人有了裂痕。杨国忠一再说安禄山有反叛的迹象，玄宗不相信。

陇右节度使哥舒翰攻打吐蕃，攻取洪济、大漠门等城，全部收复九曲部落。

当初，高丽人王思礼与哥舒翰都为押牙，侍奉王忠嗣。哥舒翰担任节度使时，王思礼担任兵马使兼河源军使。哥舒翰攻打九曲，王思礼错过了期限。哥舒翰将要杀掉王思礼，随即又召回释放了他。王思礼慢条斯理地说："要杀就杀，又召回来干什么!"

杨国忠打算深交哥舒翰，与他一起排挤安禄山，奏请任命哥舒翰兼河西节度使。秋，八月三十日戊戌，玄宗赐予哥舒翰西平郡王的爵位。哥舒翰上表请求任命裴冕为河西行军司马。这时中原强盛，从长安安远门往西直到边界，唐朝疆土共一万二千里，村落里巷相望，桑麻遍野，天下要说富庶的地方，没有比得上陇右的。哥舒翰每次派使者入朝上奏，常常乘坐白骆驼，一天跑五百里。

九月初六日甲辰，任命突骑施黑姓可汗登里伊罗蜜施为突骑施可汗。

北庭都护程千里追赶阿布思，到达碛西，用书信晓谕葛逻禄，让他相呼应。阿布思很窘迫，归附葛逻禄，葛逻禄叶护抓住他，连同他的妻子儿女和部下几千人送交唐朝。九月十六日甲寅，加封葛逻禄叶护顿毗伽开府仪同三司，赐爵金山王。

冬，十月十一日戊寅，玄宗亲临华清宫。

杨国忠和虢国夫人的宅第相邻，昼夜来往，没有时间和界限。有时两人并辔驱马上朝，不设帷帐，路人都捂住眼睛不看他们。

韩国、虢国、秦国三夫人准备跟随玄宗到华清宫，在杨国忠家里集合，他们的车马仆人随从，塞满了好几个街坊，锦衣绣服、珍珠宝玉，鲜艳华丽、光彩夺目。杨国忠对门客说："我本来是贫寒之家，一时间靠贵妃的关系到了今天这个样子，不知道休止。然而我想终究得不到好名声，还不如暂且极尽欢乐。"杨氏五家人，每家一队各用一种颜色的衣服，以便互相区别，五家队伍会合起来，光辉灿烂，宛如云霞锦绣，杨国忠仍用剑南节度使的旌旗和符节在前面引导。

杨国忠的儿子杨暄应明经科考试，因学业荒疏浅陋，没有及格。礼部侍郎达奚珣畏惧杨国忠的权势，派他的儿子昭应县尉达奚抚事先告诉杨国忠。达奚抚暗中看见杨国忠入朝上马，用小步赶忙跑到他的马前。杨国忠料想他的儿子肯定考上，面带喜色。达奚抚说："家父报告相公，令郎考试，不符合录取标准，然而也不敢让他落榜。"杨国忠生气地说："我的儿子何愁不能富贵，还要让你们这些鼠辈相欺!"用鞭抽着马，头也不回地离开了。达奚抚惶恐不安，写信告诉他的父亲说："他仗恃位

惨嗟[555]，安可复与论曲直[556]！”遂置暄上第。及暄为户部侍郎，珣始自礼部迁吏部，暄与所亲言，犹叹己之淹回[557]，珣之迅疾。

国忠既居要地，中外饷遗辐凑[558]，积缣[559]至三千万匹。

上在华清宫，欲夜出游，龙武大将军[560]陈玄礼[561]谏曰：“宫外即旷野，安可不备不虞！陛下必欲夜游，请归城阙。”上为之引还。

是岁，安西节度使封常清击大勃律，至菩萨劳城[562]，前锋屡捷，常清乘胜逐之。斥候府[563]果毅段秀实谏曰：“虏兵羸[564]而屡北[565]，诱我也，请搜左右山林。”常清从之，果获伏兵，遂大破之，受降而还。

中书舍人宋昱[566]知选事，前进士[567]广平刘迺[568]以选法未善，上书于昱，以为：“禹、稷、皋陶同居舜朝，犹曰载采有九德[569]，考绩以九载[570]。近代主司[571]察言于一幅之判[572]，观行于一揖[573]之间，何古今迟速不侔[574]之甚哉！借使[575]周公、孔子今处铨廷[576]，考其辞华[577]，则不及徐、庾[578]，观其利口[579]，则不若[18]啬夫[580]，何暇论圣贤之事业[581]乎！”

【段旨】

以上为第十一段，写杨国忠为相，与安禄山交恶。杨氏一门贵宠无比，满朝文武百官争相依附，而识者称之为“冰山”。

【注释】

[503]壬戌：正月二十日。[504]尚书都堂：尚书省都堂，即尚书省总办公厅堂。[505]已过门下：上所云左相、给事中皆为门下省官，故有此言。[506]过官：门下省审核吏部、兵部注拟的六品以下官员。[507]韦见素：韦见素（公元六八六至七六二年），京兆万年（今陕西西安东）人，官至武部尚书、同中书门下平章事，封邠国公。传见《旧唐书》卷一百八、《新唐书》卷一百十八。[508]主事：吏员名，内外官司多有设置，承担具体事务，比令史地位高，亦无品秩。吏部司有主事四人。[509]凑：韦凑（公元六五七至七二二年），仕睿宗、玄宗朝，数上书论时政得失，多被采纳。官至将作大匠，封彭城郡公。传见《旧

高势大，令人痛心丧气，怎么还能跟他辩论是非！”于是就把杨暄排在上等。等杨暄担任了户部侍郎，达奚珣才开始从礼部升到吏部，杨暄同他亲近的人说及此事，还感叹自己仕途淹滞，达奚珣迁升太快。

杨国忠位居要职以后，朝廷内外馈赠的礼物聚集其门，积存的缣帛达到三千万匹。

玄宗在华清宫，想要夜里出去游玩，龙武大将军陈玄礼劝告说：“宫外就是旷野之地，怎么能不防备意外呢！陛下如果一定想要夜里游玩，请回到长安城里。”玄宗为此又带人折回。

这一年，安西节度使封常清攻打大勃律，到达菩萨劳城，前锋多次获胜，封常清乘胜追逐敌人。斥候府果毅段秀实劝告说：“敌兵瘦弱，多次战败，这是诱骗我们，请搜查左右两边的山林。”封常清同意了他的意见，果然抓获了埋伏的敌兵，于是大败敌人，接受他们的投降后回军。

中书舍人宋昱主管选举事务，前进士广平人刘迺认为选举之法不够完善，上书宋昱。他认为：“禹、稷、皋陶同在舜的朝廷任职，还要说开始做事的人有九种美德，考察九年的政绩。近代的主考官考察言论只根据一纸判词，观察行为只根据一次拜手礼，为什么古今选拔试用官吏的快慢不同有这么大差距呢?!假使周公、孔子今天到吏部参加铨选，考试他们的文辞华丽，还比不上徐陵和庾信，观察他们的能言善辩的情况，还比不上啬夫，哪里有时间讨论圣贤的事业呢！”

唐书》卷一百一、《新唐书》卷一百十八。⑸⑽ 颂：颂碑。⑸⑾ 婿：女婿。⑸⑿ 累：牵连。⑸⒀ 癸未：二月十一日。⑸⒁ 抉取含珠：把口中的珠玉挑出来。抉，挑出、挖出。含珠，古代贵族丧礼，人死后，把珠玉放在死者口中叫含珠或含玉。⑸⒂ 褫金紫：褫，夺去。金紫，金鱼袋及紫服。⑸⒃ 己亥：二月二十七日。⑸⒄ 己酉：五月初九日。⑸⒅ 复以魏、周、隋后为三恪：天宝九载（公元七五〇年）以殷、周、汉之后为三恪。至是，更以魏、周、隋之后为三恪。⑸⒆ 夜郎：县名，县治在今贵州正安西北。⑸⒇ 乌雷：县名，县治在今广东钦州东南。⑸㉑ 壬辰：六月二十三日。⑸㉒ 岭南五府：广州、桂州、邕州、蒙（容）州、交州五都督府。⑸㉓ 狡猾：诡诈。⑸㉔ 逾：越过；超越。⑸㉕ 蔑如：没有的样子。蔑，无、没有。如，助词，然。⑸㉖ 隙：裂痕。⑸㉗ 洪济：城名，在青海东境河曲之地。唐初置金天军于此，后入吐蕃。⑸㉘ 大漠门：城名，在青海东境河曲之地。吐蕃所筑，开元天宝间，数为萧嵩、哥舒翰等所攻拔。⑸㉙ 九曲部落：吐蕃部落，在今青海化隆的巴燕镇，即汉代大小榆谷。此地水甘草长，宜畜牧。唐睿宗景云元年（公元七一〇年），吐蕃贿赂鄯州都

督杨矩，请得河西九曲之地为金城公主汤沐邑，置洪济、大漠门等城守卫。由是吐蕃与唐邻接，势力益张，天宝十二载被哥舒翰收复。㉚戊戌：八月三十日。㉛安远门："安"为"开"之讹，见岑仲勉《通鉴隋唐纪比事质疑》。开远门，长安城西面自北而南的第一道城门。㉜闾阎相望：指村落比连，里巷门庭相望。闾，乡里门。阎，里巷门。㉝翳野：满山遍野。翳，遮蔽。㉞陇右：古地区名，泛指陇山以西地区。古代以西为右，故名。约相当于甘肃六盘山以西、黄河以东一带。㉟甲辰：九月初六日。㊱甲寅：九月十六日。㊲戊寅：十月十一日。㊳居第相邻：虢国夫人居宣阳坊，杨国忠宅第在宣阳坊西邻。㊴障幕：帷幕；帷帐。旧时妇女外出有帷幕遮蔽。㊵掩目：遮掩眼睛，比喻不堪目睹。㊶缘椒房至此：意思是凭借皇帝贵妃的关系而达到如今的显赫地位。缘，攀缘、凭借。椒房，汉皇后所居宫殿，以椒和泥涂壁，取温、香、多子之意，后因此以椒房为后妃的代称。㊷税驾：解驾停车，意即停息、归宿。税，通"脱"，释放、解脱。㊸念：想到。㊹令名：美好的名声。㊺粲若云锦：像云霞和锦缎一样鲜艳。粲，鲜明。云，云霞。锦，有彩色花纹的丝织品。㊻旌节：旌，旌旗。节，符节。节度使专制军事，给双旌双节。行则建节，府树六纛。旌以专赏，节以专杀。㊼举明经：唐科举制常举六科（明经、进士、秀才、明法、明字、明算）之一。主要考试儒家经文，先试帖经，然后口试并答策，取粗有文理的为通。明经又分五经、三经、二经、学究一经、三礼、三传、史科等名目。㊽达奚珣：达奚珣（？至公元七五七年），又称达奚大尹。历礼部侍郎、河南尹等官，安禄山攻入西京，署为丞相。肃宗收复京城，以重杖处死。其事散见《旧唐书》卷二百上《安禄山传》、《新唐书》卷二百六《杨国忠传》等篇。㊾大人：南宋以前专指子对父的称呼。见赵翼《陔余丛考·大人》。㊿相公：古代拜相者必封公，故称宰相曰相公。见顾炎武《日知录》卷二十四。551程式：规矩、法式。552落：黜落；落榜。553卖：欺。554恃挟：依仗。555惨嗟：惨，惨沮，伤心丧气。嗟，叹词，表示感叹。556论曲直：讲是非。557淹回：淹滞停留，迁升不快。珣迁吏部，在六部中居头行；暄迁户部居中行，地位在珣之后，故有淹回之叹。558饷遗辐凑：指馈赠的财物聚集其门。饷遗，馈赠。辐凑，又作辐辏。车辐集中于轴心，比喻人或物聚集一处。559缣：细绢。560龙武大将军：武官名，北衙禁军左右龙武军长官，掌宫城宿卫。561陈玄礼：公元七五六年，马嵬驿兵变诛杀杨国忠及杨贵妃的禁军首领。传见《旧唐书》卷一百六、《新唐书》卷一百二十一。562菩萨劳城：不详所在。563斥候府：设在前哨从事警戒的军府。斥候，放哨。564羸：瘦弱。565北：败北。566宋昱：官至中书舍人。党附杨国忠，凭势招来赂遗，车马盈门，财货山积。及杨国忠败，被诛。其事散见《旧唐书》卷一百六、《新唐书》卷二百六《杨国忠传》等篇。567前进士：唐代进士及第者的称呼。568刘迺：刘迺（公元七二三至七八三年），字永隶，洺州广平（今河北鸡泽东南）人，天宝时进士，官至兵部侍郎。传见《旧唐书》卷一百五十三、《新唐书》卷一百九十三。569载采有九德：语出《尚书·皋陶谟》，"皋陶曰：'亦行有九德，亦言其人有德，乃言曰载采采。'禹曰：

‘何?’皋陶曰:‘宽而栗，柔而立，愿而恭，乱而敬，扰而毅，直而温，简而廉，刚而塞，强而义，彰厥有常，吉哉!’”载采，开始做事。九德，即“宽而栗”云云九种品德。意思是开始做事的人，就应有这九种品德。⑰考绩以九载：语出《尚书·舜典》，“三载考绩，三考黜陟幽明”。对官吏的考绩三年进行一次，要经过三次考绩共九年，才能积其不善以至于幽而黜之，积其善以至于明而陟（升）之。⑰主司：主考官。⑰察言于一幅之判：考察见解，只凭一纸有限的判词。察，考察。言，言论、见解。一幅，犹言一纸。判，判词，指铨选试判的答卷。⑰一揖：一个拱手礼。⑰迟速不侔：时间长短不同；快慢不同。此有慎重与草率不同之意。⑰借使：假使。⑰铨廷：铨选之廷，指吏部。⑰辞华：辞藻的华丽。⑰徐、庾：徐陵、庾信。徐陵（公元五〇七至五八三年），字孝穆，南朝梁、陈时人，仕梁为通直散骑常侍，入陈官至尚书左仆射，当时诏策诰命，多出其手。文章绮艳，与庾信齐名，时称徐庾体，然所作以奏议为多，文学成就不及庾信。著有《徐孝穆集》，又选辑《玉台新咏》。传见《陈书》卷二十六、《南史》卷六十二。庾信（公元五一三至五八一年），字子山，北周人，善宫体诗，文章绮丽，与徐陵齐名。初仕南朝梁，奉使西魏，被留不放还。西魏亡，仕北周，官至骠骑大将军、开府仪同三司。虽居高位，然怀念南朝，常有乡土之思，晚年之作遂趋沉郁，风格与在南朝时迥异，以《哀江南赋》最著名。后人辑有《庾开府集》《庾子山集》。传见《周书》卷四十一、《北史》卷八十三。⑰利口：能言善辩。⑱啬夫：汉官名，如暴室啬夫、虎圈啬夫等主掌织染、虎豹之类具体事务的小官。据《汉书》卷五十《张释之传》载，汉文帝登虎圈，问上林尉禽兽事十余问，尉竟不能答，虎圈啬夫从旁代答，无所不尽。⑱圣贤之事业：指治理天下的事业。

【校记】

［16］与：原无此字。据章钰校，十二行本、乙十一行本皆有此字，张敦仁《通鉴刊本识误》同，今据补。［17］凡：原无此字。据章钰校，十二行本、乙十一行本皆有此字，今据补。［18］若：原作“及”。据章钰校，十二行本、乙十一行本、孔天胤本皆作“若”，今从改。

【研析】

本卷记载天宝后期史事，大唐已处于动乱的前夜。天宝后期政治是前期政治的继续，君暗臣奸的格局不但没有改变，反而更加浑浊。君仍是原来的君，唐玄宗更加昏聩。臣还是原来的臣，李林甫继续执政，虎患未除，又添了两只恶狼，即安禄山、杨国忠。天宝后期，安、杨二人势力膨胀，与李林甫势均力敌，权奸窝里斗，加速了朝政腐败与危机来临。表面上，天宝后期还是一片升平，实际上已是山雨欲来风满楼，社会大动乱的时机已经成熟，只差一根导火索。具体来说，天宝后期已孕育成熟社会动乱的三大因素：一是武备废弛；二是权奸相继；三是唐玄宗意志消沉。

武备废弛。武备是国家政权最重要的支柱。司马迁说："非兵不强，非德不昌。"唐玄宗天宝时期，国家不是无兵，而是兵多，沿边十节度使，常备兵五十万，是唐朝国力最强盛的时候，庞大的武备是靠开元盛世的国力支撑的。但为什么又说天宝时期武备废弛呢？首先，配置失衡，尾大不掉。开元时期，长期承平，四境安宁，张说提出了裁兵。可是唐玄宗好大喜功，一心要扩张国力，在沿边置十节度使，精兵强将置于边境，京师及内地空虚，尾大不掉，国家不知不觉处于极度危险的境地。特别是安禄山，身兼平卢、范阳、河东三镇节度使，掌握国家近半数的武装，不反何待！其次，掌御失控。唐中兴以来，以及开元时期，边帅皆用忠厚名臣，不久任，不遥领，不兼统，功名著者往往入为宰相。开元名臣张嘉贞、张说、姚崇都出将入相，兵权掌控在朝廷手中。四夷之将，如阿史那社尔、契苾何力，只任爪牙，不专大将之任。自唐玄宗有了吞四夷之心，为边将者十余年不易，始久任矣，诸王、宰相遥领边将，实不知兵，盖嘉运、王忠嗣专制数道，始兼统矣。李林甫为相，为了个人专断朝政，说服唐玄宗专用胡人勇将任边将，因胡人不知书，杜绝他们入朝任相。例如，安禄山大字不识半升。胡人带兵，已与汉文化有距离，他们长期守边，兵将一体，国家武装成了骄兵悍将，形成地方割据。安禄山就是在这一背景下被"制造"出来的。即使是忠于朝廷的边将，也往往不听指挥。河西、陇右两镇节度使王忠嗣，不听朝廷调度，攻取吐蕃石堡城。唐玄宗命王忠嗣协助将军董延光攻取石堡城，王忠嗣消极不配合，以致唐军无功。再次，承平日久，军无斗志。唐军征南诏、讨西域、袭契丹，全线败退。最后，纪律松弛，轻易犯上。朔方节度使张齐丘，发放军粮有克扣，兵士哗变，殴打判官，甚至想杀死张齐丘。一叶落而知秋，朔方节度使的士兵犯上，表明军纪松弛，兵士不堪被奴役，兵将积怨，国家武备成了一个火药桶。朔方节度使的兵变，发出了安史之乱的一个信号，只可惜唐玄宗还在蒙头睡大觉，安史之乱不可避免地要爆发了。

权奸相继。一个李林甫，已经把唐朝政治搞得千疮百孔，好比是一个人身上的大脓疮，还没有被割除，又来了一个杨国忠，这个痈疽比李林甫还要溃烂。杨国忠为相，唐王朝不可救药。一是杨国忠不学无术，原来就是一个无赖，不仅没有治世之才，而且没有大局观。他与安禄山有隙嫌，屡告安禄山谋反，唐玄宗不听，他身为国相，无力采取任何制衡措施，便一门心思挑动安禄山谋反，把自己控制更大的权力寄托在安禄山谋反上，简直是一个狂人。二是他是国戚，靠杨贵妃的裙带关系，深受唐玄宗信任，一身兼了四十多个头衔。据胡三省考证，重要职务有拜右相、御史大夫、判度支、权知太府卿事，兼蜀郡长史、剑南节度使、支度与营田等副大使，本道并兼山南西道采访处置使，两京太府、司农、出纳、监仓、祠祭、木炭、宫市、长春、九成宫等使，关内道及京畿采访处置使，兼吏部尚书、集贤殿学士、崇玄馆学士、修国史、太清宫使、太微宫使，兼掌租庸盐铁等使。国家人事、财政、监察、采购、文教等重权，杨国忠集于一身。兼职泛滥，有两大害处。一是被兼职的国家机构，由一人掌管，形同虚设，没有行政效率，政事完全败坏。二是各种权力集于一身，为所欲为，官场腐败堕落，迅速恶化，政治越出了轨道，必然大乱。史称杨国忠滥授官职以收买人心，无能之辈得了好处而称颂杨国忠。而御史台和中书省有才干声望的人，杨国忠把他们一个一个赶走。杨国忠还仗着权势，对百官公卿颐指气使，甚至在大庭广众面前挽起袖子，指着公卿大臣的鼻子呵斥。如此宰相，只能是扰乱朝纲，焉能治国。势利小人蚁附杨国忠，有识之士称杨国忠是一座冰山。意思是说，太阳一出，他就要化掉。

唐玄宗意志消沉。如果说唐玄宗在天宝初由于骄侈心而由明转昏，到了天宝后期，唐玄宗连骄侈心也消尽，他对国家失去了自信，意气消沉，得过且过了。骄侈心是自大，还想有一番作为。意气消沉，则只是沉醉于灯红酒绿了。唐玄宗英年有为，纳谏用贤，励精图治，造就了开元盛世。长期承平，他认为天下无可忧虑，自从得了杨贵妃，就藏于深宫，专心于音乐、美色来自我娱乐。国家大事一手交给了李林甫，然后是杨国忠。权奸专政，一心自利，只求奉承讨好皇上，稳固恩宠，杜绝君臣上下言路，蔽塞皇上耳目，以实现其奸佞阴谋。久而久之，成为积习。天宝后期，安禄山反形已露，唐玄宗像一切亡国之君一样，听不进半句逆耳之言，他只求上苍保佑他得过且过。唐玄宗对安禄山不但不采取节制措施，反而加大他的权势，由任平卢、范阳两镇节度使而又兼河东节度使，使其成为三镇节度使。安禄山要求掌控牧马总监，唐玄宗予以依从，安禄山挑选国家战马几千匹扩充个人武装。安禄山图谋异志，唐玄宗不是不知，但他已无进取心，想的是息事宁人，用恩宠来感化安禄山。唐玄宗给野心家增大势权，是意志消沉的集中表现。感化野心家，无异于与虎谋皮。势利群臣，见风转舵，纷纷投靠安禄山。例如那个效忠李林甫的吉温，向安禄山摇尾，成了他在朝廷的耳目。宦官出使，也说安禄山的好话。局面至此，安史之乱只差一根导火索来引爆了。

卷第二百十七　唐纪三十三

起阏逢敦牂（甲午，公元七五四年），尽柔兆涒滩（丙申，公元七五六年）四月，凡二年有奇。

【题解】

本卷记事起公元七五四年，迄公元七五六年四月，凡两年又四个月，当唐玄宗天宝十三载至十五载四月。天宝十四载十一月初九日甲子，安禄山反叛于范阳。本卷记事写安禄山反叛前与反叛后初期的政治形势。天宝十三载（公元七五四年），安禄山入朝，求索无厌，求陇右群牧等使，掌控养马总监，立即挑选战马数千匹别养。又称所部将士征讨有功，大肆索求皇上告身，封赏所部士兵将官两千五百余人，收买人心。这些举动，昭示反形已露，唐玄宗加重恩赏以慰安禄山之心，其实是促使其速反，因反常的恩赏激发安禄山的骄侈，又增其猜疑心发展。权臣杨国忠则以交恶安禄山促其速反。这时唐玄宗与杨国忠对安禄山完全相反的态度与不当待遇双双推动安禄山速反。安禄山反叛后，因其长期蓄势，兵强马壮，麾师南下，河北、河南郡县大半丧失。官军仓促应战，封常清、高仙芝兵败东都，固守潼关，正当策略，反被冤杀，唐玄宗自毁长城，增强了贼人气焰。官军讨贼，民众响应。河北颜杲卿、颜真卿兄弟，河南张巡起义兵杀贼，鼓舞了官军士气，扭转了官军望风溃逃的局面，不断取得战役胜利。洛阳丢失后，战争出现相持局面。

【原文】

玄宗至道大圣大明孝皇帝下之下

十三载（甲午，公元七五四年）

春，正月己亥[①]，安禄山入朝[②]。是时杨国忠言禄山必反，且曰："陛下试召之，必不来。"上使召之，禄山闻命即至。庚子[③]，见上于华清宫，泣曰："臣本胡人，陛下宠擢[④]至此，为国忠所疾，臣死无日矣！"上怜之，赏赐巨万。由是益亲信禄山，国忠之言不能入矣。太子亦知禄山必反，言于上，上不听。

甲辰[⑤]，太清宫奏："学士[⑥]李琪见玄元皇帝乘紫云，告以国祚延昌[⑦]。"

唐初，诏敕皆中书、门下官有文者为之。乾封[⑧]以后，始召文

【语译】

玄宗至道大圣大明孝皇帝下之下

十三载（甲午，公元七五四年）

春，正月初三日己亥，安禄山入朝。当时杨国忠说安禄山肯定会反叛，并且对玄宗说："陛下试着叫他来，他肯定不会来。"玄宗派人召见安禄山，安禄山听到命令立刻就来了。初四日庚子，在华清宫晋见玄宗，哭着说："臣本是胡人，受陛下宠爱而提拔到现在的职位，被杨国忠嫉恨，臣怕没有几天就死了！"玄宗很同情他，赏赐巨万。从此更加亲信安禄山，杨国忠的话听不进去了。太子也知道安禄山必定反叛，告诉玄宗，玄宗不听。

正月初八日甲辰，太清宫上奏说："学士李琪见到玄元皇帝老子坐着紫云，告诉说国运长久昌盛。"

唐初，皇帝的诏令敕书都是由中书省和门下省中有文辞的官员撰写。乾封以后，

士[9]元万顷[10]、范履冰[11]等草诸文辞，常于北门[12]候进止[13]，时人谓之“北门学士”。中宗之世，上官昭容[14]专其事。上即位，始置翰林院[15]，密迩禁廷，延文章之士[16]，下至僧、道，书、画、琴、棋、数术之工皆处之，谓之“待诏”。刑部尚书张均及弟太常卿垍皆翰林院供奉。上欲加安禄山同平章事[17]，已令张垍草制，杨国忠谏曰：“禄山虽有军功，目不知书，岂可为宰相！制书若下，恐四夷轻唐。”上乃止。乙巳[18]，加禄山左仆射[19]，赐一子三品、一子四品官。

丙午[20]，上还宫。

安禄山求兼领闲厩[21]、群牧[22]。庚申[23]，以禄山为闲厩、陇右群牧等使[24]。禄山又求兼总监[25]。壬戌[26]，兼知总监事。禄山奏以御史中丞吉温为武部侍郎[27]，充闲厩副使。杨国忠由是恶温。禄山密遣亲信选健马堪战者数千匹，别饲之。

二月壬申[28]，上朝献太清宫，上圣祖尊号曰大圣祖高上大道金阙玄元大皇太帝。癸酉[29]，享太庙，上高祖谥曰神尧大圣光孝皇帝，太宗谥曰文武大圣大广孝皇帝，高宗谥曰天皇大圣大弘孝皇帝，中宗谥曰孝和大圣大昭孝皇帝，睿宗谥曰玄真大圣大兴孝皇帝，以汉家诸帝皆谥孝[30]故也。甲戌[31]，群臣上尊号曰开元天地大宝圣文神武证道孝德皇帝。赦天下。

丁丑[32]，杨国忠进位司空[33]。甲申[34]，临轩册命[35]。

己丑[36]，安禄山奏：“臣所部将士讨奚、契丹、九姓[37]、同罗等，勋效甚多。乞不拘常格，超资[38]加赏，仍好写[39]告身[40]付臣军授之。”于是除将军[41]者五百余人，中郎将[42]者二千余人。禄山欲反，故先以此收众心也。

三月丁酉[43]朔，禄山辞归范阳，上解御衣以赐之，禄山受之惊喜。恐杨国忠奏留之，疾驱出关[44]。乘船沿河而下，令船夫执绳板[45]立于岸侧，十五里一更，昼夜兼行，日数百里，过郡县不下船。自是有言禄山反者，上皆缚送之[1]。由是人皆知其将反，无敢言者。

禄山之发长安也，上令高力士饯之长乐坡[46]。及还，上问：“禄山慰意[47]乎？”对曰：“观其意快快[48]，必知欲命为相而中止故也。”上以

开始召命文士元万顷、范履冰等人草拟各种文辞，其时常在北门等候召唤，当时的人称其为“北门学士”。中宗时，上官昭容专门主管此事。玄宗即位，开始设立翰林院，它紧靠宫廷，延请擅长为文的人士，下至精通佛学、道教、书法、绘画、弹琴、下棋及数术的人都安置在翰林院，称为“待诏”。刑部尚书张均和他的弟弟太常卿张垍都是翰林院供奉。玄宗打算加任安禄山同平章事，已命令张垍草拟制书，杨国忠劝告说：“安禄山虽然立有军功，但他不知道读书，怎么可以做宰相呢?! 制书如果颁下，恐怕四周夷人轻视唐朝。”玄宗才作罢。正月初九日乙巳，加任安禄山左仆射，赐予他的一个儿子三品官、一个儿子四品官。

正月初十日丙午，玄宗回宫。

安禄山请求兼领闲厩、群牧。正月二十四日庚申，任命安禄山为闲厩、陇右群牧等使。安禄山又请求兼任总监。二十六日壬戌，任命他兼知总监事。安禄山奏请任命御史中丞吉温为武部侍郎，充闲厩副使。杨国忠因此很厌恶吉温。安禄山暗中派遣亲信选择健壮能够作战的几千马匹，另外饲养。

二月初六日壬申，玄宗祭祀太清宫，上圣祖老子尊号为大圣祖高上大道金阙玄元大皇太帝。初七日癸酉，享祭太庙，上高祖谥号为神尧大圣光孝皇帝，太宗谥号为文武大圣大广孝皇帝，高宗谥号为天皇大圣大弘孝皇帝，中宗谥号为孝和大圣大昭孝皇帝，睿宗谥号为玄真大圣大兴孝皇帝，这是因为汉朝各个皇帝都谥有孝字。初八日甲戌，群臣上玄宗尊号为开元天地大宝圣文神武证道孝德皇帝。大赦天下。

二月十一日丁丑，杨国忠进位为司空。十八日甲申，玄宗在殿前临轩宣读册文加以任命。

二月二十三日己丑，安禄山上奏说：“臣所统领的将士征讨奚、契丹、九姓、同罗等，功劳极多。请求不拘泥于常规，打破资格加以赏赐，仍用好的写手书写告身交给臣军授予他们。”于是，委任为将军的五百多人，委任为中郎将的两千多人。安禄山打算反叛，所以先使用这种方法来收买众心。

三月初一日丁酉，安禄山告别玄宗返回范阳，玄宗脱下衣服赏赐他，安禄山收下衣服又惊又喜。他怕杨国忠奏请玄宗留下他，迅速驱马出了潼关。他乘船沿河而下，叫船夫站在岸边拿绳板拉船。十五里轮换一班船夫，日夜兼程，每天行进几百里，所过郡县都不下船。从此，有说安禄山造反的，玄宗都把他捆送安禄山。因此，人们都知道安禄山行将反叛，但没有人敢说。

安禄山从长安出发时，玄宗命令高力士在长乐坡饯行。等到高力士回来，玄宗询问他：“安禄山满意吗?”高力士回答说：“看他心情郁郁不乐的样子，一定是知道了打算任命他为宰相而又中止的缘故。”玄宗把这事告诉了杨国忠，杨国忠说：“这个决议别人不知道，一定是张垍兄弟告诉了他。”玄宗很生气，贬张均为建安太守，张

告国忠[2]，曰："此议他人不知，必张垍兄弟告之也。"上怒，贬张均为建安㊾太守，垍为卢溪㊿司马，垍弟给事中埱(51)为宜春司马。

哥舒翰亦为其部将论功，敕以陇右十将(52)、特进(53)、火拔州都督、燕山郡王火拔归仁(54)为骠骑大将军，河源军使王思礼加特进，临洮(55)太守成如璆(56)、讨击副使(57)范阳鲁炅(58)、皋兰府(59)都督浑惟明并加云麾将军(60)，陇右讨击副使郭英乂(61)为左羽林将军。英乂，知运(62)之子也。翰又奏严挺之之子武(63)为节度判官，河东吕諲(64)为支度判官(65)[3]，前封丘(66)尉高适(67)为掌书记，安邑曲环(68)为别将。

程千里执阿布思，献于阙下(69)，斩之。甲子(70)，以千里为金吾大将军，以封常清权北庭都护、伊西节度使。

【段旨】

以上为第一段，写安禄山反状路人皆知，唐玄宗反而厚加恩宠以慰其心，实乃加速其反。

【注释】

①己亥：正月初三日。②安禄山入朝：安禄山入朝时间，《旧唐书·安禄山传》误载于十二载，《通鉴考异》引《肃宗实录》同。《资治通鉴》系据《玄宗实录》《唐历》和《安禄山事迹》（唐姚汝能撰）。《玄宗实录》和《唐历》已佚。③庚子：正月初四日。④宠擢：宠爱而擢升。⑤甲辰：正月初八日。⑥学士：此指崇玄馆学士。崇玄馆开元二十九年（公元七四一年）于玄元皇帝庙置，博士一人。天宝二年（公元七四三年）博士改为学士，掌教授生员习《道德经》《庄子》《文子》《列子》。⑦国祚延昌：指国家长久兴盛。国祚，指国家的命运。祚，通"阼"，帝位。延昌，长久昌盛。⑧乾封：唐高宗年号（公元六六六至六六八年）。⑨文士：文人，擅长作文章的人。⑩元万顷：元万顷（？至公元六八九年），洛阳（今河南洛阳）人，文辞敏捷，官至凤阁舍人，后为酷吏所陷，流岭南而死。传见《旧唐书》卷一百九十中、《新唐书》卷二百一。⑪范履冰：范履冰（？至公元六九〇年），怀州河内（今河南沁阳）人，官至春官尚书、同凤阁鸾台平章事，后坐尝举犯逆者被杀。传见《旧唐书》卷一百九十中、《新唐书》卷二百一。⑫北门：宫城北门。⑬候进止：指等候皇帝召唤。候，等候。进止，或进或止，听候皇帝处

垍为卢溪司马，张垍的弟弟给事中张埱为宜春司马。

哥舒翰也替他部下的将领论功，玄宗下敕书任命陇右十将、特进、火拔州都督、燕山郡王火拔归仁为骠骑大将军，河源军使王思礼加官特进，临洮太守成如璆、讨击副使范阳人鲁炅、皋兰府都督浑惟明一起加官为云麾将军，陇右讨击副使郭英乂为左羽林将军。郭英乂，是郭知运的儿子。哥舒翰又奏请严挺之的儿子严武为节度判官，河东人吕諲为支度判官，前封丘县尉高适为掌书记，安邑人曲环为别将。

程千里抓获了阿布思，献给朝廷，朝廷把他杀了。三月二十八日甲子，任命程千里为金吾大将军，任命封常清为北庭都护、伊西节度使。

分。⑭上官昭容：上官昭容（公元六六四至七一〇年），名婉儿，陕州（今河南三门峡市陕州区）人，上官仪的孙女，擅长诗词。上官仪因反对武则天被杀，上官婉儿没入宫掖。十四岁起，为武则天草拟诏令。中宗时封为昭容，掌文学、音乐，常为皇后及公主作诗，受韦后及武三思信任。诛韦后时被杀。有文集二十卷，已佚。传见《旧唐书》卷五十一、《新唐书》卷七十六。⑮翰林院：唐初置翰林，为内廷供奉，本以文学备顾问，得参谋议，但那时医、卜、伎术、方士、僧、道，皆得待诏翰林，并非尽为文学之士。玄宗开元初，始置翰林院，以张九龄、张说、陆坚等掌四方表疏批答、应和文章，称为“翰林供奉”，与集贤院学士分司起草诏书及应承皇帝的各种文翰。开元二十六年改翰林供奉为学士，别置学士院，专掌内制。⑯文章之士：指擅长文章写作的士人。文章，文辞、文学辞章。⑰同平章事：同中书、门下平章政事的略称。高宗以后，成为非中书门下长官担任宰相职务的专衔。⑱乙巳：正月初九日。⑲左仆射：官名，左右仆射本为尚书省副长官。尚书省长官尚书令，自武德时太宗当此任后，因人臣不敢任而常缺，至龙朔三年（公元六六三年）正式取消。故左右仆射成为尚书省的实际长官，参加政事堂会议，为宰相。中宗以后，左右仆射不加“同中书门下三品”便不再是宰相，只掌本省六部政务。⑳丙午：正月初十日。㉑闲厩：指主管仗马（即仪仗用马）的官署。㉒群牧：指畜养官马的群牧监。㉓庚申：正月二十四日。㉔闲厩、陇右群牧等使：闲厩使，使职名，圣历三年（公元七〇〇年）置，专管原属殿中省和太仆寺职内的舆辇牛马政务。陇右群牧使，使职名，仪凤三年（公元六七八年）以陇右群牧监置使，主管陇右各国家牧场马牛驼羊的繁殖和放养。㉕总监：官名，京、都诸宫苑总监。京、都诸宫苑设有总监、副监，掌诸宫苑内的宫馆、园池、禽鱼、果木。胡三省注认为此总监系“群牧总监，唐有四十八监以牧马”。㉖壬戌：正月二十六日。㉗武部侍郎：官名，即兵部侍郎。㉘壬申：

二月初六日。㉙癸酉：二月初七日。㉚汉家诸帝皆谥孝：汉代崇儒，主张以孝、仁治天下，皇帝死后，谥号都带有孝字。㉛甲戌：二月初八日。㉜丁丑：二月十一日。㉝司空：官名，唐为三公之一，属加官，不亲掌实事。㉞甲申：二月十八日。㉟临轩册命：皇帝至殿前当面读册授官，是最隆重的一种任命仪式。唐初，拜三师、三公、亲王、尚书令、雍州牧、开府仪同三司、骠骑大将军、左右仆射，才举行临轩册授。其后册礼时有时废。开元以来，册礼久废，只有天宝末册杨国忠为司空使用。临轩，皇帝不坐正殿而至殿阶。轩，殿前堂阶之间，近檐之处两边有栏楯，如车之轩，故也称为轩。册命，皇帝封立太子、皇后、诸王或特别宠信的大臣，以册书发布命令。㊱己丑：二月二十三日。㊲九姓：指回纥九姓部落。回纥有内外九姓的区别。内九姓为药罗葛、胡咄葛、咄罗勿、貊歌息纥、阿勿嘀、葛萨、斛嗢素、药勿葛、奚耶勿。详见《旧唐书》卷一百九十五。外九姓是回纥、仆固、浑、拔野古、同罗、思结、契苾、拔悉密（阿布思）、葛逻禄（骨仑屋骨恐）。详见《唐会要》卷九十八。外九姓是内九姓的发展。㊳超资：超越常格的资历。㊴好写：《安禄山事迹》作"好书写送"，即选上好书手缮写呈送。㊵告身：委任官职的文凭。唐中叶以后，官爵冗滥，有空白告身，供随时填写人名。㊶将军：指武散官将军。唐武散官有怀化、云麾、归德、忠武、壮武、宣威、明威、定远、宁远、游骑、游击等将军。而怀化、归德只授给少数民族首领。㊷中郎将：指武散官中郎将。唐武散官有怀化中郎将、归德中郎将，只授给少数民族首领。㊸丁酉：三月初一日。㊹关：此指潼关。㊺绳板：纤夫拉船用具，板长二尺许，斜搭胸前，一端至肩，一端至胁，以绳穿板，再连接船绳，以此拉船行进。㊻长乐坡：长安城东的浐坡。两唐书之《张垍传》均作"浐坡"。㊼慰意：惬意。㊽怏怏：郁郁；不满意。㊾建安：郡名，天宝元（公元七四二年）年建州改名，治所在今福建建瓯。㊿卢溪：郡名，天宝元年辰州改名，治所在今湖南沅陵。51埱：张垍之弟。其事略见《旧唐书》卷九十七、《新唐书》卷一百二十五《张垍传》。52十将：唐中期以后军中将领名称，为元帅、都统、招讨使属官。53特进：散官名，为文散官二十九等中的第二等。54火拔归仁：陇右节度使哥舒翰的裨将，后执哥舒翰降安禄山。55临洮：郡名，天宝元年（公元七四二年）洮州改名，治所在今甘肃临潭。56成如璆：哥舒翰破吐蕃于临洮西之磨环川，以其地置神策军，

【原文】

夏，四月癸巳[71]，安禄山奏击奚破之，虏其王李日越[72]。

六月乙丑[73]朔，日有食之，不尽如钩[74]。

侍御史、剑南留后李宓[75]将兵七万[76]击南诏，阁罗凤诱之深入，

任成如璆为军使。事略见《新唐书》卷五十《兵志》。㊲讨击副使：讨击使的副职。讨击使，使职名，为节度使因征讨任务而设的武幕职。讨击副使的任务是协助征讨。㊳鲁炅：鲁炅（？至公元七六一年），范阳（今河北涿州）人，安禄山反，其以守卫南阳著名。传见《旧唐书》卷一百十四、《新唐书》卷一百四十七。㊴皋兰府：羁縻都督府名，贞观二十一年（公元六四七年），太宗于铁勒族浑部故地置，在今蒙古国境内。㊵云麾将军：武散官名，为武散官的第七等。㊶郭英乂：至德二载（公元七五七年）加陇右节度使，兼御史中丞。两京收复后，召还，掌禁兵，为羽林军大将军。传见《旧唐书》卷一百十七、《新唐书》卷一百三十三。㊷知运：郭知运（公元六六七至七二一年），瓜州常乐（今甘肃瓜州）人，壮勇善射，颇有胆略。官至鸿胪卿、御史中丞，封太原郡公。传见《旧唐书》卷一百三、《新唐书》卷一百三十三。㊸武：严武（公元七二六至七六五年），开元时尚书左丞严挺之之子。官至御史大夫、剑南节度使，封郑国公。传见《旧唐书》卷一百十七、《新唐书》卷一百二十九。㊹吕諲：吕諲（公元七一二至七六二年），蒲州河东（今山西永济）人，官至武部侍郎、同中书门下平章事，封须昌县伯。传见《旧唐书》卷一百八十五下、《新唐书》卷一百四十。㊺支度判官：节度使下属支度使的僚属，分管军资粮仗等事务。㊻封丘：县名，县治在今河南封丘。㊼高适：高适（公元七〇七至七六五年），渤海蓨县（今河北景县）人，历官淮南节度使、剑南西川节度使，至散骑常侍。传见《旧唐书》卷一百十一、《新唐书》卷一百四十三。㊽曲环：曲环（公元七二六至七九九年），陕州安邑（今山西夏县西南）人。传见《旧唐书》卷一百二十二、《新唐书》卷一百四十七。㊾阙下：宫阙之下，指帝王所居之处，亦借指朝廷。阙，古代竖立在宫殿、祠庙和陵墓前的建筑物，左右各一高台，上起楼观，两台间空缺，故名阙或双阙。㊿甲子：三月二十八日。

【校记】

［1］之：原无此字。据章钰校，十二行本、乙十一行本、孔天胤本皆有此字，今据补。［2］国忠：胡三省注云："'国忠'之下更有'国忠'二字，文意乃明。"［3］支度判官：据章钰校，十二行本、乙十一行本皆作"度支判官"。

【语译】

夏，四月二十八日癸巳，安禄山上奏进攻奚人并打败他们，俘虏了奚王李日越。

六月初一日乙丑，发生日食，太阳没有遮住的部分像钩一样。

侍御史、剑南留后李宓率领军队七万人攻打南诏，阁罗凤引诱李宓军深入，到

至太和城[77][4]，闭壁[78]不战。宓粮尽，士卒罹[79]瘴疫[80]及饥死什七八，乃引还。蛮追击之，宓被擒，全军皆没。杨国忠隐其败，更以捷闻，益发中国兵讨之，前后死者几二十万人，无敢言者。上尝谓高力士曰："朕今老矣，朝事付之宰相，边事付之诸将，夫复何忧！"力士对曰："臣闻云南数丧师，又边将拥兵太盛，陛下将何以制之？臣恐一旦祸发，不可复救，何得谓无忧也！"上曰："卿勿言，朕徐思之。"

秋，七月癸丑[81]，哥舒翰奏于所开九曲之地置洮阳[82]、浇河[83]二郡及神策军[84]，以临洮太守成如璆兼洮阳太守，充神策军使。

杨国忠忌陈希烈，希烈累表辞位，上欲以武部侍郎吉温代之。国忠以温附安禄山，奏言不可。以文部侍郎韦见素和雅易制，荐之。八月丙戌[85]，以希烈为太子太师，罢政事，以见素为武部尚书、同平章事。

自去岁水旱相继，关中大饥。杨国忠恶京兆尹李岘[86]不附己，以灾沴[87]归咎于岘。九月，贬长沙[88]太守。岘，祎[89]之子也。

上忧雨伤稼，国忠取禾之善者献之，曰："雨虽多，不害稼也。"上以为然。扶风[90]太守房琯言所部水灾，国忠使御史推之。是岁，天下无敢言灾者。高力士侍侧，上曰："淫雨[91]不已，卿可尽言。"对曰："自陛下以权假[92]宰相，赏罚无章，阴阳失度，臣何敢言！"上默然。

冬，十月乙酉[93]，上幸华清宫。

十一月己未[94]，置内侍监二员，正三品。[95]

河东太守兼本道采访使韦陟[96]，斌之兄也，文雅有盛名。杨国忠恐其入相，使人告陟赃污事，下御史按问。陟赂中丞吉温，使求救于安禄山，复为国忠所发。闰月壬寅[97]，贬陟桂岭[98]尉，温澧阳[99]长史。安禄山为温讼冤，且言国忠谗疾[100]。上两无所问。

戊午[101]，上还宫。

是岁，户部奏天下郡三百二十一，县千五百三十八，乡万六千八百二十九，户九百六万九千一百五十四，口五千二百八十八万四百八十八。

达太和城，闭营不肯出战。李宓的粮食没有了，士卒感染瘴气瘟疫以及饿死的有十分之七八，于是率军撤退。蛮军追击唐军，李宓被俘，全军覆没。杨国忠隐瞒李宓失败的情况，另用捷报上达玄宗，增调中原军队讨伐南诏，前后战死的将近二十万人，没有人敢说明实情。玄宗曾对高力士说："朕现在老了，朝廷政务交给宰相，边境上的事务交给诸位将领，还有什么可忧虑的！"高力士回答说："臣听说云南方面一再损兵折将，还有边疆将领率军过多，陛下利用什么方法来控制他们？臣担心一旦祸起，就再也不能挽救，怎么能够说没有忧虑了呢！"玄宗说："你不要说了，朕慢慢地考虑一下这件事。"

秋，七月二十日癸丑，哥舒翰奏请在他所开辟的九曲之地设置洮阳、浇河二郡以及神策军，任命临洮太守成如璆兼洮阳太守，充神策军使。

杨国忠嫉恨陈希烈，陈希烈多次上表辞职，玄宗想让武部侍郎吉温代替他。杨国忠认为吉温依附安禄山，上奏说不行。认为文部侍郎韦见素温和儒雅，容易控制，就推荐了他。八月二十三日丙戌，任命陈希烈为太子太师，不再主持政务，任命韦见素为武部尚书、同平章事。

自从前一年水灾、旱灾相继发生，关中出现严重饥荒。杨国忠憎恨京兆尹李岘不依附自己，把灾害归咎于李岘。九月，把李岘贬为长沙太守。李岘，是李祎的儿子。

玄宗忧虑久雨伤害庄稼，杨国忠就选择好的禾苗献给玄宗，说："雨水虽然多了，但没有伤害庄稼。"玄宗以为真是这样。扶风太守房琯说他所管辖的地区发生水灾，杨国忠派御史追究他。这一年，天下没有人敢说灾情的。高力士侍立在玄宗的身旁，玄宗说："久雨不止，你可尽情直言。"高力士回答说："自从陛下把大权交给宰相，赏罚没有规矩，阴阳失常，臣怎么敢说！"玄宗沉默不语。

冬，十月二十三日乙酉，玄宗亲临华清宫。

十一月二十八日己未，设置内侍监二人，正三品。

河东太守兼本道采访使韦陟，是韦斌的哥哥，温文儒雅，享有盛名。杨国忠害怕他入朝做宰相，派人举报韦陟贪污的事，交付御史调查审问。韦陟贿赂中丞吉温，让他向安禄山求救，又被杨国忠告发。闰十一月壬寅日，贬韦陟为桂岭县尉，吉温为澧阳长史。安禄山替吉温申冤，并且说杨国忠谗言害人。玄宗两边都不过问。

十二月二十八日戊午，玄宗回宫。

这一年，户部奏报全国有三百二十一个郡、一千五百三十八个县、一万六千八百二十九个乡、九百零六万九千一百五十四户、五千二百八十八万零四百八十八人。

【段旨】

以上为第二段，写杨国忠隐瞒败报，隐瞒灾情，权倾人主，唐玄宗无可奈何，姑息度日。

【注释】

⑪ 癸巳：四月二十八日。⑫ 李日越：奚部落首领。据《新唐书》卷二百十九《奚传》，李日越被安禄山杀死。⑬ 乙丑：六月初一日。⑭ 不尽如钩：指发生日偏食时，只剩下一小部分如钩一般的太阳未被遮住。钩，兵器名，似剑而曲。⑮ 李宓：人名，官至剑南节度使留后，征南诏败死。其事散见《旧唐书》卷九《玄宗纪下》、《新唐书》卷二百二十二上《南蛮传上》等篇。⑯ 将兵七万：《旧唐书》卷一百九十七《南蛮传》云"李宓将十余万"，《新唐书》卷二百六《外戚·杨国忠传》亦云十余万，《新唐书》卷二百二十二上《南蛮传上》云"调天下兵凡十万"。⑰ 太和城：故址在今云南大理南太和村。⑱ 闭壁：军队紧闭营门不出战。壁，军营的围墙，指军营。⑲ 罹：遭遇。⑳ 瘴疫：热带山林中的热空气传染病。㉑ 癸丑：七月二十日。㉒ 洮阳：郡名，天宝十三载（公元七五四年）置，治所在今甘肃临潭西南。㉓ 浇河：郡名，天宝十三载置，治所在今青海贵德西南。㉔ 神策军：军队名，唐玄宗时哥舒翰在临洮西磨环川设神策军。后安禄山反，该地沦陷，乃下诏以北衙军使卫伯玉的部队改为神策军，镇守陕州，以中使鱼朝恩监军，

【原文】

十四载（乙未，公元七五五年）

春，正月，苏毗[102]王子悉诺逻[103]去吐蕃来降。

二月辛亥[104]，安禄山使副将[105]何千年入奏，请以蕃将三十二人代汉将，上命立进画[106]，给告身。韦见素谓杨国忠曰："禄山久有异志，今又有此请，其反明矣。明日见素当极言[107]，上未允，公其继之。"国忠许诺。壬子[108]，国忠、见素入见，上迎谓曰："卿等有疑禄山之意邪？"见素因极言禄山反已有迹，所请不可许，上不悦。国忠逡巡[109]不敢言，上竟从禄山之请。

他日，国忠、见素言于上曰："臣有策可坐消[110]禄山之谋，今若除

后朝恩引入禁中，以中官窦文场指挥，从此成为皇帝的禁军之一。⑧⑤丙戌：八月二十三日。⑧⑥李岘：吴王李恪孙，肃、代时两度任宰相。传见《新唐书》卷一百三十。⑧⑦灾沴：灾气。沴，古代迷信中所说的灾气、恶气。⑧⑧长沙：郡名，天宝元年（公元七四二年）潭州改名，治所在今湖南长沙。⑧⑨祎：信安王李祎。⑨⓪扶风：郡名，天宝元年岐州改名，治所在今陕西宝鸡市凤翔区。⑨①淫雨：久雨。⑨②假：假借；交付。⑨③乙酉：十月二十三日。⑨④己未：十一月二十八日。⑨⑤内侍监二员二句：内侍监，内侍省长官，掌宫内供奉。唐初内侍省长官为内侍二人，从四品上。开元中增加二人。至此在内侍之上置内侍监二人，正三品。太宗有诏内侍省不立三品官，自此突破旧制。⑨⑥韦陟：韦陟（公元六九六至七六〇年），京兆万年（今陕西西安东）人，宰相韦安石之子，官至吏部尚书。传见《旧唐书》卷九十二、《新唐书》卷一百二十二。⑨⑦壬寅：闰十一月壬戌朔，无“壬寅”，当为“壬申”之误。壬申，闰十一月十一日。⑨⑧桂岭：县名，县治在今广西贺州东北。⑨⑨澧阳：郡名，天宝元年澧州改名，治所在今湖南澧县。⑩⓪谗疾：谗言、嫉恨。⑩①戊午：十二月二十八日。

【校记】

［4］太和城：原作“大和城”。据章钰校，十二行本、乙十一行本、孔天胤本皆作“太和城”，今从改。〖按〗《旧唐书》卷一百九十七、《新唐书》卷二百二十二上《南蛮传上》皆作“大和城”。大，读作“太”。

【语译】

十四载（乙未，公元七五五年）

春，正月，苏毗王子悉诺逻离开吐蕃来投降唐朝。

二月二十二日辛亥，安禄山派副将何千年入朝上奏，请求用蕃将三十二人代替汉人将领，玄宗立刻让中书省进呈所拟命令，画敕批准，给予委任状。韦见素对杨国忠说：“安禄山很久就存有异心，如今又有如此请求，他造反是明摆着的。明天我韦见素要极力进谏，皇上如果不听从，您再接着进谏。”杨国忠答应了。二十三日壬子，杨国忠、韦见素入朝晋见，玄宗迎着他们说：“你们有怀疑安禄山的想法吗？”韦见素趁机极力说明安禄山反叛已有形迹，他的请求不能同意，玄宗听了不高兴。杨国忠迟疑不敢说话，玄宗竟然同意了安禄山的请求。

有一天，杨国忠、韦见素对玄宗说：“臣有计策坐着不动就可以打掉安禄山的阴

禄山平章事，召诣阙，以贾循[111]为范阳节度使，吕知诲[112]为平卢节度使，杨光翙[113]为河东节度使，则势自分矣。”上从之。已草制，上留不发，更遣中使辅璆琳以珍果赐禄山，潜察其变。璆琳受禄山厚赂，还，盛言禄山竭忠奉国，无有二心。上谓国忠等曰：“禄山，朕推心待之，必无异志。东北二虏[114]，藉其镇遏[115]。朕自保之，卿等勿忧也。”事遂寝。循，华原人也，时为节度副使。

陇右、河西节度使哥舒翰入朝，道得风疾，遂留京师，家居不出。

三月辛巳[116]，命给事中裴士淹[117]宣慰[118]河北。

【段旨】

以上为第三段，写宦官辅璆琳察安禄山反状，辅璆琳受贿误国。

【注释】

⑫苏毗：吐蕃的一个较强大部落，在今怒江、澜沧江上游之间地区。⑬悉诺逻：吐蕃苏毗王子，唐封为怀义王，赐名李忠信。其事散见《新唐书》卷二百十五下《突厥下》、卷二百二十一下《西域下》。⑭辛亥：二月二十二日。⑮副将：节度使府无副将职名，而都知兵马使、都押衙、都虞候、都教练使、都指挥使等武幕职都可称为副将，故副将乃使府武幕职的一般称呼。⑯进画：进呈中书草拟的命令，由皇帝画敕颁行。这是唐代诏书形成过程中一道重要程序，各种诏书大体都要经过起草、进画、门下省颁行的

【原文】

夏，四月，安禄山奏破奚、契丹。

癸巳[119]，以苏毗王子悉诺逻为怀义王，赐姓名李忠信。

安禄山归至范阳，朝廷每遣使者至，皆称疾不出迎，盛陈武备，然后见之。裴士淹至范阳，二十余日乃得见，无复人臣礼。杨国忠日

谋，如果现在任命安禄山为平章事，召他到朝廷来，任命贾循为范阳节度使，吕知诲为平卢节度使，杨光翙为河东节度使，那么他的势力就自行分散了。”玄宗听从了这个意见。已经草拟了制书，玄宗留下不肯发出，又派遣宫中使者辅璆琳携带珍奇的果品赏赐安禄山，暗中观察他的变化。辅璆琳接受安禄山很多贿赂，回来后，极力说明安禄山尽忠报国，没有二心。玄宗对杨国忠等人说："安禄山，朕推心置腹地对待他，他肯定没有异心。东、北两边的敌人，依靠他来镇守遏制。朕保证他不会反叛，你们不必忧虑了。"事情便搁置下来。贾循是华原人，这时为节度副使。

陇右、河西节度使哥舒翰入朝，在路上得了风寒病，就留在京师，待在家里不出门。

三月二十二日辛巳，命令给事中裴士淹宣谕安抚河北。

程序。进画，实际上就是由皇帝认可、批准。⑩⑦ 极言：向皇帝竭力陈说。⑩⑧ 壬子：二月二十三日。⑩⑨ 逡巡：迟疑徘徊，欲行又止。⑪⓪ 消：消除。⑪① 贾循：京兆华原（在今陕西铜川市耀州区）人，初深得安禄山信重。安禄山反，贾循守幽州，谋取安禄山，事败被杀。传见《新唐书》卷一百九十二。⑪② 吕知诲：平卢节度副使，安禄山反，署为使，为其部将所杀。其事散见《旧唐书》卷一百四十五《刘全谅传》、《新唐书》卷二百二十五上《安禄山传》等篇。⑪③ 杨光翙：官至太原尹，为安禄山部将所杀。其事散见《旧唐书》卷一百四十二《李宝臣传》、《新唐书》卷二百二十五上《安禄山传》等篇。⑪④ 东北二虏：指奚、契丹二部族。⑪⑤ 镇遏：镇守遏止。⑪⑥ 辛巳：三月二十二日。⑪⑦ 裴士淹：历官给事中、礼部尚书、礼仪使、虔州刺史。其事散见《旧唐书》卷一百八十四《贾明观传》、《新唐书》卷二百二十五上《安禄山传》等篇。⑪⑧ 宣慰：传宣天子慰问的旨意，即安抚。

【语译】

夏，四月，安禄山上奏说打败奚、契丹。

四月初四日癸巳，封苏毗王子悉诺逻为怀义王，赐他姓名李忠信。

安禄山回到范阳，朝廷每次派遣使者到来，都借口有病不出来迎接，大规模地列队防备，然后再接见使者。裴士淹到达范阳，二十多天才获得接见，不再有人臣

夜求禄山反状，使京兆尹围其第，捕禄山客李超等，送御史台狱[120]，潜杀之。禄山子庆宗尚宗女荣义郡主，供奉在京师[121]，密报禄山，禄山愈惧。六月，上以其子成婚，手诏[122]召[5]禄山观礼，禄山辞疾不至。秋，七月，禄山表献马三千匹，每匹执控夫[123]二人，遣蕃将二十二人部送[124]。河南尹达奚珣疑有变，奏请谕禄山以进车马宜俟至冬，官自给夫，无烦本军。于是上稍寤，始有疑禄山之意。会辅璆琳受赂事亦泄，上托以他事扑杀之。上遣中使冯神威赍手诏谕禄山，如珣策，且曰："朕新为卿作一汤[125]，十月于华清宫待卿。"神威至范阳宣旨[126]，禄山踞床微起[127]，亦不拜，曰："圣人[128]安隐[129]。"又曰："马不献亦可，十月灼然[130]诣京师。"即令左右引神威置馆舍，不复见。数日遣还，亦无表。神威还，见上，泣曰："臣几不得见大家[131]！"

八月辛卯[132]，免今载百姓租庸。

冬，十月庚寅[133]，上幸华清宫。

安禄山专制三道，阴蓄异志，殆将十年，以上待之厚，欲俟上晏驾然后作乱。会杨国忠与禄山不相悦，屡言禄山且反，上不听，国忠数以事激之，欲其速反以取信于上。禄山由是决意遽反，独与孔目官、太仆丞严庄[134]，掌书记、屯田员外郎[135]高尚，将军阿史那承庆密谋。自余将佐皆莫之知，但怪其自八月以来，屡飨[136]士卒，秣马厉兵而已。会有奏事官自京师还，禄山诈为敕书，悉召诸将，示之曰："有密旨[137]，令禄山将兵入朝讨杨国忠，诸君宜即从军。"众愕然相顾[138]，莫敢异言。十一月甲子[139]，禄山发所部兵及同罗、奚、契丹、室韦凡十五万众，号二十万，反于范阳。命范阳节度副使贾循守范阳，平卢节度副使吕知诲守平卢，别将高秀岩守大同[140]，诸将皆引兵夜发。

的礼节。杨国忠日夜寻找安禄山造反的罪状，派京兆尹包围他的宅第，逮捕了安禄山的门客李超等人，送往御史台监狱，秘密杀了他们。安禄山的儿子安庆宗娶宗室女荣义郡主，在京师供职，把情况暗中报告安禄山，安禄山更加害怕。六月，玄宗因为儿子成婚，亲手写诏书召安禄山观看婚礼，安禄山推辞说有病不肯前来。秋，七月，安禄山上表献马三千匹，每匹马配马夫两人，派遣蕃将二十二人分部送来。河南尹达奚珣怀疑有变故，奏请玄宗晓谕安禄山进献车马应等到冬天，官府自己提供马夫，不必麻烦他的军队。这时玄宗稍稍有所醒悟，开始有怀疑安禄山的想法。恰好辅璆琳接受贿赂的事情也泄露出来，玄宗借口其他的事情杀死了他。玄宗派宫中使者冯神威携带着他的亲笔诏书晓谕安禄山，按照达奚珣的计策，并且说："朕新近为卿做了一个温泉池，十月在华清宫等待你。"冯神威到范阳宣读圣旨，安禄山靠在床上，稍微起了一下身，也不跪拜，说："圣上还好吧。"又说："马不进献也可以，十月一定到京师。"随即命令身边的人带走冯神威，安置在驿馆里，不再见他。几天后将他遣送回朝，也没有谢恩的奏表。冯神威回来后，见了玄宗，哭着说："臣几乎就见不到皇上了！"

八月初四日辛卯，玄宗免除当年百姓的租庸赋税。

冬，十月初四日庚寅，玄宗亲临华清宫。

安禄山一个人控制着范阳、平卢、河东三道，暗藏异心，将近十年。因为玄宗待他优厚，想等玄宗死后再反叛。遇上杨国忠与安禄山关系不好，多次说安禄山将要反叛，玄宗不相信，杨国忠多次用事情刺激安禄山，想让他尽快反叛以便自己取得玄宗的信任。安禄山因此下决心立即反叛，他单独和孔目官、太仆丞严庄，掌书记、屯田员外郎高尚，将军阿史那承庆暗中谋划。其他的将领和佐僚都不知道这件事，只是对自从八月以来，经常宴飨士兵、秣马厉兵感到奇怪。恰巧有向玄宗奏报事情的官员从京师回来，安禄山就假造玄宗的敕书，召集所有的将领，向他们出示诏书说："皇上有密旨，命令我安禄山带领部队入朝讨伐杨国忠，诸位将军应当马上从军出征。"大家惊愕相视，没有一个人敢说不赞同的话。十一月初九日甲子，安禄山调动他所统率的部队以及同罗、奚、契丹、室韦等共十五万部众，号称二十万，在范阳反叛。他命令范阳节度副使贾循守卫范阳，平卢节度副使吕知诲守卫平卢，别将高秀岩守卫大同，其余诸将都带兵连夜出发。

【段旨】

以上为第四段，写杨国忠激使安禄山速反。

【注释】

⑪⑨ 癸巳：四月初四日。⑫⓪ 御史台狱：御史台监狱，监禁留台审问犯人之用。御史台本无监狱，贞观二十二年（公元六四八年）御史大夫李乾祐始置台狱。开元十四年（公元七二六年）撤。后又于台内诸院寄禁留台审问的犯人，实际上恢复了台狱。⑫① 供奉在京师：安庆宗尚荣义郡主，供职京师为太仆卿，得随供奉官班见。⑫② 手诏：帝王亲自写的诏书。⑫③ 执控夫：马夫。⑫④ 蕃将二十二人部送：安禄山意欲袭击京师。⑫⑤ 朕新为卿作一汤：汤，温泉浴池。自天宝六载（公元七四七年）以来，华清宫中大量增修汤池。井池台观，环列山谷。至是，又为安禄山置一新汤池。⑫⑥ 宣旨：宣读皇帝诏令。⑫⑦ 踞床微起：斜倚着床稍稍坐起身来。踞，倚靠。⑫⑧ 圣人：对皇帝的尊称。⑫⑨ 安隐：安稳。隐，

【原文】

诘朝[141]，禄山出蓟城[142]南，大阅誓众，以讨杨国忠为名，榜[143]军中曰："有异议扇动军人者，斩及三族[144]！"于是引兵而南。禄山乘铁轝[145]，步骑精锐，烟尘千里，鼓噪[146]震地。时海内久承平，百姓累世不识兵革，猝[147]闻范阳兵起，远近震骇。河北皆禄山统内，所过州县，望风瓦解，守令或开门出迎，或弃城窜匿[148]，或为所擒戮，无敢拒之者。禄山先遣将军何千年、高邈将奚骑二十，声言献射生手[149]，乘驿诣太原。乙丑[150]，北京[151]副留守杨光翙出迎，因劫之以去。太原具言其状，东受降城亦奏禄山反。上犹以为恶禄山者诈为之，未之信也。

庚午[152]，上闻禄山定反，乃召宰相谋之。杨国忠扬扬[153]有得色[6]，曰："今反者独禄山耳，将士皆不欲也。不过旬日，必传首诣行在[154]。"上以为然，大臣相顾失色。上遣特进毕思琛诣东京，金吾将军程千里诣河东，各简募[155]数万人，随便团结[156]以拒之。辛未[157]，安西节度使封常清入朝，上问以讨贼方略，常清大言曰："今太平积久，故人望风惮[158]贼。然事有逆顺[159]，势有奇变[160]，臣请走马诣东京，开府库，募骁勇，挑马棰渡河[161]，计日取逆胡之首献阙下！"上悦。壬申[162]，以常清为范阳、平卢节度使。常清即日乘驿诣东京募兵，旬日得六万人，乃断河阳桥[163]，为守御之备。

通“稳”。唐帖常写“稳”为“隐”。⑬⓪灼然：唐人习惯语，意为一定。⑬①大家：唐代宦官、宫女对皇帝的称呼。⑬②辛卯：八月初四日。⑬③庚寅：十月初四日。⑬④孔目官、太仆丞严庄：孔目官为严庄的幕职，太仆丞为带职。外官带朝官衔，天宝后逐渐增多。太仆丞，官名，太仆寺属官，掌判寺事。⑬⑤屯田员外郎：官名，尚书省工部屯田司副长官，协助长官屯田郎中掌天下屯田的政令。⑬⑥飨：以酒食款待人。⑬⑦密旨：秘密诏旨。⑬⑧愕然相顾：彼此吃惊地看着。愕然，吃惊。⑬⑨甲子：十一月初九日。⑭⓪大同：大同军。

【校记】

［5］召：原无此字。据章钰校，十二行本、乙十一行本、孔天胤本皆有此字，张瑛《通鉴校勘记》同，今据补。

【语译】

第二天早晨，安禄山来到蓟城南，隆重地阅兵誓师，以征讨杨国忠为名，出榜告示军中说：“有异议煽动军心的，诛灭三族！”于是率军南进。安禄山乘坐铁车，步兵骑兵非常精锐，烟尘千里，鼓声喧哗声震天动地。当时天下长期太平，老百姓好几代人不习武事，突然听说范阳起兵叛乱，远近都大为惊恐。河北都是安禄山管辖的地域，所过州、县，望风瓦解，郡守县令有的打开城门出来迎接，有的弃城逃匿，有的被活捉处死，没有敢抵抗的。安禄山先派遣将军何千年、高邈率领奚族骑兵二十人，声称进献射生手，乘驿车到达太原。十一月初十日乙丑，北京副留守杨光翙出城迎接，被乘机劫持走了。太原把实情向朝廷报告，东受降城也上奏说安禄山反叛。玄宗还以为是讨厌安禄山的人所做的欺诈行为，不相信这事。

十一月十五日庚午，玄宗听说安禄山确实反叛，才召集宰相商议对策。杨国忠露出得意扬扬的神色，说：“现在造反的只有安禄山一个人，将领和士卒都不想造反。不过十天，一定把安禄山的头颅传送到长安。”玄宗信以为真，大臣们面面相觑、大惊失色。玄宗派遣特进毕思琛前往东京，金吾将军程千里前往河东，各自选募几万人，随其所宜，武装组织地方丁壮来抵抗叛军。十六日辛未，安西节度使封常清入朝，玄宗向他询问讨贼方略，封常清夸口说：“当今太平时日很久，所以人们望见叛贼的风尘就害怕他们。然而事情有逆顺，形势有意想不到的变化，臣请驱马前往东京，打开府库，招募勇猛之士，高悬马鞭渡过黄河，用不了几天，取了叛逆胡贼的首级进献朝廷！”玄宗很高兴。十七日壬申，任命封常清为范阳、平卢节度使。封常清当天乘驿马前往东京招募士兵，十天时间募得六万人，于是挖断了河阳桥，为防御做准备。

【段旨】

以上为第五段，写安禄山反叛，封常清受命东都设防。

【注释】

⑭诘朝：次日早晨。⑭蓟城：范阳节度使治所，在今北京市大兴区。⑭榜：告示。⑭三族：指父族、母族、妻族。此据《史记集解·秦本纪》引如淳之说。⑭铁轝：铁车。轝，通“舆”，车。⑭鼓噪：击鼓呼叫。⑭猝：突然。⑭窜匿：奔逃躲藏。⑭射生手：精于骑射的武士。⑮乙丑：十一月初十日。⑮北京：今山西太原。高祖起兵太原，故玄宗建为北京。⑮庚午：十一月十五日。⑮扬扬：心情愉快或扬扬得意。⑮行在：天子在京城以外的

【原文】

甲戌[164]，禄山至博陵[165]南，何千年等执杨光翙见禄山，责光翙以附杨国忠，斩之以徇[166]。禄山使其将安忠志将精兵军土门[167]。忠志，奚人，禄山养为假子。又以张献诚摄[168]博陵太守。献诚，守珪之子也。

禄山至藁城[169]，常山[170]太守颜杲卿[171]力不能拒，与长史袁履谦往迎之。禄山辄赐杲卿金紫，质[172]其子弟，使仍守常山。又使其将李钦凑将兵数千人守井陉口[173]，以备西来诸军。杲卿归，途中指其衣谓履谦曰：“何为著此？”履谦悟其意，乃阴与杲卿谋起兵讨禄山。杲卿，思鲁[174]之玄孙也。

丙子[175]，上还宫。斩太仆卿安庆宗，赐荣义郡主自尽。以朔方节度使安思顺为户部尚书，思顺弟元贞为太仆卿。以朔方右厢兵马使[176]、九原[177]太守郭子仪为朔方节度使，右羽林大将军王承业[178]为太原尹[179]。置河南节度使[180]，领陈留[181]等十三郡，以卫尉卿[182]猗氏张介然[183]为之。以程千里为潞州[184]长史。诸郡当贼冲者，始置防御使[185]。

丁丑[186]，以荣王琬[187]为元帅[188]，右金吾大将军高仙芝副之，统诸军东征。出内府[189]钱帛，于京师募兵十一万，号曰天武军，旬日而集，皆市井子弟也。

住所。⑮简募：选择招募。⑯随便团结：指就地组织起团结兵。随便，随其所宜。团结，团结兵、地方武装力量。⑰辛未：十一月十六日。⑱惮：害怕。⑲事有逆顺：事情有逆反与顺正的区别。指安禄山叛乱是非正义的。⑳势有奇变：形势有意想不到的变化。指安禄山很快就会被消灭。㉑挑马棰渡河：指挂着马鞭渡过黄河。意即从容渡过河去。挑，悬挂。马棰，马鞭。河，黄河。㉒壬申：十一月十七日。㉓河阳桥：河南府河阳县（县治在今河南孟州南）黄河上的浮桥。

【校记】

［6］得色：原作“德色”。胡三省注云：“蜀本作‘得色’，当从之。”今据蜀本改。

【语译】

十一月十九日甲戌，安禄山抵达博陵南面，何千年等人捆绑杨光翙来见安禄山，安禄山指责杨光翙投靠杨国忠，将他斩首示众。安禄山派他的将领安忠志率领精兵屯驻土门。安忠志，奚族人，安禄山抚养他并收为义子。又让张献诚代理博陵太守。张献诚是张守珪的儿子。

安禄山到达藁城，常山太守颜杲卿兵力不能抵抗，和长史袁履谦前往迎接安禄山。安禄山便赏赐颜杲卿金鱼袋和紫衣，把他的儿子兄弟作为人质，派他仍旧守护常山。又让他的部将李钦凑率兵几千人守卫井陉口，以防备从西边来的各路军队。颜杲卿回来，在路上指着自己的衣物对袁履谦说：“穿戴这种衣物干什么？”袁履谦明白他的意思，便暗中和颜杲卿谋划起兵讨伐安禄山。颜杲卿，是颜思鲁的玄孙。

十一月二十一日丙子，玄宗回宫。杀了太仆卿安庆宗，赐荣义郡主自杀。任命朔方节度使安思顺为户部尚书，安思顺的弟弟安元贞为太仆卿。任命朔方右厢兵马使、九原太守郭子仪为朔方节度使，右羽林大将军王承业为太原尹。设置河南节度使，管辖陈留等十三郡，命令卫尉卿猗氏人张介然担任此职。任命程千里担任潞州长史。首当贼军冲击的各郡，开始设置防御使。

十一月二十二日丁丑，任命荣王李琬为元帅，右金吾大将军高仙芝做他的副手，统率各军东征。拿出内府的钱财布帛，在京师招募士兵十一万，号称天武军，十天就集中起来，全是市井子弟。

十二月丙戌⑲⓪，高仙芝将飞骑⑲①、彍骑及新募兵、边兵在京师者合五万人，发长安，上遣宦者监门将军⑲②边令诚监其军⑲③，屯于陕。

丁亥⑲④，安禄山自灵昌⑲⑤渡河，以絙约败船⑲⑥及草木横绝河流，一夕，冰合如浮梁，遂陷灵昌郡。禄山步骑散漫⑲⑦，人莫知其数，所过残灭。张介然至陈留才数日，禄山至，授兵登城，众恟惧⑲⑧，不能守。庚寅⑲⑨，太守郭纳以城降。禄山入北郭，闻安庆宗死，恸哭曰："我何罪，而杀我子！"时陈留将士降者夹道近万人，禄山皆杀之，以快其忿。斩张介然于军门。以其将李庭望为节度使，守陈留。

【段旨】

以上为第六段，写安禄山叛军南下河北，如入无人之境，河北郡县皆下。高仙芝奉命东征。

【注释】

⑯④甲戌：十一月十九日。⑯⑤博陵：郡名，天宝元年（公元七四二年）定州改名，治所在今河北高阳西南。⑯⑥徇：示众。⑯⑦土门：关名，即井陉关。在今河北井陉东之井陉山上，是经过太行山区进入华北平原的隘口。⑯⑧摄：代理。⑯⑨藁城：县名，县治在今河北石家庄市藁城区。⑰⓪常山：郡名，天宝元年恒州改名，治所在今河北正定南。⑰①颜杲卿：颜杲卿（公元七〇二至七五六年），琅邪临沂（今山东临沂）人，官至卫尉卿兼御史大夫。在常山，首举河北义师反对安禄山，后兵败被杀。传见《旧唐书》卷一百八十七下、《新唐书》卷一百九十二。⑰②质：人质；以……为人质。⑰③井陉口：土门。⑰④思鲁：颜思鲁，北齐黄门侍郎颜之推长子，唐秘书监、弘文馆学士颜师古之父，以学艺称于世。武德（公元六一八至六二六年）初为秦王府记室参军。其事散见《旧唐书》卷六十一《温大有传》、《新唐书》卷二百一《袁朗传》等篇。⑰⑤丙子：十一月二十一日。⑰⑥朔方右厢兵马使：使职名，节度使府幕职。节度使所属兵马使，常随兵马分营而设，有分前中后军，有分左右厢军。朔方分左右厢，故有右厢兵马使。⑰⑦九原：郡名，天宝元年丰州改名，治所在今内蒙古五原南。⑰⑧王承业：历官右羽林大将军、太原尹、河东节度使。其事散见《旧唐书》卷一百八十七下《颜杲卿传》、《新唐书》卷二百二十五上《安禄山传》等篇。⑰⑨太原尹：官名，太原府长官，唐以太原为北都，置尹一员，总管府

十二月初一日丙戌，高仙芝率领飞骑、彍骑以及新募兵、在京师的边兵，合在一起五万人，从长安出发，玄宗派遣宦官监门将军边令诚监督他的军队，屯驻在陕郡。

十二月初二日丁亥，安禄山从灵昌渡过黄河，用粗大的绳子把破船和草木捆住，横跨河流，一个晚上，冰面封合，如同浮桥，于是攻陷了灵昌郡。安禄山的步兵、骑兵散乱，人们不知道他的数量，所过之处，遭到残杀毁灭。张介然到陈留才几天，安禄山就到了。他派兵登城，大家十分恐惧，不能据守。初五日庚寅，太守郭纳献城投降。安禄山进入北城，听说安庆宗死了，痛哭说："我有什么罪过，竟杀了我的儿子！"当时投降的陈留将士站在道路两旁将近一万人，安禄山把他们都杀了，以发泄他的愤恨。在军门前将张介然斩首。任命他的部将李庭望为节度使，驻守陈留。

事。⑱⓪ 置河南节度使：据《旧唐书·玄宗纪》应作"河南节度采访使"（《新唐书·张介然传》同）。这里的"节度"作动词使用，并非用来名官。授张介然此差遣职是要他守陈留，讨击安禄山叛军。如按因事名使的惯例，应该是防御使。《旧唐书·张介然传》即作"防御使"。⑱① 陈留：郡名，天宝元年汴州改名，治所在今河南开封。⑱② 卫尉卿：官名，卫尉寺长官，执掌国家兵器和仪仗文物。⑱③ 张介然：张介然（？至公元七五五年），本名六朗，蒲州猗氏（今山西临猗）人，官至卫尉卿。守陈留，城破，为安禄山所杀。传见《旧唐书》卷一百八十七下、《新唐书》卷一百九十一。⑱④ 潞州：州名，治所在今山西长治。⑱⑤ 防御使：使职名，唐初西北边镇有置。安史乱起，始于中原军事要郡设置以抵御安史叛军。掌本郡军事，一般由太守兼任，是州郡长官兼掌军政的开始。⑱⑥ 丁丑：十一月二十二日。⑱⑦ 荣王琬：李琬（？至公元七五五年），玄宗第六子，初名嗣玄，后改名滉，又更名琬。先封甄王，后封荣王。赠靖恭太子。传见《旧唐书》卷一百七、《新唐书》卷八十二。⑱⑧ 元帅：全军主帅。唐曾设天下兵马元帅、副元帅和行营都元帅等。初以亲王充任，大将任副元帅。后来，资望高深的武臣也授元帅之职。⑱⑨ 内府：天子内库。⑲⓪ 丙戌：十二月初一日。⑲① 飞骑：指皇帝侍卫军士。贞观十二年（公元六三八年）太宗置左右屯营于玄武门，号飞骑。此后常称皇帝随身卫士为飞骑。⑲② 监门将军：武官名，南衙十六卫有左右监门卫，各设大将军一员、将军二员，掌诸门禁卫及门籍。⑲③ 监其军：唐代宦官监军始于玄宗开元二十年（公元七三二年）。安史之乱以后，诸道方镇必以宦官为监军使，若领兵出战，则有监阵。⑲④ 丁亥：十二月初二日。⑲⑤ 灵昌：郡名，天宝元年滑州改名，治所在今河南滑县西南。⑲⑥ 絙约败船：用粗大的绳子捆住破船。絙，粗绳。约，捆。败船，破船。⑲⑦ 散漫：弥漫四散。⑲⑧ 恟惧：恐惧。⑲⑨ 庚寅：十二月初五日。

【原文】

壬辰[200]，上下制欲亲征，其朔方、河西、陇右兵留守城堡之外，皆赴行营，令节度使自将之，期二十日毕集。

初，平原[201]太守颜真卿[202]知禄山且反，因霖雨，完城浚壕，料丁壮，实仓廪。禄山以其书生，易之[203]。及禄山反，牒[204]真卿以平原、博平[205]兵七千人防河津。真卿遣平原司兵[206]李平间道奏之。上始闻禄山反，河北郡县皆风靡[207]，叹曰："二十四郡，曾无一人义士[208]邪！"及平至，大喜曰："朕不识颜真卿作何状，乃能如是！"真卿遣亲客密怀购贼牒[209]诣诸郡，由是诸郡多应者。真卿，杲卿之从弟[210]也。

安禄山引兵向荥阳[211]，太守崔无诐[212]拒之。士卒乘城[213]者，闻鼓角声，自坠如雨。癸巳[214]，禄山陷荥阳，杀无诐，以其将武令珣守之。禄山声势益张，以其将田承嗣、安忠志、张孝忠为前锋。封常清所募兵皆白徒[215]，未更[216]训练，屯武牢[217]以拒贼。贼以铁骑蹂[218]之，官军大败。常清收余众，战于葵园[219]，又败。战上东门[220]内，又败。丁酉[221]，禄山陷东京，贼鼓噪自四门入，纵兵杀掠。常清战于都亭驿[222]，又败。退守宣仁门[223]，又败，乃自苑西坏墙西走。

河南尹达奚珣降于禄山。留守李憕[224]谓御史中丞卢奕[225]曰："吾曹荷国重任，虽知力不敌，必死之！"奕许诺。憕收残兵数百，欲战，皆弃憕溃去。憕独坐府中。奕先遣妻子怀印间道走长安，朝服坐台中，左右皆散。禄山屯于闲厩，使人执憕、奕及采访判官蒋清[226]，皆杀之。奕骂禄山，数其罪，顾贼党曰："凡为人当知逆顺，我死不失节，夫复何恨！"憕，文水人。奕，怀慎[227]之子。清，钦绪[228]之子也。禄山以其党张万顷为河南尹。

封常清帅余众至陕，陕郡太守窦廷芝已奔河东，吏民皆散。常清谓高仙芝曰："常清连日血战，贼锋[229]不可当。且潼关[230]无兵，若贼豕突[231]入关，则长安危矣。陕不可守，不如引兵先据潼关以拒之。"仙芝乃帅见[232]兵西趣潼关。贼寻[233]至，官军狼狈[234]走，无复部伍[235]，士马相腾践[236]，死者甚众。至潼关，修完守备，贼至，不得入而去。禄山使其

【语译】

十二月初七日壬辰，玄宗下制书想要亲自征讨安禄山，朔方、河西、陇右士兵除留守城堡的之外，都前往出征的军营，命令各节度使亲自统领，限期二十天全部会集。

当初，平原太守颜真卿知道安禄山将要造反，趁着连绵阴雨，完善城墙，深挖壕沟，统计丁壮，充实粮仓。安禄山认为他是一介书生，很轻视他。等到安禄山反叛，行文颜真卿让他用平原、博平的士兵七千人防守黄河渡口。颜真卿派遣平原司兵参军事李平抄小路奏报此事。玄宗开始听说安禄山反叛，河北各郡县都望风披靡，感叹说："二十四个郡，就没有一个人是义士吗?!"等到李平到来，玄宗非常高兴，说："朕不知道颜真卿长得什么模样，竟能如此!"颜真卿派亲信门客暗中怀揣悬赏捉拿叛贼的文书前往各郡，因此各郡有很多响应的人。颜真卿是颜杲卿的堂弟。

安禄山带兵向荥阳进发，太守崔无诐阻击他。士兵登城的，听到战鼓号角声，自己掉下去，像下雨一样。十二月初八日癸巳，安禄山攻陷荥阳，杀了崔无诐，让他的部将武令珣守卫荥阳。安禄山的声势愈益嚣张，派他的部将田承嗣、安忠志、张孝忠作为前锋。封常清所招募的士兵都是平民百姓，没有经过训练，驻扎在武牢以抗击叛贼。叛贼用铁骑践踏他们，官军大败。封常清聚集残部，在葵园交战，又失败了。在洛阳上东门内交战，再次失败。十二日丁酉，安禄山攻陷东京洛阳，贼军击鼓喧嚷从四方的城门进入，纵兵杀掠。封常清在都亭驿交战，又一次战败。退守宣仁门，还是失败了，于是从宫苑西边的坏墙向西逃走。

河南尹达奚珣投降了安禄山。留守李憕对御史中丞卢奕说："我辈承担了国家的重任，虽然知道力量不敌叛贼，一定要身死国难!"卢奕答应了。李憕集合几百残兵，打算作战，残兵都离弃李憕溃逃。李憕独自一人坐在府中。卢奕先派妻子怀揣官印从小路跑往长安，自己穿着朝服坐在御史台中，身边的人都已散去。安禄山驻扎闲厩，派人抓住李憕、卢奕和采访判官蒋清，把他们都杀了。卢奕大骂安禄山，列举他的罪状，环顾贼党说："大凡做人应当知道叛逆和正道，我死了没有失去节操，又有什么遗憾呢!"李憕是文水县人。卢奕是卢怀慎的儿子。蒋清是蒋钦绪的儿子。安禄山任命他的党羽张万顷担任河南尹。

封常清带领残余的部众到达陕郡，陕郡太守窦廷芝已逃往河东，官吏百姓都已散去。封常清对高仙芝说："我连日浴血奋战，叛贼锋芒不能抵挡。而且潼关没有军队，如果叛贼冲入关内，那么长安就危险了。陕郡不能据守，不如率军先占据潼关来抵抗叛贼。"高仙芝便率领现有的部队西往潼关。叛贼旋即到达，官军狼狈逃走，队伍无法保持队形，兵马互相践踏，死了很多人。到达潼关，完善守备，叛贼到了，

将崔乾祐屯陕，临汝[237]、弘农[238]、济阴、濮阳[239]、云中郡皆降于禄山。是时，朝廷征兵诸道，皆未至，关中忷惧。会禄山方谋称帝，留东京不进，故朝廷得为之备，兵亦稍集。

【段旨】

以上为第七段，写封常清、高仙芝集败兵守潼关。

【注释】

⑳⓪ 壬辰：十二月初七日。⑳① 平原：郡名，天宝元年（公元七四二年）德州改名，治所在今山东平原东南。⑳② 颜真卿：颜真卿（公元七〇八至七八四年），琅邪临沂（今山东临沂）人，开元进士。安禄山反，颜真卿与堂兄颜杲卿共起兵抵抗。以直言进谏，累遭谗贬。官至太子少傅，封鲁郡公，世称颜鲁公。后被李希烈杀害。颜真卿善正、草书，笔力沉着雄浑，为世所宝，称为“颜体”。传见《旧唐书》卷一百二十八、《新唐书》卷一百五十三。⑳③ 易之：容易对付他，有轻视的意思。⑳④ 牒：官文书。⑳⑤ 博平：郡名，天宝元年博州改名，治所在今山东聊城。⑳⑥ 司兵：司兵参军事。州郡属官，掌武官选举、兵器甲仗及门户管钥、烽候传驿等事。⑳⑦ 风靡：望风披靡。老远看见对方气势很盛，就像草木随风倒伏一样惊慌溃败。⑳⑧ 义士：有节操的人。⑳⑨ 购贼牒：悬赏捉拿敌人的文书。购，悬赏、收买。㉑⓪ 从弟：堂弟。㉑① 荥阳：郡名，天宝元年郑州改名，治所在今河南郑州。㉑② 崔无诐：崔无诐（？至公元七五五年），曾官益州司马，杨国忠引为少府监，守荥阳。传见《旧唐书》卷一百八十七下、《新唐书》卷一百九十一。㉑③ 乘城：登城

【原文】

禄山以张通儒之弟通晤为睢阳太守，与陈留长史杨朝宗将胡骑千余东略地[240]。郡县官多望风降走，惟东平[241]太守嗣吴王祗[242]、济南[243]太守李随[244]起兵拒之。祗，祎之弟也。郡县之不从贼者，皆倚吴王为名。单父[245]尉贾贲帅吏民南击睢阳，斩张通晤。李庭望引兵欲东徇地[246]，闻之，不敢进而还。

不能入关，便离去了。安禄山派他的部将崔乾祐驻扎陕郡，临汝、弘农、济阴、濮阳、云中郡都投降了安禄山。这时，朝廷向各道征的兵都还没有到，关中十分恐惧。碰上安禄山正在谋划称帝，停留东京没有进军，所以朝廷得便进行准备，部队也渐渐会集起来。

守卫。㉔④癸巳：十二月初八日。㉑⑤白徒：犹言白丁，指本无军籍，未受过军事训练的壮丁。㉑⑥更：经。㉑⑦武牢：虎牢关。在今河南荥阳西。㉑⑧蹂：践踏。㉑⑨葵园：在今河南洛阳郊。㉒⓪上东门：洛阳城东有三门，在北者为上东门。㉒①丁酉：十二月十二日。㉒②都亭驿：洛阳城外驿站。㉒③宣仁门：洛阳东城的东门。㉒④李憕：李憕（？至公元七五五年），历官清河、彭城等郡太守，入为京兆尹，改任光禄卿、东京留守。传见《旧唐书》卷一百八十七下、《新唐书》卷一百九十一。㉒⑤卢奕：卢奕（？至公元七五五年），黄门监卢怀慎少子。传见《旧唐书》卷一百八十七下、《新唐书》卷一百九十一。㉒⑥蒋清（？至公元七五五年）：举明经中第，为巩丞，东京留守李憕贤之，表为判官。传见《旧唐书》卷一百八十七下、《新唐书》卷一百十二。㉒⑦怀慎：卢怀慎（？至公元七一六年），官至黄门侍郎、同中书门下三品，赐爵渔阳伯。传见《旧唐书》卷九十八、《新唐书》卷一百三十六。㉒⑧钦绪：蒋钦绪，中宗时为太常博士。传见《新唐书》卷一百十二。㉒⑨锋：锋利；锐利。㉓⓪潼关：关名，在今陕西潼关县境内。㉓①豕突：猪惊骇而奔突。比喻军士横冲直撞。㉓②见：通“现”。㉓③寻：随即；不久。㉓④狼狈：比喻处境窘迫。㉓⑤无复部伍：不听约束，不成队伍。部伍，部勒行伍。㉓⑥腾践：奔跳践踏。㉓⑦临汝：郡名，天宝元年（公元七四二年）汝州改名，治所在今河南汝州。㉓⑧弘农：郡名，天宝元年虢州改名，治所在今河南灵宝西南。㉓⑨濮阳：郡名，天宝元年濮州改名，治所在今山东鄄城西北。

【语译】

安禄山让张通儒的弟弟张通晤担任睢阳太守，与陈留长史杨朝宗率领胡族骑兵一千多人向东掠取地盘。各郡县的官吏大多望风投降，或者逃走，只有东平太守嗣吴王李祗、济南太守李随起兵抵抗贼军。李祗是李祎的弟弟。各郡县不愿意顺从贼军的人，都宣称依靠吴王。单父县尉贾贲率领官吏和百姓向南攻打睢阳，杀了张通晤。李庭望想带兵向东攻占地盘，听到这个消息后，不敢前进，退了回去。

庚子[247]，以永王璘[248]为山南节度使，江陵[249]长史源洧[250]为之副，颍王璬为剑南节度使，蜀郡长史崔圆为之副，[251]二王皆不出阁[252]。洧，光裕[253]之子也。

上议亲征，辛丑[254]，制太子监国[255]，谓宰相曰："朕在位垂[256]五十载，倦于忧勤[257]。去秋已欲传位太子，值水旱相仍，不欲以余灾遗子孙，淹留[258]俟稍丰。不意逆胡横发[259]，朕当亲征，且使之监国。事平之日，朕将高枕无为[260]矣。"杨国忠大惧，退谓韩、虢、秦三夫人曰："太子素恶吾家专横久矣。若一旦得天下，吾与姊妹并命在旦暮[261]矣！"相与聚哭，使三夫人说贵妃衔土请命[262]于上，事遂寝。

颜真卿召募勇士，旬日至万余人，谕以举兵讨安禄山，继以涕泣，士皆感愤。禄山使其党段子光赍李憕、卢奕、蒋清首徇河北诸郡，至平原。壬寅[263]，真卿执子光，腰斩以徇，取三人首，续以蒲身[264]，棺敛葬之，祭哭受吊。禄山以海运使[265]刘道玄摄景城[266]太守，清池[267]尉贾载、盐山[268]尉河内穆宁[269]共斩道玄，得其甲仗[270]五十余船，携道玄首谒长史李玮，玮收严庄宗族，悉诛之。是日，送道玄首至平原。真卿召载、宁及清河尉张澹诣平原计事。饶阳[271]太守卢全诚据城不受代，河间[272]司法[273]李奂杀禄山所署长史王怀忠，李随遣游弈将[274]訾嗣贤济河，杀禄山所署博平太守马冀，各有众数千或万人，共推真卿为盟主，军事皆禀焉。禄山使张献诚将上谷[275]、博陵、常山、赵郡[276]、文安[277]五郡团结兵万人围饶阳。

【段旨】

以上为第八段，写颜真卿起兵河北抗击安禄山。

十二月十五日庚子，玄宗任命永王李璘为山南节度使，江陵长史源洧做他的副手，颍王李璬为剑南节度使，蜀郡长史崔圆做他的副手，永王和颍王都不离宫就任。源洧，是源光裕的儿子。

玄宗讨论亲自出征，十二月十六日辛丑，下制书让太子留守监理国事。玄宗对宰相说："朕在位将近五十年，对于国事的忧虑劳苦已感到厌倦。去年秋天已想传位给太子，遇上水灾、旱灾相继发生，不想让余灾遗累子孙，滞留于位，想等年成稍加丰足后传位。没有料到逆胡突然反叛，朕应当亲自出征，将让太子留守监理国事，乱事平定时，朕将高枕安卧、清静无为了。"杨国忠非常恐惧，退朝后对韩国、虢国、秦国三位夫人说："太子向来就讨厌我们杨家专横，时间已经很久了。太子一旦得到天下，我与姐妹们都命在旦夕呀！"互相聚在一起痛哭，杨国忠让三位夫人劝说贵妃口中含土，以死向玄宗请命阻止，事情便搁置下来。

颜真卿招募勇士，十来天就招到一万多人，向他们宣讲起兵讨伐安禄山的道理，接着就悲痛地哭泣起来，士兵们都深受感动，群情激愤。安禄山派他的党羽段子光带着李憕、卢奕、蒋清的首级到河北各郡巡行示众，抵达平原。十二月十七日壬寅，颜真卿捉住段子光，腰斩示众，取回李憕等三人的头，用蒲草做成身子和头连起来，用棺材收殓安葬他们，祭奠哭泣，接受人们哀悼。安禄山派海运使刘道玄代理景城太守，清池县尉贾载、盐山县尉河内人穆宁一起杀了刘道玄，得到他的甲胄兵器五十多船，携带刘道玄的首级拜谒长史李玮，李玮逮捕严庄的宗族，把他们全都杀死。这一天，把刘道玄的头送到平原。颜真卿召集贾载、穆宁和清河县尉张澹到平原商议事情。饶阳太守卢全诚占领郡城，不接受安禄山派来取代他的人，河间司法参军事李奂杀了安禄山所任命的长史王怀忠，李随派遣游弈将訾嗣贤渡过黄河，杀了安禄山所任命的博平太守马冀，各有部众几千人或一万人，一起推举颜真卿为盟主，军务都向他禀告。安禄山派张献诚带领上谷、博陵、常山、赵郡、文安五郡的团结兵一万人包围饶阳。

【注释】

㉔⓪略地：掠夺、攻取地方。㉔①东平：郡名，天宝元年（公元七四二年）郓州改名，治所在今山东东平北。㉔②嗣吴王祗：太宗第三子吴恪之孙，封嗣吴王。传见《旧唐书》卷七十六、《新唐书》卷八十。㉔③济南：郡名，天宝元年齐州改为临淄郡，天宝五载改为济南郡，治所在今山东济南。㉔④李随：曾任官太子中允、济南太守、河南节度使。其事散见《旧唐书》卷一百八十七下《张巡传》、《新唐书》卷二百二十五上《安禄山传》等

篇。㉔⑤单父：县名，县治在今山东单县。㉔⑥徇地：带兵巡行，占领地方。㉔⑦庚子：十二月十五日。㉔⑧永王璘：李璘（？至公元七五五年），玄宗第十六子，后以谋反兵败被杀。传见《旧唐书》卷一百七、《新唐书》卷八十二。㉔⑨江陵：郡名，天宝元年荆州改名，治所在今湖北荆州江陵城。㉕⓪源洧：开元宰相源乾曜曾孙。传见《旧唐书》卷九十八、《新唐书》卷一百二十七。㉕①颍王璬为剑南节度使二句：颍王璬（公元七一七至七八三年），玄宗第十三子，初名沄，开元十三年（公元七二五年）封颍王。传见《旧唐书》卷一百七、《新唐书》卷八十二。《旧唐书·玄宗纪》天宝十四载十二月辛丑条记载与此相同。据《旧唐书·玄宗诸子·颍王璬传》，安禄山反（天宝十四载），颍王璬除蜀郡大都督、剑南节度大使，杨国忠为之副。玄宗幸蜀，马嵬驿杨国忠被杀（天宝十五载，即至德元载）后，乃命令璬先赴本郡（蜀郡），以蜀郡长史崔圆为副。《新唐书·十一宗诸子·颍王璬传》同。《旧唐书·玄宗纪》亦载天宝十五载六月任颍王璬为剑南节度大使，崔圆为副大使。所以，颍王璬天宝十四载十二月，任剑南节度大使时其副使非崔圆，而是杨国忠。崔圆任颍王璬的剑南节度副大使的时间亦非在天宝十四载，而应是至德元载。㉕②不出阁：指不出宫门赴任。㉕③光裕：源光裕，开元宰相源乾曜从孙。为中书舍人时，删定《开元新格》，官至尚书左丞。传见《旧唐书》卷九十八、《新唐书》卷一百二十七。㉕④辛丑：十二月十六日。㉕⑤太子监国：古代君王离开国都，留太子处理国

【原文】

高仙芝之东征也，监军边令诚数以事干[278]之，仙芝多不从。令诚入奏事，具言仙芝、常清桡败[279]之状，且云："常清以贼摇众，而仙芝弃陕地数百里，又盗减军士粮赐。"上大怒，癸卯[280]，遣令诚赍敕即军中斩仙芝及常清。初，常清既败，三遣使奉表陈贼形势，上皆不之见。常清乃自驰诣阙，至渭南，敕削其官爵，令还仙芝军，白衣自效[281]。常清草遗表曰："臣死之后，望陛下不轻此贼，无忘臣言。"时朝议皆以为禄山狂悖[282]，不日授首，故常清云然[283]。令诚至潼关，先引常清，宣敕示之。常清以表附令诚上之。常清既死，陈尸蘧篨[284]。仙芝还，至听事[285]，令诚索陌刀手[286]百余人自随，乃谓仙芝曰："大夫亦有恩命。"仙芝遽下，令诚宣敕。仙芝曰："我遇敌而退，死则宜矣。今上戴天，下

政，谓之太子监国。㉖垂：将近。㉗倦于忧勤：对治国的忧虑劳苦感到厌倦。忧勤，忧虑而劳苦。㉘淹留：滞留；停留。㉙横发：突然发生。㉚高枕无为：高枕安卧，清静无为。㉛命在旦暮：性命系在早晚之间，喻危急。㉜衔土请命：《新唐书·杨贵妃传》作“衔块请死”。旧俗人死，口中必含物，故请罪之人，口衔土块，以表示自己有死罪。衔土请命，此即以死请求天子改变传位的成命。㉝壬寅：十二月十七日。㉞蒲身：用蒲草编织的躯体。㉟海运使：使职名，掌海道运输。开元二十七年（公元七三九年）幽州节度使加河北海运使，以后皆带此使。故此海运使当为幽州（范阳）节度使所属使职或海运判官。㊱景城：郡名，天宝元年沧州改名，治所在今河北沧县东南。㊲清池：县名，县治在今河北沧县东南。㊳盐山：县名，县治在今河北盐山。㊴穆宁：穆宁（公元七一六至七九四年），怀州河内（河南沁阳）人，官至秘书少监。传见《旧唐书》卷一百五十五、《新唐书》卷一百六十三。㊵甲仗：甲胄兵器。㊶饶阳：郡名，天宝元年深州改名，治所在今河北深州西。㊷河间：郡名，天宝元年瀛州改名，治所在今河北河间。㊸司法：司法参军事。㊹游弈将：专事领兵巡逻的将领。㊺上谷：郡名，天宝元年易州改名，治所在今河北易县。㊻赵郡：郡名，天宝元年赵州改名，治所在今河北赵县。㊼文安：郡名，天宝元年莫州改名，治所在今河北任丘北。

【语译】

高仙芝东征时，监军边令诚多次以事干预高仙芝，高仙芝大多不采纳。边令诚入朝奏事，详细叙说高仙芝、封常清挫败的情形，并且说：“封常清用乱贼来动摇军心，而高仙芝放弃陕郡疆土几百里，又盗取削减军士们的粮食和赏赐。”玄宗大怒，十二月十八日癸卯，派遣边令诚带着敕书到军中处死高仙芝和封常清。当初，封常清战败后，三次派使者奉表陈述叛贼形势，玄宗都不接见。封常清便亲自驱马前往宫城，到达渭南，玄宗下敕书免除他的官职爵位，命令他返回高仙芝的部队，以平民的身份效力。封常清写遗表说：“臣死后，希望陛下不要轻视这个叛贼，不要忘记臣说的话。”当时朝廷的议论都认为安禄山狂妄悖逆，没有几天就会被斩首，所以封常清才向玄宗这样说。边令诚到了潼关，先叫来封常清，向他宣读玄宗的敕书。封常清把遗表托付给边令诚，上呈玄宗。封常清死后，尸体放在粗糙的苇席上。高仙芝回来，到办公处，边令诚找来陌刀手一百多人跟随自己，然后对高仙芝说：“你也有皇上的恩命。”高仙芝马上跪下，边令诚宣读玄宗的敕书。高仙芝说：“我遇上敌人而向后退却，死了则是应该的。今日头顶天，脚踏地，说我盗取削减军士们的粮食

履地[287]，谓我盗减粮赐则诬也。”时士卒在前，皆大呼称枉，其声振地，遂斩之，以将军李承光摄领其众。

河西、陇右节度使哥舒翰病废在家，上藉[288]其威名，且素与禄山不协，召见，拜兵马副元帅，将兵八万以讨禄山，仍敕天下四面进兵，会攻洛阳。翰以病固辞，上不许。以田良丘为御史中丞，充行军司马，起居郎[289]萧昕[290]为判官，蕃将火拔归仁等各将部落以从，并仙芝旧卒，号二十万，军于潼关。翰病，不能治事，悉以军政委田良丘。良丘复不敢专决，使王思礼主骑，李承光主步。二人争长，无所统壹。翰用法严而不恤[291]，士卒皆懈弛[292]无斗志。

安禄山大同军使高秀岩寇振武军[293]，朔方节度使郭子仪击败之，子仪乘胜拔静边军[294]。大同兵马使薛忠义寇静边军，子仪使左兵马使李光弼、右兵马使高濬、左武锋使[295]仆固怀恩[296]、右武锋使浑释之[297]等逆击，大破之，坑其骑七千，进围云中。使别将公孙琼岩将二千骑击马邑[298]，拔之，开东陉关[299]。甲辰[300]，加子仪御史大夫。怀恩，哥滥拔延[301]之曾孙也，世为金微都督[302]。释之，浑部[303]酋长，世为皋兰都督[304]。

【段旨】

以上为第九段，写封常清、高仙芝被冤杀。陇右节度使哥舒翰受命守潼关。

【注释】

㉗⑧干：干涉；妨碍。㉗⑨挠败：挫败。㉘⓪癸卯：十二月十八日。㉘①白衣自效：以白衣（平民）身份效命。白衣，古代未仕者着白衣。白衣犹后世所称布衣。自效，自己效力。㉘②狂悖：狂妄悖逆。㉘③云然：如此说；这样说。㉘④籧篨：用苇或竹编的粗席。㉘⑤听事：厅事，官员受事听讼的地方。㉘⑥陌刀手：执陌刀的步兵。陌刀，步兵所持长刀。㉘⑦上戴天二句：头上顶着天，脚下踩着地。言有天地为证。㉘⑧藉：凭借；借助。㉘⑨起居郎：官名，门下省属官，掌起居注，录天子之言行法度，以修记事之史。㉙⓪萧昕：萧昕（公元七〇二至七九一年），河南（今河南洛阳）人，官至礼部尚书。传见《旧唐书》卷一百四十六、《新唐书》卷一百五十九。㉙①不恤：不体恤；不怜悯。㉙②懈弛：懈怠、松弛。㉙③振

和赏赐那是不实的。”当时士兵在面前，都大声呼喊冤枉，声震大地，于是把高仙芝杀了，任命将军李承光代领高仙芝的部众。

河西、陇右节度使哥舒翰生病赋闲在家，玄宗想借重他的威名，而且他一向与安禄山不和。玄宗召见哥舒翰，授予兵马副元帅，率领部队八万人去讨伐安禄山；于是下敕书命令天下四面进兵，合兵进攻洛阳。哥舒翰因为有病坚决辞谢，玄宗不答应。任命田良丘为御史中丞，担任行军司马，起居郎萧昕为判官，蕃将火拔归仁等人各自率领本部落相随，加上高仙芝原有的士卒，号称二十万，屯兵潼关。哥舒翰有病，不能治理事务，把军政事务委托给田良丘。田良丘又不敢独自决断，派王思礼主管骑兵，李承光主管步兵。这两个人争为长官，部队无法统一。哥舒翰执法严厉而不体恤部下，士卒都懈怠松散，没有斗志。

安禄山的大同军使高秀岩侵犯振武军，朔方节度派郭子仪打败了他，郭子仪乘胜夺取静边军。大同兵马使薛忠义侵犯静边军，郭子仪派左兵马使李光弼、右兵马使高濬、左武锋使仆固怀恩、右武锋使浑释之等迎面反击，把敌人打得大败，坑杀了薛忠义骑兵七千人，进兵围攻云中。派别将公孙琼岩率领两千名骑兵攻打马邑，夺取了它，打通了东陉关。十二月十九日甲辰，加任郭子仪为御史大夫。仆固怀恩，哥滥拔延的曾孙，世代为金微都督。浑释之，浑部酋长，世代为皋兰都督。

武军：军镇名，在今内蒙古和林格尔。㉔静边军：军镇名，在今内蒙古和林格尔东北。㉕武锋使：使职名，节度使幕府专掌率军前趋作战的将领，犹左右先锋使。㉖仆固怀恩：仆固怀恩（？至公元七六五年），回纥九姓部落之一仆固部人。讨安史叛军有功，官至尚书左仆射兼中书令，封丰国公、大宁郡王；后叛唐，引吐蕃入寇，遇疾而死。传见《旧唐书》卷一百二十一、《新唐书》卷二百二十四上。㉗浑释之：回纥九姓之一浑部人。累立战功，官至右武卫大将军、知朔方节度留后，封宁朔郡王。传见《新唐书》卷二百十七下。㉘马邑：郡名，天宝元年（公元七四二年）朔州改名，治所在今山西朔州。㉙东陉关：关名，在今山西代县南。㉚甲辰：十二月十九日。㉛哥滥拔延：《新唐书》卷二百十七下本传作“歌滥拔延”。回纥九姓部落的一仆固部首领。贞观二十年（公元六四六年）内属，受封右武卫大将军、金微都督。㉜金微都督：金微都督府长官。金微为唐羁縻府，在今鄂嫩河上游一带。㉝浑部：回纥九姓部落之一。游牧在今蒙古国乌兰巴托以西。㉞皋兰都督：皋兰都督府长官。皋兰为羁縻府，置于浑部居住地。

【原文】

颜杲卿将起兵，参军冯虔、前真定[305]令贾深、藁城尉崔安石、郡人翟万德、内丘[306]丞张通幽等[7]皆预其谋，又遣人语太原尹王承业，密与相应。会颜真卿自平原遣杲卿甥[307]卢逖潜告杲卿，欲连兵断禄山归路，以缓其西入之谋。时禄山遣其金吾将军高邈诣幽州征兵，未还，杲卿以禄山命召李钦凑，使帅众诣郡受犒赉[308]。丙午[309]，薄暮，钦凑至，杲卿使袁履谦、冯虔等携酒食妓乐[310]往劳之，并其党皆大醉。乃断钦凑首，收其甲兵，尽缚其党。明日，斩之，悉散井陉之众[311]。有顷，高邈自幽州还，且至藁城，杲卿使冯虔往擒之。南境又白何千年自东京来，崔安石与翟万德驰诣醴泉驿[312]迎千年，又擒之，同日致于郡下。千年谓杲卿曰："今太守欲输力王室，既善其始，当慎其终。此郡应募乌合[313]，难以临敌，宜深沟高垒[314]，勿与争锋。俟朔方军至，并力齐进，传檄赵、魏[315]，断燕、蓟要膂[316]，彼则成擒矣[8]。今且宜声[317]云：'李光弼引步骑一万出井陉。'因使人说张献诚云：'足下所将多团练之人，无坚甲利兵，难以当山西[318]劲兵。'献诚必解围遁去。此亦一奇也。"杲卿悦，用其策，献诚果遁去，其团练兵皆溃。杲卿乃使人入饶阳城，慰劳将士。命崔安石等徇诸郡云："大军已下井陉，朝夕当至，先平河北诸郡。先下者赏，后至者诛！"于是河北诸郡响应，凡十七郡皆归朝廷，兵合二十余万，其附禄山者，唯范阳[319]、卢龙[320]、密云[321]、渔阳[322]、汲[323]、邺[324]六郡而已。

杲卿又密使人入范阳招贾循。郏城人马燧[325]说循曰："禄山负恩悖逆，虽得洛阳，终归夷灭。公若诛诸将之不从命者，以范阳归国，倾其根柢，此不世之功也。"循然之，犹豫不时发。别将牛润容知之，以告禄山，禄山使其党韩朝阳召循。朝阳至范阳，引循屏语，使壮士缢杀之，灭其族，以别将牛廷玠知范阳军事。史思明、李立节将蕃、汉步骑万人击博陵、常山。马燧亡入西山[326]，隐者徐遇匿之，得免。

初，禄山欲自将攻潼关，至新安[327]，闻河北有变而还。蔡希德将兵万人自河内[328]北击常山。

戊申[329]，荣王琬薨，赠谥靖恭太子。

是岁，吐蕃赞普乞梨苏笼猎赞[330]卒，子娑悉笼猎赞立。

【语译】

颜杲卿将要起兵，参军冯虔、前真定县令贾深、藁城县尉崔安石、郡人翟万德、内丘县丞张通幽等都参与谋划，又派人告诉太原尹王承业，与他秘密地相互呼应。正赶上颜真卿从平原派颜杲卿的外甥卢逖暗中跑来告诉颜杲卿，打算两地合兵切断安禄山的退路，以延缓他西进的计谋。当时安禄山派他的金吾将军高邈前往幽州征兵，没有返回，颜杲卿利用安禄山的命令召来李钦凑，让他带领部众到郡里接受犒劳赏赐。十二月二十一日丙午，傍晚，李钦凑抵达，颜杲卿派袁履谦、冯虔等人携带酒食和歌伎、乐队前往慰劳他，连同他的党羽全都喝得大醉。于是，砍下李钦凑的头，收缴他的甲胄兵器，把他的党羽全部捆绑起来。次日，杀了他们，全部遣散了井陉口的士卒。不久，高邈从幽州回来，即将到达藁城，颜杲卿派冯虔前往活捉了他。南部边境又告知何千年从东京来，崔安石和翟万德驱马前往醴泉驿迎接何千年，又活捉了他，当天送到郡城。何千年对颜杲卿说:“如今太守想要尽力于王室，已经开了个好头，应当谨慎结尾。这个郡里应募的士卒都是乌合之众，难以临阵抗敌，最好深挖沟、高筑垒，不要与敌人争锋。等到朔方部队到达，合力齐头并进，传檄赵、魏，拦腰截断燕、蓟，敌人就会被活捉了。当今应暂时放出风声说:‘李光弼率领步兵、骑兵一万人出了井陉口。’趁机派人劝说张献诚说:‘足下统领的大多是团练民兵，没有坚固的甲胄、锐利的兵器，难以抵挡山西的强大兵力。’张献诚肯定解除包围逃走。这也是一个奇计。”颜杲卿很高兴，采纳了他的计策，张献诚果然逃跑了，他的团练民兵全部溃散。颜杲卿便派人进入饶阳城，慰劳将士。命令崔安石等人巡视各郡，说:“大军已经攻下井陉口，早晚之间就要到了，首先平定河北各郡。先归顺的有赏，后到的处死!”于是，河北各郡响应，总共十七个郡都归顺了朝廷，士卒加起来有二十多万人，归附安禄山的，只有范阳、卢龙、密云、渔阳、汲、邺六个郡。

颜杲卿又暗地里派人进入范阳招降贾循。郏城人马燧劝贾循说:“安禄山忘恩叛逆，虽然得到洛阳，终究是要灭亡的。您如果杀死将领中那些不听从命令的，拿范阳归顺国家，铲除安禄山的根基，这是世上罕有的功劳。”贾循同意他说的，但犹豫不决，没有及时行动。别将牛润容知道这件事，把事情告诉了安禄山，安禄山派他的党羽韩朝阳召见贾循。韩朝阳到了范阳，带贾循躲开人们去说话，派壮士用绳子勒死了贾循，夷灭他的家族，派别将牛廷玠主管范阳的军事。史思明、李立节率领蕃族、汉族步兵和骑兵一万人攻打博陵、常山。马燧逃入西山，隐士徐遇把他藏起来，得以脱身。

当初，安禄山打算亲自率军攻打潼关，到达新安，听说河北有变故就返回了。蔡希德率兵一万人从河内北进攻打常山。

十二月二十三日戊申，荣王李琬去世，赠谥号靖恭太子。

这一年，吐蕃赞普乞梨苏笼猎赞去世，儿子娑悉笼猎赞即位。

【段旨】

以上为第十段，写颜杲卿起兵河北讨贼。

【注释】

㉟真定：县名，县治在今河北正定南。㊱内丘：县名，县治在今河北内丘。㊲甥：外甥；外侄。㊳犒赉：犒劳赏赐。㊴丙午：十二月二十一日。按《通鉴考异》所说，丙午为二十二日。而陈垣《二十史朔闰表》推算为二十一日。此又证陈表误差一日。㊵妓乐：歌伎、乐队。㊶悉散井陉之众：十一月，安禄山令其将李钦凑守井陉口，今斩李，遣散其团结兵众。㊷醴泉驿：在常山郡南与赵郡接界处。在今河北正定南。㊸应募乌合：应募的士卒乃是乌合之众。乌合，仓促集合。㊹深沟高垒：深挖壕沟，高筑壁垒。言加固营垒，不要出战。㊺传檄赵、魏：把檄文传到山西、河北、豫北一带，指把这些地区控制到手。檄，古代写在木简上用以征召、晓谕或声讨的公文。传檄，传递檄文。赵，指战国时赵国的地方，即今河北南部和山西一带。魏，指战国时魏国的地方，今河南北部及山西西南部一带。㊻断燕、蓟要膂：截断安禄山在冀东、冀北的脊骨。燕，指今河北北部和辽宁南部。蓟，古地名，在今北京市东面。要，通"腰"。膂，脊梁骨。㊼声：放出风声。㊽山西：常山、饶阳称代（今山西代县）、并（今山西太原）二州所在之地为山西。因在太行山之西。㊾范阳：郡名，天宝元年（公元七四二年）幽州改

【原文】

肃宗[331]文明武德大圣大宣孝皇帝上之上

至德[332]元载（丙申，公元七五六年）

春，正月乙卯[333]朔，禄山自称大燕皇帝，改元圣武，以达奚珣为侍中，张通儒为中书令，高尚、严庄为中书侍郎。

李随至睢阳，有众数万。丙辰[334]，以随为河南节度使[335]，以前高要[336]尉许远为睢阳太守兼防御使。濮阳客[337]尚衡[338]起兵讨禄山，以郡人王栖曜[339]为衙前总管[340]，攻拔济阴，杀禄山将邢超然。

颜杲卿使其子泉明、贾深、翟万德献李钦凑首及何千年、高邈于京师。张通幽泣请曰："通幽兄陷贼，乞与泉明偕行，以救宗族。"杲

名，治所在今北京城西南。㉜⓪卢龙：两唐书之《地理志》无卢龙郡。卢龙为平州治所，在今河北卢龙。此卢龙郡应是指北平郡。321密云：郡名，天宝元年檀州改名，治所在今北京市密云区。322渔阳：郡名，天宝元年蓟州改名，治所在今天津市蓟州区。323汲：郡名，天宝元年卫州改名，治所在今河南卫辉。324邺：郡名，天宝元年相州改名，治所在今河南安阳。325马燧：马燧（公元七二六至七九五年），汝州郏城（今河南郏县）人，沉勇多智略，尤善兵法。历仕肃、代、德宗三朝，官至尚书右仆射、同中书门下平章事，封豳国公、北平郡王，谥曰庄武。传见《旧唐书》卷一百三十四、《新唐书》卷一百五十五。326西山：在范阳境内，南与上谷、中山诸山相连。327新安：县名，县治在今河南新安。328河内：郡名，天宝元年怀州改名，治所在今河南沁阳。329戊申：十二月二十三日。330乞梨苏笼猎赞：据范文澜《中国通史简编》第三编第四节所列《吐蕃赞普世系》，公元七〇四至七五四年在位的是弃迭祖贺（弃隶缩赞）赞普，乃松赞干布后第四任赞普。继位者为弃松德赞（乞立赞）赞普，公元七五五至七九一年在位。与本书所载名字不同，恐系译音的区别。

【校记】

［7］等：原无此字。据章钰校，十二行本、乙十一行本皆有此字，今据补。［8］彼则成擒矣：原无此句。据章钰校，十二行本、乙十一行本皆有此句，张敦仁《通鉴刊本识误》、张瑛《通鉴校勘记》同，今据补。

【语译】

肃宗文明武德大圣大宣孝皇帝上之上

至德元载（丙申，公元七五六年）

春，正月初一日乙卯，安禄山自称大燕皇帝，改年号为圣武，任命达奚珣为侍中，张通儒为中书令，高尚、严庄为中书侍郎。

李随到了睢阳，有部众几万人。正月初二日丙辰，任命李随为河南节度使，任命前高要县尉许远为睢阳太守兼防御使。濮阳宾客尚衡起兵讨伐安禄山，任用本郡人王栖曜为衙前总管，攻克济阴，杀死了安禄山的部将邢超然。

颜杲卿派他的儿子颜泉明、贾深、翟万德把李钦凑的首级以及何千年、高邈进献京师。张通幽哭着请求说："我的哥哥陷没贼党，请求和颜泉明一起前往，以拯救

卿哀而许之。至太原，通幽欲自托[341]于王承业，乃教之留泉明等，更其表，多自为功，毁短杲卿，别遣使献之。杲卿起兵才八日，守备未完，史思明、蔡希德引兵皆至城下。杲卿告急于承业，承业既窃其功，利于城陷，遂拥兵不救。杲卿昼夜拒战，粮尽矢竭，壬戌[342]，城陷。贼纵兵杀万余人，执杲卿及袁履谦等送洛阳。王承业使者至京师，玄宗大喜，拜承业羽林大将军，麾下[343]受官爵者以百数。征颜杲卿为卫尉卿，朝命未至，常山已陷。

杲卿至洛阳，禄山数之曰："汝自范阳户曹，我奏汝为判官，不数年超至太守[344]，何负于汝而反邪？"杲卿瞋目[345]骂曰："汝本营州牧羊羯奴，天子擢汝为三道节度使，恩幸无比，何负于汝而反？我世为唐臣，禄位皆唐有，虽为汝所奏，岂从汝反邪！我为国讨贼，恨不斩汝，何谓反也？臊羯狗[346]，何不速杀我！"禄山大怒，并袁履谦等缚于中桥[347]之柱而丹[348]之。杲卿、履谦比死，骂不虚口，颜氏一门死于刀锯[349]者三十余人。

【段旨】

以上为第十一段，写颜杲卿兵败，从容就义。

【注释】

㉛肃宗：唐朝第七代皇帝李亨，玄宗第三子，初名嗣升，后更名浚、玙、绍，天宝三载（公元七四四年）更名亨。公元七五六至七六三年在位。庙号肃宗，谥文明武德大圣大宣孝皇帝。事见《旧唐书》卷十、《新唐书》卷六。㉜至德：本年七月肃宗即位于灵武时，始改年号为至德。㉝乙卯：正月初一日。㉞丙辰：正月初二日。㉟河南节度使：使职名，为河南道差遣长官，当时的使命是节制调度河南、淮北十三郡讨伐安禄山叛军。治所在今河南开封。据《新唐书·方镇表二》，此为河南始置节度使。㊱高要：郡名，治所在今广东肇庆市高要区。㊲客：外来的人。㊳尚衡：衡起兵讨伐安史叛军，先后任徐、

我的宗族。”颜杲卿可怜他便同意了。到了太原，张通幽打算托身于王承业，就指点王承业留下颜泉明等人，另为表文，很多功劳归于自己，短毁颜杲卿，另派使者进献朝廷。颜杲卿起兵才八天，防守设备没有完善，史思明、蔡希德都带兵抵达城下。颜杲卿向王承业告急，王承业已经窃取了他的功劳，城池陷落对他有利，于是拥兵不去救援。颜杲卿日夜抵抗作战，粮尽矢绝，正月初八日壬戌，常山城陷落。叛贼纵兵杀了一万多人，抓住颜杲卿和袁履谦等人送往洛阳。王承业的使者抵达京师，玄宗十分高兴，任命王承业为羽林大将军，部下接受官爵的数以百计。征召颜杲卿为卫尉卿，朝廷的命令还没有到达，常山已经陷落。

颜杲卿到了洛阳，安禄山数落他说：“你身处范阳户曹，我奏请任命你为判官，没有几年超升为太守，有什么亏待你的，而你却反叛我？”颜杲卿怒目大骂说：“你本是营州放羊的羯族奴隶，天子提拔你为三道的节度使，恩惠宠幸，无与伦比，有什么亏待你的，而你却自为叛逆？我家世代为唐朝臣子，俸禄和职位都是唐朝给的，虽然是你所奏请，怎么能跟随你反叛呢！我替国家讨伐叛贼，恨不得杀了你，怎么能说反叛呢？你这腥臊的羯狗，为什么不快快杀了我！”安禄山大怒，把颜杲卿和袁履谦等人一起绑在中桥的柱子上凌迟处死。颜杲卿、袁履谦临死时，骂不绝口，颜氏一家死于刑具的有三十多人。

青等州刺史及亳、颍等数州节度使，以功迁至兵部侍郎、御史大夫。其事散见《旧唐书》卷一百五十二《王栖曜传》、《新唐书》卷二百二十五上《安禄山传》等篇。㊴王栖曜：王栖曜（？至公元八〇四年），濮州濮阳（今山东鄄城）人，官至左龙武大将军。传见《旧唐书》卷一百五十二、《新唐书》卷一百七十。340 衙前总管：军衙属职。总管兵马征战事务。341 自托：把自己托付给别人；自己以别人为靠山。342 壬戌：正月初八日。343 麾下：部下。344 超至太守：安禄山表请颜杲卿为营田判官，后来擢为假常山太守。345 瞋目：怒目圆睁。瞋，发怒时睁大眼睛。346 臊羯狗：此为骂人语，即带着腥臊气的狗羯人。臊，臊气、腥臊。347 中桥：洛阳皇城正南洛水上的桥。本在天津桥的东边，立德坊西南隅。高宗上元（公元六七四至六七六年）时移于安众坊左街。桥长三百步，南当长夏门，北通西漕。348 冎：通“剐”，古代分解肢体的酷刑，又称凌迟。349 死于刀锯：指死于酷刑。刀锯，古代刑具，刀用于割刑，锯用于刖刑。

【原文】

史思明、李立节、蔡希德既克常山，引兵击诸郡之不从者，所过残灭，于是邺、广平[350]、钜鹿[351]、赵、上谷、博陵、文安、魏[352]、信都[353]等郡复为贼守。饶阳太守卢全诚独不从，思明等围之。河间司法李奂将七千人、景城长史李玮遣其子祀将八千人救之，皆为思明所败。

上命郭子仪罢围云中，还朔方，益发兵进取东京，选良将一人分兵先出井陉，定河北。子仪荐李光弼，癸亥[354]，以光弼为河东节度使，分朔方兵万人与之。

甲子[355]，加哥舒翰左仆射、同平章事[356]，余如故。

置南阳节度使[357]，以南阳[358]太守鲁炅为之，将岭南、黔中、襄阳[359]子弟五万人屯叶[360]北，以备安禄山。炅表薛愿[361]为颍川[362]太守兼防御使，庞坚[363]为副使。愿，故太子瑛之妃兄。坚，玉[364]之曾孙也。

乙丑[365]，安禄山遣其子庆绪寇潼关，哥舒翰击却之。

己巳[366]，加颜真卿户部侍郎兼本郡防御使，真卿以李玮为副。

二月丙戌[367]，加李光弼魏郡太守、河北道采访使。

史思明等围饶阳二十九日，不下，李光弼将蕃、汉步骑万余人、太原弩手三千人出井陉。己亥[368]，至常山。常山团练兵三千人杀胡兵，执安思义出降。光弼谓思义曰："汝自知当死否？"思义不应。光弼曰："汝久更陈行[369]，视吾此众，可敌思明否？今为我计当如何？汝策可取，当不杀汝。"思义曰："大夫士马远来疲弊，猝遇大敌，恐未易当。不如移军入城，早为备御[370]，先料胜负，然后出兵。胡骑虽锐，不能持重[371]。苟不获利，气沮[372]心离，于时乃可图矣。思明今在饶阳，去此不二百里。昨暮羽书[373]已去，计其先锋来晨必至，而大军继之，不可不留意也。"光弼悦，释其缚，即移军入城。

史思明闻常山不守，立解饶阳之围。明日未旦，先锋已至，思明等继之，合二万余骑，直抵城下。光弼遣步卒五千自东门出战，贼守门不退。光弼命五百弩于城上齐发射之，贼稍却。乃出弩手千人分为四队，使其矢发发相继[374]，贼不能当，敛军道北。光弼出兵五千为枪

【语译】

史思明、李立节、蔡希德已经攻克常山，率军攻打各郡中不服从的，所过之处残杀灭绝，于是邺、广平、钜鹿、赵、上谷、博陵、文安、魏、信都等郡又被叛贼占据。唯独饶阳太守卢全诚不服从，史思明等围攻他。河间司法李奂带领七千人、景城长史李旽派遣他的儿子李祀带领八千人援救卢全诚，都被史思明打败。

玄宗命令郭子仪停止围攻云中，返回朔方，调拨更多的兵力进取东京，挑选一名优秀将领分一部分兵先出井陉口，平定河北。郭子仪推荐李光弼，正月初九日癸亥，任命李光弼为河东节度使，从朔方分出士卒一万人给他。

正月初十日甲子，加任哥舒翰为左仆射、同平章事，其他的官职依旧。

设置南阳节度使，任命南阳太守鲁炅担任此职，率领岭南、黔中、襄阳等郡的子弟兵马五万人屯驻叶县北面，以防备安禄山。鲁炅上表奏请薛愿为颍川太守兼防御使，庞坚为副使。薛愿，是已故太子李瑛妃子的哥哥。庞坚，是庞玉的曾孙。

正月十一日乙丑，安禄山派遣他的儿子安庆绪进犯潼关，哥舒翰打退了他。

十五日己巳，加任颜真卿为户部侍郎兼本郡防御使，颜真卿以李旽为副使。

二月初二日丙戌，加任李光弼为魏郡太守、河北道采访使。

史思明等人围困饶阳二十九天，攻不下来，李光弼率领蕃族、汉族步兵和骑兵一万多人、太原弓弩手三千人出井陉口。二月十五日己亥，到了常山。常山团练兵三千人杀死胡兵，抓获安思义出来投降。李光弼对安思义说："你自己知道该死吗？"安思义不回答。李光弼说："你久经战阵，看看我这些部众，能不能抗衡史思明？如今你替我计划应当如何行动？如果你的计策可以采纳，将不杀你。"安思义说："您的兵马远道而来，疲惫不堪，突遇大敌，恐怕不容易抵挡。不如移军入城，早作防备，事先衡量胜负，然后再出兵。胡人的骑兵虽然精锐，但不能持久稳定不动。如果不能获胜，就会士气低落，人心涣散，那时就可以攻打他们了。史思明如今在饶阳，离这里不到两百里。昨天傍晚征调军队的紧急文书已经送去，估计他的先锋部队明天早晨一定到达，而大军相继其后，不能不注意。"李光弼很高兴，给他松绑，立即把军队转移到城里。

史思明听说常山失守，立刻解除对饶阳的包围。次日天还没有亮，先头部队已经到达常山，史思明等人相继其后，加起来有两万多骑兵，直抵城下。李光弼派遣步兵五千人从东门出来迎战，贼兵守住城门，不肯退却。李光弼命令五百个弓箭手在城上一齐发箭射向敌人，贼兵逐渐后退。又派出弓箭手一千人分为四队，叫他们连续不断地射箭，贼兵不能抵挡，收兵路北。李光弼派出士兵五千人在路南修建枪

城[375]于道南，夹呼沱水[376]而陈。贼数以骑兵搏战，光弼之兵射之，人马中矢者太半，乃退，小憩[377]以俟步兵。有村民告贼步兵五千自饶阳来，昼夜行百七十里，至九门[378]南逢壁，度[379]憩息[380]。光弼遣步骑各二千，匿旗鼓，并水[381]潜行。至逢壁，贼方饭，纵兵掩击，杀之无遗。思明闻之，失势，退入九门。时常山九县[382]，七附官军，惟九门、藁城为贼所据。光弼遣裨将张奉璋以兵五百戍石邑，余皆三百人戍之。

【段旨】

以上为第十二段，写河东节度使李光弼光复常山，解饶阳之围，大败史思明。

【注释】

㊿广平：郡名，天宝元年（公元七四二年）以洺州改名，治所在今河北邯郸市永年区东南。351钜鹿：郡名，天宝元年邢州改名，治所在今河北邢台。352魏：郡名，天宝元年魏州改名，治所在今河北大名东北。353信都：郡名，天宝元年冀州改名，治所在今河北冀州。354癸亥：正月初九日。355甲子：正月初十日。356加哥舒翰左仆射、同平章事：在此前哥舒翰已拜兵马副元帅将兵讨安禄山，此时又加左仆射行宰相之职。357南阳节度使：使职名，为南阳地区差遣长官，统南阳、汝州、颍州所在诸军抵御安史叛军。358南阳：郡名，天宝元年邓州改名，治所在今河南邓州。359襄阳：郡名，天宝元年襄州改名，治所在今湖北襄阳。360叶：县名，县治在今河南叶县。361薛愿：薛愿（？至公元七五六年），河东汾阴（今山西万荣）人。传见《旧唐书》卷一百八十七下、《新唐书》卷一百九十三。362颍川：郡名，天宝元年许州改名，治所在今河南许昌。363庞坚：庞坚

【原文】

上以吴王祗为灵昌太守、河南都知兵马使。贾贲前至雍丘[383]，有众二千。先是，谯郡[384]太守杨万石以郡降安禄山，逼真源[385]令河东张巡使为长史，西迎贼。巡至真源，帅吏民哭于玄元皇帝庙，起兵讨贼，吏民乐从者数千人。巡选精兵千人，西至雍丘，与贾贲合。

城工事，夹着呼沱水布阵。贼兵多次用骑兵来搏斗，李光弼的士卒用箭射他们，人马中箭的有一大半，于是贼兵撤退，稍作休息以等待步兵。有村民报告贼军步兵五千人从饶阳赶来，昼夜行走一百七十里，到了九门县南面的逄壁，估计在休息。李光弼派遣步兵、骑兵各两千人，偃旗息鼓，沿着呼沱水边悄悄地行进。到达逄壁，贼军正在吃饭，李光弼纵兵突然攻击，把贼兵杀得一个不剩。史思明听到消息，知道大势已去，便退回九门县。当时常山郡有九个县，七个县归顺政府军，唯有九门县、藁城县被贼军占据。李光弼派遣副将张奉璋带士兵五百人戍守石邑县，其他各县都用三百人戍守。

（？至公元七五六年），邠王李守礼婿。传见《旧唐书》卷一百八十七下、《新唐书》卷一百九十三。㊿364 玉：庞玉，隋封为韩国公，后降唐，为李世民属下将军。其事散见《旧唐书》卷六十二《李大亮传》、《新唐书》卷一百九十三《庞坚传》。365 乙丑：正月十一日。366 己巳：正月十五日。367 丙戌：二月初二日。368 己亥：二月十五日。369 久更陈行：久经战阵。更，经过、经历。陈，通“阵”。两军交战时队伍行列。行，行列。370 早为备御：早点做好抵御的准备。备，准备。御，抵御。371 持重：持久稳定不动。372 沮：丧气；颓丧。373 羽书：军事文书，插鸟羽以示紧急。374 发发相继：指接连不断地射箭。发，把箭射出去。375 枪城：四周用削尖的竹木构筑而成的防御工事。因状如城墙，故名。376 呼沱水：河名，即今滹沱水。发源于山西五台山东北，穿太行山东流入河北，汇入子牙河。377 小憩：休息片刻。378 九门：县名，县治在今河北石家庄市藁城区西北。379 度：揣测；估计。380 憩息：休息。381 并水：挨着河水。并，通“傍”。382 常山九县：指真定（今河北正定）、藁城（今河北石家庄市藁城区）、石邑（今河北石家庄西南）、九门（今河北正定东）、行唐（今河北行唐）、井陉（今河北井陉南）、平山（今河北灵寿西南）、获鹿（今河北石家庄市鹿泉区）、灵寿（今河北灵寿）等九县。

【语译】

玄宗任命吴王李祗为灵昌太守、河南都知兵马使。贾贲进到雍丘，有部众两千人。此前，谯郡太守杨万石带着全郡投降了安禄山，强迫真源县令河东人张巡为长史，西进迎接贼军。张巡到达真源，率领官吏和百姓在玄元皇帝庙里痛哭，起兵讨伐叛贼，官吏和百姓乐于跟从的有几千人。张巡挑选精兵一千人，向西到达雍丘，与贾贲会合。

初，雍丘令令狐潮以县降贼，贼以为将，使东击淮阳救兵于襄邑[386]，破之，俘百余人，拘于雍丘，将杀之。往见李庭望，淮阳兵遂杀守者，潮弃妻子走，故贾贲得以其间入雍丘。庚子[387]，潮引贼精兵攻雍丘。贲出战，败死。张巡力战却贼，因兼领贲众，自称吴王先锋使。

三月乙卯[388]，潮复与贼将李怀仙、杨朝宗、谢元同等四万余众奄[389]至城下。众惧，莫有固志[390]。巡曰："贼兵精锐，有轻我心。今出其不意击之，彼必惊溃。贼势小折，然后城可守也。"乃使千人乘城[391]，自帅千人，分数队，开门突出。巡身先士卒，直冲贼陈，人马辟易[392]，贼遂退。明日，复进攻城，设百炮环城[393]，楼堞[394]皆尽，巡于城上立木栅以拒之。贼蚁附[395]而登，巡束蒿灌脂，焚而投之，贼不得上。时伺贼隙，出兵击之，或夜缒[396]斫营[397]，积六十余日，大小三百余战，带甲而食，裹疮复战，贼遂败走。巡乘胜追之，获胡兵二千人而还，军声大振。

【段旨】

以上为第十三段，写河南真源县令张巡败贼于雍丘。

【注释】

㊳㊳ 雍丘：县名，县治在今河南杞县。[384] 谯郡：郡名，治所在今安徽亳州。[385] 真源：县名。老子生于苦县，东晋改名谷阳县，唐乾封时改称真源县，其地有供奉老子的玄元皇帝

【原文】

初，户部尚书安思顺知禄山反谋，因入朝奏之。及禄山反，上以思顺先奏，不之罪也。哥舒翰素与之有隙，使人诈为禄山遗思顺书，于关门擒之以献，且数思顺七罪，请诛之。丙辰[398]，思顺及弟太仆卿元

当初，雍丘县令令狐潮带着全县投降了叛贼，叛贼让他做了将领，派他东往襄邑攻打淮阳的救兵，打败救兵，俘虏了一百多人，拘禁在雍丘，将要杀死他们。他前去拜见李庭望，淮阳的士兵便杀死看守的人，令狐潮丢下妻子儿女逃走了，所以贾贲能够趁这个机会进入雍丘。二月十六日庚子，令狐潮带领叛贼精兵攻打雍丘。贾贲出来迎战，战败而死。张巡奋力作战，打退叛贼，也就兼领了贾贲的部众，自称是吴王先锋使。

三月初二日乙卯，令狐潮又与贼军将领李怀仙、杨朝宗、谢元同等四万多人突然来到城下。大家很恐惧，没有坚守的意志。张巡说："贼兵精锐，有轻视我军的心理。如今出其不意地去攻打他们，他们肯定惊慌溃散。贼兵的气势稍受挫折，然后城池可以守住。"于是就派一千人登上城墙，自己率领一千人，分成几队，打开城门突然出击。张巡身先士卒，直冲贼阵，贼军人马惊退，便向后撤。第二天，又进军攻城，环城架设了一百座炮，城楼女墙尽毁，张巡在城上树立木栅栏来抵抗敌人。贼兵像蚂蚁一样贴着城墙向上爬，张巡捆起草把，浇上油脂，燃烧后投向敌人，贼兵无法登城。张巡还不时观察敌人的懈怠间隙，出兵攻打他们。或者夜晚缒下城去砍杀敌营。加起来六十多天里，大小三百多次战斗，将士们穿戴着盔甲吃饭，包扎着伤口再战，于是贼兵败退了。张巡乘胜追击贼兵，抓获胡兵两千人回来，军队的声势大振。

庙。县治在今河南鹿邑。㊳⑯ 襄邑：县名，县治在今河南睢县。㊳⑰ 庚子：二月十六日。㊳⑱ 乙卯：三月初二日。㊳⑲ 奄：突然。㊴⑩ 固志：坚定的意志。㊴① 乘城：登上城墙。㊴② 辟易：惊退。㊴③ 百炮环城：环绕城池设置百门炮机。炮，古代以机发石的战具。㊴④ 楼堞：瞭望楼和城上矮墙。楼，古代城墙上和宫殿四角多有楼，用于瞭望。堞，城上如齿状的矮墙。㊴⑤ 蚁附：像蚂蚁一样黏附着。㊴⑥ 缒：用绳子拴着人从高处往下送。㊴⑦ 斫营：指袭击敌营。斫，砍、击。

【语译】

当初，户部尚书安思顺知道安禄山反叛的阴谋，因此入朝奏报玄宗。等到安禄山反叛时，玄宗因安思顺事先奏闻，便不加罪于他。哥舒翰平时和安思顺有隔阂，派人伪造安禄山送给安思顺的书信，在潼关的关门口将他抓获进献给朝廷，并且列举安思顺的七条罪状，请求朝廷杀了他。三月初三日丙辰，安思顺和他的弟弟太仆

贞皆坐死，家属徙岭外。杨国忠不能救，由是始畏翰。

郭子仪至朔方，益选精兵，戊午[399]，进军于代[400]。

戊辰[401]，吴王祗击谢元同，走之，拜陈留太守、河南节度使。

壬午[402]，以河东节度使李光弼为范阳长史、河北节度使，加颜真卿河北采访使。真卿以张澹为支使[403]。

先是，清河客李萼[404]年二十余，为郡人乞师于真卿曰："公首唱大义，河北诸郡恃公以为长城[405]。今清河，公之西邻，国家平日聚江、淮、河南钱帛于彼以赡北军，谓之天下北库。今有布三百余万匹，帛八十余万匹，钱三十余万缗，粮三十余万斛。昔讨默啜，甲兵皆贮清河库，今有五十余万事[406]。户七万，口十余万。窃计财足以三平原之富，兵足以倍平原之强。公诚资以士卒，抚而有之，以二郡为腹心，则余郡如四支[407]，无不随所使矣。"真卿曰："平原兵新集，尚未训练，自保恐不足，何暇[408]及邻！虽然，借若[409]诺[410]子之请，则将何为乎？"萼曰："清河遣仆[411]衔命[412]于公者，非力不足而借公之师以尝寇[413]也，亦欲观大贤之明义[414]耳。今仰瞻高意，未有决辞定色[415]，仆何敢遽言所为哉！"真卿奇之，欲与之兵。众以为萼年少轻虏[416][9]，徒分兵力，必无所成，真卿不得已辞之。

萼就馆，复为书说真卿，以为："清河去逆效顺，奉粟帛器械以资军，公乃不纳而疑之。仆回辕[417]之后，清河不能孤立，必有所系托[418]，将为公西面之强敌，公能无悔乎？"真卿大惊，遽诣其馆，以兵六千借之，送至境，执手别。真卿问曰："兵已行矣，可以言子之所为乎？"萼曰："闻朝廷遣程千里将精兵十万出崞口[419]讨贼，贼据险拒之，不得前。今当引兵先击魏郡，执禄山所署太守袁知泰，纳旧太守司马垂，使为西南主人。分兵开崞口，出千里之师，因讨汲、邺以北至于幽陵[420]郡县之未下者。平原、清河帅诸同盟，合兵十万，南临孟津[421]，分兵循[422]河，据守要害，制其北走之路。计官军东讨者不下二十万，河南义兵西向者[423]亦不减十万，公但当表朝廷坚壁勿战，不过月余，贼必有内溃相图[424]之变矣。"真卿曰："善！"命录事参军[425]李择交及平原令范冬馥将其兵，会清河兵四千及博平兵千人军于堂邑[426]西南。袁知

卿安元贞都因罪被杀，家属流徙五岭以南。杨国忠不能救助，从此开始惧怕哥舒翰。

郭子仪抵达朔方，增选精兵，三月初五日戊午，进军到代州。

十五日戊辰，吴王李祇攻打谢元同，打跑了他，吴王李祇被任为陈留太守、河南节度使。

二十九日壬午，任命河东节度使李光弼为范阳长史、河北节度使，加任颜真卿为河北采访使。颜真卿以张澹为支使。

此前，清河宾客李萼年龄二十多岁，替郡中民众向颜真卿借兵，说："公率先倡导大义，河北各郡都把您当作长城一样来依靠。现在的清河，是您的西邻，国家平时聚集江、淮、河南的钱财布帛于此地以供给北方的军队，称它为天下北库。现在还有布三百多万匹、帛八十多万匹、钱三十多万缗、粮食三十多万斛。过去征讨默啜，甲胄兵器都贮存在清河仓库，现今还有五十多万件。清河郡有七万户，人口十多万。我私下计算财帛足有平原郡的三倍之富，兵力之强足有平原郡的一倍。您诚意用士卒来帮助，安抚民众，拥有清河，拿平原、清河两郡作腹心，其余的各郡如同四肢，没有什么不能随意指挥了。"颜真卿说："平原郡的士兵刚刚集合起来，还没有训练，自保恐怕都不够，哪有空闲顾及邻郡！虽然如此，假使答应你的请求，那么你将怎么行动呢？"李萼说："清河郡的民众派我受命于您，不是力量不足，借您的军队去试探敌寇，不过是想观察大贤您的高义。今天我仰望您崇高的心意，没有果断的言辞和坚定的表情，我怎么敢贸然说明如何行动呢！"颜真卿很赏识他，想借给他士卒。大家认为李萼年少轻敌，白白地分散兵力，肯定一事无成，颜真卿不得已而辞谢了他。

李萼住进客馆，又写书信劝说颜真卿，认为："清河郡脱离逆贼效命朝廷，奉献米粮布帛兵器来资助军用，您却不接受而怀疑我。我车马回去以后，清河不能孤立，必然有所依托，清河即将成为您西面的强敌，您能不后悔吗？"颜真卿大为惊恐，立即前往他住的客馆，借给他六千名士兵，把他送到边境，握手告别。颜真卿问道："借给你的士兵已经出发了，可以谈谈你如何行动吗？"李萼说："听说朝廷派遣程千里率领精兵十万人出崞口讨伐叛贼，叛贼占据险要抵抗他，他不能前进。如今应该率军首先攻打魏郡，抓住安禄山委任的太守袁知泰，接回原来的太守司马垂，让他主管西南。分兵打通崞口，使程千里的部队能够出来，趁机讨伐汲郡、邺郡以北直到幽州尚未降服的郡县。平原郡、清河郡率领各同盟军，会合士卒十万，南抵孟津，沿着黄河分兵据守要害，控制敌军北去的道路。估计政府军东进讨伐的不下二十万人，河南义兵西进讨伐的也不少于十万人，您只应上表朝廷，坚守营垒，不与敌军交战，过不了一个月，贼军一定有内部溃散、互相谋害的变化。"颜真卿说："好！"命令录事参军李择交以及平原县令范冬馥率领他们的部队，会同清河郡的士卒四千人以及博平郡的士卒一千人驻扎在堂邑县西南。袁知泰派遣他的将领白嗣恭等人率

泰遣其将白嗣恭等将二万余人来逆战，三郡兵力战尽日，魏兵大败，斩首万余级，捕虏千余人，得马千匹，军资甚众。知泰奔汲郡，遂克魏郡，军声大振。

【段旨】

以上为第十四段，写平原、清河两郡合兵，大破贼兵。

【注释】

㊳⑱丙辰：三月初三日。㊳⑲戊午：三月初五日。㊵⓪代：州名，治所在今山西代县。㊵⓪①戊辰：三月十五日。㊵⓪②壬午：三月二十九日。㊵⓪③支使：河北采访使所属采访支使。河北道设采访使，则所属州郡的采访使为支使。㊵⓪④李萼：曾向驻扎平原的河北采访使颜真卿借兵守清河，又献计大破安史军，官至监察御史。其事散见《旧唐书》卷一百二十八《颜真卿传》、卷一百九十六上《吐蕃传》。㊵⓪⑤长城：借指重要的依靠。㊵⓪⑥事：件；物。胡三省注："一物可以给一事，因谓之事。"㊵⓪⑦支：通"肢"。㊵⓪⑧暇：空闲。㊵⓪⑨借若：假若；假如。㊵①⓪诺：应允；应承。㊵①①仆：对自己的谦称。㊵①②衔命：奉命；受命。㊵①③尝

【原文】

时北海太守贺兰进明[427]亦起兵，真卿以书召之并力。进明将步骑五千渡河，真卿陈兵逆[428]之，相揖[429]，哭于马上，哀动行伍[430]。进明屯平原城南，休养士马，真卿每事咨之。由是军权稍移于进明矣，真卿不以为嫌[431]。真卿以堂邑之功让进明，进明奏其状，取舍任意。敕加进明河北招讨使[432]，择交、冬馥微进资级，清河、博平有功者皆不录。进明攻信都郡，久之，不克。录事参军长安第五琦[433]劝进明厚以金帛募勇士，遂克之。

李光弼与史思明相守四十余日，思明绝常山粮道。城中乏草，马食荐藉[434]。光弼以车五百乘之石邑取草，将车者皆衣甲，弩手千人卫之，为方陈而行，贼不能夺。蔡希德引兵攻石邑，张奉璋拒却之。光

领两万多人来迎战，三郡的士兵拼死战斗了一整天，魏郡部队大败。斩首一万多人，俘虏一千多人，得到战马一千匹，以及很多的军事物品。袁知泰逃往汲郡，于是攻下了魏郡，政府军的声威大震。

寇：试探敌人的强弱。⑭观大贤之明义：察看大贤您的高明义举。观，观看、观察。大贤，有大德有大才之人。明义，高明义举。⑮决辞定色：坚决果断的言辞和坚定不移的表情。⑯轻虏：轻视敌人。⑰回辕：回去。辕，车前驾牲畜的直木，代指车。⑱系托：依附；依托。⑲嵱口：壶口，是一道险关，在山西黎城东北太行山口。⑳幽陵：幽州，今北京。㉑孟津：古黄河津渡名，在今河南洛阳市孟津区东北黄河南岸。㉒循：顺着。㉓河南义兵西向者：河南，指黄河以南。西向，向西。向西即达唐京城长安，故西向指心附朝廷。㉔内溃相图：内部分崩，相互图谋。㉕录事参军：官名，州郡属官，掌纠举六曹。㉖堂邑：县名，县治在今山东聊城西北。

【校记】

［9］虏：据章钰校，十二行本、乙十一行本、孔天胤本皆作“虑”。

【语译】

当时北海太守贺兰进明也起兵，颜真卿写信召他把兵力联合起来。贺兰进明率领步兵、骑兵五千人渡过黄河，颜真卿列阵迎接他，相互作揖，在马上痛哭，哀情感动全军。贺兰进明屯驻平原城南，休养兵马，颜真卿常常有事便去向他咨询。因此，军权逐渐转移到贺兰进明手中，颜真卿也不介意。颜真卿把堂邑之战的功劳让给贺兰进明，贺兰进明向朝廷奏报战况，任意取舍。玄宗敕命加任贺兰进明为河北招讨使，李择交、范冬馥稍微提升资格和官阶，清河郡、博平郡有功劳的人全没有叙录。贺兰进明攻打信都郡，很长时间，没有攻克。录事参军长安人第五琦劝说贺兰进明多用金银财帛招募勇士，于是攻克了信都郡。

李光弼与史思明相持四十多天，史思明阻断了常山的运粮通道。城中缺少草料，马都吃草席。李光弼用五百辆车子去石邑取草，拉车的人都穿着铠甲，弓箭手一千人护卫车辆，排成方阵行进，贼兵不能掠取。蔡希德率军攻打石邑，张奉璋进行抵

弼遣使告急于郭子仪，子仪引兵自井陉出，夏，四月壬辰㊺，至常山，与光弼合，蕃、汉步骑共十余万。甲午㊻，子仪、光弼与史思明等战于九门城南，思明大败。中郎将浑瑊㊼射李立节，杀之。瑊，释之之子也。思明收余众奔赵郡，蔡希德奔钜鹿。思明自赵郡如博陵。时博陵已降官军，思明尽杀郡官。河朔之民苦贼残暴，所至[10]屯结㊽，多至二万人，少者万人，各为营以拒贼。及郭、李军至，争出自效。庚子㊾，攻赵郡，一日城降。士卒多虏掠，光弼坐城门，收所获，悉归之，民大悦。子仪生擒四千人，皆舍之，斩禄山太守郭献璆。光弼进围博陵，十日不拔，引兵还恒阳就食㊿。

杨国忠问士之可为将者于左拾遗博平张镐(441)及萧昕，镐、昕荐左赞善大夫永寿来瑱(442)。丙午(443)，以瑱为颍川太守。贼屡攻之，瑱前后破贼甚众，加本郡防御使，人谓之“来嚼铁(444)”。

安禄山使平卢节度使吕知诲诱安东副大都护马灵詧(445)，杀之。平卢游弈使武陟刘客奴(446)、先锋使董秦(447)及安东将王玄志(448)同谋讨诛知诲，遣使逾海与颜真卿相闻，请取范阳以自效。真卿遣判官贾载赍粮(449)及战士衣助之。真卿时惟一子颇，才十余岁，使诣客奴为质。朝廷闻之，以客奴为平卢节度使，赐名正臣，玄志为安东副大都护，董秦为平卢兵马使。

南阳节度使鲁炅立栅于滍水(450)之南，安禄山将武令珣、毕思琛攻之。

【段旨】

以上为第十五段，写河北讨贼诸路官军不能齐心协力，战争形成拉锯局面。

【注释】

(427)贺兰进明：安史叛乱时任彭城太守、河南节度使兼御史大夫，以重兵守临淮，不救睢阳，坐视其危亡。其事散见《旧唐书》卷一百八十七下、《新唐书》卷一百九十二《张巡传》等篇。(428)逆：迎；迎接。与“送”相对。(429)相揖：彼此行拱手礼。(430)行伍：古代军队编制，五人为伍，二十五人为行，故以“行伍”作为军队代称。(431)嫌：不高兴；

抗，打退了蔡希德。李光弼派使者向郭子仪告急，郭子仪带兵从井陉出发，夏，四月初九日壬辰，到了常山，与李光弼会合，蕃族、汉族步兵和骑兵共有十多万人。十一日甲午，郭子仪、李光弼与史思明等人在九门城南交战，史思明大败。中郎将浑瑊箭射李立节，把他杀了。浑瑊，是浑释之的儿子。史思明收拢残兵逃往赵郡，蔡希德逃往钜鹿。史思明从赵郡前往博陵。当时博陵已经投降政府军，史思明把郡里的官吏全都杀了。河朔地区的民众受苦于叛贼的残暴，在贼兵所到之处聚集驻守，多的达到两万人，少的有一万人，各自为营，抵抗贼兵。等到郭子仪、李光弼的部队到来，就争着出来效力。十七日庚子，攻打赵郡，一天的时间郡城就投降了。士兵大多抢掠财物，李光弼坐在城门上，没收所抢到的东西，全部归还民众，民众非常高兴。郭子仪活捉了四千人，全部释放，杀了安禄山的太守郭献璆。李光弼进兵围攻博陵，十天没有攻下来，带兵回到恒阳，就地取食。

杨国忠向左拾遗博平人张镐和萧昕询问朝士中可以为将的人，张镐、萧昕推荐左赞善大夫永寿人来瑱。四月二十三日丙午，任命来瑱为颍川太守。贼军多次攻打来瑱，来瑱前后击败很多贼兵，加任他为本郡防御使，人们称他为“来嚼铁”。

安禄山派平卢节度使吕知诲诱骗安东副大都护马灵詧，杀了他。平卢游弈使武陟人刘客奴、先锋使董秦以及安东将王玄志一起策划讨伐诛杀吕知诲，派遣使者过海和颜真卿联系，请求拿下范阳来效力。颜真卿派判官贾载送去粮食和战士的衣服资助他们。颜真卿当时只有一个儿子颜颇，才十多岁，让他到刘客奴那里做人质。朝廷听说后，任命刘客奴为平卢节度使，赐名正臣，王玄志为安东副大都护，董秦为平卢兵马使。

南阳节度使鲁炅在滍水的南岸设立栅栏，安禄山的部将武令珣、毕思琛攻打鲁炅。

不满意。㊷ 招讨使：使职名，武则天长安（公元七〇一至七〇四年）时为平息始安僚族反抗，曾设置招慰讨击使。安禄山叛乱后，河北起兵讨叛的郡太守，加军事差遣职招讨使，以表示委任招慰讨击的使命。㊸ 第五琦：第五琦（公元七一二至七八二年），字禹珪，京兆长安（今陕西西安西）人，有吏才，官至户部侍郎、同中书门下平章事，封扶风郡公。传见《旧唐书》卷一百二十二、《新唐书》卷一百四十九。㊹ 荐藉：草席。㊺ 壬辰：四月初九日。㊻ 甲午：四月十一日。㊼ 浑瑊：浑瑊（公元七三七至七九九年），浑部（回纥九姓部落之一）人，本名进，武将，一生军功卓著，平安史之乱，征吐蕃，讨朱泚，官至左仆射、同中书门下平章事，封咸宁王。传见《旧唐书》卷一百三十四、《新

唐书》卷一百五十五。㊳所至屯结：所到之处都聚集自守。屯结，聚集驻守。㊴庚子：四月十七日。㊵就食：移兵至有粮食处，就地取得给养。㊶张镐：张镐（？至公元七六四年），博州（今山东聊城）人，官至中书侍郎、同中书门下平章事，封南阳郡公。传见《旧唐书》卷一百十一、《新唐书》卷一百三十九。㊷来瑱：来瑱（？至公元七六三年），邠州永寿（今陕西永寿）人，官至兵部尚书、同中书门下平章事，后受谗害被赐死。传见《旧唐书》卷一百十四、《新唐书》卷一百四十四。㊸丙午：四月二十三日。㊹嚼铁：比喻像铁一样坚硬难嚼。㊺马灵詧：夫蒙灵詧。夫蒙，本西羌姓，或改姓马。其事散见《旧唐书》卷一百四十五《刘全谅传》、《新唐书》卷一百五十三《段秀实传》等篇。㊻刘客奴：刘客奴（？至公元七五六年），武陟（今河南武陟西南）人，肃宗赐名正臣。传见《旧唐书》卷一百四十五、《新唐书》卷一百五十一。㊼董秦：董秦（公元七一六至七八四年），平卢（今辽宁朝阳）人，年少从军，才力冠异。初事安禄山，乾元二年（公元七五九年）归朝廷，肃宗赐姓李氏，名忠臣。数有军功，官至检校司空、平章事，封西平郡王。后从朱泚叛乱，被斩。传见《旧唐书》卷一百四十五、《新唐书》卷二百二十四下。㊽王玄志：王玄志（？至公元七五八年），天宝末年于安东抵抗安禄山所署官员。天宝十五载（公元七五六年）四月，朝廷授以安东副大都护、摄御史中丞、保定军及营田使；后又命为营州刺史，充平卢节度使。其事散见《旧唐书》卷一百四十五《刘全谅传》、《新唐书》卷一百四十四《田神功传》等篇。㊾赍粮：送粮。㊿滍水：古水名，即今河南鲁山县、叶县境内的沙河。

【校记】

［10］至：据章钰校，十二行本、乙十一行本皆作“在”。

【研析】

本卷研析安禄山叛乱留给人们的历史反思。以下三事，尤须记取。

第一，安禄山叛乱的导火索。安禄山专制三镇，兼任平卢、范阳、河东节度使，手握强兵，蓄谋异志达十年之久，有识之士都看出了安禄山必反。河西节度使王忠嗣首发其奸，唐玄宗听不进去。由于唐玄宗是开元盛世的明君，在全社会有很高的声望，安禄山欲反但有所畏惧。加上唐玄宗待安禄山有厚恩，安禄山想等到唐玄宗死后才反叛。可是，天宝年间政治急剧恶化，杨国忠入相挑动，唐玄宗姑息养奸，制造了导火索，于是安禄山在天宝十四载（公元七五五年）十一月初九日甲子反于范阳，祸及唐玄宗当世，这是唐玄宗不想看到的一幕，也非始料所及。安禄山坐大，是唐玄宗一手栽培，安禄山反叛的导火索也是唐玄宗姑息养奸亲手制作。安禄山反叛，在唐玄宗当世爆发不可避免。

天宝十三载正月初三日己亥，唐玄宗征召安禄山入朝，制造了导火索。封疆大吏入朝贺新春，原来是正常的事。可是这一次，是杨国忠上奏安禄山必反，征召他入朝，他一定不来。安禄山入朝与不入朝，成了验证他是否忠诚的一个标志，也是验证杨国忠与安禄山两人谁是忠臣、谁是奸佞的一个标志。唐玄宗对此，应当有一个判断，对安禄山反与不反，制定出两套预案措施：要么不理睬杨国忠的奏报，不征召安禄山入朝，徐图办法；要么征召安禄山入朝，来了绝不应当放回，留在京都任职。唐玄宗没有作为，把这一次征召作为考验，与安禄山打心理战。安禄山知道杨国忠的险恶用心，他采取了果决的勇敢行动，应征入朝，与唐玄宗打起了心理战。安禄山入朝，留京两月，直到三月初一日丁酉才辞归范阳。安禄山利用这次入朝进行火力侦察。他向唐玄宗哭诉杨国忠陷害自己，指天发誓表忠心。安禄山留京住在自己的府邸，不急于返回，以示忠心。他向唐玄宗求索兼领陇右群牧总监，又为所部将士讨告身。正常情况下，这是造反行迹的显露，而现在是打心理战，试探唐玄宗的反应。安禄山的逆向思维还真奏效，打乱了唐玄宗的方寸。唐玄宗因自己对安禄山的猜忌而感到有愧，认为杨国忠的奏报伤害了安禄山，于是就用厚赏来安抚安禄山，对安禄山的求索一一依从。安禄山得逞，以群牧总监的职任密遣亲信挑选了几千匹战马以充军资，又讨得提拔部属将军五百余人、中郎将两千余人的告身。安禄山获得了意外的重赏，看透了唐玄宗只求安定、无所作为的心思。唐玄宗愈是厚赏，愈是煽起安禄山轻视朝廷的野心，加速了安禄山的反叛。

三月初一日，安禄山辞行，留下一个儿子安庆宗在朝廷做耳目，并向唐玄宗求尚公主。唐玄宗以宗女荣义郡主下嫁安庆宗，任命安庆宗为太仆卿。安禄山的这一招，既留下在京师的耳目，又麻痹了唐玄宗。此后，凡有人说安禄山反叛者，唐玄宗就把这人抓起来送给安禄山治罪。因此，再没有人向唐玄宗提安禄山反叛的话。

安禄山入朝的这一场心理战，以安禄山大获全胜而告终。安禄山也知道自己出的是一个险招，他辞行后连夜倍道兼程而返，从此称病不朝，对朝廷使者能收买的就收买，不能收买的就慢怠，下定决心谋反。由此可见，天宝十三载正月征召安禄山入朝，加重了君臣的忌疑，是唐玄宗亲手制造的导火索。安禄山敢于应征入朝，表明他是一个枭雄，耍弄权谋手段，唐玄宗和杨国忠都不是对手。此外，安禄山收买大臣在京师有了耳目，这也是他敢于应征入朝的条件。御史中丞吉温，张说之子张均、张垍兄弟供奉翰林，张垍还是唐玄宗的女婿，都被安禄山收买为耳目。还有杨贵妃这条内线，安禄山对唐玄宗的心理了如指掌。这次唐玄宗放虎归山，如同当年楚怀王放张仪归秦一样荒唐。

第二，杨国忠点燃了导火索。安禄山骄狂自大，他认为自己的奸诈比不上李林甫，入朝只畏惧李林甫一人。安禄山看不起杨国忠，入朝连正眼都不看杨国忠一眼。于是，杨国忠对安禄山怀恨在心，又害怕安禄山的权势影响自己的专权。杨国忠视安禄山为眼中钉，必欲拔之而后快。杨国忠扳不倒安禄山就挑动安禄山速反。

安禄山入朝返回范阳后，杨国忠成天找事，煽动唐玄宗今日遣使察其行迹，明日派人宣召入朝。安禄山不会上杨国忠的当，他以不变应万变，称疾不出，杨国忠无可奈何。天宝十四载四月，杨国忠指使京兆尹搜查安禄山在京师的府邸，逮捕安禄山的宾客李超，送到御史台杀害。杨国忠的这一招点燃了导火索，安禄山决心发动反叛。天宝十四载七月，安禄山上表朝廷献马三千匹，每一匹马配备两名马夫，派胡将二十二人带领送京师，想借此偷袭京师。河南尹达奚珣识透了安禄山的阴谋，上奏唐玄宗遣使告谕安禄山十月入朝，至冬送马。安禄山见阴谋被识破，于是在十一月初九日甲子公然造反。安禄山以奉密旨将兵入朝讨杨国忠为名反于范阳。安禄山蓄谋十年，兵强马壮，全国承平日久，老百姓几代人没见过战争，突然听到范阳兵起，远近震骇。杨国忠达到了挑动安禄山反叛的目的，得知消息后扬扬得意。杨国忠大言，只是安禄山一个人造反，将士都不追随他，不出十天，一定有人把安禄山的首级献到朝廷。满朝文武相顾失色，杨国忠却看得如此轻易。这说明无行无才的杨国忠既不懂政治，也不懂军事，不顾大局，只为私利，轻易玩火。杨国忠也不懂安禄山造反是一把双刃剑，一边砍向唐王朝，一边砍向他。安禄山以“清君侧，诛杨国忠”为名，一旦官军失利，全国军民的愤怨都会指向杨国忠。杨国忠点燃导火索，是火药桶爆炸首当其冲的蒙难者，杨氏族灭，罪有应得。可这时杨国忠还沾沾自喜。如此蠢人把握朝政，焉能不乱。

第三，唐玄宗自毁长城。安禄山叛军南下，河南、河北郡县望风投降。封常清、高仙芝都是久经沙场的骁勇战将，奉命东出平叛。封常清在东都洛阳临时招募义勇，百姓踊跃从军，十天时间就招募了六万人。人数虽众，都是乌合之众，没有受过军事训练，用他们抵挡安禄山的铁甲是很不现实的。封常清守河阳失利，退守洛阳也连遭败北，再向西退到了陕郡。这时高仙芝率领的飞骑、彍骑、河西边兵以及新募兵五万人从长安赶到陕郡。陕郡太守及原有官兵早已逃得无影无踪。人心惶惶，陕郡无险可守，野战又不敌叛军。为了保存实力，屏障京师长安，高仙芝采纳了封常清的建议，立即退守潼关。官军刚到潼关，叛军先锋随即追杀到了潼关。这时，朝廷向各道征兵勤王，都没有赶到，关中震恐。适逢安禄山在洛阳谋划称帝，没有急攻潼关，封常清与高仙芝得以在潼关完善守备，稳定了局势。高仙芝东征，唐玄宗派宦官边令诚监军，边令诚不懂军事，却偏偏干预高仙芝的行动。高仙芝不理睬，边令诚入朝奏事，诬陷封常清、高仙芝畏敌，丢失陕郡，克扣军饷，动摇军心。京师的大臣，尤其是杨国忠大言安禄山狂悖，用不了多大力气就能斩首。唐玄宗不察，轻信宦官谎报军情，下令诛杀二将。封常清临刑上遗表说：“臣死，希望陛下不要轻视安禄山这个叛贼。”高仙芝临刑，指天发誓说：“如果说我临敌退却该死，苍天在上，说我克扣军饷，实在冤枉。”在场士兵，齐声呼喊冤枉，声音震天动地。

当封常清、高仙芝被冤杀之时，河北、河南义士起兵抗贼。河北颜真卿、颜杲卿和河南真源县令张巡率领军民，大破叛军。颜杲卿失败，从容就义，激发了军民斗志。河东节度使李光弼收复常山，解饶阳之围，大败史思明。安禄山叛乱，不得人心。官军稳住阵脚，四面围剿，原本可以很快剿灭，可惜封常清、高仙芝二将被冤杀，大大打击了军民的士气。安禄山反叛，唐玄宗还没有从昏睡中惊醒，特别是信用宦官，为唐朝中期以后的政治腐败开了一个恶例，直到唐朝灭亡，也未能割除宦官这一个肿瘤。唐玄宗冤杀二将，自毁长城，仅仅是悲剧的开始。其后，哥舒翰守潼关，唐玄宗听信杨国忠谗言，派遣一批又一批宦官督战，迫使哥舒翰轻出兵败，导致河北战局官军全线败退，长安不守，玄宗蒙尘。皇权政治，没有问责的制衡，当君王由明转昏，再让他醒过来就太难了。

卷第二百十八　唐纪三十四

起柔兆涒滩（丙申，公元七五六年）五月，至九月，不满一年。

【题解】

本卷记事起公元七五六年五月，迄当年九月，凡五个月，当唐肃宗初即位之至德元载。因事繁剧变，不及半年而成一卷。半年间，政治、军事发生重大变化，安史之乱出现了拐点。哥舒翰守潼关，扼制了叛军主力的进攻，河北官军郭子仪、李光弼大破史思明，官军由败退转入了反攻。唐玄宗的错误指挥，迫使哥舒翰轻出潼关，寻求全力决战，唐玄宗妄想毕其功于一役，结果官军大败，安禄山长驱入长安，导致河北官军全线败退，叛军达到了势力的巅峰。唐玄宗惊慌失措，西逃入蜀，至马嵬驿兵变，杨氏满门被诛，杨贵妃也香消玉殒。安禄山无远略，进兵长安，血洗皇族，没有乘胜追击，太子李亨留镇讨贼，从容北上灵武即位，是为肃宗。河西兵入援灵武，郭子仪勤王佐肃宗，李泌出山尽心辅佐，肃宗纳谏，君臣和谐，灵武新政权出现了新气象。唐玄宗听到太子即位，自动称太上皇，传国宝玉册于肃宗，至是全国政令统一。河南、河北义军奋起讨贼，双方形势转入相持。唐王朝渡过了险滩。

【原文】

肃宗文明武德大圣大宣孝皇帝上之下

至德元载（丙申，公元七五六年）

五月丁巳[①]，炅众溃，走保南阳，贼就围之。太常卿张垍荐夷陵太守虢王巨有勇略，上征吴王祗为太仆卿，以巨为陈留谯郡太守、河南节度使，兼统岭南节度使[②]何履光、黔中节度使[③]赵国珍[④]、南阳节度使鲁炅。国珍，本牂柯夷也。戊辰[⑤]，巨引兵自蓝田出，趣南阳。贼闻之，解围走。

令狐潮复引兵攻雍丘。潮与张巡有旧，于城下相劳苦如平生[⑥]。潮因说巡曰：“天下事去矣，足下坚守危城，欲谁为乎？”巡曰：“足下[⑦]平生以忠义自许，今日之举，忠义何在！”潮惭而退。

郭子仪、李光弼还常山，史思明收散卒数万踵其后。子仪选骁骑更挑战，三日，至行唐[⑧]。贼疲，乃退。子仪乘之，又败之于沙河[⑨]。

【语译】

肃宗文明武德大圣大宣孝皇帝上之下

至德元载（丙申，公元七五六年）

五月初四日丁巳，鲁炅的部众溃散，逃走守卫南阳，贼军赶来包围南阳。太常卿张垍推荐夷陵太守虢王李巨有勇有谋，玄宗征召吴王李祗为太仆卿，任命李巨为陈留太守、谯郡太守、河南节度使，兼统岭南节度使何履光、黔中节度使赵国珍、南阳节度使鲁炅。赵国珍，本是牂柯夷人。十五日戊辰，李巨带兵从蓝田出发，去往南阳。贼军听说后，解围逃走。

令狐潮又率军攻打雍丘。令狐潮和张巡有旧交，在城下就像平时一样互道劳苦。令狐潮趁机劝说张巡，说："天下大势已去，您坚守危城，想为哪个人呢？"张巡说："您平生以忠义自许，今天的举止，忠义在哪里?!"令狐潮惭愧而退。

郭子仪、李光弼返回常山，史思明收拢几万散兵跟随在后面。郭子仪挑选骁勇的骑兵轮番挑战，三天，到达行唐县。贼军疲惫，就撤退了。郭子仪乘机出击，又

蔡希德至洛阳，安禄山复使将步骑二万人北就[⑩]思明，又使牛廷玠发范阳等郡兵万余人助思明，合五万余人，而同罗、曳落河居五分之一。子仪至恒阳，思明随至，子仪深沟高垒以待之。贼来则守，去则追之，昼则耀兵，夜斫其营，贼不得休息。数日，子仪、光弼议曰："贼倦矣，可以出战。"壬午[⑪]，战于嘉山[⑫]，大破之，斩首四万级，捕虏千余人。思明坠马，露髻跣足步走[⑬]，至暮，杖折枪归营，奔于博陵。光弼就围之，军声大振。于是河北十余郡皆杀贼守将而降，渔阳路再绝[⑭]，贼往来者皆轻骑窃过，多为官军所获，将士家在渔阳者无不摇心。

【段旨】

以上为第一段，写郭子仪、李光弼在河北大破史思明。

【注释】

①丁巳：五月初四日。②岭南节度使：使职名，为岭南方镇差遣长官。天宝十五载（公元七五六年，即至德元载）升岭南五府（广、桂、容、邕、交）经略讨击使为岭南节度使，其目的在于镇抚岭南五府，治所在今广东广州。③黔中节度使：黔中郡，天宝元年（公元七四二年）黔州改名。按《新唐书·方镇表》，开元二十六年（公元七三八年）黔州置五溪诸州经略使，天宝十四载增领守捉使。代宗大历四年（公元七六九年）始置辰、

【原文】

禄山大惧，召高尚、严庄诟[⑮]之曰："汝数年教我反，以为万全。今守潼关，数月不能进，北路已绝，诸军四合，吾所有者止汴、郑数州而已，万全何在？汝自今勿来见我！"尚、庄惧，数日不敢见。田乾真自关下来，为尚、庄说禄山曰："自古帝王经营大业，皆有胜败，岂能一举而成！今四方军垒虽多，皆新募乌合之众，未更行陈[⑯]，岂能敌我蓟北劲锐之兵，何足深忧！尚、庄皆佐命元勋，陛下一旦绝之，使

在沙河把贼军打败。蔡希德抵达洛阳，安禄山又派他率领步兵、骑兵两万人向北靠近史思明，又派牛廷玠调发范阳等郡士卒一万多人协助史思明，合起来五万多人，而同罗、曳落河占了五分之一。郭子仪到了恒阳，史思明跟着就到了，郭子仪深挖沟、高筑垒以待。贼军来了就固守，贼军离开就追击，白天则炫耀兵力，夜里就砍杀敌营，贼军不得休息。几天后，郭子仪、李光弼商议说："贼兵疲倦了，可以出去交战了。"五月二十九日壬午，战于嘉山，大败贼军，斩首四万人，抓获敌人一千多人。史思明坠落马下，散发赤足，步行逃走。到了傍晚，拄着折断了的长枪回到营地，逃到博陵。李光弼进军包围博陵，军队声势大振。于是，河北十多个郡都杀了贼军的守将而归降朝廷，通往渔阳的道路再次被切断，贼兵来来往往都是轻骑偷着通过，大多被官军抓获，家在渔阳的贼军将士无不心中动摇。

溪、巫、锦、业五州都团练守捉观察处置使。大顺元年（公元八九〇年）黔州观察使始号武泰军节度使。故此言黔中为节度使疑记载有误，或另有所据。④赵国珍：赵国珍（？至公元七六八年），西南地区牂柯蛮族后裔，天宝中为黔府都督，在五溪十余年，封境无虞。代宗时召拜工部尚书。传见《旧唐书》卷一百十五。⑤戊辰：五月十五日。⑥相劳苦如平生：彼此慰问如同平时一样。劳苦，慰劳。平生，平时、平素。⑦足下：古代下称上或同辈相称的敬辞。⑧行唐：县名，县治在今河北行唐。⑨沙河：河名，在今河北行唐、曲阳两县之间。⑩就：靠近；趋向。⑪壬午：五月二十九日。⑫嘉山：在今河北曲阳附近。⑬露髻跣足步走：披头散发，赤脚逃走。髻，发髻。跣，赤脚。⑭渔阳路再绝：指通往范阳的道路再次被隔断。前次为天宝十四载常山太守颜杲卿起兵，河北十七郡皆响应，渔阳路绝。唐人多以范阳、渔阳通称。此渔阳即安禄山的根基范阳。

【语译】

安禄山大为恐惧，叫来高尚、严庄，大骂他们说："你们多年来教我反叛，认为万无一失。现在驻守潼关，几个月不能前进，北方的归路已被切断，各路军队从四面合围，我所占有的仅汴州、郑州数州，万全之策在哪里？你们从今以后不要来见我！"高尚、严庄很恐惧，几天不敢见安禄山。田乾真从潼关下回来，替高尚、严庄劝说安禄山说："自古以来帝王经营大业，都有胜败，怎么能够一举成功！现在四方官军营垒虽然很多，但全是新招募的乌合之众，没有经历过战事，怎么能敌得过我们蓟北强劲精锐的部队，怎么值得深为忧虑！高尚、严庄都是辅佐王命的元老功臣，

诸将闻之，谁不内惧！若上下离心，臣窃为陛下危之。”禄山喜曰：“阿浩，汝能豁[17]我心事。”即召尚、庄，置酒酣宴[18]，自为之歌以侑酒[19]，待之如初。阿浩，乾真小字也。禄山议弃洛阳，走归范阳，计未决。

是时，天下以杨国忠骄纵召乱，莫不切齿。又，禄山起兵以诛国忠为名，王思礼[20]密说哥舒翰，使抗表[21]请诛国忠，翰不应。思礼又请以三十骑劫取以来，至潼关杀之。翰曰：“如此，乃翰反，非禄山也。”或说国忠：“今朝廷重兵尽在翰手，翰若援[22]旗西指，于公岂不危哉！”国忠大惧，乃奏：“潼关大军虽盛，而后无继，万一失利，京师可忧，请选监牧小儿[23]三千于苑中训练。”上许之，使剑南军将李福德等领之。又募万人屯灞上[24]，令所亲杜乾运将之，名为御贼，实备翰也。翰闻之，亦恐为国忠所图，乃表请灞上军隶潼关。六月癸未[25]，召杜乾运诣关，因事斩之。国忠益惧。

会有告崔乾祐在陕，兵不满四千，皆羸弱无备。上遣使趣哥舒翰进兵复陕、洛，翰奏曰：“禄山久习用兵，今始为逆，岂肯无备！是必羸师以诱我，若往，正堕其计中。且贼远来，利在速战，官军据险以扼之，利在坚守。况贼残虐失众，兵势日蹙[26]，将有内变，因而乘之，可不战擒也。要在成功，何必务速！今诸道征兵尚多未集，请且待之。”郭子仪、李光弼亦上言：“请引兵北取范阳，覆其巢穴，质贼党妻子以招之，贼必内溃。潼关大军，唯应固守以弊[27]之，不可轻出。”国忠疑翰谋己，言于上，以贼方无备，而翰逗留，将失机会。上以为然，续遣中使趣[28]之，项背相望[29]。翰不得已，抚膺恸哭[30]。丙戌[31]，引兵出关。

己丑[32]，遇崔乾祐之军于灵宝[33]西原。乾祐据险以待之，南薄[34]山，北阻河，隘道[35]七十里。庚寅[36]，官军与乾祐会战。乾祐伏兵于险，翰与田良丘浮舟中流以观军势，见乾祐兵少，趣诸军使进。王思礼等将精兵五万居前，庞忠等将余兵十万继之，翰以兵三万登河北阜[37]望之，鸣鼓以助其势。乾祐所出兵不过万人，什什伍伍[38]，散如列星，或疏或密，或前或却，官军望而笑之。乾祐严[39]精兵，陈于其后。

陛下一旦抛弃他们，让将领们听到了，哪一个不心中恐惧！如果上下离心，臣私下替陛下感到危险。”安禄山高兴地说：“阿浩，你真能使我的心开朗。”立刻叫来高尚、严庄，摆设酒席，开怀畅饮，安禄山自己唱歌助酒，待他们像往常一样。阿浩，是田乾真的小字。安禄山商议放弃洛阳，撤回范阳，计策没有决定下来。

这时，天下的人认为杨国忠骄奢放纵导致大乱，无不切齿痛恨。还有，安禄山起兵是以讨伐杨国忠为名，王思礼就暗中劝说哥舒翰，让他上表极谏，请求玄宗杀了杨国忠，哥舒翰不答应。王思礼又请求用三十个骑兵把杨国忠劫持出来，到潼关后杀掉他。哥舒翰说：“如果这样，就是哥舒翰反叛，而不是安禄山了。”有人劝说杨国忠：“当今朝廷的重兵全在哥舒翰的手里，哥舒翰如果持旗西向京城，对您岂不是很危险啊！”杨国忠大为惊惧，就上奏说：“潼关大军虽然声势很大，但没有后继部队，万一失利，京师可就令人担心了，请求选择监牧士卒三千人在禁苑中训练。”玄宗答应了，派剑南军将李福德等人统领。又招募了一万人驻扎灞上，命令他亲信的杜乾运率领，名义上是防御贼军，实际上是防备哥舒翰。哥舒翰听到这一消息，也担心被杨国忠谋害，就上表请求把灞上军队隶属于潼关。六月初一日癸未，哥舒翰把杜乾运叫到潼关，借故把他杀了。杨国忠更加恐惧了。

适逢有人报告崔乾祐在陕郡，兵力不满四千人，全都疲惫瘦弱，不设防备。玄宗派遣使者催促哥舒翰进兵收复陕郡和洛阳，哥舒翰上奏说：“安禄山长期用兵，现在刚作逆反叛，怎么可能没有防备呢！这一定是故意用衰弱的士兵来引诱我们，如果前往，正落入他的计谋之中。而且贼军远道而来，利在速战，官军占据险要扼守，利在坚守。况且贼军残酷暴虐，失去民众，兵势日益衰退，将有内乱，到时加以利用，可以不战就活捉敌人。关键在于取胜，何必追求快速呢！现在各道征调的士卒大都还没有集中，请求暂且等待一段时间。”郭子仪、李光弼也上书说：“请求带兵北进夺取范阳，摧毁敌人的巢穴，抓住叛贼党羽的妻子儿女作为人质来招降他们，叛贼一定内部崩溃。潼关的大军，只应固守，使贼兵疲惫，不可轻率出关进击。”杨国忠怀疑哥舒翰算计自己，对玄宗说，叛军正无防备，而哥舒翰逗留不进，将会失去机会。玄宗认为确实是这样，接着派宫中使者催促哥舒翰，使者前后相望。哥舒翰迫不得已，抚胸痛哭。六月初四日丙戌，率军出关。

六月初七日己丑，官军与崔乾祐的军队在灵宝西原相遇。崔乾祐占据险要等待官军，南靠大山，北依黄河，狭隘的小道有七十里。初八日庚寅，官军和崔乾祐会战。崔乾祐在险要的地方埋伏士兵，哥舒翰和田良丘乘船在黄河中观察军事形势，看见崔乾祐兵少，督促各军，让他们前进。王思礼等率领精兵五万人走在前面，庞忠等率领剩下的士兵十万人相继于后，哥舒翰带兵三万人登上黄河北岸的高坡观望大军，鸣鼓助长大军的气势。崔乾祐所出动的军队不过一万人，三五成群，散落得就像天上的星星，或疏或密，或前或退，官军看见了都笑话他们。崔乾祐整备精兵，列阵于后。

兵既交，贼偃旗如欲遁者，官军懈，不为备。须臾，伏兵发，贼乘高下木石，击杀士卒甚众。道隘，士卒如束，枪槊㊵不得用。翰以毡车驾马为前驱，欲以冲贼。日过中，东风暴急，乾祐以草车数十乘塞毡车之前，纵火焚之，烟焰所被，官军不能开目，妄自相杀，谓贼在烟中，聚弓弩而射之。日暮，矢尽，乃知无贼。乾祐遣同罗精骑自南山过，出官军之后击之。官军首尾骇乱，不知所备，于是大败。或弃甲窜匿山谷，或相挤排入河溺死，嚣声㊶振天地，贼乘胜蹙㊷之。后军见前军败，皆自溃，河北军㊸望之亦溃，瞬息间两岸皆空[1]。翰独与麾下百余[2]骑走，自首阳山㊹西渡河入关。关外先为三堑，皆广二丈，深丈，人马坠其中，须臾而满，余众践之以度㊺，士卒得入关者才八千余人。

辛卯㊻，乾祐进攻潼关，克之。

翰至关西驿㊼，揭榜㊽收散卒，欲复守潼关。蕃将火拔归仁等以百余骑围驿，入谓翰曰："贼至矣，请公上马。"翰上马出驿，归仁帅众叩头曰："公以二十万众一战弃之，何面目复见天子！且公不见高仙芝、封常清乎？请公东行。"翰不可，欲下马，归仁以毛縶㊾其足于马腹，及诸将不从者，皆执之以东。会贼将田乾真已至，遂降之，俱送洛阳。安禄山问翰曰："汝常轻我，今定㊿何如？"翰伏地对曰："臣肉眼不识圣人。今天下未平，李光弼在常山，李祗在东平，鲁炅在南阳，陛下留臣，使以尺书招之，不日皆下矣。"禄山大喜，以翰为司空、同平章事。谓火拔归仁曰："汝叛主，不忠不义。"执而斩之[51]。翰以书招诸将，皆复书责之。禄山知不效，乃囚诸苑中。潼关既败，于是河东[52]、华阴[53]、冯翊[54]、上洛[55]防御使皆弃郡走，所在守兵皆散。

两军交战后，贼兵偃旗息鼓，像打算逃跑的，官军松懈，不做防备。不一会儿，贼军伏兵出动，敌人乘高推落滚木石，打死很多士兵。道路狭窄，士兵如同被捆绑起来，用不上刀枪。哥舒翰命令马拉毡车为前锋，想要冲击贼军。过了中午，东风大作，崔乾祐命令利用几十辆草车堵塞在毡车的前面，放火焚烧，烟火覆盖的地方，官军睁不开眼，妄自相杀，说贼兵在烟雾之中，集中弓箭、弩机射击敌人。傍晚，箭没有了，才知道没有敌人。崔乾祐派遣同罗精锐骑兵从南山绕过去，出现在官军背后进攻。官军首尾惊乱，不知道怎样防备，于是大败。有的丢盔弃甲逃窜山谷藏起来，有的互相拥挤掉入黄河淹死，喊叫声震天动地，贼军乘胜追逼。官军后面的部队看见前面的部队失败了，都自我溃散，河北的部队看见后也溃散了，瞬息之间两岸皆空。哥舒翰仅与部下一百多骑兵逃脱，从首阳山西去渡过黄河进入潼关。潼关外面先前挖了三条深沟，全都宽两丈、深一丈，进关的人马坠落沟里，很快就填满了，其余的部众踏着他们通过，士兵能够进入潼关的才八千多人。

初九日辛卯，崔乾祐进攻潼关，攻了下来。

哥舒翰逃到关西驿，张贴告示招收逃散的士卒，打算重新驻守潼关。蕃人将领火拔归仁等带领一百多名骑兵围住驿站，进去对哥舒翰说："贼兵到了，请您上马。"哥舒翰上马出了驿站，火拔归仁率领部众磕头说："您率领二十万军队一战就全军覆没，有什么脸面再去见天子！而且您没看到高仙芝、封常清的下场吗？请您往东走。"哥舒翰不同意，想要下马，火拔归仁用毛绳把哥舒翰的脚捆在马肚上，连同诸将中不服从的，全都捆绑起来向东走。适逢贼军将领田乾真已经到了，就投降了他，把他们全部送往洛阳。安禄山问哥舒翰："你常常小看我，今天究竟怎么了？"哥舒翰伏地回答说："臣肉眼不识圣人。现在天下没有平定，李光弼在常山，李祗在东平，鲁炅在南阳，陛下留下我，让我写信招降他们，没有几天都会归降。"安禄山大为高兴，任命哥舒翰为司空、同平章事。安禄山对火拔归仁说："你背叛主人，不忠不义。"把他捆起来杀了。哥舒翰写信招降各位将领，他们都回信责骂他。安禄山知道没有收效，就把哥舒翰囚禁在东都的宫苑中。潼关既然失守，于是河东、华阴、冯翊、上洛的防御使全都弃郡逃走，各郡的守兵都溃散了。

【段旨】

以上为第二段，写潼关兵轻出战败，导致河北官兵全线溃退。

【注释】

⑮诟：骂。⑯未更行陈：指没有经历过战事。更，经历、经过。行，行伍、队列。陈，通“阵”。⑰豁：开通；使之开朗。杜甫《观江潮呈窦诗》：“携我豁心胸。”⑱酣宴：尽情饮宴。⑲侑酒：劝酒。⑳王思礼：王思礼（？至公元七六一年），高丽人，少习戎旅，官至户部尚书，封霍国公。传见《旧唐书》卷一百十、《新唐书》卷一百四十七。㉑抗表：臣下有不同意见，向君主上表直言力谏。㉒援：执。㉓监牧小儿：指饲养国马诸牧监的士卒。当时监牧、五坊、禁苑的士卒通称小儿。㉔灞上：亦作霸上，地名，在今陕西西安东、灞水西高原上。古代咸阳、长安附近的军事要地。㉕癸未：六月初一日。㉖蹙：窘迫。㉗弊：困乏；疲惫。此处用作动词，使其疲弊。㉘趣：通“促”。催促。㉙项背相望：指前后相继，相互之间能看见脖子和脊背。项，脖子。背，脊背。㉚抚膺恸哭：指按住胸脯痛哭。膺，胸。恸，极度悲哀。㉛丙戌：六月初四日。㉜己丑：六月初七日。㉝灵宝：县名，县治在今河南灵宝。㉞薄：迫近。㉟隘道：狭窄的道路。㊱庚寅：六月初八日。㊲阜：土山。㊳什什伍伍：指队伍分散，犹言

【原文】

是日，翰麾下来告急，上不时召见，但遣李福德等将监牧兵赴潼关。及暮，平安火㊽不至，上始惧。壬辰㊾，召宰相谋之。杨国忠自以身领剑南，闻安禄山反，即令副使崔圆阴具储偫，以备有急投之。至是首唱幸蜀之策，上然之。癸巳㊿，国忠集百官于朝堂，惶懅[59]流涕，问以策略，皆唯唯不对。国忠曰：“人告禄山反状已十年，上不之信。今日之事，非宰相之过。”仗下[60]，士民惊扰奔走，不知所之，市里萧条。国忠使韩、虢入宫，劝上入蜀。

甲午[61]，百官朝者什无一二。上御勤政楼，下制云欲亲征，闻者皆莫之信。以京兆尹魏方进为御史大夫兼置顿使[62]，京兆少尹[63]灵昌崔光远[64]为京兆尹，充西京留守，将军边令诚掌宫闱[65]管钥[66]。托以剑南节度大使颍王璬将赴镇，令本道设储偫。是日，上移仗北内[67]。既夕[68]，命龙武大将军陈玄礼整比[69]六军[70]，厚赐钱帛，选闲厩马九百余匹，外人皆莫之知。乙未[71]，黎明，上独与贵妃姊妹、皇子、妃、主、皇孙、

三三两两。㊴严：整肃。㊵枪槊：枪，长竿上装有金属尖头的兵器。槊，长矛。枪槊都是长兵器。㊶嚣声：喧哗吵闹之声。㊷蹙：追逼。㊸河北军：指哥舒翰自己所率领的军队，当时在黄河北岸。㊹首阳山：胡注，"当是'首山'，衍'阳'字。首山在蒲州河东县界，与湖城县之荆山隔河相对"。山在今山西永济南。㊺度：通"渡"。渡过。㊻辛卯：六月初九日。㊼关西驿：古驿名，在今陕西华阴东。㊽揭榜：指张榜，贴布告。㊾縶：束缚。㊿定：究竟；终竟。51执而斩之：火拔归仁卖主求荣，安禄山也看不起他，故执而斩之。52河东：郡名，天宝元年（公元七四二年）蒲州改名，治所在今山西永济西。53华阴：郡名，即华州，治所在今陕西渭南市华州区。54冯翊：郡名，即同州，治所在今陕西大荔。55上洛：郡名，天宝元年商州改名，治所在今陕西商洛市商州区。

【校记】

［1］瞬息间两岸皆空：原无此句。据章钰校，十二行本、乙十一行本、孔天胤本皆有此句，张敦仁《通鉴刊本识误》、张瑛《通鉴校勘记》同，今据补。［2］百余：原作"数百"。据章钰校，十二行本、乙十一行本皆作"百余"，今从改。

【语译】

这一天，哥舒翰的部下前来告急，玄宗没有实时召见，仅派李福德等人率领监牧兵奔赴潼关。等到晚上，平安火没有传到京城，玄宗才开始恐惧。六月初十日壬辰，玄宗召集宰相商议对策。杨国忠因自己兼任剑南节度使，听说安禄山反叛，立刻命令副使崔圆暗中备办物资，以备危急时使用。到这时，他首先提出玄宗驾临蜀中的计划，玄宗同意了。十一日癸巳，杨国忠把百官召集在朝堂上，大家惊恐不安、痛哭流涕，杨国忠问他们有什么对策，全都说"是是"，不做其他回答。杨国忠说："人们告发安禄山谋反的情况已有十年，皇上不相信。今天的事变，不是宰相的过错。"罢朝后，士人百姓惊慌忙乱，跑来跑去，不知所往，街市里巷萧条。杨国忠派韩国夫人、虢国夫人进入宫中，劝说玄宗到蜀中去。

六月十二日甲午，百官上朝的不到十分之一二。玄宗在勤政楼，下制书说要亲自征讨，听说的人没有相信的。任命京兆尹魏方进为御史大夫兼置顿使，京兆少尹灵昌人崔光远为京兆尹，充西京留守，将军边令诚掌管宫禁的钥匙。玄宗借口剑南节度大使颍王李璬将要前往镇守之地，命令剑南道准备所需物资。这一天，玄宗移居大明宫。已经到了晚上，命令龙武大将军陈玄礼整饬六军，多赐钱帛，挑选了闲厩中的九百多匹马，外面的人都不知道。十三日乙未，黎明，玄宗只与杨贵妃姐妹、

杨国忠、韦见素、魏方进、陈玄礼及亲近宦官、宫人出延秋门[72]，妃、主、皇孙之在外者，皆委[73]之而去。上过左藏[74]，杨国忠请焚之，曰：“无为贼守。”上愀然[75]曰：“贼来不得，必更敛于百姓，不如与之，无重困吾赤子[76]。”是日，百官犹有入朝者，至宫门，犹闻漏声[77]，三卫立仗[78]俨然[79]。门既启，则宫人乱出，中外扰攘[80]，不知上所之。于是王公士民四出逃窜，山谷细民争入宫禁及王公第舍盗取金宝，或乘驴上殿。又焚左藏、大盈库[81]。崔光远、边令诚帅人救火，又募人摄府、县官分守之，杀十余人，乃稍定。光远遣其子东见禄山，令诚亦以管钥献之。

上过便桥[82]，杨国忠使人焚桥。上曰：“士庶各避贼求生，奈何绝其路！”留内侍监[83]高力士，使扑灭乃来。上遣宦者王洛卿前行，告谕郡县置顿[84]。食时[85]，至咸阳望贤宫[86]，洛卿与县令俱逃，中使[87]征召，吏民莫有应者。日向中[88]，上犹未食，杨国忠自市胡饼[89]以献。于是民争献粝饭[90]，杂以麦豆，皇孙辈争以手掬[91]食之，须臾而尽，犹未能饱。上皆酬其直[92]，慰劳之。众皆哭，上亦掩泣[93]。有老父郭从谨进言曰：“禄山包藏祸心，固非一日。亦有诣阙告其谋者，陛下往往诛之，使得逞其奸逆，致陛下播越。是以先王务延访忠良以广聪明，盖为此也。臣犹记宋璟为相，数进直言，天下赖以安平。自顷[94]以来，在廷之臣，以言为讳[95]，惟阿谀取容[96]。是以阙门之外，陛下皆不得而知。草野之臣，必知有今日久矣。但九重[97]严邃[98]，区区[99]之心，无路上达。事不至此，臣何由得睹陛下之面而诉之乎！”上曰：“此朕之不明，悔无所及。”慰谕[100]而遣之。俄而尚食[101]举御膳而至，上命先赐从官，然后食之。令[3]军士散诣村落求食，期未时[102]皆集而行。夜将半，乃至金城[103]。县令亦逃，县民皆脱身走，饮食器皿具在，士卒得以自给。时从者多逃，内侍监袁思艺亦亡去。驿中无灯，人相枕藉[104]而寝，贵贱无以复辨。王思礼自潼关至，始知哥舒翰被擒。以思礼为河西、陇右节度使，即令赴镇，收合散卒，以俟东讨。

皇子、妃子、公主、皇孙、杨国忠、韦见素、魏方进、陈玄礼以及亲近的宦官、宫人从延秋门出发，妃子、公主、皇孙在宫外的，都委弃而去。玄宗经过国库左藏，杨国忠请求烧毁它，说："不要为叛贼守着。"玄宗凄惨地说："叛贼来了没有得到财宝，必然又要向百姓敛取，不如留给他们，不要加重我的子民的困苦。"这一天，百官还有上朝的，到了宫门，还听到更漏的声音，左右三卫仪仗队仍然整齐庄重。宫门打开后，宫里的人乱哄哄地跑出来，宫禁内外一片混乱，不知道玄宗到哪里去了。于是，王公和士人百姓四处逃窜，山野小民争相进入宫禁和王公宅第盗取金银财宝，有的人还骑驴上殿。又焚烧了左藏、大盈库。崔光远、边令诚带人救火，又招募人员代理府、县官吏分别守卫，杀了十多个人，才逐渐稳定。崔光远派他的儿子去东边进见安禄山，边令诚也把钥匙献给他。

玄宗过了便桥，杨国忠派人烧桥。玄宗说："士人百姓各自避贼求生，怎么能断绝他们的活路呢！"留下内侍监高力士，让他灭掉火以后再赶来。玄宗派宦官王洛卿在前面走，告诉各郡县安排停留食宿诸事。吃饭的时候，到达咸阳望贤宫，王洛卿与县令都逃跑了，中使去征召，官吏百姓没有应征的。中午，玄宗还没有吃饭，杨国忠亲自买了胡饼进献玄宗。于是，百姓争相进献粗米饭，掺杂一些麦豆，皇孙们争着用双手捧着吃，不一会儿就吃完了，还没有吃饱。玄宗按价付给他们钱，并慰劳他们。大家都哭了，玄宗也掩面哭泣。有一位老人郭从谨进言说："安禄山包藏祸心，的确不是一天的事了。也有到宫阙举报他的阴谋的，陛下常常杀了这些人，使得安禄山为奸作乱能够得逞，导致陛下流亡。先王致力于延访忠良之士，使自己更加耳聪目明，就是因为这个道理。臣还记得宋璟做宰相，多次进献直言，天下得以平安。近来，在朝大臣忌讳直言，只会阿谀奉承，取悦陛下。因此，宫门以外的事情，陛下都无从知晓。草野的臣民，很久之前就知道一定会有今天。但是，宫禁森严，区区之心，没有途径上达陛下。事情不到这种地步，臣怎么能够得见陛下而当面诉说呢！"玄宗说："这都是朕不明察，后悔已经来不及了。"说好话安慰郭从谨，让他走了。不一会儿，主管御食的官员拿着玄宗的膳食到了，玄宗命令先赐予随从的官员，然后自己才吃。命令军士分散到各个村落寻找食物，约好下午未时全都集中出去。快到半夜的时候，才到了金城县。县令也逃走了，县里的百姓全都脱身跑掉了，饮食、器皿都在，士卒得以自己做饭吃。当时随从的人大多逃走，内侍监袁思艺也逃跑了。驿站没有灯，人们互相枕着睡觉，无法再分辨贵贱。王思礼从潼关到来，才知道哥舒翰被活捉了。任命王思礼为河西、陇右节度使，立刻命令他赴任，收拾溃散的士兵，等待东征。

【段旨】

以上为第三段，写唐玄宗撤离长安，蒙尘入蜀。

【注释】

㊻平安火：唐代边塞，约隔三十里设一烽候，作为报警哨所。每日早晨及初夜，举一火，依次传至京师，称为平安火，无火则有警讯。当时守兵溃散，已无人举火。㊼壬辰：六月初十日。㊽癸巳：六月十一日。㊾惶懅：惶恐惊慌。㊿仗下：唐代朝会由左右卫所辖的亲、勋、翊三卫担任仪仗。朝罢，三卫立仗者皆退下，称为仗下。此处借指朝会完毕。仗，仪仗。(61)甲午：六月十二日。(62)置顿使：使职名，职掌皇帝外出途中，驿务食宿的安排料理。(63)京兆少尹：官名，唐代在京兆、河南、太原等府各设府牧，又设尹一员，少尹二员。尹、少尹为府牧副官，职责是纲纪众务，通判列曹。(64)崔光远：崔光远（？至公元七六一年），滑州灵昌（今河南滑县）人。传见《旧唐书》卷一百十一、《新唐书》卷一百四十一。(65)宫闱：指宫中后妃所居之处。闱，宫中的旁门。(66)管钥：钥匙。(67)移仗北内：指玄宗自兴庆宫迁住大明宫。移仗，迁移仗卫，指皇帝迁移住地。北内，指大明宫，兴庆宫在南，大明宫在北，故名。(68)既夕：已经到晚上。(69)整比：整顿排列。整，整理、整顿。比，排列。(70)六军：泛指护卫皇帝的军队。此时北衙禁军只有左右羽林、左右龙武四军。(71)乙未：六月十三日。(72)延秋门：长安禁苑西门。(73)委：抛弃；舍弃。(74)左藏：唐代国库有左藏、右藏，均归属太府寺，下设左藏署、右藏署，各有令、丞。左藏掌钱帛杂彩、天下赋调，右藏掌金玉、珠宝、铜铁、骨角、齿毛、彩画。(75)愀然：容色变动，凄惨愁苦。(76)赤子：指黎民百姓。(77)漏声：漏壶滴水的声音。漏壶又名“漏刻”“刻漏”“壶漏”，是古代的计时器。(78)三卫立仗：三卫，指亲卫、勋

【原文】

丙申[105]，至马嵬驿[106]，将士饥疲，皆愤怒。陈玄礼以祸由杨国忠，欲诛之，因东宫宦者李辅国[107]以告太子[108]，太子未决。会吐蕃使者二十余人遮[109]国忠马，诉以无食。国忠未及对，军士呼曰：“国忠与胡虏谋反！”或射之，中鞍。国忠走至西门内，军士追杀之，屠割支体，以枪揭其首于驿门外，并杀其子户部侍郎暄及韩国、秦国夫人。御史大夫魏方进曰：“汝曹何敢害宰相！”众又杀之。韦见素闻乱而出，为乱兵所杖[110]，脑血流地。众曰：“勿伤韦相公。”救之，得免。军士围驿。上闻

卫、翊卫，掌殿庭仪卫之事。仗，左右卫所辖的亲、勋、翊三卫分为五仗，亲仗、供奉仗、勋仗、翊仗、散手仗，担任皇帝朝会仪仗。立仗，朝会仪式。凡朝会日，平明传点完毕，开内门，百官进入立班，皇帝升御座，金吾将军奏左右厢内外平安，通事舍人赞引宰相、两省官再拜升殿之后，由内谒者承旨唤仗，仪仗便由东西阁进入，按一定位置站立左右，称为立仗。⑲ 俨然：整齐庄重。⑳ 扰攘：混乱；纷乱。㉑ 大盈库：又称百宝大盈库。玄宗开元时所置天子内库，储藏供天子宴享、赏赐之钱物，由宦官掌管。㉒ 便桥：又称西渭桥、便门桥。在长安城西北、咸阳宫东南的渭水上。因长安城西门曰便门，桥北与门对，故称便桥。故址在今陕西咸阳南。其时长安人送客西行，多到此相别。唐末废。后代或用舟渡，或用浮桥，或冬春用桥，夏秋用渡。㉓ 内侍监：玄宗始置，秩三品，以高力士、袁思艺任此官。㉔ 置顿：安排停留食宿事宜。㉕ 食时：该吃饭的时候。㉖ 望贤宫：在当时咸阳县东。㉗ 中使：宫中使者，皆由宦官充任。㉘ 日向中：太阳已升至天空正中，指中午。㉙ 胡饼：元代谓之蒸饼。或云胡人所食，故名。㉚ 粝饭：粗饭。㉛ 掬：用双手捧起。㉜ 直：通“值”，价钱。㉝ 掩泣：掩面哭泣。㉞ 顷：近来；不久前。㉟ 以言为讳：忌讳向皇帝进言，不敢进谏。㊱ 阿谀取容：谄媚奉承，取悦于人。㊲ 九重：君门九重，言其宫廷深远，宫门重重。㊳ 严邃：森严而幽深。㊴ 区区：自称的谦辞。㊵ 慰谕：以好话安慰。㊶ 尚食：主御膳之官。殿中省有尚食局，设奉御二人，直长五人，食医八人，掌御膳供应。㊷ 未时：十二时辰之一。相当于现在午后一时至三时。㊸ 金城：县名，县治在今陕西兴平。㊹ 枕藉：相互为枕而卧。

【校记】

［3］令：据章钰校，十二行本、乙十一行本皆作“命”。

【语译】

六月十四日丙申，玄宗到达马嵬驿，将士饥饿疲劳，都很愤怒。陈玄礼认为祸乱起自杨国忠，想要杀死他，通过东宫宦官李辅国转告太子，太子没有决定下来。适逢吐蕃使者二十多人挡住杨国忠的马，说没有吃的。杨国忠没有来得及回答，军士们就呼喊说：“杨国忠与胡人谋反！”有人射杨国忠，射中了他的马鞍。杨国忠逃到马嵬驿的西门内，军士们追上去杀了他，切割了他的尸体，在驿站门外用枪挑着他的头颅，同时杀了他的儿子户部侍郎杨暄和韩国夫人、秦国夫人。御史大夫魏方进说：“你们怎么敢杀害宰相！”大家又把魏方进杀了。韦见素听说发生变乱便走了出来，被乱兵击打，脑血流在地上。大家说：“不要伤害韦相公。”韦见素免于一死。

喧哗，问外何事，左右以国忠反对。上杖屦⑪出驿门，慰劳军士，令收队，军士不应。上使高力士问之，玄礼对曰："国忠谋反，贵妃⑫不宜供奉⑬，愿陛下割恩正法。"上曰："朕当自处之。"入门，倚杖倾首而立。久之，京兆司录⑭韦谔⑮前言曰："今众怒难犯，安危在晷刻⑯，愿陛下速决！"因叩头流血。上曰："贵妃常居深宫，安知国忠反谋！"高力士曰："贵妃诚无罪，然将士已杀国忠，而贵妃在陛下左右，岂敢自安，愿陛下审思⑰之。将士安则陛下安矣。"上乃命力士引贵妃于佛堂，缢杀之，舆尸置驿庭，召玄礼等入视之。玄礼等乃免胄释甲，顿首请[4]罪，上慰劳之，令晓谕军士。玄礼等皆呼万岁，再拜而出，于是始整部伍为行计。谔，见素之子也。国忠妻裴柔与其幼子晞及虢国夫人、夫人子裴徽皆走，至陈仓⑱，县令薛景仙帅吏士追捕，诛之。

【段旨】

以上为第四段，写马嵬驿兵变，杨氏一门被诛，杨贵妃被赐死。

【注释】

⑯丙申：六月十四日。⑯马嵬驿：驿站名，在今陕西兴平西南。⑰李辅国：李辅国（？至公元七六二年），宦官。本名静忠，安史乱中，在灵武劝太子即位，肃宗即位后赐名护国，后改名辅国。官至兵部尚书，封郕国公、博陆王。传见《旧唐书》卷一百八十四、《新唐书》

【原文】

丁酉⑲，上将发马嵬，朝臣惟韦见素一人，乃以韦谔为御史中丞，充置顿使。将士皆曰："国忠谋反，其将吏皆在蜀，不可往。"或请之⑳河、陇，或请之灵武，或请之太原，或言还京师。上意在入蜀，虑违众心，

军士们包围了驿站。玄宗听到喧哗声，询问外面发生了什么事，身边的人回答说杨国忠谋反。玄宗拄着杖，穿着鞋，走出驿站的大门，慰劳军士，命令收拢队伍撤走，军士们不答应。玄宗派高力士去询问他们，陈玄礼回答说："杨国忠谋反，杨贵妃不宜侍奉陛下，希望陛下割舍恩爱，把杨贵妃处死正法。"玄宗说："朕应该自己处置她。"进入驿站大门，依杖侧首，站在那里。过了很久，京兆司录韦谔上前说道："如今众怒难犯，安危就在顷刻之间，希望陛下迅速决断！"接着就磕头至流血。玄宗说："贵妃长期居住在深宫里，哪里知道杨国忠造反的阴谋！"高力士说："杨贵妃确实没有罪过，然而将士们已经杀了杨国忠，而贵妃还在陛下左右，他们怎么能够自感安稳呢？希望陛下仔细考虑。将士们安稳了，那么陛下才会安稳。"玄宗于是命令高力士把杨贵妃带到佛堂，勒死了她，把尸体抬到驿站的庭院中，叫陈玄礼等人进去查看尸体。陈玄礼等人才脱掉甲胄，磕头请罪，玄宗慰劳他们，命令向军士们说清楚。陈玄礼等人都高呼万岁，再三拜谢而去，于是开始整饬部队，为前行做准备。韦谔是韦见素的儿子。杨国忠的妻子裴柔和她的小儿子杨晞，以及虢国夫人和她的儿子裴徽都逃走了，到了陈仓，县令薛景仙带领官吏和士兵追捕，杀死了他们。

卷二百八。⑩⑧太子：李亨，后即位为肃宗。⑩⑨遮：阻拦。⑪⓪棁：击打。⑪①杖屦：扶杖穿鞋。杖，用作动词。持杖、扶杖。屦，践屦、穿鞋。⑪②贵妃：指杨贵妃。⑪③供奉：侍奉皇帝。⑪④京兆司录：京兆府司录参军。官名，为京兆府僚属，掌纠举六曹。⑪⑤韦谔：宰相韦见素之子，官至给事中。传见《旧唐书》卷一百八、《新唐书》卷一百十八。⑪⑥晷刻：瞬息之间。⑪⑦审思：慎重考虑。⑪⑧陈仓：县名，县治在今陕西宝鸡。

【校记】

［4］请：据章钰校，十二行本、乙十一行本皆作"谢"。

【语译】

六月十五日丁酉，玄宗即将从马嵬驿出发，朝臣仅有韦见素一人，于是任命韦谔为御史中丞，充置顿使。将士们都说："杨国忠谋反，他的将领和官吏全在蜀地，不能去那里。"有的人请求前往河、陇一带，有的人请求前往灵武，有的人请求前往太原，有的人说返回京师。玄宗的想法是进入蜀地，考虑到和大家的想法不合，最

竟不言所向。韦谔曰："还京，当有御贼之备。今兵少，未易东向，不如且至扶风，徐图去就。"上询[121]于众，众以为然，乃从之。及行，父老皆遮道请留，曰："宫阙，陛下家居，陵寝，陛下坟墓，今舍此，欲何之？"上为之按辔久之，乃令太子于后宣慰父老。父老因曰："至尊[122]既不肯留，某等愿帅子弟从殿下东破贼，取长安。若殿下与至尊皆入蜀，使中原百姓谁为之主？"须臾，众[5]至数千人。太子不可，曰："至尊远冒险阻，吾岂忍朝夕离左右；且吾尚未面辞，当还白至尊，更禀进止。"涕泣，跋马[123]欲西。建宁王倓[124]与李辅国执鞚[125]谏曰："逆胡犯阙，四海分崩，不因[126]人情，何以兴复！今殿下从至尊入蜀，若贼兵烧绝栈道，则中原之地拱手授贼矣。人情既离，不可复合，虽欲复至此，其可得乎！不如收西北守边之兵，召郭、李于河北，与之并力东讨逆贼，克复两京，削平四海，使社稷危而复安，宗庙毁而更存，扫除宫禁[127]，以迎至尊，岂非孝之大者乎！何必区区温凊[128]，为儿女之恋[129]乎！"广平王俶[130]亦劝太子留。父老共拥[131]太子马，不得行，太子乃使俶驰白上。上总辔[132]待太子，久不至，使人侦之，还白状，上曰："天也！"乃命[6]分后军二千人及飞龙厩[133]马从太子，且谕将士曰："太子仁孝，可奉宗庙[134]，汝曹善辅佐之。"又谕太子曰："汝勉之，勿以吾为念。西北诸胡，吾抚之素厚，汝必得其用。"太子南向号泣[135]而已。又使送东宫内人[136]于太子，且宣旨欲传位，太子不受。俶、倓，皆太子之子也。

己亥[137]，上至岐山[138]。或言贼前锋且至，上遽过，宿扶风郡。士卒潜怀去就，往往流言不逊[139]，陈玄礼不能制，上患之。会成都贡春彩[140]十余万匹，至扶风，上命悉陈之于庭，召将士入，临轩谕之曰："朕比来[141]衰耄[142]，托任失人[143]，致逆胡乱常，须远避其锋[144]。知卿等皆苍猝[145]从朕，不得别父母妻子，茇涉[146]至此，劳苦至矣，朕甚愧之。蜀路阻长，郡县褊小[147]，人马众多，或不能供。今听卿等各还家，朕独与子、孙、中官前行入蜀，亦足自达。今日与卿等诀别[148]，可共分此彩，以备资粮。若归见父母及长安父老，为朕致意，各好自爱也。"因泣下沾襟[149]。众皆哭，曰："臣等死生从陛下，不敢有贰！"上良久曰："去留听卿。"自是流言始息。

终没有说明去哪里。韦谔说:“返回京师,应当有抵御贼军的准备,现在兵力缺少,不能轻易向东走,不如暂时到扶风,慢慢考虑去向。”玄宗向大家征询意见,大家认为可以,就听从了。等到上路时,当地的父老乡亲全都拦住道路请求玄宗留下,说:“宫殿,是陛下居家之处;陵寝,是陛下先人的坟墓。您现在放弃了这些,想到何处去呢?”玄宗因此勒住马缰绳,停留了很久,才派太子在后面安慰父老乡亲。父老乡亲利用这个机会,对太子说:“皇上既然不肯留下,我们这些人愿意率领子弟随从殿下向东去打败敌人,夺取长安。如果殿下和皇上都进入蜀地,让谁为中原百姓做主呢?”不一会儿,群众多达好几千人。太子不同意,说:“皇上冒着艰险远去,我怎么能够忍心早晚离开他的身旁,况且我还没有当面告辞,应当回去禀告皇上,再承命进止。”太子哭泣,勒马调头想要西去。建宁王李倓与李辅国拉住太子的马络头,劝告说:“逆胡进犯朝廷,天下分崩离析,不依赖民心,靠什么复兴国家!现在殿下随从皇上入蜀,如果贼兵烧毁栈道,那么中原之地就拱手送给叛贼了。人心离散后,不能再拢在一起,即使想再到这个地方,还办得到吗?!不如收拢西北守边的部队,召集在河北的郭子仪、李光弼,和他们合力东讨逆贼,收复两京,平定天下,使国家转危为安,宗庙毁而复存,清理宫禁,迎接皇上,这难道不是孝道中的大孝吗?!何必尽一点点冷暖之情,行儿女之恋呢!”广平王李俶也劝太子留下来。父老乡亲一起围住太子的马,太子不能前行,就派李俶驱马去报告玄宗。玄宗控辔停马,等待太子,太子好久没有到来,便派人去察看。回来向玄宗说明情况。玄宗说:“这是天意啊!”于是,命令分出后军两千人和飞龙厩的马跟随太子,并且晓谕将士说:“太子仁爱孝顺,可以继承帝业,你们要好好地辅助他。”又晓谕太子说:“你要努力,不要挂念我。西北地区各部胡人,我待他们一向优厚,你一定能得到他们的帮助。”太子听后只有面朝南号啕大哭。玄宗又派人把东宫内人送给太子,并且宣旨打算传位太子,太子不接受。李俶、李倓,都是太子的儿子。

六月十七日己亥,玄宗到了岐山。有人说贼军的前锋即将到达,玄宗很快过了岐山,住宿在扶风郡。士兵们暗中怀有或去或留的不同想法,往往流言蜚语,出言不逊,陈玄礼不能制止,玄宗很担忧。适逢成都贡献春天织的彩色丝绸十多万匹,送到了扶风,玄宗命令全部摆放在庭院中,叫将士进来,站在门槛前对他们说:“朕近来衰老了,委任官员没有选对人,以致逆胡破坏了国家的正常秩序,需要远走躲避它的锋芒。知道你们都是仓促之间跟随着朕,没有和父母妻儿告别,跋山涉水到达这里,极为劳苦,朕特别惭愧。入蜀的路途险阻漫长,沿途郡县狭小,人马众多,有时不能供给充足。今天听任你们各自回家,朕只和儿孙以及宫中宦官前往蜀地,也完全可以自己到达。今天和你们分别,可以一起分掉这些彩色丝绸,备作资粮。如果回去见到你们的父母和长安父老,替朕向他们致意,每个人好自珍重。”说罢泪流沾襟。大家都哭了,说:“臣等死活都随从陛下,不敢有二心!”玄宗过了很久说:“是去是留听从你们。”从此流言蜚语才消失。

【段旨】

以上为第五段，写唐玄宗西行入蜀，太子李亨留镇讨贼。

【注释】

⑲丁酉：六月十五日。⑳之：往；去。㉑询：问；征求意见。㉒至尊：对帝王的尊称。㉓跋马：勒马使回转。㉔建宁王倓：王倓（？至公元七五六年），肃宗第三子。封建宁郡王。后为宦官李辅国谗构，肃宗下令赐死。代宗即位，追谥曰承天皇帝。传见《旧唐书》卷一百十六、《新唐书》卷八十二。㉕执鞚：抓住马络头。鞚，带嚼子的马络头。㉖因：因依；依靠。㉗宫禁：汉朝以后称皇帝居住的地方。因宫中禁卫森严，臣下不得任意出入，故称。㉘区区温清：一点点冬暖夏凉的孝心。区区，少、小。温，温暖。清，冷、寒冷。㉙儿女之恋：儿女之间的依恋，指缠绵悱恻，依恋不舍。㉚广平王：李俶（公元七二六至七七九年），肃宗长子，即代宗李豫，公元七六二至七七九年在位。事见《旧唐书》卷十一、《新唐书》卷六。㉛拥：围着。㉜总辔：控辔，结辔，停马。总，

【原文】

太子既留，莫知所适[150]。广平王俶曰："日渐晏[151]，此不可驻，众欲何之？"皆莫对。建宁王倓曰："殿下昔尝为朔方节度大使，将吏岁时致启[152]，倓略识其姓名。今河西、陇右之众皆败降贼，父兄子弟多在贼中，或生异图。朔方道近，士马全盛，裴冕衣冠名族[153]，必无贰心。贼入长安方虏掠，未暇徇地，乘此速往就之，徐图大举，此上策也。"众皆曰："善！"至渭滨，遇潼关败卒，误与之战，死伤甚众。已，乃收余卒，择渭水浅处，乘马涉渡，无马者涕泣而返。太子自奉天[154]北上，比至新平[155]，通夜驰三百余[7]里，士卒、器械失亡过半，所存之众不过数百。新平太守薛羽弃郡走，太子斩之。是日，至安定[156]，太守徐瑴[157]亦走，又斩之。

庚子[158]，以剑南节度留后崔圆为剑南节度等副大使。

辛丑[159]，上发扶风，宿陈仓。

太子至乌氏[160]，彭原[161]太守李遵出迎，献衣及糗粮。至彭原，募

总控各马的缰绳。⑬³ 飞龙厩：武则天万岁通天元年（公元六九六年）置仗内六闲厩（飞龙、祥麟、凤苑、鹓、吉良、六群），飞龙厩为首，其马最为优良。⑬⁴ 奉宗庙：敬奉祭祀宗庙，犹言继承帝位。奉，奉祠。⑬⁵ 南向号泣：玄宗已南行，太子留在后，故拜别之礼，向南号泣。号泣，放声哭泣。⑬⁶ 东宫内人：指太子妻妾。⑬⁷ 己亥：六月十七日。⑬⁸ 岐山：县名，县治即今陕西岐山。⑬⁹ 流言不逊：流传不恭敬的语言，即抱怨、不满的语言。逊，恭顺。⑭⁰ 贡春彩：进贡彩色春蚕丝织品。贡，进贡，把物品进献给皇帝。彩，彩色丝织品。⑭¹ 比来：近来。⑭² 衰耄：衰老。耄，年老。⑭³ 托任失人：委托任命没有选对人。⑭⁴ 锋：锋芒；锐气。⑭⁵ 苍猝：通“仓猝”。匆忙急促。⑭⁶ 茇涉：通“跋涉”。⑭⁷ 褊小：指地方狭小。褊，衣服狭小。⑭⁸ 诀别：告别。⑭⁹ 沾襟：浸湿衣襟。

【校记】

［5］众：据章钰校，十二行本作“聚”。［6］命：原无此字。据章钰校，十二行本、乙十一行本皆有此字，今据补。

【语译】

太子留下后，不知道该去哪里。广平王李俶说：“天色渐渐晚了，这里不能屯留，大家想到哪里去？”大家都不回答。建宁王李倓说：“殿下过去曾担任朔方节度大使，将领和官吏每年按时呈送信笺，我大体记得他们的姓名。现在河西、陇右的部众都失败投降了叛贼，父兄子弟大多身在叛贼之中，可能图谋不轨。朔方路近，兵马完备，气势旺盛，裴冕仕宦名族，肯定没有二心。贼军进入长安正在抢掠，没有时间攻掠土地，乘这个机会赶快前往朔方，慢慢商量大计，这是上策。”大家都说：“好！”到达渭水岸边，遇到潼关战败的士兵，发生误会，和他们打了起来，死伤很多。战斗结束，便收拾剩余的士兵，选择渭水浅处，乘马过河，没有马的人，哭哭啼啼地回去了。太子从奉天北上，等到了新平，一整夜奔跑了三百多里，士兵和器械损失过半，所剩下来的部众不过几百人。新平太守薛羽弃郡逃走，太子把他杀了。这一天，到达安定，太守徐彀也逃跑了，太子又把他杀了。

六月十八日庚子，玄宗任命剑南节度留后崔圆为剑南节度等副大使。

十九日辛丑，玄宗从扶风出发，住宿在陈仓。

太子到达乌氏，彭原太守李遵出来迎接，送上衣服和干粮。到达彭原，招募士

士，得数百人。是日至平凉[162]，阅监牧马[163]，得数万匹；又募士，得五百余人，军势稍振。

壬寅[164]，上至散关[165]，分扈从[166]将士为六军。使颍王璬先行诣剑南，寿王瑁[167]等分将六军以次之。丙午[168]，上至河池郡[169]，崔圆奉表迎车驾，具陈蜀土丰稔[170]，甲兵全盛。上大悦，即日以圆为中书侍郎、同平章事，蜀郡长史如故。以陇西公瑀[171]为汉中王，梁州都督，山南西道[172]采访、防御使。瑀，琎[173]之弟也。

王思礼至平凉，闻河西诸胡乱，还诣行在。初，河西诸胡部落闻其都护[174]皆从哥舒翰没于潼关，故争自立，相攻击。而都护实从翰在北岸，不死，又不与火拔归仁俱降贼。上乃以河西兵马使周泌为河西节度使，陇右兵马使彭元耀为陇右节度使，与都护思结进明等俱之镇，招其部落。以思礼为行在都知兵马使。

戊申[175]，扶风民康景龙等自相帅[176]击贼所署宣慰使薛总，斩首二百余级。

庚戌[177]，陈仓令薛景仙杀贼守将，克扶风而守之。

安禄山不意上遽西幸，遣使止崔乾祐兵留潼关，凡十日，乃遣孙孝哲将兵入长安。以张通儒为西京留守，崔光远为京兆尹，使安忠顺[8]将兵屯苑中，以镇关中。孝哲为禄山所宠任，尤用事，常与严庄争权。禄山使监关中诸将，通儒等皆受制于孝哲。孝哲豪侈，果于杀戮，贼党畏之。禄山命搜捕百官、宦者、宫女等，每获数百人，辄以兵卫送洛阳。王、侯、将、相扈从车驾家留长安者，诛及婴孩。陈希烈以晚节失恩，怨上，与张均、张垍等皆降于贼。禄山以希烈、垍为相，自余朝士皆授以官。于是贼势大炽[178]，西胁汧、陇[179]，南侵江、汉[180]，北割河东之半[181]。然贼将皆粗猛无远略，既克长安，自[9]以为得志，日夜纵酒，专以声色宝贿[182]为事，无复西出之意。故上得安行入蜀，太子北行亦无追迫之患。

兵，得到几百人。这一天到达平凉，检阅监牧马，得到好几万匹，又招募士兵，得到五百多人，军队的气势逐渐提升。

六月二十日壬寅，玄宗到达散关，把随从的将士分为六军。派颍王李璬先行到达剑南，寿王李瑁等分别率领六军继踵其后。二十四日丙午，玄宗到了河池郡，崔圆手持表文迎接玄宗车驾，详细介绍了蜀地丰足，兵马强盛。玄宗非常高兴，当天任命崔圆为中书侍郎、同平章事，蜀郡长史的职位照旧。任命陇西公李瑀为汉中王，梁州都督，山南西道采访、防御使。李瑀是李琎的弟弟。

王思礼到了平凉，听说河西各胡族部落叛乱，返回来到玄宗的住处。当初，河西各胡族部落听说他们的都护全都跟随哥舒翰死于潼关，所以争着自立为王，互相攻击。而实际上都护随从哥舒翰在黄河北岸，没有死，也没有和火拔归仁一起投降贼军。于是，玄宗任命河西兵马使周泌为河西节度使，陇右兵马使彭元耀为陇右节度使，和都护思结进明等人一起前往镇守的地方，招抚每个部落。任命王思礼为行在都知兵马使。

六月二十六日戊申，扶风郡的民众康景龙等人自己组织起来攻打叛贼所任命的宣慰使薛总，斩获敌人二百多首级。

二十八日庚戌，陈仓县令薛景仙杀死叛贼守将，攻克扶风郡，派兵驻守。

安禄山没有想到玄宗急速西行，派使者叫崔乾祐把军队屯留潼关，总共十天，才派孙孝哲率领军队进入长安。任命张通儒为西京留守，崔光远为京兆尹，派安忠顺率军驻守禁苑，镇守关中。孙孝哲被安禄山宠信，特别专权用事，常常与严庄争权夺势。安禄山派他监督关中各将领，张通儒等人都受制于孙孝哲。孙孝哲豪放奢侈，敢于杀戮，叛贼党徒都惧怕他。安禄山命令搜捕朝廷百官、宦官、宫女等，每当抓到几百人，就派兵护送洛阳。王、侯、将、相扈从玄宗车驾而家留在长安的，连婴儿也杀掉。陈希烈因为晚年失去玄宗的恩遇，抱怨玄宗，与张均、张垍等人都投降了叛贼。安禄山任命陈希烈、张垍为宰相，其余的朝臣都授予官职。这时叛贼声势大盛，向西威胁汧、陇地区，向南侵扰江、汉流域，向北割取了河东道的一半。然而，贼军将领全都粗鲁勇猛，没有远大谋略，攻克长安后，自以为志满意得，日夜纵酒，专以追逐声色宝物为能事，再没有向西出兵的意图。所以，玄宗得以平安地进入蜀地，太子北去也没有被急逼的忧患。

【段旨】

以上为第六段，写反贼安禄山入长安滞留，太子顺利北行，唐玄宗从容入蜀，部署讨贼。

【注释】

⑮⓪ 适：去。⑮① 晏：晚；迟。⑮② 岁时致启：一年按时写来信笺。⑮③ 裴冕衣冠名族：河中河东（今山西永济西南蒲州镇）人，冠族世家，时为行军司马。玄宗入蜀，太子为兵马元帅，拜冕御史中丞兼左庶子副之。传见《旧唐书》卷一百十三、《新唐书》卷一百四十。⑮④ 奉天：县名，文明元年（公元六八四年）置，县治在今陕西乾县。⑮⑤ 新平：郡名，天宝元年（公元七四二年）豳州改名，治所在今陕西彬州。⑮⑥ 安定：郡名，天宝元年泾州改名，治所在今甘肃泾川县北。⑮⑦ 瑴：通"珏"。⑮⑧ 庚子：六月十八日。⑮⑨ 辛丑：六月十九日。⑯⓪ 乌氏：县名，县治在今甘肃泾川县北。⑯① 彭原：郡名，天宝元年宁州改名，治所在今甘肃宁县。⑯② 平凉：郡名，天宝元年原州改名，治所在今宁夏固原。⑯③ 监牧马：指诸监畜牧的马。唐代在西北各地设有许多国家畜养马匹的牧场，称为牧监。⑯④ 壬寅：六月二十日。⑯⑤ 散关：今陕西宝鸡关西南大散关。⑯⑥ 扈从：随从；侍从。⑯⑦ 寿王瑁：玄宗第十八子寿王清，改名瑁。传见《旧唐书》卷一百七、《新唐书》卷八十二。⑯⑧ 丙午：六月二十四日。⑯⑨ 河池郡：郡名，天宝元年凤州改名，治所在今陕西凤县东。⑰⓪ 丰稔：丰收。稔，庄稼成熟。⑰① 陇西公瑀：睿宗长子李宪的第六子，初

【原文】

李光弼围博陵未下，闻潼关不守，解围而南。史思明踵其后，光弼击却之，与郭子仪皆引兵入井陉，留常山太守王俌[183]将景城、河间团练兵守常山。

平卢节度使刘正臣将袭范阳，未至，史思明引兵逆击之，正臣大败，弃妻子走，士卒死者七千余人。

初，颜真卿闻河北节度使李光弼出井陉，即敛军还平原，以待光弼之命。闻郭、李西入井陉，真卿始复区处河北军事。

太子至平凉数日，朔方留后杜鸿渐[184]、六城水陆运使[185]魏少游[186]、节度判官崔漪、支度判官卢简金、盐池判官[187]李涵[188]相与谋曰："平凉散地[189]，非屯兵之所。灵武[190]兵食完富，若迎太子至此，北收诸城兵，西发河、陇劲骑，南向以定中原，此万世一时[191]也。"乃使涵奉笺于太子，且籍朔方士马、甲兵、谷帛、军须之数以献之。涵至平凉，太子大悦。

为陇西公，后封汉中王。传见《旧唐书》卷九十五、《新唐书》卷八十一。⑰ 山南西道：道名，山南道为唐贞观十道之一，开元时分为东西二道。山南西道治所在今陕西汉中。⑰ 琎：李琎（？至公元七四八年），睿宗嫡长孙，封汝阳王。传见《旧唐书》卷九十五、《新唐书》卷八十一。⑰ 都护：都护府长官，掌抚慰诸蕃，辑宁外寇，维护朝廷对边地的统治。⑰ 戊申：六月二十六日。⑰ 自相帅：自己带领。帅，通“率”，带领。⑰ 庚戌：六月二十八日。⑰ 大炽：声势大盛。炽，火旺。⑰ 西胁汧、陇：西边威胁到汧水、陇山一带。胁，威胁。汧，汧水，渭河支流。今名千河。源出甘肃六盘山，流至陕西宝鸡注入渭河。陇，陇山，在今陕西陇县至甘肃平凉一带。⑱ 南侵江、汉：南面侵犯至江、汉一带。侵，侵略、进犯。江，长江。汉，汉水。⑱ 北割河东之半：北面夺取了半个河东地区。割，割取。河东，泛指今山西全省。⑱ 宝贿：珍宝财物。

【校记】

［7］余：原无此字。据章钰校，十二行本、乙十一行本皆有此字，张敦仁《通鉴刊本识误》同，今据补。［8］安忠顺：严衍《通鉴补》改作“安守忠”。［9］自：原无此字。据章钰校，十二行本、乙十一行本、孔天胤本皆有此字，张敦仁《通鉴刊本识误》同，今据补。

【语译】

李光弼包围博陵，没有攻克，听说潼关失守，就解除包围向南走。史思明跟随在后面，李光弼打退了他，和郭子仪都率军进入井陉，留下常山太守王俌率领景城、河间的团练兵守卫常山。

平卢节度使刘正臣准备袭击范阳，没有到达，史思明带兵迎击他，刘正臣大败，丢下妻子儿女逃跑了，士兵死了七千多人。

当初，颜真卿听说河北节度使李光弼从井陉出发，就收兵返回平原，以等待李光弼的命令。这时又听说郭子仪、李光弼向西进入井陉，颜真卿又开始指挥河北地区的军事行动。

太子到达平凉好几天，朔方留后杜鸿渐、六城水陆运使魏少游、节度判官崔漪、支度判官卢简金、盐池判官李涵互相商议说：“平凉是人口稀散之地，不是驻扎军队的处所。灵武的兵力和粮食充足，如果迎接太子到这个地方，向北搜集各城的士卒，向西征调河西、陇右强劲的骑兵，向南进军以平定中原，这是千载难逢的机遇。”便派李涵奉送笺表给太子，并且把朔方的兵马、武器、粮食、布帛以及各种军需物资登记在册献给太子。李涵到了平凉，太子非常高兴。适逢河西司马裴冕入朝任御史

会河西司马裴冕入为御史中丞，至平凉见太子，亦劝太子之朔方，太子从之。鸿渐，暹[192]之族子[193]。涵，道[194]之曾孙也。鸿渐、漪使少游居后，葺次舍[195]，庀资储[196]，自迎太子于平凉北境，说太子曰："朔方，天下劲兵处也。今吐蕃请和，回纥内附，四方郡县大抵坚守拒贼，以俟兴复。殿下今理兵灵武，按辔长驱[197]，移檄四方，收揽忠义，则逆贼不足屠也。"少游盛治宫室，帷帐皆仿禁中，饮膳备水陆[198]。秋，七月辛酉[199]，太子至灵武，悉命撤之。

甲子[200]，上至普安[201]，宪部侍郎房琯来谒见。上之发长安也，群臣多不知，至咸阳，谓高力士曰："朝臣谁当来，谁不来？"对曰："张均、张垍父子受陛下恩最深，且连戚里[202]，是必先来。时论皆谓房琯宜为相，而陛下不用，又禄山尝荐之，恐或不来。"上曰："事未可知。"及琯至，上问均兄弟，对曰："臣帅与偕[203]来，逗遛不进，观其意，似有所蓄[204]而不能言也。"上顾[205]力士曰："朕固知之矣。"即日，以琯为文部侍郎、同平章事[206]。

初，张垍尚宁亲公主[207]，听于禁中置宅，宠渥[208]无比。陈希烈求解政务，上幸垍宅，问可为相者，垍未对。上曰："无若爱婿。"垍降阶拜舞[209]。既而不用，故垍怀怏怏，上亦觉之。是时均、垍兄弟及姚崇之子尚书右丞奕[210]、萧嵩之子兵部侍郎华[211]、韦安石之子礼部侍郎陟、太常少卿斌，皆以才望至大官。上尝曰："吾命相，当遍举故相子弟耳。"既而皆不用。

裴冕、杜鸿渐等上太子笺，请遵马嵬之命，即皇帝位。太子不许。冕等言曰："将士皆关中人，日夜思归，所以崎岖[212]从殿下远涉沙塞[213]者，冀尺寸之功。若一朝离散，不可复集。愿殿下勉徇[214]众心，为社稷计。"笺五上，太子乃许之。是日，肃宗即位于灵武城南楼，群臣舞蹈，上流涕歔欷。尊玄宗为[10]上皇天帝，赦天下，改元[215]。以杜鸿渐、崔漪并知中书舍人事，裴冕为中书侍郎、同平章事。改关内采访使为节度使[216]，徙治安化，以前蒲关[217]防御使吕崇贲为之。以陈仓令薛景仙为扶风太守，兼防御使，陇右节度使郭英乂为天水[218]太守，兼防御使。时塞上精兵皆选入讨贼，惟余老弱守边，文武官不满三十

中丞，到平凉去拜见太子，也劝太子前往朔方，太子同意了。杜鸿渐，是杜暹同族兄弟之子。李涵，是李道的曾孙。杜鸿渐、崔漪让魏少游留在后面，修理房屋，准备物资储备，他们亲自在平凉北部边界迎接太子，劝太子说："朔方，是天下精兵强将聚集的地方。如今吐蕃请求和好，回纥归附朝廷，四面八方的郡县大都坚守抗敌，等待朝廷的复兴。殿下今日治兵灵武，控马长驱，传檄四方，收揽忠义之士，那么叛贼很容易被消灭。"魏少游大修宫室，帷帐都模仿宫中的样子，饮食水陆珍馐齐备。秋，七月初九日辛酉，太子到达灵武，命令全都撤掉这些东西。

七月十二日甲子，玄宗到达普安，宪部侍郎房琯前来谒见。玄宗从长安出发时，群臣大多数不知道，到了咸阳，玄宗对高力士说："朝中大臣谁应当赶来，谁不会赶来?"高力士回答说："张均、张垍和他们的父亲受陛下的恩爱最深，而且情连姻亲，所以他们一定先赶来。当时的议论都说房琯应该做宰相，但陛下没有任用，还有安禄山曾经推荐过他，恐怕他不会赶来。"玄宗说："此事还不可预料。"等房琯到了，玄宗询问张均兄弟，房琯回答说："臣约他们一起来，他们逗留不走，看他们的意思，好像有什么难言之隐。"玄宗回头对高力士说："朕早就知道啊。"当天，任命房琯为文部侍郎、同平章事。

当初，张垍娶宁亲公主为妻，玄宗允许他在宫禁安排宅第，宠爱优厚，无人能比。陈希烈请求解除政务，玄宗亲临张垍宅第，询问哪个人可以做宰相，张垍没有回答。玄宗说："没有人比得上我的爱婿。"张垍走下台阶行跪拜舞蹈礼仪。但后来没有任用，所以张垍心里怏怏不乐，玄宗也察觉到了。当时张均、张垍兄弟以及姚崇的儿子尚书右丞姚奕、萧嵩的儿子兵部侍郎萧华、韦安石的儿子礼部侍郎韦陟、太常少卿韦斌，都因有才能和声望升至高官。玄宗曾经说："我任命宰相，应当从先前宰相的子弟中普遍挑选。"但后来都没有任用。

裴冕、杜鸿渐等人向太子呈上笺表，请求他遵守玄宗在马嵬驿的命令，即皇帝位。太子没有答应。裴冕等人说："将士们全是关中人，日夜想回去，之所以涉历险阻，随从殿下远走边塞荒漠，是希望建立细微功业。这些人一旦离散，就不能重新聚集起来。希望殿下勉强顺从大家的心愿，为国家着想。"笺表呈上五次，太子才答应了。这一天，肃宗在灵武城南楼即位，群臣举行舞蹈礼仪，肃宗深为感动，流下了眼泪。尊崇玄宗为上皇天帝，赦免天下，改换年号。任命杜鸿渐、崔漪同知中书舍人事，裴冕为中书侍郎、同平章事。改关内采访使为节度使，把治所迁徙到安化，任命前蒲关防御使吕崇贲担任节度使。任命陈仓县令薛景仙为扶风郡太守，兼防御使，陇右节度使郭英乂为天水郡太守，兼防御使。当时塞外精兵都选入塞内讨伐叛贼，仅剩下老弱守卫边塞，文武官员不满三十人，披荆斩棘，建立朝廷，制度

人，披草莱[219]，立朝廷，制度草创，武人骄慢。大将管崇嗣在朝堂，背阙[220]而坐，言笑自若。监察御史李勉[221]奏弹之，系于有司。上特原之，叹曰："吾有李勉，朝廷始尊！"勉，元懿[222]之曾孙也。旬日间，归附者渐众。

张良娣[223]性巧慧，能得上意，从上来朔方。时从兵单寡，良娣每寝，常居上前。上曰："御寇非妇人所能。"良娣曰："苍猝之际，妾以身当之，殿下可从后逸去。"至灵武，产子，三日起，缝战士衣。上止之，对曰："此非妾自养之时。"上以是益怜之。

【段旨】

以上为第七段，写唐肃宗即位于灵武。

【注释】

⑱³王俌：初辟范阳节度使张守珪幕府。安禄山叛，拜博陵、常山太守。传见《新唐书》卷一百十六。俌，通"辅"。⑱⁴杜鸿渐：杜鸿渐（公元七〇九至七六九年），宰相杜暹侄子。官至兵部侍郎、同中书门下平章事，封卫国公。传见《旧唐书》卷一百八、《新唐书》卷一百二十六。⑱⁵六城水陆运使：使职名。六城，指朔方节度使所辖的三受降城以及丰安、定远、振武三城，都在黄河以北。水陆运使，为节度使幕职，负责从水陆运输货物供应六城戍兵。⑱⁶魏少游：魏少游（？至公元七七一年），钜鹿（今河北宁晋）人。传见《旧唐书》卷一百十五、《新唐书》卷一百四十一。⑱⁷盐池判官：朔方节度使幕职，因属地有盐池，故设此职以经营。⑱⁸李涵：李涵（？至公元七八四年），唐高祖从父弟（堂弟）李韶之子李道的曾孙，官至尚书右仆射。传见《旧唐书》卷一百二十六、《新唐书》卷七十八。⑱⁹散地：人口稀散之地。⑲⁰灵武：郡名，天宝元年（公元七四二年）灵州改名，治所在今宁夏灵武西南。亦为朔方节度使治所。⑲¹万世一时：一万代才遇到的一次机会。⑲²暹：开元宰相杜暹。⑲³族子：同族兄弟之子。⑲⁴道：李道，唐高祖堂弟李韶之子，嗣叔父永安王孝基，封高平郡王。传见《旧唐书》卷六十、《新唐书》卷七十八。⑲⁵葺次舍：用茅草盖起的临时住房。葺，本谓用茅草盖屋。此谓修建。次舍，住宿的房屋。⑲⁶庀资储：准备物资储蓄。庀，具备。资储，物资储备。⑲⁷按辔长驱：控辔长驱直入，控马长驱。⑲⁸水陆：水陆珍馐，即山珍海味。⑲⁹辛酉：七月初九日。⑳⁰甲子：

草创，武将骄横傲慢。大将管崇嗣在朝堂上，背对宫门坐着，谈笑自如。监察御史李勉上奏弹劾他，将他拘禁在有关机构。肃宗特别下令宽免他，感叹说："我有李勉，朝廷才开始有尊严！"李勉，是李元懿的曾孙。肃宗即位十天左右，归附的人逐渐多起来。

张良娣性情乖巧聪明，能符合肃宗的心意，跟随肃宗来到朔方。当时扈从的士兵很少，张良娣每次入寝，常常睡在肃宗的前面。肃宗说："抵御贼寇不是妇人所能做的事情。"张良娣说："匆忙之间，妾用身体抵挡贼寇，殿下可从后面逃走。"到达灵武，张良娣生下一个儿子，产后三天就起身，缝补战士的衣服。肃宗制止她，她回答说："现在不是妾自我保养的时候。"肃宗因此更加怜爱她。

七月十二日。㉑普安：郡名，天宝元年剑州改名，治所在今四川剑阁。㉒戚里：帝王外戚聚居之地。此泛指外戚。张垍尚玄宗之女，故为外戚。㉓偕：共同；一起。㉔蓄：藏；隐瞒。㉕顾：回头看。㉖以琯为文部侍郎、同平章事：新旧唐书之《房琯传》都作"文部尚书、同中书门下平章事"，新旧唐书之《玄宗纪》亦云"即日拜吏部（文部）尚书、同中书门下平章事"。此言"文部侍郎"或另有所据。㉗宁亲公主：玄宗元献杨皇后生，为玄宗第八女。见岑仲勉《唐史餘瀋》卷二《玄宗诸子》。㉘宠渥：宠爱优厚。渥，优厚。㉙拜舞：叩拜舞蹈，皆为礼仪。㉚奕：姚奕，开元宰相姚崇第二子。传见《旧唐书》卷九十六、《新唐书》卷一百二十四。㉛华：萧华，开元宰相萧嵩之子，肃宗时官至中书侍郎、同中书门下平章事。传见《旧唐书》卷九十九、《新唐书》卷一百一。㉜崎岖：道路险阻不平，指处境困难艰险。㉝沙塞：沙漠边塞。㉞勉徇：勉强顺从。㉟改元：改天宝十五载为至德元载。㊱改关内采访使为节度使：关内采访使，开元二十一年（公元七三三年）所置地方监察使职，以京官领，无治所，今改为关内节镇长官，治所在安化（今甘肃庆阳），领京兆、同、岐、金、商五州。㊲蒲关：关名，即蒲津关，在今陕西大荔东。㊳天水：郡名，天宝元年（公元七四二年）秦州改名，治所在今甘肃天水东北。㊴披草莱：开辟荒地，借指当时建立朝廷的简陋状况。披，开辟。草莱，荒芜未垦的土地。㊵阙：宫阙，帝王所居之处。㊶李勉：李勉（公元七一六至七八八年），唐高祖玄孙，官至吏部尚书、同平章事。传见《旧唐书》卷一百三十一、《新唐书》卷一百三十一。㊷元懿：李元懿（？至公元六七三年），高祖第十三子，封滕王、郑王。传见《旧唐书》卷六十四、《新唐书》卷七十九。㊸张良娣：张良娣（？至公元七六二年），唐玄宗姨母之孙女，初为太子良娣，肃宗即位，册为淑妃，乾元元年（公元七五八年）册为皇后，与宦官李辅国持权禁中，干预政事。肃宗崩，以矫诏谋立越王係而被幽禁死。传见《旧唐书》卷五十二、《新唐书》卷七十七。良娣，太子内官名，正三品，为地位最高的皇太子妾。

【校记】

［10］为：据章钰校，十二行本、乙十一行本皆作“曰”。

【原文】

丁卯[224]，上皇制[225]：“以太子亨充天下兵马元帅，领朔方、河东、河北、平卢节度都使[226]，南取长安、洛阳。以御史中丞裴冕兼左庶子，陇西郡司马刘秩试守[227]右庶子。永王璘充山南东道[228]，岭南、黔中、江南西道节度都使，以少府监[229]窦绍为之傅[230]，长沙太守李岘为都副大使[231]。盛王琦[232]充广陵[233]大都督[234]，领江南东路[235]及淮南、河南等路节度都使，以前江陵都督府长史刘汇[236]为之傅，广陵郡长史李成式[237]为都副大使。丰王珙[238]充武威都督，仍领河西、陇右、安西、北庭等路节度都使，以陇西太守济阴邓景山[239]为之傅，充都副大使。应须士马、甲仗、粮赐等，并于当路自供。其诸路本节度使虢王巨等并依前充使。其署置官属及本路郡县官，并任自简择，[240]署讫闻奏。”时琦、珙皆不出阁，惟璘赴镇。置山南东道节度使，领襄阳等九郡。升五府经略使为岭南节度，领南海等二十二郡。升五溪经略使为黔中节度，领黔中等诸郡。分江南为东、西二道[241]，东道领余杭[242]，西道领豫章[243]等诸郡。先是，四方闻潼关失守，莫知上所之。及是制下，始知乘舆所在。汇，秩之弟也。

安禄山使孙孝哲杀霍国长公主[244]及王妃、驸马等于崇仁坊[245]，刳[246]其心，以祭安庆宗。凡杨国忠、高力士之党及禄山素所恶者皆杀之，凡八十三人。或以铁棓[247]揭[248]其脑盖，流血满街。己巳[249]，又杀皇孙及郡、县主[250]二十余人。

庚午[251]，上皇至巴西[252]，太守崔涣[253]迎谒。上皇与语，悦之，房琯复荐之，即日，拜门下侍郎、同平章事，以韦见素为左相。涣，玄暐[254]之孙也。

【语译】

七月十五日丁卯，太上皇玄宗下达制书说："任命太子李亨充任天下兵马元帅，统领朔方、河东、河北、平卢节度都使，南进攻取长安、洛阳。任命御史中丞裴冕兼任左庶子，陇西郡司马刘秩试守右庶子。永王李璘充任山南东道，岭南、黔中、江南西道节度都使，任命少府监窦绍为傅，长沙太守李岘为都副大使。盛王李琦充任广陵大都督，统领江南东路及淮南、河南等路节度都使，任命前江陵都督府长史刘汇为傅，广陵郡长史李成式为都副大使。丰王李珙充任武威都督，仍旧统领河西、陇右、安西、北庭等路节度都使，任命陇西太守济阴人邓景山为傅，充任都副大使。所需求的士卒、马匹、武器、仪仗、粮食、赏赐等物品，全由当地提供。各路原来的节度使虢王李巨等人都依旧为节度使。各王委任的官吏以及本路的郡县官员，都听任由自己选择，委任后奏报。"当时李琦、李珙都没有出宫就任，只有李璘赴镇就职。设置山南东道节度使，统领襄阳等九郡。提升五府经略使为岭南节度，统领南海等二十二郡。提升五溪经略使为黔中节度，统领黔中等各郡。分割江南道为东、西二道，东道统领余杭，西道统领豫章等各郡。此前，天下人听说潼关失守，不知道玄宗去向。等到这道制书下达，才知道玄宗所在。刘汇，是刘秩的弟弟。

安禄山派孙孝哲在崇仁坊处死霍国长公主以及王妃、驸马等人，挖了他们的心，用以祭祀安庆宗。凡是杨国忠、高力士的党羽以及安禄山一向厌恶的人都被杀掉，总共八十三个人。有的被铁棍撬开脑盖骨，血流满街。七月十七日己巳，又杀掉皇孙以及郡主、县主二十多人。

七月十八日庚午，太上皇到了巴西，太守崔涣迎接拜见。太上皇和他谈话，很喜欢他，房琯又推荐他，当天，任命他为门下侍郎、同平章事，任命韦见素为左相。崔涣是崔玄暐的孙子。

【段旨】

以上为第八段，写唐玄宗入蜀至巴西，安禄山在长安血洗皇族。

【注释】

[224]丁卯：七月十五日。[225]上皇制：七月十二日甲子，太子在灵武即位，七月十五日丁卯，玄宗下此制书。彼此相隔甚远，下此制书时，玄宗尚不知太子即位设官之事。[226]节度都使：使职名，总领数镇节度使的差遣职。亦云节度大使。[227]试守：试，试用，属敕授而非正命之官。守，高宗咸亨以后，凡散官品秩与职事官品秩相差一阶的都叫守。[228]山南东道：道名，开元二十一年（公元七三三年）由山南道分置，其采访使治所在今湖北襄阳。[229]少府监：官名，少府寺长官，掌供百工技巧之事。[230]傅：官名，亲王府最高属官，掌赞导、匡过、谘议、谋划。[231]都副大使：节度都使的副职。[232]盛王琦：李琦（？至公元七六四年），玄宗第二十一子，初名沐，开元十三年封盛王。传见《旧唐书》卷一百七、《新唐书》卷八十二。[233]广陵：郡名，天宝元年（公元七四二年）扬州改名，治所在今江苏扬州，亦为大都督府治所。[234]大都督：官名，大都督府长官。唐代都督府有大、中、下之分。开元时有并州、益州、荆州、扬州、潞州五大都督府。大都督府长官大都督，一般由亲王遥领，不赴镇，由长史主持常务，主要职责是督率所辖诸州兵马、甲械、城隍、镇戍、粮廪等军政事务。[235]江南东路：江南东道。开元二十一年分江南道置，其采访使治所在今江苏苏州。[236]刘汇：史学家刘知幾之子。历官给事中、尚书右丞、左散骑常侍、荆州长沙节度。传见《旧唐书》卷一百二、《新唐书》卷一百三十二。[237]李成式：仅知其先后任广陵采访使、长史、节度副大使、御史中丞。其事

【原文】

初，京兆李泌[255]幼以才敏著闻，玄宗使与忠王游。忠王为太子，泌已长，上书言事。玄宗欲官之，不可。使与太子为布衣交[256]，太子常谓之先生。杨国忠恶之，奏徙蕲春[257]，后得归隐，居颍阳[258]。上自马嵬北行，遣使召之，谒见于灵武。上大喜，出则联辔[259]，寝则对榻，如为太子时，事无大小皆咨之，言无不从，至于进退将相亦与之议。上欲以泌为右相，泌固辞曰："陛下待以宾友，则贵于宰相矣，何必屈其志！"上乃止。

同罗、突厥从安禄山反者屯长安苑中。甲戌[260]，其酋长阿史那从礼帅五千骑，窃厩马二千匹逃归朔方，谋邀结诸胡，盗据边地。上遣使宣慰之，降者甚众。

贼遣兵寇扶风，薛景仙击却之。

散见《旧唐书》卷一百七、《新唐书》卷八十二《永王璘传》。㉓⑧丰王珙：李珙（？至公元七六三年），玄宗第二十六子，初名澄，开元二十三年封为丰王，广德元年（公元七六三年）以口出狂悖之词，被赐死。传见《旧唐书》卷一百七、《新唐书》卷八十二。㉓⑨邓景山：邓景山（？至公元七六一年），曹州（今山东曹县西北）人。任各路节度都副大使。丰王李珙虽为各路节度都使，但并不赴镇，所以实际职权由邓景山统摄。传见《旧唐书》卷一百十、《新唐书》卷一百四十一。㉔⓪署置官属及本路郡县官二句：各大都督、节度都使所属的幕府官员及所辖各郡县官吏，都由自己选择任命，而不通过吏部选授。㉔①分江南为东、西二道：本书卷二百十三载开元二十一年已分江南东、西二道置采访使。㉔②余杭：郡名，天宝元年杭州改名，治所在今浙江杭州。㉔③豫章：郡名，天宝元年洪州改名，治所在今江西南昌。㉔④霍国长公主：长公主（？至公元七五六年），睿宗之女。传见《新唐书》卷八十三。㉔⑤崇仁坊：长安崇仁坊在皇城东，永兴坊之南。㉔⑥刳：剖开。㉔⑦铁棓：铁棍。棓，通“棒”。㉔⑧揭：掀开。㉔⑨己巳：七月十七日。㉕⓪郡、县主：唐外命妇之制，皇太子之女为郡主，诸王之女为县主。㉕①庚午：七月十八日。㉕②巴西：郡名，天宝元年绵州改名，治所在今四川绵阳。㉕③崔涣：武则天朝宰相崔玄暐之孙，官至门下侍郎、同平章事。传见《新唐书》卷一百二十。㉕④玄暐：崔玄暐，博陵安平（今河北安平）人，本名晕，因“晕”字下体“华”犯武则天祖讳，乃改为玄暐，官至鸾台侍郎、同凤阁鸾台平章事，封博陵王。传见《旧唐书》卷九十一、《新唐书》卷一百二十。

【语译】

当初，京兆人李泌幼小时以才思聪敏闻名，玄宗让他与忠王游处。忠王成为太子，李泌已经长大，上书进言国事。玄宗想用他为官，他不同意。玄宗让他与太子像平民百姓一样交友，太子常常称他为先生。杨国忠讨厌李泌，奏请把他迁徙到蕲春，他后来得以归隐，居住在颍阳县。肃宗从马嵬坡向北行进，派使者召他前来，他在灵武拜见肃宗。肃宗非常高兴，出外时并马而行，睡觉时对床而卧，如同做太子的时候，事情无论大小都咨询他，言无不从，甚至任免将相也和他商议。肃宗想任命李泌为右丞相，李泌坚决推辞说：“陛下把我作为宾客朋友来对待，比宰相还尊贵，何必要违背我的志愿呢！”肃宗这才作罢。

同罗、突厥中随从安禄山反叛的屯驻在长安禁苑中。七月二十二日甲戌，他们的酋长阿史那从礼率领五千名骑兵，偷窃厩马两千匹逃回朔方，筹划约请各胡人部落联合，窃据边疆地区。肃宗派使者去宣谕安抚他们，降附的人很多。

叛贼派兵进犯扶风，薛景仙打退了他们。

安禄山遣其将高嵩以敕书、缯彩诱河、陇将士，大震关使[261]郭英乂擒斩之。

同罗、突厥之逃归也，长安大扰，官吏窜匿，狱囚自出。京兆尹崔光远以为贼且遁矣，遣吏卒守孙孝哲宅。孝哲以状白禄山，光远乃与长安令苏震[262]帅府、县官十余人来奔。己卯[263]，至灵武，上以光远为御史大夫兼京兆尹，使之渭北招集吏民；以震为中丞。震，瓌[264]之孙也。禄山以田乾真为京兆尹。侍御史吕諲、右拾遗[265]杨绾[266]、奉天[267]令安平崔器[268]相继诣灵武。以諲、器为御史中丞，绾为起居舍人、知制诰[269]。

上命河西节度副使李嗣业将兵五千赴行在。嗣业与节度使梁宰谋，且缓师以观变。绥德府[270]折冲[271]段秀实让嗣业曰："岂有君父告急而臣子晏然不赴者乎！特进[272]常自谓大丈夫，今日视之，乃儿女子耳！"嗣业大惭，即白宰如数发兵，以秀实自副，将之诣行在。上又征兵于安西，行军司马李栖筠[273]发精兵七千人，励以忠义而遣之。

敕改扶风为凤翔郡。

庚辰[274]，上皇至成都，从官及六军至者千三百人而已。

【段旨】

以上为第九段，写李泌出山佐肃宗，河西兵入援灵武。唐玄宗入蜀。

【注释】

㉕李泌：李泌（公元七二二至七八九年），字长源，京兆（今陕西西安）人，初以遁隐名山自适，后仕肃、代、德宗三朝。官至中书侍郎、平章事。传见《旧唐书》卷一百三十、《新唐书》卷一百三十九。㉖布衣交：平民百姓之交。㉗蕲春：郡名，天宝元年（公元七四二年）蕲州改名，治所在今湖北蕲春蕲州镇西北。㉘颍阳：县名，县治在今河南登封颍阳镇。㉙联辔：并辔；并马而行。㉚甲戌：七月二十二日。㉛大震关使：使职名，戍守大震关口的军事差遣官。大震关在今陕西陇县西陇山下。㉜苏震：雍州武功（今陕西武功）人，安禄山陷长安，苏震夜驰灵武，拜御史中丞，迁文部侍郎。收复长安、洛阳后，官河南尹。传见《新唐书》卷一百二十五。㉝己卯：七月二十七日。㉞瓌：苏瓌（？至公

安禄山派他的将领高嵩带着敕书、丝绸引诱河、陇一带的将士，大震关使郭英乂把他活捉后杀掉了。

同罗、突厥人逃回朔方，长安大乱，官吏逃匿，监狱里的囚犯自己跑出来。京兆尹崔光远以为叛贼即将逃遁，就派官吏士卒守护孙孝哲的宅第。孙孝哲把情况告诉了安禄山，崔光远就和长安县令苏震带领府、县官员十几个人前来投奔朝廷。七月二十七日己卯，到了灵武，肃宗任命崔光远为御史大夫兼京兆尹，派他到渭水北面招集官吏和民众。任命苏震为御史中丞。苏震，是苏瓌的孙子。安禄山任命田乾真为京兆尹。侍御史吕諲、右拾遗杨绾、奉天县令安平人崔器相继抵达灵武。任命吕諲、崔器为御史中丞，杨绾为起居舍人、知制诰。

肃宗命令河西节度副使李嗣业率兵五千人赴灵武。李嗣业与节度使梁宰商议，暂且慢些发兵以观察形势的变化。绥德府折冲都尉段秀实斥责李嗣业说："哪里有君父告急而臣子安然不动的呢！特进您经常自称为大丈夫，如今看来，不过是个小儿女！"李嗣业大为惭愧，立刻告诉梁宰如数发兵，以段秀实为自己的副将，带兵前往灵武。肃宗另在安西征兵，行军司马李栖筠调发精兵七千人，用忠义加以勉励，然后送走他们。

肃宗敕令改扶风为凤翔郡。

七月二十八日庚辰，太上皇到达成都，随从官员和护卫六军到达的一千三百人而已。

元七一〇年），历仕武则天、中宗、睿宗三朝。官至尚书右仆射、同中书门下三品，封许国公。传见《旧唐书》卷八十八、《新唐书》卷一百二十五。㉖⑤右拾遗：官名，武则天垂拱元年（公元六八五年）置左右拾遗，左隶门下省，右隶中书省，掌供奉讽谏。㉖⑥杨绾：华州华阴（今陕西华阴）人，官至中书侍郎、同中书门下平章事、集贤殿崇文馆大学士。传见《旧唐书》卷一百十九、《新唐书》卷一百四十二。㉖⑦奉天：两唐书崔器本传均作"奉先"。奉天在今陕西乾县，奉先在今陕西蒲城。疑"奉先"为是。㉖⑧崔器：崔器（？至公元七六〇年），深州安平（今河北安平）人。先任唐奉天令，安禄山陷长安，崔器又为叛军守奉天，后来投奔灵武。传见《旧唐书》卷一百十五、《新唐书》卷二百九。㉖⑨知制诰：制诰，诏令。唐代诏令，例由中书舍人起草。六位中书舍人中，一人负责草诏进画，称"知制诰"。如果以他官兼掌制诰者，则称为"兼知制诰"。㉗⓪绥德府：折冲府名，在今陕西绥德。㉗①折冲：折冲都尉，武官名，折冲府长官。平时职掌本府军士的教练和番上宿卫，战时应调领兵出征。㉗②特进：李嗣业曾以战功散阶升至特进。㉗③李栖筠：字贞一，有吏才，官至御史大夫，封赞皇县子。传见《新唐书》卷一百四十六。㉗④庚辰：七月二十八日。

【原文】

令狐潮围张巡于雍丘，相守四十余日，朝廷声问[275]不通。潮闻玄宗已幸蜀，复以书招巡。有大将六人，官皆开府、特进，白巡以兵势不敌，且上存亡不可知，不如降贼，巡阳许诺。明日，堂上设天子画像，帅将士朝之，人人皆泣。巡引六将于前，责以大义，斩之，士心益劝[276]。

中城矢尽，巡缚藁[277]为人千余，被以黑衣，夜缒城下。潮兵争射之，久乃知其藁人，得矢数十万。其后复夜缒人，贼笑不设备。乃以死士五百斫[278]潮营，潮军大乱，焚垒而遁，追奔十余里。潮惭，益兵围之。

巡使郎将雷万春于城上与潮相闻[279]，语未绝[11]，贼弩射之，面中六矢而不动。潮疑其木人，使谍问之，乃大惊，遥谓巡曰："向见雷将军，方知足下军令矣，然其如天道何[280]！"巡谓之曰："君未识人伦[281]，焉知天道！"未几，出战，擒贼将十四人，斩首百余级，贼乃夜遁，收兵入陈留，不敢复出。

顷之，贼步骑七千余众屯白沙涡[282]，巡夜袭击，大破之。还至桃陵[283]，遇贼救兵四百余人悉擒之，分别其众，妫、檀及胡兵悉斩之，荥阳、陈留胁从兵皆散令归业，旬日间，民去贼来归者万余户。

河北诸郡犹为唐守，常山太守王俌欲降贼，诸将怒，因击球纵马践杀之。时信都太守乌承恩麾下有朔方兵三千人，诸将遣使者宗仙运帅父老诣信都，迎承恩镇常山，承恩辞以无诏命。仙运说承恩曰："常山地控燕、蓟，路通河、洛，有井陉之险，足以扼其咽喉。顷属[284]车驾南迁[285]，李大夫[286]收军退守晋阳，王太守权统后军，欲举城降贼，众心不从，身首异处。大将军兵精气肃，远近莫敌。若以家国为念，移据常山，与大夫首尾呼应，则洪勋盛烈，孰与为比。若疑而不行，又不设备，常山既陷，信都岂能独全！"承恩不从。仙运又曰："将军不纳鄙夫之言，必惧兵少故也。今人不聊生，咸思报国，竞相结聚，屯据乡村。若悬赏招之，不旬日十万可致，与朔方甲士三千余人相参用之，足成王事。

【语译】

令狐潮在雍丘包围张巡，彼此对峙四十多天，朝廷音讯不通。令狐潮听说玄宗已临幸蜀地，又用书信招降张巡。张巡有大将六人，官位都是开府、特进，告诉张巡兵力打不过敌人，况且肃宗生死也不知道，不如投降叛贼，张巡假装答应了。第二天，在庭堂上摆设天子画像，率领将士们朝拜，人人都哭了。张巡把六个大将带到前面，申明大义，加以斥责，杀了他们，军心更加激越。

城中的箭没有了，张巡捆扎秸秆做了一千多个草人，穿上黑色的衣服，夜间缒到城下。令狐潮的士兵争相射箭，好长时间才知道是秸草人，张巡得到几十万支箭。后来又在夜间用绳子把人缒到城下，贼兵发笑，不加防备。于是，派敢死队五百人去砍杀令狐潮的军营，令狐潮的军队大乱，焚营逃遁，张巡的军队追赶败兵十多里。令狐潮很惭愧，增加兵力包围雍丘。

张巡派郎将雷万春在城上与令狐潮通话，话没有说完，贼兵用弩机射他，雷万春脸上被射中了六箭而不摇动。令狐潮怀疑他是木头人，派间谍去打听，才大为吃惊，远远地对张巡说:“刚才见到雷将军，才晓得了您的军令，然而这奈何得了天道吗?!”张巡对他说:“您不懂得人间伦理，怎么知晓天道!”不久，出城交战，活捉贼兵将领十四人，斩首一百多级，贼兵便趁夜逃走，收兵进入陈留，不敢再出兵。

没多久，叛贼步兵骑兵七千多人屯驻在白沙涡，张巡夜间去袭击，把叛贼打得大败。返回时到达桃陵，遇到叛贼救兵四百多人，全部活捉了他们，把他们分类，妫州、檀州兵以及胡人兵全部杀掉，荥阳、陈留被胁从的士兵全都解散，命令他们回家从业，十来天的时间，民众离开叛贼、前来归附的有一万多户。

河北各郡还在为唐室坚守，常山太守王俌打算投降叛贼，各位将领大怒，就利用击球的机会纵马踩死了他。当时信都太守乌承恩的部下有朔方兵三千人，各将领派使者宗仙运率领父老前往信都，迎接乌承恩镇守常山，乌承恩推辞说没有肃宗诏令。宗仙运劝乌承恩说:“常山地域控制着燕、蓟，道路通往河、洛，据有井陉关之险，足以扼住叛军咽喉。近来正值皇上南迁，李大夫收兵退守晋阳，王太守暂时统领后军，想要以城降贼，民心不从，王太守身首异处。大将军您兵卒精锐，军威严整，远近无人可敌。如果能心系国家，移师据守常山，与李大夫首尾遥相呼应，那么您可以获得的丰功伟绩，哪一个人能比得上呢?如果疑虑不动，又不设防备，常山陷落后，信都怎么能够独自保全下来呢!”乌承恩不听从。宗仙运又说:“将军您不采纳鄙人所说的，一定是担心兵少的缘故。如今民不聊生，人人都想报国，竞相聚集，据守乡村。如果悬赏招募他们，不到十天便可招到十万人，和朔方甲士三千多

若舍要害以授人，居四通而自安，譬如倒持剑戟，取败之道也。”承恩竟疑不决。承恩，承玼[287]之族兄也。

是月，史思明、蔡希德将兵万人南攻九门。旬日，九门伪降，伏甲于城上。思明登城，伏兵攻之。思明坠城，鹿角[288]伤其左胁，夜奔博陵。

【段旨】

以上为第十段，写河北、河南战事，张巡在河南，颜真卿在河北，以寡击众，英勇杀贼。

【注释】

㉗⑤声问：音讯。㉗⑥益劝：更加受到鼓励。㉗⑦藁：通“稾”，庄稼秆、秸秆。㉗⑧斫：砍。此指攻击。㉗⑨相闻：相互通话。㉘⓪其如天道何：指你的军令再严，能把（注定你要灭亡的）天命怎么样？意即无法改变注定灭亡的下场。其，代词，指军令严明。如……何，把……怎么样。天道，指自然规律，古人认为它是天神意志所支配。㉘①人伦：人世的伦理道德。此指君臣之道。㉘②白沙涡：地名，在今河南宁陵北。㉘③桃陵：县名，

【原文】

颜真卿以蜡丸达表[289]于灵武。以真卿为工部尚书兼御史大夫，依前河北招讨、采访、处置使，并致赦书，亦以蜡丸达之。真卿颁下河北诸郡，又遣人颁于河南、江、淮。由是诸道始知上即位于灵武，徇国[290]之心益坚矣。

郭子仪等将兵五万自河北至灵武，灵武军威始盛，人有兴复之望矣。

八月壬午[291]朔，以子仪为武部尚书、灵武长史，以李光弼为户部尚书、北都[292]留守，并同平章事，余如故。

光弼以景城、河间兵五千赴太原。

人相互配合使用，足以成就大事。如果抛弃常山要害之地，送给敌人，处在四通八达的信都而自求安全，就如同倒拿剑戟，是一种自取失败的方法。”乌承恩最终还是犹豫不决。乌承恩，是乌承玼同族的哥哥。

这个月，史思明、蔡希德带兵一万人南进攻打九门。过了十天，九门伪装投降，在城上埋伏甲士。史思明登上城墙，伏兵攻击他。史思明从城上坠落下来，被削尖了的树枝刺伤左胁部，夜晚逃往博陵。

县治在今河南延津北。㉘④顷属：近来正值。顷，近来。属，适逢、恰好。㉘⑤车驾南迁：指玄宗赴蜀。㉘⑥李大夫：指李光弼。此时李光弼以云中太守摄御史大夫，充河东节度副使、知节度事。㉘⑦承玼：乌承玼，张掖（今甘肃张掖）人，开元中与乌承恩皆为平卢先锋，沉勇果决，号“辕门二龙”。依李光弼，表为冠军将军，封昌化郡王，为石岭军使。传见《新唐书》卷一百三十六。㉘⑧鹿角：军营的防御物，以带枝的树木削尖埋在营区周围，以阻敌军。因形似鹿角，故名。

【校记】

［11］语未绝：原无此三字。据章钰校，十二行本、乙十一行本、孔天胤本皆有此三字，张敦仁《通鉴刊本识误》、张瑛《通鉴校勘记》同，今据补。

【语译】

颜真卿用蜡丸密封奏表送到灵武。肃宗任命颜真卿为工部尚书兼御史大夫，以前担任的河北招讨、采访、处置使依旧不变，并且送去赦书，也用蜡丸密封送达。颜真卿颁布赦书，下达河北各郡，又派人颁布于河南、江、淮地区。因此，各道才开始知道肃宗在灵武即位，殉身国家的信心更加坚定了。

郭子仪等人率领士兵五万人从河北到达灵武，灵武的军威开始强盛，人们有了复兴大唐的希望。

八月初一日壬午，任命郭子仪为武部尚书、灵武长史，任命李光弼为户部尚书、北都留守，都任同平章事，其他官职依旧。

李光弼率领景城、河间的士兵五千人前往太原。

先是，河东节度使王承业军政不修，朝廷遣侍御史崔众交其兵[293]，寻遣中使诛之。众侮易[294]承业，光弼素不平。至是，敕交兵于光弼。众见光弼，不为礼，又不时交兵。光弼怒，收斩之，军中股栗。

回纥可汗、吐蕃赞普相继遣使请助国讨贼，宴赐而遣之。

癸未[295]，上皇下制，赦天下。

北海太守贺兰进明遣录事参军第五琦入蜀奏事，琦言于上皇，以为："今方用兵，财赋为急，财赋所产，江、淮居多，乞假臣一职，可使军无乏用。"上皇悦，即以琦为监察御史、江淮租庸使[296]。

史思明再攻九门。辛卯[297]，克之，所杀数千人，引兵东围藁城。

李庭望将蕃、汉二万余人东袭宁陵[298]、襄邑[299]，夜，去雍丘城三十里置营。张巡帅短兵三千掩击，大破之，杀获太半。庭望收军夜遁。

癸巳[300]，灵武使者至蜀，上皇喜曰："吾儿应天顺人，吾复何忧！"丁酉[301]，制："自今改制敕为诰[302]，表疏[303]称太上皇。四海军国事皆先取皇帝进止[304]，仍奏朕知。俟克复上京，朕不复预事。"己亥[305]，上皇临轩，命韦见素、房琯、崔涣奉传国宝[306]玉册诣灵武传位。

辛丑[307]，史思明陷藁城。

初，上皇每酺宴[308]，先设太常雅乐[309]坐部、立部[310]，继以鼓吹[311]，胡乐[312]，教坊[313]，府、县散乐杂戏[314]，又以山车[315]、陆船[316]载乐往来，又出宫人舞《霓裳羽衣》[317]，又教舞马[318]百匹，衔杯上寿，又引犀象[319]入场，或拜，或舞。安禄山见而悦之。既克长安，命搜捕乐工，运载乐器、舞衣，驱舞马、犀、象皆诣洛阳。

先前，河东节度使王承业军事政务管理欠佳，朝廷派侍御史崔众把他的兵权交给别人，不久又派宫中使者把他杀了。崔众侮慢王承业，李光弼平时就心中不平。到这时，肃宗下敕书让崔众把兵权交给李光弼。崔众见到李光弼，不向他施礼，又不按时交出兵权。李光弼大怒，把崔众抓起来杀了，军中吏卒战栗。

回纥可汗、吐蕃赞普相继派遣使者请求帮助国家讨伐叛贼，肃宗设宴赏赐使者，送走了他们。

八月初二日癸未，太上皇下制书，大赦天下。

北海太守贺兰进明派遣录事参军第五琦入蜀奏事，第五琦对太上皇说："现在正在用兵打仗，财赋问题很急切，财赋所出，江、淮居多，请求给我一个职务，可以让部队不缺少财用。"太上皇很高兴，立刻任命第五琦为监察御史、江淮租庸使。

史思明再次进攻九门。八月初十日辛卯，攻下了九门，杀死好几千人，率军东进包围藁城。

李庭望带领蕃、汉士兵两万多人东进袭击宁陵、襄邑。夜间，距离雍丘城三十里安置营地。张巡率领三千名手持短兵器的士卒去偷袭，大败叛军，杀死和俘虏一大半的敌人。李庭望收兵趁夜逃走。

八月十二日癸巳，灵武的使者到达蜀地，太上皇高兴地说："我的儿子顺应天道和民心，我还有什么好忧虑的！"十六日丁酉，太上皇下制书说："从今天开始改制书敕书为诰，上表上疏称太上皇。国家的军国大事都先听取皇帝的裁决，然后再奏报朕知道就可以了。等收复京城，朕就不再参与政事。"十八日己亥，太上皇亲临殿前台阶，命令韦见素、房琯、崔涣奉送传国宝玺玉册前往灵武，传皇帝位。

八月二十日辛丑，史思明攻陷藁城。

当初，太上皇每当与臣民聚饮时，都先让太常雅乐的坐部和立部演奏，接着演奏鼓吹乐、胡人乐、教坊乐、京兆府与长安县万年县的散乐和杂戏，又用山车、旱船载着乐工往来演奏，又让宫女表演《霓裳羽衣》舞，又让一百匹舞马，衔杯祝寿，又引导犀牛、大象入场，或拜，或舞。安禄山看了很喜欢。在攻克长安后，命令搜捕乐工，运载乐器和舞衣，驱赶舞马、犀牛、大象全部前往洛阳。

【段旨】

以上为第十一段，写郭子仪勤王灵武。唐玄宗称太上皇，传国宝玉册于肃宗。至是，全国政令统一。

【注释】

㉘⑨蜡丸达表：奏表密藏于蜡丸，潜送给皇帝。㉙⓪徇国：为国难而死。徇，通“殉”。㉙①壬午：八月初一日。㉙②北都：武则天天授元年（公元六九〇年）始以太原为北都。㉙③交其兵：谓把兵权交给他人，即下文所云“交兵于光弼”。㉙④侮易：侮辱、轻慢。㉙⑤癸未：八月初二日。㉙⑥江淮租庸使：使职名，为专门经理江南、淮南道租庸赋税以筹集兵费的差遣官。㉙⑦辛卯：八月初十日。㉙⑧宁陵：县名，县治在今河南宁陵南。㉙⑨襄邑：县名，县治在今河南睢县西。㉚⓪癸巳：八月十二日。㉚①丁酉：八月十六日。㉚②诰：古代一种上对下的文告。朝廷颁布的命令叫诰命，唐代皇帝诏令称制而不称诰，故玄宗改制为诰，以区别于在位皇帝的命令。㉚③表疏：臣下给皇帝的奏章。㉚④进止：裁决。㉚⑤己亥：八月十八日。㉚⑥传国宝：天子八宝之一的授命宝。武则天改玺为宝。据传，此玺为秦始皇取蓝田玉刻，李斯书文“受命于天，既寿永昌”。历代相传。唐平窦建德得之。此玺要在举行封禅大典或祭祀神祇时才得使用。㉚⑦辛丑：八月二十日。㉚⑧酺宴：古代皇帝诏赐臣民聚饮。㉚⑨太常雅乐：又称《大唐雅乐》，为帝王祭祀天地、祖先及

【原文】

臣光曰：“圣人[320]以道德为丽，仁义为乐。[321]故虽茅茨土阶，恶衣菲食，[322]不耻其陋[323]，惟恐奉养之过[324]以劳民费财。明皇恃其承平，不思后患，殚[325]耳目之玩，穷声技之巧。自谓帝王富贵皆不我如，欲使前莫能及，后无以逾，非徒娱己，亦以夸人。岂知大盗在旁，已有窥窬[326]之心，卒致銮舆播越[327]，生民涂炭[328]。乃知人君崇华靡[329]以示人，适足为大盗之招[330]也。”

【段旨】

以上为第十二段，写司马光对唐玄宗骄奢淫逸的批评。

【注释】

㉜⓪圣人：儒家的理想君王，如尧、舜、禹、汤、文、武等。㉜①以道德为丽二句：以

朝贺等大典所用乐舞。⑩坐部、立部：唐代十部乐的两部。堂上坐奏，谓之坐部伎；堂下立奏，谓之立部伎。⑪鼓吹：鼓吹乐。古代一种器乐合奏，用鼓、钲、箫、笳等乐器演奏一定的乐曲。⑫胡乐：指来自少数民族和外国的音乐，如龟兹、疏勒、高昌、天竺诸部乐。⑬教坊：教坊乐。原来雅乐和俗乐都隶属太常寺，玄宗开元二年（公元七一四年），更置内教坊于蓬莱宫侧，京都置左右教坊，以教俗乐，以中官为教坊使。以后凡岁时宴享，则用教坊诸部乐。⑭府、县散乐杂戏：府、县，指京兆府及长安、万年二赤县。散乐杂戏，指宫廷乐以外的俳优歌舞杂奏，称百戏、杂技、杂戏。⑮山车：棚车。在车上构架棚阁，以彩色缯帛做成山林形状，乐工歌舞于棚阁之上。⑯陆船：旱船。用竹木捆成船的形状，上施彩色缯帛，舞人站于船中，歌舞前进。⑰《霓裳羽衣》：乐舞名，开元中河西节度使杨敬述献曲，经玄宗润笔并制歌词，改名《霓裳羽衣曲》。⑱舞马：马舞。唐玄宗曾命驯马百匹为乐，分为左右部，各有名称，披以锦绣，络以金银，马闻乐起舞，奋首鼓尾，纵横应节。千秋节（玄宗生日），辄命马舞于勤政楼下，衔杯上寿，其曲谓之《倾杯乐》。⑲犀象：犀牛、大象。

【语译】

司马光说："圣人以道德为美，以仁义为乐。所以虽然住着以茅草为顶、泥土为阶的房屋，穿着劣质衣服，吃着菲薄食物，但并不以简陋为羞耻，唯恐生活供给过度而劳民伤财。唐明皇靠着天下太平，不考虑后患，极尽享受耳目的玩乐，穷尽声色舞技的精巧。自以为过去帝王的富贵都比不上他，想要使前代帝王没有人能追上他，后代帝王也没有办法超过他，不只是娱乐自己，也用来向别人夸耀。他哪里知道大盗就在身旁，已有觊觎皇位之心，最终导致皇舆流离，生灵涂炭。由此可知，人君崇尚华丽奢侈，用以向人夸耀，适足成为大盗觊觎的目标。"

践行道德为美，施行仁义为乐。㉒茅茨土阶二句：此二句意谓茅草屋，土台阶，劣质衣服，菲薄饮食。㉓陋：简陋；鄙陋。㉔奉养之过：衣食住行用费过度。㉕殚：尽；竭尽。㉖窥窬：亦作"窥觎"。窥测方向，觊觎其位，伺隙而动。窥，暗中偷看。窬，门边小洞。㉗銮舆播越：指天子流亡他乡。銮舆，天子的车驾，代指天子。㉘生民涂炭：人民遭受深重灾难。㉙华靡：华丽奢侈。㉚招：箭靶；争夺的目标。

【原文】

禄山宴其群臣于凝碧池[331]，盛奏众乐，梨园弟子[332]往往歔欷泣下，贼皆露刃睨[333]之。乐工雷海清不胜悲愤，掷乐器于地，西向恸哭。禄山怒，缚于试马殿前，支解[334]之。

禄山闻向日[335]百姓乘乱多盗库物，既得长安，命大索三日，并其私财尽掠之。又令府县推按，铢两之物[336]，无不穷治，连引搜捕，支蔓无穷[337]，民间骚然，益思唐室。

自上离马嵬北行，民间相传太子北收兵来取长安，长安民日夜望之，或时相惊曰："太子大军至矣！"则皆走，市里为空。贼望见北方尘起，辄惊欲走。京畿[338]豪杰往往杀贼官吏，遥应官军，诛而复起，相继不绝，贼不能制。其始自京畿、鄜[339]、坊[340]至于岐[341]、陇[342]皆附之，至是，西门之外，率[343]为敌垒，贼兵力所及者，南不出武关[344]，北不过云阳[345]，西不过武功[346]。江、淮奏请贡献之蜀、之灵武者，皆自襄阳取上津[347]路抵扶风[348]，道路无壅[349]，皆薛景仙之功也。

九月壬子[350]，史思明围赵郡。丙辰[351]，拔之。又围常山，旬日城陷，杀数千人。

建宁王倓性英果[352]，有才略，从上自马嵬北行，兵众寡弱，屡逢寇盗。倓自选骁勇，居上前后，血战以卫上。上或过时未食，倓悲泣不自胜，军中皆属[353]目向之。上欲以倓为天下兵马元帅，使统诸将东征，李泌曰："建宁诚元帅才，然广平[354]，兄也。若建宁功成，岂可使广平为吴太伯[355]乎！"上曰："广平，冢嗣[356]也，何必以元帅为重！"泌曰："广平未正位东宫[357]。今天下艰难，众心所属，在于元帅。若建宁大功既成，陛下虽欲不以为储副[358]，同立功者其肯已乎！太宗、上皇，即其事也。[359]"上乃以广平王俶为天下兵马元帅，诸将皆以属焉。倓闻之，谢泌曰："此固倓之心也！"

上与泌出行军，军士指之，窃言曰："衣黄者，圣人也。衣白者，山人[360]也。"上闻之，以告泌，曰："艰难之际，不敢相屈以官[361]，且衣紫袍[362]，以绝群疑。"泌不得已，受之。服之，入谢，上笑曰："既服

【语译】

安禄山在凝碧池宴请他的群臣，大规模演奏各种乐曲，梨园弟子常常叹息涕泣，贼兵全都抽出刀子斜视他们。乐工雷海清不胜悲愤，把乐器扔在地上，向西痛哭。安禄山大怒，把他绑在试马殿前，肢解了他。

安禄山听说前些日子老百姓乘乱偷了很多国库中的宝物，攻克长安后，命令大肆搜索三天，连老百姓的私人财物也全都抢走。又命令府县官吏审讯，点滴财物，无不深加追究，互相牵连，搜查抓捕，枝蔓扩展，没有止境。民间动乱，更加思念唐室。

自从肃宗离开马嵬北进，民间相传太子北进招集士兵前来收复长安，长安百姓日夜盼望，有时互相惊呼："太子的大军到了！"于是大家全跑走了，街头里巷为之一空。叛贼看见北方起了尘土，就惊慌得想要逃走。京城附近的豪杰往往杀死叛贼的官吏，与官军遥相呼应，杀死了原来的豪杰，又有新的起来，相继不绝，叛贼不能制止。开始时从京城附近、鄜州、坊州直到岐州、陇州都起来响应，到这时，长安西门以外的地方，大多是抗敌的营垒，叛贼势力所及，南面不出武关，北面不过云阳，西面不过武功。长江、淮河地区所上奏疏和贡献的物品送往蜀中或灵武的，都从襄阳取道上津抵达扶风，道路没有断绝，这全是薛景仙的功劳。

九月初一日壬子，史思明包围赵郡。初五日丙辰，攻克赵郡。又包围常山，十天常山城陷落，杀死了几千人。

建宁王李倓性格英明果断，有才智谋略，随从肃宗从马嵬北进，兵少势弱，多次遭遇敌寇和盗贼。李倓亲自选拔骁勇士兵，走在肃宗的前后，浴血奋战保卫肃宗。肃宗有时过了吃饭的时间还未进食，李倓就悲伤哭泣不已，军中都把目光投向他。肃宗想任命李倓为天下兵马元帅，派他统领诸将东征，李泌说："建宁王确实是元帅之才，然而广平王是兄长。如果建宁王大功告成，难道可以让广平王做吴太伯吗?!"肃宗说："广平王是嫡长子，何必把元帅之职看得那么重呢！"李泌说："广平王还没有立为太子。如今天下处于艰难时期，民心所系，在于元帅。如果建宁王大功告成，陛下您虽然不打算立他为君位继承人，与他一起建立功业的人怎么肯罢休呢！太宗和太上皇，就是这样的事例。"肃宗便任命广平王李俶为天下兵马元帅，各位将领都归他统辖。李倓听说此事，感谢李泌说："这才是我的心意啊！"

肃宗与李泌外出行军，军士们指着他们，偷偷地说："穿黄衣服的是圣人。穿白衣服的是山里人。"肃宗听到这件事，把此事告诉了李泌，说："国家艰难之际，我不敢让您屈从为官，暂时穿上紫袍，以避免大家的猜疑。"李泌不得已，接受了紫袍。他穿上紫袍，入宫谢恩，肃宗笑着说："既然穿上紫袍，怎么可以没有为官名称呢！"

此，岂可无名称!”出怀中敕，以泌为侍谋军国[363]、元帅府行军长史[364]。泌固辞，上曰:“朕非敢相臣，以济艰难耳。[365]俟贼平，任行高志。”泌乃受之。置元帅府于禁中，俶入则泌在府，泌入俶亦如之。泌又言于上曰:“诸将畏惮天威，在陛下前敷陈[366]军事，或不能尽所怀，万一小差，为害甚大。乞先令与臣及广平熟议，臣与广平从容奏闻，可者行之，不可者已之。”上许之。时军旅务繁，四方奏报，自昏至晓无虚刻，上悉使送府，泌先开视，有急切者及烽火[367]，重封[368]，隔门通进[369]，余则待明。禁门钥契[370]，悉委俶与泌掌之。

【段旨】

以上为第十三段，写安史叛贼残虐，肃宗子建宁王李倓忠勇仁孝。

【注释】

㉛凝碧池：池塘名，在唐东都苑的东边，东西五里，南北三里，即隋炀帝的积翠池。㉜梨园弟子：唐玄宗曾选坐部乐伎三百人，教授乐曲于梨园，亲自订正声误，号“皇帝梨园弟子”。又宫女数百，亦为梨园弟子，居于宜春北院。㉝睨：斜看。㉞支解：分解四肢，古代酷刑之一。支，通“肢”。㉟向日：往日。㊱铢两之物：指细小物品。唐制，权衡以中等大小的黑黍百粒之重为铢，二十四铢为两。㊲支蔓无穷：指彼此牵连，无休无止。支，通“枝”，枝条。蔓，藤。㊳京畿：国都所在的千里之地。此指长安及其附近地区。㊴鄜：州名，治所在今陕西富县。㊵坊：州名，治所在今陕西黄陵东南。㊶岐：州名，治所在今陕西扶风东。㊷陇：州名，治所在今陕西陇县。㊸率：大多；一般。㊹武关：关名，在今陕西丹凤东南。㊺云阳：县名，县治在今陕西泾阳北。㊻武功：县名，县治在今陕西武功。㊼上津：县名，县治在今湖北郧西西北上津镇。㊽扶风：郡名，天宝元年（公元七四二年）岐州改名，治所在今陕西扶风东。㊾壅：堵塞。㊿壬子：九月初一日。[351]丙辰：九月初五日。[352]英果：威武果敢。[353]属：通“瞩”。注视。[354]广平：广平王李俶。[355]吴太伯：周先祖太王长子。相传太王欲传位给第三子季

肃宗拿出怀中敕书，任命李泌为侍谋军国、元帅府行军长史。李泌坚决推辞，肃宗说："朕不敢任您为臣，是想借此度过国家的艰难时期。等到叛贼平定了，任凭您践行崇高的志向。"李泌这才接受了任命。在宫禁中设置元帅府，李俶入宫，李泌就在府中，李泌入宫，李俶也如同李泌一样。李泌又向肃宗进言，说："各位将领都惧怕天子威严，在陛下面前陈述军务，有时不能把心里话全说出来，万一有小差错，造成的危害特别严重。请令诸将先与臣和广平王深入讨论，臣和广平王再从容不迫地向陛下奏报，认可的就实行，不认可的就停止。"肃宗答应了。当时军务繁多，四方奏报，从傍晚到拂晓，没有一刻空闲，肃宗派人全部送到元帅府，李泌先打开阅视，如有紧急事情和烽火警情，就双重密封，隔门通报进宫，其他的就等到天亮后处理。宫门的钥匙和符契，都委托李俶和李泌掌管。

历（周文王之父），太伯和二弟仲雍避居江南，断发文身，开发吴地。事见《史记·吴太伯世家》。㊿356 冢嗣：嫡长子。357 正位东宫：确立东宫的地位，指立为皇太子。358 储副：储君。被确定为君位的继承者。359 太宗、上皇二句：指太宗、玄宗皆非嫡长继位事。太宗，即唐太宗李世民（公元五九九至六四九年），公元六二七至六四九年在位。太宗本高祖次子，在唐初平定群雄的战争中，表现出卓越的谋略，屡建奇功，但不居储君地位。武德九年（公元六二六年）发动玄武门兵变，杀兄诛弟，迫使其父将其立为太子，不久即帝位。事见《旧唐书》卷二、卷三，《新唐书》卷二。上皇，即唐玄宗李隆基（公元六八五至七六二年），公元七一二至七五五年在位，睿宗第三子。中宗皇后韦氏专权，李隆基率羽林军杀韦氏及其党羽，拥立睿宗，睿宗乃以隆基为太子。事见《旧唐书》卷八、卷九，《新唐书》卷五。360 山人：山居者。指隐士一类人物。361 相屈以官：以官相屈从，即强制做官。362 紫袍：官服。唐章服制度，三品以上官穿紫色袍服。363 侍谋军国：肃宗临时所置官名，职在皇帝左右参谋军国大事。364 元帅府行军长史：元帅的最高属官，协助元帅掌管所有军政事务。365 非敢相臣二句：此二句意谓不是胆敢来使你为臣，而是为了共渡难关罢了。敢，谦辞，冒昧的意思。相，相烦、以事委托。济，渡过。366 敷陈：铺叙；详细叙述。367 烽火：古代边防报警的信号。此指军事报警文书。368 重封：古时臣下上书奏事，为防止泄漏，用袋封缄。上奏非常机密的事，用双重封缄，即为重封。封，封事。369 隔门通进：宫禁门旁置有轮盘，夜晚关门后，如有紧急文书可放入轮盘，旋转送入。370 钥契：指打开禁门的钥匙。钥，钥匙。契，符契、凭证物。

【原文】

阿史那从礼[371]说诱九姓府[372]、六胡州诸胡[373]数万众聚于经略军[374]北，将寇朔方，上命郭子仪诣天德军[375]发兵讨之。左武锋使[376]仆固怀恩之子玢别将兵与虏战，兵败，降之，既而复逃归，怀恩叱而斩之。将士股栗，无不一当百，遂破同罗[377]。

上虽用朔方之众，欲借兵于外夷以张军势，以豳王守礼[378]之子承寀[379]为敦煌王，与仆固怀恩使于回纥以请兵。又发拔汗那兵，且使转谕城郭诸国[380]，许以厚赏，使从安西兵入援。李泌劝上："且幸彭原[381]，俟西北兵将至，进幸扶风以应之，于时庸调亦集，可以赡军。"上从之。

戊辰[382]，发灵武。

内侍边令诚复自贼中逃归，上斩之。

丙子[383]，上至顺化[384]。韦见素等至自成都，奉上宝册，上不肯受，曰："比以中原未靖[385]，权[386]总百官，岂敢乘危，遽为传袭！"群臣固请，上不许，置宝册于别殿，朝夕事之，如定省之礼[387]。上以韦见素本附杨国忠，意薄之[388]，素闻房琯名，虚心待之。琯见上言时事，辞情慷慨，上为之改容，由是军国事多谋于琯。琯亦以天下为己任，知无不为，专决于胸臆[12]，诸相拱手避之。

上皇赐张良娣七宝鞍。李泌言于上曰："今四海分崩，当以俭约示人，良娣不宜乘此。请撤其珠玉付库吏，以俟有战功者赏之。"良娣自阁[389]中言曰："乡里之旧[390]，何至于是！"上曰："先生为社稷计也。"遽命撤之。建宁王倓泣于廊下，声闻于上。上惊，召问之，对曰："臣比忧祸乱未已，今陛下从谏如流[391]，不日当见陛下迎上皇还长安，是以喜极而悲耳。"良娣由是恶李泌及倓。

上尝从容与泌语及李林甫，欲敕诸将克长安，发其冢，焚骨扬灰。泌曰："陛下方定天下，奈何仇[392]死者！彼枯骨何知，徒示圣德[393]之不弘耳。且方今从贼者，皆陛下之仇也，若闻此举，恐阻其自新之心。"上不悦，曰："此贼昔日百方危朕。当是时，朕弗[13]保朝夕。朕之全，特天幸耳！林甫亦恶卿，但未及害卿而死耳，奈何矜[394]之！"对曰：

【语译】

阿史那从礼劝诱九姓府、六胡州各部落的胡人好几万人聚集在经略军的北面，即将侵犯朔方，肃宗命令郭子仪前往天德军发兵讨伐。左武锋使仆固怀恩的儿子仆固玢另外带兵与敌人交战，军队失败，投降了敌人，不久又逃了回来，仆固怀恩斥责他，把他杀了。将士战栗，无不以一当百，于是打败了同罗。

肃宗虽然使用朔方的部队，还是想从外夷借兵来扩大军队的声势，任命豳王李守礼的儿子李承寀为敦煌王，让他和仆固怀恩出使回纥借兵。又调发拔汗那的军队，并让他转告居处城郭的各个国家，答应给他们重赏，让他们跟随安西部队前来援助。李泌劝告肃宗说："暂时亲临彭原，等西北的部队即将到达时，再进入扶风接应，那时候庸调赋税也集中起来了，可以供给军队。"肃宗同意了。

九月十七日戊辰，肃宗从灵武出发。

宦官边令诚又从叛贼中逃了回来，肃宗把他杀了。

九月二十五日丙子，肃宗到了顺化。韦见素等从成都过来，奉上传国宝玺玉册，肃宗不肯接受，说："近来中原战乱没有平定，我暂时统理百官，哪里敢乘着危难之际，急忙承袭皇位！"群臣一再请求，肃宗不肯同意，把传国宝玺玉册放在另外一个殿里，早晚礼拜，犹如定省之礼。肃宗因为韦见素本来依附杨国忠，心里很鄙视他；向来听到房琯大名，很谦虚地对待他。房琯进见肃宗谈论时事，言辞情绪慷慨激昂，肃宗被他感动得脸色都变了，因此军国大事大都和房琯商议。房琯也以天下为己任，尽其所知道的去做，对军国事专断于胸，其他的丞相都拱手避让。

太上皇赏赐张良娣七宝鞍。李泌向肃宗进言说："如今天下分崩离析，应当以勤俭节约为人表率，良娣不应该乘坐这样的马鞍。请撤掉马鞍上的珍珠玉饰，交给府库官吏，等着赏赐给有战功的人。"张良娣在宫中说："我与李泌是同乡，何至于这样呢！"肃宗说："李先生是为国家着想啊。"命令马上拿掉马鞍上的珍珠玉饰。建宁王李倓在廊下哭泣，哭声被肃宗听到了。肃宗很惊奇，叫来询问他，建宁王李倓回答说："臣近来忧虑祸乱没有平定，今天陛下从谏如流，过不了多久就会看到陛下迎接太上皇返回长安，所以喜极而悲。"张良娣从此厌恶李泌和李倓。

肃宗曾经在闲暇时和李泌谈及李林甫，想要下敕书命令诸将收复长安后，挖开李林甫的坟墓，焚骨扬灰。李泌说："陛下正在平定天下，何必仇恨死去的人！李林甫的尸骨有什么知觉，只能显示圣上的恩德不够宽宏。再说如今追随叛贼的人，都是陛下的仇人，如果他们听到陛下这一举动，恐怕断了他们悔过自新的想法。"肃宗听了不大高兴，说："这个贼子过去千方百计危害朕。在那时，朕朝不保夕。朕之所以能够保住性命，只是天幸啊！李林甫也嫉恨您，只是没有来得及害您就死去了，为什么要可怜他！"李泌回答说："臣怎么会不知道！我之所以这么说，是考虑到太

“臣岂不知！所以言者[14]，上皇有天下向[395]五十年，太平娱乐，一朝失意，远处巴蜀。南方地恶，上皇春秋高，闻陛下此敕，意必以为用韦妃之故[396]，内惭不怿[397]。万一感愤成疾，是陛下以天下之大不能安君亲。”言未毕，上流涕被面，降阶，仰天拜曰：“朕不及此，是天使先生言之也！”遂抱泌颈泣不已。

他夕，上又谓泌曰：“良娣祖母，昭成太后[398]之妹也，上皇所念。朕欲使正位中宫以慰上皇心，何如？”对曰：“陛下在灵武，以群臣望尺寸之功，故践大位，非私己也。至于家事，宜待上皇之命，不过晚岁月之间耳。”上从之。

南诏乘乱陷越嶲[399]会同军[400]，据清溪关[401]，寻传[402]、骠国[403]皆降之。

【段旨】

以上为第十四段，写唐肃宗纳谏，李泌尽言，君臣和谐，朝廷以安。

【注释】

[371]阿史那从礼：同罗部落?（回纥九姓部落之一）的首长。[372]九姓府：九姓回纥，因为仍旧带着原置羁縻府号，故称九姓府，时居河曲一带。[373]六胡州诸胡：六胡州，调露元年（公元六七九年）于灵、夏州南境置鲁、丽、含、塞、依、契六州，安置突厥降人，称其地为六胡州，称其人为六州胡。开元中，六州胡人反叛，平定后移六州残胡五万余口于河南、江、淮等地安置。开元二十六年（公元七三八年）敕还散隶诸州的六州胡，于盐、夏二州间置宥州安置。此所谓六胡州诸胡即指此。[374]经略军：此指朔方节度使所统辖的经略军，治灵州城内（在今宁夏灵武西南）。[375]天德军：军镇名，治所永济栅，隋代称大同城，在今内蒙古乌拉特前旗东北。[376]左武锋使：节度使幕职，即左先锋使。[377]同罗：此指同罗之内迁散居于河曲者。[378]豳王守礼：邠王李守礼，章怀太子第二子。传见《旧唐书》卷八十六、《新唐书》卷八十一。[379]承寀：邠王李守礼之第三子，封敦煌郡王。与父同传。[380]城郭诸国：城郭，泛指城邑。西域各国都筑城邑而居，故称城郭诸国。城，内城。郭，外城。[381]彭原：郡名，治安定，在今甘肃宁县。[382]戊辰：九月十七日。[383]丙子：九月二十五日。[384]顺化：郡名，天宝元年（公元七四二年）庆州改名，治所在今甘肃庆阳。[385]靖：平定。[386]权：权且；暂且。[387]定省之礼：语

上皇拥有天下将近五十年，太平娱乐，一朝违意，远处巴蜀。南方环境恶劣，太上皇年事已高，听到陛下这道敕书，心里一定以为是为了韦妃的事情，内心惭愧不已。万一感愤交集生了病，那就是陛下以天下之大，不能使君亲平安。”李泌还没有说完，肃宗泪流满面，走下台阶，仰天跪拜说：“朕没有想到这一点，这是上天让先生您来说给我听的啊！”于是抱着李泌的脖子哭泣不已。

另一天晚上，肃宗又对李泌说：“张良娣的祖母，是昭成太后的妹妹，太上皇思念她。朕想立良娣为皇后，慰藉太上皇的心，您看如何？”李泌回答说：“陛下在灵武时，因为群臣希望建立细微功业，所以陛下才登上帝位，这不是陛下自私。至于家事，应该等待太上皇的命令，不过晚一年半载的时间。”肃宗同意了李泌的意见。

南诏乘乱攻陷越嶲郡会同军，占据清溪关，寻传、骠国都降附了南诏。

出《礼记·曲礼上》：“凡为人子之礼，冬温而夏清，昏定而晨省。”指子女早晚向亲长问安。㊳88 意薄之：心里轻视他。㊳89 阁：宫阁，也可释为殿阁旁门。㊳90 乡里之旧：同乡的交情。乡里，指同乡人。旧，故旧、老交情。张良娣母家在新丰（今陕西临潼东北新丰街道），李泌家居京兆（今陕西西安西），都在京畿，故云乡里。㊳91 从谏如流：指帝王随时都能乐意听取臣下的劝谏。㊳92 仇：仇敌；仇人。㊳93 圣德：天子的道德。㊳94 矜：怜悯；同情。㊳95 向：接近；将近。㊳96 用韦妃之故：由于韦妃的事情。用，由。韦妃，韦坚之妹，肃宗为忠王时，纳为孺人，升储君后，立为太子妃。李林甫兴狱，韦坚连坐赐死，太子惧，表请与韦妃离婚，唐玄宗应允，妃便削发为尼居禁中佛舍。㊳97 内惭不怿：内心有愧而不愉快。怿，高兴。㊳98 昭成太后：睿宗皇后窦氏（？至公元六九三年），玄宗生母。武则天长寿二年（公元六九三年）遇害。睿宗即位后谥曰昭成皇后。睿宗崩，玄宗追尊为皇太后。传见《旧唐书》卷五十一、《新唐书》卷七十六。㊳99 越嶲：郡名，天宝元年嶲州改名，治所在今四川西昌。㊴00 会同军：军镇名，在今四川会理。㊴01 清溪关：关名，唐时军事要塞，在今四川汉源西南与甘洛交界处。㊴02 寻传：寻传蛮。唐时西南少数民族之一，居住在今缅甸伊洛瓦底江上游地区。㊴03 骠国：古代缅甸骠人（后同化于缅人）在今伊洛瓦底江流域地带所建的国家。唐时其所属有二百九十八部落、九个城镇和十八个属国。

【校记】

［12］专决于胸臆：原无此五字。据章钰校，十二行本、乙十一行本、孔天胤本皆有此五字，张敦仁《通鉴刊本识误》、张瑛《通鉴校勘记》同，今据补。［13］弗：据章钰校，十二行本、乙十一行本皆作“不”。［14］所以言者：原无此四字。据章钰校，十二行

本、乙十一行本、孔天胤本皆有此四字，张敦仁《通鉴刊本识误》、张瑛《通鉴校勘记》同，今据补。

【研析】

本卷研析三大事件。哥舒翰潼关败北、马嵬驿兵变、唐肃宗即位灵武。

哥舒翰潼关败北。哥舒翰率领二十万大军扼守潼关，兵多于贼，又占地利，安禄山求战不得，后退无出路，河北史思明连遭败绩，被困于博陵。河北十余郡兵民都起来杀了叛军守将投降官军，叛贼老巢范阳告急。郭子仪、李光弼上奏唐玄宗，请引兵北取范阳，覆贼巢穴，贼必内溃。郭子仪、李光弼还告诫唐玄宗，潼关大军一定要固守拖住叛军，切不可轻出。叛军前敌将领崔乾祐行反间计，收买唐玄宗左右的人。报告说崔乾祐在陕，兵不满四千。唐玄宗遣中使督促哥舒翰出战。哥舒翰上奏唐玄宗，分析敌我形势，指出叛兵利在速战，官军利在据险，坚守以待勤王之兵四集，找寻战机然后出击，可以一战成功。杨国忠害怕哥舒翰拥兵图己，极力配合叛贼反间，奏称趁贼无备，要哥舒翰抓紧战机出击，不要拥兵逗留自重。这时的杨国忠唯恐哥舒翰不败，他煽起了唐玄宗的猜疑心，派出一批又一批宦官中使去督战。六月初四日丙戌，哥舒翰不得已，拊膺恸哭，引兵出关。六月初七日，官军进抵灵宝，叛军在七十里的隘道上设伏，只出动了一万人来会战，队伍零零落落，散如列星，诱使官军中伏。哥舒翰倾巢出动。十八万大军进击，王思礼将精兵五万为前锋，庞忠将十万为后继，哥舒翰自领三万登河北岸高阜鸣鼓助威。唐军轻敌，全军进入了叛军的伏击圈，既遭叛军乘高下木石，又遭叛军火攻，一日之内全军覆没。哥舒翰守关不出，叛军河北告急，安禄山进退维谷，正要退出洛阳，眼看大势已去，恰在此时昏君唐玄宗听了奸相杨国忠的奸计，逼迫哥舒翰出关，转眼间官军大败，叛军转危为安，安禄山攻入长安，唐王朝岌岌可危。唐玄宗仓皇出逃，河北官军也全线崩溃。叛军声势大振，唐朝官多数降贼，包括唐玄宗女婿张垍。如果叛军策略得当，不滥杀无辜，以“诛杨国忠，清君侧”为辞，进入长安乘胜追击，也许唐王朝就此颠覆，或重创不起，亦未可知。安禄山残虐滥杀，激起民众反抗，进了长安就想称帝，使得唐玄宗能够入蜀，唐肃宗得以在灵武即位，勤王之师四集，双方进入了相持阶段。

哥舒翰轻出潼关，全军败没，唐朝不灭，实乃天幸。唐军遭重创，叛军势力大振，延长了安史叛乱的时间，使两京以及河南、河北生灵遭涂炭。哥舒翰的惨败，影响历史至巨。哥舒翰轻出是迫不得已，责任在唐玄宗和权奸杨国忠，但哥舒翰仍要承担三个方面的次要责任。第一，大敌当前，不应当内讧。哥舒翰的责任是守潼关，拒叛军，不应卷入清除杨国忠的斗争中。清除杨国忠是政治家的责任，哥舒翰应全力负责军事。哥舒翰并灞上之兵，杀杨国忠亲信杜乾运，把杨国忠逼上了绝路。

困兽犹斗，结果哥舒翰反被杨国忠咬了一口。第二，全军败没，哥舒翰应负全责。首先，哥舒翰不应倾巢出动，以致潼关不守。其次，两军会战通过隘道，没有分批进击，虽分为前后两军，仍然是全军中伏，哥舒翰亲自率领的后备队伍，隔河在北，救援不了河南岸之军，也望风崩溃。第三，哥舒翰明知敌人以逸待劳，设伏歼击官军，却轻敌冒进。哥舒翰身经百战，只因恃众轻敌，再一次验证了骄兵必败的硬道理，即便是良将，犯规必遭擒，概莫能外。

马嵬驿兵变。马嵬驿在今陕西兴平西南。唐玄宗蒙尘入蜀，行军至马嵬驿，将士饥渴，全军愤怒。禁军首领陈玄礼在唐隆政变中助唐玄宗李隆基诛韦皇后，已有犯上前科。安禄山以诛杨国忠反叛，在舆论上杨国忠已是千夫所指。朝野上下都认为是杨国忠骄纵召乱，切齿痛恨。旧账未了，又添新账。逼迫哥舒翰出关，是杨国忠祸国的新账。乘舆出逃长安，杨国忠先是要烧毁库藏，随后要焚毁便桥，均被唐玄宗制止。唐玄宗说，把库藏留给叛军，使百姓少遭祸害。又说，小民百姓也要逃生，为什么要焚毁便桥断了百姓逃命的生路。相比之下，唐玄宗还有一丝顾念百姓，而杨国忠的可憎面目昭然若揭。正当兵变愤怒之时，恰好来了一队吐蕃士兵，他们见了杨国忠就大喊:“杨国忠是反贼。”不由分说就是一箭，射中了杨国忠坐骑的马鞍。杨国忠逃到马嵬驿的西门，被乱兵砍杀。杨国忠的儿子户部侍郎杨暄，以及贵妃姐韩国夫人、秦国夫人皆被乱兵杀死。至此，哗变兵士仍聚而不散，包围驿馆，直到杨贵妃缢死，陈玄礼见了尸首，这才免胄释甲，顿首请罪。唐玄宗慰劳军士，众人齐呼万岁，兵变风波得以平息。

唐玄宗昏聩，奸臣当道，是致乱之源。安禄山反叛，唐玄宗和杨国忠并未反省，吸取教训，改弦易辙，昏君奸臣仍在误国，才又招致潼关之败。杨国忠不除，祸乱未已。马嵬驿兵变，杀了杨国忠和杨贵妃，平息了众怒，唐玄宗得以安然入蜀。马嵬驿兵变，唐玄宗的权威受到挑战，为新生政权的诞生扫清了障碍。

唐肃宗即位灵武。杨国忠兼剑南节度使，很多部属爪牙在蜀。唐玄宗入蜀即为杨国忠首先提出。马嵬驿兵变，诛杀了杨国忠，将士不愿入蜀，有的提出到河陇，有的提出北上灵武，或到太原。唐玄宗执意入蜀，关中父老遮道请留。唐玄宗留下太子李亨安慰父老。关中父老对太子说:“皇上不愿留下，请殿下留下率领关中子弟东向破贼，取长安。”如果殿下与皇上都到了蜀地，中原百姓没了主人，那就真成了贼人的天下。不多会儿，来了几千群众，不让太子西行。太子李亨的第三子建宁王李倓多谋善断，他与宦官李辅国一起拉着太子的马缰绳劝谏留下讨贼。李倓说:“现在殿下随从皇上入蜀，如果贼兵烧毁栈道，那么中原之地就拱手送给叛贼了。人心离散后，不能再拢在一起，即使想再到这个地方，还办得到吗?!不如收拢西北守边的部队，召集在河北的郭子仪、李光弼，和他们合力东讨逆贼，收复两京，平定天下，使国家转危为安，宗庙毁而复存，清理宫禁，迎接皇上，这难道不是孝道中的大孝吗?! 何必尽一点点冷暖之情，行儿女之恋呢!”太子的长子广平王李俶也劝太子留下。关中父老趁此围住太子坐骑，不让西行。唐玄宗在前面等了很久，不见太子跟来，打探消息后说:“这是天意啊!”唐玄宗留下两千兵马护卫太子，又派人送东宫内人给太子。唐玄宗还传话太子，要传位给他。于是父子分道扬镳，唐玄宗入蜀，太子北上灵武。七月，太子李亨即位于灵武，改元至德，是为肃宗，唐王朝进入了平定叛乱的新局面。

唐玄宗入蜀，留下太子收拾乱局，并传话传位给太子，这是唐玄宗晚年办得最重要的一件大事。作为开元盛世的明君，唐玄宗并不糊涂。他挥泪赐死杨贵妃，从众留下太子并传位给太子，表现了他的罪己悔过，与天宝时期的昏暗之主决裂。司马光批评唐玄宗，恃其承平，骄奢淫逸，“殚耳目之玩，穷声技之巧”，岂知大盗在旁，窃其国柄，终于导致大祸，玄宗蒙尘，生民涂炭。司马光的结论是“乃知人君崇华靡以示人，适足为大盗之招也”。唐玄宗昏而不暴，没有大恶，司马光的批评还是中肯的。

卷第二百十九　唐纪三十五

起柔兆涒滩（丙申，公元七五六年）十月，尽强圉作噩（丁酉，公元七五七年）闰八月，不满一年。

【题解】

本卷记事起公元七五六年十月，迄公元七五七年闰八月，凡十一个月，当唐肃宗至德元载十月到至德二载闰八月。这是安史之乱战斗最激烈的一年，双方投入兵力有百万之众，各有进退。黄河南北、淮水之北，广大中原地区到处是战火。官军方面，两攻长安不克，房琯兵败于前，郭子仪兵败于后。河北官军全线败退，史思明全据河北，兵进太原为李光弼所阻。河南鲁炅守南阳，淮北张巡、许远守睢阳，保护了淮南与江东的安宁。总形势，叛军气盛，处于进攻地位，官军稍弱，处于防守地位。唐室新政权肃宗已站稳脚跟，官军局部反攻，郭子仪收复了河东。由于双方都有内讧，影响战局发展。官军方面，张巡守睢阳，邻郡官军观望不救。永王李璘欲割据江东，差点危及大局。此时官军资给、唐王室财货都要仰赖江淮。叛军内讧，安庆绪弑父自立，史思明称雄河北。叛军势分，从此走入下坡路，官军日益占上风。

【原文】

肃宗文明武德大圣大宣孝皇帝中之上

至德元载（丙申，公元七五六年）

冬，十月辛巳[①]朔，日有食之，既[②]。

上发顺化[③]，癸未[④]，至彭原。

初，李林甫为相，谏官言事皆先白宰相，退则又以所言白之，御史言事须大夫同署[⑤]。至是，敕尽革其弊，[⑥]开谏诤之涂。又令宰相分直政事笔、承旨，旬日而更，[⑦]惩[⑧]林甫及杨国忠之专权故也。

第五琦见上于彭原，请以江、淮租庸市轻货，溯江、汉[⑨]而上至洋川[⑩]，令汉中王瑀[⑪]陆运至扶风以助军，上从之。寻加琦山南等五道度支使[⑫]。琦作榷盐法[⑬]，用以饶。

房琯喜宾客，好谈论，多引拔[⑭]知名之士，而轻鄙庸俗[⑮]，人多怨之。北海太守贺兰进明诣行在，上命琯以为南海太守，兼御史大夫，

【语译】

肃宗文明武德大圣大宣孝皇帝中之上

至德元载（丙申，公元七五六年）

冬，十月初一日辛巳，日全食。

肃宗从顺化出发，初三日癸未，到达彭原。

当初，李林甫做宰相，谏官奏言事情都要先告诉宰相，退朝后又要把在朝堂所说的内容告诉宰相，御史进言事情需要和大夫一起署名。到这时，肃宗下敕书把这些弊端全都革除，打开进谏的通道。又命令宰相在政事堂轮流执政事笔，接受皇帝的旨意，每十天一换，这些安排都是当初李林甫和杨国忠专权的缘故。

第五琦在彭原进见肃宗，请求用江、淮的租庸购买轻货，沿长江、汉水而上，运到洋川，再令汉中王李瑀从陆路运到扶风以助军用，肃宗听从了他的意见。不久加任第五琦为山南等五道度支使。第五琦制定了榷盐法，国家财用由此富足起来。

房琯喜欢结交朋友，爱好高谈阔论，推荐提拔了很多知名人士，而瞧不起那些平凡庸俗之辈，不少人都怨恨他。北海太守贺兰进明来到天子巡行驻扎的地方，肃宗命令房琯任用他为南海太守，兼御史大夫，充岭南节度使，而房琯却任他为代理

充岭南节度使，⑯琯以为摄⑰御史大夫。进明入谢，上怪之。进明因言与琯有隙，且曰："晋用王衍为三公，祖尚浮虚，致中原板荡。⑱今房琯专为迂阔⑲大言，以立虚名，所引用皆浮华⑳之党，真王衍之比也！陛下用为宰相，恐非社稷之福。且琯在南朝㉑佐上皇，使陛下与诸王分领诸道节制㉒，仍置陛下于沙塞空虚之地，又布私党于诸道，使统大权。其意以为上皇一子得天下，则己不失富贵，此岂忠臣所为乎！"上由是疏之。

房琯上疏，请自将兵复两京。上许之，加持节，招讨西京兼防御蒲潼㉓[1]两关兵马、节度等使。琯请自选参佐，以御史中丞邓景山为副，户部侍郎李揖为行军司马，给事中刘秩为参谋。既行，又令兵部尚书王思礼副之。琯悉以戎务委李揖、刘秩。二人皆书生，不闲㉔军旅。琯谓人曰："贼曳落河虽多，安能敌我刘秩！"琯分为三军：使裨将杨希文将南军，自宜寿㉕入；刘贵哲将中军，自武功入；李光进㉖将北军，自奉天入。光进，光弼之弟也。

以贺兰进明为河南节度使。

颍王璬之至成都也，崔圆迎谒，拜于马首，璬不之止，圆恨之。璬视事两月，吏民安之。圆奏罢璬，使归内宅，以武部侍郎李峘㉗为剑南节度使，代之。峘，岘之兄也。上皇寻命璬与陈王珪㉘诣上宣慰。至是，见上于彭原。延王玢㉙从上皇入蜀，追车驾不及。上皇怒，欲诛之。汉中王瑀救之，乃命玢亦诣上所。

甲申㉚，令狐潮、王福德复将步骑万余攻雍丘。张巡出击，大破之，斩首数千级，贼遁去。

房琯以中军、北军为前锋，庚子㉛，至便桥。辛丑㉜，二军遇贼将安守忠于咸阳之陈涛斜㉝。琯效古法，用车战，以牛车二千乘，马步夹之。贼顺风鼓噪，牛皆震骇。贼纵火焚之，人畜大乱，官军死伤者四万余人，存者数千而已。癸卯㉞，琯自以南军战，又败，杨希文、刘贵哲皆降于贼。上闻琯败，大怒。李泌为之营救，上乃宥之，待琯如初。

御史大夫。贺兰进明入朝谢恩，肃宗感到奇怪。贺兰进明乘机说自己与房琯有嫌隙，并且说："晋朝任用王衍为三公，崇尚浮华虚名，导致中原地区动乱。现在房琯专门讲一些不切实际的大话来建立虚名，所推荐任用的都是一些轻浮不实之辈，真是王衍同类之人！陛下任用他为宰相，恐怕不是国家的福气。再说房琯在南方朝廷辅佐太上皇，让陛下与诸王分别统领各道节制，而把陛下安排在沙漠边塞人烟稀少的地方，又在各道布置私人党羽，让他们掌管大权。他的想法是太上皇的任何一个儿子得到天下，他自己都不会失去富贵，这难道是忠臣所应该做的吗?!"肃宗由此疏远了房琯。

房琯上疏，请求亲自率兵收复长安、洛阳这两处京都。肃宗同意了，加任他为持节，招讨西京兼防御蒲潼两关兵马、节度等使。房琯请求自己挑选参佐人员，任命御史中丞邓景山为副将，户部侍郎李揖为行军司马，给事中刘秩为参谋。出发后，又命令兵部尚书王思礼做他的副手。房琯把军务都委托给了李揖、刘秩。这两个人都是书生，不熟悉军旅之事。房琯对别人说："贼兵精锐曳落河虽多，怎能敌得过我军的刘秩!"房琯把部队分为三军：派裨将杨希文率领南军，从宜寿进攻；派刘贵哲率领中军，从武功进攻；派李光进率领北军，从奉天进攻。李光进，是李光弼的弟弟。

任命贺兰进明为河南节度使。

颍王李璬到成都时，崔圆迎候谒见，在马前下拜行礼，李璬却没有停步，崔圆很恨他。李璬上任两个月，官吏百姓都很安定。崔圆奏请罢免李璬，让他回到行宫内宅去，任命武部侍郎李峘为剑南节度使，代替李璬。李峘是李岘的哥哥。太上皇不久又命李璬与陈王李珪到肃宗那里去慰问。到这时，在彭原见到了肃宗。延王李玢跟随太上皇入蜀，一路追赶太上皇的车驾却没能赶上。太上皇发怒，想要杀掉他。汉中王李瑀救了他，于是命李玢也到肃宗那里去。

十月初四日甲申，令狐潮、王福德又率领步兵骑兵一万多人进攻雍丘。张巡出城迎击，大败叛军，斩杀数千人，贼兵逃走。

房琯以中军、北军为前锋，十月二十日庚子，到达便桥。二十一日辛丑，中、北二军在咸阳的陈涛斜遭遇贼将安守忠。房琯模仿古代战法，采用车战，用了牛车两千辆，让骑兵、步兵夹杂在周围。贼兵顺风击鼓喊叫，牛都受到惊吓。贼兵又放火焚烧，人畜大乱，官军死伤四万多人，活下来的不过几千人。二十三日癸卯，房琯亲自率南军出战，又被打败，杨希文、刘贵哲都投降了叛贼。肃宗听说房琯失败，非常愤怒。李泌出面营救他，肃宗这才宽赦了他，对待房琯像过去一样。

【段旨】

以上为第一段，写房琯兵败长安。

【注释】

①辛巳：十月初一日。②既：食尽；日全食。③顺化：郡名，郡治顺化县，在今甘肃庆阳。④癸未：十月初三。⑤御史言事须大夫同署：据《唐六典·御史台》载，御史弹劾百官，须先将弹奏之事告于大夫，小事署名同意，大事则亲自写表章弹奏。又载，凡是事应由侍御史弹奏的，要把事实写成奏状，由大夫、中丞署名同意而后上奏。大夫，即御史大夫，御史台长官，正三品。⑥至是二句：《通典·职官》谏议大夫条自注云："至德元年九月制，谏议大夫议事，自今以后，不须令宰相先知。"《唐会要·弹劾》载："至德元年九月十日诏，御史弹事，自今以后，不须取大夫同置（署）。""至是"云云，时在九月。⑦宰相分直政事笔、承旨二句：分直政事笔，即宰相轮流担任"执政事笔"。唐代宰相由数人组成，军国政事多在政事堂参议。在政事堂议政的诸宰相中，有一位秉笔宰相，具有首席宰相的身份，主持政事堂会议，处理中书门下（政事堂）日常事务。承旨，承接诏旨，这是秉笔宰相一项重要任务，即皇帝有事要宰相办理的，由秉笔宰相去见皇帝领受旨意，带回政事堂共同商议办理。唐代宰相执政事笔是轮换担任的，但在开元天宝时，李林甫、杨国忠专权，长期把持政事笔。肃宗为了纠正这种情况，便明确规定宰相轮流执政事笔、承旨，十天一换。⑧惩：惩戒，以过去的过失作为教训。⑨溯江、汉：指溯长江、汉水而上。溯，逆水而上。江，长江。汉，汉水。⑩洋川：郡名，天宝元年（公元七四二年）洋州改名，治所在今陕西西乡。⑪汉中王瑀：陇西公李瑀，肃宗至德元载（公元七五六年）七月封汉中王。⑫度支使：使职名，为取代并扩大户部度支司职权而专门设置来执掌中央财政大权的差遣官。由开元天宝时判、知度支演变而来，至德元载第五琦任山南等五道度支使是此职的首次设置。⑬榷盐法：榷盐法是官府实行食盐专卖的政策措施，唐代从第五琦开始推行。其办法是由官府派人在山海井灶产盐之地收购其盐，然后加价出卖；原来的亭户（煮盐户）以及愿意从事煮盐的浮人，都隶属盐铁使，免杂徭，严禁盗煮和私市。榷，专利、专卖。⑭引拔：推荐、提拔。⑮轻鄙庸俗：指瞧不起平常之辈。轻鄙，轻视、瞧不起。庸俗，平凡鄙俗。⑯以为南海太守三句：南海，郡名，天宝元年（公元七四二年）广州改名，治所番禺，在今广东广州。此时天

下兵起，出镇方面的长官必兼带台省长官衔，甚至方镇幕僚亦带朝官衔。故贺兰进明为南海太守，充岭南节度使，带御史大夫衔。⑰摄：凡官衔言摄，乃是敕授而非正命，有权代的意思，与并任的“兼”官，名分有所不同。⑱晋用王衍为三公三句：本句意为西晋任用王衍为宰辅，浮华不实，故弄玄虚，导致中原大乱。王衍（公元二五六至三一一年），字夷甫，琅邪临沂（今山东临沂北）人，西晋士族，官至尚书令、太尉。衍有盛才，常自比子贡，名倾一时，又善玄言，以谈老、庄为事，义理若有不安，随即更改，世号“口中雌黄”。居宰辅之位，周旋于诸王之间，唯求自全之计。东海王司马越死，众推衍为元帅，石勒破晋军时被俘，临杀时王衍悔悟道：“吾曹……若不祖尚浮虚，勠力以匡天下，犹可不至今日。”传见《晋书》卷四十三。三公，晋以太尉、司徒、司空为三公。辅助国君，“论道经邦”，为地位最高的官员。祖尚，崇奉、提倡。浮虚，浮华玄虚。板荡，《诗经·大雅》有《板》《荡》二篇，讥刺周厉王无道，败坏国家，后遂以板荡指政局变乱或社会动荡不安。⑲迂阔：指不切实情。⑳浮华：轻浮不实。㉑南朝：指玄宗在成都的朝廷。玄宗避处成都（今四川成都），在关陇之南，故称。㉒使陛下与诸王分领诸道节制：指玄宗天宝十五载（公元七五六年），亦即肃宗至德元载七月丁卯，在蜀中下制：以太子亨充天下兵马元帅，领朔方、河东、河北、平卢节度都使，南取长安、洛阳；永王璘、盛王琦、丰王珙等充诸路节度都使。见本书肃宗至德元载七月丁卯条。㉓蒲潼：皆关名，蒲关在今陕西大荔东黄河西岸，潼关在今陕西潼关县北。㉔闲：熟习。㉕宜寿：县名，天宝元年盩厔县改名，县治在今陕西周至。㉖李光进：兵部尚书、中书门下平章事李光弼之弟。官至太子太保、兼御史大夫、渭北节度使，先后封范阳郡公、武威郡王、凉国公。传见《新唐书》卷一百三十六。㉗李峘：李峘（？至公元七六三年），唐太宗第三子吴王恪之孙，封赵国公。传见《旧唐书》卷一百十二、《新唐书》卷八十。㉘陈王珪：唐玄宗第二十五子，初名涣，封陈王。传见《旧唐书》卷一百七、《新唐书》卷八十二。㉙延王玢：李玢（？至公元七八四年），唐玄宗第二十子，初名洄，封延王。传见《旧唐书》卷一百七、《新唐书》卷八十二。㉚甲申：十月初四日。㉛庚子：十月二十日。㉜辛丑：十月二十一日。㉝陈涛斜：或作“陈陶斜”，又名咸阳斜。地名，在今陕西咸阳东。㉞癸卯：十月二十三日。

【校记】

［1］潼：原误作“漳”。据章钰校，十二行本、乙十一行本、孔天胤本皆作“潼”，张瑛《通鉴校勘记》同，今据校正。

【原文】

以薛景仙为关内节度副使。

敦煌王承寀至回纥牙帐㉟，回纥可汗以女妻之，遣其贵臣与承寀及仆固怀恩偕[2]来，见上于彭原。上厚礼其使者而归之，赐回纥女号毗伽公主。

尹子奇围河间，四十余日不下，史思明引兵会之。颜真卿遣其将和琳将万二千人救河间，思明逆击，擒之，遂陷河间，执李奂送洛阳，杀之。又陷景城，太守李暐赴湛水死㊱。思明使两骑赍尺书㊲以招乐安㊳，乐安实时举郡降。又使其将康没野波将先锋攻平原。兵未至，颜真卿知力不敌，壬寅㊴，弃郡渡河南走。思明即以平原兵攻清河㊵、博平㊶，皆陷之。思明引兵围乌承恩于信都，承恩以城[3]降，亲导思明入城，交兵马、仓库，马三千匹，兵万人。思明送承恩诣洛阳，禄山复其官爵。

饶阳裨将束鹿㊷张兴，力举千钧，性复明辨㊸。贼攻饶阳，弥年㊹不能下。及诸郡皆陷，思明并力围之，外救俱绝，太守李係窘迫，赴火死，城遂陷。思明擒兴，立于马前，谓曰："将军真壮士，能与我共富贵乎？"兴曰："兴，唐之忠臣，固无降理。今数刻之人耳，愿一言而死。"思明曰："试言之。"兴曰："主上待禄山，恩如父子，群臣莫及，不知报德，乃兴兵指阙㊺，涂炭生人。大丈夫不能翦除凶逆，乃北面为之臣乎！仆有短策，足下能听之乎？足下所以从贼，求富贵耳，譬如燕巢于幕㊻，岂能久安！何如乘间取贼，转祸为福，长享富贵，不亦美乎！"思明怒，命张于木上，锯杀之，詈㊼不绝口，以至于死。

贼每破一城，城中人[4]衣服、财贿㊽、妇人皆为所掠。男子壮者使之负担，羸㊾、病、老、幼皆以刀槊戏杀之。禄山初以卒三千人授思明，使定河北。至是，河北皆下之，郡置防兵三千，杂以胡兵镇之。思明还博陵。

【语译】

任命薛景仙为关内节度副使。

敦煌王李承寀来到回纥牙帐，回纥可汗把女儿嫁给他为妻，并派回纥的亲贵大臣与李承寀和仆固怀恩一起前来，在彭原拜见肃宗。肃宗对回纥使者礼遇优厚并送他回去，赐封回纥可汗女儿名号为毗伽公主。

尹子奇围攻河间，四十多天攻不下来，史思明带兵跟他会合。颜真卿派其部将和琳率一万二千人去救河间，史思明迎击，活捉和琳，于是攻克河间，捉住李奂送到洛阳，杀掉了他。又攻克景城，太守李暐投湛水自尽。史思明派两名骑兵带着书信去招降乐安郡，乐安郡马上全郡投降。史思明又派其部将康没野波率先锋部队去攻打平原郡。兵还没到，颜真卿自知兵力不敌，十月二十二日壬寅，放弃平原郡渡黄河南撤。史思明就用攻打平原郡的兵马去攻打清河、博平，都攻了下来。史思明又带兵在信都围住乌承恩，乌承恩举城投降，亲自带史思明入城，交出兵马、仓库，共计有马三千匹，士兵万人。史思明送乌承恩到洛阳，安禄山恢复了他的官职、爵位。

饶阳裨将束鹿人张兴，有千钧之力，而且能明辨是非。贼兵进攻饶阳，一年了也没能攻下来。等到各郡都被攻克后，史思明集中兵力围攻饶阳，饶阳的外援全都断绝，太守李係困窘已极，投火自尽，于是饶阳城被攻克。史思明捉住张兴，站在马前，对他说:“将军真是位壮士，能和我共享富贵吗?”张兴说:“我张兴，是唐朝的忠臣，原本就没有投降的道理。现在我的性命只在数刻之间，希望能让我说完这一番话再死。”史思明说:“你说说看。”张兴说:“主上对待安禄山，恩同父子，群臣没有一个及得上的，安禄山不知道报答恩德，反而兴兵直指朝廷，使生灵涂炭。作为大丈夫不能消灭元凶逆贼，难道还能面朝北向他称臣吗?!我有一个不成熟的建议，足下能听一听吗?足下所以跟随叛贼，不过是为了求得富贵，这好比燕子筑巢在帐幕上，怎么能长久安稳呢!何如乘机攻取叛贼，转祸为福，长享富贵，这不很好吗?!”史思明大怒，下令把张兴绑在木头上，用锯子锯死他，张兴骂不绝口，一直到死。

贼军每攻破一城，城中人的衣服、财物、妇女都遭抢夺。男人强壮的就让他们背扛肩挑从事运输，老弱病幼的则都被叛军用刀矛之类像玩游戏一样杀了。安禄山当初把士卒三千人交给史思明，让他平定河北。到这时，河北各郡都被攻下了，每郡布置防守部队三千人，并混杂胡兵来镇守。史思明回到博陵。

【段旨】

以上为第二段，写贼将史思明攻陷河北郡县，官军全线败没。

【注释】

㉟牙帐：军帐。将帅树牙旗于帐前，故称牙帐。㊱赴湛水死：投入湛水自杀。湛水，古名湛水者有二，一源出今河南宝丰，至襄城县境入北汝河，一在今河南济源西南。二水均在河南，与河北景城郡（治所在今河北沧州）相距甚远，李暐似不可能远走河南而赴水死。《旧唐书·史思明传》作“投河而死”，当是。此“河”应是指景城郡一带的江河。㊲尺书：信札；书信。㊳乐安：郡名，天宝元年（公元七四二年）棣州改名，治所在今山东惠民南。㊴壬寅：十月二十二日。㊵清河：郡名，天宝元年贝州改名，治所在今河北南宫东南。㊶博平：郡名，天宝元年博州改名，治所在今山东聊城东北。㊷束鹿：县名，本饶阳郡鹿城县，天宝十五载改名束鹿县，县治在今河北辛集东北。㊸性复

【原文】

尹子奇将五千骑渡河，略北海，欲南取江、淮。会回纥可汗遣其臣葛逻支将兵入援，先以二千骑奄至范阳城下。子奇闻之，遽引兵归。

十一月[5]戊午㊿，回纥至带汗谷，与郭子仪军合。辛酉(51)，与同罗及叛胡战于榆林河北(52)，大破之，斩首三万，捕虏一万，河曲皆平。子仪还军洛交(53)。

上命崔涣宣慰江南，兼知选举。

令狐潮帅众万余营雍丘城北，张巡邀击，大破之，贼遂走。

永王璘幼失母，为上所鞠养(54)，常抱之以眠，从上皇入蜀。上皇命诸子分总天下节制，谏议大夫(55)高适谏，以为不可，上皇不听。璘领四道节度都使(56)，镇江陵。时江、淮租赋山积于江陵，璘召募勇士数万人，日费巨万。璘生长深宫，不更(57)人事。子襄城王玚(58)有勇力，好兵，有薛镠等为之谋主，以为今天下大乱，惟南方完富，璘握四道兵，封疆数千里，宜据金陵(59)，保有江表(60)，如东晋故事(61)。上闻之，敕璘归觐(62)于蜀，璘不从。江陵长史李岘辞疾赴行在，上召高适与之谋。适陈江东利害，且言璘必败之状。十二月，置淮南节度使，领广陵等

明辨：思想上又能明辨是非。性，性识，思想意识。明辨，清楚地辨别是非。㊹弥年：经年；一年。㊺指阙：指向宫阙，即夺取中央政权。㊻燕巢于幕：语出《左传》襄公二十九年吴季札说："夫子之在此也，犹燕之巢于幕上。"燕子在帐幕上筑巢，极其危险。㊼詈：骂。㊽财贿：财货；财物。㊾羸：瘦弱。

【校记】

［2］偕：原作"皆"。据章钰校，十二行本、乙十一行本皆作"偕"，今从改。［3］以城：原无此二字。据章钰校，十二行本、乙十一行本、孔天胤本皆有此二字，张瑛《通鉴校勘记》同，今据补。［4］人：原无此字。据章钰校，十二行本、乙十一行本、孔天胤本皆有此字，今据补。

【语译】

尹子奇率五千骑兵渡过黄河，进犯北海，想要南下攻取江、淮一带。适逢回纥可汗派他的大臣葛逻支率兵前来救援，并先派了两千骑兵突然抵达范阳城下。尹子奇听到此事后，匆忙带兵赶了回去。

十一月初八日戊午，回纥军到带汗谷，与郭子仪军会合。十一日辛酉，与同罗和反叛的胡兵在榆林郡黄河以北地区交战，大败贼军，杀死三万，俘虏一万，河曲一带都被平定。郭子仪回军来到洛交。

肃宗命令崔涣到江南宣谕抚慰，并兼管选举事务。

令狐潮率部众一万多人在雍丘城北扎营，张巡拦截攻击，把这些人打得大败，贼兵就逃走了。

永王李璘幼年就失去母亲，由肃宗抚养，常常抱着他睡觉，他跟随太上皇入蜀。太上皇命令各个儿子分别统领天下的节度都使，谏议大夫高适进谏，认为这样做不行，太上皇不听。李璘兼领四道节度都使，镇守江陵。当时江、淮地区的租赋在江陵堆积如山，李璘招募了勇士几万人，每日花费巨大。李璘生长在深宫，没有经历过人世间的各种事情。他的儿子襄城王李玚勇武有力，喜好军事，有薛镠等人替他出谋划策，认为如今天下大乱，只有南方完整富足，而李璘掌握着四道的兵马，分封的疆土有好几千里，应该占据金陵，保有江东，像先前的东晋王朝那样。肃宗听说后，敕令李璘回蜀中朝见太上皇，李璘没有听从。江陵长史李岘借口有病辞别李璘奔赴肃宗所在之地，肃宗召高适和他商议。高适陈述了江东的形势，并且分析了李璘必败的情况。十二月，设置淮南节度使，统领广陵等十二郡，任命高适担任这

十二郡[63]，以适为之，置淮南西道节度使[64]，领汝南等五郡[65]，以来瑱为之，使与江东节度使[66]韦陟共图璘。

安禄山遣兵攻颍川[67]。城中兵少，无蓄积，太守薛愿、长史庞坚悉力拒守，绕城百里庐舍林木皆尽。期年，救兵不至，禄山使阿史那承庆益兵攻之，昼夜死斗十五日，城陷，执愿、坚送洛阳。禄山缚于洛滨[68]冰[6]上，冻杀之。

上问李泌曰："今敌强如此，何时可定？"对曰："臣观贼所获子女金帛，皆输之范阳，此岂有雄据四海之志邪！今独虏将或为之用，中国之人惟高尚等数人，自余皆胁从耳。以臣料之，不过二年，天下无寇矣。"上曰："何故？"对曰："贼之骁将，不过史思明、安守忠、田乾真、张忠志、阿史那承庆等数人而已。今若令李光弼自太原出井陉，郭子仪自冯翊入河东，则思明、忠志不敢离范阳、常山，守忠、乾真不敢离长安，是以两军絷其四将也。从禄山者，独承庆耳。愿敕子仪勿取华阴，使两京之道常通。陛下以所征之兵军于扶风，与子仪、光弼互出击之。彼救首则击其尾，救尾则击其首，使贼往来数千里，疲于奔命。我常以逸待劳，贼至则避其锋，去则乘其弊，不攻城，不遏路。来春复命建宁为范阳节度大使，并塞[69]北出，与光弼南北犄角以取范阳，覆其巢穴。贼退则无所归，留则不获安，然后大军四合而攻之，必成擒矣。"上悦。

时张良娣与李辅国相表里，皆恶泌。建宁王倓谓泌曰："先生举倓于上，得展臣子之效，无以报德，请为先生除害。"泌曰："何也？"倓以良娣为言。泌曰："此非人子所言。愿王姑置之，勿以为先。"倓不从。

甲辰[70]，永王璘擅引舟师[7]东巡，沿江而下，军容甚盛，然犹未露割据之谋。吴郡[71]太守兼江南东路采访使李希言平牒[72]璘，诘其擅引兵东下之意。璘怒，分兵遣其将浑惟明袭希言于吴郡，季广琛袭广陵长史、淮南采访使李成式于广陵。璘进至当涂[73]，希言遣其将元景曜及丹徒[74]太守阎敬之将兵拒之，李成式亦遣其将李承庆拒之。璘击斩敬之以徇，景曜、承庆皆降于璘，江、淮大震。高适与来瑱、韦陟会于安陆，结盟誓众以讨之。

一职务，设置淮南西道节度使，统领汝南等五个郡，任命来瑱担任这一职务，让他们与江东节度使韦陟共同对付李璘。

安禄山派兵攻打颍川。城中兵少，没有积蓄，太守薛愿、长史庞坚尽全力守卫抵抗，城周围百里之内的房屋林木被毁殆尽。过了整整一年，救兵还不来，安禄山派阿史那承庆增兵攻城，白天黑夜拼死战斗了十五天，城被攻陷，薛愿、庞坚被抓住送到洛阳。安禄山把他们绑在洛水之滨的冰上，冻死了他们。

肃宗问李泌说："如今敌人强大到这种地步，什么时候才能够平定?"李泌回答说："臣看到叛贼所掠获的子女和金银财帛，都被送到了范阳，这哪里有雄踞天下的志向啊！如今只有胡人将领或许还在为安禄山效力，中原地区的人则只有高尚等几个人，其余的都不过是被胁迫而跟着的。据臣所料，不出两年，天下就没有贼寇了。"肃宗说："什么缘故?"李泌回答说："叛贼中骁勇的将领，不过史思明、安守忠、田乾真、张忠志、阿史那承庆等几个人罢了。如今要是命令李光弼率军从太原出井陉关，郭子仪率军从冯翊进入河东，那么史思明、张忠志就不敢离开范阳、常山，安守忠、田乾真就不敢离开长安，这样用两支部队拴住了他的四员将领。跟随安禄山的，就只有阿史那承庆了。希望陛下敕令郭子仪不要攻取华阴，让两京之间的道路经常保持畅通。陛下把所征调的兵力布置在扶风，与郭子仪、李光弼的军队交替出击。叛贼要是救头部，我们就攻击其尾部，要是救尾部，我们就攻击其头部，迫使叛贼在几千里战线上调动兵力，疲于奔命。我军经常以逸待劳，叛贼来后我们避其锋芒，叛贼离开时我们就乘其疲惫而取胜，我们不攻打城池，也不阻断道路。第二年春天，再任命建宁王为范阳节度大使，沿长城向北出击，与李光弼南北夹击构成掎角之势以攻取范阳，倾覆叛贼的巢穴。叛贼要是后退则无处可回，要是留下来则得不到安宁，然后大军四面合围向叛贼发起进攻，就必定能活捉安禄山。"肃宗听了很高兴。

当时张良娣与李辅国内外勾结，都厌恶李泌。建宁王李倓对李泌说："先生在皇上面前举荐我，使我得以展现做臣子的成效，我没有什么可以用来报答先生的恩德，请为先生除去祸害。"李泌说："怎么回事?"李倓说了张良娣的事。李泌说："这不是做儿子的该说的话。希望您姑且搁置此事，不要先动手。"李倓没有听从。

十二月二十五日甲辰，永王李璘擅自率领水军东巡，沿长江而下，军容十分壮盛，但尚未暴露出割据一方的图谋。吴郡太守兼江南东路采访使李希言发文书给李璘，责问他擅自带兵东下的意图，李璘很生气，分兵派其部将浑惟明在吴郡袭击李希言，派季广琛在广陵袭击广陵长史、淮南采访使李成式。李璘进军到当涂，李希言派部将元景曜及丹徒太守阎敬之率兵抵御，李成式也派部将李承庆抵御。李璘击败斩杀了阎敬之来示众，元景曜、李承庆都投降了李璘，江、淮一带大为震动。高适与来瑱、韦陟在安陆相会，结盟誓师讨伐李璘。

于阗王胜[75]闻安禄山反，命其弟曜摄国事，自将兵五千入援。上嘉之，拜特进，兼殿中监。

令狐潮、李庭望攻雍丘，数月不下，乃置杞州[76]，筑城于雍丘之北以绝其粮援。贼常数万人，而张巡众才千余，每战辄克。河南节度使虢王巨屯彭城[77]，假[78]巡先锋使。是月，鲁[79]、东平[80]、济阴陷于贼。贼将杨朝宗帅马步二万将袭宁陵[81]，断巡后。巡遂拔雍丘，东守宁陵以待之，始与睢阳太守许远相见。是日，杨朝宗至宁陵城西北，巡、远与战，昼夜数十合，大破之，斩首万余级，流尸塞汴而下，贼收兵夜遁。敕以巡为河南节度副使。巡以将士有功，遣使诣虢王巨请空名告身[82]及赐物。巨唯与折冲、果毅[83]告身三十通[84]，不与赐物。巡移书责巨，巨竟不应。

是岁，置北海节度使[85]，领北海等四郡[86]；上党节度使[87]，领上党等三郡[88]；兴平节度使[89]，领上洛等四郡[90]。

吐蕃陷威戎、神威、定戎、宣威、制胜、金天、天成等军[91]，石堡城、百谷城[92]、雕窠城[93]。

初，林邑王范真龙[94]为其臣摩诃漫多伽独所杀，尽灭范氏。国人立其王头黎之女为王。女不能治国，更立头黎之姑子诸葛地，谓之环王，妻以女王。

【段旨】

以上为第三段，写永王李璘图谋割据江淮，河南张巡苦战雍丘。

【注释】

㊿戊午：十一月初八日。(51)辛酉：十一月十一日。(52)榆林河北：榆林，郡名，天宝元年（公元七四二年）胜州改名，治所在今内蒙古准格尔旗东北十二连城。河北，指流经榆林郡境内的黄河之北。(53)洛交：郡名，天宝元年鄜州改名，治所在今陕西富县。(54)鞠养：抚养；养育。(55)谏议大夫：官名，门下省属官，掌侍从赞相，规谏讽谕。(56)四道节度都使：都制山南东道、岭南、黔中、江南西道的节度使。(57)更：经历。(58)襄城王玚：玚，《旧唐书·永王璘传》作“偒”。永王李璘子，至德元载（公元七

于阗王尉迟胜听说安禄山谋反，命其弟尉迟曜代理国家政务，他亲自率兵五千人前来救援。肃宗嘉奖他，授予特进之位，兼殿中监。

令狐潮、李庭望进攻雍丘，几个月都攻不下来，于是便设置杞州，在雍丘北面筑城以断绝雍丘的粮食支援。贼兵经常保持几万人的兵力，而张巡的部队才一千多人，每战则胜。河南节度使虢王李巨驻守彭城，让张巡代理先锋使。这个月，鲁郡、东平郡、济阴郡都陷落于叛贼。贼将杨朝宗率骑兵、步兵两万人准备袭击宁陵，切断张巡的后路。张巡便放弃雍丘，向东到宁陵防守，等待与叛贼交战，这时才与睢阳太守许远相见。这一天，杨朝宗率军来到宁陵城西北，张巡、许远的部队与之交战，昼夜间交战几十回合，大败杨朝宗，贼兵被斩首的有一万多人，尸体塞满汴水顺流而下，叛贼收兵夜逃。肃宗敕命张巡为河南节度副使。张巡因将士有功，派使者到虢王李巨那里请求给予空白的委任状及供赏赐的物品。李巨只给了折冲、果毅的委任状三十份，没有给供赏赐的物品。张巡移送文书责备李巨，李巨竟理都不理。

这一年，设置北海节度使，统领北海等四郡；设置上党节度使，统领上党等三郡；设置兴平节度使，统领上洛等四郡。

吐蕃攻陷威戎、神威、定戎、宣威、制胜、金天、天成等军，以及石堡城、百谷城和雕窠城。

当初，林邑王范真龙被他的大臣摩诃漫多伽独杀死，范氏全被诛灭。林邑国的人又立他们国王头黎的女儿为王。女王没有能力治理国家，又改立头黎的姑妈的儿子诸葛地，称他为环王，把女王嫁给他为妻。

五六年）父子举兵谋反，兵败而死。传见《旧唐书》卷一百七。㊾金陵：唐时或指今江苏镇江。此当指今江苏南京。㊿江表：古地域名，指长江以南之地。(61)如东晋故事：指像东晋王朝一样，建立割据江南的政权。东晋（公元三一七至四二〇年），西晋末年中原大乱之际，王室成员司马睿（晋元帝）在建康（今江苏南京）建立的偏居江南的政权。故事，先前事例。(62)归觐：回去朝见帝王。觐，朝见帝王。(63)领广陵等十二郡：十二郡为扬州广陵郡、楚州山阳郡、滁州全椒郡、和州历阳郡、寿州淮南郡、庐州合肥郡、舒州同安郡、蕲州蕲春郡、安州安陆郡、黄州齐安郡、申州义阳郡、沔州汉阳郡。《新唐书·方镇五》有光州弋阳郡共领十三郡，但云光州寻隶淮西，故实为十二郡。(64)淮南西道节度使：使职名，为淮南西道差遣长官。至德元载（公元七五六年）始置，治所初在颍川（许州），其后屡有变迁，大历（公元七六六至七七九年）以后治所在蔡州（今河南汝南）。(65)汝南等五郡：汝南，郡名，天宝元年蔡州改名，治所在今河南汝南。五郡，据

《新唐书·方镇二》是蔡州汝南郡、郑州荥阳郡、许州颍川郡、光州弋阳郡、申州义阳郡。但此时申州义阳郡已属淮南节度使。已难详考其究竟。⑯江东节度使：使职名，至德元载（公元七五六年）永王璘起兵，肃宗令尚未到郡的吴郡太守兼江南东道采访使韦陟与淮南节度使高适、淮西节度使来瑱共同图谋讨璘，遂授韦陟江东节度使职名。此后未见再有授置。⑰颍川：郡名，天宝元年（公元七四二年）许州改名，治所在今河南许昌。⑱洛滨：洛水水边。洛水，即今河南洛河，发源于陕西秦岭山脉，流经河南偃师，汇合伊河，于巩义市入黄河。⑲塞：指长城。⑳甲辰：十二月二十五日。㉑吴郡：郡名，天宝元年苏州改名，治所在今江苏苏州。㉒平牒：地位等同官员之间的往来文书。㉓当涂：县名，县治在今安徽当涂东南。㉔丹徒：胡三省注，"唐未尝以丹徒名郡。'徒'当作'杨'。"丹杨，或作"丹阳"，郡名，治丹徒，在今江苏镇江。㉕于阗王胜：于阗，西域国名，又作于寘，在今新疆和田一带。唐于其地置毗沙都督府，属安西都护府。其王姓尉迟氏。胜，即尉迟胜，于阗国王，天宝年间朝唐，玄宗妻以宗室女，授右威卫将军、毗沙府都督。后以平安禄山之功，官至骠骑大将军、武都王，加开府仪同三司。德宗时官至御史中丞、右威卫大将军。传见《旧唐书》卷一百四十四、《新唐书》卷一百十。㉖杞州：唐初曾在雍丘县（今河南杞县）置杞州，贞观元年（公元六二七年）废。安史军复置，用以逼降雍丘守军。㉗彭城：郡名，天宝元年徐州改名，治所在今江苏徐州。㉘假：此指非正式任命。㉙鲁：郡名，天宝元年兖州改名，治所在今山东曲阜。㉚东平：郡名，天宝元年郓州改名，治所在今山东东平东。㉛宁陵：县名，县治在今河南宁陵南。㉜空名告身：空白委任状，可随时填写人名。告身，委任官职的文凭。㉝果毅：果毅都尉，军官名，本为军府折冲都尉副官。府兵制衰微以后，成为边帅请置的徒具其

【原文】

二载（丁酉，公元七五七年）

春，正月，上皇下诰，以宪部尚书李麟[95]同平章事，总行百司。命崔圆奉诰赴彭原。麟，懿祖[96]之后也。

安禄山自起兵以来，目渐昏，至是不复睹[97]物。又病疽[98]，性益躁暴，左右使令[99]，小不如意，动加棰挞[100]，或时杀之。既称帝，深居禁中，大将希得见其面，皆因严庄白事。庄虽贵用事，亦不免棰挞，阉竖[8]李猪儿[101]被挞尤多，左右人不自保。禄山嬖妾[102]段氏生子庆恩，欲以代庆绪为后。庆绪常惧死，不知所出。庄谓庆绪曰："事有

名的低级军官，往往一制同授千人。⑭通：量词，用于文书，表示件、份。⑮北海节度使：使职名，为北海等郡差遣长官，至德元载置，治所在今山东昌乐西。⑯北海等四郡：指青州北海郡、密州高密郡、登州东牟郡、莱州东莱郡。⑰上党节度使：使职名，为上党等郡差遣长官，至德元载置，治所在今山西长治西。⑱上党等三郡：指潞州上党郡、泽州长平郡、沁州阳城郡。⑲兴平节度使：使职名，为上洛等郡差遣长官，至德元载置，治上洛，今陕西商洛市商州区。⑳上洛等四郡：上洛，郡名，天宝元年商州改名，治所在今陕西商洛市商州区。四郡，据《新唐书·方镇四》是商州上洛郡、金州安康郡、均州武当郡、房州房陵郡。㉑威戎、神威、定戎句："威戎"等皆为军镇名，威戎军在今青海门源，神威军在今青海海晏，定戎军在今青海西宁西南，宣威军在今青海西宁北，制胜军不详所在，金天军在今青海贵德西，天成军在今甘肃临夏西。㉒百谷城：城名，在今青海贵德西南。㉓雕窠城：城名，在今青海同仁。㉔林邑王范真龙：林邑，国名，故地在今越南中南部。公元一九二年建国，中国史籍初称之为林邑，唐至德以后改称环王。范真龙（？至公元六四五年），又称范镇龙，林邑王头黎之子，贞观十九年（公元六四五年）为其臣所杀，其宗族并被诛灭。范氏自晋以来称王于林邑，至此被灭。

【校记】

［5］十一月：原作"十二月"。据章钰校，十二行本、乙十一行本皆作"十一月"，张敦仁《通鉴刊本识误》同，今据改。［6］冰：据章钰校，十二行本、乙十一行本皆作"木"，熊罗宿《胡刻资治通鉴校字记》同。［7］舟师：原作"兵"。据章钰校，十二行本、乙十一行本、孔天胤本皆作"舟师"，今从改。

【语译】

二载（丁酉，公元七五七年）

春，正月，太上皇下达诰命，任命宪部尚书李麟同平章事，总管百官。命崔圆奉诰命奔赴彭原。李麟，是懿祖光皇帝李天锡的后代。

安禄山自起兵叛乱以来，眼睛渐渐模糊，到这时已经不再能看见东西。又长了毒疮，性情更加暴躁，左右供使唤的人，稍微有点不如人意的地方，他动不动就加以鞭打，有时甚至杀掉。称帝以后，深居宫禁之中，大将也很少能见到他的面，都通过严庄报告事情。严庄虽然地位尊贵，正在当权，也免不了挨打，宦官李猪儿被打尤多，安禄山左右人人都难以自保。安禄山宠爱的姬妾段氏生子名庆恩，想用安庆恩代替安庆绪成为继承人。安庆绪经常害怕被杀死，不知道能有什么好办法。严庄对安庆绪说："事情往往有迫不得已而不能不这样做的时候，时机不可错失。"安庆

不得已者[103]，时不可失。”庆绪曰：“兄有所为，敢不敬从。”又谓猪儿曰：“汝前后受挞，宁有数乎！不行大事，死无日矣！”猪儿亦许诺。庄与庆绪夜持兵立帐外，猪儿执刀直入帐中，斫禄山腹。左右惧，不敢动。禄山扪枕旁刀，不获，撼帐竿曰：“必家贼也。”肠已流出数斗，遂死。掘床下深数尺，以毡裹其尸埋之，诫宫中不得泄。乙卯旦[104]，庄宣言于外，云禄山疾亟[105]。立晋王庆绪为太子，寻即帝位，尊禄山为太上皇，然后发丧。庆绪性昏懦，言辞无序。庄恐众不服，不令见人。庆绪日纵酒为乐，兄事庄，以为御史大夫、冯翊王，事无大小，皆取决焉，厚加诸将官爵以悦其心。

【段旨】

以上为第四段，写叛贼内讧，安禄山子安庆绪弑父自立。

【注释】

㉟李麟：李麟（公元六九二至七五八年），唐太宗侄孙。官至刑部尚书、同中书门下平章事，封褒国公。传见《旧唐书》卷一百十二、《新唐书》卷一百四十二。㊱懿祖：唐高祖李渊祖父李虎之父。㊲睹：见；看见。㊳疽：一种毒疮。㊴左右使令：身边使唤

【原文】

上从容谓李泌曰：“广平为元帅逾年，今欲命建宁专征，又恐势分。立广平为太子，何如？”对曰：“臣固尝言之矣，戎事交切[106]，须即区处。至于家事，当俟上皇。不然，后代何以辨陛下灵武即位之意邪！此必有人欲令臣与广平有隙耳。臣请以语广平，广平亦必未敢当。”泌出，以告广平王俶。俶曰：“此先生深知其心，欲曲成其美也。”乃入，固辞曰：“陛下犹未奉晨昏[107]，臣何心敢当储副！愿俟上皇还宫，臣之幸也。”上赏慰之。

绪说："哥哥有所行动，我怎敢不恭敬相从。"严庄又对李猪儿说："你前前后后挨打，难道还能数得清吗?！如果再不干点大事，不知道哪天就没命了！"李猪儿也答应了。严庄和安庆绪夜晚手持兵器站立帐外，李猪儿提刀径直闯进帐中，用刀砍安禄山的肚子。左右的人都很害怕，不敢动。安禄山去摸枕旁的刀，没有摸到，就用力摇动帐竿说："一定是个家贼。"这时肠子已经流出了好几斗，于是死去。严庄等在床下挖了一个深达几尺的坑，用毡裹着安禄山的尸体埋了，并警告宫中的人不得泄露。正月初六日乙卯早晨，严庄对外宣布说，安禄山病势很急。立晋王安庆绪为太子，不久就即位称帝，把安禄山尊为太上皇，然后发丧。安庆绪本性昏庸懦弱，又语无伦次。严庄担心众人不服，不让他见人。安庆绪整日里纵酒取乐，像兄长一样对待严庄，任命他为御史大夫、冯翊王，事无大小，都由他决定，并优厚加封诸将的官职和爵位，让他们内心高兴。

的人。⑽ 棰挞：用鞭子抽打。⑾ 李猪儿：安禄山亲信，宦官。本契丹人，十几岁事安禄山，甚狡猾聪敏，后杀安禄山。⑿ 嬖妾：爱妾。嬖，宠爱。⒀ 事有不得已者：事有不得已而为之者，指有些事情是被逼迫而做出来的。⒁ 乙卯旦：正月初六早晨。⒂ 疾亟：指病势来得急。亟，急、快。

【校记】

［8］竖：原作"宦"。据章钰校，十二行本、乙十一行本、孔天胤本皆作"竖"，今从改。

【语译】

肃宗闲处时对李泌说："广平王做元帅的时间超过了一年，如今想命令建宁王专司征讨，又担心力量分散。立广平王为太子，怎么样?"李泌回答说："我曾说过，现在军务繁忙紧迫，需要立即分别处置。至于立太子这样的家事，应当等待太上皇的决定。否则，后代怎么来弄清陛下在灵武即位的意图呢！这一定是有人想让我和广平王之间产生嫌隙。臣请求把此事告诉广平王，广平王也一定不敢接受。"李泌出来，把此事告诉了广平王李俶。李俶说："这是先生深知我心，想多方促成美事。"于是进入宫内，坚决推辞说："陛下即位后还来不及向太上皇尽早晚问安侍奉之礼，臣哪有什么心思敢当太子呢！希望等太上皇回宫后再说，这是臣的幸运。"肃宗奖赏安慰了他。

李辅国本飞龙小儿[108]，粗闲书计[109]，给事太子宫，上委信之。辅国外恭谨寡言，而内狡险，见张良娣有宠，阴附会之，与相表里。建宁王倓数于上前诋讦二人罪恶，二人谮之于上曰："倓恨不得为元帅，谋害广平王。"上怒，赐倓死。于是广平王俶及李泌皆内惧。俶谋去辅国及良娣，泌曰："不可，王不见建宁之祸乎？"俶曰："窃为先生忧之。"泌曰："泌与主上有约矣，俟平京师，则去还山，庶免于患。"俶曰："先生去，则俶愈危矣。"泌曰："王但尽人子之孝。良娣妇人，王委曲顺之，亦何能为！"

上谓泌曰："今郭子仪、李光弼已为宰相[110]，若克两京，平四海，则无官以赏之，奈何？"对曰："古者官以任能，爵以酬功。[111]汉、魏以来，虽以郡县治民，然有功则锡以茅土[112]，传之子孙，至于周、隋皆然。唐初未得关东，故封爵皆设虚名，其食实封者给缯[113]布而已。贞观中，太宗欲复古制，大臣议论不同而止。[114]由是赏功者多以官。夫以官赏功有二害，非才则废事，权重则难制。是以功臣居大官者，皆不为子孙之远图，务乘一时之权以邀[115]利，无所不为。向使[116]禄山有百里之国，则亦惜之以传子孙，不反矣。为今之计，俟天下既平，莫若疏爵土以赏功臣，则虽大国，不过二三百里，可比今之小郡，岂难制哉！于人臣乃万世之利也。"上曰："善！"

上闻安西、北庭及拔汗那、大食[117]诸国兵至凉、鄯[118]，甲子[119]，幸保定[120]。

丙寅[121]，剑南兵贾秀等五千人谋反，将军席元庆、临邛[122]太守柳奕讨诛之。

河西兵马使盖庭伦与武威[123]九姓商胡安门物[124]等杀节度使周泌，聚众六万。武威大城之中，小城有七，胡据其五，二城坚守。支度判官[125]崔称与中使刘日新以二城兵攻之，旬有七日，平之。

李辅国本是在飞龙厩中从事杂役的小当差，略懂一些书写和计算，在太子宫中供职，肃宗很信任他。李辅国外表恭敬谨慎、寡言少语，内心却狡诈阴险，见张良娣受宠，就暗中巴结依附她，与她内外勾结。建宁王李倓多次在肃宗面前揭发、攻击两人的罪恶，两人就在肃宗那里诬陷李倓说："李倓怨恨没能当上元帅，要谋害广平王。"肃宗大怒，赐李倓自杀。于是广平王李俶和李泌心里都很害怕。李俶设法要除掉李辅国和张良娣，李泌说："不行，您没有看见建宁王所遭之祸吗？"李俶说："我私下里替先生担忧啊。"李泌说："我与皇上有过约定了，等平定京师后，我就离开朝廷回到山中去，这样也许可以免除祸患。"李俶说："先生离开了，那我更加危险了。"李泌说："您只管尽人子的孝道。张良娣是妇道人家，您就勉强迁就顺从她，她对您又能做些什么呢！"

肃宗对李泌说："如今郭子仪、李光弼已经官居宰相，如果收复两京，平定了天下，那就再无更高的官职可以奖赏给他们，这怎么办？"李泌回答说："古时候官职是用来任命有才能的人的，爵位是用来酬答有功劳的人的。汉、魏以来，虽然设郡县来治理百姓，但对有功的人则赐封爵位土地，让他们传给子孙，一直到北周和隋朝都是如此。唐朝初年没有得到关东地区，所以赐封爵位都是设虚名，那些享受实封的人赏给一些丝绸布帛而已。贞观年间，太宗想恢复古制，因大臣们有不同意见而中止。从此奖赏有功的人大多仍用官职。用官职奖赏有功的人有两大危害，如果没有这样的才能就会荒废政事，如果权柄太重就难以控制。因此，功臣中那些位居大官的，都不做替子孙着想的长远打算，只是一心乘着一时的权势来谋利，无所不为。假使安禄山有百里的封地，那么他也会爱惜它以传给子孙，就不会谋反了。从现今的情形考虑，等天下平定后，不如分土封爵以奖赏功臣，那么即使是大的封国，也不过两三百里的地方，可以相当于现今的小郡，这难道不好控制吗?！而对于为臣子的人来说，则是可以万代相传的利益啊。"肃宗说："好！"

肃宗听说安西、北庭及拔汗那、大食诸国的兵马到了凉州、鄯州，正月十五日甲子，驾临保定郡。

正月十七日丙寅，剑南士兵贾秀等五千人谋反，将军席元庆、临邛太守柳奕讨伐消灭了他们。

河西兵马使盖庭伦与武威九姓胡族商人安门物等杀了节度使周泌，聚集人员六万。武威大城中小城有七个，胡人占据其中的五个，两个小城仍在坚守。支度判官崔称与中使刘日新用这两个城的兵马攻打叛乱者，经过十七天，把他们平定了。

【段旨】

以上为第五段，写唐肃宗听谗冤杀建宁王李倓，贼未平，已有猜忌功臣之心。

【注释】

⑯交切：繁忙紧迫。⑰奉晨昏：语出《礼记·曲礼上》，“冬温而夏凊，昏定而晨省。”后来便以晨昏指对父母的侍养。⑱飞龙小儿：飞龙，即飞龙厩，唐代宫内马厩名。宫内有六厩马，称为仗内六闲，飞龙为六闲之首。小儿，唐代对宫中和官署供杂役人的称呼，如苑监小儿、飞龙小儿、五坊小儿、厩牧小儿等。飞龙小儿是指在飞龙厩打杂的人。⑲粗闲书计：指粗略懂一点文字与筹算的知识。粗，粗略、稍微。闲，熟习。书计，文字与筹算。⑳郭子仪、李光弼已为宰相：至德元载（公元七五六年）八月，肃宗以郭子仪为武部尚书、灵武长史，以李光弼为户部尚书、北都留守，都加同平章事。㉑官以任能二句：官职用来授任贤能之人，爵位用来酬赏有功之人。㉒锡以茅土：封以王侯等爵位。锡，通“赐”。赐给。茅土，古代帝王社祭之坛以五色土建成，分封诸侯时，按封地所在方向取坛上一色土，以茅包之，称为茅土，给受封者在封国内立社。后以茅土指分封王侯。㉓缯：丝织品的总称。㉔贞观中三句：贞观十三年（公元六三九年），太宗

【原文】

史思明自博陵，蔡希德自太行㉖，高秀岩自大同，牛廷介自范阳，引兵共十万寇太原。李光弼麾下精兵皆赴朔方，余团练㉗乌合㉘之众不满万人。思明以为太原指掌㉙可取，既得之，当遂长驱取朔方、河、陇㉚。太原诸将皆惧，议修城以待之。光弼曰：“太原城周四十里，贼垂㉛至而兴役，是未见敌先自困也。”乃帅士卒及民于城外凿壕㉜以自固。作墼㉝数十万，众莫知所用。及贼攻城于外，光弼用之增垒于内，坏辄补之。思明使人取攻具于山东㉞，以胡兵三千卫送之。至广阳㉟，别将慕容溢、张奉璋邀击，尽杀之。

思明围太原，月余不下，乃选骁锐为游兵㊱，戒㊲之曰：“我攻其北，则汝潜趣其南，攻东则趣西，有隙则乘之。”而光弼军令严整，虽寇所不至，警逻㊳未尝少懈，贼不得入。光弼购募军中，苟有小技，皆取之，随能使之，人尽其用，得安边军㊴钱工㊵三，善穿地道。贼于城下仰而侮詈㊶，光弼遣人从地道中曳㊷其足而入，临城斩之，自

诏宗室群臣袭封刺史。左庶子于志宁、侍御史马周、司空兼赵州刺史长孙无忌等力谏不可，其事乃止。见本书卷一百九十五太宗贞观十三年。贞观，唐太宗年号（公元六二七至六四九年）。⑮ 邀：求取；希望得到。⑯ 向使：假使。⑰ 大食：唐代对阿拉伯帝国的称谓。⑱ 凉、鄯：州名，即凉州、鄯州。凉州治所在今甘肃武威，鄯州治所在今青海海东市乐都区。⑲ 甲子：正月十五日。⑳ 保定：郡名，至德元载（公元七五六年）泾州改名，治所在今甘肃泾川北。㉑ 丙寅：正月十七日。㉒ 临邛：郡名，天宝元年（公元七四二年）邛州改名，治所在今四川邛崃。㉓ 武威：郡名，天宝元年凉州改名，治所在今甘肃武威。㉔ 九姓商胡安门物：九姓，指昭武九姓，据《新唐书·西域传》昭武九姓为康、安、曹、石、米、何、火寻、戊地、史。居住在今中亚阿姆、锡尔两河流域。公元六世纪后期隶西突厥。唐永徽年间（公元六五〇至六五五年）皆内附，唐以其地分置康居、大宛等都督府和南谧、佉沙、贵霜、安息等羁縻州，隶安西都护府。安门物，当是安国商人。㉕ 支度判官：唐代节度使幕职有支度使，支度使属官有支度判官，职掌兵马钱粮等实际事务。

【语译】

史思明从博陵，蔡希德取道太行，高秀岩从大同，牛廷介从范阳，率军共计十万进犯太原。当时李光弼部下的精兵都奔赴朔方，剩下的团练乌合之众不满万人。史思明以为太原很容易就可攻取，一旦得到后，就该长驱直入攻取朔方、河、陇之地了。太原众将都很害怕，商议修筑城池以等待敌人进攻。李光弼说：“太原城周围有四十里，在叛贼快要到来的时候动工修城，这是还没见到敌人就先让自己疲惫不堪了。”于是率领士卒和百姓在城外挖壕沟以使自己的防守更加坚固。还做了几十万块土砖，大家都不知道是用来干什么的。等到叛贼在外面攻城，李光弼用这些土砖在城内增加壁垒，毁坏了马上就加以修补。史思明派人到太行山以东去取攻城的器具，派三千名胡兵护送。走到广阳，别将慕容溢、张奉璋拦截阻击，把他们全都杀掉了。

史思明包围太原，一个多月攻不下来，于是挑选骁勇精锐的士兵组成游兵，告诫他们说：“我攻打城北时，你们就秘密赶往城南，我攻打城东时，你们就赶往城西，找到空子就乘机进攻。”然而，李光弼军令严整，即使在敌人没有到达的地方，军队的警戒巡逻也丝毫没有松懈，因此叛贼无法乘虚而入。李光弼在军中悬赏招募人才，如果有一技之长，都被选取，根据才能加以安排，人尽其用。李光弼得到安边军三个铸钱工匠，他们善于挖掘地道。叛贼在城下仰头辱骂，李光弼就派人从地道中拉住辱骂者的脚，把他们拉进来，抓到城墙上斩首，从此叛贼行走时都低头看着地下。

是贼行皆视地。贼为梯冲[143]、土山以攻城，光弼为地道以迎之，近城辄陷。贼初逼城急，光弼作大炮[144]，飞巨石，一发辄毙二十余人，贼死者十二三，乃退营于数十步外，围守益固。光弼遣人诈与贼约，刻日[145]出降，贼喜，不为备。光弼使穿地道周贼营中，揞[146]之以木。至期，光弼勒兵[147]在城上，遣裨将将数千人出，如降状，贼皆属目[148]。俄而营中地陷，死者千余人。贼众惊乱，官军鼓噪乘之，俘斩万计。会安禄山死，庆绪使思明归守范阳，留蔡希德等围太原。

【段旨】

以上为第六段，写李光弼守太原，大破叛贼史思明。

【注释】

⑫蔡希德自太行：言蔡希德军自上党下太行道而趋太原。⑫团练：地方选取丁壮加以军事训练的民兵。⑫乌合：仓促集合之众，如乌鸦之忽聚忽散。⑫指掌：用手指头对着手掌。比喻事情易办。⑬河、陇：古地区名，即河西、陇右。河西，指今甘肃、青海两省间黄河以西，即河西走廊与湟水流域。陇右，指今甘肃宁夏六盘山以西，黄河以东一带。⑬垂：临近；将近。⑬壕：沟；护城河。⑬墼：砖坯。⑬山东：指太行

【原文】

庆绪以尹子奇为汴州[149]刺史、河南节度使。甲戌[150]，子奇以归[151]、檀[152]及同罗、奚兵十三万趣睢阳[153]。许远告急于张巡，巡自宁陵引兵入睢阳。巡有兵三千人，与远兵合六千八百人。贼悉众逼城，巡督励将士，昼夜苦战，或一日至二十合。凡十六日，擒贼将六十余人，杀士卒二万余，众气自倍。远谓巡曰："远懦，不习[154]兵，公智勇兼济，远请为公守，公请为远战。"自是之后，远但调军粮，修战具，居中应接而已，战斗筹划一出于巡。贼遂夜遁。

郭子仪以河东[155]居两京之间，扼贼要冲[9]，得河东则两京可图。

叛贼做了云梯冲车和土山来攻城，李光弼挖地道迎战他们，叛贼和那些攻城器械一靠近城墙就陷入地中。叛贼起初逼近城下攻得很急，李光弼制作大炮，发射大石，一发就打死二十多人，叛贼被打死的有十分之二三，于是退兵在几十步以外安营，而围城和守卫则更加紧固。李光弼派人假装与叛贼相约，定好日期出城投降，叛贼很高兴，不做防备。李光弼派人在叛贼军营四周挖地道，用木头支撑住。到了约定日期，李光弼率兵站在城上，派裨将带领几千人出城，像是投降的样子，叛贼的目光都被吸引住了。突然军营中的地一下子塌陷下去，死了一千多人。叛贼惊慌混乱，官军击鼓呼喊乘机进攻，俘虏斩杀敌人数以万计。适逢安禄山死了，安庆绪让史思明回去守卫范阳，留下蔡希德等继续包围太原。

山以东。⑬⑤广阳：县名，县治在今山西平定东南。⑬⑥游兵：流动出击的兵士。⑬⑦戒：通“诫”，告诫。⑬⑧警逻：警戒、巡逻，都是军队防备敌人偷袭和制止敌人侦察而采取的保障措施。⑬⑨安边军：军镇名，在今河北蔚县。⑭⓪钱工：铸钱工匠。⑭①侮詈：辱骂。⑭②曳：拉；牵引。⑭③梯冲：云梯冲车。云梯，古攻城战具。以大木为床，下施六轮，上立二梯，各长二丈余，中施转轴，车四面以生牛皮为屏蔽，内以人推进，及城，则起飞梯于云梯之上，以窥城中，或用以攀登城墙。冲车，古代兵车。辕端有大铁，可用来冲城。⑭④大炮：古代以机发石的战具。⑭⑤刻日：约定或限定时间。⑭⑥揩：支撑。⑭⑦勒兵：统领军队。⑭⑧属目：注目，注视。属，通“瞩”，看。

【语译】

安庆绪任命尹子奇为汴州刺史、河南节度使。正月二十五日甲戌，尹子奇带领归州、檀州以及同罗、奚的士兵十三万人赶往睢阳。许远向张巡告急，张巡从宁陵带兵进入睢阳。张巡有士兵三千人，与许远的士兵合计共六千八百人。叛贼出动全部人马进逼睢阳城，张巡督促鼓励将士，昼夜苦战，有时一天交战达二十回合。总共打了十六天，擒获贼将六十多人，杀死士卒两万多人，官军上下士气倍增。许远对张巡说：“我许远生性懦弱，不熟悉军事，您智勇双全，我请求替您负责守备，请您为我指挥作战。”从此之后，许远只是负责调配军粮，修整战斗器具，在城中接应而已，战斗筹划完全由张巡决定。叛贼于是连夜逃遁。

郭子仪认为河东郡位居西京和东京之间，扼贼要冲，一旦得到河东郡，西京和

时贼将崔乾祐守河东，丁丑⑯，子仪潜遣人入河东，与唐官陷贼者谋，俟官军至，为内应。

初，平卢节度使刘正臣自范阳败归⑰，安东都护⑱王玄志鸩⑲杀之。禄山以其党徐归道为平卢节度使，玄志复与平卢将侯希逸⑳袭杀之，又遣兵马使董秦将兵以苇筏㉑渡海，与大将田神功㉒击平原、乐安，下之。防河招讨使李铣承制以秦为平原太守。

二月戊子㉓，上至凤翔㉔。

郭子仪自洛交引兵趣河东，分兵取冯翊。己丑㉕夜，河东司户㉖韩旻等翻河东城迎官军，杀贼近千人。崔乾祐逾城得免，发城北兵攻城，且拒官军，子仪击破之。乾祐走，子仪追击之，斩首四千级，捕虏五千人。乾祐至安邑㉗，安邑人开门纳之，半入，闭门击之，尽殪㉘。乾祐未入，自白迳岭㉙亡去。遂平河东。

【段旨】

以上为第七段，写张巡、许远守睢阳，郭子仪讨贼平河东。

【注释】

⑭汴州：州名，治所在今河南开封。⑮甲戌：正月二十五日。⑯归：胡三省注云，“当作‘妫’，妫州也。唐人杂史多有作归、檀者，盖误也。”下文“自归、檀南取范阳”之“归”，亦当作“妫”。治所在今河北怀来东南旧怀来。⑰檀：州名，檀州治所在今北京市密云区。⑱睢阳：郡名，郡治在今河南商丘南。⑲习：熟悉；通晓。⑳河东：郡名，郡治在今山西永济蒲州镇。㉑丁丑：正月二十八日。㉒刘正臣自范阳败归：至德元载（公元七五六年），平卢节度使刘正臣领平卢兵袭击范阳，未至，被史思明打得大败而归。㉓安东都护：唐六大都护府之一的安东都护府（治所初在今朝鲜平壤，后移辽

【原文】

上至凤翔，旬日陇右、河西、安西、西域之兵皆会，江、淮⑰庸调亦至洋川、汉中⑰。上自散关⑰通表⑰成都，信使骆驿⑰。长安人闻

东京就可谋取。当时贼将崔乾祐镇守河东郡，正月二十八日丁丑，郭子仪秘密派人进入河东郡，与唐朝官员身陷叛贼之中者谋划，等官军一到，由他们作为内应。

当初，平卢节度使刘正臣从范阳兵败而归，安东都护王玄志用毒酒毒杀了他。安禄山任命其党羽徐归道为平卢节度使，王玄志又与平卢将领侯希逸袭击杀死了徐归道，还派兵马使董秦率军乘苇筏渡海，和大将田神功一起攻打平原、乐安，都攻了下来。防河招讨使李铣秉承肃宗旨意任命董秦为平原太守。

二月初十日戊子，肃宗到达凤翔。

郭子仪从洛交带兵赴河东，分兵攻取冯翊。二月十一日己丑夜晚，河东司户韩旻等人翻越河东城迎接官军，杀死叛贼近千人。崔乾祐翻越城墙逃走得以幸免，调动城北的兵力攻城，抵抗官军，郭子仪击败了他。崔乾祐逃走，郭子仪一路追击，杀死四千人，俘虏五千人。崔乾祐逃到安邑县，安邑人打开城门接纳他们，叛贼部队刚进到一半，关闭城门发起攻击，把贼兵全部杀死。崔乾祐没有进城，从白迳岭逃走。于是平定了河东。

东、新城、平州等城）长官，管理府内归附少数民族事务。⑮⑨ 鸩：用鸩鸟羽毛泡成的毒酒。⑯⓪ 侯希逸：官至检校尚书右仆射，封淮阳郡王。传见《旧唐书》卷一百二十四、《新唐书》卷一百四十四。⑯① 苇筏：以芦苇编织而成的渡水工具。⑯② 田神功：田神功（？至公元七三三年），冀州（今河北冀州）人，武将。传见《旧唐书》卷一百二十四、《新唐书》卷一百四十四。⑯③ 戊子：二月初十日。⑯④ 凤翔：本岐州扶风郡，至德二载（公元七五七年）十二月置凤翔府，治所在今陕西凤翔。⑯⑤ 己丑：二月十一日。⑯⑥ 司户：户曹司户参军事。为州郡属官，掌户口、籍账、婚姻、田宅、杂徭等事。⑯⑦ 安邑：县名，县治在今山西夏县北。⑯⑧ 殪：死。⑯⑨ 白迳岭：在今山西运城市盐湖区的解州镇东。

【校记】

［9］扼贼要冲：原无此四字。据章钰校，十二行本、乙十一行本皆有此四字，张敦仁《通鉴刊本识误》、张瑛《通鉴校勘记》同，今据补。

【语译】

肃宗到达凤翔，十天之间陇右、河西、安西、西域的部队都来会合，江、淮一带的庸调赋税也输送到了洋川、汉中。肃宗从散关送表文到成都，信使来往不绝。

车驾[175]至，从贼中自拔而来者日夜不绝。

西师[176]憩息既定，李泌请遣安西及西域之众，如前策[177]并塞东北，自归、檀南取范阳。上曰："今大众已集，庸调亦至，当乘兵锋[178]捣[179]其腹心。而更[180]引兵东北数千里，先取范阳，不亦迂[181]乎？"对曰："今以此众直取两京，必得之。然贼必再强，我必又困，非久安之策。"上曰："何也？"对曰："今所恃者皆西北守塞及诸胡之兵，性耐寒而畏暑。若乘其新至之锐，攻禄山已老之师，其势必克。两京春气已深[182]，贼收其余众，遁归巢穴，关东地热[183]，官军必困而思归，不可留也。贼休兵秣马[184]，伺官军之去，必复南来，然则征战之势未有涯也。不若先用之于寒乡，除其巢穴，则贼无所归，根本永绝矣！"上曰："朕切于晨昏之恋[185]，不能待此决矣！"

关内节度使王思礼军武功，兵马使郭英乂军东原[186]，王难得[187]军西原[188]。丁酉[189]，安守忠等寇武功，郭英乂战不利，矢贯其颐[190]而走。王难得望之不救，亦走，思礼退军扶风。贼游兵至大和关[191]，去凤翔五十里。凤翔大骇，戒严。

李光弼将敢死士[192]出击蔡希德，大破之，斩首七万余级，希德遁去。

安庆绪以史思明为范阳节度使，兼领恒阳军事[193]，封妫川王，以牛廷介领安阳军[194]事，张忠志为常山太守兼团练使，镇井陉口，余各令归旧任，募兵以御官军。先是，安禄山得两京，珍货悉输范阳。思明拥强兵，据富资，益骄横，浸不用庆绪之命，庆绪不能制。

戊戌[195]，永王璘败死，其党薛镠等[10]皆伏诛。

时李成式与河北招讨判官[196]李铣合兵讨璘，铣兵数千，军于扬子。成式使判官裴茂将兵三千，军于瓜步，广张旗帜，列于江津。璘与其子玚登城望之，始有惧色。季广琛召诸将谓曰："吾属从王至此，天命未集，人谋已隳[197]。不如及兵锋未交，早图去就。不然[11]，死于锋镝[198]，永为逆臣矣。"诸将皆然之。于是广琛以麾下奔广陵，浑惟明奔江宁[199]，冯季康奔白沙[200]。璘忧惧，不知所出。其夕，江北之军[201]多列

长安城中的人听说肃宗驾到，从叛贼中脱离出来投奔朝廷的日夜不绝。

从西部赶来增援的部队休整完成之后，李泌请求派遣安西及西域的部队，照以前所建议的策略沿长城边塞向东北进军，从归州、檀州向南攻取范阳。肃宗说："现在大队人马已经集结，庸调赋税也已运到，应当乘着我军攻击力正强的势头直捣叛贼腹心。然而却另外带兵向东北行进几千里，首先攻取范阳，不是迂阔不合时宜了吗?"李泌回答说："现在用这些部队直接攻取西京和东京，必定能攻下。然而叛贼必定会再次强大起来，我军必定又会陷于疲困，这不是能长久安定的策略。"肃宗说："为什么?"李泌回答说："现在我们所依靠的都是西北守卫边塞以及各胡族的士兵，他们生性耐寒而怕热。如果利用他们新近到达的锐气，攻打安禄山那些已经衰弱的部队，势必取胜。但是西京、东京已经到了暮春季节，叛贼如果收拾其残余部队，逃回巢穴，而关东地区天气炎热，官军必定困乏而想回到原先的驻地，不可能留下来。叛贼休整兵马，等官军一离开，必定会再次南来，这样官军征战从趋势上看还不会有个尽头。不如先用兵于寒冷的地方，除掉叛贼的巢穴，让叛贼无处可回，叛乱的根源就永远断绝了!"肃宗说："朕要把太上皇迎回京城奉养的心情十分急切，肯定不能再等实行你的这个策略了!"

关内节度使王思礼驻扎在武功，兵马使郭英乂驻扎在东原，王难得驻扎在西原。二月十九日丁酉，安守忠等进犯武功，郭英乂交战不利，因箭射穿了他的腮颊而率军退走。王难得看到这种情况不去救援，也率军退走了，王思礼则退军到扶风。叛贼的游兵到达大和关，离凤翔五十里。凤翔的人大为惊骇，全城戒严。

李光弼率领敢死的士兵出城攻击蔡希德，把他打得大败，杀死七万多人，蔡希德逃走。

安庆绪任命史思明为范阳节度使，兼管恒阳军的事务，封为妫川王，任命牛廷介掌管安阳军的事务，任命张忠志为常山太守兼团练使，镇守井陉口，其余的人都命令他们各自回到原先的任所，招兵抵御官军。此前，安禄山攻下两京，那里的珍宝财货全都被运到范阳。史思明拥有强大的兵力，掌握着富足的财物，更加骄横，逐渐不听安庆绪的命令，安庆绪也不能控制他。

二月二十日戊戌，永王李璘兵败而死，他的党羽薛镠等也都被处死。

当时李成式与河北招讨判官李铣合兵讨伐李璘，李铣的部队几千人，驻扎在扬子。李成式派判官裴茂率军三千，驻扎在瓜步，广树旗帜，排列在长江渡口。李璘和他的儿子李玚登上城墙远望，开始显出惧怕的神色。季广琛召集众将领说："我们这些人跟随永王到这里，天命尚未降临，人谋已经败坏。不如趁双方还没有交战，早早安排好去留。不然的话，死于刀箭之下，就永远成为叛逆之臣了。"众将领都认为他说得对。于是季广琛带领部下逃到广陵，浑惟明逃到江宁，冯季康逃到白沙。李璘忧虑害怕，不知怎么办才好。这天晚上，长江北面的官军点燃了许多火炬，

炬火，光照水中，一皆为两，璘军又以火应之。璘以为官军已济江，遽挈[202]家属与麾下潜遁。及明，不见济者，乃复入城收兵，具舟楫而去。成式将赵侃等济江至新丰[203]，璘使玚及其将高仙琦将兵击之。侃等逆战，射玚中肩，璘兵遂溃。璘与仙琦收余众，南奔鄱阳[204]，收库物甲兵，欲南奔岭表。江西[205]采访使皇甫侁遣兵追讨，擒之，潜杀之于传舍[206]，玚亦死于乱兵。

侁使人送璘家属还蜀。上曰："侁既生得吾弟，何不送之于蜀而擅杀之邪！"遂废侁不用。

【段旨】

以上为第八段，写唐肃宗讨叛贼，不纳李泌先取范阳之计，兵指长安。永王璘兵败身死。

【注释】

⑰⓪江、淮：指江南道和淮南道。⑰①汉中：郡名，天宝元年（公元七四二年）梁州改名，治所在今陕西汉中。⑰②散关：关名，在今陕西宝鸡西南大散岭上。⑰③通表：上表。⑰④骆驿：往来不绝。⑰⑤车驾：本指马驾的车。这里用作帝王的代称。⑰⑥西师：指自陇右、河西、安西、西域来的军队。⑰⑦前策：指上载十二月李泌向肃宗建议的灭敌之策。⑰⑧兵锋：兵器尖端的锋利，借指军队锐气。⑰⑨捣：攻击；攻打。⑱⓪更：另；另外。⑱①迂：陈旧不合时宜。⑱②春气已深：指春天已尽。⑱③关东地热：指关东地区气候炎热。关东，指潼关或函谷关以东的地区。⑱④休兵秣马：指休整军队，喂肥战马。秣，喂马。⑱⑤晨昏之恋：昏定晨省的想念。此指急于收复两京，迎父皇还宫。⑱⑥东原：指武功城东高平地带。⑱⑦王难得：王难得（？至公元七六二年），沂州临沂（今山东临沂）人，勇武善射，天宝初为河源军使，累授金吾将军。此时领兴平军及凤翔兵马使。传见《旧

【原文】

庚子[207]，郭子仪遣其子旰[208]及兵马使李韶光、大将王祚济河击潼关，破之，斩首五百级。安庆绪遣兵救潼关，郭旰等大败，死者万余

火光照映到水里，一个火炬都变成了两个，李璘的部队又点起火炬回应。李璘以为官军已经渡江，急忙带着家属和手下的人悄悄逃走。等到天亮，没有看见渡江的官军，便又进城收拾部队，准备好船只离去。李成式的部将赵侃等人渡过长江到达新丰，李璘派李玚及其部将高仙琦率兵攻打。赵侃等上前迎战，一箭射中李玚的肩膀，李璘的部队便溃败了。李璘与高仙琦收拾残余部队，向南逃往鄱阳，搜集仓库里的物资和铠甲兵器，想南逃岭表。江南西道采访使皇甫侁派兵追击讨伐，活捉了李璘，在驿站房中秘密杀死了他，李玚也被乱兵杀死。

皇甫侁派人护送李璘家属返回蜀地。肃宗说："皇甫侁既然活捉了我的弟弟，为什么不送到蜀地而擅自杀死他呢?!"于是罢黜皇甫侁不再任用。

唐书》卷一百八十三、《新唐书》卷一百四十七。⑱⑧西原：指武功城西高平地带。⑱⑨丁酉：二月十九日。⑲⑩颐：面颊；腮。⑲⑪大和关：岐山的一关口。在今陕西岐山北。⑲⑫敢死士：指作战奋勇、敢于赴死之士。⑲⑬领恒阳军事：领，兼领较低级职务。恒阳军，军镇名，在今河北正定城。⑲⑭安阳军：安庆绪以屯兵的邺郡安阳县为安阳军。⑲⑮戊戌：二月二十日。⑲⑯招讨判官：招讨使幕僚。⑲⑰隳：毁坏。⑲⑱锋镝：泛指兵器。锋，兵刃。镝，箭镞。⑲⑲江宁：郡名，至德二载（公元七五七年）升江宁县为郡，治所在今江苏南京。⑳⓪白沙：地名，在今江苏仪征。⑳①江北之军：指李成式等人率领的官军，当时驻扎在江北。⑳②挈：带着；领着。⑳③新丰：镇名，在今江苏常州。⑳④鄱阳：郡名，天宝元年（公元七四二年）饶州改名，治所在今江西鄱阳东北。⑳⑤江西：江南西道。开元二十一年（公元七三三年）分江南道置，采访使治所在今江西南昌。⑳⑥传舍：驿传之房舍，供往来官员休息住宿之所。

【校记】

［10］等：原无此字。据章钰校，十二行本、乙十一行本、孔天胤本皆有此字，今据补。［11］不然：原无此二字。据章钰校，十二行本、乙十一行本、孔天胤本皆有此二字，张敦仁《通鉴刊本识误》同，今据补。

【语译】

二月二十二日庚子，郭子仪派他的儿子郭旰及兵马使李韶光、大将王祚渡过黄河攻打潼关，攻破敌军防线，杀死五百人。安庆绪派兵救援潼关，郭旰等人大败，

人，李韶光、王祚战死。仆固怀恩抱马首浮渡渭水，退保河东。

三月辛酉[209]，以左相韦见素为左仆射，中书侍郎、同平章事裴冕为右仆射，并罢政事。

初，杨国忠恶宪部尚书[210]苗晋卿，安禄山之反也，请出晋卿为陕郡太守，兼陕、弘农防御使。晋卿固辞老病，上皇不悦，使之致仕[211]。及长安失守，晋卿潜窜山谷。上至凤翔，手敕[212]征[213]之为左相，军国大务悉咨之。

上皇思张九龄之先见[214]，为之流涕，遣中使至曲江[215]祭之，厚恤其家。

尹子奇复引大兵攻睢阳。张巡谓将士曰："吾受国恩，所守，正死耳。但念诸君捐躯命，膏草野，[216]而赏不酬勋[217]，以此痛心耳。"将士皆激励请奋。巡遂椎牛[218]，大飨[219]士卒，尽军出战。贼望见兵少，笑之。巡执旗，帅诸将直冲贼陈，贼乃大溃，斩将三十余人，杀士卒三千余人，逐之数十里。明日，贼又合军至城下。巡出战，昼夜数十合，屡摧其锋，而贼攻围不辍[220]。

辛未[221]，安守忠将骑二万寇河东，郭子仪击走之，斩首八千级，捕虏五千人。

夏，四月，颜真卿自荆、襄北诣凤翔，上以为宪部尚书。

上以郭子仪为司空[222]、天下兵马副元帅，使将兵赴凤翔。庚寅[223]，李归仁以铁骑五千邀[224]之于三原[225]北。子仪使其将仆固怀恩、王仲昇、浑释之、李若幽[226]等[12]伏兵击之于白渠[227]留运桥[228]，杀伤略尽，归仁游水而逸[229]。若幽，神通[230]之玄孙也。

子仪与王思礼军合于西渭桥[231]，进屯潏[232]西，安守忠、李归仁军于京城西清渠[233]，相守七日，官军不进。五月癸丑[234]，守忠伪退[13]，子仪悉师逐之。贼以骁骑九千为长蛇陈，官军击之，首尾为两翼，夹击官军，官军大溃。判官韩液、监军孙知古皆为贼所擒，军资器械尽弃之。子仪退保武功，中外戒严。

死了一万多人，李韶光、王祚战死。仆固怀恩抱着马头浮水渡过渭水，退守河东。

三月十三日辛酉，任命左相韦见素为左仆射，中书侍郎、同平章事裴冕为右仆射，两人一齐被罢黜政事。

当初，杨国忠讨厌宪部尚书苗晋卿，安禄山反叛时，请求皇上外派苗晋卿为陕郡太守，兼陕郡和弘农郡的防御使。苗晋卿以年老多病为由坚决推辞，太上皇很不高兴，让他辞官归居。等到长安失守，苗晋卿偷偷跑进了山谷里。肃宗到达凤翔，亲手写敕书征召他为左相，军国大事都要向他征求意见。

太上皇思念张九龄有先见之明，为此流下眼泪，派中使到他家乡曲江去祭奠他，优厚抚恤他的家属。

尹子奇又率领大军攻打睢阳。张巡对将士们说："我身受国恩，坚守在这里，是为国家效命。只是想到大家为国捐躯，血浸原野，而所得赏赐却不能酬报你们的功勋，因此十分痛心。"将士们都深受激励，奋勇请战。张巡便宰了牛，大规模犒劳士卒，率领全部兵力出城作战。叛贼看见张巡的兵很少，嘲笑他们。张巡手执军旗，率领众将径直冲向叛贼阵地，叛贼于是大败，张巡的部队杀死贼将三十多人，杀死叛贼士卒三千多人，追逐叛军几十里。第二天，叛贼又聚合部队来到城下。张巡出城作战，一昼夜交战几十回合，一次次摧折叛贼的锋芒，然而叛贼围城攻打依然不停。

三月二十三日辛未，安守忠率领骑兵两万人进犯河东，郭子仪把他们打跑了，杀死八千人，俘虏五千人。

夏，四月，颜真卿从荆州、襄阳向北到达凤翔，肃宗任命他为宪部尚书。

肃宗任命郭子仪为司空、天下兵马副元帅，让他率军赴凤翔。四月十三日庚寅，李归仁用铁骑五千名在三原北面拦击。郭子仪派部将仆固怀恩、王仲昇、浑释之、李若幽等在白渠留运桥埋伏士兵进行攻击，几乎全歼叛军，李归仁游水逃脱。李若幽，是李神通的玄孙。

郭子仪与王思礼的军队在西渭桥会合，进驻潏水之西，安守忠、李归仁的军队驻扎在京城西边的清渠，两军相持七天，官军没有前进。五月初六日癸丑，安守忠假装撤退，郭子仪出动全军追逐。叛贼用骁勇骑兵九千人排成长蛇阵，官军发起攻击，长蛇阵的首尾突然变成两翼，夹击官军，官军大败。判官韩液、监军孙知古都被叛贼擒获，军用物资各种器械也全都抛弃了。郭子仪退守武功，内外戒严。

【段旨】

以上为第九段，写贼将尹子奇重兵围攻睢阳。郭子仪兵败长安。

【注释】

⑳ 庚子：二月二十二日。⑳ 旰：郭旰，郭子仪第二子。传见《新唐书》卷一百三十七。⑳ 辛酉：三月十三日。⑳ 宪部尚书：刑部尚书。㉑ 致仕：辞官。㉑ 手敕：皇帝亲笔诏令。㉑ 征：征召，特指君召臣。㉑ 张九龄之先见：安禄山初为幽州节度使张守珪属下将领，以恃勇轻进而战败。当时，宰相张九龄说："禄山失律丧师，于法不可不诛。且臣观其貌有反相，不杀必为后患。"力主诛之，而玄宗竟赦其罪。事见本书卷二百十四玄宗开元二十四年。㉑ 曲江：县名，县治在今广东韶关市曲江区西，是张九龄的家乡。㉑ 捐躯命二句：捐献身躯性命，滋润原野大地。膏，滋润。㉑ 赏不酬勋：赏赐的东西不足以酬报功绩。指去年张巡请求虢王巨赏将士空名告身及物，但得折冲、果毅告身三十通，而不给赐物。㉑ 椎牛：杀牛。㉑ 飨：用酒食招待人。㉒ 辍：停止。㉒ 辛未：三月二十三日。㉒ 司空：官名，三公之一，正一品，唐代为加官，无实际职掌。㉒ 庚寅：四月十三日。㉒ 邀：拦击。㉒ 三原：县名，县治在今陕西三原东北。㉒ 李若幽：李若幽（？至公元七六一年），肃宗赐名李国贞。官至户部尚书兼御史大夫。传见《旧唐书》卷一百十

【原文】

是时府库无蓄积，朝廷专以官爵赏功。诸将出征，皆给空名告身，自开府㉓、特进、列卿㉓、大将军㉓，下至中郎、郎将㉓，听临事注名㉓。其后又听以信牒㉔授人官爵。有至异姓王者㉔。诸军但以职任相统摄，不复计官爵高下。及清渠之败，复以官爵收散卒。由是官爵轻而货重，大将军告身一通，才易㉔一醉。凡应募入军者，一切衣金紫㉔。至有朝士㉔僮仆衣金紫，称大官，而执贱役者。名器㉔之滥，至是而极焉。

房琯性高简㉔，时国家多难，而琯多称病不朝谒㉔，不以职事为意，日与庶子㉔刘秩、谏议大夫李揖高谈㉔释、老㉕，或听门客㉕董庭兰鼓琴，庭兰以是大招权利。御史奏庭兰赃贿㉕，丁巳㉕，罢琯为太子少师㉕，以谏议大夫张镐为中书侍郎、同平章事。上常使僧数百人为道场㉕于内，晨夜诵佛。镐谏曰："帝王当修德以弭㉕乱安人，未闻饭僧㉕可致太平也。"上然之。

二、《新唐书》卷七十八。㉗ 白渠：古代关中平原的人工灌溉渠，自谷口（今陕西礼泉东北）分泾水东南流，经高陵（今陕西西安市高陵区西南）、栎阳（今陕西西安市临潼区东北）东至下邽（今陕西渭南市东北）南注入渭水，长二百里。唐时自北而南，分为太白、中白、南白三渠，总称三白渠。㉘ 留运桥：桥名，在今陕西三原北太白渠上。㉙ 逸：逃跑。㉚ 神通：淮安王李神通。㉛ 西渭桥：又名便桥、便门桥、咸阳桥，西汉建，在今陕西咸阳东南渭河上。㉜ 潏：潏水。一作泬水，或讹作沈水。上游即今陕西西安市长安区东南的交河上游。正流穿汉长安城西，北流入渭河。隋唐时曾遏潏水西流汇交水，又遏交水西流汇沣水。后世遂统指自长安南皇子陂西至秦渡镇入沣一段为潏河下游。㉝ 清渠：据程大昌《雍录·汉唐要地参出图》（已佚），清渠在漕渠之东，直秦之故杜南城稍东，即香积寺北。㉞ 癸丑：五月初六日。

【校记】

［12］等：原无此字。据章钰校，十二行本、乙十一行本、孔天胤本皆有此字，今据补。［13］退：据章钰校，十二行本、乙十一行本、孔天胤本皆作“遁”。

【语译】

这时候朝廷的府库里没有积蓄，朝廷只是用官爵来赏赐有功的人。众将出征时，都给以姓名处空白的委任状，上自开府、特进、列卿、大将军，下到中郎、郎将等官爵，都允许将军届时按处事的需要填上姓名进行封赏。后来又允许用信牒向人授予官爵，甚至有异姓而封王的。各路军队只凭职务大小进行管辖，不再计较官爵的高低。等到这次清渠战败后，又用官爵来收拢散兵。从此官爵轻而财货重，一张大将军的委任状，只能换得一次醉酒。凡是应募当兵的，一律穿紫袍佩金鱼袋。甚至有朝廷官员的仆人也穿紫袍佩金鱼袋，号称大官，而依然在那里从事卑贱的杂役。原本表示等级的称号和服饰器物被滥用，这时已达到极点。

房琯性情高雅而待人简慢，当时国家多难，而房琯却经常借口有病不上朝谒见，不把职事放在心上，每天和庶子刘秩、谏议大夫李揖就佛家、道家的话题高谈阔论，有时听门客董庭兰弹琴，董庭兰也借机大肆谋取权利。御史上奏说董庭兰贪赃受贿，五月初十日丁巳，罢去房琯原职而任他为太子少师，任命谏议大夫张镐为中书侍郎、同平章事。肃宗经常让几百个僧人在宫内设道场，早晚诵念佛经。张镐进谏说：“帝王应当修养德行来平息战乱安抚百姓，从未听说供养僧人可以引致太平的。”肃宗认为他说得对。

【段旨】

以上为第十段，写唐肃宗行在所大本营资粮匮乏。

【注释】

㉟开府：开府仪同三司。㊱列卿：指九卿，九寺（太常、光禄、卫尉、宗正、太仆、大理、鸿胪、司农、太府）的长官称卿。㊲大将军：武散官阶二十九等中，正三品以上称大将军，南衙十六卫、北衙六军均各设大将军一员，是职事官。㊳中郎、郎将：中郎，即中郎将。南衙十六卫均置中郎将、郎将，领本府属兵宿卫；武散军中亦有怀化、归德中郎将和郎将。㊴临事注名：临到有事需要使用时，在告身上填写人名。临，到、及。㊵信牒：唐代授官，都发给凭证，叫告身，发告身之前，先给文书以为凭证，

【原文】

庚申[258]，上皇追册上母杨妃[259]为元献皇后。

山南东道节度使鲁炅守南阳，贼将武令珣、田承嗣相继攻之。城中食尽，一鼠直[260]钱数百，饿死者相枕藉。上遣宦官将军曹日昇往宣慰[261]，围急，不得入。日昇请单骑入致命[262]，襄阳太守魏仲犀不许。会颜真卿自河北至，曰："曹将军不顾万死以致帝命，何为沮[263]之！借使不达，不过亡一使者，达则一城之心固矣。"日昇与十骑偕[264]往，贼畏其锐，不敢逼。城中自谓望绝，及见日昇，大喜。日昇复为之至襄阳取粮，以千人运粮而入，贼不能遏。炅在围中凡周岁[265]，昼夜苦战，力竭不能支。壬戌[266]夜，开城帅余兵数千突围而出，奔襄阳。承嗣追之，转战二日，不能克而还。时贼欲南侵江、汉，赖炅扼其冲要，南夏[267]得全。

司空郭子仪诣阙请自贬。甲子[268]，以子仪为左仆射。

尹子奇益兵围睢阳益急，张巡于城中夜鸣鼓严队[269]，若将出击者。贼闻之，达旦[270]儆备[271]。既明，巡乃寝兵绝鼓[272]。贼以飞楼[273]瞰城中，无所见，遂解甲休息。巡与将军南霁云[274]、郎将雷万春[275]等十余将各

称信牒。㉑有至异姓王者：唐初封爵有非李氏不王的规定，但自武则天封诸武为王，张柬之等五人拥中宗即位同日封王后，异姓封王者不断出现，主要是加封有功之臣。安史之乱，朝廷任官封爵多以空名告身，其中即有异姓封王者。㉒易：换。㉓金紫：金鱼袋和紫服。唐代为三品以上高官的服饰。㉔朝士：朝廷官吏；中央官吏。㉕名器：名分、彝器。表示等级的称号和礼仪器物。㉖高简：高明而简慢，指性格高亢明爽而怠慢轻疏。㉗朝谒：上朝拜见帝王。㉘庶子：东宫官名，太子左右春坊长官，掌侍从赞相献纳。㉙高谈：空谈；大发议论。㉚释、老：释迦与老子，即佛家与道家。㉛门客：门下食客。㉜赃贿：贪污和行贿。㉝丁巳：五月初十日。㉞太子少师：官名，为东宫三少之一，掌教导太子。实际无具体职掌，一般用作权臣罢位后的任官。㉟道场：佛、道二教诵经礼拜的地方。㊱弭：停止。㊲饭僧：饭养；供养。

【语译】

五月十三日庚申，太上皇追封肃宗的生母杨妃为元献皇后。

山南东道节度使鲁炅镇守南阳，叛贼将领武令珣、田承嗣相继向他发起进攻。城中粮食已经吃尽，一只老鼠都值几百钱，饿死的人多得一个压着一个。肃宗派宦官将军曹日昇前往宣谕慰问，叛军包围得非常严密，进不了城。曹日昇请求单枪匹马突入城中传达皇命，襄阳太守魏仲犀不许。适逢颜真卿从河北来，说："曹将军为了传达皇命万死不顾，为什么要阻止他！如果他不能到达，不过是失去一名使者，如果到达了，那么全城的人心就得以稳固。"曹日昇和十个骑兵一起前往，叛贼害怕他们的锐气，不敢紧逼。城中的人原本已自感绝望，等见到曹日昇，非常高兴。曹日昇又替他们到襄阳去取粮，派一千人运粮进城，叛贼不能阻挡。鲁炅在包围中整整一年，日夜苦战，力量用尽，已经不能再坚持下去了。五月十五日壬戌夜晚，打开城门率领剩余的士兵几千人突围出去，直奔襄阳。田承嗣追击他们，转战两天，不能取胜而返回。当时叛贼企图向南进犯江、汉地区，幸亏鲁炅扼守住了战略要冲，南夏才得以保全。

司空郭子仪上朝请求自我贬官。五月十七日甲子，任命郭子仪为左仆射。

尹子奇增兵围困睢阳，战事更加紧急，张巡在城中深夜击鼓整顿队伍，像是要出击的样子。叛贼听到鼓声，整夜警戒防备。天亮以后，张巡才让士兵休息停止击鼓。叛贼用飞楼来窥探城中动静，结果一无所见，便解甲休息。张巡和将军南霁云、

将五十骑开门突出，直冲贼营，至子奇麾下㉖。营中大乱，斩贼将五十余人，杀士卒五千余人。巡欲射子奇而不识，乃剡㉗蒿为矢，中者喜，谓巡矢尽，走白子奇，乃得其状。使霁云射之，丧其左目，几获之。子奇乃收军退还。

六月癸未㉘[14]，田乾真围安邑。会陕郡贼将杨务钦密谋归国，河东太守马承光以兵应之，务钦杀城中诸将不同己者，翻城来降，乾真解安邑遁去。

【段旨】

以上为第十一段，写鲁炅守南阳、张巡守睢阳，拒敌于江北，江南得全。

【注释】

㉕庚申：五月十三日。㉙杨妃：杨妃（？至公元七二九年），弘农华阴（今陕西华阴）人，景云初年入东宫为良媛，生肃宗。至德二载（公元七五七年）追封元献皇后。传见《旧唐书》卷五十二、《新唐书》卷七十六。㉖直：通“值”，价值。㉑宣慰：代表皇帝表示慰劳。㉒致命：传达命令。此年四月颜真卿已从荆、襄北诣灵武，曹日昇单骑至襄阳“致命”，当在四月以前。㉓沮：阻止。㉔偕：共同；一起。㉕炅在围中凡周岁：肃宗至德元载（公元七五六年）五月，南阳节度使鲁炅屯兵叶县北，为安禄山将攻破，炅走保南阳，复为贼所围，至此时已经一年。㉖壬戌：五月十五日。㉗南夏：华

【原文】

将军王去荣以私怨杀本县令，当死。上以其善用炮，壬辰㉙，敕免死，以白衣于陕郡效力。中书舍人贾至㉚不即行下㉛，上表，以为：“去荣无状㉜，杀本县之君。《易》曰：‘臣弑其君，子弑其父，非一朝一夕之故，其所由来者渐矣。’㉝若纵去荣，可谓生渐㉞矣。议者谓陕郡初复㉟，非其人不可守。然则他无去荣者，何以亦能坚守乎？陛下

郎将雷万春等十几个将领各带五十个骑兵打开城门突然出击，直冲贼营，到了尹子奇的将旗下。叛贼军营大乱，官军杀死贼将五十多人，杀死士卒五千多名。张巡想要射杀尹子奇，可是不认识他，就削禾秆为箭头，被射中的叛军心中暗喜，认为张巡的箭用完了，跑去告诉尹子奇，张巡这才知道他的相貌。让南霁云发箭射他，射瞎了他的左眼，几乎把他捉住。尹子奇于是收兵退走。

六月初七日癸未，田乾真包围安邑。适逢陕郡贼将杨务钦秘密谋划归顺朝廷，河东太守马承光派兵接应他，杨务钦杀死城中那些与自己意见不同的将领，翻越城墙前来投降，田乾真解除对安邑的包围逃走了。

夏南部，泛指我国南方。㉖⑧甲子：五月十七日。㉖⑨鸣鼓严队：击鼓整肃军队。㉗⓪达旦：通宵达旦；整夜。㉗①儆备：警备；戒备。㉗②寝兵绝鼓：指停止整军和击鼓。寝，息、止。㉗③飞楼：高空侦察战具。《通典》卷一百六十《攻城战具》载有一种八轮车，上树高竿，竿上安辘轳，以绳挽板屋止竿首，人在板屋中窥视城中情况，叫巢车，如鸟之巢。飞楼类此。㉗④南霁云：南霁云（？至公元七五七年），魏州顿丘（今河南浚县北）人，善骑射，事张巡，为将军。传见《新唐书》卷一百九十二。㉗⑤雷万春：事张巡，为偏将。传见《新唐书》卷一百九十二。㉗⑥麾下：将旗之下。㉗⑦剡：削尖。㉗⑧癸未：六月初七日。

【校记】

［14］癸未：原无此二字。据章钰校，十二行本、乙十一行本、孔天胤本皆有此二字，张敦仁《通鉴刊本识误》、张瑛《通鉴校勘记》同，今据补。

【语译】

将军王去荣因私仇杀了本县县令，应当处死。肃宗因为他善用炮车发石，六月十六日壬辰，下敕命免除他的死罪，让他以平民身份在陕郡效力。中书舍人贾至没有立刻颁下敕书，上表进谏，他认为："王去荣罪大恶极，杀死本县的长官。《周易》说：'臣子杀死他的君主，儿子杀死他的父亲，其原因并非一朝一夕形成的，发展到这个地步有个渐进的过程。'如果放纵王去荣，可以说就会产生这种逐渐演进。有的议论这件事的人认为陕郡刚刚收复，没有这个人不可能守得住。那么其他没有王去荣的地方，为什么也能坚守呢？陛下如果因为他有善用炮车发石的一技之长就免除

若以炮石一能即免殊死㉘⑥，今诸军技艺绝伦者，其徒寔㉘⑦繁。必恃其能，所在犯上，复何以止之！若止舍去荣而诛其余者，则是法令不一，而诱人触罪也。今惜一去荣之材㉘⑧而不杀，必杀十如去荣之材者，不亦其伤益多乎！夫去荣，逆乱之人也。焉有逆于此而顺于彼，乱于富平㉘⑨而治于陕郡，悖㉙⓪于县君㉙①而不悖于大君㉙②欤！伏惟㉙③明主全其远者、大者，则祸乱不日而定矣。”上下其事，令百官议之。

太子太师韦见素等议，以为：“法者，天地大典，㉙④帝王犹不敢擅杀，而小人得擅杀[15]，是臣下之权过于人主也。去荣既杀人不死，则军中凡有技能者，亦自谓无忧，所在暴横，为郡县者，不亦难乎！陛下为天下主，爱无亲疏，得一去荣而失万姓，何利之有！于律，杀本县令，列于十恶。㉙⑤而陛下宽之，王法不行，人伦道屈，臣等奉诏，不知所从。夫国以法理，军以法胜。有恩无威，慈母不能使其子。陛下厚养战士，而每战少利，岂非无法邪！今陕郡虽要，不急于法也。有法则海内无忧不克，况陕郡乎！无法则陕郡亦不可守，得之何益？而去荣末技㉙⑥，陕郡不以之存亡。王法有无，国家乃为之轻重。此臣等所以区区㉙⑦愿陛下守贞观之法㉙⑧。”上竟舍之。至，曾㉙⑨之子也。

【段旨】

以上为第十二段，写唐肃宗不能严法。

【注释】

㉗⑨壬辰：六月十六日。㉘⓪贾至：贾至（？至公元七七〇年），官至京兆尹兼御史大夫。传见《旧唐书》卷一百九十中、《新唐书》卷一百十九。㉘①不即行下：没有立即颁下敕书。㉘②无状：罪不可言状；罪大恶极。㉘③臣弑其君四句：语出《易·坤卦·文言》。本句意为臣子杀国君，儿子杀父亲，不是一早一晚的暂时原因造成，而是长久以来慢慢形成的。弑，古代称子杀父、臣杀君为弑。渐，逐渐、慢慢地。㉘④生渐：产生逐渐的变

他被斩首的刑罚，那么现今各军中身怀绝技的人实在很多。他们必定会依仗自己的技能，在各地犯上作乱，朝廷又怎么去制止他们！如果只是赦免王去荣而杀掉其他人，那就是法令不统一，而诱导人们犯罪啊。如今怜惜一个王去荣的才能而不杀他，今后必然会杀十个像王去荣这样有才能的人，那样伤害的人不也就更多了吗?！王去荣，是个叛逆作乱的人。他怎么可能在这里叛逆而在那里顺从，在富平作乱而在陕郡让人太平，背叛一县之长而不背叛天子呢！敬请圣明的君主着眼长远，顾全大局，那么祸乱很快就可以平定了。”肃宗把这件事交到下面，让百官讨论。

太子太师韦见素等人讨论，认为:“法律是天地之间的大典，帝王尚且不敢擅自杀人，而王去荣竟敢擅自杀死县令，这是臣下的权力超过了人主。既然王去荣杀人不会处死，那么军中凡是有一技之长的人，也就自认为可以不必担忧了，到处横行霸道，做郡县长官的，不也太为难了吗?！陛下是天下的君主，推行仁爱不分亲疏，如果得到一个王去荣而失去了百姓，又有什么好处呢！从法律上讲，杀死本县县令，罪名列在十恶罪之中。然而陛下却宽赦他，致使王法得不到实行，人伦道德被扭曲，臣等奉行诏书，不知该怎么做才好。国家靠法律进行治理，军队靠法令克敌制胜。如果只有恩情而没有威严，就是慈母也不能支使她的子女。陛下厚待战士，然而每次交战却很少出现有利局面，难道不是因为没有严格的法令吗?！如今陕郡虽然重要，但不会比法律更要紧。有了法律那么海内就不用担心不能平定，何况陕郡呢！如果没有法律那么陕郡也不可能守住，得到王去荣又有什么益处？而且王去荣不过有点小小的技能，陕郡不靠他来决定存亡。而有没有王法，对于国家却有举足轻重的作用。这是臣等诚恳地希望陛下遵守贞观年间制定的法律的原因。”但肃宗最终赦免了他。贾至，是贾曾的儿子。

化，即逐渐变化的开始。㉘⑤初复：刚刚收复。㉘⑥殊死：古代斩首之刑。㉘⑦寔：实；实在。㉘⑧材：通“才”，才能。㉘⑨富平：县名，县治在今陕西富平东北。王去荣是富平人，杀本县县令。㉙⓪悖：背叛；叛乱。㉙①县君：县令为一县之君长。㉙②大君：指天子。㉙③伏惟：俯伏思惟，用于下对上的敬辞。㉙④法者二句：法律是天地之间的大法则。㉙⑤于律三句：律，唐律，唐初房玄龄等修订。十恶，据《唐律疏议》是谋反、谋大逆、谋叛、谋恶逆、不道、大不敬、不孝、不睦、不义、内乱。犯十恶者，不得依议请减赎免罪之法，一律处以极刑。杀本县令，属于“不义”之条。㉙⑥末技：小技。㉙⑦区区：诚挚；诚恳。㉙⑧贞观之法：指唐太宗命房玄龄等修订的刑法。㉙⑨曾：贾曾（？至公元七二七年），河南洛阳（今河南洛阳）人，官至谏议大夫、知制诰。传见《旧唐书》卷一百九十中、《新唐书》卷一百十九。

【校记】

［15］而小人得擅杀：原无此句。据章钰校，十二行本、乙十一行本、孔天胤本皆有此句，张敦仁《通鉴刊本识误》、张瑛《通鉴校勘记》同，今据补。

【原文】

南充[300]土豪何滔作乱，执本郡防御使杨齐鲁，剑南节度使卢元裕发兵讨平之。

秋，七月，河南节度使贺兰进明克高密[301]、琅邪[302]，杀贼二万余人。

戊申[303]夜，蜀郡兵郭千仞等反，六军兵马使[304]陈玄礼、剑南节度使李峘讨诛之。

壬子[305]，尹子奇复征兵数万，攻睢阳。先是，许远于城中积粮至六万石，虢王巨以其半给濮阳、济阴二郡，远固争之，不能得。既而济阴得粮，遂以城叛，而睢阳城至是食尽。将士人廪[306]米日一合[307]，杂以茶纸、树皮为食。而贼粮运通，兵败复征。睢阳将士死不加益，诸军馈救[308]不至，士卒消耗至一千六百人，皆饥病不堪斗，遂为贼所围，张巡乃修守具以拒之。贼为云梯，势如半虹[309]，置精卒二百于其上，推之临城，欲令腾入[310]。巡豫[311]于城凿三穴，候梯将至，于一穴中出大木，末置铁钩，钩之使不得退，一穴中出一木，拄[312]之使不得进，一穴中出一木，木末置铁笼，盛火焚之，其梯中折，梯上卒尽烧死。贼又以钩车[313]钩城上棚阁[314]，钩之所及，莫不崩陷。巡以大木末置连锁[315]，锁末置大镮[316]，拓[317]其钩头，以革车[318]拔[319]之入城，截其钩头而纵车令去。贼又造木驴[320]攻城，巡镕金汁[321]灌之，应投销铄[322]。贼又于城西北隅以土囊[323]积柴为磴道[324]，欲登城。巡不与争利，每夜，潜以松明[325]、干藁投之于中，积十余日，贼不之觉。因出军大战，使人顺风持火焚之，贼不能救，经二十余日，火方灭。巡之所为，皆应机立办[326]，贼服其智，不敢复攻。遂于城外穿三重壕，立木栅以守巡，巡亦于内作壕以拒之。

【语译】

南充土豪何滔作乱，抓了本郡防御使杨齐鲁，剑南节度使卢元裕发兵讨平何滔。

秋，七月，河南节度使贺兰进明攻克高密、琅邪，杀死叛贼二万多人。

七月初二日戊申的夜晚，蜀郡士兵郭千仞等人谋反，六军兵马使陈玄礼、剑南节度使李峘讨伐消灭了他们。

七月初六日壬子，尹子奇又征调士兵数万人，攻打睢阳。此前，许远在城里积聚粮食达六万石，虢王李巨把其中的一半分给濮阳、济阴二郡，许远一再争辩不同意，但没能成功。不久济阴郡得到了粮食，就举城叛变，而睢阳城到这时粮食已经吃完。将士每人分到的米一天只有一合，夹杂着茶纸、树皮一起吃。然而叛贼的粮食运输畅通，士兵被打败后就又去征调。而睢阳城中的将士死后也得不到增补，各军不来送粮救援，兵员消耗得只剩下一千六百人，都忍饥挨饿，疾病缠身，难以坚持战斗，因而被贼兵围困，张巡于是修整守城器具以继续抵抗。叛军制作了云梯，形状像半条悬空的彩虹，安排了精兵两百人在云梯上，把云梯推到临近城墙的位置，想让这些精兵跳进城里。张巡预先在城墙上凿了三个洞，等云梯将要到时，从一个洞里伸出一根大木头，末端装上铁钩，钩住云梯使它不能后退，另一个洞里再伸出一根木头，顶住云梯使它不能前进，还有一个洞里也伸出一根木头，末端安装了铁笼子，笼中盛火焚烧云梯，云梯从中间折断，梯上的贼兵全被烧死。叛军又用钩车来钩城上的棚阁，只要是钩子所钩到的，无不塌陷。张巡用大木头末端安置连锁，锁头又装上大环，套住钩车的钩头，用兵车把它提起来拉进城里，截断钩头后放车子离开。叛军又制造木驴来攻城，张巡就熔化了金属液从上面浇下去，木驴遇上滚烫的金属液立刻被销毁。叛军又在城西北角用盛土袋子和木柴堆成磴道，想要登城。张巡不和叛军争胜负，每天夜里，悄悄地将松明和干的禾秆放进正在堆积的磴道里，一连十几天，叛军都没有察觉。于是张巡出兵大战，派人顺风拿着火把焚烧磴道，贼兵无法救火，这把火烧了二十多天，方才熄灭。张巡的这些作为，都是依据战事的变化立即做出的应对，连叛军都佩服他的智谋，不敢再进攻了。于是在城外挖了三重壕沟，立起木栅栏以围困张巡，张巡也在城内挖壕沟以抵抗敌人。

丁巳[327]，贼将安武臣攻陕郡，杨务钦战死，贼遂屠陕。

崔涣在江南选补，冒滥者众。八月，罢涣为余杭太守、江东采访、防御使[328]。

以张镐兼河南节度、采访等使，代贺兰进明。

灵昌太守许叔冀[329]为贼所围，救兵不至，拔众奔彭城。

睢阳士卒死伤之余才六百人，张巡、许远分城而守之。巡守东北，远守西南，与士卒同食茶纸，不复下城。贼士攻城者，巡以逆顺说之，往往弃贼来降，为巡死战，前后二百余人。

是时，许叔冀在谯郡[330]，尚衡[331]在彭城，贺兰进明在临淮[332]，皆拥兵不救。城中日蹙，巡乃令南霁云将三十骑犯围[333]而出，告急于临淮。霁云出城，贼众数万遮之。霁云直冲其众，左右驰射，贼众披靡，止[334]亡两骑。

既至临淮，见进明，进明曰："今日睢阳不知存亡，兵去何益！"霁云曰："睢阳若陷，霁云请以死谢[335]大夫[336]。且睢阳既拔，即及临淮，譬如皮毛相依[337]，安得不救！"进明爱霁云勇壮，不听其语，强留之，具食与乐，延霁云坐。霁云慷慨[338]，泣且语曰："霁云来时[16]，睢阳之人不食月余矣！霁云虽欲独食，且不下咽。大夫坐拥强兵，观睢阳陷没，曾无分灾救患之意，岂忠臣义士之所为乎！"因啮落[339]一指以示进明，曰："霁云既不能达主将之意，请留一指以示信[340]归报。"座中往往为泣下。

霁云察进明终无出师意，遂去。至宁陵，与城使[341]廉坦同将步骑三千人，闰月戊申[342]夜，冒围，且战且行，至城下，大战，坏贼营，死伤之外，仅得千人入城。城中将吏知无救，皆恸哭。贼知援绝，围之益急。

初，房琯为相，恶贺兰进明，以为河南节度使，以许叔冀为进明都知兵马使，俱兼御史大夫。叔冀自恃麾下精锐，且官与进明等，不受其节制。故进明不敢分兵，非惟疾[343]巡、远功名，亦惧为叔冀所袭也。

戊辰[344]，上劳飨[345]诸将，遣攻长安。谓郭子仪曰："事之济[346]否，在此行也！"对曰："此行不捷，臣必死之！"

七月十一日丁巳，贼将安武臣进攻陕郡，杨务钦战死，贼兵于是入陕郡屠杀。

崔涣在江南主持选举，滥竽充数的人很多。八月，罢免崔涣改任为余杭太守、江东采访、防御使。

任命张镐兼任河南节度、采访等使，代替贺兰进明。

灵昌太守许叔冀被叛贼包围，救兵不来，于是率众奔向彭城。

睢阳城里士卒死伤剩下来的才六百人，张巡、许远把城分成两部分来守卫。张巡守东北，许远守西南，与士卒一同吃茶纸，不再下城。贼兵来攻城的，张巡就叛逆还是归顺对他们晓以大义进行劝说，常常有人脱离叛贼前来投降，为张巡拼死作战，前后有两百多人。

这时，许叔冀在谯郡，尚衡在彭城，贺兰进明在临淮，都拥有兵力却不来救援。睢阳城中的境况日益窘迫，张巡于是命南霁云带领三十名骑兵突围出去，向临淮告急。南霁云出城，贼兵几万人拦截。南霁云率骑兵径直冲向敌人，骑马飞驰中放箭射向左右敌人，敌人纷纷溃散，官军只损失了两名骑兵。

到临淮后，见到贺兰进明，贺兰进明说："现在睢阳不知道是存是亡，救兵去了又有什么益处！"南霁云说："睢阳如果陷落，霁云请求以死来向大夫您谢罪。况且睢阳如果被攻陷，敌人马上就会到临淮，这好比皮与毛相互依存，怎么能够不救呢！"贺兰进明喜爱南霁云勇武雄壮，不听从他的意见，却强行留下他，准备了酒食和音乐，请南霁云入座。南霁云慷慨激昂，哭着说："霁云来的时候，睢阳城里的人没有粮食吃已经有一个多月了！霁云现在即使想独自进食，也咽不下去。大夫您坐拥强兵，看着睢阳陷落，却毫无分担灾祸、救助患难的意思，这难道是忠臣义士所应该做的吗?!"说完咬下自己的一个手指头给贺兰进明看，说："霁云既然未能转达主将的心愿，请允许我留下一个指头作为凭证以便回去复命。"在座的人很多都为他落泪。

南霁云观察贺兰进明最终还是没有出兵的意思，就离开了。到了宁陵，与城使廉坦一起率领步兵骑兵三千人，在闰八月初三日戊申的夜晚，冲击叛军的包围圈，边战边走，来到城下，和敌人大战，破坏了敌营，除去死伤人员外，仅有一千人进入城里。城里的将士官吏知道没有救兵，都伤心大哭。叛军知道睢阳城救援断绝，围攻更急了。

当初，房琯为宰相，讨厌贺兰进明，任命他为河南节度使，又任命许叔冀为贺兰进明的都知兵马使，两人都兼御史大夫。许叔冀仗着部下是精锐之师，而且官阶与贺兰进明相等，不受他的指挥管辖。所以贺兰进明不敢分兵救援睢阳，这不只是嫉妒张巡、许远的功名，也是因为害怕被许叔冀袭击。

闰八月二十三日戊辰，肃宗犒劳诸位将领，派他们去进攻长安。肃宗对郭子仪说："事情成功与否，就在此次行动！"郭子仪回答说："此次行动如果不能取胜，臣一定以死相报！"

辛未㉗，御史大夫崔光远㉘破贼于骆谷㉙。光远行军司马王伯伦、判官李椿将二千人攻中渭桥，杀贼守桥者千人，乘胜至苑门。贼有先屯武功者闻之，奔归，遇于苑北，合战，杀伯伦，擒椿送洛阳，然自是贼不复屯武功矣。

贼屡攻上党，常为节度使程千里所败。蔡希德复引兵围上党。

【段旨】

以上为第十三段，写张巡困守睢阳，邻郡官兵诸将拥兵不救。

【注释】

㉚南充：郡名，唐置果州，后更名南充郡，治所在今四川南充。㉛高密：县名，县治在今山东高密。㉜琅邪：县名，秦置，治所在今山东青岛市黄岛区琅邪台西北。晋废。隋开皇间于此置丰泉县，大业初改名琅邪。唐武德初废。此琅邪，当是用旧名。㉝戊申：七月初二日。㉞六军兵马使：为统率六军的差遣军官。六军，为随从玄宗入蜀的兵士。㉟壬子：七月初六日。㊱廪：通“禀”，给。㊲合：容量单位，一升的十分之一。㊳馈救：运粮救济。㊴半虹：半个悬空的彩虹。㊵腾入：跳入。㊶豫：通“预”。预先。㊷拄：支撑。㊸钩车：有钩梯的战车。㊹棚阁：敌楼。于城墙上架木棚，使之伸出墙外，可以此瞭望敌人。㊺连锁：成连环形状的器物。㊻镮：通“环”，圆形有孔可贯穿的东西。㊼拓：与另一物重叠相扣，套住。㊽革车：载兵车。㊾拔：提起来。㊿木驴：用木做，背脊长一丈径一尺五寸，下安六脚，下阔上尖，高七尺，内可容六人，以湿牛皮蒙之，可直抵城下，木石铁火不能伤败，用来攻城，或叫小头木驴。见《通典》卷一百六十《攻城战具》。㉑镕金汁：以火融化金属成汁。㉒应投销铄：指随着投去之处都被融化。应投，随着投去之处。销铄，销镕。㉓土囊：盛土的袋子。㉔磴道：登城的道路。㉕松明：松树枯干后，树内有松油可以燃烧，用以照明。㉖应机立办：随机应变，果断行动。㉗丁巳：七月十一日。㉘江东采访、防御使：江东，即江南东道。玄宗开元二十一年（公元七三三年）分江南道置，治所在今江苏苏州。采访、防御使，使职名，即采访使和防御使。㉙许叔冀：在安史之乱中初为灵昌太守，后败走，朝廷先后任为青州、汴州、宋州等州节度使及防御使。乾元二年（公元七五九年）降史思明，受中书令之职。事迹散见《旧唐书》卷一百八十七下、《新唐书》卷一百九十二《张巡传》等篇。㉚谯郡：郡名，天宝元年（公元七四二年）亳州改名，治所在今安徽亳州。㉛尚

闰八月二十六日辛未，御史大夫崔光远在骆谷击败敌人。崔光远的行军司马王伯伦、判官李椿率领两千人攻打中渭桥，杀死守桥叛军一千人，乘胜追到长安的苑门。叛军中先前驻扎在武功的部队听说后，逃回长安，在苑北与官军遭遇，两军交战，叛军杀死王伯伦，捉住李椿把他送到洛阳，然而从此叛军不再驻扎在武功了。

叛军屡次攻打上党，经常被节度使程千里击败。蔡希德又带兵包围上党。

衡：衡先后为郓州、徐州、青州刺史，充亳、颍、青、淄等数州节度使，兵部侍郎、御史大夫。事迹散见《旧唐书》卷一百五十二《王栖曜传》、《新唐书》卷一百九十二《张巡传》等篇。㉜临淮：郡名，天宝元年泗州改名，治所在今江苏盱眙西北。㉝犯围：突围。㉞止：通“只”。仅仅。㉟谢：谢罪。㊱大夫：贺兰进明此时为河北节度使兼御史大夫。㊲皮毛相依：语出《左传》僖公十四年，“冬，秦饥，使乞籴于晋，晋人弗与。庆郑曰：‘背施无亲，幸灾不仁，贪爱不祥，怒邻不义，四德皆失，何以守国?’虢射曰：‘皮之不存，毛将安傅?’”言晋前违约不给秦城，已结下深怨，哪里还在乎拒给秦籴。皮比喻事物存在基础，毛比喻承着在基础之上的东西，二者互相依存。傅，通“附”。附着。㊳慷慨：意气风发，情绪激动。㊴啮落：咬下来。啮，咬。㊵信：凭据。㊶城使：使职名，镇守城池的差遣官。㊷戊申：闰八月初三日。㊸疾：通“嫉”。嫉妒。㊹戊辰：闰八月二十三日。㊺劳飨：犒劳。㊻济：成功。㊼辛未：闰八月二十六日。㊽崔光远：崔光远（？至公元七六一年），滑州灵昌（今河南滑县东南）人。传见《旧唐书》卷一百十一、《新唐书》卷一百四十一。㊾骆谷：在陕西周至西南。

【校记】

［16］时：原无此字。据章钰校，十二行本、乙十一行本、孔天胤本皆有此字，今据补。

【研析】

本卷着重研析安史之乱战斗最激烈时期，双方最高决策层的掌控者，他们的个人素质和决策是怎样影响战局发展的。唐肃宗李亨和安禄山父子是研析的中心。

安史之乱来势汹汹，但它只不过是一场海啸，大洋总归是要归于平静的。因为唐王朝已有一百余年的根基，出现了贞观之治和开元之治两个盛世，特别是开元之治，承平日久，生产发展，经济繁荣，人口增长，国力强大。唐玄宗英年时期的开明，贤相治国的成就，恩泽深入人心。安禄山、史思明，只不过是两个祸乱小丑，叛乱得势，实乃唐王朝奸臣祸国，玄宗晚年骄侈，于是祸从上起，全国民众没有祸乱之心。颜真卿、颜杲卿、张巡等地方小吏，以及清河青年李萼振臂一呼，两河军民踊跃奋起杀贼就是证明。唐室力量大于叛军十倍，这场祸乱，本来可以很快平定，但唐王朝决策者的错误，才导致形势急转。

唐玄宗不听郭子仪、李光弼取范阳之策，逼使哥舒翰轻出潼关，致使官军大败，全线溃退，长安不守，玄宗又远逃西蜀，中原无主，国家命绝一线。唐肃宗临危不惧，俯从马嵬民众之请，不追随玄宗入蜀，肩负国难，灵武即位，竖起讨贼大旗，使中原有主，凝聚军民，挽救了危局，是他对祖宗社稷的一大贡献。但唐肃宗心胸狭窄，多疑信谗，不是戡乱之主，失策，忌才，既昏又庸，把本该早日结束的战乱拖延下来，这又是唐肃宗之过、之失。

唐肃宗不纳李泌之言，先灭叛军巢穴范阳，而要先复两京，再次重犯唐玄宗之过，是最大的失策。唐肃宗曾问李泌，叛贼如此猖狂，何时才能平定？李泌认为叛贼无远略，又无良辅，只靠几个骁勇贼将成不了大事。只要先灭其巢穴范阳，贼无所归，留则不安，然后大军四合，不过两年，祸乱可平。至德二载二月，郭子仪攻取河东，肃宗移行在所于凤翔，西北诸镇边兵会集，江淮租庸调运到洋川、汉中。李泌请师长驱取范阳，肃宗认为攻克两京必得，远取范阳太迂。李泌说："现在我们所依靠的都是西北守卫边塞以及各胡族的士兵，他们生性耐寒而怕热。如果利用他们新近到达的锐气，攻打安禄山那些已经衰弱的部队，势必取胜。但是西京、东京已经到了暮春季节，叛贼如果收拾其残余部队，逃回巢穴，而关东地区天气炎热，官军必定困乏而想回到原先的驻地，不可能留下来。叛贼休整兵马，等官军一离开，必定会再次南来，这样官军征战从趋势上看还不会有个尽头。不如先用兵于寒冷的地方，除掉叛贼的巢穴，让叛贼无处可回，叛乱的根源就永远断绝了！"肃宗不听，说："朕要把太上皇迎回京城奉养的心情十分急切，肯定不能再等实行你的这个策略了！"事势的发展不幸而被李泌言中，郭子仪继房琯之后，再次兵败于长安，官军胜势丧失，延长了战祸。

李泌对敌我形势的分析，了如指掌，唐肃宗心里也明白。他为什么不赞同呢？由于私心作怪，猜疑心重，于是一叶障目，不见泰山。唐肃宗乘危即帝位，形近于篡，尽管唐玄宗予以追认，已得到传国玉玺，但心里仍不踏实，担心有人立功抢在他的前面。最亲的弟弟永王李璘在江南公然反叛割据，已使唐肃宗落下心病。建宁王李倓，自己的亲儿子，有佐命之功，因贤能有英名，唐肃宗信谗将其赐死。如果官军先取范阳，则是天下兵马大元帅之任，功劳岂不归长子广平王李俶所有，担心儿子效法自己逼宫，唐肃宗要自建大功以巩固帝位，有了这个私心，是非不分，忠言不听。他用早日迎立太上皇回京的理由做挡箭牌，用以杜塞李泌之口。由此可见，唐肃宗的失策不是无知，而是私心作祟。

唐肃宗忌才，信谗，忠奸不分，是非不明，害及亲子，有亏帝德。房琯不懂军事，迂腐好清谈，大言长安可克，结果丧师四万。因房琯无才，办事合于心意，兵败不给予惩罚，丧失正义。唐肃宗对待功臣，却忌疑心重。郭子仪、李光弼屡建奇功，两人是唐室赖以生存的中流砥柱，又在大敌未灭之时，唐肃宗却已经担心功高不赏。他对李泌说："如今郭子仪、李光弼已经官居宰相，如果收复两京，平定了天下，那就再无更高的官职可以奖赏给他们，这怎么办？"李泌回答说："古时候官职是用来任命有才能的人的，爵位是用来酬答有功劳的人的。"李泌又说："用官职奖赏有功的人有两大危害，如果没有这样的才能就会荒废政事，如果权柄太重就难以控制。因此，功臣中那些位居大官的，都不做替子孙着想的长远打算，只是一心乘着一时的权势来谋利，无所不为。假使安禄山有百里的封地，那么他也会爱惜它以传给子孙，就不会谋反了。从现今的情形考虑，等天下平定后，不如分土封爵以奖赏功臣，那么即使是大的封国，也不过两三百里的地方，可以相当于现今的小郡，这难道不好控制吗?！而对于为臣子的人来说，则是可以万代相传的利益啊。"唐肃宗说："好！"这一段君臣对话，表现了唐肃宗的猜疑心有多重。唐肃宗对儿子也不放心。长子广平王李俶任天下兵马元帅讨贼，唐肃宗担心儿子建功势大难制，打算立李俶为太子，把兵权交给建宁王李倓。唐肃宗是试探李俶的忠诚与孝心，被李泌看穿了，李泌巧妙地劝谏说："现在军务繁忙紧迫，需要立即分别处置。至于立太子这样的家事，应当等待太上皇的决定。否则，后代怎么来弄清陛下在灵武即位的意图呢！这一定是有人想让我和广平王之间产生嫌隙。臣请求把此事告诉广平王，广平王也一定不敢接受。"李俶得知，立即恳请唐肃宗等太上皇还宫，那时再议立太子的事。唐肃宗非常高兴。广平王之弟建宁王李倓就没有这样的幸运。建宁王马嵬劝留肃宗，乃为国深谋，肃宗以小人之心度儿子君子之腹，由是忌疑建宁王。唐肃宗妻张皇后与宦官李辅国勾结，两个相互配合陷害建宁王，说建宁王要谋害广平王，唐肃宗不调查，不问是非，赐死李倓，连李泌也不敢为之言。

唐肃宗猜忌，父子相疑。再看叛贼一方，安禄山、史思明，比唐肃宗更是等而下之，父子相残。安、史两人行伍出身，目不识丁，只知争战杀人，不懂治国要务，正如李泌所言，无远略，无良辅，成不了大事。安禄山攻下长安，就认为天下已定，忙着当皇帝，失去了乘胜追击彻底打击唐王朝的良机。等到官军缓过劲来，天下之兵四面合围，叛军只能被动挨打，坐以待毙。安庆绪杀父自立，叛军内讧，雪上加霜。由于唐肃宗不采纳李泌的正确策略，才延长了叛军挣扎的时日。

叛军的内讧，安庆绪杀父自立，有以下几个原因。

安禄山蓄谋叛乱，只是割据称雄，他并无代唐全据天下的雄心。安禄山之所以能反叛，一是奸臣误国，二是部下推动，也是为了自保。唐玄宗若措施得宜，不使安禄山兼领三镇，或留京不遣，这场叛乱不应发生。尽管安禄山蓄谋十年，总是狐疑不决，因此没有治国方略，所以得胜后就急于称帝，遭受挫折就指责部属，委过于人，没有权威。儿子杀父，积渐使然。此其一。

唐玄宗有厚恩于安禄山，而安禄山以怨报德，坏了良心，丧失道义，为儿子臣属立了榜样，安庆绪弑父，史思明杀安庆绪，以臣弑君，其后史思明亦为子所杀，循环无已，是安禄山自作孽所立的榜样。此其二。

安禄山征讨奚、契丹，一贯杀良民冒功，养成习惯，叛军上下没有了是非之心。叛军纪律极坏，史称“贼每破一城，城中人衣服、财贿、妇人皆为所掠。男子壮者使之负担，羸、病、老、幼皆以刀槊戏杀之”。如此恶劣的武装集团，违背人性，不仅遭到民众的坚决抵抗，而且叛贼内部也恃强欺弱，众暴寡。部属轻易犯上，扩而大之，子弑父。此其三。

安禄山起兵以后，眼睛瞎了，又背长脓疮，苦不堪言，无端责打身边的人。称帝后，深居宫中，与大臣不相见，只宠信一个严庄居中用事。这种情况，最易偾事。此其四。

安禄山宠妾段氏生子，名安庆恩。安禄山犯了许多平庸人常犯的共同错误，爱屋及乌，耳根子软，依宠妾之请，想立安庆恩为嗣子，取代长子安庆绪，安庆绪忧郁惧死，横下心来，杀父自立。此其五。

以上五因，导致安氏父子火并。安庆绪一代不如一代，生性昏懦，连整句话都说不清。盘踞老巢范阳的史思明看不起安庆绪，不听他的指挥，叛贼势分。此等情况，据有两京的安庆绪，只是一个坐守之贼，官军应予缓攻，集中兵力消灭范阳史思明，果真如此，安庆绪可以兵不血刃而降服。可惜的是，唐肃宗错过了这一战机，强攻两京，把河北、河南的叛军推挤为一个整体，郭子仪又不幸战败，提高了安庆绪的声威，拖长了平乱时日。唐肃宗之过也。

卷第二百二十　唐纪三十六

起强圉作噩（丁酉，公元七五七年）九月，尽著雍阉茂（戊戌，公元七五八年），凡一年有奇。

【题解】

本卷记事起公元七五七年九月，迄公元七五八年，凡一年又四个月，当唐肃宗至德二载九月至至德三载。至德二载，唐肃宗借兵回纥，收复两京，河南、河东悉平，叛军收缩河北。张巡、许远守睢阳，以一万之众抗贼重兵，捍卫江淮，坚守一年有余，大小四百余战，杀贼十二万人，矢尽粮绝，全军覆没。睢阳城破三天以后，援军赶到。睢阳军民在黎明前曙光初露时覆灭，是因邻郡官军坐视不救所致，尤以贺兰进明为罪魁。太上皇唐玄宗返回长安，唐肃宗大赦天下，叛将史思明降唐，肃宗分别轻重，按六个等级处置降人，受到司马光的称赞。唐肃宗纳李泌之谏，立太子，定国本。残贼安庆绪盘踞邺城，犹据七郡六十余城。唐肃宗与回纥和亲，命郭子仪大发兵二十万众讨贼，官军节节胜利，平叛指日可待。突然局势逆转，史思明复叛。先是，史思明降唐，唐肃宗委以重权，封为归义王、任范阳节度使，处置失当。随后杀史思明之谋泄露，激使复叛。平卢节度使王玄志死，军士推侯希逸为节度使，唐肃宗认可，开了方镇割据的恶例，遗患无穷。

【原文】

肃宗文明武德大圣大宣孝皇帝中之下

至德二载（丁酉，公元七五七年）

九月丁丑①，希德以轻骑②至城下挑战，千里帅百骑开门突出，欲擒之。会救至，千里[1]收骑退还。桥坏，坠堑③中，反为希德所擒。仰谓从骑曰：“吾不幸至此，天也！归语诸将，善为守备，宁失帅，不可失城。”希德攻城，竟不克。送千里于洛阳，安庆绪以为特进，囚之客省④。

郭子仪以回纥兵精，劝上益征其兵以击贼。怀仁可汗⑤遣其子叶护⑥及将军帝德等将精兵四千余人来至凤翔。上引见叶护，宴劳赐赉，惟其所欲。丁亥⑦，元帅广平王俶将朔方等军及回纥、西域之众十五万，号二十万，发凤翔。俶见叶护，约为兄弟。叶护大喜，谓俶

【语译】

肃宗文明武德大圣大宣孝皇帝中之下

至德二载（丁酉，公元七五七年）

九月初二日丁丑，蔡希德用轻装骑兵到上党城下挑战，程千里率一百名骑兵打开城门突然出击，想要活捉蔡希德。适逢叛贼救兵赶到，程千里收兵退回。因城门吊桥坏了，坠入壕沟中，反被蔡希德擒获。程千里仰天对随从的骑兵说："我不幸落到这一地步，真是天意！回去告诉各位将领，做好守卫防备，宁可失去主帅，不可失去城池。"蔡希德攻城，最终没能攻下。于是把程千里送往洛阳，安庆绪任命他为特进，把他软禁在客省。

郭子仪认为回纥兵精锐，劝肃宗多征调回纥兵来打击叛贼。怀仁可汗派他的儿子叶护以及将军帝德等率领精兵四千多人来到凤翔。肃宗接见叶护，设宴慰劳，赏赐财物，尽量满足他的欲望。九月十二日丁亥，元帅广平王李俶率领朔方等地的军队及回纥、西域的部众十五万人，号称二十万，从凤翔出发。李俶见到叶护，结为

为兄。回纥至扶风，郭子仪留宴三日。叶护曰："国家有急，远来相助，何以食为！"宴毕，即行。日给其军羊二百口，牛二十头，米四十斛。

庚子⑧，诸军俱发。壬寅⑨，至长安城[2]西，陈于香积寺⑩北沣水⑪之东。李嗣业为前军，郭子仪为中军，王思礼为后军。贼众十万陈于其北，李归仁出挑战，官军逐之，逼于其陈。贼军齐进，官军却，为贼所乘⑫，军中惊乱，贼争趣⑬辎重。李嗣业曰："今日不以身饵⑭贼，军无孑遗矣！"乃肉袒，执长刀，立于陈前，大呼奋击，当其刀者，人马俱碎，杀数十人，陈乃稍定。于是嗣业帅前军各执长刀，如墙而进⑮，身先士卒，所向摧靡⑯。都知兵马使王难得⑰救其裨将，贼射之中眉，皮垂鄣⑱目。难得自拔箭，掣⑲去其皮，血流被⑳面，前战不已。贼伏精骑于陈东，欲袭官军之后。侦者知之，朔方左厢兵马使仆固怀恩引回纥就击之，翦灭㉑殆㉒尽，贼由是气索㉓。李嗣业又与回纥出贼陈后，与大军夹击，自午㉔及酉㉕，斩首六万级，填沟堑死者甚众，贼遂大溃。余众走入城，迨夜，嚣声不止。

仆固怀恩言于广平王俶曰："贼弃城走矣，请以二百骑追之，缚取安守忠、李归仁等。"俶曰："将军战亦疲矣，且休息，俟明旦图之。"怀恩曰："归仁、守忠，贼之骁将，骤胜而败，此天赐我也，奈何纵之！使复得众，还为我患，悔之无及。战尚神速，何明旦也！"俶固止之，使还营。怀恩固请，往而复反，一夕四五起。迟明㉖，谍㉗至，守忠、归仁与张通儒、田乾真等[3]皆已遁矣。癸卯㉘，大军入西京。

初，上欲速得京师，与回纥约曰："克城之日，土地、士庶归唐，金帛、子女皆归回纥。"至是，叶护欲如约。广平王俶拜于叶护马前曰："今始得西京，若遽俘掠，则东京之人皆为贼固守，不可复取矣。愿至东京乃如约。"叶护惊跃下马答拜，跪捧王足㉙，曰："当为殿下㉚径往东京。"即与仆固怀恩引回纥、西域之兵自城南过，营于浐水㉛之东。百姓、军士、胡虏见俶拜，皆泣曰："广平王真华、夷之主㉜！"上闻之，喜曰："朕不及也！"俶整众入城，百姓老幼夹道欢呼悲泣。俶留长安，镇抚㉝三日，引大军东出㉞。以太子少傅虢王巨为西京留守。

兄弟。叶护非常高兴，称李俶为兄。回纥兵到达扶风，郭子仪留下并宴请他们三天。叶护说：“国家有急难，远道来相助，为什么要吃吃喝喝呢！”宴会结束，立即起行。每天供给他的部队羊二百头，牛二十头，米四十斛。

九月二十五日庚子，各路军队一起出发。二十七日壬寅，到达长安城西边，列阵于香积寺以北沣水以东。李嗣业为前军，郭子仪为中军，王思礼为后军。叛军十万人在北面列阵，李归仁出来挑战，官军追逐他，进逼到敌人阵前。叛军一齐向前推进，官军退却，被叛军乘机攻击，官军惊恐慌乱，贼兵争着朝官军辎重奔去。李嗣业说：“今天如果不用自身去吸引敌人，我军就没剩什么人了！”于是他光着上身，手执长刀，立于阵前，大声呼喊，奋勇进击，贼兵碰上他的长刀的，人马都成碎尸，杀了几十个人，阵势才稍稍稳定。于是李嗣业率领前军每人各执长刀，排列着像一堵墙一样向前推进，李嗣业身先士卒，官军所向披靡。都知兵马使王难得抢救他的裨将，贼兵放箭射他射中眼眉，眼皮垂下来遮住了眼睛。王难得自己拔出箭头，扯去眼皮，血流满面，所向披靡。贼兵在阵地东面埋伏了精锐骑兵，想要袭击官军身后。官军侦察兵发觉了，朔方左厢兵马使仆固怀恩带领回纥兵前往攻击，把这些伏兵消灭殆尽，贼兵自此士气低落。李嗣业又与回纥兵绕到贼兵阵后，与大军夹击叛贼，从中午到傍晚，杀死六万人，死在沟堑中的贼兵数目众多，叛贼于是全面溃败。残余的贼兵逃入长安城，到了夜晚，喧嚣之声一直不停。

仆固怀恩对广平王李俶进言说：“叛贼要弃城逃走了，请让我率两百骑兵追上去，活捉安守忠、李归仁等人。”李俶说：“将军作战也很疲劳了，暂且休息，等到明天早晨再设法对付他们。”仆固怀恩说：“李归仁和安守忠是叛贼的骁将，屡次取胜而此次遭败，这是上天赐给我们的好机会，为什么要放纵他们！假使他们再聚集部众，回来又会成为我们的祸患，后悔就来不及了。兵贵神速，何必等到明天早晨！”李俶坚决加以制止，让他回营。仆固怀恩再三请求，去了又回来，一晚上跑了四五个来回。天快亮时，侦察人员来报，安守忠、李归仁和张通儒、田乾真等人都已逃走了。九月二十八日癸卯，唐朝大军进入西京。

当初，肃宗想要迅速收复京师，与回纥相约说：“收复京城的时候，土地和士人庶民归唐朝，金帛和小孩女人都归回纥。”到这时，叶护要履行约定。广平王李俶在叶护马前行拜礼说：“现在刚刚收复西京，假如急忙掳掠，那么东京的人都会替叛贼死守，不可能再攻取了。希望到东京后再履行约定。”叶护吃惊地跳下马来答拜，跪着捧住广平王的脚，说：“当为殿下径直前往东京。”叶护立即与仆固怀恩带着回纥、西域的部队从城南经过，驻扎在浐水东边。老百姓、军士及胡人看见广平王李俶下拜，都哭着说：“广平王真是华夏和四夷的君主啊！”肃宗听说此事后，高兴地说：“朕不及他呀！”李俶整顿军队进入长安城，百姓不分老幼夹道欢呼伤感哭泣。李俶留在长安，安抚三天，然后带领大军向东出征。任命太子少傅虢王李巨为西京留守。

【段旨】

以上为第一段，写官兵借回纥之助，收复长安。

【注释】

①丁丑：九月初二日。②轻骑：装备简便、行动迅速的骑兵。③堑：壕沟；护城河。④客省：接待宾客和来京办事官员的处所。⑤怀仁可汗：回纥叶护骨力裴罗。⑥叶护：本为回纥最高一等大臣的称号，可汗之子则称特勒（勤）。此言可汗之子，则可能是其子任叶护之官，以官名称之。因其带兵助唐平安史之乱，收复两京，肃宗赐封忠义王。事见《旧唐书》卷一百九十五。⑦丁亥：九月十二日。⑧庚子：九月二十五日。⑨壬寅：九月二十七日。⑩香积寺：佛寺名，在长安城南子午谷北。⑪沣水：又作丰水。源出陕西西安南秦岭中，在今陕西西安北，注入渭河。⑫乘：乘机利用。⑬趣：通"趋"，趋向，奔向。⑭饵：饲。⑮如墙而进：排列整齐，如墙壁一样，向前推进。⑯摧靡：挫败。⑰都知兵马使王难得：王难得为凤翔都知兵马使，当时肃宗在凤翔，王难得当是御营大将。⑱鄣：通"障"，遮挡。⑲掣：扯去。⑳被：覆。㉑翦灭：消灭。㉒殆：几乎；

【原文】

甲辰[35]，捷书至凤翔，百寮[36]入贺。上涕泗交颐[37]，即日，遣中使啖庭瑶[38]入蜀奏上皇，命左仆射裴冕入京师，告郊庙[39]及宣慰百姓。

上以骏马召李泌于长安。既至，上曰："朕已表请上皇东归，朕当还东宫，复修臣子之职。"泌曰："表可追乎？"上曰："已远矣。"泌曰："上皇不来矣。"上惊，问故。泌曰："理势自然[40]。"上曰："为之奈何？"泌曰："今请更为群臣贺表[41]，言自马嵬请留[42]，灵武劝进[43]，及今成功，圣上思恋晨昏，请速还京以就孝养[44]之意，则可矣。"上即使泌草表[45]。上读之，泣曰："朕始以至诚愿归万机[46]，今闻先生之言，乃寤[47]其失。"立命中使奉表入蜀，因就泌饮酒，同榻而寝。而李辅国请取契钥付泌，泌请使辅国掌之，上许之。

泌曰："臣今报德[48]足矣，复为闲人[49]，何乐如之！"上曰："朕与先生累年[50]同忧患，今方相同娱乐，奈何遽欲去乎？"泌曰："臣有五不

差不多。㉓气索：指精神崩溃。索，尽、完。㉔午：十二时辰之一。相当于现在中午十一时至一时。㉕酉：十二时辰之一。相当于现在下午五时至七时。㉖迟明：黎明；天快亮的时候。㉗谍：侦探消息的人。㉘癸卯：九月二十八日。㉙跪捧王足：跪着捧住广平王的脚。回纥人以拜跪捧足为敬。㉚殿下：汉以来通称诸侯王为殿下。唐代百官对皇太后、太后以及东宫官对皇太子，俱称殿下。㉛浐水：源出陕西蓝田西南秦岭山中，北流会库峪、石门峪、荆峪诸水，至西安东入灞水。㉜华、夷之主：华人与夷人的共同君主。华，华夏的省语，古代汉族自称华夏人。夷，古代对少数民族的泛称。㉝镇抚：安抚。㉞东出：东出京城门，进取洛阳。

【校记】

[1] 千里：原无此二字。据章钰校，十二行本、乙十一行本、孔天胤本皆有此二字，张敦仁《通鉴刊本识误》同，今据补。[2] 城：原无此字。据章钰校，十二行本、乙十一行本、孔天胤本皆有此字，张敦仁《通鉴刊本识误》同，今据补。[3] 等：原无此字。据章钰校，十二行本、乙十一行本、孔天胤本皆有此字，张敦仁《通鉴刊本识误》同，今据补。

【语译】

九月二十九日甲辰，捷报送到凤翔，百官入朝庆贺。肃宗泪流满面，当天就派宫中使者啖庭瑶入蜀去奏报太上皇，命左仆射裴冕进入京师，祭告郊庙并宣谕抚慰百姓。

肃宗派骏马从长安召回李泌。李泌到后，肃宗说："朕已上表请太上皇东归京城，朕应当回到东宫，再尽臣子的职守。"李泌说："表文可以追回来吗？"肃宗说："已经送走很远了。"李泌说："太上皇不会来了。"肃宗吃了一惊，询问其中的缘故。李泌说："从道理和情势上看，自然如此。"肃宗说："那怎么办呢？"李泌说："现在请再写一份群臣的贺表，说明从在马嵬被请求留下破贼，在灵武被劝说即位，到现在收复京城，圣上时刻思念侍奉太上皇，请太上皇速速返京以便圣上孝养之意，这样就可以了。"肃宗当即让李泌起草表文。肃宗读后，流着泪说："朕开始时非常真诚地愿把帝位归还给太上皇，现在听了先生的话，才醒悟是自己处事失当。"即刻命宫中使者奉表入蜀，于是到李泌那里一起饮酒，并同床而睡。李辅国请求把宫中的符契钥匙交付李泌，李泌请求让李辅国掌管，肃宗准许了。

李泌说："臣现在报答圣上恩德已经够了，重新做一个闲散之人，有什么乐事能跟它相比啊！"肃宗说："朕与先生多年来同忧患，现在正要同享欢乐，为什么急急忙忙就要离去呢？"李泌说："臣有五条不可留的理由，希望陛下听任臣离去，免臣

可留，愿陛下听臣去，免臣于死。”上曰：“何谓也？”对曰：“臣遇陛下太早，陛下任臣太重，宠臣太深，臣功太高，迹太奇㉛，此其所以不可留也。”上曰：“且眠矣，异日议之。”对曰：“陛下今就臣榻卧，犹不得请，况异日香案㉜之前乎！陛下不听臣去，是杀臣也。”上曰：“不意卿疑朕如此，岂有如朕而办㉝杀卿邪！是直以朕为句践㉞也！”对曰：“陛下不办杀臣，故臣求归。若其既办，臣安敢[4]复言！且杀臣者，非陛下也，乃五不可也。陛下向日待臣如此，臣于事犹有不敢言者，况天下既安，臣敢言乎！”

上良久曰：“卿以朕不从卿北伐之谋㉟乎？”对曰：“非也。所不敢言者，乃建宁耳。”上曰：“建宁，朕之爱子，性英果㊱，艰难时有功㊲，朕岂不知之！但因此为小人所教，欲害其兄，图继嗣。朕以社稷大计，不得已而除之，卿不细知其故邪？”对曰：“若有此心，广平当怨之。广平每与臣言其冤，辄流涕呜咽。臣今必辞陛下去，始敢言之耳。”上曰：“渠㊳尝夜扪㊴广平，意欲加害。”对曰：“此皆出谗人之口，岂有建宁之孝友聪明，肯为此乎！且陛下昔欲用建宁为元帅，臣请用广平。建宁若有此心，当深憾㊵于臣。而以臣为忠，益相亲善，陛下以此可察其心矣。”上乃泣下曰：“先生言是也。既往不咎，朕不欲闻之。”

泌曰：“臣所以言之者，非咎既往，乃欲使陛下慎将来耳。昔天后㊶有四子，长曰太子弘㊷，天后方图称制，恶其聪明，鸩杀之，立次子雍王贤㊸。贤内忧惧，作《黄台瓜辞》，冀以感悟天后。天后不听，贤卒死于黔中㊹。其辞曰：‘种瓜黄台下，瓜熟子离离㊺。一摘使瓜好，再摘使瓜稀，三摘犹为可，四摘抱蔓㊻归。’今陛下已一摘矣，慎无再摘。”上愕然曰：“安有是哉！卿录是辞，朕当书绅㊼。”对曰：“陛下但识㊽之于心，何必形于外也。”是时广平王有大功，良娣忌之，潜构流言㊾，故泌言及之。泌复固请归山，上曰：“俟将发此议之。”[5]

郭子仪引蕃、汉兵追贼至潼关，斩首五千级，克华阴、弘农二郡。关东献俘百余人，敕皆斩之，监察御史李勉言于上曰：“今元恶未除，为贼所污㊿者半天下，闻陛下龙兴(71)，咸思洗心(72)以承圣化(73)。今悉诛

一死。”肃宗说：“这话是什么意思?”李泌回答说：“臣与陛下彼此投合太早，陛下任用臣太重，宠爱臣太深，臣功劳太高，仕进之路太与众不同，这就是臣不可留的原因。”肃宗说：“先睡觉吧，改日再议此事。”李泌回答说：“陛下现在与臣同床而睡，臣尚且不能被批准请求，更何况改日在朝廷御座的焚香几案前呢！陛下如果不听任臣离去，这是在杀臣啊。”肃宗说：“没想到先生如此怀疑朕，哪有像朕这样而会惩办杀害先生呢！这简直是把朕当作勾践了！”李泌回答说：“正因为陛下不会惩办杀害臣，所以臣才请求归隐。假如陛下已经惩办了，臣怎么敢再说呢！再说杀臣的，不是陛下，而是五条不可留的理由。陛下往日待臣这样好，臣对有些事尚且有不敢说的，更何况天下已经安定，臣还敢再说吗?!”

肃宗过了好久说：“先生是指朕没有依从先生北伐的谋略吗?”李泌回答说：“不是的。我所不敢说的，是建宁王的事。”肃宗说：“建宁王，是朕的爱子，本性英明果敢，国家艰难之时立有大功，朕难道不知道吗?! 只是因他被小人教唆，想要加害他的兄长，图谋做太子。朕为了国家的大计，不得已而除掉了他，先生未曾详细知悉其中的原因吗?”李泌回答说：“建宁王如果有这种心思，广平王应当怨恨他。但广平王每当和臣谈起建宁王的冤屈，就流泪哭泣。臣现在一定要辞别陛下而离去，才敢说这件事。”肃宗说：“建宁王曾经夜晚敲广平王的门，想要加害他。”李泌说：“这都出自说别人坏话的人的口里，哪有像建宁王这样孝顺友爱而又聪明的人肯做这种事呢！而且陛下当初想任用建宁王为元帅，臣请求任用广平王。建宁王如果真有这种心思，应当深深地怨恨臣。而他却认为臣忠诚，跟臣更加亲爱友善，陛下据此就可以察知他的心意了。”肃宗于是流下了眼泪说：“先生说得对，既往不咎，朕不想再听这事了。”

李泌说：“臣之所以说到这件事，并不是要追究往日的过失，而是想使陛下谨慎处理将来的事情罢了。当年则天皇后有四个儿子，长子是太子李弘，则天皇后正谋划称帝，厌恶李弘的聪明，用毒酒把他杀死，立次子雍王李贤为太子。李贤内心忧虑恐惧，写了一篇《黄台瓜辞》，希望能以此来感悟则天皇后。则天皇后听不进去，李贤最终死在黔中。《黄台瓜辞》的文辞是：‘种瓜黄台下，瓜熟子离离。一摘使瓜好，再摘使瓜稀，三摘犹为可，四摘抱蔓归。’现在陛下已经摘过一次了，千万不要再摘了。”肃宗惊讶地说：“哪里有这样的事！请先生录下这首《黄台瓜辞》，朕应当把它写在绅带上牢记不忘。”李泌回答说：“陛下只需记在心里，何必表现在外面呢。”当时广平王立有大功，张良娣嫉恨他，暗中编造流言，因此李泌要说到这件事。李泌坚持请求返回山中，肃宗说：“等着拿你的看法进行讨论。”

郭子仪带领蕃、汉兵马追击叛贼到潼关，杀死五千人，攻克华阴、弘农二郡。关东进献俘虏一百多人，肃宗敕命都杀掉，监察御史李勉上奏肃宗说：“如今元凶还没有消灭，被叛贼玷污的人占天下人之半，他们听说陛下即帝位，都想洗心革面以

之，是驱之使从贼也。”上遽使赦之。

冬，十月丁未㊹，谈[6]庭瑶至蜀。

壬子㊺，兴平军㊻奏破贼于武关，克上洛郡。

【段旨】

以上为第二段，写李泌善谏，劝唐肃宗远佞以保太子。

【注释】

㉟甲辰：九月二十九日。㊱百寮：百官、群臣。寮，通“僚”，官。㊲涕泗交颐：犹言泪流满面。涕，眼泪。泗，鼻涕。颐，脸颊、腮。㊳啖庭瑶：宦官。曾奉旨招讨永王璘。肃宗崩，瑶等谋立越王係，代宗即位后，流放黔中（今重庆市彭水苗族土家族自治县）。其事散见《旧唐书》卷五十二《后妃·张皇后传》、《新唐书》卷八十二《十一宗诸子·永王璘传》等篇。㊴告郊庙：祭告天地祖宗。郊，郊祀，祭天地。庙，庙堂，祭祖之地。㊵理势自然：指必然的道理。理，道理。势，趋势。自然，必然。㊶贺表：皇帝有庆典武功等事，臣属所上颂扬的奏书。㊷马嵬请留：指至德元载（公元七五六年）六月，玄宗出逃至马嵬驿，诛杨贵妃，欲继续前行时，当地父老拦路请留太子破贼。玄宗乃留太子，分后军二千人与之。此后，太子北趋灵武，玄宗南至成都。㊸灵武劝进：至德元载七月，朔方留后杜鸿渐等迎太子至灵武，上笺请遵马嵬之命，即皇帝位，太子不许，笺五上，乃许。太子即位于灵武城南楼，尊玄宗为上皇天帝，改元至德。㊹孝养：孝顺、奉养。㊺草表：草拟奏表。㊻万机：指帝王日常处理的纷繁政务。㊼寤：通“悟”。醒悟。㊽报德：报答圣上恩德。㊾闲人：清闲之人，指不复为官治理政事。㊿累年：多年。51迹太奇：指仕进之路与众不同。李泌耻随常格仕进，天宝中自嵩山上书论当今世务，被玄宗召为待诏翰林，供奉东宫。后潜遁名山，以习隐自适。肃宗在灵武遣使访召，立即又进掌枢务，权逾宰相。所谓“迹太奇”当是指此。52香案：唐制，凡朝会日，殿上设黼扆、蹑席、熏炉、香案，皇帝升御座，宰臣即在香案前奏事。53办：处罚；惩办。54句践：句践（？至公元前四六五年），春秋时越王。亦写作勾践。为吴王夫差所败，屈膝求和。其后发奋图强，终于灭掉吴国。又渡淮水，会诸侯，受方伯之命，称霸中原。当勾践灭吴之后，谋臣范蠡乃泛舟五湖，不为朝臣，又遗大夫文种书，以为勾践可与之共患难，不可同甘乐。后来勾践果赐文种死。事见《国语·越语》《史记·越王勾践世家》。55北伐之谋：李泌曾

接受圣明教化。现在把这些俘虏全都杀掉，是在驱使这类人跟从叛贼啊。”肃宗急忙派人赦免了这些俘虏。

冬，十月初三日丁未，啖庭瑶抵蜀。

初八日壬子，兴平军上奏说在武关打败了叛贼，攻克上洛郡。

献谋，以安西、西域之兵，向北从妫、檀取范阳，直捣安史乱军巢穴。⑯英果：英勇果敢。⑰艰难时有功：指建宁王倓在马嵬力劝肃宗留下讨贼，又在北上灵武途中，常居肃宗前后，血战以卫之。⑱渠：第三人称代词，他。⑲扣：抓，握，这里指敲门。⑳憾：怨恨。㉑天后：武则天。㉒太子弘：李弘（公元六五一至六七五年），唐高宗第五子，武则天长子。显庆元年（公元六五六年）立为皇太子，仁孝谦虚，礼接士大夫，颇得人心。时则天方欲专政，而太子奏请多迕旨，遂得罪，上元二年（公元六七五年）死于合璧宫，时人以为武则天鸩之，谥曰孝敬皇帝。唐中宗践祚，号曰义宗。传见《旧唐书》卷八十六、《新唐书》卷八十一。㉓雍王贤：李贤（公元六五二至六八四年），字明允，唐高宗第六子，武则天次子。先后封潞王、沛王、雍王，官至凉州大都督、雍州牧、右卫大将军。上元二年六月，立为皇太子。处事明审，为时论所称。曾召集当时学者注范晔《后汉书》。后被人谗构废为庶人，迁于巴州（今四川巴中）。文明元年（公元六八四年），则天临朝，逼令自杀。唐睿宗践祚，追谥为章怀太子。传见《旧唐书》卷八十六、《新唐书》卷八十一。㉔贤卒死于黔中：黔中，郡名，治所在今重庆市彭水。李贤死地，两唐书《李贤传》及本书卷二百三，都载丘神勣至巴州逼令自杀，故此言死于黔中当误。或李泌原话致误如此。㉕离离：形容瓜子粒粒笃实。㉖蔓：草本植物的枝茎。㉗书绅：古人常把重要的话写在绅带上，以免忘记。绅，古代衣外束腰的大带，或指大带束腰之余让其垂吊的装饰部分。㉘识：记。㉙潜构流言：暗中编造散布谣言进行陷害。潜，暗地。构，构造、编造。流言，散布没有根据的话。㉚污：玷污。㉛龙兴：指唐朝复兴。龙，古代传说中一种有鳞有须能兴云作雨的神异动物。古代用龙作为皇帝的象征。㉜洗心：洗濯邪恶之心。㉝圣化：接受圣人（天子）的教化。㉞丁未：十月初三日。㉟壬子：十月初八日。㊱兴平军：此时王难得领兴平军。

【校记】

［4］敢：据章钰校，十二行本、乙十一行本皆作“得”。［5］泌复固请归山三句：原无此三句。据章钰校，十二行本、乙十一行本皆有此三句，张敦仁《通鉴刊本识误》、张瑛《通鉴校勘记》同，今据补。［6］谈：据章钰校，十二行本、乙十一行本、孔天胤本皆作“啖”。〖按〗上文作“啖”。

【原文】

吐蕃陷西平[77]。

尹子奇久围睢阳，城中食尽，议弃城东走，张巡、许远谋，以为："睢阳，江、淮之保障，若弃之去，贼必乘胜长驱，是无江、淮也。且我众饥羸，走必不达。古者战国诸侯[78]，尚相救恤，况密迩[79]群帅[80]乎！不如坚守以待之。"茶纸既尽，遂食马。马尽，罗雀掘鼠[81]。雀鼠又尽，巡出爱妾，杀以食士。远亦杀其奴，然后括[82]城中妇人食之。既尽[7]，继以男子老弱。人知必死，莫有叛者，所余才四百人。

癸丑[83]，贼登城，将士病，不能战。巡西向再拜曰："臣力竭矣，不能全城，生既无以报陛下，死当为厉鬼[84]以杀贼！"城遂陷，巡、远俱被执。尹子奇问巡曰："闻君每战眦裂齿碎[85]，何也?"巡曰："吾志吞逆贼，但力不能耳!"子奇以刀抉[86]其口视之，所余才三四。子奇义其所为，欲活之。其徒曰："彼守节者也，终不为吾[8]用。且[87]得士心，存之，将为后患。"乃并南霁云、雷万春等三十六人皆斩之。巡且死，颜色不乱，扬扬[88]如常。生致许远于洛阳。

巡初守睢阳时，卒仅万人，城中居人亦且数万，巡一见问姓名，其后无不识者。前后大小战凡四百余，杀贼卒十二万人。巡行兵不依古法教战陈，令本将各以其意教之。人或问其故，巡曰："今与胡虏战，云合鸟散[89]，变态不恒，数步之间，势有同异。临机应猝[90]，在于呼吸之间。而动询大将，事不相及[91]，非知兵之变者也。故吾使兵识[92]将意，将识士情，投之而往[93]，如手之使指。兵将相习，人自为战，不亦可乎!"自兴兵，器械甲仗皆取之于敌，未尝自修[94]。每战，将士或退散，巡立于战所，谓将士曰："我不离此，汝为我还决[95]之。"将士莫敢不还，死战，卒破敌。又推诚待人[96]，无所疑隐，临敌应变，出奇无穷，号令明，赏罚信[97]，与众共甘苦寒暑，故下争致死力。

【语译】

吐蕃攻陷西平郡。

尹子奇长期围困睢阳，城中粮食已经吃尽，大家商议弃城东撤，张巡、许远谋划，认为："睢阳是江、淮的保障，假如放弃睢阳离它而去，叛贼必定乘胜进兵，长驱直入，这样江、淮一带也保不住了。况且我军士卒饥饿瘦弱，即使撤退也一定到不了目的地。古时候战国诸侯，尚且会互相救援，何况离我们很近的朝廷的各位主帅呢！不如坚守以待救援。"茶纸吃尽后，就吃马。马吃尽后，就捕鸟雀掘老鼠。鸟雀老鼠又吃尽后，张巡带出爱妾，杀掉分给士兵吃。许远也杀掉他的奴仆，然后搜寻城中的妇女来吃。把妇女吃尽了，接着又吃男人中老弱的。人人知道必死，没有一个叛变的，最后剩下的才四百人。

十月初九日癸丑，叛贼登上城墙，将士们病体虚弱，不能作战。张巡向西面拜了两拜说："臣的力量已经用尽，不能保全城池，活着既然无从报答陛下，死了也当变为厉鬼来杀贼!"城于是被攻陷，张巡、许远都被抓获。尹子奇问张巡说："听说您每次作战都眼眶睁裂，牙齿咬碎，为什么?"张巡说："我志在吞灭逆贼，只是力量还不能够罢了!"尹子奇用刀撬开张巡的口探看，所剩的牙齿只有三四颗了。尹子奇认为他的行为实属忠义，想保住他的命。尹子奇的部下说："他是坚守节操的人，最终也不会为我们所用。而且他深得军心，留下他，将成后患。"于是连同南霁云、雷万春等三十六人都被杀掉。张巡临死时，神色毫不慌乱，意气扬扬如同平常一样。许远被活着送到洛阳。

张巡当初守卫睢阳时，士卒达万人，城中居民也有将近几万人，张巡只要见一次面问了他的姓名，以后再见没有不认识的。前后经历的大小战斗总共有四百多次，杀死贼兵十二万人。张巡用兵不依照古代兵法教练作战阵势，命令各部主管将领各自按照自己的想法去教练部下。有人询问其中的缘故，张巡说："现在同胡虏作战，他们像云、鸟一样忽合忽散，变化无常，几步之间，态势就会不同。临机应对突然的变化，往往就在极短暂的时间之内。如果动辄询问大将的意见，事情就会来不及处置，这就不是一个懂得用兵会瞬息变化的人了。所以我让士兵知道将领的意图，将领了解士兵的情况，把他们投往战场，就像手使用指头一样自如。士兵与将领互相熟悉，人自为战，不也很好吗?!"自从与叛军交战以来，攻防器械、铠甲兵器都从敌人那里夺取，未曾自己修造过。每次作战，将士中有人后退离散，张巡就站在战场上，对将士们说："我不离开这里，你们为我回去继续决战。"将士们没有一个敢不返回战场，拼死作战，最终击败敌人。张巡又能诚恳待人，没有什么可猜疑和隐瞒的，遇上敌人随机应变，出奇制胜的办法极多，号令严明，赏罚一定兑现，与大家共历甘苦寒暑，所以部下争相拼死效力。

张镐闻睢阳围急，倍道亟进[98]，檄浙东、浙西、淮南、北海诸节度及谯郡太守闾丘晓，使共救之。晓素傲很[99]，不受镐命。比镐至，睢阳城已陷三日。镐召晓，杖杀之。

【段旨】

以上为第三段，写睢阳不守，张巡、许远遇难。

【注释】

⑺西平：郡名，天宝元年（公元七四二年）鄯州改名，治所在今青海西宁。⑻战国诸侯：战国，时代名，起于公元前四七五年，止于前二二一年，是一个诸侯争雄的时代。当时有魏、赵、韩、齐、秦、楚、燕七个强大的诸侯国，纵横捭阖，争战连年，最后为秦所统一。⑼密迩：靠近；贴近。⑽群帅：指靠近睢阳的各将帅，如谯郡的许叔冀、彭城的尚衡、临淮的贺兰进明。⑾罗雀掘鼠：指捕捉雀鸟、挖掘老鼠以充饥。罗，捕鸟的网，这里用作动词。⑿括：搜求。⒀癸丑：十月初九日。⒁厉鬼：恶鬼。⒂眦裂齿碎：指眼眶睁裂，牙齿咬碎。眦，眼眶。⒃抉：挑开。⒄且：并且。⒅扬扬：指心情愉快或

【原文】

张通儒等收余众走保陕，安庆绪悉发洛阳兵，使其御史大夫严庄将[100]之，就通儒，以拒官军，并旧兵[101]步骑犹十五万。己未[102]，广平王俶[9]至曲沃[103]。回纥叶护使其将军鼻施吐拨裴罗[104]等引军旁[105]南山搜伏[106]，因驻军岭北。郭子仪等与贼遇于新店[107]。贼依山而陈，子仪等初与之战不利，贼逐之下山。回纥自南山袭其背，于黄埃[108]中发十余矢。贼惊顾曰："回纥至矣！"遂溃。官军与回纥夹击之，贼大败，僵尸蔽野。严庄、张通儒等弃陕东走，广平王俶、郭子仪入陕城，仆固怀恩等分道追之。

严庄先入洛阳告安庆绪。庚申[109]夜，庆绪帅其党自苑门出，走河

张镐听说睢阳被围紧急，就兼程急进，并传檄浙东、浙西、淮南、北海各节度使以及谯郡太守闾丘晓，让他们同去救援。闾丘晓平时倨傲不驯，不听从张镐的命令。等张镐赶到，睢阳城已陷落三天。张镐召来闾丘晓，用棍棒打死了他。

得意的样子。⑧⑨云合鸟散：似云一般群聚，又似飞鸟般离散。比喻聚散迅速。⑨⓪临机应猝：指掌握时机应付突然变化。机，时机，具有时间性的机会。猝，突然。⑨①事不相及：处理事变不能前后及时。⑨②识：知道；懂得。⑨③投之而往：任用他们前往战场。投，用。⑨④自修：自己修造。⑨⑤决：决死战斗。⑨⑥推诚待人：以诚意对待人。⑨⑦信：诚实；诚信。⑨⑧倍道亟进：指用加倍的速度赶路。倍道，兼程而行，一日行两日的路程。亟，急、赶快。⑨⑨傲很：倨傲不驯。傲，倨傲。很，通“狠”，心狠、不驯。

【校记】

［7］既尽：原无此二字。据章钰校，十二行本、乙十一行本、孔天胤本皆有此二字，张瑛《通鉴校勘记》同，今据补。［8］吾：原无此字。据章钰校，十二行本、乙十一行本、孔天胤本皆有此字，张瑛《通鉴校勘记》同，今据补。

【语译】

张通儒等人收拾残余部众退守陕郡，安庆绪征发洛阳的全部兵马，派他的御史大夫严庄统领，靠拢张通儒，抵御官军，加上旧有兵力步兵骑兵还有十五万人。十月十五日己未，广平王俶到达曲沃。回纥叶护派他的将军鼻施吐拨裴罗等人带领军队沿南山搜寻伏兵，因此就驻扎在岭北。郭子仪等人与叛贼在新店相遇。叛贼依山列阵，郭子仪等人最初与叛贼交战不利，叛贼把他们赶下山。回纥从南山袭击叛贼的背后，在黄土尘埃中发出十几支箭。叛贼回头一看吃惊地说：“回纥兵到了！”于是溃散。官军和回纥兵前后夹击，叛贼大败，尸横遍野。严庄、张通儒等人放弃陕郡向东逃走，广平王李俶、郭子仪等进入陕城，仆固怀恩等人分头追击叛贼。

严庄先入洛阳报告安庆绪。十月十六日庚申夜晚，安庆绪率党羽从苑门出逃，

北[110]，杀所获唐将哥舒翰、程千里等三十余人而去。许远死于偃师[111]。

壬戌[112]，广平王俶入东京。回纥[113]意犹未厌[114]，俶患之。父老请率罗锦[115]万匹以赂回纥，回纥乃止。

成都使还[116]，上皇诰曰："当与我剑南一道自奉[117]，不复来矣。"上忧惧，不知所为。数日[10]，后使者至[118]，言："上皇初得上请归东宫表，彷徨不能食，欲不归。及群臣表至，乃大喜，命食作乐，下诰定行日。"上召李泌告之曰："皆卿力也!"

泌求归山不已，上固留之，不能得，乃听归衡山[119]。敕郡县为之筑室于山中，给三品料[120]。

癸亥[121]，上发凤翔，遣太子太师韦见素入蜀奉迎上皇。

乙丑[122]，郭子仪遣左兵马使张用济、右武锋使浑释之将兵取河阳及河内。严庄来降。陈留人杀尹子奇，举郡[123]降。田承嗣围来瑱于颍川，亦遣使来降。郭子仪应之缓，承嗣复叛，与武令珣皆走河北。制以瑱为河南节度使[11]。

丙寅[124]，上至望贤宫，得东京捷奏。丁卯[125]，上入西京。百姓出国门[126]奉迎，二十里不绝，舞跃呼万岁，有泣者。上入居大明宫[127]。御史中丞崔器[128]令百官受贼官爵者皆脱巾徒跣[129]立于含元殿[130]前，搏膺顿首[131]请罪，环之以兵[132]，使百官临视[133]之。太庙为贼所焚，上素服[134]向庙哭三日。

是日，上皇发蜀郡。

【段旨】

以上为第四段，写两京光复，李泌归山以保太子。唐肃宗还长安，遣使入蜀奉迎太上皇。

逃往河北，杀掉所俘获的唐朝将领哥舒翰、程千里等三十多人而离去。许远死在偃师。

十月十八日壬戌，广平王李俶进入东京。回纥军的欲望还没有满足，李俶很忧虑。父老们请求搜罗绫罗锦缎一万匹来贿赂回纥，回纥这才罢休。

派往成都的使者回来了，带回的太上皇诰命说："希望给我剑南一道来养老，我不再来长安了。"肃宗忧虑害怕，不知道该怎么办。过了几天，后来派去的使者回来，说："太上皇刚开始得到皇上请求回归东宫的表文后，彷徨不安，吃不下饭，想不回长安。等群臣的贺表到后，这才大喜，下令备饭奏乐，并颁下诰命确定起程日期。"肃宗召来李泌告诉他说："这都是你的功劳啊！"

李泌不停地请求归隐山中，肃宗再三挽留，没能成功，只好听任他回到衡山。敕命郡县在山中替他修筑房屋，按三品官支付俸料钱。

十月十九日癸亥，肃宗从凤翔出发，派太子太师韦见素入蜀恭迎太上皇。

十月二十一日乙丑，郭子仪派左兵马使张用济、右武锋使浑释之率军攻取河阳及河内。严庄前来投降。陈留人杀了尹子奇，全郡归降。田承嗣在颍川包围来瑱，也派使者来降。郭子仪答应得慢了一点，田承嗣又一次反叛，与武令珣一起逃到河北。肃宗下制书任命来瑱为河南节度使。

十月二十二日丙寅，肃宗到达望贤宫，得到收复东京的捷报。二十三日丁卯，肃宗进入西京。老百姓跑到都城门外恭迎，人群绵延二十里，大家手舞足蹈，高呼万岁，还有哭泣的人。肃宗入住大明宫。御史中丞崔器命令原朝廷官员中接受过叛贼官爵的人都解下头巾赤脚步行，站在含元殿前，捶胸磕头请罪，周围用士兵看守，并让百官站在上面观看。太庙被叛贼焚毁，肃宗穿着白色衣服向太庙号哭了三天。

这一天，太上皇从蜀郡出发。

【注释】

⑩⓪将：统领；率领。⑩①旧兵：指张通儒所率领自长安撤出的士兵。⑩②己未：十月十五日。⑩③曲沃：镇名，曲沃镇，战国时魏邑，唐时为镇，在今河南灵宝东北。⑩④鼻施吐拨裴罗：又称车鼻将军，回纥军将。⑩⑤旁：依傍。⑩⑥搜伏：搜寻埋伏。⑩⑦新店：地名，在今河南三门峡市陕州区西。⑩⑧黄埃：黄土尘埃。⑩⑨庚申：十月十六日。⑪⓪河北：黄河以北。⑪①偃师：县名，县治在今河南洛阳市偃师区。⑪②壬戌：十月十八日。⑪③回纥：据岑仲勉《通鉴隋唐纪比事质疑》，"回纥"下应补"收府库财帛，又大掠三日，财物不可胜计，而"十七字。⑪④厌：满足。⑪⑤罗锦：丝织品名，绫罗锦缎。⑪⑥成都使还：此使者当是啖庭瑶。⑪⑦自奉：自己奉养。⑪⑧后使者至：此谓奉群臣贺表中使相继返回。⑪⑨衡山：山名，在今湖南衡山县西，为中国五岳中的南岳。⑫⓪给三品料：按三品官给俸料钱。

料，俸料，按官品高低按月给予官员的薪俸钱。开元时，职事官每月一品三十一贯，二品二十四贯，三品十七贯，四品十一贯八百六十七文，五品九贯二百文，下至九品一贯八百一十七文。㉑癸亥：十月十九日。㉒乙丑：十月二十一日。㉓举郡：全郡。㉔丙寅：十月二十二日。㉕丁卯：十月二十三日。㉖国门：都城之门。㉗大明宫：宫名，贞观八年（公元六三四年），太宗建永安宫，次年改名大明宫。唐高宗龙朔二年（公元六六二年）增建，改名蓬莱宫。长安元年（公元七〇一年）复称大明宫。亦谓之东内。自高宗后，皇帝常居此。故址在今陕西西安北。㉘崔器：崔器（？至公元七六〇年），官至御史中丞兼户部侍郎。传见《旧唐书》卷一百十五、《新唐书》卷二百九。㉙脱巾徒跣：指脱去头巾，赤脚步行。巾，冠的一种，以葛或缣制成，横着额上。徒跣，徒步。㉚含元殿：大明宫的前殿。㉛搏膺顿首：指捶打胸口，磕头及地。搏膺，捶击胸口，以示悔恨。顿首，头叩地而拜。㉜环之以兵：四周用兵士看守。㉝临视：到此观看。㉞素服：白色衣服。

【原文】

安庆绪走保邺郡㉟，改邺郡为成安府[12]，改元天成。从骑不过三百，步卒不过千人，诸将阿史那承庆等散投常山、赵郡、范阳。旬日间，蔡希德自上党，田承嗣自颍川，武令珣自南阳，各帅所部兵归之。又召募河北诸郡人，众至六万，军声复振。

广平王俶之入东京也，百官受安禄山父子官者陈希烈等三百余人，皆素服悲泣请罪。俶以上旨释之，寻勒赴㊱西京。己巳㊲，崔器令诣朝堂㊳请罪，如西京百官之仪，然后收系大理、京兆狱。其府县所由、祗承人㊴等受贼驱使追捕者，皆收系之。

初，汲郡甄济㊵有操行㊶，隐居青岩山，安禄山为采访使，奏掌书记。济察禄山有异志，诈得风疾，舁㊷归家。禄山反，使蔡希德引行刑者二人，封刀召㊸之。济引首待刀。希德以实病㊹白禄山。后安庆绪亦使人强舁至东京，月余，会广平王俶平东京，济起，诣军门上谒。俶遣诣京师，上命馆之于三司㊺，令受贼官爵者列拜以愧其心，以济为秘书郎㊻。国子司业㊼苏源明㊽称病不受禄山官，上擢为考功郎中㊾、知制诰。壬申㊿，上御丹凤门(51)，下制："士庶受贼官禄，为贼用者，令三司条件(52)闻奏。其因战被虏，或所居密近，因与贼往来者，皆听自

【校记】

［9］俶：原无此字。据章钰校，十二行本、乙十一行本、孔天胤本皆有此字，今据补。［10］数日：原无此二字。据章钰校，十二行本、乙十一行本、孔天胤本皆有此二字，张敦仁《通鉴刊本识误》同，今据补。［11］河南节度使：据章钰校，十二行本、乙十一行本、孔天胤本皆作“淮南节度使”。〖按〗《旧唐书》卷一百十四、《新唐书》卷一百四十四《来瑱传》载两京平定前，来瑱曾改任淮南西道节度。

【语译】

安庆绪退守邺郡，把邺郡改名为成安府，改年号为天成。跟随安庆绪的骑兵不过三百人，步兵不过一千人，其他部将阿史那承庆等分散投奔到常山、赵郡、范阳。十天之内，蔡希德从上党，田承嗣从颍川，武令珣从南阳，各自率领本部兵马聚拢过来。又招募河北各郡的人，部众达到六万人，军队的声势又振作起来。

广平王李俶进入东京时，原朝廷官员中接受过安禄山父子官职的陈希烈等三百多人，都穿着白色衣服伤心哭泣请罪。李俶根据肃宗的旨意释放了他们，不久又强令他们赶赴西京。十月二十五日己巳，崔器命令他们到朝堂请罪，就像西京接受伪职的官员所举行的仪式一样，然后把他们收押在大理寺和京兆的狱中。那些各府县中受叛贼驱使干过事的小官吏和差役们，也都被收押起来。

当初，汲郡的甄济讲求操行，隐居在青岩山，安禄山做采访使时，曾上奏让他担任掌书记。甄济觉察到安禄山有谋反之心，假装中风，让人抬回了家。安禄山反叛，派蔡希德带两个行刑的人，拿着装在封套中的刀去征召他。甄济伸着头等待刀砍。蔡希德把他确实有病的情况禀告了安禄山。后来安庆绪也派人强行把他抬到东京，一个多月后，适逢广平王李俶平定东京，甄济起身，到军门谒见李俶。李俶派他到京师，肃宗让他住在三司的馆舍里，命令接受过叛贼官爵的人列队向他下拜，让这些人内心感到羞愧，任命甄济为秘书郎。国子司业苏源明借口生病没有接受安禄山的官职，肃宗提拔他为考功郎中、知制诰。十月二十八日壬申，肃宗亲临丹凤门，颁下制书：“官吏百姓中接受过叛贼官职俸禄以及为叛贼干过事的人，令三司分别不同情况奏报上来。那些因交战而被俘，或因居住的地方邻近叛贼，因此与叛贼

首[153]除罪。其子女为贼所污者，勿问。”

癸酉[154]，回纥叶护自东京还，上命百官迎之于长乐驿[155]。上与宴于宣政殿，叶护奏以“军中马少，请留其兵于沙苑[156]，自归取马，还为陛下扫除范阳余孽[157]”。上赐而遣之。

十一月，广平王俶、郭子仪来自东京，上劳[158]子仪曰：“吾之家国，由卿再造。”

张镐帅鲁炅、来瑱、吴王祗、李嗣业、李奂五节度徇河南、河东郡县，皆下之，惟能元皓据北海、高秀岩据大同未下。

己丑[159]，以回纥叶护为司空、忠义王，岁遗回纥绢二万匹，使就朔方军受之。

以严庄为司农卿[160]。

上之在彭原也，更以栗为九庙主[161]。庚寅[162]，朝享于长乐殿[163]。

【段旨】

以上为第五段，写叛贼龟缩河北，官军光复河南、河东。唐肃宗、太子恢复两京秩序。

【注释】

⑬⑤邺郡：天宝元年（公元七四二年）改魏郡置，治所在今河南安阳。⑬⑥勒赴：强令赶赴。⑬⑦己巳：十月二十五日。⑬⑧朝堂：大明宫含元殿左右，左曰东朝堂，右曰西朝堂。⑬⑨所由、祗承人：所由，主办官员、有关官员。唐以来多指地方小吏或差役。祗承人，指听命受使唤的差役。⑭⓪甄济：字孟成，中山无极（今河北无极）人，天宝中隐居，不从安禄山反。官至侍御史。传见《旧唐书》卷一百八十七下、《新唐书》卷一百九十四。⑭①操行：操守、品行。⑭②舁：抬。⑭③封刀召：以入封之刀相征召，应召则已，不应则启刀杀之。⑭④实病：确实有病。⑭⑤馆之于三司：馆，止宿。三司，由御史台、刑部、大理寺联合组成的审判大案或要案的机构。肃宗收复长安，命三司会同审理受安氏父子伪官者。甄济以不从乱军，使止宿于三司，让从伪者列拜而感内心有愧。⑭⑥秘书郎：官名，秘书省有秘书郎四员，掌管四部图书典籍。⑭⑦国子司业：官名，国子监副长官，协

往来的，都允许他们自首免罪。那些子女被叛贼玷污的，不再追究。”

十月二十九日癸酉，回纥叶护从东京返回，肃宗命百官在长乐驿迎接。肃宗在宣政殿设宴款待他，叶护上奏认为“军中马匹少，请求把军队留在沙苑，自己回去取马，返回以后再替陛下扫清范阳叛军的余孽”。肃宗赏赐他并派他回去。

十一月，广平王李俶、郭子仪从东京来，肃宗慰劳郭子仪说：“我的家和国，是由你再造的。”

张镐率领鲁炅、来瑱、吴王李祗、李嗣业、李奂五个节度使攻打河南、河东的郡县，都攻了下来，只有元皓占据北海、高秀岩占据大同没有攻下。

十一月十五日己丑，任命回纥叶护为司空、忠义王，每年赠送回纥绢两万匹，让他们到朔方军去领取。

任命严庄为司农卿。

肃宗在彭原时，改用栗木做九庙神主。十一月十六日庚寅，在长乐殿中祭祀宗庙祖先。

助长官国子祭酒掌管国子、太学、四门、律、书、算等六种学校的教育行政。⑱ 苏源明：工文辞，天宝间闻名于世，与杜甫相友。曾官东平太守，卒于秘书少监。传见《新唐书》卷二百二。⑲ 考功郎中：官名，尚书省吏部考功司长官，掌文武官吏的考课。⑳ 壬申：十月二十八日。㉑ 丹凤门：大明宫的正南门。㉒ 条件：逐条逐件。㉓ 自首：犯罪者自行投案，陈说罪行。㉔ 癸酉：十月二十九日。㉕ 长乐驿：驿站名，在长安外郭城东通化门外长乐坡上。㉖ 沙苑：地名，在今陕西大荔南。其苑东西八十里，南北三十里，置有沙苑监。㉗ 孽：孽党；参加叛乱的人。㉘ 劳：慰劳。㉙ 己丑：十一月十五日。㉚ 司农卿：官名，司农寺长官，掌全国仓储及农林园苑等政务。㉛ 以栗为九庙主：以栗木做九庙神主。安史之乱，帝室西迁，原有神主为安军所毁，故肃宗权立栗主。九庙，古代帝王立七庙（三昭三穆及太祖之庙）以祀祖先，至王莽增建黄帝太初祖庙和帝虞始祖昭庙，共九庙。以后历代封建王朝亦沿用九庙。㉜ 庚寅：十一月十六日。㉝ 朝享于长乐殿：朝享，亦称朝庙，天子至宗庙祭祀祖宗。长乐殿，在大明宫长乐门内。宗庙为安军所毁，故暂时于长乐殿祭祀祖宗。

【校记】

［12］成安府：原作“安成府”，今据严衍《通鉴补》改作“成安府”。〖按〗《旧唐书》卷二百上、《新唐书》卷二百二十五上《安庆绪传》载庆绪改相州曰成安府，并改元，设百官。

【原文】

丙申[164]，上皇至凤翔，从兵六百余人，上皇命悉以甲兵输郡库。上发精骑三千奉迎。十二月丙午[165]，上皇至咸阳，上备法驾[166]迎于望贤宫[167]。上皇在宫南楼，上释黄袍[168]，著紫袍[169]，望楼下马，趋进[170]，拜舞于楼下。上皇降楼，抚上而泣。上捧上皇足，呜咽不自胜。上皇索[171]黄袍，自为上著之。上伏地顿首固辞。上皇曰："天数[172]、人心皆归于汝，使朕得保养余齿，汝之孝也！"上不得已，受之。父老在仗外[173]，欢呼且拜。上令开仗，纵千余人入谒上皇，曰："臣等今日复睹二圣相见，死无恨矣！"上皇不肯居正殿[174]，曰："此天子之位也。"上固请，自扶上皇登殿。尚食[175]进食，上品尝[176]而荐[177]之。

丁未[178]，将发行宫，上亲为上皇习马[179]而进之。上皇[13]上马，上亲执鞚[180]，行数步，上皇止之。上乘马前引，不敢当驰道[181]。上皇谓左右曰："吾为天子五十年，未为贵。今为天子父，乃贵耳！"左右皆呼万岁。上皇自开远门[182]入大明宫，御含元殿，慰抚百官。乃诣长乐殿谢九庙主，恸哭久之。即日，幸兴庆宫，遂居之。上累表请避位还东宫，上皇不许。

辛亥[183]，以礼部尚书李岘、兵部侍郎吕諲为详理使[184]，与御史大夫崔器共按陈希烈等狱。岘以殿中侍御史李栖筠为详理判官[185]，栖筠多务平恕[186]，故人皆怨諲、器之刻深[187]，而岘独得美誉。

戊午[188]，上御丹凤楼[189]，赦天下，惟与安禄山同反及李林甫、王鉷、杨国忠子孙不在免例。立广平王俶为楚王，加郭子仪司徒，李光弼司空，自余蜀郡、灵武扈从立功之臣皆进阶[190]赐爵，加食邑有差。李憕、卢奕、颜杲卿、袁履谦、许远、张巡、张介然、蒋清、庞坚等皆加追[14]赠，官其子孙。战亡之家，给复[191]二载。郡县来载租、庸三分蠲[192]一。近所改郡名、官名，一依故事。[193]以蜀郡为南京，凤翔为西京，西京为中京[194]。以张良娣为淑妃，立皇子南阳王係[195]为赵王，新城王仅[196]为彭王，颍川王僙[197]为兖王，东阳王侹[198]为泾王，僙[199]为襄王，倕[200]为杞王，偲[201]为召王，佋[202]为兴王，侗[203]为定王。

【语译】

十一月二十二日丙申，太上皇到达凤翔，随从士兵有六百多人，太上皇命令把铠甲兵器全部交到凤翔郡武库中。肃宗派精锐骑兵三千人去恭迎。十二月初三日丙午，太上皇到达咸阳，肃宗备好天子的专用车驾在望贤宫迎接。太上皇在望贤宫的南楼上，肃宗脱下黄袍，穿上紫袍，望楼下马，小步快走进入，在楼下依仪式跪拜舞蹈。太上皇下楼，抚摸着肃宗而哭泣。肃宗手捧太上皇的脚，伤心呜咽，以致自己都不能承受了。太上皇要来黄袍，亲自替肃宗穿上。肃宗俯伏在地磕头坚决推辞。太上皇说："天命、人心都归集在你身上，使我能够安养余年，这就是你的孝心了！"肃宗不得已，接受了黄袍。父老们站在仪仗外面，大声欢呼并且跪拜。肃宗命令仪仗卫队放开通道，放一千多人进来拜谒太上皇，他们说："我们今天又一次见到两位圣人相见，就是死也不会遗憾了！"太上皇不肯位居正殿，说："这是天子的位置。"肃宗再三请求，亲自扶太上皇登殿。主管天子饮食的官员呈进食物，肃宗要亲自品尝然后再进献给太上皇。

十二月初四日丁未，准备从行宫出发，肃宗亲自为太上皇调试马匹然后才牵给太上皇。太上皇上马后，肃宗亲自牵马。走了几步，太上皇制止了他。肃宗骑着马在前面引路，不敢走驰道的中央。太上皇对左右的人说："我做天子五十年，还算不上尊贵。现在做了天子的父亲，这才是真正的尊贵啊！"左右的人都高呼万岁。太上皇自开远门入大明宫，亲临含元殿，抚慰百官。再到长乐殿向九庙神主谢罪，痛哭了很久。当天，驾临兴庆宫，于是就住在那里。肃宗多次上表请求让出皇位返回东宫，但太上皇不许。

十二月初八日辛亥，任命礼部尚书李岘、兵部侍郎吕諲为详理使，与御史大夫崔器共同审理陈希烈等人的案子。李岘任命殿中侍御史李栖筠为详理判官，李栖筠审理时大多务求公平宽容，因此人们都怨恨吕諲、崔器的苛刻严酷，而李岘独得人们的好评。

十二月十五日戊午，肃宗亲临丹凤楼，大赦天下，只有与安禄山一起谋反的人以及李林甫、王𫟹、杨国忠的子孙不在赦免之列。立广平王李俶为楚王，加升郭子仪为司徒，李光弼为司空，其余在蜀郡、灵武跟随太上皇和肃宗立功的臣子都升官晋爵，加封食邑，各有等差。李憕、卢奕、颜杲卿、袁履谦、许远、张巡、张介然、蒋清、庞坚等人都追赠官爵，并任命他们的子孙当官。阵亡将士之家，免除两年的赋役。各郡县明年的租、庸减免三分之一。近年来所改的郡名、官名，完全依照旧日制度恢复原名。以蜀郡为南京，凤翔为西京，西京为中京。立张良娣为淑妃，立皇子南阳王李係为赵王，新城王李仅为彭王，颍川王李僩为兖王，东阳王李侹为泾王，李僙为襄王，李倕为杞王，李偲为召王，李佋为兴王，李侗为定王。

议者或罪张巡以守睢阳不去，与其食人，曷若㉔全人。其友人李翰为之作传，表上之，以为："巡以寡击众，以弱制强，保江、淮以待陛下之师。师至而巡死，巡之功大矣。而议者或罪巡以食人，愚巡以守死，㉕善遏恶扬，录瑕弃用，㉖臣窃痛之。巡所以固守者，以待诸军之救。救不至而食尽，食既尽而及人，乖其素志㉗。设使巡守城之初已有食人之计[15]，损数百之众以全天下，臣犹曰功过相掩㉘，况非其素志乎！今巡死大难㉙，不睹休明㉚，唯有令名㉛是其荣禄㉜。若不时㉝纪录㉞，恐远而不传㉟，使巡生死不遇㊱，诚可悲焉。臣敢撰传一卷献上，乞编列史官。"众议由是始息。是后赦令无不及李憕等，而程千里独以生执贼庭，不沾㊲褒赠。

【段旨】

以上为第六段，写太上皇还京师，唐肃宗大赦天下，封功臣，李翰为张巡作传。

【注释】

⑯丙申：十一月二十二日。⑯丙午：十二月初三日。⑯法驾：皇帝的车驾，也称法车。其礼仪规格低于大驾，高于小驾。⑯望贤宫：唐离宫名，在当时咸阳东，距长安城四十里。⑯黄袍：隋制，皇帝常服黄袍。唐高祖武德初，禁止士庶服黄袍，黄袍便成为皇帝专用之服。⑯紫袍：唐制，三品以上官员服紫袍。⑰趋进：疾步走进。趋，小步快走，以示下对上的恭敬。⑰索：求取。⑰天数：指天命。⑰仗外：皇帝仪仗卫队的外面。⑰正殿：皇帝听政视朝之处。此指望贤宫正殿。⑰尚食：指殿中省尚食局官员，掌供奉御膳。⑰品尝：帝王进膳须先由尚食奉御遍尝食物。此指由肃宗亲自品尝后献给玄宗。⑰荐：献；进。⑰丁未：十二月初四日。⑰习马：调习御马。⑱执鞚：牵马。鞚，马勒。⑱不敢当驰道：不敢走驰道正中。当，正当、正对。驰道，帝王乘马所行之道。⑱开远门：城门名，长安外郭城西面三门中，北为开远门。⑱辛亥：十二月初八日。⑱详理使：使职名，肃宗至德二载（公元七五七年）为审理在安禄山父子处做官的陈希烈等叛臣而设置的刑法差遣官。⑱详理判官：详理使僚属，执掌刑狱审理的实际事务。⑱务平恕：务求公平宽厚。⑱刻深：苛刻深文，指援用法律条文苛细严峻，以入

有的人议论怪罪张巡，认为他死守睢阳，不肯撤离，与其吃人充饥，何如弃城而保全人的生命。张巡的友人李翰替他作了一篇传，上表给肃宗，认为："张巡以少击众，以弱制强，保卫江、淮以等待陛下的部队。陛下的部队到达时，张巡已死，张巡的功劳太大了。有的人议论怪罪张巡吃人，认为张巡坚守致死很愚蠢，使善的受到遏止而恶的得到称扬，只记录其瑕疵而抛弃其作用，臣私下感到非常痛心。张巡之所以要坚守，是在等待各军的救援。救援不来而粮食吃尽，粮食吃尽后只好吃人，这是违背他平素的心愿的。假使张巡在守城之初就已有食人之计，损失几百人而保全了天下，臣尚且要说他功劳和罪过可以相抵，何况那样做并不是他平素的心愿呢！现在张巡死于国难，看不到国家恢复美好清明，只有美名能成为他的荣耀和爵禄。如果不及时记载他的事迹，恐怕时间久远而会失传，如果张巡生前和死后都不被赏识，实在是件可悲的事啊。臣斗胆写了传记一篇献上，请求编入史官的史料。"众人的议论由此开始停息。此后朝廷的赦免令没有一次不涉及李憕等人，唯独程千里因被活捉到叛贼的朝廷中，享受不到褒扬赠官的恩泽。

人罪。⑱⑧ 戊午：十二月十五日。⑱⑨ 丹凤楼：丹凤门城楼。⑲⓪ 进阶：提升官阶。⑲① 给复：免除赋役。⑲② 蠲：除去；免除。⑲③ 近所改郡名、官名二句：玄宗天宝元年（公元七四二年），改中书省长官为右相，门下省长官为左相，尚书省左、右丞相为左、右仆射，州为郡，刺史为太守；天宝十一载，改吏部为文部，兵部为武部，刑部为宪部。至此，所有更改者还复原名。〖按〗诸地理书皆云乾元元年郡复为州，其实至德二载十二月已有复州之文，至颁下四方，已是明年，故云乾元元年。⑲④ 西京为中京：西京长安居洛阳、蜀郡、凤翔、太原之中，故称中京。⑲⑤ 南阳王係：李係（？至公元七六二年），肃宗第二子，封南阳王、赵王、越王，为宦官李辅国所害。传见《旧唐书》卷一百十六、《新唐书》卷八十二。⑲⑥ 新城王仅：李仅（？至公元七六〇年），唐肃宗第五子。传见《旧唐书》卷一百十六、《新唐书》卷八十二。⑲⑦ 颍川王僩：李僩（？至公元七六一年），肃宗第六子。传见《旧唐书》卷一百十六、《新唐书》卷八十二。⑲⑧ 东阳王侹：李侹（？至公元七八四年），肃宗第七子。传见《旧唐书》卷一百十六、《新唐书》卷八十二。⑲⑨ 傥：李傥（？至公元七九一年），肃宗第九子。传见《旧唐书》卷一百十六、《新唐书》卷八十二。⑳⓪ 倕：李倕（？至公元七九八年），肃宗第十子。传见《旧唐书》卷一百十六、《新唐书》卷八十二。⑳① 偲：李偲（？至公元八〇六年），肃宗第十一子。传见《旧唐书》卷一百十六、《新唐书》卷八十二。⑳② 佋：李佋（公元七五三至七六〇年），肃宗第十二子。张淑妃所生，深为肃宗钟爱，欲立为太子，以其早薨而止，谥曰恭懿太子。传见《旧唐书》卷一百十六、《新唐书》卷八十二。⑳③ 侗：李侗（？至公元七六二年），肃

宗第十三子，早死。传见《旧唐书》卷一百十六、《新唐书》卷八十二。⑳④曷若：何若；何不。⑳⑤罪巡以食人二句：怪罪张巡无粮而吃人的举动，认为张巡守城而死的做法是愚蠢、错误的。⑳⑥善遏恶扬二句：抑制美好而宣扬丑恶，录取其缺点而抛弃功劳。瑕，玉的斑点，泛指疵病、过失。⑳⑦乖其素志：指有悖于他一向的意愿。乖，违背。素，一向、向来。⑳⑧功过相掩：功绩与过失相互抵消。⑳⑨死大难：死于国难。㉑⓪休明：美好光明。㉑①令名：美名。㉑②荣禄：官职和俸禄。㉑③不时：不及时。㉑④纪录：文字记载。㉑⑤远而不传：时代久远而被遗忘，不能传之后世。㉑⑥不遇：指不能得到君主的信任。㉑⑦沾：沾濡，多指恩泽所及。

【原文】

甲子[218]，上皇御宣政殿，以传国宝授上，上始涕泣而受之。

安庆绪之北走[219]也，其大将北平王李归仁及精兵曳落河、同罗、六州胡数万人皆溃归范阳，所过俘掠，人物无遗。史思明厚为之备，且遣使逆招[220]之范阳境，曳落河、六州胡皆降。同罗不从，思明纵兵击之。同罗大败，悉夺其所掠，余众走归其国。

庆绪忌思明之强，遣阿史那承庆、安守忠往征兵，因密图之。判官耿仁智说思明曰："大夫[221]崇重[222]，人莫敢言，仁智愿一言而死。"思明曰："何也？"仁智曰："大夫所以尽力于安氏者，迫于凶威[223]耳。今唐室中兴，天子仁圣，大夫诚帅所部归之，此转祸为福之计也。"裨将乌承玼亦说思明曰："今唐室再造[224]，庆绪叶上露[225]耳，大夫奈何与之俱亡！若归款[226]朝廷，以自湔洗[227]，易于反掌耳。"思明以为然。

承庆、守忠以五千劲骑自随，至范阳，思明悉众数万逆之，相距一里所，使人谓承庆等曰："相公及王远至，将士不胜其喜。然边兵怯懦，惧相公之众，不敢进，愿弛弓以安之。"承庆等从之。思明引承庆等[16]入内厅乐饮，别遣人收其甲兵，诸郡兵皆给粮纵遣之，愿留者厚赐，分隶诸营。明日，囚承庆等，遣其将窦子昂奉表以所部十三郡[228]及兵八万来降，并帅其河东节度使高秀岩亦以所部来降。乙丑[229]，子昂至京师。上大喜，以思明为归义王、范阳节度使，子七人皆除显

【校记】

［13］上皇：此二字原重。据章钰校，十二行本、乙十一行本皆不重，张敦仁《通鉴刊本识误》同，今据删改。［14］追：原无此字。据章钰校，十二行本、乙十一行本皆有此字，今据补。［15］计：原作“心”。据章钰校，十二行本、乙十一行本皆作“计”，今从改。

【语译】

十二月二十一日甲子，太上皇驾临宣政殿，把传国的宝器授予肃宗，肃宗这才流着眼泪接受了它。

安庆绪率众向北溃逃时，他的大将北平王李归仁以及精兵曳落河、同罗、六州胡几万人都溃退回范阳，所过之处掳掠劫夺，人员财物无所遗留。史思明严加戒备，并且派使者迎接并把他们召集到范阳境内，曳落河、六州胡都投降了。同罗不愿顺从，史思明发兵攻打。同罗大败，所劫掠的东西全被史思明夺走，余下的部众逃回本国。

安庆绪忌惮史思明的强大，派阿史那承庆、安守忠前往征调他的兵马，趁机暗中图谋他。判官耿仁智劝史思明说：“大夫您官高位重，别人没有谁敢说话，我耿仁智愿冒死进一言。”史思明说：“是什么事?”耿仁智说：“大夫您所以为安氏竭尽全力，是迫于他们凶恶的威势罢了。现在唐朝中兴，天子仁慈圣明，大夫如能真心率部归顺，这是转祸为福的好办法。”裨将乌承玼也劝史思明说：“现在唐朝复兴，安庆绪不过是树叶上的露水罢了，大夫您为什么要和他一起灭亡！如果归顺朝廷，以此来洗刷污秽，这事易如反掌啊。”史思明认为他们说得对。

阿史那承庆、安守忠带五千名精锐骑兵跟随自己，到了范阳，史思明出动全军几万人前去迎接，相距一里左右，派人对阿史那承庆等人说：“相公及大王远道至此，范阳的将士们十分高兴。然而守边的士兵胆小懦弱，畏惧相公的大军，不敢再往前走，希望你们收起弓箭刀枪以使他们安心。”阿史那承庆等人依从了。史思明带阿史那承庆等人进入内厅作乐饮酒，另外派人收缴了他部下的铠甲兵器，各郡的士兵都发给粮食放他们走，愿意留下的厚加赏赐，分派隶属于各军营。第二天，囚禁了阿史那承庆等人，派部将窦子昂拿着上奏的表文以他所统领的十三郡以及八万士兵前来归降，还率领他的河东节度使高秀岩也带着所统领的前来归降。十二月二十二日乙丑，窦子昂到达京师，肃宗大喜，任命史思明为归义王、范阳节度使，七个儿子

官。遣内侍㉚李思敬与乌承恩往宣慰，使将所部兵讨庆绪。

先是，庆绪以张忠志㉛为常山太守，思明召忠志还范阳，以其将薛萼㉜摄恒州刺史，开井陉路㉝，招赵郡太守陆济，降之。命其子朝义㉞将兵五千人摄冀州刺史，以其将令狐彰㉟为博州刺史。乌承恩所至宣布诏旨，沧、瀛、安、深、德、棣等州皆降。虽相州未下，河北率为唐有矣。

【段旨】

以上为第七段，写史思明降唐。

【注释】

⑱甲子：十二月二十一日。⑲安庆绪之北走：谓安庆绪从东京北走渡河。⑳逆招：逆，迎。招，集。㉑大夫：对人的尊称。㉒崇重：位高职重。㉓凶威：凶狠和威势。㉔再造：重建。㉕叶上露：树叶上的露水，日出立即干灭。形容存在时间短暂。㉖归款：归顺臣服。㉗湔洗：洗刷污秽。比喻改过自新。㉘十三郡：范阳、北平、妫川、密云、渔阳、柳城、文安、河间、上谷、博陵、勃海、饶阳、常山。㉙乙丑：十二月二十二日。㉚内侍：宦官名，内侍省长官，开元后又在内侍之上设内侍监，内侍则成为副长官。职掌宫掖侍奉宣传之事。㉛张忠志：张忠志（公元七一七至七八一年），奚

【原文】

上皇加上尊号曰光天文武大圣孝感皇帝。

郭子仪还东都，经营河北。

崔器、吕諲上言："诸陷贼官，背国从伪，准律㊱皆应处死。"上欲从之。李岘以为："贼陷两京，天子南巡，人自逃生。此属皆陛下亲戚或勋旧子孙，今一概以叛法处死，恐乖仁恕之道。且河北未平，群臣陷贼者尚多。若宽之，足开自新之路。若尽诛之[17]，是坚其附贼

都授予显要官职。派内侍李思敬与乌承恩前往宣谕慰问，让他率所统领的兵马去讨伐安庆绪。

此前，安庆绪任命张忠志为常山太守，史思明召张忠志回范阳，任命他的部将薛萼代理恒州刺史，打开井陉的通道，招降了赵郡太守陆济。命令他儿子史朝义率兵五千名代理冀州刺史，任命他的部将令狐彰为博州刺史。乌承恩所到之处宣布诏书的旨意，沧州、瀛州、安州、深州、德州、棣州等都来归降。虽然相州还没有降服，但河北大都已归唐朝所有了。

人，先事安禄山，后归唐朝，肃宗赐名李宝臣。官至检校司空、同中书门下平章事，封陇西郡王。传见《旧唐书》卷一百四十二、《新唐书》卷二百十一。㉜ 薛萼：唐高宗时名将薛仁贵之孙，官至太子少师。传见《旧唐书》卷一百二十四。㉝ 开井陉路：打开由太原出兵经过井陉关入常山的通路。㉞ 朝义：史朝义（？至公元七六三年），史思明之子，参加安史之乱，杀父继其位，后兵败被擒，枭首京师。传见《旧唐书》卷二百上、《新唐书》卷二百二十五上。㉟ 令狐彰：史思明以令狐彰署博、滑二州刺史，彰旋即降唐，拜滑亳、魏博节度使，后兼御史大夫，检校尚书右仆射。传见《旧唐书》卷一百二十四、《新唐书》卷一百四十八。

【校记】

［16］等：原无此字。据章钰校，十二行本、乙十一行本皆有此字，今据补。

【语译】

太上皇加封肃宗尊号为光天文武大圣孝感皇帝。

郭子仪回到东都，经营河北地区。

崔器、吕諲进言："那些投降叛贼的官员，背叛国家，跟随伪朝，依照法律都应处死。"肃宗打算听从这个意见。李岘认为："叛贼攻陷两京，天子南巡避难，人们各自逃生。这些降贼的人都是陛下的亲戚或有功勋的旧臣的子孙，现在一概以叛国法律处死，恐怕有违仁爱宽恕之道。况且河北地区尚未平定，群臣中降贼的还很多。如果宽大处理这些人，就充分开启了他们重新做人的道路。如果全都处死，就会使

之心也。《书》曰：'歼厥渠魁，胁从罔理。'㉛谭、器守文㉜，不达㉝大体，惟陛下图之㉞。"争之累日，上从岘议，以六等定罪，重者刑之于市，次赐自尽，次重杖一百，次三等流、贬。壬申㉟，斩达奚珣等十八人于城西南独柳树㊱下，陈希烈等七人赐自尽于大理寺，应受杖者于京兆府门。

上欲免张均、张垍死，上皇曰："均、垍事贼，皆任权要。均仍㊲为贼毁吾家事，罪不可赦。"上叩头再拜曰："臣非张说父子，无有今日。㊳臣不能活均、垍，使死者有知，何面目见说于九泉！"因俯伏流涕。上皇命左右扶上起，曰："张垍为汝长流㊴岭表。张均必不可活，汝更勿救。"上泣而从命。

安禄山所署河南尹张万顷独以在贼中能保庇百姓不坐。顷之，有自贼中来降[18]者，言唐群臣从安庆绪在邺者，闻广平王赦陈希烈等，皆自悼㊵，恨失身贼庭，及闻希烈等诛，乃止。上甚悔之。

臣光曰："为人臣者，策名委质㊶，有死无贰。希烈等或贵为卿相，或亲连肺腑㊷，于承平之日，无一言以规人主之失，救社稷之危，迎合苟[19]容，以窃富贵。及四海横溃㊸，乘舆播越㊹，偷生苟免，顾恋妻子，媚贼称臣，为之陈力㊺，此乃屠酤㊻之所羞，犬马之不如。傥㊼更[20]全其首领㊽，复其官爵，是谄谀之臣无往而不得计也。彼颜杲卿、张巡之徒，世治则摈斥外方，沈抑下僚，㊾世乱则委弃孤城，齑粉寇手，㊿何为善者之不幸而为恶者之幸，朝廷待忠义之薄而保奸邪之厚邪！至于微贱之臣，巡徼之隶(257)，谋议不预，号令不及，朝闻亲征之诏，夕失警跸(258)之所，乃复责其不能扈从，不亦难哉！六等议刑，斯亦可矣，又何悔焉！"

故妃韦氏(259)既废为尼，居禁中，是岁卒。

置左、右神武军(260)，取元从子弟(261)充，其制皆如四军(262)，总谓之北

他们依附叛贼的心意更加坚定。《尚书》说：‘消灭那些为首作恶的，对被迫跟随的人不必惩处。’吕諲、崔器拘泥于法律条文，不识大局，希望陛下考虑。”争论多日，肃宗听从了李岘的意见，分六等定罪，罪重者在街市处死，其次赐他们自尽，再其次重打一百棍，以下三等是流放、贬官。十二月二十九日壬申，在城西南独柳树下将达奚珣等十八人斩首，陈希烈等七人在大理寺被赐自尽，应该受棍打的在京兆府门前执罚。

肃宗想要免除张均、张垍的死罪，太上皇说：“张均、张垍侍奉叛贼，都担任有权势的要职，张均屡次替叛贼毁坏我的家业，罪不可赦。”肃宗磕头再拜说：“我如果不是因为张说父子的帮助，不会有今天。如果不能使张均、张垍活命，假使死者有知，我有什么脸面在九泉之下去见张说！”说着俯伏在地流泪不止。太上皇让左右的人扶起肃宗，说：“看在你的面子上把张垍永久流放到岭南。但张均一定不能活命，你不要再救他了。”肃宗哭着依从了太上皇的命令。

安禄山所任命的河南尹张万顷唯独他因为身在叛贼中能保护百姓而没有被判罪。不久，有从叛贼中前来投降的人，说在邺郡跟随安庆绪的原唐朝群臣，听说广平王赦免陈希烈等人，都十分伤感，悔恨失身于叛贼。等到听说陈希烈等人被杀，便不再伤感悔恨了。肃宗听后很后悔。

臣司马光说：“做人臣的人，既然出仕，委身于君王，只有一死报效而不能有二心。陈希烈等人有的贵为卿相，有的是君王的近亲，在太平的日子里，没有说过一句话来规劝人主的过失，解救社稷的危难，只是一味迎合，苟且容身以窃取富贵。等到天下彻底溃败，君王流亡，他们贪生怕死，顾恋妻子儿女，向叛贼献媚称臣，替叛贼出力，这种行为连屠夫和卖酒的也感到羞耻，连犬马都不如。倘若又让他们都活命，恢复其官职爵位，这样就让那些阿谀奉承的臣子们到哪里都能如愿了。而像颜杲卿、张巡这样的人，世道太平时，被排挤到外地，受压抑屈居低微的职位，社会动乱时，被抛弃在孤城中，在敌寇手中化为齑粉，为什么行善的人如此不幸而作恶的人却如此幸运！为什么朝廷对待忠义之士如此淡薄而保护奸邪小人如此优厚呢！至于那些地位低微卑贱的小臣，巡逻的差役，不参与大事的谋划讨论，也听不到号令，早上刚听到皇帝亲征的诏书，晚上就不知道皇帝在哪里了，却还要责备他们没有随从保驾，不也是太难为人了吗?！按照六个等级论罪判刑，这也是合适的，又有什么可后悔的呢！”

肃宗原先的妃子韦氏废为尼姑后，住在禁中，这一年死去。

设置左、右神武军，选取那些动乱中从一开始就随从肃宗流离迁徙的子弟充当，其建制与左、右羽林，左、右龙武四军一样，总称为北牙六军。又选择擅长骑马射

牙六军。又择善骑射者千人为殿前射生手，分左、右厢，号曰英武军。

升河中防御使㉖③为节度，领蒲、绛等七州㉖④。分剑南为东、西川节度㉖⑤，东川领梓、遂等十二州。又置荆澧节度㉖⑥，领荆、澧等五州，夔峡节度㉖⑦，领夔、峡等五州。更安西曰镇西。

【段旨】

以上为第八段，写肃宗分六等处置叛贼降人，受到司马光的称赞。

【注释】

㉓⑥准律：依照法律。㉓⑦歼厥渠魁二句：语出《尚书·胤征》："歼厥渠魁，胁从罔治。"因避唐高宗李治的讳，改"治"为"理"。这句话意为要除灭首领，但不要惩治那些被迫从命的人。歼，尽、灭。厥，代词，那个。渠魁，首领。胁从，被迫跟从。罔，副词，不要。理，惩处。㉓⑧守文：指拘泥成法。文，法度。㉓⑨不达：不通晓。㉔⓪惟陛下图之：惟，表示希望。图，想、反复考虑。㉔①壬申：十二月二十九日。㉔②独柳树：在长安子城西南隅。㉔③仍：屡次；多次。㉔④臣非张说父子二句：玄宗为太子时，遭太平公主忌恨，派人密探东宫动静，时杨妃已妊娠，玄宗惧，密令张说给去胎药以堕除，张说以"天命也，无宜他虑"言之，玄宗乃止，杨妃便生肃宗。肃宗被立为太子后，李林甫等人多次欲谗废，赖张均、张垍兄弟保护，才得幸免。㉔⑤长流：永久流放。㉔⑥自悼：自我哀伤。㉔⑦策名委质：语出《左传》僖公二十三年，"策名委质，贰乃辟也。"意即做官事君，就是把自己的身体都交给君王，必须死守为臣之节，不能有二心。策名，指出仕、做官。委，付托。质，自身形体。㉔⑧肺腑：指帝王的近亲。㉔⑨横溃：彻底崩溃；完全溃散。㉕⓪乘舆播越：指天子流亡在外。乘舆，天子乘坐的车马，这里代指天子。播越，离散、流亡。㉕①陈力：施展才力。㉕②屠酤：屠户和卖酒者。旧时视此种职业卑贱，也用以称出身寒微的人。㉕③傥：假如。㉕④首领：头和颈。㉕⑤摈斥外方二句：被排斥到外地，做低微官职而不得升迁。摈斥，排斥、弃绝。外方，外地。沈抑，沉滞、压抑，指仕宦不得升进。下僚，职位低微的官吏。㉕⑥委弃孤城二句：二句意为抛弃在无援的孤城，让其粉身碎骨于敌人之手。委弃，弃置、丢弃。齑粉，细粉、碎屑，喻粉身碎骨。㉕⑦巡徼

箭的一千人为殿前射生手，分为左、右两厢，号为英武军。

升河中防御使为节度使，管辖蒲州、绛州等七州。划分剑南节度使为东川、西川节度使，东川节度使管辖梓州、遂州等十二州。又设置荆澧节度使，管辖荆州、澧州等五州，夔峡节度使，管辖夔州、峡州等五州。改安西为镇西。

之隶：巡逻的差役。巡徼，巡逻。㉘警跸：古时帝王出入称警跸。左右侍卫为警，止人清道为跸。皇帝出入，要严加警戒，断绝行人。㉙故妃韦氏：韦氏是肃宗为太子时之妃，天宝五载（公元七四六年）李林甫兴狱，妃兄韦坚连坐得罪赐死，太子惧，请与妃离婚，妃遂削发为尼，居禁中佛舍，至此卒。事见本书卷二百十五、《旧唐书》卷五十二。⑳左、右神武军：北衙禁军名，北衙原有左、右羽林军和左、右龙武军，至德二载（公元七五七年）肃宗收复京城，鉴于羽林军减耗，寇难未息，乃别置左、右神武军，总称为“北衙六军”。㉑元从子弟：指随从肃宗马嵬北上以及自灵武还长安官员的子弟。元从，自始相随从。㉒其制皆如四军：四军，北衙四军，即左、右羽林军，左、右龙武军。神武军建制如羽林、龙武军一样，设大将军各一员正三品，将军各二员从三品。㉓河中防御使：河中防御守捉蒲关使，至德元载置，治所在今山西永济。㉔领蒲、绛等七州：七州是蒲、绛、隰、慈、晋、虢、同。㉕分剑南为东、西川节度：至德二载分剑南节度使为东、西川节度使，东川节度使治所在今四川三台，领梓、遂、绵、剑、龙、阆、普、陵、泸、荣、资、简十二州，相当于今四川盆地中部涪江流域以西，沱江下游以东，以及剑阁、青川等县地，西川节度使治所在今四川成都，领成都府及彭、蜀、汉、眉、嘉、邛、茂、黎、雅等州，相当于今四川成都平原及其以北以西和雅砻江以东地区。㉖荆澧节度：至德二载置，治所在今湖北江陵，领荆、澧、朗、郢、复五州。㉗夔峡节度：至德二载置，领夔、峡、涪、忠、万五州。

【校记】

［17］之：原无此字。据章钰校，十二行本、乙十一行本、孔天胤本皆有此字，今据补。［18］降：原无此字。据章钰校，十二行本、乙十一行本、孔天胤本皆有此字，今据补。［19］苟：据章钰校，十二行本、乙十一行本皆作“取”。［20］更：原作“各”。据章钰校，十二行本、乙十一行本皆作“更”，张瑛《通鉴校勘记》同，今从改。

【原文】

乾元元年（戊戌，公元七五八年）

春，正月戊寅[268]，上皇御宣政殿，授册[269]，加上尊号[270]。上固辞“大圣”之号，上皇不许。上尊上皇曰太上至道圣皇天帝。

先是，官军既克京城，宗庙之器[271]及府库资财多散在民间，遣使检括[272]，颇有烦扰。乙酉[273]，敕尽停之，乃命京兆尹李岘安抚坊市[274]。

二月癸卯[275]朔，以殿中监[276]李辅国兼太仆卿。辅国依附张淑妃，判元帅府行军司马[277]，势倾朝野。

安庆绪所署北海节度使能元皓举所部来降，以为鸿胪卿，充河北招讨使。

丁未[278]，上御明凤门[279]，赦天下，改元[280]。尽免百姓今载租、庸。复以载为年[281]。

庚午[282]，以安东副大都护王玄志为营州刺史，充平卢节度使。

三月甲戌[283]，徙楚王俶为成王。

戊寅[284]，立张淑妃为皇后。

镇西、北庭行营节度使[285]李嗣业屯河内。癸巳[286]，北庭兵马使王惟良谋作乱，嗣业与裨将荔非元礼[287]讨诛之。

安庆绪之北走也，其平原太守王暕、清河太守宇文宽皆杀其使者来降。庆绪使其将蔡希德、安太清[288]攻拔之，生擒以归，剐[289]于邺市。凡有谋归者，皆[21]诛及种、族[290]，乃至部曲[291]、州县官属，连坐死者甚众。又与其群臣歃血盟[292]于邺南，而人心益离。庆绪闻李嗣业在河内，夏，四月，与蔡希德、崔乾祐将步骑二万，涉沁水[293]攻之，不胜而还。

癸卯[294]，以太子少师虢王巨为河南尹，充东京留守。

辛卯[295]，新主入太庙[296]。甲寅[297]，上享太庙，遂祀昊天上帝[298]。乙卯[299]，御明凤门，赦天下。

五月壬午[300]，制停采访使，改黜陟使为观察使。[301]

张镐性简澹[302]，不事中要[303]。闻史思明请降，上言：“思明凶险，因乱窃位，力强则众附，势夺[304]则人离，彼虽人面，心如野兽，难以德

【语译】

乾元元年（戊戌，公元七五八年）

春，正月初五日戊寅，太上皇驾临宣政殿，授肃宗册书，加肃宗尊号。肃宗坚决辞谢“大圣”的称号，太上皇不许。肃宗尊太上皇为太上至道圣皇天帝。

此前，官军攻克了京城，宗庙的礼器以及府库中的财物大多散落在民间，派使者清查搜取，多有搅扰。正月十二日乙酉，肃宗下令全部停止，又命令京兆尹李岘去安抚街市民众。

二月初一日癸卯，任命殿中监李辅国兼任太仆卿。李辅国依附张淑妃，兼任元帅府行军司马，权势超越朝野其他人士。

安庆绪所委任的北海节度使能元皓率领部下前来归降，任命为鸿胪卿，充河北招讨使。

二月初五日丁未，肃宗亲临明凤门，大赦天下，改换年号。全部免去百姓今年的租、庸。又把“载”改为“年”。

二十八日庚午，任命安东副大都护王玄志为营州刺史，充平卢节度使。

三月初二日甲戌，把楚王李俶徙为成王。

初六日戊寅，立张淑妃为皇后。

镇西、北庭行营节度使李嗣业驻扎河内。三月二十一日癸巳，北庭兵马使王惟良阴谋作乱，李嗣业与裨将荔非元礼讨伐诛杀了他。

安庆绪向北逃走时，他的平原太守王暕、清河太守宇文宽都杀死了他的使者前来归降。安庆绪派他的将领蔡希德、安太清攻克平原和清河，活捉他们而归，将他们在邺城街市上处以剐刑。凡是有谋划归降朝廷的安庆绪尽加诛杀，并株连其种姓或宗族，乃至部曲、州县的官吏，被连坐处死的人非常多。安庆绪又和群臣在邺城南歃血为盟，然而人心日益离散。安庆绪听说李嗣业在河内，夏，四月，与蔡希德、崔乾祐率步兵骑兵两万人，渡过沁水去攻打，没有取胜而退了回来。

四月初二日癸卯，任命太子少师虢王李巨为河南尹，充东京留守。

辛卯日，新神主进入太庙。十三日甲寅，肃宗在太庙祭享，于是祭祀昊天上帝。十四日乙卯，驾临明凤门，大赦天下。

五月十一日壬午，下制书取消采访使，改黜陟使为观察使。

张镐性情简朴淡泊，不去巴结身居要职的宦官。听说史思明请求归降，向肃宗进言说：“史思明凶恶阴险，利用叛乱窃取高位，力量强大时有众人依附，权势遭到削弱后众人就会离散，他虽然长得是人的模样，内心却如野兽一般，难以用仁德去

怀[305]，愿勿假以威权。”又言：“滑州防御使许叔冀狡猾多诈，临难必变，请征入宿卫[306]。”时上以[307]宠纳思明，会中使自范阳及白马[308]来，皆言思明、叔冀忠恳[309]可信。上以镐为不切事机[310]，戊子[311]，罢为荆州防御使，以礼部尚书崔光远为河南节度使。

【段旨】

以上为第九段，写唐肃宗宠信宦官李辅国，又假降贼史思明等以重权，留下隐患。

【注释】

㉖㉘戊寅：正月初五日。㉖㉙授册：册，册书，是帝王诏书中最隆重的一种。凡立皇后、建太子、封诸王及封立少数民族首领时都用册。册是用竹简书写册文。授册的仪式，一般是皇帝临轩，中书令读册，被封人再拜受册。㉗⓪加上尊号：尊号，尊崇帝、后的称号。秦汉以后，“皇帝”便是尊号。自唐代武则天开始，在帝、后号之上再加称号，是为尊号（见封演《封氏闻见记》卷四）。以前的尊号为臣下所上，至此有太上皇为皇帝加尊号。玄宗为肃宗加的尊号为“光天文武大圣孝感皇帝”。㉗①宗庙之器：指天子祖庙的祭祀礼器。㉗②检括：检查、搜取。㉗③乙酉：正月十二日。㉗④坊市：古代城中居民聚居地称坊，交易之所称市。坊、市不分以后也用作街市里巷的通称。此指坊市居民。㉗⑤癸卯：二月初一日。㉗⑥殿中监：官名，殿中省长官，掌管天子的衣食住行等事务。㉗⑦判元帅府行军司马：官名，元帅府僚佐，掌军籍符伍、号令印信。㉗⑧丁未：二月初五日。㉗⑨明凤门：丹凤门改名。㉘⓪改元：改元乾元。㉘①复以载为年：玄宗天宝三年（公元七四四年）改年为载，至是复为年。㉘②庚午：二月二十八日。㉘③甲戌：三月初二日。㉘④戊寅：三月初六日。㉘⑤行营节度使：节度使离开本镇，率军在外作战，称行营节度使。㉘⑥癸巳：三月二十一日。㉘⑦荔非元礼：荔非，复姓。西羌人姓。元礼官至卫尉卿、镇西北行营节度使。传见《新唐书》卷一百三十六。㉘⑧安太清：又作安泰清，安史军大将，史思明任为天下兵马使。其事散见《旧唐书》卷二百上《安庆绪传》、《新唐书》卷二百二十五上《史思明传》等篇。㉘⑨剐：剔人肉。㉙⓪诛及种、族：胡人诛及种姓，汉人则灭族。㉙①部曲：唐代的部曲为身系于主人的家仆。详见《唐律疏议》卷十七、卷二十。㉙②歃血盟：古代举行盟会时，双方口含牲畜鲜血或以血涂于口旁，表示信誓，称为歃血盟。歃，饮、

感化他，希望不要给他威势和权力。”又说：“滑州防御使许叔冀狡猾多诈，遇到危难，必定生变，请征召他进京担任宿卫。”此时肃宗已经用恩宠来拉拢史思明，正好有宫中使者从范阳和白马来，都说史思明、许叔冀忠诚可信。因此，肃宗认为张镐不识事情的机变，五月十七日戊子，把张镐贬为荆州防御使，任命礼部尚书崔光远为河南节度使。

喝。㉓沁水：河流名，源出山西沁源北太岳山东麓，南流到今河南武陟入黄河。㉔癸卯：四月初二日。㉕辛卯：据《旧唐书·肃宗纪》，“辛卯”应为“辛亥”。辛亥，四月初十日。㉖新主入太庙：新主，即以栗木新作的九庙神主。新建九庙完成，自长乐殿迎神主入庙。㉗甲寅：四月十三日。㉘祀昊天上帝：古代吉礼有一年的常祀二十二，其中孟夏（四月）祀昊天上帝于圜丘。昊天，苍天。上帝，天帝、天神。㉙乙卯：四月十四日。㉚壬午：五月十一日。㉛制停采访使二句：采访使，地方监察使职，开元二十一年（公元七三三年）由按察使改置，因赋予“听便宜从事，先行后闻”的处置权力，故又称采访处置使，天宝末年又兼黜陟使，为唐代前期地方监察使职发展的最高阶段。至此，停置采访使。黜陟使，地方监察使臣和监察使职，一般都负有黜陟官吏的使命，而专门以黜陟名使，是在天宝末年，但也是兼使，单独派遣黜陟使应在建中（公元七八〇至七八三年）之后。观察使，是乾元元年（公元七五八年）所置的地方监察使职，但实际上已经是兼握行政、军事权的地方行政长官，不再是专职地方监察官。《通鉴》此处行文有欠妥当。据《唐会要》卷七十八所载诏文，四月停采访使时对所兼的黜陟使一并停置。当年稍后，又改置观察处置使。所以，不是只停采访使，观察使也不只是由黜陟使所改，应该说观察使是由采访使及其兼带的黜陟使改置的。㉜简澹：简朴淡泊，不重名利。㉝中要：指宦官中有权势的人物，如李辅国之流。中，中人、宦官。要，权要。㉞势夺：势力遭到削弱。㉟德怀：用德去怀柔、感化。㊱宿卫：在宫禁中值宿守卫。此泛言在京城皇帝身边任职。㊲以：通“已”，已经。㊳白马：县名，县治在今河南滑县。时为滑州治所，许叔冀驻于此。㊴忠悫：忠心诚悫。㊵不切事机：不切合事情的机变；不懂得随机而制变。㊶戊子：五月十七日。

【校记】

［21］皆：原无此字。据章钰校，十二行本、乙十一行本皆有此字，张敦仁《通鉴刊本识误》同，今据补。

【原文】

张后生兴王佋，才数岁，欲以为嗣。上疑未决，从容[312]谓考功郎中、知制诰李揆[313]曰："成王长，且有功，朕欲立为太子，卿意何如？"揆再拜[314]贺曰："此社稷之福，臣不胜大庆！"上喜曰："朕意决矣！"庚寅[315]，立成王俶为皇太子。揆，玄道[316]之玄孙也。

乙未[317]，以崔圆为太子少师，李麟为少傅，皆罢政事。上颇好鬼神，太常少卿王玙专依鬼神以求媚，每议礼仪，多杂以巫祝俚俗[318]。上悦之，以玙为中书侍郎、同平章事。

赠故常山太守颜杲卿太子太保，谥曰忠节，以其子威明为太仆丞[319]。杲卿之死也，杨国忠用张通幽之谮，竟无褒赠。上在凤翔，颜真卿为御史大夫，泣诉于上，上乃出通幽为普安太守，具奏其状于上皇，上皇杖杀通幽。

杲卿子泉明为王承业所留，因寓居寿阳[320]，为史思明所虏，裹以牛革，送于范阳，会安庆绪初立，有赦，得免。思明降，乃得归，求其父尸于东京，得之，遂并袁履谦尸棺敛以归。

杲卿姊妹女及泉明之子皆流落河北，真卿时为蒲州刺史，使泉明往求之。泉明号泣求访，哀感路人，久乃得之。泉明诣亲故乞索[321]，随所得多少赎之，先姑姊妹而后其子。姑女为贼所掠，泉明有钱二百缗，欲赎己女，闵[322]其姑愁悴[323]，先赎姑女。比更得钱[324]，求其女，已失所在。遇群从姊妹[325]及父时将吏袁履谦等妻子流落者，皆与之归，凡五十余家，三百余口，均减资粮[326]，一如亲戚。至蒲州，真卿悉加赡给，久之，随其所适而资送之。袁履谦妻疑履谦衣衾[327]俭薄，发棺视之，与杲卿无异，乃始惭服。

六月己酉[328]，立太一坛[329]于南郊之东，从王玙之请也。上尝不豫[330]，卜云山川为祟[331]，玙请遣中使与女巫乘驿分祷天下名山、大川。巫恃势，所过烦扰州县，干求[332]受赃。黄州[333]有巫，盛年[334]美色，从无赖少年数十，为蠹[335]尤甚。至黄州，宿于驿舍[336]。刺史左震晨至驿，门扃锁[337]，

【语译】

张皇后所生的兴王李佋，才几岁，皇后就想把他立为太子。肃宗犹豫未决，在闲谈时对考功郎中、知制诰李揆说："成王年长，并且立下功劳，朕想把他立为太子，你觉得如何?"李揆再拜称贺说："这是社稷的福气，臣深感大可庆贺!"肃宗高兴地说："朕的心意已经决定了!"五月十九日庚寅，肃宗立成王李俶为皇太子。李揆，是李玄道的玄孙。

五月二十四日乙未，任命崔圆为太子少师，李麟为少傅，都罢黜他们的政事。肃宗很喜好鬼神，太常少卿王玙专门利用鬼神之事来讨好肃宗，每当讨论礼仪时，王玙大多夹杂一些巫术和不文雅的习俗。肃宗很喜欢他，任命王玙为中书侍郎、同平章事。

追赠已故常山太守颜杲卿为太子太保，谥号为忠节，任命他的儿子颜威明为太仆丞。颜杲卿死的时候，杨国忠听信张通幽诬陷的话，竟然没有给他褒奖和赠予官爵。肃宗在凤翔时，颜真卿任御史大夫，哭着把这事告诉了肃宗，肃宗于是把张通幽贬为普安郡太守，并把有关情况全都上奏太上皇，太上皇下令用棍打死张通幽。

颜杲卿的儿子颜泉明被王承业留下，因而寓居在寿阳县，被史思明俘获，用牛皮裹着，送到范阳，适逢安庆绪刚即位，受到宽赦，得以免死。史思明归降后，他才得以回去，在东京寻找他父亲的尸体，找到后，便连同袁履谦的尸体一道用棺材装殓送回。

颜杲卿姐妹的女儿和颜泉明自己的孩子都还流落在河北，颜真卿当时任蒲州刺史，让颜泉明到河北寻找。颜泉明哭喊着四处求访，哀伤感动了路人，找了好久方才找到。颜泉明到亲戚故旧那里去求乞，随着所得钱的多少去赎人，先赎姑妈的女儿然后才是自己的孩子。姑妈的女儿被叛贼抢去，颜泉明当时有钱二百缗，想要赎回自己的女儿，但又可怜他的姑妈愁苦憔悴，就先赎回姑妈的女儿。等到他再得到钱，寻找自己的女儿时，已经不知道女儿在哪里了。颜泉明遇到许多流落在外的堂姐妹以及父亲在世时的将吏袁履谦等人的妻子儿女，都带上他们一起回来，一共有五十多家，三百多口人，于是削减原有人员的口粮分给新增人员平均食用，大家相处完全像亲戚一样。到了蒲州，颜真卿全都给予周济救助，过了很长一段时间，随他们的心意愿到哪里去再资助送走他们。袁履谦的妻子怀疑袁履谦装殓时衣被过于俭省单薄，打开棺材察看，发现与颜杲卿的并无不同，这才惭愧信服。

六月初九日己酉，在南郊之东设立太一坛，这是依从王玙的请求。肃宗曾经身体不适，占卜说是山川在作祟，王玙请求派宫中使者和女巫乘驿马分别去祷告天下名山大川。这些女巫依仗权势，所过之处搅扰州县，索要财物，接受赃物。黄州有一个女巫，正值壮年，长得很漂亮，身后跟着几十名无赖少年，为害尤其严重。到黄州后，住在驿站馆舍。黄州刺史左震清晨到驿站，见馆舍门紧锁着，打不开。左

不可启。震怒，破锁而入，曳巫于阶下斩之，所从少年悉毙之。籍㊳㊳其赃，数十万，具以状闻，且请以其赃代贫民租，遣中使还京师，上无以罪也。

以开府仪同三司李嗣业为怀州刺史，充镇西、北庭行营节度使。

山人㊴韩颖㊵改造新历，丁巳㊶，初行颖历㊷。

【段旨】

以上为第十段，写唐肃宗立太子，定国本。颜杲卿忠烈死贼获封赠。

【注释】

⑫从容：闲暇舒缓。⑬李揆：李揆（公元七一一至七八四年），字端卿，开元进士。官至中书侍郎、平章事、集贤殿崇文馆大学士。传见《旧唐书》卷一百二十六、《新唐书》卷一百五十。⑭再拜：一拜而又拜，表示恭敬的礼节。⑮庚寅：五月十九日。⑯玄道：李玄道（？至公元六二九年），本陇西（今甘肃陇西）人，世居郑州（今河南郑州），为山东冠族。官至给事中，封姑臧县男。传见《旧唐书》卷七十二、《新唐书》卷一百二。⑰乙未：五月二十四日。⑱巫祝俚俗：巫祝，巫师祝祷仪式。俚俗，不文雅的习俗。⑲太仆丞：官名，太仆寺属官，掌判寺事。⑳寿阳：县名，县治在今山西寿阳。㉑诣亲故乞索：向亲戚故旧索取钱帛。亲故，亲戚故旧。乞索，乞求索取。㉒闵：

【原文】

戊午㊸，敕两京陷贼官，三司推究未毕者皆释之，已[22]贬、降者续处分㊹。

太子少师房琯既失职㊺，颇怏怏，多称疾不朝，而宾客朝夕盈门。其党为之扬言于朝云：“琯有文武才，宜大用。”上闻而恶之，下制数琯罪，贬豳州㊻刺史。前祭酒刘秩贬阆州㊼刺史，京兆尹严武㊽贬巴州㊾刺史，皆琯党也。

初，史思明以列将㊿事平卢军使乌知义，知义善待之。知义子承

震大怒，砸坏门锁进去，把女巫拉到屋外台阶下杀了，随从的少年全都杀死。查点登记女巫的赃物，有好几十万，把实际情形详细报告肃宗，并且请求用她的赃物来代替贫民的租税，遣送宫中使者返回京师，肃宗无从怪罪他。

任命开府仪同三司李嗣业为怀州刺史，充任镇西、北庭行营节度使。

山人韩颖重新制定新的历法，六月十七日丁巳，开始实行韩颖的新历。

通“悯”，怜悯。㉓愁悴：忧伤憔悴。㉔比更得钱：等到重新得到钱。㉕群从姊妹：群，诸、众。从姊妹，堂姐妹。㉖均减资粮：指减少原来每人的口粮，与增加的人平均食用。均，平均。减，减少。资粮，物品和粮食。㉗衣衾：衣服和被褥。㉘己酉：六月初九日。㉙太一坛：祭祀太一的神坛。太一，神名，天神之最尊贵者。㉚不豫：帝王有病的避讳之辞。豫，悦、快乐。㉛祟：作祟；暗中谋害人。㉜干求：求取。㉝黄州：州名，治所在今湖北黄冈。㉞盛年：壮年。㉟蠹：蛀蚀；败坏。㊱驿舍：驿站供往来官员住宿的房舍。㊲扃锁：上闩；锁门。㊳籍：登记。㊴山人：指隐士。㊵韩颖：韩颖（？至公元七六二年），善推步星相，肃宗时待诏翰林，任司天监，造新历，称《至德历》。后任秘书监。代宗时以狎昵李辅国被赐死。事见《新唐书》卷一百三十三。㊶丁巳：六月十七日。㊷初行颖历：颖历，指韩颖所造《至德历》。在这之前，所用历为玄宗时僧一行所造《大衍历》。《至德历》行用到宝应元年（公元七六二年），代宗以为不与天合，诏司天台增损《麟德历》和《大衍历》造成《五纪历》而颁行。详《旧唐书》卷三十二、《新唐书》卷二十九。

【语译】

六月十八日戊午，肃宗敕令两京沦陷时投降叛贼的官员，三司审理尚未完毕的全都释放，已被贬谪降职的人继后另有处置。

太子少师房琯失去原先的职位后，很不高兴，常常借口有病不去上朝，而家里从早到晚宾客盈门。他的党羽替他在朝中扬言说：“房琯有文武之才，应当重用。”肃宗听说后非常厌恶，下制书列举房琯的罪状，把他贬为豳州刺史。前任祭酒刘秩被贬为阆州刺史，京兆尹严武被贬为巴州刺史，这两人都是房琯的党羽。

当初，史思明以普通将领的身份在平卢军使乌知义那里效力，乌知义善待了他。

恩为信都太守，以郡降思明，思明思旧恩而全之。及安庆绪败，承恩说[23]思明降唐。李光弼以思明终当叛乱，而承恩为思明所亲信，阴使图之。又劝上以承恩为范阳节度副使，赐阿史那承庆铁券，令共图思明。上从之。

承恩多以私财募部曲，又数衣妇人服诣诸将营说诱之，诸将以白思明，思明疑未察。会承恩入京师，上使内侍李思敬与之俱至范阳宣慰。承恩既宣旨，思明留承恩馆于府中，帷[351]其床，伏二人于床下。承恩少子在范阳，思明使省[352]其父。夜中，承恩密谓其子曰："吾受命除此逆胡，当以吾为节度使。"二人于床下大呼而出。思明乃执承恩，索[353]其装囊[354]，得铁券及光弼牒。牒云："承庆事成则付铁券。不然，不可付也。"又得簿书[355]数百纸，皆先从思明反者将士名。思明责之曰："我何负于汝而为此！"承恩谢曰："死罪。此皆李光弼之谋也。"思明乃集将佐吏民，西向[356]大哭曰："臣以十三万众降朝廷，何负陛下，而欲杀臣！"遂榜杀[357]承恩父子，连坐死者二百余人，承恩弟承玼走免。思明囚思敬，表上其状。上遣中使慰谕思明曰："此非朝廷与光弼之意，皆承恩所为，杀之甚善。"

会三司议陷贼官罪状至范阳，思明谓诸将曰："陈希烈辈皆朝廷大臣，上皇自弃之幸蜀，今犹不免于死，况吾属[358]本从安禄山反乎！"诸将请思明表求诛光弼。思明从之，命判官耿仁智与其僚张不矜为表云："陛下不为臣诛光弼，臣当自引兵就太原诛之。"不矜草表以示思明，及将入函[359]，仁智悉削[360]去之。写表者以白思明，思明命执二人斩之。仁智事思明久，思明怜，欲活之，复召入，谓曰："我任使汝垂三十年，今日非我负汝。"仁智大呼曰："人生会有一死，得尽忠义，死之善者也！今从大夫反，不过延岁月，岂若速死之愈乎！"思明怒，乱捶之，脑流于地。

乌承玼奔太原，李光弼表为昌化郡王[361]，充石岭军使[362]。

乌知义的儿子乌承恩做信都太守，举郡投降史思明，史思明念及旧恩保全了他。等到安庆绪失败，乌承恩劝史思明归降唐朝。李光弼认为史思明最终还是会叛乱的，而乌承恩是史思明亲信的人，就秘密安排他图谋对付史思明。又劝肃宗任命乌承恩为范阳节度副使，赐给阿史那承庆铁券，命令他们一起来图谋史思明。肃宗听从了这个意见。

乌承恩用了许多私人财物去招募部曲，又多次穿着女人的衣服到各将领的军营中去劝诱他们，各将领把这一情况报告了史思明，史思明有所怀疑但没有追查。适逢乌承恩进京，肃宗派内侍李思敬和他一起到范阳宣谕慰问。乌承恩宣布圣旨后，史思明留下乌承恩在府中的客舍住宿，用帷帐把他的床围起来，在床下埋伏了两个人。乌承恩的小儿子在范阳，史思明让他来看望父亲。半夜里，乌承恩悄悄地对他的儿子说："我奉命除掉这个逆贼，将让我做节度使。"这时埋伏的两个人从床下大声呼喊着冲了出来。于是史思明把乌承恩抓起来，搜查他的行囊，得到了铁券和李光弼的公文。公文说："阿史那承庆事情办成了就交给他铁券。否则，不要交给他。"又得到一个几百页的册子，上面记的全是先前跟随史思明反叛的将士的名字。史思明斥责他说："我有什么对不起你的而你竟干出这种事来！"乌承恩谢罪说："我有死罪。这都是李光弼的计谋。"史思明于是集合将领辅佐官吏百姓，面朝西大哭道："我以十三万部众归降朝廷，有什么对不起陛下的，陛下却要杀我！"然后打死了乌承恩父子，连坐而死的有两百多人，乌承恩的弟弟乌承玼逃脱。史思明囚禁了李思敬，上表说明这一情况。肃宗派宫中使者来慰问晓谕史思明说："这不是朝廷和李光弼的意思，都是乌承恩自己所为，杀了他很好。"

适逢三司处置投降叛贼官员罪状的文书传到范阳，史思明对众将说："陈希烈等人都是朝廷大臣，太上皇自己抛弃他们逃到蜀中，如今他们仍然不免一死，何况我们这些人本来就是跟随安禄山反叛的人呢！"众将请史思明上表要求杀了李光弼。史思明依从了，命判官耿仁智和他的幕僚张不矜写表文说："陛下如果不为臣诛杀李光弼，臣将亲自带兵到太原去诛杀他。"张不矜起草表文给史思明看过，等到将要装入封套时，耿仁智把这些话全都删去了。抄写表文的人把这件事报告了史思明，史思明下令抓捕这两人斩首。耿仁智在史思明麾下效力已久，史思明怜惜他，想让他活命，又召他进来，对他说："我任用你将近三十年，今天不是我对不住你。"耿仁智大叫说："人生必有一死，得以竭尽忠义，这是最好的死法！现在跟随大夫您反叛，不过是多活了些时日，哪里像速死这样好呢！"史思明大怒，用乱棒打他，脑浆流了一地。

乌承玼逃到太原，李光弼上表请求任命他为昌化郡王，充石岭军使。

【段旨】

以上为第十一段，写朝廷失策，唐肃宗密谋诛杀史思明而谋泄。

【注释】

㉝㊸戊午：六月十八日。㉝㊹续处分：《册府元龟》卷四十一《帝王部·宽恕》作“续有处分”，为继后另作处置之意。㉝㊺失职：指至德二载（公元七五七年）四月罢房琯宰相之职，任太子少师，实夺其权。㉝㊻豳州：州名，治所在今陕西彬州。㉝㊼阆州：州名，治所在今四川阆中。㉝㊽严武：严武（公元七二六至七六五年），中书侍郎严挺之之子，官至黄门侍郎、剑南节度使，封郑国公。传见《旧唐书》卷一百十七、《新唐书》卷一百二十九。㉝㊾巴州：州名，治所在今四川巴中。㉟⓪列将：众将之一。列，众多。㉟①帷：帐幕。

【原文】

秋，七月丙戌[363]，初铸当十大钱，文曰“乾元重宝”，[364]从御史中丞第五琦之谋也。

丁亥[365]，册命回纥可汗曰英武威远毗伽阙可汗，以上幼女宁国公主[366]妻之。以殿中监汉中王瑀为册礼使[367]，右司郎中[368]李巽[369]副之，命左仆射裴冕送公主至境上。戊子[370]，又以司勋员外郎[371]鲜于叔明[372]为瑀副。叔明，仲通之弟也。甲午[373][24]，上送宁国公主至咸阳。公主辞诀曰：“国家事重，死且无恨。”上流涕而还。

瑀等至回纥牙帐，可汗衣赭袍[374]胡帽，坐帐中榻上，仪卫甚严，引瑀等立于帐外。瑀不拜而立，可汗曰：“我与天可汗[375]两国之君，君臣有礼，何得不拜？”瑀与叔明对曰：“向者唐与诸国为婚，皆以宗室女为公主。今天子以可汗有功，自以所生女妻可汗，恩礼至重，可汗奈何[376]以子婿傲妇翁，坐榻上受册命邪！”可汗改容，起受册命。明日，立公主为可敦[377]，举国皆喜。

乙未[378]，郭子仪入朝。

八月壬寅[379]，以青、登等五州节度使[380]许叔冀为滑、濮等六州节度使。

这里用作动词，意为使用帷帐。㉜省：看望。㉝索：搜索。㉞装囊：出行时盛装用物的口袋。㉟簿书：记载人员或事物的簿籍。㊱西向：向着西方的京师长安。㊲榜杀：杖击鞭打而死。榜，古代刑法之一，杖击或鞭打。㊳属：类；辈。㊴函：封套。㊵削：删削。㊶郡王：爵名，唐封爵九等中的第二等，从一品，食邑五千户。㊷石岭军使：使职名，戍守石岭军的差遣军官。其地在今山西忻州。

【校记】

[22] 已：原无此字。据章钰校，十二行本、乙十一行本皆有此字，张敦仁《通鉴刊本识误》同，今据补。[23] 说：原作"劝"。据章钰校，十二行本、乙十一行本、孔天胤本皆作"说"，张敦仁《通鉴刊本识误》同，今从改。

【语译】

秋，七月十六日丙戌，开始铸造以一当十的大钱，钱上的文字为"乾元重宝"，这是采纳御史中丞第五琦的建议。

七月十七日丁亥，册封回纥可汗为英武威远毗伽阙可汗，把肃宗的幼女宁国公主嫁给他为妻。任命殿中监汉中王李瑀为册礼使，右司郎中李巽为副使，命左仆射裴冕护送公主到边境上。十八日戊子，又任命司勋员外郎鲜于叔明为李瑀的副使。鲜于叔明，是鲜于仲通的弟弟。二十四日甲午，肃宗送宁国公主到咸阳。公主辞别说："国家的事情重要，我即使死了也无所遗憾。"肃宗流着眼泪回来了。

李瑀等人来到回纥牙帐，可汗身穿红褐色的袍子，头戴胡人的帽子，坐在帐中榻上，仪仗卫队十分严整，有人引领李瑀等人站在帐外。李瑀见了可汗站着不施跪拜，可汗说："我和唐朝天可汗是两国的国君，君臣之间有礼节，你怎么能不跪拜?"李瑀和鲜于叔明回答说："过去我们唐朝和各国通婚，都是以宗室之女作为公主。如今天子认为可汗有功，把自己的亲生女儿嫁给可汗为妻，恩德礼遇极为隆重，可汗怎么能够以女婿的身份而怠慢岳丈大人，坐在榻上接受册命呢!"可汗迅即改变态度，起身接受册命。第二天，立公主为可敦，举国都很高兴。

七月二十五日乙未，郭子仪入朝。

八月初三日壬寅，任命青州、登州等五州的节度使许叔冀为滑州、濮州等六州的节度使。

庚戌[381]，李光弼入朝。

丙辰[382]，以郭子仪为中书令，光弼为侍中。

丁巳[383]，子仪诣行营[384]。

回纥遣其臣骨啜特勒[385]及帝德将骁骑三千助讨安庆绪，上命朔方左武锋使仆固怀恩领之。

九月庚午[386]朔，以右羽林大将军赵泚为蒲、同、虢三州节度使[387]。

丙子[388]，招讨党项使[389]王仲昇[390]斩党项酋长拓跋戎德，传首。

安庆绪之初至邺也，虽枝党离析，犹据七郡[391]六十余城，甲兵资粮丰备。庆绪不亲政事，专以缮台沼楼船[392]、酣饮为事。其大臣高尚、张通儒等争权不叶，无复纲纪[393]。蔡希德有才略[394]，部兵精锐，而性刚，好直言，通儒谮而杀之，麾下数千人皆逃散，诸将怨怒不为用。以崔乾祐为天下兵马使，总中外兵。乾祐愎戾[395]好杀，士卒不附。

庚寅[396]，命朔方郭子仪，淮西鲁炅，兴平李奂[397]，滑濮许叔冀，镇西、北庭李嗣业，郑蔡季广琛[398]，河南崔光远七节度使及平卢兵马使董秦将步骑二十万讨庆绪，又命河东李光弼，关内、泽潞王思礼二节度使将所部兵助之。上以子仪、光弼皆元勋，难相统属，故不置元帅，但以宦官开府仪同三司鱼朝恩[399]为观军容宣慰处置使[400]。观军容之名自此始。

【段旨】

以上为第十二段，写唐肃宗与回纥和亲，大发兵讨叛贼安庆绪。

【注释】

[363]丙戌：七月十六日。[364]初铸当十大钱二句：乾元元年（公元七五八年）因国家经费困难，铸钱使第五琦请铸新钱“乾元重宝”，径一寸，每千钱重十斤，与开元通宝钱参用，以一当十，故又称“乾元当十钱”。详《旧唐书》卷四十八、《新唐书》卷五十四。[365]丁亥：七月十七日。[366]宁国公主：肃宗第二女，乾元元年远嫁回纥可汗，次年可汗死，公主回唐。传见《新唐书》卷八十三。[367]册礼使：使职名，天子为册封少数民族首领而差遣的奉册书去进行册封典礼的长官。[368]右司郎中：官名，唐尚书都省（尚书

十一日庚戌，李光弼入朝。

十七日丙辰，任命郭子仪为中书令，李光弼为侍中。

十八日丁巳，郭子仪前往节度行营。

回纥派遣大臣骨啜特勒及帝德率领骁勇骑兵三千人协助讨伐安庆绪，肃宗命朔方左武锋使仆固怀恩统领这支军队。

九月初一日庚午，任命右羽林大将军赵泚为蒲州、同州、虢州三州的节度使。

初七日丙子，招讨党项使王仲昇杀了党项酋长拓跋戎德，传送首级到京师。

安庆绪刚到邺城时，虽然分支党羽离散，但仍然占据着七个郡六十多座城，铠甲兵器物资粮食都很充足。安庆绪不亲理政事，专心修缮亭台池沼楼船，畅饮作乐。他的大臣高尚、张通儒等人因争权不和，不再顾及法纪。蔡希德有才干谋略，部下士兵精锐，但他性格刚强，喜欢直言，张通儒诬陷他，把他杀了，他的部下几千人都四处逃散，各将领怨恨愤怒，不再为安庆绪所用。安庆绪任命崔乾祐为天下兵马使，总揽内外兵权。崔乾祐固执乖戾，喜欢杀人，士卒都不愿跟着他。

九月二十一日庚寅，命朔方节度使郭子仪，淮西节度使鲁炅，兴平节度使李奂，滑濮节度使许叔冀，镇西、北庭节度使李嗣业，郑蔡节度使季广琛，河南节度使崔光远等七个节度使及平卢兵马使董秦率领步兵骑兵二十万讨伐安庆绪，又命河东节度使李光弼，关内、泽潞节度使王思礼等两个节度使率领部下兵马前去帮助。肃宗因为郭子仪、李光弼都是元勋，难以彼此统属，所以不设立元帅，只是任命宦官开府仪同三司鱼朝恩为观军容宣慰处置使。观军容的名称从此开始。

省的总官署）有作为令仆僚属的左右丞分管六部政务。左右司郎中、员外郎又是左右丞的副贰。左司郎中、员外郎协助左丞管吏、户、礼三部，右司郎中、员外郎协助右丞管兵、刑、工三部。㊱李巽：李巽（公元七四七至八〇九年），字令叔，赵州赞皇（今河北赞皇）人，任度支盐铁使，颇有政绩。官至兵部、吏部尚书。传见《旧唐书》卷一百二十三、《新唐书》卷一百四十九。㊲戊子：七月十八日。㊳司勋员外郎：官名，吏部司勋司副官，协助司勋郎中掌勋官的核定和奏拟。㊴鲜于叔明：鲜于叔明（？至公元七八七年），阆州新政（今四川仪陇的新政镇）人，代宗赐姓李，又称李叔明。官至尚书右仆射。传见《旧唐书》卷一百二十二、《新唐书》卷一百四十七。㊵甲午：七月二十四日。㊶赭袍：红袍。㊷天可汗：可汗，突厥、回纥等少数民族君主的称号。贞观四年（公元六三〇年），各族君长请尊太宗为天可汗。以后凡唐天子给予各族君长的玺书，皆称皇帝天可汗。此指唐肃宗。㊸奈何：如何；怎么。㊹可敦：可汗正室之号。㊺乙未：

七月二十五日。㊲⑨壬寅：八月初三日。㊳⓪青、登等五州节度使：前云北海节度使，领青、密、登、莱四州，今增领滑、濮二州为六州节度使。“五”疑误。㊳①庚戌：八月十一日。㊳②丙辰：八月十七日。㊳③丁巳：八月十八日。㊳④行营：离开本镇，处于征战行动中的军营。㊳⑤骨啜特勒：回纥王子。唐授以银青光禄大夫、鸿胪卿员外置。“勒”应作“勤”。㊳⑥庚午：九月初一日。㊳⑦蒲、同、虢三州节度使：至德二载（公元七五七年）置河中节度使，领蒲、绛等七州。今分此三州置节度使，是由于争战之际，分命节帅以扼要地，故节度使及其所统之地，常有增减离合，随时制宜。㊳⑧丙子：九月初七日。㊳⑨招讨党项使：使职名，为招抚讨伐党项叛酋而派出的差遣官。党项，即党项羌，族名，羌人的一支，最初分布在今青海东南部和四川西北地带，后向北迁移，至今宁夏、陕北一带。㊴⓪王仲昇：曾做淮西节度使、右羽林大将军兼御史大夫。其事散见《旧唐书》卷一百十四、《新唐书》卷一百四十四《来瑱传》等篇。㊴①七郡：指汲、邺、赵、魏、平原、清河、博平。㊴②缮台沼楼船：指修建供游玩享乐的设施。缮，修建。台，楼台。沼，水池。楼船，有上层的游船。㊴③纲纪：法度；法纪。㊴④才略：才能谋略。㊴⑤愎戾：执拗乖僻。愎，任性、固执。戾，乖张、不讲情理。㊴⑥庚寅：九月二十一日。㊴⑦李奂：仅知

【原文】

癸巳[401]，广州奏大食、波斯[402]围州城，刺史韦利见逾城走[403]，二国兵掠仓库，焚庐舍[404]，浮海而去。

冬，十月甲辰[405]，册太子，更名曰豫[406]。自中兴以来，群下无复赐物。至是，始有新铸大钱，百官、六军[407]沾赉[408]有差。

郭子仪引兵自杏园[409]济河，东至获嘉[410]，破安太清，斩首四千级，捕虏五百人。太清走保卫州，子仪进围之。丙午[411]，遣使告捷。鲁炅自阳武[412]济，季广琛、崔光远自酸枣[413]济，与李嗣业兵皆会子仪于卫州。庆绪悉举邺中之众七万救卫州，分三军，以崔乾祐将上军，田承嗣将下军，庆绪自将中军。子仪使善射者三千人伏于垒垣[414]之内，令曰：“我退，贼必逐我，汝乃登垒，鼓噪而射之。”既而与庆绪战，伪退，贼逐之，至垒下，伏兵起射之，矢如雨注。贼还走，子仪复引兵逐之，庆绪大败。获其弟庆和，杀之，遂拔卫州。庆绪走，子仪等追之至邺，许叔冀、董秦、王思礼及河东兵马使薛兼训皆引兵继至。庆绪收余兵拒战于愁思冈[415]，又败。前后斩首三万级，捕虏千人。庆绪

其曾任兴平节度使，豫、许、汝等州节度使，剑南东川节度使。其事散见《旧唐书》卷一百十二《李巨传》、《新唐书》卷二百二十五上《史思明传》等篇。㊳⑧季广琛：曾任荆州长史，青、徐、许等六州节度使，郑蔡节度使，宣州刺史，浙江西道节度使，右散骑常侍等官。其事散见《旧唐书》卷九十二《韦陟传》、《新唐书》卷八十二《十一宗诸子·永王璘传》等篇。㊴⑨鱼朝恩：鱼朝恩（公元七二二至七七〇年），泸州泸川（今四川泸州）人，天宝末年以宦者入内侍省。甚得肃宗、代宗恩宠，官历左监门卫大将军知内侍省事，天下观军容宣慰处置使，专领神策军，兼光禄、鸿胪、礼宾、内飞龙、闲厩等使，判国子监事，加内侍监，封韩国公。大历五年（公元七七〇年），唐代宗使宰相元载谋杀之。传见《旧唐书》卷一百八十四、《新唐书》卷二百七。㊵⓪观军容宣慰处置使：监军使，使职名，以宦官充任的为监督出征将帅的差遣官。权力甚大，各军将帅均须听其处置。

【校记】

［24］甲午：原误作“甲子”。严衍《通鉴补》改作“甲午”，今据以校正。〖按〗七月辛未朔，无甲子日。

【语译】

九月二十四日癸巳，广州奏报大食、波斯的军队包围州城，刺史韦利见翻越城墙逃跑了，两国的士兵抢劫仓库，焚烧屋舍，从海上乘船离去。

冬，十月初五日甲辰，册封太子，改名为豫。自中兴以来，对群臣不再赏赐财物。到这时，开始有新铸造的大钱，因此百官、六军都得到了数量不等的赏赐。

郭子仪率兵从杏园镇渡过黄河，向东到达获嘉县，击败安太清，斩获四千首级，抓到敌军五百人。安太清逃跑固守卫州，郭子仪进兵包围卫州。十月初七日丙午，派使者向朝廷报捷。鲁炅从阳武县渡河，季广琛、崔光远从酸枣县渡河，与李嗣业的部队全部在卫州与郭子仪会合。安庆绪调动邺中全部士卒七万人救援卫州，把军队分成三部分，派崔乾祐率领上军，田承嗣率领下军，安庆绪自己率领中军。郭子仪派擅长射箭的士卒三千人埋伏在营垒之内，下令说：“我后退，贼军必定追赶我，你们便登上营垒，擂鼓叫喊放箭射向他们。”随后与安庆绪交战，假装撤退，贼军追赶他，来到营垒下，伏兵起来向叛贼放箭，箭如雨下。贼军退走，郭子仪又带兵追击他们，安庆绪大败。抓获他的弟弟安庆和，杀了他，于是攻克卫州。安庆绪逃走，郭子仪等人追赶到邺城，许叔冀、董秦、王思礼以及河东兵马使薛兼训都带兵相继赶到。安庆绪收拾残余兵力在愁思冈抵御官兵，又被打败。前后杀死了三万人，俘获敌军

乃入城固守，子仪等围之，李光弼引兵继至[25]。庆绪窘急，遣薛嵩求救于史思明，且请以位让之。思明发范阳兵十三万欲救邺，观望未敢进，先遣李归仁将步骑一万军于滏阳⑯，遥为庆绪声势。

甲寅⑰，上皇幸华清宫。十一月丁丑⑱，还京师。

崔光远拔魏州。丙戌⑲，以前兵部侍郎萧华为魏州防御使。会史思明分军为三,一出邢、洺，一出冀、贝，一自洹水⑳趣魏州。郭子仪奏以崔光远代华，十二月癸卯㉑，敕以光远领魏州刺史。

甲辰㉒，置浙江西道节度使，领苏、润等十州，㉓以升州刺史韦黄裳为之。庚戌㉔，置浙江东道节度使，领越、睦等八州，㉕以户部尚书李峘为之，兼淮南节度使。

己未㉖，群臣请上尊号曰乾元大圣光天文武孝感皇帝，许之。

史思明乘崔光远初至，引兵大下，光远使将军李处崟㉗拒之。贼势盛，处崟连战不利，还趣城。贼追至城下，扬言曰："处崟召我来，何为不出！"光远信之，腰斩㉘处崟。处崟，骁将，众所恃也[26]。既死，众无斗志。光远脱身走还汴州。丁卯㉙，思明陷魏州，所杀三万人。

【段旨】

以上为第十三段，写郭子仪受命率领九节度使之兵讨安庆绪，史思明复叛。

【注释】

㉑癸巳：九月二十四日。㉒波斯：西亚古国名，都于达曷水（今伊拉克底格里斯河）西苏兰城（《大唐西域记》曰苏剌萨傥那）。隋末一度被西突厥征服，公元七世纪中叶为大食所灭。皇子卑路斯东逃吐火罗，遣使至唐求援，唐高宗以路远出兵困难，婉言谢遣。龙朔元年（公元六六一年）唐于疾陵城（今伊朗锡斯坦东北）置波斯都督府，由卑路斯兼任都督。咸亨五年（公元六七四年）卑路斯来唐访问病死。调露元年（公元六七九年）高宗命大将送卑路斯子泥涅师归国，至安西碎叶西城而止。泥涅师客居吐火罗，部落离散。中宗时泥涅师来唐，病死中国。㉓逾城走：翻越城墙逃跑。㉔庐舍：泛指一般房屋。㉕甲辰：十月初五日。㉖更名曰豫：太子生时，豫州献嘉禾，以为祥瑞，据此更名为"豫"。㉗六军：北衙六军，禁军。㉘沾赉：受赏赐。㉙杏园：杏园镇。在今河南卫辉

一千人。安庆绪于是入城固守，郭子仪等人包围了邺城，李光弼率军相继到达。安庆绪窘困急迫，派薛嵩向史思明求救，并且请求把自己的位置让给他。史思明调发范阳士兵十三万人想去救援邺城，犹豫观望，不敢进兵，先派李归仁率步兵、骑兵一万人驻扎在滏阳，在远处为安庆绪增强声势。

十月十五日甲寅，太上皇驾临华清宫。十一月初八日丁丑，回到京师。

崔光远攻克魏州。十一月十七日丙戌，任命前兵部侍郎萧华为魏州防御使。适逢史思明把军队分成三路，一路出邢州、洺州，一路出冀州、贝州，一路从洹水县赴魏州。郭子仪奏请任命崔光远代替萧华，十二月初五日癸卯，下敕书任命崔光远领魏州刺史。

十二月初六日甲辰，设置浙江西道节度使，管辖苏州、润州等十州，任命升州刺史韦黄裳担任此职。十二日庚戌，设置浙江东道节度使，管辖越州、睦州等八州，任命户部尚书李峘担任此职，并兼淮南节度使。

十二月二十一日己未，群臣请求给肃宗上尊号为乾元大圣光天文武孝感皇帝，肃宗同意了。

史思明趁崔光远刚到，带兵大举进攻，崔光远派将军李处崟抵御。叛贼气势正盛，李处崟接连交战失利，便向城里退去。叛贼追到城下，扬言说："处崟叫我们来的，为什么不出来！"崔光远相信了叛贼离间的谣言，腰斩了李处崟。李处崟是一员猛将，打仗时大家还要靠他。他死后，大家没了斗志。崔光远脱身逃回汴州。十二月二十九日丁卯，史思明攻陷魏州，杀死的有三万人。

东南，旧为黄河津渡处。⑩获嘉：县名，县治在今河南获嘉。⑪丙午：十月初七日。⑫阳武：县名，县治在今河南原阳。⑬酸枣：县名，县治在今河南延津西北。⑭垒垣：壁垒，用为军事防御。垒，营墙、壁垒。垣，矮墙。⑮愁思冈：地名，在今河南安阳西南。⑯滏阳：县名，县治在今河北磁县。⑰甲寅：十月十五日。⑱丁丑：十一月初八日。⑲丙戌：十一月十七日。⑳洹水：县名，县治在今河北大名西。㉑癸卯：十二月初五日。㉒甲辰：十二月初六日。㉓浙江西道节度使二句：浙江西道节度使，使职名，浙江西道差遣长官，乾元元年（公元七五八年）置，治所在升州（今江苏南京），领有升、润、宣、歙、饶、江、苏、常、杭、湖十州。㉔庚戌：十二月十二日。㉕浙江东道节度使二句：浙江东道节度使，使职名，浙江东道差遣长官，乾元元年置，治所在越州（今浙江绍兴），领有越、睦、衢、婺、台、明、处、温八州。㉖己未：十二月二十一日。㉗李处崟：唐将，受叛军离间而被冤杀。其事散见《旧唐书》卷一百十一、《新唐书》卷一百四十一《崔光远传》。㉘腰斩：古代酷刑。将犯人肢体斩为两截。㉙丁卯：十二月二十九日。

【校记】

［25］李光弼引兵继至：原无此句。据章钰校，十二行本、乙十一行本、孔天胤本皆有此句，张敦仁《通鉴刊本识误》同，今据补。［26］也：原无此字。据章钰校，十二行本、乙十一行本皆有此字，张敦仁《通鉴刊本识误》同，今据补。

【原文】

平卢节度使王玄志薨，上遣中使往抚慰[27]将士，且就察军中所欲立者，授以旌节。高丽人李怀玉[430]为裨将，杀玄志之子，推侯希逸为平卢军使。希逸之母，怀玉姑也，故怀玉立之。朝廷因以希逸为节度副使。节度使由军士废立自此始。

臣光曰："夫民生有欲，无主则乱，[431]是故圣人制礼以治之。自天子、诸侯至于卿、大夫、士、庶人，尊卑有分[432]，大小有伦[433]，若纲条之相维[434]，臂指之相使[435]，是以民服事[436]其上，而下无觊觎。其在《周易》，'上天、下泽，履[437]。'《象》曰：'君子以辨上下，定民志。'[438]此之谓也。凡人君所以能有其臣民者，以八柄[439]存乎己也。苟或舍之，则彼此之势均[440]，何以使其下哉！

"肃宗遭唐中衰，幸而复国，是宜正上下之礼，以纲纪[441]四方。而偷取一时之安，不思永久之患。彼命将帅，统藩维[442]，国之大事也，乃委一介之使[443]，徇行伍之情[444]，无问贤不肖，惟其所欲与者则授之。自是之后，积习为常，君臣循守，以为得策[445]，谓之姑息。乃至偏裨[446]士卒，杀逐主帅，亦不治其罪，因以其位任授之。然则爵禄、废置、杀生、予夺，皆不出于上而出于下，乱之生也，庸有极乎！

"且夫有国家者，赏善而诛恶，故为善者劝，为恶者惩。彼为人下而杀逐其上，恶孰大焉！乃使之拥旄秉钺[447]，师长一方[448]，

【语译】

平卢节度使王玄志死了，肃宗派宫中宦官使者前往抚慰将士，并且就近考察军中所要拥立的人，把旌节授予他。高丽人李怀玉做裨将，杀了王玄志的儿子，推举侯希逸为平卢军使。侯希逸的母亲是李怀玉的姑妈，所以李怀玉拥立他。朝廷于是任命侯希逸为节度副使。节度使由军士废立从此开始。

臣司马光说："人的天性就有欲望，没有君主就会产生动乱，因此，圣人制定礼来进行治理。从天子、诸侯到卿、大夫、士、庶人，尊卑不同，各有名分，大小之间也有一定的等级次序，就像大纲和条目那样统辖维系，又像手臂和手指那样听从支使，因此百姓为在上的人奔走服役，而在下的人不会有非分之想。《周易》中的《象传》说：'上面是天，下面是泽，这是履卦。'《象传》又说：'君子以此来分辨上下尊卑，安定人民的心志。'说的就是这个道理。大凡人君所以能保有自己的臣民，是因为八种权柄掌握在自己手里。如果放弃了，那么君臣之间势均力敌，又靠什么来支使其臣下呢！

"肃宗遭遇唐朝中道衰乱，幸而复国，本应该端正君臣上下之礼，用以治理四方。而他却只顾获取一时的平安，不考虑长远的祸患。任命将帅，统辖藩镇，本是国家的大事，却委派一个使者，曲从于士兵的情绪，不问贤能与否，只要那些人想给谁就授予谁。从此之后，习以为常，君臣都因循遵守，以为做法得当，这可称之为姑息。乃至于偏将裨将士卒，杀死或驱逐主帅，也不治他们的罪，反而就此将主帅的位置授予他。这样一来，爵禄、废置、杀生、予夺，都不是出于君上而是出于臣下，那么动乱的产生难道还有个完吗?!

"再说享有国家的君主，要奖赏善良，严惩凶恶，这样行善的人受到鼓励，作恶的人得到惩罚。那些身为部下的人反而杀死或驱逐他的上司，没有比这更大的恶行了！竟然让他掌握军权，成为一方的众官之长，这是在奖赏他啊。用

是赏之也。赏以劝恶㊾，恶其何所不至乎！《书》云：‘远乃猷㊿。’《诗》云：‘猷之未远，是用[28]大谏。’[451]孔子曰：‘人无远虑，必有近忧。’为天下之政而专事姑息，其忧患可胜校[452]乎！由是为下者常眄眄[453]焉伺其上，苟得间[454]则攻而族[455]之。为上者常惴惴[456]焉畏其下，苟得间则掩而屠之。争务先发以逞其志，非有相保养为俱利久存之计也。如是而求天下之安，其可得乎！迹其厉阶[457]，肇[458]于此[459]矣。

“盖古者治军必本于礼，故晋文公[460]城濮之战[461]，见其师少长有礼，知其可用。[462]今唐治军而不顾礼，使士卒得以陵[463]偏裨，偏裨得以陵将帅，则将帅之陵天子，自然之势也。由是祸乱继起[464]，兵革[465]不息，民坠涂炭，无所控诉，凡二百余年，然后大宋[466]受命。太祖[467]始制军法，使以阶级[468]相承[469]，小有违犯，咸伏[470]斧质[471]。是以上下有叙[472]，令行禁止[473]，四征不庭[474]，无思不服，宇内乂安[475]，兆民允殖[476]，以迄于今，皆由治军以礼故也，岂非诒谋[477]之远哉！”

是岁，置振武节度使[478]，领镇北大都护府[479]、麟胜二州[480]。又置陕、虢、华及豫、许、汝二节度使。安南经略使为节度使[481]，领交、陆等十一州。

吐蕃陷河源军。

【段旨】

以上为第十四段，写唐肃宗允许平卢士兵推举侯希逸为节度使，开了方镇割据的一个恶例，受到司马光的批评。

奖赏来鼓励恶行，恶行怎么能不到处产生呢！《尚书》说：‘谋略要为长远考虑。’《诗经》说：‘谋略不为长远考虑，因此要大力进谏。’孔子说：‘人无远虑，必有近忧。’主持天下的政事而一味姑息，带来的忧患还能数得尽吗?！从此身处下位的常常斜着眼窥伺他的上司，如果得到机会就会攻击他乃至灭他一族。做上司的常常惴惴不安地畏惧他的下属，如果得到机会也会乘其不备而屠杀他。双方都争相务必要先发制人以让自己的意图得逞，而没有互相保全养护以让双方都有利并长期存在的考虑。像这样而想求得天下的安定，难道能办到吗?！推究唐朝出现危局的缘由，就是从这件事开始的。

“古代治理军队必定以礼为本，所以春秋时晋文公在晋、楚城濮之战中，看到自己的军队少长有礼，便知道可以用来一战。如今唐朝治军不顾礼法，使得士卒可以侮辱偏裨将领，偏裨将领可以侮辱将军主帅，那么将军主帅侮辱天子，就是很自然的情势了。由此祸乱相继发生，战争没有停息过，生民涂炭，无处申诉，一共二百多年，然后大宋受天命而有天下。太祖皇帝开始制定军法，让军队按照官阶等级的高低相互承接制约，略有违反，都要遭受杀身的惩治。因此上下有序，令行禁止，四面征讨不守礼法的势力，无不顺服，天下太平安定，亿万百姓得以生养蕃息，直到今天。这都是由于用礼法治军，这难道不是留下的谋略堪称深远吗?！”

这一年，设置振武节度使，管辖镇北大都护府和麟州、胜州两州。又设置陕、虢、华州以及豫、许、汝州两个节度使。改安南经略使为节度使，管辖交州、陆州等十一州。

吐蕃攻陷河源军。

【注释】

㉚ 李怀玉：李怀玉（公元七三三至七八一年），高丽人，赐名李正己。传见《旧唐书》卷一百二十四、《新唐书》卷二百十三。㉛ 民生有欲二句：语出《尚书·仲虺之诰》。本句意为人的天性就是有各种欲望，没有人统领就会天下大乱。民生，指人的本性。㉜ 尊卑有分：爵位尊卑有一定的名分。㉝ 大小有伦：宗支大小有一定的次序。伦，伦次、条理顺序。㉞ 纲条之相维：语出《尚书·说命》：“若网在纲，有条而不紊。”指网绳彼此联系，有条不紊。纲，提网的绳。条，条理。维，系、连结。㉟ 臂指之相使：语出《汉书》卷四十八《贾谊传》，贾谊《陈政事疏》所云：“今海内之势，如身之使臂，臂

之使指，莫不制从。”形容运用自如，若胳臂之运动手指。臂，胳臂。指，手指。使，使用。㊱服事：奔走劳役。㊲履：《周易》卦名，六十四卦之一。䷉，兑下乾上。㊳《象》曰三句：此为对履卦的解释。意思是君子用辨别上下尊卑大小来安定民心。象，《周易》的爻辞，每卦有六画，称为六爻，爻各有所象。象即为解释之辞。㊴八柄：古代君王所执掌而用来治事的八种威权。即爵、禄、予（赐予）、置（赦免）、生（死罪议生）、夺（没收家财）、废（废除）、诛。㊵势均：威权同等。㊶纲纪：治理；统治。㊷藩维：指藩镇。㊸一介之使：一个使臣。指派宦官为使。㊹徇行伍之情：顺从兵士的意志。徇，顺从、曲行。行伍，指兵士。㊺得策：谋略得当。㊻偏裨：偏将与裨将。将佐的通称。㊼拥旄秉钺：指掌握军权。旄，旌旄，竿顶用旄牛尾为饰的旗。唐制，节度使专制军事，赐双旌双节，旌以专赏，节以专杀。拥旌旄，意即专有军权。钺，古兵器，用于斫杀，状如大斧，有穿孔，安装长柄。古代帝王出征，秉钺而行，大将荷命征伐，亦有赐钺之举，皆谓掌有军中生杀大权。㊽师长一方：为一方之长。㊾赏以劝恶：赏赐用以奖励罪恶。㊿远乃猷：语出《尚书·康诰》："顾乃德，远乃猷。"指制定久远的政策。远，长远、远大。乃，语气词，无义。猷，谋略。(451)猷之未远二句：语出《诗经·板》。意为策略（指政令）不考虑久远，只图一时安宁，因此要极力劝谏。未远，不久远。是用，是以、因此。大谏，大力劝谏。(452)胜校：尽算；计算得完。胜，尽。校，计算。(453)眄眄：斜视。(454)间：空隙；机会。(455)族：灭族。(456)惴惴：恐惧貌。(457)厉阶：祸端。厉，为恶、祸害。(458)肇：开始。(459)此：指命侯希逸帅平卢。(460)晋文公：晋文公（？至公元前六二八年），春秋时晋君，名重耳，献公之子。献公宠骊妃，杀太子申生，重耳在外流亡十九年，以秦穆公之力得返为君。在位九年，励精图治，遂霸诸侯。事见《史记·晋世家》。(461)城濮之战：我国历史上一次以弱胜强的著名战役。公元前六三二年，晋、楚战于城濮，楚强晋弱，晋军先退九十里，选择楚军薄弱的左右两翼，给予沉重打击，大败楚军。城濮，地名，在今山东鄄城西南临濮镇。(462)少长有礼二句：据《左传》僖公二十八年，晋、楚战于城濮，"晋侯登有莘之虚以观师，曰：'少长有礼，其可用也。'"少长有礼，年轻人与年长者彼此遵守礼法。言从军队有礼法，可知其战斗力强，能够打胜仗。(463)陵：侮辱；欺凌。(464)继起：连续不断地兴起。(465)兵革：指战争。兵，戈、矛、刀、箭等武器。革，甲胄。(466)大宋：大，敬辞。《资治通鉴》编撰者司马光为宋代人，故称其本朝为大宋。宋朝在唐、五代之后，存在于公元九六〇至一二七九年。(467)太祖：宋太祖赵匡胤（公元九二七至九七六年），宋朝开国皇帝，公元九六〇至九七六年在位。事见《宋史·太祖纪》。(468)阶级：指尊卑上下的等级。(469)相承：相连接；相承接。(470)伏：承受。(471)斧质：古刑具。置人于锧上以斧砍之。(472)叙：秩序；次序。(473)令行禁止：发布的号令能够执行，禁约能够制止。也就是有令即行，有禁即止，法令能够严格执行。(474)四征不庭：四面征讨不臣服于朝廷者。不庭，指背叛而不朝拜王庭。(475)乂安：安定、平安。乂，安定。(476)兆民允殖：亿万人民得以生产、生活。兆民，指万民，极言数目之多的人民。允殖，生长、繁殖。㊼治谋：语出《诗经·文王有声》："诒厥孙谋，以燕翼子。"谓为子孙妥善谋划，使子孙安乐。诒，遗留。㊽振武节度使：使职名，振武方镇的差遣长官，乾元元年（公元七五八年）置，治所在今内蒙古和林格尔西北土城子。㊾镇北大都护府：据近人考证，镇北大都护府即安北大都护府。见《禹贡》第五卷第十期邝平章《唐代都护府之设置及变迁》。安北大都护府，为唐代八都护府之一。治所屡移，开元时治所迁到中受降城是，在今内蒙古包头西南黄河北岸。㊿麟胜二州：州名，麟州治所在今陕西神木北，胜州治所在今内蒙古准格尔旗东北十二连城。481安南经略使为节度使：安南经略使，使职名，安南管内差遣长官，天宝十载（公元七五一年）置，领交、陆、峰、爱、驩、长、福禄、芝、武峩、演、武安十一州，治交州（治所在今越南河内东），为岭南五府经略使所统辖的军镇之一。至乾元元年（公元七五八年）升经略使为节度使，仍领十一州之地。

【校记】

［27］慰：原无此字。据章钰校，十二行本、乙十一行本、孔天胤本皆有此字，张敦仁《通鉴刊本识误》同，今据补。［28］用：原作"谓"。据章钰校，十二行本、乙十一行本、孔天胤本皆作"用"，张敦仁《通鉴刊本识误》同，今据改。

【研析】

本卷研析四事。李泌辞官，唐肃宗不仁，张巡殉国之是非，司马光的两条史论。

第一，李泌辞官。李泌，京兆人，青年时就以才敏著称，上书言事受到唐玄宗的赏识，召为待诏翰林，供奉东宫。李泌不肯为官，与太子李亨为布衣交，太子尊李泌为先生。李泌被杨国忠排挤出京，隐居在颍阳。唐肃宗在灵武即位，文武官不满三十人，其中没有特出的人才，他的身边还有宠妾张良娣、宦官李辅国两个佞人，带给肃宗重大的负面影响。这时郭子仪带兵勤王，肃宗召回李泌，唐肃宗有了这一文一武两个杰出的人才辅佐，才稳定了局势，进驻彭原（在今甘肃庆阳南），指挥平叛战事。唐肃宗要李泌任右相，李泌坚决推辞，只做布衣先生，谋划军国大事，人称布衣宰相。肃宗听从李泌建议，以长子广平王李俶为天下兵马元帅。肃宗创立侍谋军国、元帅府行军长史的名号安置李泌处理军务，是全军第二号人物，又用李辅国为判元帅行军司马事，是全军第三号人物。以唐肃宗为首的全国平叛指挥部成立了，李泌是指挥部和全军的灵魂。按李泌的规划，两年平定叛乱。用兵方略是令李光弼出井陉，郭子仪入河东，使安禄山在河北的两员大将史思明、张忠志不敢离范阳、常山，在西京的安守忠、田乾真不敢离京一步。郭子仪入河东后牵制叛军东都留守阿史那承庆，朝廷驻兵扶风，与郭、李两军轮番出击叛军，不攻取叛军城池，不断叛军后路，保持叛军两京畅通，只是打击叛军使之疲于奔命。越冬之后，派出建宁王李倓率主力军从北边进入河北攻取叛贼老巢范阳，李光弼从南进攻，夹击范阳。叛军范阳丢失，退无所归，朝廷四方勤王之军会集，一战可平。李泌的计划实行了一半，郭子仪进入了河东，西北勤王之师抵达凤翔，江淮军需运抵洋州，唐肃宗昏聩贪利，要自建奇功，先复两京，改变了李泌的计划，结果欲速不达，延长了战祸。李泌早已料到昏庸皇帝不可以共始终，他与唐肃宗相约，官军收复两京，立即归山。唐肃宗入长安，李泌辞行，以"五不可"为由，留则被杀以感悟肃宗，既自我保护，也保护太子李俶。李泌畅言建宁王被冤杀，提醒唐肃宗警惕张良娣与李辅国两个嬖人的谗慝之口。既往不咎，来者犹可追。李泌诵李贤所作《黄台瓜辞》意味深长。太子之得以保全，李泌功莫大焉。

李泌一身正气，淡泊名利，不做高官。功成即身退，始终以布衣身份历事唐肃宗、代宗、德宗三朝，为国展力，立下盖世奇功。三代皇帝都昏庸猜忌，奸佞也妒嫉加害，而李泌都以他的大智慧规避，而且做出贡献，不仅保护了自己，还保护了功臣郭子仪、李光弼，以及肃宗太子李俶。李泌处乱世的主要方法有三条：一是不做官；二是讲神仙辟谷作为烟幕；三是皇帝听劝即共事，不听则走。李泌是唐中期特殊时代即昏君当道的乱世所产生的特殊人物，以布衣为帝王师友，国家有难则出，功成则退，明哲保身。李泌避开名与利，也就是避开了祸端来扶助唐朝，既显示了一个有为知识分子的大智慧，也表现了在专制政体下伴君如伴虎的无奈。在昏君奸臣当政的恶劣环境中，李泌保持了自己高贵的情操，也保持了自己的尊严，是一个值得尊敬的圣哲政治家，中国传统士大夫杰出的代表。

第二，唐肃宗不仁，视民如草芥。这在唐肃宗借兵回纥，与回纥的誓约中暴露无遗。当初长安陷落，唐玄宗丢下黎民大众逃到西蜀，任凭黎民遭涂炭，迫于无奈，犹有说辞。唐肃宗反攻长安，为的是早一天收复，于是借兵回纥，与之相约说："克城之日，土地、士庶归唐，金帛、子女皆归回纥。"这是唐肃宗秘密地出卖两京黎民的丑恶行为。士庶归唐，即男子留下当炮灰，女人、孩子卖给回纥当奴仆，钱财任其抢掠，做如此伤天害理的买卖，唐肃宗还有一点人性吗？广平王李俶向回纥首领叶护一拜，结为兄弟，请求到东京再践约。李俶说如果抢掠长安，东京就会坚守。李俶一拜回纥，不是因为爱心，而是担心东京居民誓死抵抗。于是东都洛阳的百姓可就遭了大殃。《旧唐书·回纥传》载："及收东京，回纥遂入府库收财用，于市井村坊剽掠三日而止，财物不可胜计。"这哪是救民于水火的王师，而是一群暴匪。唐肃宗出卖平民的行为，将永远地钉在历史的耻辱柱上。

第三，张巡殉国之是非。张巡，郑州南阳人，开元末进士，由太子通事舍人出为清河令，转真源令。安史之乱，张巡起兵抗击，转战雍丘、宁陵一带，阻滞叛军进攻江南，达数月之久。至德元载十月，张巡救援睢阳（今河南商丘），与睢阳太守许远合兵共守睢阳，诏拜张巡为御史中丞，史称张中丞。睢阳守军不足万人，在

张巡、许远的爱国热情激励下，团结如一人，英勇抗敌，坚守孤城达一年有余。大小四百余战，杀敌十二万人，捍卫江淮地区免遭叛军扰乱，同时保卫了江淮租庸运道，这是唐军的生命线。张巡、许远立下盖世奇功，应受到敬仰。睢阳四围邻郡官军，坐视不救，睢阳军民粮食吃完，茶叶、纸张充饥又吃完，战马吃完，雀鼠捕尽，张巡杀爱妾以犒士，许远杀奴，然后吃城中妇女，继而吃男子老弱。最终睢阳不保，所存壮士三十六人，全部被害。城破三日后，官军救援才到，已于事无补。

张巡、许远殉国，有人罪其食人，张巡友人李翰为之作传，为张巡辩解，认为救兵不至，食尽而及人，固守以保全江淮和运道，有大功。即使食人，牺牲了几百人而保全了天下，至少也是功过相当。于是抨击之声始息。又过了三十年，唐玄宗时藩镇割据，有人诬张巡、许远降敌，为藩镇逐地争利辩说。元和二年（公元八〇七年）四月十三日，韩愈读李翰《张巡传》，感慨万千，奋笔疾书作《张中丞传后叙》，补充史实，并发议论，进一步表彰张巡、许远的功绩，附于传后，所以称《张中丞传后叙》。到了宋代，《张巡传》亡逸，韩愈所作《后叙》收入《韩昌黎集》传于后世。司马光感佩张巡爱国激情，在《资治通鉴》中做了长篇记载，张巡、许远地下有知，亦当瞑目。但用今日人权论观点反观张巡死战，食人坚守还是应当受到批评。老弱妇孺无辜，在守军还能突围之时，应当护送他们出城，因老弱妇孺留于城中，没有战斗力，还要增加粮耗。即使不能护送，在守城绝望，已无一粒粮食之时，不应再坚守。已尽全力，再做徒劳牺牲，不合人道。但是我们又不能苛求古人。张巡时代，讲的是舍生取义，杀身成仁，即使近代，乃至今日，“人在阵地在”的精神还是要提倡。只是到了吃人才能生存时，那就是徒劳，无论古今，此时停止战斗，不应受责，反之，在古时可谅，在今时则不可取。

第四，司马光的两段评议。司马光的第一段评议，主张对苟且偷生、变节投敌的高官，应给予惩处，赞赏唐肃宗对叛贼按六等议刑。先是广平王李俶克东都，俘获陈希烈等三百多个伪官，广平王以皇上旨意全部赦免。这些伪官押送长安，唐肃宗采纳礼部尚书李岘的建议，按六等治罪。罪大恶极的死刑，斩于闹市，次一等的死刑自裁，再次一等的杖三百，轻罪又分三等，判流或贬官。盘踞在河北邺城的伪官，听说陈希烈等被大赦，都痛恨自己失身叛贼，有悔改之意。后来听到陈希烈等被判刑受诛，于是死心塌地追随叛贼，唐肃宗十分后悔。司马光认为陈希烈等高级唐官，贵为卿相，平时尸位素餐，没有说一句规谏人主的话，只是阿谀奉承保富贵，国家有难苟且偷生，投降叛贼为之效力，还不如犬马。对这种人，摇身乞尾就官复原职，那样一来，岂不是在鼓励二三其德的人吗?！又怎能对得起颜杲卿、张巡这些效忠、舍命的人呢！如果这样，岂不是为恶的人得便宜，为善的人遭殃，是非颠倒，国家还能有忠义的人吗?！按六等议罪，十分得当，有什么后悔的呢！司马光的这个批评与分析，是十分中肯的。唐肃宗对随后投降的史思明，不但大赦，还授以高官，没多久，史思明又重新叛变。为了安定社会，当然要赦免一些罪人，但不能不分青红皂白，一律免罪。做人的道德底线是不能践踏的。

司马光的第二段评议，主张以下犯上者必须严惩，不能姑息养奸，其理无可厚非。起因是平卢节度使王玄志死，裨将高丽人李怀玉杀了王玄志的儿子，推戴自己的姑表兄侯希逸为平卢军使，唐肃宗所遣中使授以旌节，从此，节度使由军士废立，朝廷诏令不行，唐肃宗开了一个恶例。中唐之后藩镇割据，节度使父死子继，或强将逐主自任，以致唐末形成军阀大混战。唐肃宗平安史之乱而复国，更应该申明国法军纪，而不应偷取一时之安，留下无穷的祸患。只是司马光不是用法、用制度来纠正失误，说什么用礼来纲纪四方，把礼和法混为一谈，迂腐不得要领。不过司马光的论说是传统的儒家观点。孔子主张："道之以政，齐之以刑，民免而无耻；道之以德，齐之以礼，有耻且格。"（《论语·为政》）孔子把法置于礼之上。几千年来，统治者总是宣扬执政为民，以礼维系上下尊卑，法只用来惩治下犯上，而不惩治上犯下，于是在台上的统治者好话说尽，坏事做绝。法讲平等，礼讲尊卑。司马光维护专制政体，所以要混淆礼与法，说礼大于法，用礼统法，最后只有尊卑，没有平等。最后的结果是，只许州官放火，不许百姓点灯。司马光的评议，理正而实非。理正，指社会要有秩序，如何维护秩序，就要有法，公正，公平，而司马光说用礼维护秩序，那就是上下有序，只有尊卑，没有平等了，因此实质是错误的。

卷第二百二十一　唐纪三十七

起屠维大渊献（己亥，公元七五九年），尽上章困敦（庚子，公元七六〇年），凡二年。

【题解】

本卷记事起公元七五九年，迄公元七六〇年，凡二年，当唐肃宗乾元二年至上元元年。郭子仪讨贼，围困安庆绪于邺城。李光弼为后援，欲逼魏州，拖住史思明，邺城指日可破，史思明将不战自溃。唐肃宗派宦官鱼朝恩监军，鱼朝恩不懂军事却干预军事，阻止李光弼进攻叛军魏州的正确计谋，迫使官军会聚邺城达六十万众，史思明抄掠官军粮运，官军乏食，史思明进兵会战，官军大败，郭子仪被解职，李光弼为副元帅，退守河阳。史思明乘胜，火并安庆绪，自称大燕皇帝，率众南下，在河阳与李光弼大战，双方不分胜负，势均力敌。唐肃宗不信任诸将，忌刻功臣，任用宦官监军，郭子仪功败垂成，延长了战乱。宦官李辅国用事，恣意横行，竟逼迫太上皇玄宗迁出兴庆宫移居大内。实乃唐肃宗忌疑，以便监控太上皇。唐肃宗不仁不武，徒使战祸蔓延。此时唐四境不宁，羌胡寇秦陇，刘展又反于淮南。

【原文】

肃宗文明武德大圣大宣孝皇帝下之上

乾元二年（己亥，公元七五九年）

春，正月己巳[①]朔，史思明筑坛于魏州城北，自称大圣燕王，以周挚为行军司马。李光弼曰："思明得魏州而按兵不进，此欲使我懈惰，而以精锐掩吾不备也。请与朔方军同逼魏城，求与之战。彼惩[②]嘉山之败[③]，必不敢轻出。得旷日引久[④]，则邺城必拔矣。庆绪已死，彼则无辞以用其众也。"鱼朝恩以为不可，乃止。

戊寅[⑤]，上祀九宫贵神[⑥]，用王玙之言也。乙卯[⑦]，耕藉田[⑧]。

镇西节度使李嗣业攻邺城，为流矢所中，丙申[⑨]，薨，兵马使荔非元礼代将其众。初，嗣业表段秀实为怀州长史，知留后事。时诸军屯戍日久，财竭粮尽，秀实独运刍粟[⑩]，募兵市马[⑪]，以奉镇西行营，相继于道。

二月壬子[⑫]，月食，既[⑬]。先是，百官请加皇后尊号曰"辅圣"。上

【语译】

肃宗文明武德大圣大宣孝皇帝下之上

乾元二年（己亥，公元七五九年）

春，正月初一日己巳，史思明在魏州城北修筑坛场，自称大圣燕王，任命周挚为行军司马。李光弼说："史思明得到魏州而按兵不进，这是想让我们松懈怠惰，然后用精锐部队在我不备时突然袭击。请让我和朔方军一起进逼魏城，寻求机会与之交战。他吸取嘉山之败的教训有所警戒，一定不敢轻易出兵。如果能够经过一段比较长的时间，邺城就一定可以攻下。安庆绪死了以后，他就没有借口来动用他的部众了。"鱼朝恩认为不行，于是作罢。

正月初十日戊寅，肃宗祭祀九宫贵神，这是采纳王玙的意见。乙卯日，举行了欢迎仪式。

镇西节度使李嗣业进攻邺城，被乱飞的箭射中，正月二十八日丙申，去世，兵马使荔非元礼代他统率部队。当初，李嗣业上表请求任命段秀实为怀州长史，知留后事。当时各路兵马驻扎戍守时间很久，钱财枯竭，粮食吃尽，只有段秀实运送粮草，招募士兵，购买马匹，来供应镇西行营，一路上络绎不绝。

二月十五日壬子，月全食。此前，百官请求加皇后尊号为"辅圣"。肃宗去问中

以问中书舍人李揆，对曰："自古皇后无尊号，惟韦后[14]有之，岂足为法！"上惊曰："庸人几误我！"会月食，事遂寝。后与李辅国相表里[15]，横于禁中，干豫[16]政事，请托无穷。上颇不悦，而无如之何。

郭子仪等九节度使围邺城，筑垒再重[17]，穿堑[18]三重，壅[19]漳水[20]灌之。城中井泉皆溢，构栈而居[21]，自冬涉[22]春，安庆绪坚守以待史思明。食尽，一鼠直[23]钱四千，淘墙麸[24]及马矢[25]以食马。人皆以为克在朝夕，而诸军既无统帅，进退无所禀[26]。城中人欲降者，碍水深[27]，不得出。城久不下，上下解体[28]。

思明乃自魏州引兵趣邺，使诸将去城各五十里为营，每营击鼓三百面，遥胁之。又每营选精骑五百，日于城下抄掠，官军出，辄散归其营。诸军人马牛车日有所失，樵采[29]甚艰，昼备之则夜至，夜备之则昼至。时天下饥馑，转饷[30]者南自江、淮，西自并、汾[31]，舟车相继。思明多遣壮士窃官军装号[32]，督趣[33]运者，责其稽缓[34]，妄杀戮人，运者骇惧。舟车所聚，则密纵火焚之。往复[35]聚散，自相辨识，而官军逻捕[36]不能察也。由是诸军乏食，人思自溃。思明乃引大军直抵城下，官军与之刻日[37]决战。

三月壬申[38]，官军步骑六十万陈于安阳河[39]北，思明自将精兵五万敌之。诸军望之，以为游军，未介意。思明直前奋击，李光弼、王思礼、许叔冀、鲁炅先与之战，杀伤相半。鲁炅中流矢。郭子仪承其后，未及布陈，大风忽起，吹沙拔木，天地昼晦[40]，咫尺[41]不相辨。两军大惊，官军溃而南，贼溃而北，弃甲仗辎重委积[42]于路。子仪以朔方军断河阳桥保东京。战马万匹，惟存三千，甲仗十万，遗弃殆尽。东京士民惊骇，散奔山谷，留守崔圆、河南尹苏震等官吏南奔襄、邓[43]，诸节度各溃归本镇。士卒所过剽掠[44]，吏不能止，旬日方定。惟李光弼、王思礼整勒部伍[45]，全军以归。

书舍人李揆，李揆回答说：“自古皇后没有尊号，只有中宗时韦后有，怎么能够效法呢！”肃宗大惊，说：“这些庸人几乎让我办了件错事！”适逢月食，事情就停了下来。张皇后与李辅国内外勾结，横行宫中，干预朝政，接受他人的请托没完没了。肃宗很不高兴，但也无可奈何。

郭子仪等九节度使围困邺城，筑营垒两道，挖壕沟三道，堵截漳河水灌城。城里的井水都溢了出来，人们都架设棚阁来住，从冬到春，安庆绪一直坚守以等待史思明。粮食吃光了，一只老鼠就值四千钱，淘洗墙上泥土中混杂的麦秆碎渣以及马粪来喂马。人们都以为攻克邺城就在朝夕之间，然而唐朝各路军马没有统帅，进攻或退却无处禀受命令。城中人想投降，受水深阻碍，不能出城。城久攻不下，官军上下懈怠。

史思明于是从魏州带兵赶往邺城，让众将离城各五十里扎营，每个军营敲击三百面鼓，远远地威胁官军。又从每营挑选精锐骑兵五百人，每天到城下抢劫，官军一出来，他们就分散开来回归各自军营。唐朝各军的人马牛车每天都有所损失，甚至连打柴割草都很困难，白天做好了防备他们就夜晚来，夜晚做好了防备他们就白天来。当时天下发生饥荒，转运粮饷，南方的来自江、淮地区，西边的来自并州、汾州一带，车辆和船只接连不断，史思明多次派遣勇敢强壮的士兵偷了官军的服装、标识假扮官军，督促运送粮饷的人，斥责他们迟缓，胡乱杀人，运送粮饷的人都很惊慌恐惧。在车船会集的地方，就暗中放火把车船烧掉。这些人忽来忽去，忽聚忽散，只有他们自己能互相辨别认识，而官军巡逻搜捕也不能察知。由此各军粮食匮乏，人心涣散。史思明于是率领大军直抵城下，官军与他约定日期决战。

三月初六日壬申，官军步兵骑兵六十万在安阳河北岸列阵，史思明亲自率领精兵五万迎敌。各路官军望见他们，以为是流动出击的部队，并未在意。史思明率军径直冲向前方奋勇攻击，李光弼、王思礼、许叔冀、鲁炅先与他交战，双方伤亡各占一半。鲁炅被乱箭射中。郭子仪跟在他们后面，还没来得及布阵，忽然刮起大风，沙土飞扬，树木被连根拔起，天昏地暗，咫尺之间相互不能辨别。两军大惊，官军向南溃退，叛贼向北溃退，抛弃的铠甲兵器辎重都堆积在路上。郭子仪派朔方军队切断河阳桥以保住东京。官军的战马一万匹，只剩下三千匹，铠甲兵器十万件，几乎全被遗弃。东京的士人、百姓十分惊慌害怕，散乱地逃到山谷中躲避，留守崔圆、河南尹苏震等官吏向南逃到襄州、邓州，众节度使也各自溃退回自己的镇所。这些溃退的士兵沿路抢劫，官吏不能制止，过了十几天才安定下来。只有李光弼、王思礼整顿统率队伍，全军而回。

【段旨】

以上为第一段，写史思明救安庆绪，邺城之战，大破官军。

【注释】

①己巳：正月初一日。②惩：惩戒；警戒。③嘉山之败：至德元载（公元七五六年）五月，郭子仪、李光弼与史思明战于嘉山，大破之，斩首四万级，史思明只身逃脱。④旷日引久：历时长久。旷日，间隔的时日。引，延长。⑤戊寅：正月初十日。⑥九宫贵神：谓太一、摄提、权主、招摇、天符、青龙、咸池、太阴、天一。此说本自《黄帝九宫经》。⑦乙卯：正月己巳朔，无乙卯，当为己卯之误。己卯，正月十一日。胡三省认为是乙酉，则为正月十七日，可备一说。⑧耕藉田：举行籍田之礼。⑨丙申：正月二十八日。⑩刍粟：指粮草。刍，喂养牲口的草料。粟，粮食。⑪市马：买马。⑫壬子：二月十五日。⑬既：食尽。此指月全食。按《春秋》之法，只书日食，不书月食。日，君象。月，后象。《通鉴》于此书月食，有指斥张后专横之意。⑭韦后：韦后（？至公元七一〇年），唐中宗皇后，尊号为顺天翊圣皇后。中宗死，韦氏谋乱，为乱

【原文】

子仪至河阳，将谋城守。师人㊻相惊，又奔缺门㊼。诸将继至，众及数万，议捐㊽东京，退保蒲、陕。都虞候㊾张用济曰："蒲、陕荐饥㊿，不如守河阳。贼至，并力(51)拒之。"子仪从之。使都游弈使灵武韩游瓌(52)将五百骑前趣河阳，用济以步卒五千继之。周挚引兵争河阳，后至，不得入而去。用济役所部兵筑南、北两城而守之。段秀实帅将士妻子及公私辎重自野戍渡河，待命于河清(53)之南岸，荔非元礼至而军焉。诸将各上表谢[1]罪，上皆不问，惟削崔圆阶封(54)，贬苏震为济王府长史(55)，削(56)银青阶(57)。

史思明审知(58)官军溃去，自沙河(59)收整士众，还屯邺城南。安庆绪收子仪等[2]营中粮，得六七万石，与孙孝哲、崔乾祐谋闭门更拒思明。诸将曰："今日岂可复背史王乎！"思明不与庆绪相闻，又不南追官军，但日于军中犒士。张通儒、高尚等言于庆绪曰："史王远来，臣等皆应迎谢。"

兵所杀，追贬为庶人。传见《旧唐书》卷五十一、《新唐书》卷七十六。⑮相表里：互为表里。此谓内外互相勾结。⑯干豫：干预。⑰再重：两层。⑱穿堑：挖壕沟。⑲壅：堵塞。⑳漳水：河流名，发源于山西太行山区，经河北注入渤海。㉑构栈而居：架设棚阁来居住。构，架设。栈，棚阁。㉒涉：进入；到。㉓直：通“值”。㉔淘墙䴬：淘洗土墙中的麦秆渣。淘，用水冲洗。墙䴬，以麦秆碎渣混合泥土所筑的墙。䴬，麦秆碎渣。㉕马矢：马屎，马的粪便。㉖禀：禀令。下对上的报告。军队进退必须禀命于主帅，今诸军无帅，令无所禀。㉗碍水深：有碍于水深；被深水所阻碍。㉘解体：离散。㉙樵采：打柴。㉚转饷：运送粮饷。㉛并、汾：并州（治所在今山西太原西南）、汾州（治所在今山西汾阳）。以此二州代指今山西汾水流域一带。㉜装号：衣装、标识。㉝督趣：督促。㉞稽缓：迟缓。稽，停、留。㉟往复：出入；往返。㊱逻捕：巡逻兵。㊲刻日：限定日期。㊳壬申：三月初六日。㊴安阳河：洹水，河流名，源出今河南林州隆虑山，东流经安阳北，东入永济渠，即今卫河。㊵昼晦：白天而天色昏暗。㊶咫尺：形容很短或很近。咫，古代的长度单位，长八寸。㊷委积：聚集、堆积。㊸襄、邓：襄州、邓州，襄州治所在今湖北襄阳，邓州治所在今河南邓州。㊹剽掠：抢劫。㊺整勒部伍：整饬队伍。勒，治、统率。

【语译】

郭子仪到达河阳，准备谋划城池防守。因军队、百姓受到惊扰，又逃到缺门。众将相继赶到，部众已达几万人，大家商议放弃东京，退守蒲州、陕州。都虞候张用济说：“蒲州、陕州连年饥荒，不如坚守河阳。叛贼来时，大家合力抵御他们。”郭子仪听从了他的建议。派都游弈使灵武人韩游瓌率五百骑兵先行赶往河阳，张用济率步兵五千跟随其后。贼将周挚带兵来争夺河阳，因后到，不能进城而离去。张用济让他统领的士兵修筑南、北两城准备坚守河阳。段秀实率领将士的妻子儿女以及公家和私人的辎重从野戍渡过黄河，在河清县的南岸待命，荔非元礼赶到后也便驻扎了下来。众将各自上表请罪，肃宗对他们都不问罪，只是削去了崔圆的官阶和封号，把苏震贬职为济王府长史，削去其银青光禄大夫官阶。

史思明确知官军已溃退离开，就在沙河县收拾整顿部队，还军驻扎在邺城之南。安庆绪搜集郭子仪等营中的粮食，得到六七万石，他与孙孝哲、崔乾祐谋划要紧闭城门再次拒绝史思明。各位将领说：“今天怎么可以又一次背叛史王呢！”史思明既不与安庆绪互通信息，又不南下追击官军，只是每天在军中用酒食款待将士。张通儒、高尚等人对安庆绪说：“史王远道而来，臣等都应该去迎接致谢。”安庆绪说：“听任

庆绪曰:“任公暂[60]往。”思明见之涕泣，厚礼而归之。经三日，庆绪不至。思明密召安太清令诱之，庆绪窘蹙[61]，不知所为，乃遣太清上表称臣于思明，请待解甲入城，奉上玺绶[62]。思明省表，曰:“何至如此!”因出表遍示将士，咸称万岁。乃手疏唁[63]庆绪而不称臣，且曰:“愿为兄弟之国，更作藩篱之援[64]。鼎足而立[65]，犹或庶几[66]。北面之礼[67]，固不敢受。”并封表还之。庆绪大悦，因请歃血同盟，思明许之。

庆绪以三百骑诣思明营，思明令军士擐甲执兵[68]以待之，引庆绪及诸弟入至庭下。庆绪再拜稽首曰:“臣不克[69]荷负[70]，弃失两都，久陷重围。不意大王以太上皇[71]之故，远垂[72]救援，使臣应死复生，摩顶至踵[73]，无以报德。”思明忽震怒曰:“弃失两都，亦何足言！尔为人子，杀父夺其位，天地所不容。吾为太上皇讨贼，岂受尔佞媚[74]乎!”即命左右牵出，并其四弟及高尚、孙孝哲、崔乾祐皆杀之，张通儒、李庭望等悉授以官。思明勒兵入邺城，收其士马，以府库赏将士，庆绪先所有州、县及兵皆归于思明。遣安太清将兵五千取怀州，因留镇之。思明欲遂西略，虑根本未固，乃留其子朝义守相州，引兵还范阳。

【段旨】

以上为第二段，写史思明杀安庆绪，并其众。

【注释】

㊻师人：兵民；军队与民众。㊼缺门：地名，在今河南新安西。㊽捐：抛弃；放弃。㊾都虞候：虞候为唐代军中的执法官，都虞候总领执法，为虞候的首领。㊿荐饥：连年饥荒。荐，再、重。[51]并力：合力；齐心协力。[52]韩游瓌：韩游瓌(？至公元七九八年)，灵州灵武(今宁夏永宁西南)人，曾任邠宁节度使、检校尚书左仆射。传见《旧唐书》卷一百四十四、《新唐书》卷一百五十六。[53]河清：县名，县治在今河南洛阳市孟津区黄河北岸。[54]阶封：散官阶品和所封爵邑。崔圆先封赵国公，从一品，阶比开府仪同三司，实封五百户。[55]济王府长史：济王，李环，玄宗第二十二子。传见《旧唐

你们到他那里去一会儿吧。”史思明见到他们就哭了，赏给他们厚礼把他们送了回去。过了三天，安庆绪还不来。史思明秘密召见安太清让他把安庆绪诱来，安庆绪处境窘迫，不知该怎么办，就派安太清向史思明上表称臣，请求等史思明脱下战袍进城后，就奉上皇帝的玉玺印绶。史思明看了表文，说：“何至于这样呢！”于是拿出表文给全军将士看，大家都高呼万岁。然后史思明亲自写信慰问安庆绪，并不称臣，并且说：“愿与你成为兄弟国家，彼此作为对方的藩篱而相互支援。我们与唐朝鼎足而立，这或许还可以。北面称臣的礼节，绝不敢接受。”连同表文一起封好，送还安庆绪。安庆绪非常高兴，因而请求与史思明歃血结盟，史思明答应了。

安庆绪带三百名骑兵来到史思明的军营，史思明命令军士身穿铠甲手执兵器等待安庆绪，然后领着安庆绪和他的几个弟弟进到庭下。安庆绪再拜磕头说：“我不能担当重任，丢失了东、西二都，长期陷于重围。没想到大王您出于太上皇的缘故，从远方的边陲之地赶来救援，使我本应死去而又能复生，我就是从头顶到脚跟全身都被磨伤，也不能报答您的恩德。”史思明忽然大怒说：“丢失东、西二都，还有什么好说的！你身为人子，杀父夺位，天地都不会容忍。我要为太上皇讨伐你这个逆贼，怎么会受你巧言谄媚的欺骗呢！”当即命令左右的人把他拉出去，连同他的四个弟弟以及高尚、孙孝哲、崔乾祐等人都杀了，张通儒、李庭望等人都授予官职。史思明统率部队进入邺城，收拾安庆绪的人马，把府库中的财物赏赐给将士，安庆绪原先所统有的州、县以及士兵都归于史思明。派安太清率兵五千人夺取怀州，并留下来镇守。史思明想要就此向西进犯，考虑到自己的根基还不稳固，于是留下他儿子史朝义镇守相州，自己率军返回范阳。

书》卷一百七、《新唐书》卷八十二。王府长史，官名，王府属官，统领府事。㊹削：除去。㊺银青阶：银青光禄大夫，从三品。㊻审知：确知。审，确实。㊼沙河：县名，县治在今河北邢台南，沙河北岸。㊽暂：暂时。㊾窘蹙：窘迫、紧蹙。㊿玺绶：古代印玺上必有绶，因称印玺为玺绶。玺，帝印。绶，系印的丝带。63唁：古代对死者的慰问称吊，对生者的慰问称唁。64藩篱之援：为护卫自己而相互援助。藩篱，篱笆，引申为守卫。65鼎足而立：犹言三家分立。鼎为三足。此指唐、安庆绪、史思明三者分立。66庶几：也许可以；差不多。表示希望或推测之词。67北面之礼：君臣之礼。68擐甲执兵：身穿铠甲，手执兵器。擐，穿。69克：能够。70荷负：担负。71太上皇：指安禄山。至德二载（公元七五七年）安庆绪等谋杀安禄山，即帝位，尊安禄山为太上皇，然后发丧。72垂：通“陲”，边境。73摩顶至踵：摩顶放踵。摩秃头顶，走破脚跟。形容不辞劳苦，不惜身体，尽力而为。74佞媚：巧言谄媚。

【校记】

［1］谢：据章钰校，甲十六行本、乙十一行本皆作“请”。［2］等：原无此字。据章钰校，甲十六行本、乙十一行本皆有此字，今据补。

【原文】

甲申⑮，回纥骨啜特勤、帝德等十五人自相州奔还西京，上宴之于紫宸殿⑯，赏赐有差。庚寅⑰，骨啜特勤等辞还行营。

辛卯⑱，以荔非元礼为怀州刺史，权知镇西、北庭行营节度使。元礼复以段秀实为节度判官。

甲午⑲，以兵部侍郎吕諲同平章事。乙未⑳，以中书侍郎、同平章事苗晋卿为太子太傅，王玙为刑部尚书，皆罢政事。以京兆尹李岘行㉑吏部尚书，中书舍人兼礼部侍郎李揆为中书侍郎，及户部侍郎第五琦并同平章事。上于岘恩意尤厚，岘亦以经济㉒为己任，军国大事多独决于岘。

于是京师多盗，李辅国请选羽林骑士五百以备巡逻。李揆上疏曰：“昔西汉以南北军相制㉓，故周勃因南军入北军，遂安刘氏。㉔皇朝置南、北牙㉕，文武区分㉖，以相伺察㉗。今以羽林代金吾警夜，忽有非常之变，将何以制之！”乃止。

丙申㉘，以郭子仪为东畿㉙、山东㉚、河东㉛诸道元帅，权知东京留守，以河西节度使来瑱行陕州刺史㉜，充陕、虢、华州节度使。

夏，四月庚子㉝，泽潞节度使㉞王思礼破史思明将杨旻㉟于潞城㊱东。

太子詹事㊲李辅国，自上在灵武，判元帅行军司马事，侍直㊳帷幄㊴，宣传㊵诏命，四方文奏，宝印符契，晨夕军号㊶，一以委之。及还京师，专掌禁兵㊷，常居内宅㊸。制敕必经辅国押署㊹，然后施行。宰相百司非时㊺奏事，皆因辅国关白㊻、承旨㊼。常于银台门㊽决天下事，

【语译】

三月十八日甲申，回纥骨啜特勒、帝德等十五人从相州跑回西京，肃宗在紫宸殿宴请他们，赏赐他们数量不等的财物。二十四日庚寅，骨啜特勒等人告辞返回行营。

三月二十五日辛卯，任命荔非元礼担任怀州刺史，代理镇西、北庭行营节度使。荔非元礼又任用段秀实为节度判官。

三月二十八日甲午，任命兵部侍郎吕諲担任同平章事。二十九日乙未，任命中书侍郎、同平章事苗晋卿担任太子太傅，王玙担任刑部尚书，都罢除政事。又任命京兆尹李岘兼任吏部尚书，中书舍人兼礼部侍郎李揆担任中书侍郎，以及户部侍郎第五琦并为同平章事。肃宗对李岘恩德尤厚，李岘也把经国济民视为己任，军国大事多由李岘单独决定。

当时京师盗贼很多，李辅国请求挑选羽林军骑士五百人以备巡逻。李揆上疏说："当年西汉用南军北军互相制约，所以周勃因为需要对付南军而先进入并掌控北军，从而安定了刘氏天下。我大唐朝设置南牙、北牙，文武分开，以互相监督。现在用羽林卫代替金吾卫来担任夜晚的巡逻警戒，如果突然有什么异常事变发生，将如何加以控制呢!"这事于是作罢。

三月三十日丙申，任命郭子仪为东畿、山东、河东各道的元帅，代理东京留守，任命河西节度使来瑱兼代陕州刺史，充任陕州、虢州、华州节度使。

夏，四月初四日庚子，泽潞节度使王思礼在潞城东边打败史思明的部将杨旻。

太子詹事李辅国，从肃宗在灵武的时候，就兼任元帅行军司马的职务，在肃宗左右侍奉值班，宣布传达诏命。四方进呈的文书奏章，宝印符契，早晚的军中口令，全都交给他管理。等回到京师，专门掌管禁兵，常常住在宫禁中的宅舍里。制书敕令必须经过李辅国签署，然后才能施行。宰相和百官在规定奏事的时间之外有事要上奏，都要通过李辅国禀报，并由他传达肃宗的旨意。李辅国常常在银台门裁决天

事无大小，辅国口为制敕，写付外施行，事毕闻奏。又置察事⑩数十人，潜令于人间⑩听察细事，即行推按⑪，有所追索⑫，诸司无敢拒者。御史台、大理寺重囚，或推断未毕，辅国追诣银台，一时纵之。三司、府、县鞫狱，皆先诣辅国咨禀⑬，轻重随意，称制敕行之，莫敢违者。宦官不敢斥⑭其官，皆谓之五郎⑮。李揆山东甲族⑯，见辅国执子弟⑰礼，谓之五父⑱。

及李岘为相，于上前叩头，论制敕皆应由中书出⑲，具陈辅国专权乱政之状。上感寤⑳，赏其正直。辅国所[3]行事，多所变更，罢其察事。辅国由是让行军司马，请归本官㉑，上不许。壬寅㉒[4]，制："比缘㉓军国务殷㉔，或宣口敕㉕处分。诸色㉖取索及杖配㉗囚徒，自今一切并停。如非正宣㉘，并不得行。中外诸务，各归有司。英武军虞候㉙及六军诸使、诸司㉚等，比来或因论竞㉛，悬自追摄㉜，自今须一切[5]经台、府㉝。如所由处断不平，听具状奏闻。诸律令除十恶、杀人、奸、盗、造伪外，余烦冗一切删除，仍委中书、门下与法官详定闻奏。"㉞辅国由是忌岘。

甲辰㉟，置郑、陈[6]、亳节度使㊱，以邓州刺史鲁炅为之，以徐州刺史尚衡为青、密等[7]七州㊲节度使，以兴平军节度使李奂兼豫、许、汝三州节度使㊳，仍各于境上守捉㊴防御。

【段旨】

以上为第三段，写宦官李辅国掌禁军，专朝政。

【注释】

⑦⑤甲申：三月十八日。⑦⑥紫宸殿：在大明宫宣政殿北面紫宸门内，为内衙的正殿。⑦⑦庚寅：三月二十四日。⑦⑧辛卯：三月二十五日。⑦⑨甲午：三月二十八日。⑧⓪乙未：三月二十九日。⑧①行：唐职事官都带散官为本品，如果职事官品秩低于散官品秩则称行。李岘的散位为光禄大夫，从二品；任吏部尚书，正三品，职事官品秩低于散官品秩，故称行。⑧②经济：经国济民。即治理国家，为民谋利。⑧③南北军相制：言南军与北

下之事，事情无论大小，都由李辅国口宣制书敕令，写下来后交付外面的官员施行，事情完毕后再向肃宗奏报。他又设置察事几十人，暗中命令他们到民间去探听察访细小的事情，发现什么情况立即进行审问。如果有什么需要追查索取的，各部门没有一个敢拒绝的。关在御史台、大理寺的重罪犯人，有的审判还没有完毕，李辅国到银台追问，一下子就把他们释放了。三司、府、县审理案件，都先到李辅国那里去咨询禀报，量刑的轻重都随他的心意，他声称是皇帝的制书敕令而交付下面的人施行，没有人敢违背。宦官不敢直呼他的官衔，都称他为五郎。李揆是山东地区的世家大族，见到李辅国就行子弟的礼节，称他为五父。

等到李岘任宰相，在肃宗面前磕头，论述制书敕令都应该由中书省发布，详细陈述了李辅国专权乱政的情况。肃宗有所感而醒悟过来，奖赏了他的正直。对李辅国所做的事情，多有变更，罢除了他设立的察事。李辅国因此辞去行军司马，请求回归他原本的官职太子詹事，肃宗不许。四月初六日壬寅，肃宗下制书："近来由于军务国政事情众多，有时口头宣布敕令进行处理。各种名目的索求以及对囚徒施杖刑或发配，从今以后一律停止。如果不是按正规程序宣布的诏命，都不得施行。朝廷内外的诸种事务，各归主管官员负责。英武军虞候以及六军诸使、诸司等，近来有时因刑狱定罪发生争执，没有凭据就各自去追查拘捕人，从今以后必须一律经过御史台、京兆府。如果有关官员处理判决不公正，允许详细写明情况上奏。各种法律法令除了十恶、杀人、奸、盗、造伪以外，其他烦琐冗杂的条文一律删除，仍然交由中书省、门下省与法官详细审定后再奏报上来。"李辅国由此嫉恨李岘。

四月初八日甲辰，设置郑州、陈州、亳州节度使，任命邓州刺史鲁炅担任此职，任命徐州刺史尚衡为青州、密州等七州的节度使，任命兴平军节度使李奂兼任豫州、许州、汝州三州的节度使，各节度使仍然在自己的辖区内把守防御。

军相互制约，相互牵制。西汉京师宿卫之军有南北之分，南军由卫尉主管，北军由中尉主管。㉞周勃因南军入北军二句：周勃（？至公元前一六九年），少以编织蚕箔为生，从刘邦起义，以军功为将军，封绛侯。惠帝时任太尉，后平诸吕，迎文帝即位。事详《史记·绛侯周勃世家》、《汉书》卷四十本传。因南军入北军，指公元前一八〇年，汉高后吕雉死，诸吕谋作乱，吕禄掌北军，吕产掌南军，太尉周勃不得主兵，乃矫诏言帝使太尉守北军，在朱虚侯和卫尉的协助下，杀吕产，控制了南军，并诛吕禄及吕氏少长男女，平定诸吕之乱，维护了刘氏政权。㉟南、北牙：南、北衙。指驻守京师的军队。南衙军队由宰相总领。北衙军队由皇帝统领，守卫宫城。中唐以后，南衙诸卫仅存空名，只有左右金吾卫仍然担任巡警之职，而北衙禁军主要控制在宦官手中，整个京城的卫宿职责

也主要由北衙禁军担任。⑧⑥文武区分：唐南北衙的区分已如上条所述，显然不在于文武，南衙十六卫也是军事机构，故此言“文武区分”，不确。⑧⑦伺察：侦视；观察。此指牵制。⑧⑧丙申：三月三十日。⑧⑨东畿：指东都洛阳附近地域。⑨⓪山东：此指河南、河北道。⑨①河东：指南起蒲、绛州，北至并、代州的今山西一带。⑨②以河西节度使来瑱行陕州刺史：来瑱先任山南东道节度使，后改任淮南西道节度使。乾元二年徙河西节度使，还未上路，唐室军队败于相州，朝廷立刻让他代行陕州刺史，充任陕、虢、华州节度使，兼潼关防御团练镇守使，主要镇守潼关。详见《新唐书》卷一百四十四本传。⑨③庚子：四月初四日。⑨④泽潞节度使：使职名，至德元载（公元七五六年）置泽潞沁节度使，治所在潞州（今山西长治）。辖境屡有变动，较长期领有泽、潞、沁三州。⑨⑤杨旻：杨旻（？至公元八二〇年），又作阳旻。先事史思明，后降唐，官至邕管经略使。传见《新唐书》卷一百五十六。⑨⑥潞城：县名，县治在今山西潞城。⑨⑦太子詹事：官名，为东宫属官，掌东宫三寺十率府之政令。⑨⑧侍直：值班侍奉君主。直，指在殿堂中值班。⑨⑨帷幄：帷幕。此指皇帝议论机密的地方。⑩⓪宣传：宣布传达。⑩①军号：军中口号。⑩②禁兵：指北衙六军。⑩③内宅：禁中的宿舍。⑩④押署：签署。⑩⑤非时：不是规定奏事的时间。⑩⑥关白：禀报。⑩⑦承旨：承接皇帝的旨意。⑩⑧银台门：大明宫有左右银台门。左银台门在宫城东面，门内是宣徽殿；右银台门在宫城西面，门内是翰林院、麟德殿，殿东为内侍别省。此银台门当指右银台门。⑩⑨察事：类似暗探人员。⑪⓪人间：民间。⑪①推按：推究；审问。⑪②追索：追寻、求取。⑪③咨禀：咨询禀报。⑪④斥：指。⑪⑤五郎：李辅国排行第五，故云。郎，对男子的尊称。⑪⑥甲族：世家大族。⑪⑦子弟：对后辈的统称。⑪⑧父：对男性长辈的尊称。⑪⑨制敕皆应由中书出：指皇帝的制敕由中书省的中书舍人根据皇帝旨意草拟。⑫⓪感寤：感觉、醒悟。寤，通“悟”。⑫①本官：指所任太子詹事。⑫②壬寅：四月初六日。⑫③缘：由于。⑫④军国务殷：军国事务繁多。⑫⑤口敕：皇帝的口头命令。⑫⑥诸色：各种各样。⑫⑦杖配：杖配都属于处罚罪犯的五刑之列。杖，杖刑。配，发配、流刑。⑫⑧正宣：正规程序出宣的诏命，即中书省起草，皇帝进画，门下省审核宣行。门下省将皇帝画可（皇帝亲笔签署）的正本留下存档，另抄一份，写

【原文】

九节度之溃于相州也，鲁炅所部兵剽掠[140]尤甚。闻郭子仪退屯河上，李光弼还太原，炅惭惧，饮药而死。

史思明自称大燕皇帝，改元顺天，立其妻辛氏为皇后，子朝义为怀王，以周挚为相，李归仁为将，改范阳为燕京，诸州为郡。

戊申[141]，以鸿胪卿李抱玉[142]为郑、陈、颍、亳节度使。抱玉，安兴

上“制可”，加盖骑缝印，送尚书省颁下施行。⑫⑨ 英武军虞候：英武军，至德二载肃宗在凤翔置神武军时，又置衙（殿）前射生手千余人，称左右英武军，作为贴身卫士，不在北衙六军序列中。虞候，是军中执法官。⑬⓪ 诸使、诸司：内诸使、内诸司，或称内诸司使、北衙诸司使。据唐长孺《唐代的内诸司使》(《魏晋南北朝隋唐史资料》第五、六期)，唐中叶以后，有一个由宦官指挥的内诸司使行政系统，分部细密，组织庞大，参拟外廷，自三省以至卿监，很多都设有对口或相关的官司，侵夺了朝廷诸官司的职权。此时，北衙诸司使开始陆续设置，尚未达到完全的程度。⑬① 论竞：指穷究刑狱之事。论，定罪。竞，穷究其事。⑬② 悬自追摄：没有凭据便自己去追捕、提取犯人。悬，凭空、无所依据。追摄，追捕、提取。⑬③ 台、府：指御史台、京兆府。⑬④ 比缘军国务殷十七句：据《全唐文》卷四十二，此为两道制书的节文，“比缘……听具状奏闻”，为《申明赏罚诏》节文，“诸律令……详定闻奏”，为《删除律令诏》节文。故宜分别使用引号。⑬⑤ 甲辰：四月初八日。⑬⑥ 郑、陈、亳节度使：为新置节镇。据《新唐书·方镇表》领郑、陈、亳、颍四州，治郑州。⑬⑦ 青、密等七州：指青、密、登、莱、淄、沂、海七州。⑬⑧ 豫、许、汝三州节度使：据《新唐书·方镇表》为乾元元年（公元七五八年）置，治豫州。⑬⑨ 守捉：本为戍边军名，此指守卫、守护。

【校记】

［3］所：原无此字。据章钰校，甲十六行本、乙十一行本皆有此字，今据补。［4］壬寅：原无此二字。据章钰校，甲十六行本、乙十一行本皆有此二字，张敦仁《通鉴刊本识误》同，今据补。［5］须一切：据章钰校，甲十六行本、乙十一行本皆作“一切须”。［6］郑、陈：原作“陈、郑”。据章钰校，甲十六行本、乙十一行本皆作“郑、陈”。〖按〗当以“郑、陈”为是，本卷文云“以鸿胪卿李抱玉为郑、陈、颍、亳节度使”，下卷亦云“郑、陈节度使李抱玉”，可证。［7］等：原无此字。据章钰校，甲十六行本、乙十一行本皆有此字，今据补。

【语译】

九节度使在相州溃退时，鲁炅部下的士兵抢劫掠夺尤其严重。听说郭子仪退兵驻扎在黄河岸边，李光弼回到太原，鲁炅深感惭愧和害怕，喝毒药死了。

史思明自称大燕皇帝，改年号为顺天，立他的妻子辛氏为皇后，儿子史朝义为怀王，任命周挚为宰相，李归仁为将军，把范阳改名为燕京，各州改称郡。

四月十二日戊申，任命鸿胪卿李抱玉为郑州、陈州、颍州、亳州节度使。李抱

贵[143]之后也，为李光弼裨将，屡有战功。自陈耻与安禄山同姓，故赐姓李氏。

回纥毗伽阙可汗卒，长子叶护先遇杀，国人立其少子，是为登里可汗[144]。回纥欲以宁国公主为殉，公主曰："回纥慕中国之俗，故娶中国女为妇。若欲从其本俗，何必结婚万里之外邪！"然亦为之剺面而哭[145]。

凤翔马坊押官[146]为劫，天兴[147]尉谢夷甫捕杀之。其妻讼冤。李辅国素出飞龙厩，敕监察御史孙蓥鞫之，无冤。又使御史中丞崔伯阳、刑部侍郎李晔、大理卿权献鞫之，[148]与蓥同。妻[8]犹不服。又使侍御史太平毛若虚[149]鞫之。若虚倾巧士[150]，希[151]辅国意，归罪夷甫。伯阳怒，召若虚诘责，欲劾奏之。若虚先自归于上，上匿若虚于帘下。伯阳寻至，言若虚附会中人，鞫狱不直。上怒，叱出之。伯阳贬高要尉，献贬桂阳[152]尉，晔与凤翔尹严向[153]皆贬岭下[154]尉，蓥除名[155]，长流播州[156]。吏部尚书、同平章事李岘奏伯阳无罪，责之太重。上以为朋党，五月辛巳[157]，贬岘蜀州刺史。右散骑常侍韩择木[158]入对，上谓之曰："李岘欲专权，今贬蜀州，朕自觉用法太宽。"对曰："李岘言直，非专权。陛下宽之，祇[159]益圣德耳。"若虚寻除御史中丞，威振朝廷。

壬午[160]，以滑、濮节度使许叔冀为汴州刺史，充滑、汴等七州节度使[161]。以试汝州刺史刘展[162]为滑州刺史，充副使。

六月丁巳[163]，分朔方置邠、宁等九州节度使[164]。

观军容使鱼朝恩恶郭子仪，因其败，短之于上。秋，七月，上召子仪还京师，以李光弼代为朔方节度使、兵马元帅。士卒涕泣，遮中使请留子仪。子仪绐[165]之曰："我饯中使耳，未行也。"因跃马而去。

光弼愿得亲王为之副。辛巳[166]，以赵王係为天下兵马元帅，光弼副之，仍以光弼知诸节度行营。光弼以河东骑五百驰赴东都，夜，入其军。光弼治军严整，始至，号令一施，士卒、壁垒、旌旗、精采[167]皆变。是时朔方将士乐子仪之宽，惮光弼之严。

玉，是安兴贵的后人，担任李光弼的裨将，屡立战功。自己上书说耻与安禄山同姓，所以被赐姓李氏。

回纥毗伽阙可汗死了，长子叶护先前已被杀，国人立毗伽阙的小儿子，这就是登里可汗。回纥想让宁国公主殉葬，公主说："回纥仰慕中原的风俗，所以娶中原女子为妻。如果想要遵从原本的风俗，又何必到万里之外去缔结婚姻呢！"但是公主仍然按回纥的风俗也为毗伽阙可汗以刀割面而哭。

凤翔管马坊的押官抢劫财物，天兴县尉谢夷甫把他抓起来杀掉了，押官的妻子告状申冤。李辅国本来出身于飞龙厩，敕命监察御史孙蓥审理此案，发现并无冤屈。又派御史中丞崔伯阳、刑部侍郎李晔、大理卿权献一起审理，结果与孙蓥相同。押官的妻子还不服。又派侍御史太平人毛若虚审理。毛若虚是个狡诈而善于投机取巧的人，迎合李辅国的意思，归罪于谢夷甫。崔伯阳大怒，把毛若虚召来责问，想要上奏弹劾他。毛若虚预先自己跑到肃宗那里，肃宗把他藏在帘子后面。崔伯阳不久也到了，说毛若虚依附宦官，审案不公正。肃宗发怒，大声呵斥崔伯阳，把他赶了出去。崔伯阳被贬为高要县尉，权献被贬为桂阳县尉，李晔与凤翔尹严向都被贬到岭南做县尉，孙蓥被除去名籍，长期流放播州。吏部尚书、同平章事李岘上奏说崔伯阳无罪，处罚太重。肃宗认为他们是一伙的，五月十六日辛巳，把李岘贬为蜀州刺史。右散骑常侍韩择木入朝应对，肃宗对他说："李岘想要专权，现在被贬到蜀州，朕自己觉得用法还是太宽大。"韩择木回答说："李岘直言不讳，不是专权。陛下宽大处理他，只会增添圣德。"毛若虚不久被任命为御史中丞，威震朝廷。

五月十七日壬午，任命滑州、濮州节度使许叔冀为汴州刺史，兼任滑州、汴州等七州节度使。任命试汝州刺史刘展为滑州刺史，担任节度副使。

六月二十三日丁巳，划分朔方节度设置邠州、宁州等九州节度使。

观军容使鱼朝恩厌恶郭子仪，利用他这次战败，在肃宗面前说他坏话。秋，七月，肃宗召郭子仪回京师，任命李光弼代替他为朔方节度使、兵马元帅。士卒都哭了，拦住宫中使者请求留下郭子仪。郭子仪骗他们说："我去给宫中使者饯行，并没有要走啊。"于是跳上马离开了。

李光弼希望能有一位亲王担任主帅，他任副帅。七月十七日辛巳，任命赵王李係为天下兵马元帅，李光弼为副帅，仍然让李光弼掌管各节度使的行营。李光弼带领河东骑兵五百名奔赴东都，深夜，进入朔方军营。李光弼治军严整，刚刚到达，号令一发，士卒、壁垒、旌旗、军容都为之一变。当时朔方军的将士都喜欢郭子仪的宽松，害怕李光弼的严厉。

【段旨】

以上为第四段，写史思明称帝，官军重新部署，李光弼代郭子仪为副元帅。

【注释】

⑭⓪剽掠：抢劫掠夺。⑭①戊申：四月十二日。⑭②李抱玉：李抱玉（？至公元七七七年），世居河西，本姓安，耻与安禄山同姓，肃宗赐姓李氏。官至司空、同中书门下平章事，兼河西、陇右、山南西道三节制和凤翔、潞、梁三大府，镇凤翔十余年。传见《旧唐书》卷一百三十二、《新唐书》卷一百三十八。⑭③安兴贵：世居河西。唐初，李轨割据武威，兴贵在长安做官，兄安修仁为李轨将领，兴贵入凉州，劝轨降唐不成，便与兄共结胡人起兵攻李轨，并擒之送长安。兴贵因功升为右武候大将军、上柱国，封凉国公。事见本书卷一百八十七武德二年。又散见《旧唐书》卷五十五、《新唐书》卷八十六《李轨传》等篇。⑭④登里可汗：回纥可汗。名移地健，号牟羽可汗，毗伽可汗次子。事见《旧唐书》卷一百九十五、《新唐书》卷二百十七上。⑭⑤剺面而哭：突厥、回纥等漠北少数民族风俗，人死后，停尸于帐，子孙及亲属各杀牛马祭于帐前，绕帐跑马七周，诣帐门，以刀割面而哭，如此七次。剺，割、划破。⑭⑥马坊押官：此指管押马坊的官员。⑭⑦天兴：县名，县治在今陕西宝鸡市凤翔区。⑭⑧御史中丞崔伯阳句：此系小三司，审理一些较大或较重要的案件，以区别于中书、门下、御史台所组成的大三司。⑭⑨毛若虚：毛若虚（？至公元七六〇年），太平（今山西襄汾西汾城）人，酷吏。传见《旧唐书》卷一百八十六下、《新唐书》

【原文】

左厢兵马使张用济屯河阳，光弼以檄召之。用济曰："朔方，非叛军也，乘夜而入，何见疑之甚邪！"与诸将谋以精锐突入东京，逐光弼，请子仪。命其士皆被甲上马，衔枚⑯⑧以待。都知兵马使仆固怀恩曰："邺城之溃，郭公先去。朝廷责帅，故罢其兵柄。今逐李公而强请之，违拒朝命[9]，是反也，其可乎！"右武锋使康元宝曰："君以兵请郭公，朝廷必疑郭公讽君为之，是破其家也。郭公百口何负于君乎！"用济乃止。光弼以数千骑东出汜水⑯⑨，用济单骑来谒。光弼责用济召不时至，斩之，命部将辛京杲⑰⓪代领其众。

卷二百九。⑮倾巧士：狡诈之人；看风行事者。⑯希：迎合。⑰桂阳：县名，县治在今广东连州。⑱严向：严向（公元六八〇至七六四年），同州朝邑（今陕西大荔东）人，监察御史严善思之子。官至太常员外卿。事见《旧唐书》卷一百九十一、《新唐书》卷二百四。⑲岭下：岭外；五岭以南地区。⑳除名：除去名籍，取消其原有资格。按唐律，除名是一种法律处分手段，罪致除名者，出身以来的官爵全部去除，六年以后才可依法录用。详《唐律疏议》卷三。㉑播州：州名，治所在今贵州遵义。㉒辛巳：五月十六日。㉓韩择木：曾做鲁郡太守、右散骑常侍、太子宾客、集贤殿学士、礼部尚书、太子太保等职，封昌黎伯。其事散见《旧唐书》卷一百十二、《新唐书》卷一百三十一《李岘传》等篇。㉔祇：适；恰好。㉕壬午：五月十七日。㉖滑、汴等七州节度使：使职名，为滑、汴等方镇的差遣长官。据《新唐书·方镇表》乾元二年（公元七五九年）置汴滑节度使，治滑州，所领为滑、濮、汴、曹、宋五州。此言"七州"疑误。㉗刘展：先后任汝州刺史、滑州刺史、宋州刺史、淮南节度使。乾元三年（即上元元年）谋乱，次年败死。㉘丁巳：六月二十三日。㉙邠、宁等九州节度使：使职名，为邠、宁等九州的方镇差遣长官。乾元二年置，治所在今陕西彬州。九州为邠、泾、原、宁、庆、坊、鄜、丹、延。㉚绐：欺骗。㉛辛巳：七月十七日。㉜精采：指精神风貌。

【校记】

［8］妻：原无此字。据章钰校，甲十六行本、乙十一行本皆有此字，张敦仁《通鉴刊本识误》、张瑛《通鉴校勘记》同，今据补。

【语译】

左厢兵马使张用济驻扎在河阳，李光弼发檄书召他来。张用济说："朔方军不是叛军，却要趁夜进入军营，为什么受怀疑竟如此之深呢！"便与各位将领谋划派精锐部队突然进入东京，驱逐李光弼，请郭子仪回来。命令士兵都披好铠甲跨上战马，口中衔枚，等待出发。都知兵马使仆固怀恩说："邺城溃散，郭公先离开。朝廷责备主帅，所以罢免他的兵权。如今驱逐李公而强请郭公回来，违抗朝廷命令，这是谋反，怎么可以呢！"右武锋使康元宝说："您用兵请回郭公，朝廷必然怀疑是郭公暗示您干的，这是在毁掉他的全家啊。郭公全家百口有什么对不起您的呢！"张用济这才罢休。李光弼带了几千名骑兵东出汜水县，张用济一个人骑马前来谒见。李光弼责备张用济被召而不及时赶到，杀了他，命令部将辛京杲代他统领队伍。

仆固怀恩继至，光弼引坐，与语，须臾，阍者[171]白[172]："蕃、浑五百骑至矣。"光弼变色。怀恩走出，召麾下将，阳责之曰："语汝勿来，何得固违！"光弼曰："士卒随将，亦复何罪！"命给牛酒。

丁亥[10]，以潞沁节度使[173]王思礼兼太原尹，充北京[174]留守、河东节度使。

初，潼关之败[175]，思礼马中矢而毙。有骑卒盩厔张光晟[176]下马授之，问其姓名，不告而去。思礼阴识其状貌，求之不获。及至河东，或谮代州刺史河西辛云京[177]，思礼怒之。云京惧，不知所出。光晟时在云京麾下，曰："光晟尝有德于王公，从来不敢言者，耻以此取赏耳。今使君[178]有急，光晟请往见王公，必为使君解之。"云京喜而[11]遣之。光晟谒思礼，未及言，思礼识之曰："噫！子非吾故人[179]乎？何相见之晚邪！"光晟以实告。思礼大喜，执其手，流涕曰："吾之有今日，皆子力也，吾求子久矣。"引与同榻坐，约为兄弟。光晟因从容言云京之冤。思礼曰："云京过亦不细，今日特为故人舍之。"即日擢光晟为兵马使，赠金帛田宅甚厚。

辛卯[180]，以朔方节度副使、殿中监仆固怀恩兼太常卿，进爵大宁郡王。怀恩从郭子仪为前锋，勇冠[181]三军[182]，前后战功居多，故赏之。

八月乙巳[183]，襄州将康楚元[184]、张嘉延[185]据州作乱，刺史王政奔荆州，楚元自称南楚霸王。

回纥以宁国公主无子，听归。丙辰[186]，至京师。

戊午[187]，上使将军曹日昇往襄州慰谕康楚元，贬王政为饶州[188]长史，以司农少卿[189]张光奇为襄州刺史，楚元不从。

壬戌[190]，以李光弼为幽州长史、河北节度等使。

九月甲午[191]，张嘉延袭破荆州，荆南节度使杜鸿渐弃城走，澧[192]、朗[193]、郢[194]、峡[195]、归[196]等州官吏闻之，争潜窜山谷。

戊辰[197]，更令绛州铸乾元重宝大钱[198]，加以重轮[199]，一当五十。在京百官，先以军旅皆无俸禄，宜以新钱给其冬料[200]。

丁亥[201]，以太子少保崔光远为荆、襄招讨使，充山南东道处置兵马

仆固怀恩接着赶到，李光弼领他就座，与他谈话，不一会儿，守门人来报告："蕃族、浑族的五百名骑兵到了。"李光弼一听变了脸色。仆固怀恩走出来，召集部下将领，假装责备他们说："告诉你们不要来，为什么非要违抗不可呢！"李光弼说："士兵跟随将领，又有什么罪过呢！"命令供给他们牛肉和酒。

七月二十三日丁亥，任命潞沁节度使王思礼兼太原尹，充任北京留守、河东节度使。

当初，潼关战败时，王思礼的马中箭而死。有骑兵盩厔人张光晟下马把自己的马给王思礼，王思礼问他姓名，张光晟没有告诉便离开了。王思礼暗暗记下他的相貌，事后多方寻找也没找到。等到达河东后，有人诬陷代州刺史河西人辛云京，王思礼发怒了。辛云京很害怕，不知道该怎么办。张光晟当时在辛云京部下，说："我曾经帮助过王公，但从来不敢说起此事，是觉得如果以此事取赏是可耻的。现在使君您有危急，我请求去见王公，一定为您解除危急。"辛云京很高兴，派他前往。张光晟谒见王思礼，还没有开口，王思礼就认出他来，说："哎呀！您不是我的老朋友吗？为什么相见竟如此之晚啊！"张光晟把实情告诉他。王思礼十分高兴，拉着他的手，流着眼泪说："我之所以有今天，全靠您的帮助啊，我找您很久了。"牵着他和自己同坐一榻，相约结为兄弟。张光晟借机不慌不忙说出辛云京的冤屈。王思礼说："辛云京的过错也不小，今天特地为老朋友放过他。"当天就提升张光晟为兵马使，赠给他很多的金银绢帛田地宅舍。

七月二十七日辛卯，任命朔方节度副使、殿中监仆固怀恩兼任太常卿，进爵位为大宁郡王。仆固怀恩跟随郭子仪做前锋，勇冠三军，前后立下的战功很多，所以奖赏他。

八月十二日乙巳，襄州将领康楚元、张嘉延占据本州作乱，刺史王政逃往荆州，康楚元自称南楚霸王。

回纥因宁国公主没有儿子，听任她回国。八月二十三日丙辰，宁国公主到达京师。

八月二十五日戊午，肃宗派将军曹日昇前往襄州安慰晓谕康楚元，把王政贬为饶州长史，任命司农少卿张光奇为襄州刺史，康楚元不肯服从。

二十九日壬戌，任命李光弼为幽州长史、河北节度等使。

九月甲午日，张嘉延袭击攻破荆州，荆南节度使杜鸿渐弃城逃走，澧州、朗州、郢州、峡州、归州等州的官吏听到这一消息，都争相逃窜到山谷里躲了起来。

九月初五日戊辰，再令绛州铸造乾元重宝大钱，并在钱背的周边铸上两道轮廓，一个大钱当五十个钱用。在京城的百官，先前因为战乱都没有领过俸禄，这时就用新钱支付官员的冬季俸禄。

九月二十四日丁亥，任命太子少保崔光远为荆州、襄州招讨使，充任山南东道都使⑳。以陈⑳、颍、亳、申节度使王仲昇为申⑳、沔等五州节度使，知淮南西道行军兵马[12]。

史思明使其子朝清守范阳，命诸郡太守各将兵三千从己向河南，分为四道，使其将令狐彰将兵五千自黎阳⑳济河取滑州，思明自濮阳，史朝义自白皋⑳，周挚自胡良⑳济河，会于汴州。

【段旨】

以上为第五段，写官军副元帅李光弼整训军容，调整诸将，史思明大举南下。

【注释】

⑯衔枚：衔，口含物。枚的形状如筷子，横衔口中，以禁喧嚣。古代军旅为了禁止喧哗，保持部队肃静或不暴露目标，便使用衔枚。⑯汜水：县名，县治在今河南荥阳的汜水镇。⑰辛京杲：兰州金城（今甘肃兰州）人，曾官鸿胪卿、左金吾卫大将军、工部尚书。传附《新唐书》卷一百四十七《辛云京传》。⑰阍者：守门人。⑰白：禀告。⑰潞沁节度使：前所谓泽潞节度使。⑰北京：北都。⑰潼关之败：至德元载（公元七五六年）五月，哥舒翰被安禄山将崔乾祐大败于灵宝（今河南灵宝），与数百骑退入潼关，乾祐趁势攻克潼关，哥舒翰投降。事见本书卷二百十八。⑰张光晟：官至御史中丞、单于都护。后从朱泚叛乱，被斩。传见《旧唐书》卷一百二十七。⑰辛云京：辛云京（公元七一四至七六八年），河西道兰州金城人，客籍长安，世代将家。官至太原尹、检校左仆射、同中书门下平章事，封金城郡王。传见《旧唐书》卷一百十、《新唐书》卷一百四十七。⑰使君：汉以后对州郡长官的尊称。⑰故人：旧时友人。⑱辛卯：七月二十七日。⑱冠：位居第一。⑱三军：军队的统称。⑱乙巳：八月十二日。⑱康楚元：叛将。乾元二年（公元七五九年），逐襄州刺史王政，自称南楚霸王，陷荆、襄、澧、朗等州，朝廷为之寝食不安。不久为商州刺史韦伦生擒。其事散见《旧唐书》卷一百三十八《韦伦传》、《新唐书》卷一百四十一《崔光远传》等篇。⑱张嘉延：同康楚元一起叛乱，曾袭破荆州。其事散见《旧唐书》卷一百三十八《韦伦传》、《新唐书》卷一百四十一《崔光远传》等篇。⑱丙辰：八月二十三日。⑱戊午：八月二十五日。⑱饶州：州名，治所

处置兵马都使。任命陈州、颍州、亳州、申州节度使王仲昇为申州、沔州等五州节度使，兼管淮南西道行军兵马。

史思明派他的儿子史朝清镇守范阳，命令各郡太守分别率军三千人跟随自己奔向河南，分兵四路，派他的部将令狐彰率军五千人从黎阳渡过黄河攻取滑州，史思明从濮阳，史朝义从白皋，周挚从胡良渡过黄河，在汴州会合。

在今江西鄱阳。⑱⑨司农少卿：官名，司农寺副长官，协助司农卿掌国家仓储、京都百官俸禄等事。⑲⑩壬戌：八月二十九日。⑲①甲午：九月甲子朔，无甲午，当为甲子之误。甲子，九月初一日。⑲②澧：州名，治所在今湖南澧县东南。⑲③朗：州名，治所在今湖南常德。⑲④郢：州名，治所在今湖北京山。⑲⑤峡：州名，治所在今湖北宜昌。⑲⑥归：州名，治所在今湖北秭归旧城，在长江三峡西陵北岸。因三峡水库，秭归旧城已淹入库区。归州与上文澧、朗、郢、峡诸州，皆为荆南节度使所领。此外，还领有荆、复、夔、忠、万五州。⑲⑦戊辰：九月初五日。⑲⑧令绛州铸乾元重宝大钱：绛州，州名，治所在今山西新绛。唐代铸钱的铸炉有九十九座，其中绛州有三十座，其他铸炉，有的远在江南、岭南，有的在安、史乱军手中，因此，这时铸钱主要依赖绛州。大钱，径一寸二分，文亦曰“乾元重宝”，每缗重十二斤。⑲⑨重轮：此指钱背周边为两道轮廓，用以区别去年所铸乾元重宝。此钱因背面外廓两轮，故称“重稜钱”。⑳⑩冬料：官吏冬季的俸料钱。⑳①丁亥：九月二十四日。⑳②山南东道处置兵马都使：使职名，为都管山南东道兵马诸事并有量事便宜处置权力的差遣官。⑳③陈：州名，治所在今河南淮阳。⑳④申：州名，治所在今河南信阳南。⑳⑤黎阳：津渡名，故址在今河南浚县东南，位于古黄河北岸。⑳⑥白皋：津渡名，故址在今河南滑县西北黄河北岸。⑳⑦胡良：津渡名，故址在今河南滑县西北黄河北岸，临近白皋。

【校记】

[9] 违拒朝命：原无此四字。据章钰校，甲十六行本、乙十一行本皆有此四字，张瑛《通鉴校勘记》同，今据补。[10] 丁亥：原无此二字。据章钰校，甲十六行本、乙十一行本皆有此二字，张瑛《通鉴校勘记》同，今据补。丁亥，七月二十三日。[11] 而：据章钰校，甲十六行本、乙十一行本皆作“即”。[12] 行军兵马：原作“行营兵马”。据章钰校，甲十六行本、乙十一行本皆作“行军兵马”，今据改。

【原文】

李光弼方巡河上诸营，闻之，还入汴州，谓汴滑节度使许叔冀曰："大夫能守汴州十五日，我则将兵来救。"叔冀许诺。光弼还东京。思明至汴州，叔冀与战，不胜，遂与濮州刺史董秦及其将梁浦、刘从谏、田神功[208]等降之。思明以叔冀为中书令，与其将李详守汴州。厚待董秦，收其妻子，置长芦[209]为质。使其将南德信与梁浦、刘从谏、田神功等数十人徇江、淮。神功，南宫人也，思明以为平卢兵马使。顷之，神功袭德信，斩之，从谏脱身走，神功将其众来降。

思明乘胜西攻郑州。光弼整众徐行，至洛阳，谓留守韦陟曰："贼乘胜而来，利在按兵[210]，不利速战。洛城不可守，于公计何如？"陟请留兵于陕，退守潼关，据险以挫其锐。光弼曰："两敌相当，贵进忌退。今无故弃五百里地，则贼势益张矣。不若移军河阳[211]，北连泽潞，利则进取，不利则退守，表里相应，使贼不敢西侵，此猿臂之势[212]也。夫辨朝廷之礼，光弼不如公，论军旅之事，公不如光弼。"陟无以应。判官韦损曰："东京帝宅，侍中[213]奈何不守？"光弼曰："守之，则汜水、崿岭[214]、龙门[215]皆应置兵。子为兵马判官，能守之乎？"遂移牒[216]留守韦陟，使帅东京官属西入关，牒河南尹李若幽，使帅吏民出城避贼，空其城。光弼帅军士运油、铁诸物诣河阳为守备，光弼以五百骑殿[217]。时思明游兵已至石桥[218]，诸将请曰："今自洛城而北乎，当石桥而进乎？"光弼曰："当石桥而进。"及日暮，光弼秉炬徐行，部曲坚重[219]。贼引兵蹑[220]之，不敢逼。光弼夜至河阳，有兵二万，粮才支十日。光弼按阅[221]守备，部分[222]士卒，无不严办[223]。庚寅[224]，思明入洛阳，城空，无所得，畏光弼掎[225]其后，不敢入宫，退屯白马寺[226]南，筑月城[227]于河阳南以拒光弼。于是郑、滑等州相继陷没[228]，韦陟、李若幽皆寓治[229]于陕。

冬，十月丁酉[230]，下制亲征史思明。群臣上表谏，乃止。

史思明引兵攻河阳，使骁将刘龙仙诣城下挑战。龙仙恃勇，举右足加马鬣上，慢骂光弼。光弼顾诸将曰："谁能取彼者？"仆固怀恩请

【语译】

李光弼正在巡视黄河岸边各军营，听到这一消息，回到汴州，对汴滑节度使许叔冀说："大夫能守住汴州十五天，我就会率军来援救。"许叔冀答应了。李光弼返回东京。史思明到达汴州，许叔冀与他交战，不能取胜，就与濮州刺史董秦及其部将梁浦、刘从谏、田神功等投降了史思明，史思明任命许叔冀为中书令，和他的将领李详一起防守汴州。史思明厚待董秦，控制了他的妻子儿女，安置在长芦县作为人质。又派他的将领南德信与梁浦、刘从谏、田神功等几十人攻打江、淮地区。田神功，是南宫县人，史思明任命他为平卢兵马使。不久，田神功袭击南德信，把他杀了，刘从谏脱身逃走，田神功率领他的部众前来投降。

史思明乘胜向西攻打郑州。李光弼整顿部队，慢速行进，到达洛阳，对留守韦陟说："叛贼乘胜而来，我们抑制住兵马不急于行动有利，速战不利。洛城不可能守住，您计划怎么办?"韦陟请求把部队留在陕郡，退守潼关，占据险阻以挫败敌人的锐气。李光弼说："双方对阵，贵在前进，切忌后退。现在无缘无故放弃五百里土地，那么叛贼气势就更加嚣张了。不如把部队转移到河阳，北边连接泽潞，有利就进取，不利则退守，里外相呼应，使叛贼不敢向西侵犯，这种态势就像猿猴的手臂，伸缩十分灵活。说到辨别朝廷礼仪，我不如您，至于谈论军事事务，您不如我。"韦陟无以应对。判官韦损说："东京是帝王的宅舍，侍中您为什么不坚守?"李光弼说："如果坚守东京，那么汜水、崿岭、龙门等地都应该布置部队。您作为兵马判官，能守得住吗?"于是给东京留守韦陟移送文书，让他率领东京的官吏及家属向西进入潼关，又给河南尹李若幽移送文书，让他率领官吏民众出城躲避叛贼，使东京变成一座空城。李光弼率领军士运送油、铁等物资到河阳进行防守戒备，李光弼带领五百名骑兵殿后。当时史思明的流动出击的部队已经到了石桥，各位将领请示说："现在是从洛阳城向北走呢，还是对着石桥前进呢?"李光弼说："对着石桥前进。"到傍晚，李光弼手执火炬缓慢前行，士兵坚强沉着。叛贼带兵跟在后面，不敢逼近。李光弼夜晚到达河阳，有士兵两万人，粮食只够支持十天。李光弼巡视守备，部署士卒，无不严格进行。九月二十七日庚寅，史思明进入洛阳，城内空荡荡的，一无所得，他害怕李光弼拖住他的后面，不敢进入宫中，退兵驻扎在白马寺南，在河阳城的南面修筑月城以对抗李光弼。这时郑州、滑州等州相继陷落，韦陟、李若幽都把处理公务的衙署暂时迁到了陕郡。

冬，十月初四日丁酉，肃宗下制书要亲自带兵征讨史思明。群臣上表劝谏，这才作罢。

史思明带兵攻打河阳，派猛将刘龙仙到城下挑战。刘龙仙倚仗勇猛，抬起右脚放在马鬣上，谩骂李光弼。李光弼回头看了看众将说："谁能拿下他?"仆固怀恩请求

行。光弼曰："此非大将所为。"左右言："裨将白孝德[231]可往。"光弼召问之。孝德请行。光弼问："须几何兵？"对曰："请挺身[232]取之。"光弼壮其志，然固问所须。对曰："愿选五十骑出垒门[233]为后继，兼请大军助鼓噪以增气。"光弼抚其背而遣之。孝德挟二矛，策马[234]乱流[235]而进。半涉[236]，怀恩贺曰："克矣！"光弼曰："锋未交，何以知之？"怀恩曰："观其揽辔安闲[237]，知其万全[238]。"龙仙见其独来，甚易[239]之。稍近，将动，孝德摇手示之，若非来为敌者，龙仙不测[240]而止。去之十步，乃与之言，龙仙慢骂如初。孝德息马[241]良久，因瞋目[242]谓曰："贼识我乎？"龙仙曰："谁也？"曰："我，白孝德也。"龙仙曰："是何狗彘[243]！"孝德大呼，运矛跃马搏之。城上鼓噪，五十骑继进。龙仙矢不及发，环走[244]堤上。孝德追及，斩首，携之以归，贼众大骇。孝德，本安西胡人也。

【段旨】

以上为第六段，写李光弼重兵守河阳，诱贼来战。

【注释】

⑳⑧田神功：田神功（？至公元七七三年），冀州南宫（今河北南宫南）人，家本微贱，以军功官至检校右仆射，封信都郡王。传见《旧唐书》卷一百二十四、《新唐书》卷一百四十四。⑳⑨长芦：县名，县治在今河北沧县。㉑⓪按兵：指按兵不动。〖按〗压住、止住。㉑①河阳：县名，唐德宗时置为军镇，治所在洛阳东北，今河南孟州西三十五里。河阳为东都洛阳的守河门户。㉑②猿臂之势：比喻进退灵活。猿臂，猿猴胳臂，伸缩灵便。㉑③侍中：李光弼，于乾元元年（公元七五八年）任为侍中。㉑④崿岭：山名，在今河南登封境内。㉑⑤龙门：又名伊阙。在今河南洛阳南。以有龙门山（西山）和香山（东山）隔伊河夹峙如门，故名。龙门石窟为我国著名的佛教艺术宝库之一。㉑⑥移牒：移送

前去。李光弼说："这不是大将所该做的。"左右的人说："裨将白孝德可以前往。"李光弼把白孝德召来询问。白孝德请求出战。李光弼问道："需要多少士兵?"白孝德回答说："请让我单枪匹马拿下他。"李光弼认为他志气雄壮，但还是坚持问他需要什么。回答说："希望挑选五十名骑兵从垒门出去作为后援，并请大军击鼓呼喊相助，以增添我的勇气。"李光弼拍拍他的肩背便派他出战。白孝德手持两根长矛，策马横渡河水前进。渡到一半时，仆固怀恩便祝贺说："胜了!"李光弼说："还未交锋，凭什么知道胜了?"仆固怀恩说："我看他牵着缰绳安闲镇定，便知道万无一失。"刘龙仙见他独自前来，非常轻视他。等他稍稍走近，刘龙仙准备动手，白孝德摇摇手示意，好像不是来对敌的，刘龙仙猜不透是什么意思就没有动手。白孝德走到相距十步的地方，才同刘龙仙说话，刘龙仙仍像以前一样谩骂。白孝德停下马休息了很久，然后怒睁双目对刘龙仙说："叛贼，你认识我吗?"刘龙仙说："你是谁?"回答说："我，白孝德。"刘龙仙说："你是哪里的猪狗!"白孝德大喊一声，挥矛飞马上前搏击。城上击鼓呼喊，五十名骑兵跟着冲了上去。刘龙仙箭还来不及射，转身逃到河堤之上。白孝德追上他，砍下他的头，提着回来，叛贼部众十分惊骇。白孝德，本是安西的胡人。

文书。㉑⑦殿：殿后，行军走在最后。㉑⑧石桥：桥名，在今河南洛阳东。㉑⑨坚重：坚强沉着。㉒⓪蹑：跟踪；追随。㉒①按阅：巡行检阅。㉒②部分：处理；部署。㉒③严办：严格办理；认真进行。㉒④庚寅：九月二十七日。㉒⑤掎：拉住；牵制。㉒⑥白马寺：佛寺名，在今河南洛阳东。㉒⑦月城：大城外用以障蔽城门的半圆形小城。㉒⑧于是郑、滑等州相继陷没：史思明进入洛阳后，郑、滑等州已经陷没。㉒⑨寓治：寄治，暂迁治所于别处。㉓⓪丁酉：十月初四日。㉓①白孝德：白孝德（公元七一四至七七九年），安西胡人，骁悍有胆力，以战功累官至检校刑部尚书，封昌化郡王。传见《旧唐书》卷一百九、《新唐书》卷一百三十六。㉓②挺身：挺直身躯，喻勇敢。此兼指独身。㉓③垒门：防守军营的大门。㉓④策马：挥鞭驱马前行。㉓⑤乱流：横渡。㉓⑥半涉：渡至水中央。㉓⑦揽辔安闲：手握马缰，从容自在。㉓⑧万全：万无一失。㉓⑨易：轻视。㉔⓪测：量度；推测。㉔①息马：让马休息而恢复气力。㉔②瞋目：怒睁双眼。㉔③彘：猪。㉔④环走：转身逃走。

【原文】

思明有良马千余匹，每日出于河南渚[245]浴之，循环不休以示多。光弼命索军中牝马[246]，得五百匹，絷其驹[247]于城内。俟思明马至水际，尽出之。马嘶不已，思明马悉浮渡河，一时驱之入城。思明怒，列战船数百艘，泛火船[248]于前而随之，欲乘流烧浮桥。光弼先贮百尺长竿数百枚，以巨木承其根，毡[249]裹铁叉置其首，以迎火船而叉之。船不得进，须臾自焚尽。又以叉拒战船，于桥上发炮石击之，中者皆沉没，贼不胜而去。

思明见兵[250]于河清，欲绝光弼粮道。光弼军于野水渡以备之。既夕，还河阳，留兵千人，使部将雍希颢[251]守其栅[252]，曰："贼将高庭晖、李日越、喻文景，皆万人敌也，思明必使一人来劫我。我且去之，汝待于此。若贼至，勿与之战，降则与之俱来。"诸将莫谕[253]其意，皆窃笑之。既而思明果谓李日越曰："李光弼长于凭城[254]，今出在野，此成擒矣。汝以铁骑[255]宵济[256]，为我取之，不得则勿返。"日越将五百骑晨至栅下，希颢阻壕休卒[257]，吟啸[258]相视，日越怪之，问曰："司空[259]在乎？"曰："夜去矣。""兵几何？"曰："千人。""将谁？"曰："雍希颢。"日越默计[260]久之，谓其下曰："今失李光弼，得希颢而归，吾死必矣，不如降也。"遂请降。希颢与之俱见光弼，光弼厚待之，任以心腹。高庭晖闻之，亦降。或问光弼："降二将何易也？"光弼曰："此人情[261]耳。思明常恨不得野战[262]，闻我在外，以为必可取。日越不获我，势不敢归。庭晖才勇过于日越，闻日越被宠任，必思夺之矣。"庭晖时为五台府[263]果毅[264]，己亥[265]，以庭晖为右武卫大将军[266]。

思明复攻河阳。光弼谓郑陈节度使李抱玉曰："将军能为我守南城[267]二日乎？"抱玉曰："过期何如？"光弼曰："过期救不至，任弃之。"抱玉许诺，勒兵拒守。城且陷，抱玉绐之曰："吾粮尽，明旦当降。"贼喜，敛军[268]以待之。抱玉缮完城备，明日，复请战。贼怒，急攻之。抱玉出奇兵，表里夹击，杀伤甚众。

【语译】

史思明有好马一千多匹，每天牵出来在黄河南岸水边洗浴，循环不停，以显示数量众多。李光弼下令索求军中的母马，得到五百匹，把小马驹都拴在城里。等史思明的马到了水边，就把母马全都放出来。这些马嘶叫不止，史思明的马全都浮水渡过黄河来追母马，一同被赶入城内。史思明发怒，排出几百艘战船，前面漂着点火攻敌的火船，战船跟在后面，想要顺流而下烧毁浮桥。李光弼事先贮备了百尺的长竿几百根，用大木头顶住长竿的尾部，把用毡裹住的铁叉安置在长竿的前头，迎着火船把船叉住。火船不能前进，很快就自行烧毁。又用铁叉抵住战船，在桥上发射炮石打它，被打中的船都沉没在河里，叛贼没能取胜而退了回去。

史思明的部队又出现在河清县，想要断绝李光弼的粮道。李光弼驻军于野水渡以防备他。到了傍晚，李光弼返回河阳，留下士兵一千名，派部将雍希颢守卫营栅，并说："叛贼将领高庭晖、李日越、喻文景，都能力敌万人，史思明必定派他们中的一人前来劫我军营。我暂且离营，你等在这里。如果叛贼到了，不要与他交战，他们投降了就带他们一起来见我。"各位将领没有一个明白李光弼的用意，都暗暗笑他。不久，史思明果然对李日越说："李光弼擅长凭借城池作战，现在出城驻扎在野外，这次就能擒获他了。你带着铁骑连夜渡河，替我把他捉来，捉不到就别回来。"李日越率领五百名骑兵清晨到达营栅前，雍希颢靠着有战壕阻隔而让士兵休息，士兵们自在吟咏，彼此相视，李日越感到很奇怪，问道："司空在吗？"回答说："昨夜就走了。"又问："营中有兵多少？"回答说："一千人。"又问："将军是谁？"回答说："雍希颢。"李日越默默盘算了很久，对部下说："今天失去了李光弼，只得到雍希颢而回去，我必有一死，还不如投降。"于是请求投降。雍希颢带着他一起来见李光弼，李光弼厚待他，如同心腹一样任用他。高庭晖听说后，也来投降。有人问李光弼："降服两员大将怎么这么容易？"李光弼说："这是人之常情罢了。史思明常常因不能与我在野外交战而遗憾，这次听说我在野外，以为一定可以抓到我。李日越没有擒获我，势必不敢回去。高庭晖的才干勇气超过了李日越，听说李日越受到宠信任用，就必定想来争夺这个位置了。"高庭晖当时是五台府果毅，十月初六日己亥，朝廷任命高庭晖为右武卫大将军。

史思明再次攻打河阳。李光弼对郑陈节度使李抱玉说："将军能替我坚守南城两天吗？"李抱玉说："超过期限怎么办？"李光弼说："超过期限如救兵不到，就任由你放弃。"李抱玉答应了，统率部队抗敌守城。城将被攻陷时，李抱玉欺骗敌人说："我的粮食吃光了，明天天一亮就投降。"叛贼很高兴，就收兵等待。李抱玉修缮城墙完善守备，第二天，又请战。叛贼非常生气，攻势很急。李抱玉派出奇兵，内外夹击，杀伤很多敌人。

董秦从思明寇河阳，夜，帅其众五百，拔栅突围，降于光弼。时光弼自将屯中潬[269]，城外置栅，栅外穿堑，深广二丈。乙巳[270]，贼将周挚舍南城，并力攻中潬。光弼命荔非元礼出劲卒于羊马城[271]以拒贼，光弼自于城东北隅建小朱旗以望贼。贼恃其众，直进逼城，以车载攻具自随，督众填堑，三面各八道以过兵，又开栅为门。光弼望贼逼城，使问元礼曰："中丞视贼填堑开栅过兵，晏然不动，何也？"元礼曰："司空欲守乎？战乎？"光弼曰："欲战。"元礼曰："欲战，则贼为吾填堑，何为禁之？"光弼曰："善。吾所不及，勉之！"元礼俟栅开，帅敢死士突出击贼，却走数百步。元礼度贼陈坚，未易摧陷，乃复引退，须其怠而击之。光弼望见[13]元礼退，怒，遣左右召，欲斩之。元礼曰："战正急，召何为？"乃退入栅中，贼亦不敢逼。良久，鼓噪出栅门，奋击，破之。

周挚复收兵趣北城。光弼遽帅众入北城，登城望贼曰："贼兵虽多，嚣而不整，不足畏也，不过日中，保为诸君破之。"乃命诸将出战。及期，不决，召诸将问曰："向来贼陈，何方最坚？"曰："西北隅。"光弼命其将郝廷玉[272]当之。廷玉请骑兵五百，与之三百。又问其次坚者，曰："东南隅。"光弼命其将论惟贞[273]当之。惟贞请铁骑三百，与之二百。光弼令诸将曰："尔曹[14]望吾旗而战，吾飐旗[274]缓，任尔择利而战。吾急飐旗三至地，则万众齐入，死生以之，少退者斩！"又以短刀置靴[275]中，曰："战，危事，吾国之三公，不可死贼手，万一战不利，诸君前死于敌，我自刭于此，不令诸君独死也。"诸将出战，顷之，廷玉奔还。光弼望之，惊曰："廷玉退，吾事危矣。"命左右取廷玉首。廷玉曰："马中箭，非敢退也。"使者驰报。光弼令易马，遣之。仆固怀恩及其子开府仪同三司玚[276]战小却，光弼又命取其首。怀恩父子顾见使者提刀驰来，更前决战。光弼连飐其旗，诸将齐进致死，呼声动天地。贼众大溃，斩首千余级，捕虏五百人，溺死者千余人，周挚以数骑遁去，擒其大将徐璜玉、李秦授[277]。其河南节度使安太清走保怀州。思明不知挚败，尚攻南城，光弼驱俘囚临河示之，乃遁。

董秦跟随史思明侵犯河阳，趁夜率领部下五百人，拔掉栅栏突围出来，投降了李光弼。当时李光弼亲自率兵驻扎在中潬城，城外设置了栅栏，栅栏外挖了壕沟，深宽各二丈。十月十二日乙巳，叛贼将领周挚放弃南城，合力进攻中潬城。李光弼命令荔非元礼派出精兵到城外加筑的低墙内抗击敌军，李光弼自己在城的东北角竖起小红旗，观察敌情。叛贼依仗人多，径直进兵，逼近城下，用车子装着攻城器具跟在后面，督促士卒填壕沟，在三面各设八路让士兵通过，又打开栅栏作门。李光弼看见叛贼逼近城下，派人问荔非元礼说："中丞你看着叛贼填壕沟打开栅栏通过士兵，却安然不动，为什么？"荔非元礼说："司空想防守呢？还是想出战？"李光弼说："想出战。"荔非元礼说："想要出战，那么叛贼正在替我们填壕沟，为什么要阻止他们呢？"李光弼说："很好。我没有想到这一点，努力吧！"荔非元礼等到栅栏打开，就率领敢死士卒突然出动攻击叛贼，让他们后退了几百步。荔非元礼考虑到叛贼阵地坚固，不容易摧毁攻陷，就又带兵退回，想等叛贼懈怠时再去攻打他们。李光弼望见荔非元礼退回，十分生气，派左右的人去召他，想要杀了他。荔非元礼说："战事正紧急，召我做什么？"于是退入栅栏中，叛贼也不敢紧逼。过了许久，荔非元礼又击鼓呼喊冲出栅栏门，奋力进击，打败了敌人。

周挚又收兵赶往北城，李光弼迅速率领部众进入北城，登上城墙观望叛贼，说："贼兵虽多，但喧嚣杂乱而不严整，不值得害怕，不超过中午，保证替诸君打败他们。"于是命令各位将领出战。到了中午，还没有决出胜负，李光弼召来各位将领问道："刚才叛贼的阵势，哪个地方最坚固？"回答说："西北角。"李光弼命令他的部将郝廷玉去对付那里。郝廷玉请求给骑兵五百，李光弼给他三百。李光弼又问其次哪个地方坚固，回答说："东南角。"李光弼命令他的部将论惟贞去对付。论惟贞请求给铁骑三百，李光弼给他两百。李光弼命令各位将领说："你们看我的旗帜而战，我挥旗缓慢，就任凭你们选择有利战机作战。我急速地挥旗三次直到地面，那就全军一齐杀进去，要不顾死活，稍有后退者斩首！"李光弼又把短刀插在靴子里，说："打仗，是一件危险的事，我是国家的三公，不能死在叛贼手中，万一战斗不利，诸位在前面死于敌手，我就在这里自杀，不让诸位单独去死。"各位将领出战，不一会儿，郝廷玉跑回来了。李光弼看见后，大惊道："郝廷玉后退，我的事情危险了。"命令左右的人斩取郝廷玉的首级。郝廷玉说："我的马中箭，我不是后退呀。"使者飞奔回报。李光弼命令换马，派他再战。仆固怀恩和他的儿子开府仪同三司仆固玚在交战中稍有退却，李光弼又命令斩取他们的首级。仆固怀恩父子回头看见使者提刀飞奔而来，就又向前决战。李光弼连续挥动旗帜，各位将领一齐进攻拼死作战，呼喊声震天动地。叛贼部队大败溃散，杀死一千多人，俘虏五百人，淹死一千多人，周挚只带了几个骑兵逃走，活捉叛贼大将徐璜玉、李秦授。叛贼的河南节度使安太清退保怀州。史思明不知道周挚战败，还在进攻南城，李光弼把俘虏赶到黄河岸边给他看，他才退走。

丁巳㉗⑧，以李日越为右金吾大将军。

邛㉗⑨、简㉘⓪、嘉㉘①、眉㉘②、泸㉘③、戎㉘④等州蛮反。

十一月甲子㉘⑤，以殿中监董秦为陕西、神策两军兵马使，赐姓李，名忠臣。

康楚元等众至万余人，商州刺史充荆、襄等道租庸使韦伦㉘⑥发兵讨之，驻于邓之境，招谕降者，厚抚之。伺其稍怠，进军击之，生擒楚元，其众遂溃，得其所掠租庸二百万缗，荆、襄皆平。伦，见素之从弟也。

发安西、北庭兵屯陕，以备史思明。

第五琦作乾元钱、重轮钱，与开元钱三品㉘⑦并行。民争盗铸，货轻物重㉘⑧，谷价腾踊㉘⑨，饿殍㉙⓪相望，上言者皆归咎于琦。庚午㉙①，贬琦忠州㉙②长史。御史大夫贺兰进明贬溱州㉙③员外司马，坐琦党也。

十二月甲午㉙④，吕諲领度支使。

乙巳㉙⑤，韦伦送康楚元诣阙，斩之。

史思明遣其将李归仁将铁骑五千寇陕州，神策兵马使卫伯玉㉙⑥以数百骑击破之于礓子阪㉙⑦，得马六百匹，归仁走。以伯玉为镇西、四镇行营节度使。李忠臣与归仁等战于永宁㉙⑧、莎栅㉙⑨之间，屡破之。

【段旨】

以上为第七段，写李光弼讨贼，与史思明在河阳展开大决战，双方势均力敌。

【注释】

㉔⑤渚：水中的小块陆地；水边。㉔⑥牝马：母马。㉔⑦驹：少壮的马。㉔⑧火船：引火攻敌的船。㉔⑨毡：毛毡，用动物毛压成的像厚呢一样的东西。㉕⓪见兵：出现军队。见，通“现”。㉕①雍希颢：李光弼部将。其事散见《旧唐书》卷一百三十二《李澄传》、《新唐书》卷一百三十六《李光弼传》等篇。㉕②栅：栅栏，军事上的防御设施。㉕③谕：知道；了解。㉕④凭城：凭借城池作战。㉕⑤铁骑：披铠甲之马，也指骑兵。㉕⑥宵济：夜晚渡河。㉕⑦阻壕休卒：以战壕为阻隔，让士卒休息。㉕⑧吟啸：吟咏，指安闲自在。㉕⑨司

十月二十四日丁巳，任命李日越为右金吾大将军。

邛州、简州、嘉州、眉州、泸州、戎州等州的蛮族反叛。

十一月初一日甲子，任命殿中监董秦为陕西、神策两军兵马使，赐姓李氏，名忠臣。

康楚元等部众已达一万多人，商州刺史兼荆、襄等道租庸使韦伦发兵讨伐他，驻扎在邓州境内，招纳晓谕投降的人，优厚地安抚他们。等到康楚元稍有懈怠，就进军攻打，活捉了康楚元，他的部众就溃散了，得到他所掠夺的租庸二百万缗，荆、襄一带都平定了。韦伦，是韦见素的堂弟。

征发安西、北庭的士兵驻扎陕郡，以防备史思明。

第五琦铸造乾元钱、重轮钱，和开元钱一起三个品类同时流通。民间争相偷铸，钱币贬值，物品贵重，谷价飞涨，饿死的人前后相望，向肃宗进言的人都归咎于第五琦。十一月初七日庚午，把第五琦贬为忠州长史。御史大夫贺兰进明被贬为溱州员外司马，因他是第五琦的同党。

十二月初二日甲午，吕諲任度支使。

十三日乙巳，韦伦押送康楚元到朝廷，康楚元被斩首。

史思明派他的部将李归仁率领精锐骑兵五千名侵犯陕州，神策兵马使卫伯玉带领几百名骑兵在礓子阪打败李归仁，获得战马六百匹，李归仁逃走。任命卫伯玉为镇西、四镇行营节度使。李忠臣和李归仁等在永宁、莎栅之间作战，多次打败他。

空：指李光弼。肃宗至德二载（公元七五七年）十二月，以李光弼为司空。㉖⓪默计：暗暗思索。㉖①人情：人之常情。㉖②野战：旷野交战。㉖③五台府：代州五台县折冲府。㉖④果毅：果毅都尉，为折冲都尉之副。㉖⑤己亥：十月初六日。㉖⑥右武卫大将军：军官名，右武卫长官，掌宿卫宫禁。㉖⑦南城：指河阳县的南城。㉖⑧敛军：收敛队伍。敛，收。㉖⑨中潬：黄河中的一个沙滩，即今河南孟州西南郭家滩，古河阳三城之一。潬，沙滩。㉗⓪乙巳：十月十二日。㉗①羊马城：城外另筑矮墙，类似羊圈马圈的围墙。也称羊马墙、羊马垣。㉗②郝廷玉：郝廷玉（？至公元七七三年），骁勇善斗。以军功官至太常卿，封安边郡王。传见《旧唐书》卷一百五十二、《新唐书》卷一百三十六。㉗③论惟贞：吐蕃降将。传见《新唐书》卷一百十。㉗④飐旗：挥动旗帜。飐，风吹物动。㉗⑤靴：战靴。㉗⑥玚：仆固玚（？至公元七六三年），仆固怀恩之子，骁勇善战。先后任开府仪同三司、御史大夫、朔方行营节度使。后随父叛唐，为帐下所杀。其事散见《旧唐书》卷一百二十一、《新唐书》卷二百二十四上《仆固怀恩传》等篇。㉗⑦擒其大将徐璜玉、李秦授：李秦授

被擒，书于此时。《考异》指出系从《肃宗实录》，可是《考异》同时又说李秦授上元元年（公元七六〇年）四月乃见擒。正文与《考异》矛盾。㉗⑧丁巳：十月二十四日。㉗⑨邛：州名，治所在今四川邛崃。㉘⓪简：州名，治所在今四川简阳西北。㉘①嘉：州名，治所在今四川乐山。㉘②眉：州名，治所在今四川眉山。㉘③泸：州名，治所在今四川泸州。㉘④戎：州名，治所在今四川宜宾。㉘⑤甲子：十一月初一日。㉘⑥韦伦：韦伦（公元七一六至七九八年），官至太常卿，封郢国公。传见《旧唐书》卷一百三十八、《新唐书》卷一百四十三。㉘⑦品：种；类。㉘⑧货轻物重：指钱的价值下降，物的价值上升，即钱币贬值，物价上涨。货，钱币。物，物品。㉘⑨谷价腾踊：谷物价格飞涨。㉙⓪饿殍：饿死的人。殍，饿死，也指饿死的人。㉙①庚午：十一月初七。㉙②忠州：州名，治所在今重庆忠县。㉙③溱

【原文】

上元元年（庚子，公元七六〇年）

春，正月辛巳[300]，以李光弼为太尉兼中书令，余如故。

丙戌[301]，以于阗王胜之弟曜同四镇节度副使，权知本国事。

党项等羌吞噬[302]边鄙[303]，将逼京畿，乃分邠宁等州节度为鄜坊丹延[304]节度，亦谓之渭北节度。以邠州刺史桑如珪领邠宁，鄜州刺史杜冕领鄜坊节度副使，分道招讨。戊子[305]，以郭子仪领两道[306]节度使，留京师，假其威名以镇之。

上祀九宫贵神。

二月，李光弼攻怀州，史思明救之。癸卯[307]，光弼逆战于沁水之上，破之，斩首三千余级。

忠州长史第五琦既行，或告琦受人金二百两，遣御史刘期光追按之。琦曰：“琦备位[308]宰相，二百两金不可手挈[309]。若付受有凭，请准律科罪[310]。”期光即奏琦已服罪。庚戌[311]，琦坐除名，长流夷州[312]。

三月甲申[313]，改蒲州为河中府。

庚寅[314]，李光弼破安太清于怀州城下。夏，四月壬辰[315]，破史思明于河阳西渚，斩首千五百余级。

襄州将张维瑾、曹玠杀节度使史翙，据州反，制以陇州刺史韦伦

州：州名，治所在今重庆市綦江区南。㉔甲午：十二月初二日。㉕乙巳：十二月十三日。㉖卫伯玉：卫伯玉（？至公元七七六年），以军功官任右羽林大将军、神策军节度、荆南节度使、检校工部尚书，先后封河东郡公、城阳郡王。传见《旧唐书》卷一百十五、《新唐书》卷一百四十一。㉗礓子阪：地名，在今河南洛宁西。㉘永宁：县名，县治在今河南洛宁北。㉙莎栅：地名，在今河南洛宁西洛水北岸。

【校记】

［13］见：原无此字。据章钰校，甲十六行本、乙十一行本皆有此字，今据补。［14］曹：据章钰校，甲十六行本、乙十一行本皆作“辈”。

【语译】

上元元年（庚子，公元七六〇年）

春，正月十九日辛巳，任命李光弼为太尉兼中书令，其余官职如故。

二十四日丙戌，任命于阗国王尉迟胜的弟弟尉迟曜同四镇节度副使，代理掌管本国政事。

党项等羌族侵吞唐朝边疆地区，即将逼近京畿，于是划分邠宁等州节度设立鄜坊丹延节度，也称作渭北节度。任命邠州刺史桑如珪兼任邠宁节度副使，鄜州刺史杜冕兼任鄜坊节度副使，分路招抚讨伐羌族。正月二十六日戊子，任命郭子仪兼任邠宁、鄜坊两道节度使，留在京师，假借他的威名来镇抚两道。

肃宗祭祀九宫贵神。

二月，李光弼攻打怀州，史思明前来援救。十一日癸卯，李光弼迎战史思明于沁水岸边，打败了他，杀死三千多人。

忠州长史第五琦已经上路赴任，有人告发他接受别人黄金二百两，朝廷派御史刘期光追究审查他。第五琦说：“我位居宰相，二百两黄金不可能用手提着。如果授受有凭据，请按照法律定罪。”刘期光立即奏报第五琦已经认罪。二月十八日庚戌，第五琦因罪被削除名籍，长期流放到夷州。

三月二十三日甲申，改蒲州为河中府。

二十九日庚寅，李光弼在怀州城下打败安太清。夏，四月初二日壬辰，在河阳城西的河边打败史思明，斩获首级一千五百多。

襄州将领张维瑾、曹玠杀死节度使史翙，占据州城反叛，肃宗下制书任命陇

为山南东道节度使。时李辅国用事，节度使皆出其门。伦既朝廷所除，又不谒辅国，寻改秦州防御使。己未[316]，以陕西节度使来瑱为山南东道节度使。瑱至襄州，张维瑾等皆降。

闰月丁卯[317]，加河东节度使王思礼为司空。自武德以来，思礼始不为宰相而拜三公[318]。

甲戌[319]，徙赵王係为越王。

己卯[320]，赦天下，改元[321]。

追谥太公望[322]为武成王，选历代名将为亚圣[323]、十哲[324]，其中祀、下祀并杂祀[325]一切并停。

是日，史思明入东京[326]。

五月丙午[327]，以太子太傅苗晋卿行侍中。晋卿练达吏事[328]，而谨身固位[329]，时人比之胡广[330]。

宦者马上言受赂，为人求官于兵部侍郎、同中书门下三品吕諲，諲为之补官。事觉，上言杖死。壬子[331]，諲罢为太子宾客。

癸丑[332]，以京兆尹南华刘晏[333]为户部侍郎，充度支[334]、铸钱[335]、盐铁[336]等使。晏善治财利，故用之。

六月甲子[337]，桂州经略使邢济奏破西原蛮[338]二十万众，斩其帅黄乾曜等[339]。

乙丑[340]，凤翔节度使崔光远奏破泾、陇羌、浑十余万众[15]。

三品钱[341]行浸久，属岁荒，米斗至七千钱，人相食。京兆尹郑叔清捕私铸钱者，数月间，榜死者八百余人，不能禁。乃敕京畿，开元钱与乾元小钱皆当十，其重轮钱当三十，诸州更俟进止[342]。是时史思明亦铸顺天、得一钱[343]，一当开元钱百，贼中物价尤贵。

甲申[344]，兴王佋薨。佋，张后长子也，幼曰定王侗。张后以故数欲危太子，太子常以恭逊取容[345]。会佋薨，侗尚幼，太子位遂定。

乙酉[346]，凤翔节度使崔光远破党项于普润[347]。平卢[16]兵马使田神功奏破史思明之兵于郑州。

州刺史韦伦为山南东道节度使。当时李辅国当权，节度使都出自他的门下。韦伦被朝廷任命后，又不去拜谒李辅国，不久就改任秦州防御使。四月二十九日己未，任命陕西节度使来瑱为山南东道节度使。来瑱到了襄州，张维瑾等人都投降了。

闰四月初七日丁卯，加封河东节度使王思礼为司空。从武德年间以来，王思礼是第一个没有担任宰相而拜为三公的人。

闰四月十四日甲戌，迁封赵王李係为越王。

十九日己卯，大赦天下，改年号为上元。

追谥西周的太公望为武成王，挑选历代名将为亚圣、十哲，其余的中祀、下祀和杂祀一律停止。

这一天，史思明进入东京。

五月十七日丙午，任命太子太傅苗晋卿为侍中。苗晋卿处理官场事务干练通达，为人谨慎，能固守官位，当时的人把他比作东汉的胡广。

宦官马上言接受贿赂，替别人向兵部侍郎、同中书门下三品吕諲求官，吕諲帮他补了一个官职。事情被发觉，马上言受杖刑而死。五月二十三日壬子，吕諲被罢免而改任太子宾客。

五月二十四日癸丑，任命京兆尹南华人刘晏为户部侍郎，充任度支、铸钱、盐铁等使。刘晏善于理财生利，所以任用他。

六月初六日甲子，桂州经略使邢济上奏说打败西原蛮族二十万人，杀了他们的主帅黄干曜等人。

初七日乙丑，凤翔节度使崔光远上奏说打败泾州、陇州的羌族和浑族十几万人。

三种品类的钱通行渐久，适值荒年，米价一斗达到七千钱，乃至人与人相食。京兆尹郑叔清逮捕私自铸钱的人，几个月间，受罚被打死的有八百多人，还是不能禁止。于是肃宗下令京畿地区，开元钱和乾元小钱都以一钱当十钱，重轮钱以一钱当三十钱，各州等待以后的命令再做规定。当时，史思明也铸造了顺天钱、得一钱，以一钱当开元钱一百钱，叛贼占领的地区物价更加昂贵。

六月二十六日甲申，兴王李佋去世。李佋，是张皇后的长子，幼子是定王李侗。张皇后因此多次想要危害太子，太子常常以恭敬谦逊的姿态讨好张皇后。适逢李佋死，李侗还年幼，太子的地位也就稳固了。

六月二十七日乙酉，凤翔节度使崔光远在普润县打败党项军队。平卢兵马使田神功上奏说在郑州打败史思明的军队。

【段旨】

以上为第八段，写唐肃宗朝政不肃，财政告危，河南讨贼诸军与贼拉锯相持。

【注释】

㉚辛巳：正月十九日。㉛丙戌：正月二十四日。㉜吞噬：吞食；兼并。㉝边鄙：近边界的地方。㉞鄜坊丹延：皆为州名。鄜州治所在今陕西富县，坊州治所在今陕西黄陵东南，丹州治所在今陕西宜川县，延州治所在今陕西延安。㉟戊子：正月二十六日。㊱两道：指邠宁与鄜坊两节度使。㊲癸卯：二月十一日。㊳备位：谦辞。指聊以充数，徒占其位。㊴手挈：用手提起。㊵准律科罪：指依照法律条款判罪。准，依照。律，法律。科，判处。㊶庚戌：二月十八日。㊷夷州：州名，治所在今贵州石阡。㊸甲申：三月二十三日。㊹庚寅：三月二十九日。㊺壬辰：四月初二。㊻己未：四月二十九日。㊼丁卯：闰四月初七日。㊽不为宰相而拜三公：唐朝前期，三公多为宰相、亲王的加官，不领实事。至此，王思礼始以藩镇而加三公之位。㊾甲戌：闰四月十四日。㊿己卯：闰四月十九日。㉑改元：改元上元。㉒太公望：姜姓，吕氏，名尚，俗称姜太公。西周初年人。相传垂钓于渭滨，周文王出狩相遇，与语大悦，同载而归，说："吾太公望子久矣！"因号为太公望，立为师。武王即位，尊为师尚父。辅佐武王灭殷，周朝既建，封于齐，为齐国始祖。事见《史记·齐太公世家》。㉓亚圣：指才器名位仅次于圣人（武成王太公望）的人。㉔十哲：十位聪明能干的人。上元元年（公元七六〇年）所立十哲分左右列坐，左为白起、韩信、诸葛亮、李靖、李勣，右为张良、田穰苴、孙武、吴起、乐毅。㉕中祀、下祀并杂祀：隋唐以来的封建王朝祠祭，分大祀、中祀、群祀（即小祀）三等，大祀指祭天、地、太庙、五帝及追尊之帝、后。中祀指祭社稷、日月、星辰、前代帝王、山岳、海渎、帝社、先蚕、孔宣父、齐太公、诸太子庙。小祀，即这里所说的下祀，指祭司中、司命、司人、司禄、风伯、雨师及山林川泽诸庙诸祠。杂祀，指祭祀各路小鬼神。㉖史思明入东京：去年九月史思明已入东京洛阳，当时城空，李光弼在河阳，史思明不敢入宫，退屯白马寺。至此移军入城。㉗丙午：五月十七日。㉘练达吏事：指处理官场业务之事十分圆滑熟练。练达，阅历多而通晓人情世故。吏事，官吏之事、官吏的业务。㉙谨身固位：指言行谨慎，以稳保官位。谨身，对自己小心、谨慎。固位，稳定官位。㉚胡广：胡广（公元九一至一七二年），字伯始，东汉南郡华容（今湖北荆州沙市区东）人，举孝廉，安帝以其奏章为天下第一，官至太傅。历仕安、顺、冲、质、桓、灵六帝。时皇权衰微，外戚宦官擅政，广自保而已。性温柔谨素，达

练事体，故京师谚曰："万事不理问伯始，天下中庸有胡公。"著有《百官箴》四十八篇及诗、赋、铭、颂、诸解诂二十二篇。传见《后汉书》卷四十四。㉛壬子：五月二十三日。㉜癸丑：五月二十四日。㉝刘晏：刘晏（公元七一五至七八〇年），字士安，南华（今山东东明东南）人，中唐理财家。自安史之乱，天下物价腾贵，晏领盐铁转运租庸等使二十年，军国之用，皆仰于晏。官至宰相。后遭杨炎谗构被杀。传见《旧唐书》卷一百二十三、《新唐书》卷一百四十九。㉞度支：指度支使。掌贡赋租税的差遣官，量入以为出，故名度支。㉟铸钱：指铸钱使。专事铸造钱币的差遣官。开元二十五年（公元七三七年）始见设置，此后续有任命。至大历五年（公元七七〇年）停。详《唐会要》卷五十九。㊱盐铁：指盐铁使。乾元元年（公元七五八年）设置。为管食盐专卖为主，兼掌银铜铁锡采冶的差遣官。后与转运使合为盐铁转运使，成为执掌国家财政的三司使（另二司使为度支使和户部使）之一，在唐代中后期起重要作用。详《唐会要》卷八十八。㊲甲子：六月初六日。㊳西原蛮：部族名，居住在今广西西部、越南北部一带的部族，有宁氏相承为豪酋，其属有黄氏、韦氏、周氏、侬氏等。天宝初，黄氏强，与韦氏、周氏、侬氏诸部相依，占据十余州。后又把韦、周二氏驱逐到海滨县，黄氏地域扩至数千里。㊴斩其帅黄乾曜等：至德（公元七五六至七五八年）初西原蛮首领黄乾曜叛，攻桂管十八州，焚庐舍，掠士女，四岁不能平。乾元（公元七五八至七六〇年）初，唐遣使招慰，部分归降首领共请出兵讨击黄乾曜。于是，斩黄乾曜等七人，叛乱暂时平服。邢济所奏即指此事。详《新唐书》卷二百二十二下。㊵乙丑：六月初七日。㊶三品钱：指开元通宝钱、乾元重宝钱、乾元重宝重轮钱。㊷诸州更俟进止：指京畿以外诸州不适用此项规定，等候皇帝另外的命令行动。㊸顺天、得一钱：顺天，本是史思明年号，乾元二年四月史思明在范阳称大燕皇帝，改元顺天。得一钱是史思明所铸钱币，文曰"得一元宝"，径一寸四分。随即因为不喜欢"得一"二字，以为不是国运长久的好兆头，便改其文曰"顺天元宝"，以年号为钱名。㊹甲申：六月二十六日。㊺恭逊取容：以恭敬谦让来取悦于人。恭，恭敬。逊，谦逊。取容，曲从讨好，取悦于人。㊻乙酉：六月二十七日。㊼普润：县名。县治在今陕西麟游西。

【校记】

［15］乙丑……十余万众：原无此二十字。据章钰校，甲十六行本、乙十一行本皆有此二十字，张瑛《通鉴校勘记》同，今据补。［16］平卢：原作"平泸"。据章钰校，甲十六行本、乙十一行本皆作"平卢"，当是。张敦仁《通鉴刊本识误》同，今据改。

【原文】

上皇爱兴庆宫，自蜀归，即居之。上时自夹城[348]往起居[349]，上皇亦间至大明宫。左龙武大将军陈玄礼、内侍监高力士久侍卫上皇，上又命玉真公主[350]、如仙媛[351]、内侍王承恩、魏悦及梨园弟子常娱侍左右。上皇多御长庆楼[352]，父老过者往往瞻拜，呼万岁，上皇常于楼下置酒食赐之，又尝召将军郭英乂等上楼赐宴。有剑南奏事官[353]过楼下拜舞，上皇命玉真公主、如仙媛为之作主人。

李辅国素微贱，虽暴贵用事[354]，上皇左右皆轻之。辅国意恨[355]，且欲立奇功以固其宠，乃言于上曰："上皇居兴庆宫，日与外人交通[356]，陈玄礼、高力士谋不利于陛下。今六军将士尽灵武勋臣[357]，皆反仄[358]不安，臣晓谕不能解，不敢不以闻。"上泣曰："圣皇[359]慈仁，岂容有此！"对曰："上皇固无此意，其如群小何！陛下为天下主，当为社稷大计，消乱于未萌，岂得徇[360]匹夫[361]之孝！且兴庆宫与阎闾[17]相参[362]，垣墉[363]浅露，非至尊所宜居。大内[364]深严，奉迎居之，与彼何殊，又得杜绝小人荧惑[365]圣听。如此，上皇享万岁之安，陛下有三朝[366]之乐，庸何[367]伤乎！"上不听。

兴庆宫先有马三百匹，辅国矫敕[368]取之，才留十匹。上皇谓高力士曰："吾儿为辅国所惑，不得终孝矣。"辅国又令六军将士号哭叩头，请迎上皇居西内[369]。上泣不应，辅国惧。会上不豫，秋，七月丁未[370]，辅国矫称上语，迎上皇游西内。至睿武门[371]，辅国将射生五百骑，露刃遮道奏曰："皇帝以兴庆宫湫隘[372]，迎上皇迁居大内。"上皇惊，几坠。高力士曰："李辅国何得无礼！"叱令下马。辅国不得已而下。力士因宣上皇诰曰："诸将士各好在[373]？"将士皆纳刃，再拜，呼万岁。力士又叱辅国与己共执上皇马鞚[374]，侍卫如[375]西内，居甘露殿[376]。辅国帅众而退，所留侍卫兵，才尪老[377]数十人，陈玄礼、高力士及旧宫人皆不得留左右。上皇曰："兴庆宫，吾之王地，吾数以让皇帝，皇帝不受。今日之徙，亦吾志也。"是日，辅国与六军大将素服见上，请罪。上又

【语译】

太上皇喜爱兴庆宫，从蜀中回来后，就住在那里。肃宗时常从夹城前往问候起居，太上皇也偶尔到大明宫去。左龙武大将军陈玄礼、内侍监高力士长期侍奉保卫太上皇，肃宗又命玉真公主、如仙媛、内侍王承恩、魏悦以及梨园弟子经常在太上皇身边侍候，使他欢乐。太上皇多次登临长庆楼，父老们经过楼下往往瞻仰下拜，高呼万岁，太上皇也常在楼下设酒食赏赐他们，又曾经把将军郭英乂等召上楼来赏赐酒宴。有位从剑南来奏事的官员经过楼下向太上皇拜舞，太上皇命玉真公主、如仙媛做东款待他。

李辅国素来出身卑微低贱，虽然突然间地位尊贵，当权主事，但太上皇左右的人仍都看不起他。李辅国心中嫉恨，并且想建立奇功以巩固自己受宠信的地位，于是对肃宗说："太上皇住在兴庆宫，天天和外面的人交往，陈玄礼、高力士谋划不利于陛下的事情。如今六军将士都是在灵武拥立您的功臣，他们都辗转不安，臣多方晓谕但仍不能使他们释怀，所以不敢不向陛下报告。"肃宗流泪说："圣皇仁慈，怎么会容忍有这样的事！"李辅国回答说："太上皇固然没有这样的意思，可是对那些小人又有什么办法呢！陛下是天下的君主，应当为国家大计着想，把祸乱消灭在尚未萌芽之时，怎么能曲从匹夫的孝道呢！况且兴庆宫与民居里巷交错，宫墙低矮，不是至尊的人所适宜居住的地方。皇宫深邃严密，奉迎太上皇入住这里，与住在兴庆宫有什么区别，又可以杜绝小人迷惑太上皇的视听。这样，太上皇就可以享受万年的安宁，陛下也可以有一日三次去拜见问候的快乐，有什么可伤心的呢！"肃宗没有听从。

兴庆宫原先有马三百匹，李辅国假传敕令带走了马，只留下十匹。太上皇对高力士说："我的儿子被李辅国迷惑，不能始终尽孝了。"李辅国又命令六军将士号哭磕头，请求迎接太上皇移居西内。肃宗流着泪没有答应，李辅国害怕了。适逢肃宗有病，秋，七月十九日丁未，李辅国假称肃宗有话，迎接太上皇游玩西内。到达睿武门，李辅国率领射生手骑士五百人，拔刀露出刀刃拦住道路上奏说："皇帝因兴庆宫低湿狭小，迎接太上皇迁居宫内。"太上皇大惊，几乎坠落马下。高力士说："李辅国怎能无礼！"喝令他下马。李辅国不得已从马上下来。高力士于是宣读太上皇诰命："各位将士都还安好吗？"将士们都收起刀，再三跪拜，高呼万岁。高力士又喝令李辅国与自己一起牵着太上皇的马络头，侍卫太上皇前往西内，住在甘露殿。李辅国率领大家退走，所留下的侍卫兵，只有老弱几十人，陈玄礼、高力士及旧日的宫人都不能留在太上皇身边。太上皇说："兴庆宫，是我成就王业的地方，我曾多次让给皇帝，皇帝不接受。今天的迁出，也是我的愿望。"当天，李辅国与六军大将都身着白衣去见肃宗请罪。肃宗迫于诸将的压力，便慰劳他们说："南宫、

迫于诸将，乃劳之曰："南宫、西内，亦复何殊！卿等恐小人荧惑，防微杜渐，以安社稷，何所惧也！"刑部尚书颜真卿首率百寮上表，请问上皇起居。辅国恶之，奏贬蓬州[378]长史。

【段旨】

以上为第九段，写唐肃宗纵容李辅国横恣。

【注释】

㊽夹城：夹城墙的复道。宫苑之间距离较远的，或作夹城，以便由墙间复道往来，避外人知晓。开元二十年（公元七三二年）曾遣范安及筑兴庆宫至芙蓉园（在曲江附近）的夹城。此处所言夹城，当是大明宫至兴庆宫的夹城，疑是开元十四年扩建此宫时所筑。㊾起居：问候平安。㊿玉真公主：唐睿宗之女。又称昌隆公主。早先入道为女道士，睿宗为其建玉真观，后玄宗赐名持盈。从玄宗自蜀回京，居兴庆宫，李辅国谗其有异谋，遂复送回玉真观。传见《新唐书》卷八十三。[351]如仙媛：玄宗旧时宫人。[352]长庆楼：长庆殿楼，在兴庆宫东南隅明义门内。[353]奏事官：各道派官员入京奏事者，称为奏事官。[354]暴贵用事：骤然显贵，当权主事。暴，突然、短时期内发生。用事，执掌政事。[355]意恨：心里嫉恨。[356]交通：交往；勾结。[357]灵武勋臣：在灵武拥立肃宗的功

【原文】

癸丑[379]，敕天下重稜钱[380]皆当三十，如畿内。

丙辰[381]，高力士流巫州[382]，王承恩流播州，魏悦流溱州，陈玄礼勒致仕[383]，置如仙媛于归州，玉真公主出居玉真观[384]。上更选后宫百余人，置西内，备洒扫[385]。令万安、咸宜二公主[386]视服膳[387]，四方所献珍异，先荐上皇。然上皇日以不怿[388]，因不茹荤[389]，辟谷[390]，浸以成疾。上初犹往问安，既而上亦有疾，但遣人起居。其后上稍悔寤，恶辅国，欲诛之。畏其握兵，竟犹豫不能决。

西内，又有什么不同呢！你们担心小人迷惑视听，防微杜渐，用以安定社稷，又有什么可恐惧的！”刑部尚书颜真卿带头率领百官上表，请问太上皇的起居。李辅国厌恶他，奏请把他贬为蓬州长史。

臣。㊳㊽反仄：指心情动荡，辗转不安。仄，通“侧”，旁边。㊳㊾圣皇：指玄宗。乾元元年（公元七五八年）肃宗上其尊号为太上至道圣皇大帝。㊱⓪徇：顺从。㊱①匹夫：庶人；平民。㊱②与阎闾相参：与民居里巷相参错。阎闾，民居、里巷。相参，参互、互相交错。㊱③垣墉：城墙。㊱④大内：皇宫的总称。㊱⑤荧惑：炫惑；迷惑。㊱⑥三朝：语出《礼记》，“文王之为世子也，朝于王季日三”。指一日三次拜见父王。㊱⑦庸何：什么。㊱⑧矫敕：假传敕令。㊱⑨西内：唐代以大明宫为东内，太极宫为西内，兴庆宫为南内。太极宫故址在今陕西西安城的北部。㊲⓪丁未：七月十九日。㊲①睿武门：在兴庆宫长庆殿北。㊲②湫隘：指低矮狭窄。湫，低下。隘，狭窄。㊲③好在：安好；无恙。㊲④马鞚：带嚼子的马络头。㊲⑤如：去；往。㊲⑥甘露殿：在太极宫的两仪殿北，甘露门内。㊲⑦尪老：瘦弱年老。骨骼弯曲症，凡胫、背、胸弯曲都叫尪。㊲⑧蓬州：州名，治所在今四川营山东北。

【校记】

［17］阎闾：据章钰校，甲十六行本、乙十一行本此二字互乙。

【语译】

七月二十五日癸丑，敕令天下重轮钱都以一钱当三十钱，如同京畿地区一样。

七月二十八日丙辰，将高力士流放到巫州，王承恩流放到播州，魏悦流放到溱州，陈玄礼被强迫退休，把如仙媛安置在归州，玉真公主出宫住在玉真观。肃宗另外挑选了后宫一百多人，安置在西内，以供清扫服侍。命令万安、咸宜两位公主侍候太上皇的服饰饮食，四方所献的珍奇物品，先进献给太上皇。然而太上皇一天天心情越来越不快乐，于是不吃荤菜，不吃五谷，渐渐地生了病。肃宗起初还前往问安，后来肃宗自己也有病，只能派人去问候起居。在这以后，肃宗逐渐有所悔悟，厌恶李辅国，想要杀了他。又害怕他握有兵权，始终犹豫不能决定。

初，哥舒翰破吐蕃于临洮西关磨环川㊱，于其地置神策军㊲。及安禄山反，军使成如璆遣其将卫伯玉将千人赴难。既而军地沦入吐蕃，伯玉留屯于陕，累官至右羽林大将军。八月庚午㊳，以伯玉为神策军节度使㊴。

丁亥㊵，赠谥兴王佋曰恭懿太子。

九月甲午㊶，置南都㊷于荆州，以荆州为江陵府，仍置永平军㊸团练兵三千人，以扼吴、蜀之冲，从节度使吕諲之请也。

或上言："天下未平，不宜置郭子仪于散地㊹。"乙未㊺，命子仪出镇邠州，党项遁去。戊申㊻，制："子仪统诸道兵自朔方直取范阳，还定河北，发射生英武㊼等禁军及朔方、鄜坊、邠宁、泾原诸道蕃、汉兵共七万人，皆受子仪节度。"制下旬日，复为鱼朝恩所沮㊽，事竟不行。

冬，十月丙子㊾，置青、沂等五州节度使㊿。

十一月壬辰[406]，泾州破党项。

御史中丞李铣、宋州刺史刘展皆领淮西节度副使。铣贪暴不法，展刚强自用[407]，故为其上者多恶之，节度使王仲昇先奏铣罪而诛之。时有谣言曰："手执金刀起东方[408]。"仲昇使监军使、内左常侍[409]邢延恩入奏："展倔强[18]不受命，姓名应谣谶，请除之。"延恩因说上曰："展与李铣一体[410]之人，今铣诛，展不自安，苟不去之，恐其为乱。然展方握强兵，宜以计去之。请除展江淮都统[411]，代李峘，俟其释兵赴镇，中道执之，此一夫力耳。"上从之。以展为都统淮南东、江南西、浙西三道节度使，密敕旧都统李峘及淮南东道节度使邓景山图之。

延恩以制书授展，展疑之，曰："展自陈留参军[412]，数年至刺史，可谓暴贵矣。江、淮租赋所出，今之重任，展无勋劳，又非亲贤，一旦恩命宠擢如此，得非有谗人间之乎？"因泣下。延恩惧，曰："公素有才望，主上以江、淮为忧，故不次[413]用公，公反以为疑，何哉？"展曰："事苟不欺，印节[414]可先得乎？"延恩曰："可。"乃驰诣广陵，与峘谋，解峘印节以授展。展得印节，乃上表谢恩，牒追江、淮亲旧，置之心膂。三道官属遣使迎贺，申图籍[415]，相望于道。展悉举宋州兵七千趣广陵。

延恩知展已得其情，还奔广陵，与李峘、邓景山发兵拒之，移檄

当初，哥舒翰在临洮西关磨环川击败吐蕃，在当地设置神策军。等到安禄山反叛，军使成如璆派他的将领卫伯玉率千人前去解救危难。不久神策军的地盘沦陷入吐蕃，卫伯玉留驻陕郡，官位一直做到右羽林大将军。八月十三日庚午，任命卫伯玉为神策军节度使。

八月三十日丁亥，追赠兴王李佋的谥号为恭懿太子。

九月初七日甲午，在荆州设置南都，以荆州为江陵府，仍然设置永平军团练兵三千人，用以扼守吴、蜀的要冲，这是依从了节度使吕諲的请求。

有人上书说："天下还没有太平，不宜把郭子仪安置在闲散的位置上。"九月初八日乙未，命令郭子仪出镇邠州，党项人闻讯逃走了。二十一日戊申，下制书："郭子仪统领诸道兵马从朔方直取范阳，然后回师平定河北，征发射生英武等禁军以及朔方、鄜坊、邠宁、泾原各道的蕃、汉兵员一共七万人，都受郭子仪指挥调度。"制书颁下后十天，又被鱼朝恩阻止，事情竟然未能进行。

冬，十月十九日丙子，设置青州、沂州等五州节度使。

十一月初六日壬辰，泾州击败党项。

御史中丞李铣、宋州刺史刘展都兼任淮西节度副使。李铣贪婪强暴不守法纪，刘展刚愎自用，所以做他们上司的人大都厌恶他们，节度使王仲昇先是奏明李铣的罪过而杀了他。当时有流传的谣言说："手执金刀起东方。"王仲昇让监军使、内左常侍邢延恩入朝上奏说："刘展倔强不接受命令，他的姓名也与谣言的预示相合，请求除掉他。"邢延恩因此劝说肃宗："刘展与李铣是一样的人，如今李铣被杀，刘展心里不安，如果不去掉他，恐怕他会作乱。然而，刘展正手握强兵，宜用计谋去掉他。请求任命刘展为江淮都统，代替李峘，等到他放下兵权去赴任时，中途把他抓起来，这样只需一人之力就够了。"肃宗听从了他的建议。任命刘展为都统淮南东、江南西、浙西三道节度使，并秘密敕令旧都统李峘及淮南东道节度使邓景山对付他。

邢延恩把制书交给刘展，刘展对此起疑，说："我从陈留任参军后，几年间做到刺史，可以说是突然富贵。江、淮一带是大量租赋所产生的地方，江淮都统是现今的重要职位，我既无功劳，又不是皇上的亲戚或贤人，忽然间蒙受恩命得到如此宠信与提拔，莫非是有说我坏话的人在从中离间吧?"说着眼泪便流了下来。邢延恩很害怕，说："您平素就有才干有威望，皇上因忧虑江、淮一带，所以才破格任用您，您反而起疑，这是为什么呢?"刘展说："此事如果不是欺骗，官印和旌节可否先给我?"邢延恩说："可以。"于是策马飞奔到广陵，与李峘谋划，解下李峘的官印和旌节交给刘展。刘展得到官印和旌节，就上表谢恩，然后下文书召来江、淮一带的亲戚故旧，当作心腹。三道的官吏都派使者前来迎接祝贺，申报地图户籍，一路上前后相望。刘展率领宋州全部兵马七千人赶往广陵。

邢延恩知道刘展已得知内情，又赶回广陵，与李峘、邓景山一起调兵抵御刘展，

州县，言展反。展亦移檄言峘反，州县莫知所从。峘引兵渡江，与副使润州刺史韦儇、浙西节度使侯令仪屯京口[416]，邓景山将万人屯徐城[417]。展素有威名，御军严整，江、淮人望风畏之。展倍道先期至，使人问景山曰："吾奉诏书赴镇，此何兵也？"景山不应。展使人呼于陈前曰："汝曹皆吾民也，勿干吾旗鼓[418]。"使其将孙待封、张法雷击之。景山众溃，与延恩奔寿州。展引兵入广陵，遣其将屈突孝标将兵三千徇濠、楚[419]，王晅[420]将兵四千略淮西。

李峘辟北固[421]为兵场，插木以塞江口。展军于白沙[422]，设疑兵[423]于瓜洲[424]，多张火、鼓[425]，若将趣北固者，如是累日。峘悉锐兵守京口以待之。展乃自上流济，袭下蜀[426]。峘军闻之，自溃，峘奔宣城[427]。

甲午[428]，展陷润州。升州军士万五千人谋应展，攻金陵城[429]，不克而遁。侯令仪惧，以后事授兵马使姜昌群，弃城走，昌群遣其将宗犀诣展降。丙申[430]，展陷升州，以宗犀为润州司马、丹杨军[431]使，使昌群领升州，以从子[432]伯瑛佐之。

李光弼攻怀州，百余日乃拔之，生擒安太清。

史思明遣其将田承嗣将兵五千徇淮西，王同芝将兵三千人徇陈，许敬江将二千人徇兖郓[433]，薛鄂将五千人徇曹州[434]。

十二月丙子[435]，党项寇美原[436]、华原[437][19]、同官[438]，大掠而去。

贼帅郭愔等引诸羌、胡败秦陇防御使韦伦，杀监军使[439]。

兖郓节度使[440]能元皓击史思明兵，破之。

李峘之去润州也，副使李藏用谓峘曰："处人尊位，食人重禄，临难而逃之，非忠也。以数十州之兵食，三江[441]、五湖[442]之险固，不发一矢而弃之，非勇也。失忠与勇，何以事君！藏用请收余兵，竭力以拒之。"峘乃悉以后事授藏用。藏用收散卒，得七百人，东至苏州募壮士，得二千人，立栅以拒刘展。

展遣其将傅子昂、宗犀攻宣州，宣歙节度使郑炅之[443]弃城走，李峘奔洪州[444][20]。

李藏用与展将张景超、孙待封战于郁墅[445]，兵败，奔杭州。景超遂据苏州，待封进陷湖州[446]。展以其将许峄为润州刺史，李可封为常州刺史，杨持璧为[21]苏州刺史，待封领湖州事。景超进逼杭州，藏用使

并下檄书到各州、县，说刘展反叛。刘展也下檄书说李峘反叛，各州、县不知道该听谁的。李峘带兵渡过长江，与副使润州刺史韦儇、浙西节度使侯令仪驻扎在京口，邓景山率领一万人驻扎在徐城。刘展平素就有威名，治军严整，江、淮的人闻风而对他有所畏惧。刘展兼程而行，抢先赶到，派人问邓景山说："我奉诏书之命赴任，这里是支什么部队？"邓景山不回答。刘展派人在阵前呼喊道："你们都是我的百姓，不要干扰我的军事行动。"然后派他的部将孙待封、张法雷发起攻击。邓景山的部队溃败，与邢延恩一起逃往寿州。刘展带兵进入广陵，派他的部将屈突孝标率兵三千去夺取濠州、楚州，王晅率兵四千去攻掠淮西。

李峘开辟北固山作为战场，插木头以堵塞江口。刘展驻扎在白沙，在瓜洲设置疑兵，安排了很多火把和战鼓，像是将要向北固山发兵似的，接连好几天都是这样。李峘用全部精锐士兵守卫京口以等待他。刘展于是从上流渡江，袭击下蜀城。李峘的部队闻讯后，自行溃散，李峘逃往宣城。

十一月初八日甲午，刘展攻陷润州。升州军士一万五千人谋划响应刘展，进攻金陵城，没有攻克而逃走了。侯令仪害怕，把后事交付给兵马使姜昌群，弃城逃走了，姜昌群派他的部将宗犀到刘展那里去投降。初十日丙申，刘展攻陷升州，任命宗犀为润州司马、丹杨军使，派姜昌群兼管升州，并让自己的侄子刘伯瑛辅助他。

李光弼进攻怀州，攻了一百多天才攻下来，活捉了安太清。

史思明派他的部将田承嗣率兵五千人去夺取淮西，王同芝率兵三千人去夺取陈州，许敬江率兵二千人去夺取兖州、郓州，薛鄂率兵五千人去夺取曹州。

十二月二十日丙子，党项侵犯美原、华原、同官，大肆抢掠后离去。

叛贼将帅郭愔等带领各羌族、胡族击败秦陇防御使韦伦，杀了监军使。

兖郓节度使能元皓进击史思明的部队，打败了他。

李峘逃离润州时，副使李藏用对他说："身处别人授予的尊贵官位，享受别人给的优厚俸禄，面临危难而逃走，这不能算忠诚。手握几十州的兵马和粮食，凭借着三江、五湖的险要坚固的地势，不发一箭就放弃，这不能算有勇气。失掉了忠诚和勇气，靠什么来侍奉国君！我李藏用请求收拾残余兵力，竭尽全力来抵御敌人。"李峘便将后事全部交付给李藏用。李藏用收拾散兵，得到七百人，又向东到苏州招募壮士，得到二千人，于是设立栅栏以抵御刘展。

刘展派他的部将傅子昂、宗犀进攻宣州，宣歙节度使郑炅之弃城逃走，李峘逃往洪州。

李藏用与刘展的部将张景超、孙待封在郁墅交战，兵败，逃往杭州。张景超于是占据苏州，孙待封又进兵攻陷湖州。刘展任命他的部将许峄为润州刺史，李可封为常州刺史，杨持璧为苏州刺史，孙待封兼管湖州事务。张景超进兵逼近杭州，李

其将温晁屯余杭㊼。展以李晃为泗州㊽刺史，宗犀为宣州刺史。

傅子昂屯南陵㊾，将下江州㊿，徇江西(451)。于是屈突孝标陷濠、楚州，王晅陷舒、和、滁、庐(452)等州，所向无不摧靡，聚兵万人，骑三千，横行江、淮间。寿州刺史崔昭发兵拒之，由是晅不得西，止屯庐州。

初，上命平卢[22]兵马使田神功将所部精兵五千[23]屯任城(453)。邓景山既败，与邢延恩奏乞敕神功救淮南，未报。景山遣人趣之，且许以淮南金帛子女为赂。神功及所部皆喜，悉众南下。及彭城(454)，敕神功讨展。展闻之，始有惧色，自广陵将兵八千拒之，选精兵二千渡淮，击神功于都梁山(455)。展败，走至天长(456)，以五百骑据桥拒战，又败，展独与一骑亡渡江。神功入广陵及楚州，大掠，杀商胡以千数，城中地穿掘(457)略遍。

是岁，吐蕃陷廓州。

【段旨】

以上为第十段，写唐四境不宁，羌胡寇秦陇，刘展又反于淮南。

【注释】

(379)癸丑：七月二十五日。(380)重稜钱：乾元重宝重轮钱。重稜，钱背面外廓双轮。(381)丙辰：七月二十八日。(382)巫州：州名，治所在今湖南洪江西。(383)勒致仕：强令退休。勒，勒令、强令。致仕，辞官、退休。(384)玉真观：道教寺院名，在长安城辅兴坊西南隅。景云元年（公元七一〇年）睿宗第十女昌隆公主出家时修，次年昌隆改封玉真公主，所造观名玉真观。(385)洒扫：打扫庭院。(386)万安、咸宜二公主：万安公主，唐玄宗之女。曾出家为道士。传见《新唐书》卷八十三。咸宜公主，玄宗与宠妃武惠妃所生之女。传见《新唐书》卷八十三。(387)视服膳：此指万安、咸宜两公主侍候太上皇玄宗的服饰饮食。视，侍候。(388)不怿：不快乐。(389)茹荤：吃肉食。(390)辟谷：道教修仙方法之一。或称“断谷”“绝谷”“却谷”，即不吃五谷。道教声称，人体中有吸食五谷的邪怪（叫作“三尸”，或“三彭”“三虫”），经过辟谷修炼，可除去三尸，达到长生不死。玄宗素信道教，故修炼“辟谷”。(391)磨环川：地名，在今甘肃临潭西。(392)神策军：军镇名，天宝十三载（公元七五四年）哥舒翰请置，治所在今甘肃临潭西二百里。(393)庚午：八月十

藏用派他的部将温晁驻扎在余杭。刘展任命李晃为泗州刺史，宗犀为宣州刺史。

傅子昂驻扎在南陵，准备攻下江州，略地江南西道。这时屈突孝标攻陷濠州、楚州，王暅攻陷舒州、和州、滁州、庐州等州，所向披靡，聚集兵力达一万人，骑兵三千人，横行江、淮之间。寿州刺史崔昭发兵抵御，因此王暅不能西进，留下驻扎在庐州。

当初，肃宗命令平卢兵马使田神功率领部下精兵五千人驻扎任城。邓景山失败后，与邢延恩一起上奏请求敕命田神功援救淮南，没有得到回答。邓景山派人去催促田神功，并且答应战胜后把淮南的金银财帛和女人送给他。田神功及其部下听了都很高兴，于是带领全部人马南下。到了彭城，接到敕书命田神功讨伐刘展。刘展闻讯后，开始脸上有了畏惧的神色，便从广陵率兵八千抵敌，并挑选精兵二千渡过淮河，在都梁山攻打田神功。刘展战败，逃到天长县，用五百名骑兵依靠桥梁抵敌作战，又败了，刘展与一名骑兵单独逃走，渡过了长江。田神功进入广陵及楚州，大肆抢掠，杀死数以千计经商的胡人，城中的地面几乎挖了个遍。

这一年，吐蕃攻陷廓州。

三日。㊳④神策军节度使：使职名，为神策军行营差遣长官。㊳⑤丁亥：八月三十日。㊳⑥甲午：九月初七日。㊳⑦南都：至德二载（公元七五七年），唐以蜀郡为南京，凤翔府为西京，西京为中京。至此（上元元年九月）又以荆州为南都。据《旧唐书·肃宗纪》，以荆州为南都的同时，去蜀郡先为南京之号，而《资治通鉴》漏载，以致使人产生两个南京之疑。㊳⑧永平军：军镇名，节度使吕諲在荆州所置团练兵的名称。㊳⑨散地：闲散之地。借指闲散的官职。㊵⓪乙未：九月初八日。㊵①戊申：九月二十一日。㊵②射生英武：肃宗至德二载（公元七五七年），选取随从肃宗从灵武回到京师的子弟设置左右神武军，与原有的左右羽林、左右龙武合称北牙六军。同时，又选取善骑射者千人为殿前射生手，分为左右厢，号称英武军。㊵③沮：沮格；阻止。㊵④丙子：十月十九日。㊵⑤置青、沂等五州节度使：本书乾元二年四月甲辰书以尚衡为青密节度使，领青、密、登、莱、沂、海、淄七州。上元二年四月乙亥仍书青密节度使尚衡破史朝义。现在（上元元年十月）尚衡尚镇青密，却又书置青、沂等五州节度使。而《新唐书·方镇表二》则不载此年有青、沂节度使之置。疑《通鉴》所书有误。㊵⑥壬辰：十一月初六日。㊵⑦刚强自用：刚强猛毅，自以为是。㊵⑧手执金刀起东方：暗指"刘"，"刘"字左金右刀。㊵⑨内左常侍：宦官名。先是，内侍省长官为内侍，副长官为内常侍（《通典·职官九》《旧唐书·职官三》）。开元置内侍监后，内侍、内常侍为副贰。内常侍六人，统管诸局事务。内常侍未见有左右

之分，“左”疑为衍文。⑩一体：一样。⑪都统：官名，天宝末讨伐安史叛军始置。都统掌征伐，总领诸道兵马，不赐旌节，不常置，兵罢便撤销。⑫参军：官名，府州属官。唐代府、州置有录事参军事及功、仓、户、兵、法、士六曹参军事。不详刘展是何参军。⑬不次：不按寻常秩序。⑭印节：官印、旌节。唐节度使掌总军旅。辞陛赴镇时，要赐以双旌双节。⑮申图籍：上报地图、户籍。申，申报。图籍，地图与户籍。⑯京口：城名，故址在今江苏镇江市。⑰徐城：县名，县治在今江苏盱眙西。⑱旗鼓：旗和鼓。古时军中用以传达号令。此借指军队的行动。⑲濠、楚：均为州名，濠州治所在今安徽凤阳东，楚州治所在今江苏淮安。⑳王晅：刘展之将。㉑北固：北固山。在今江苏镇江市北。有南、中、北三峰，北峰三面临江，回岭陡绝，形势险要，故称“北固”。㉒白沙：地名，在今江苏仪征南滨江处，以地多白沙得名。㉓疑兵：虚设以迷惑敌人的部队。㉔瓜洲：瓜洲镇。在今江苏扬州南江滨。㉕多张火、鼓：多设置火把、战鼓，虚张声势，好像即将出兵的样子。㉖下蜀：地名，在今江苏句容北临江处，与白沙隔江相望。㉗宣城：县名，县治在今安徽宣城。㉘甲午：十一月初八日。㉙金陵城：城名，即今江苏南京，当时为升州治所。㉚丙申：十一月初十日。㉛丹杨军：军镇名，乾元二年（公元七五九年）置于润州。㉜从子：侄儿。㉝兖郓：兖州、郓州，兖州治所在今山东济宁市兖州区，郓州治所在今山东东平西北。㉞曹州：州名，治所在今山东曹县西北。㉟丙子：十二月二十日。㊱美原：县名，县治在今陕西富平东北美原堡。㊲华原：县名，县治在今陕西铜川市耀州区。㊳同官：县名，县治在今陕西铜川市西。㊴监军使：使职名，天子派到诸军的监督差遣官。中宗神龙元年（公元七〇五年）以后，以宦官出监诸军，品秩低者为监军，高者为监军使。㊵兖郓节度使：使职名，为兖郓等州的差遣长官，乾元二年置。㊶三江：此指吴淞江、钱塘江、浦阳江。㊷五湖：泛指太湖流域一带的所有湖泊。㊸宣歙节度使郑炅之：据《新唐书·方镇表五》，乾元元年置宣歙饶观察使，治宣州。任使者应是李行穆（《新唐书·宗室世系表下》）。乾元二年废，宣歙饶三州复由浙江西道观察使领，上元二年（公元七六一年）浙江西道观察使徙治宣州。宣歙未见置节度使。上元元年郑炅之在宣州时的官衔应是观察使，《全唐文》卷五百二权德舆《金紫光禄大夫司农卿邵州长史李公（鋁）墓志铭并序》云：“宣州观察使郑炅之表为广德令。”便是明证。故《通鉴》于此有误。㊹洪州：州名，治所在今江西南昌。㊺郁墅：地名，据地望，当在今江苏苏州西面不远处。㊻湖州：州名，治所在今浙江湖州。㊼余杭：县名，县治在今浙江杭州西余杭区。㊽泗州：州名，治所在今江苏泗洪东南。㊾南陵：县名，县治在今安徽南陵。㊿江州：州名，治所在今江西九江。(451)江西：指江南西道。(452)舒、和、滁、庐：均为州名。舒州，治所在今安徽潜山。和州，治所在今安徽和县。滁州，治所在今安徽滁州。庐州，治所在今安徽合肥。(453)任城：县名，县治在今山东济宁。(454)彭城：县名，县治在今江苏徐州。(455)都梁山：山名，在今江苏盱眙西南。(456)天长：县名，县治在今安徽天长。(457)穿掘：挖掘。此谓挖掘地下埋藏的钱物。

【校记】

［18］强：原作“僵”。据章钰校，甲十六行本、乙十一行本皆作“强”，今据改。［19］华原：原无此二字。据章钰校，甲十六行本、乙十一行本皆有此二字，张瑛《通鉴校勘记》同，今据补。［20］洪州：原作“淇州”。据章钰校，甲十六行本、乙十一行本皆作“洪州”，今从改。［21］为：原无此字。据章钰校，孔天胤本有此字，张敦仁《通鉴刊本识误》同，今据补。［22］平卢：据章钰校，甲十六行本、乙十一行本此二字下皆有“都知”二字，张敦仁《通鉴刊本识误》、张瑛《通鉴校勘记》同。〖按〗本卷上文称田神功为兵马使。［23］五千：据章钰校，甲十六行本、乙十一行本、孔天胤本皆作“三千”。

【研析】

本卷研析官军九节度使兵败邺城，宦官李辅国横恣。

第一，九节度使兵败邺城。叛军丢失西京，军心动摇，安庆绪放弃洛阳，逃往河北，盘踞邺城，仍据有七郡六十余城，有兵六万，仍是唐的劲敌。乾元元年（公元七五八年）九月，郭子仪受命集七节度使进讨安庆绪，合计步骑二十余万。肃宗又命李光弼、王思礼两节度使率本部兵为后援。九节度使不相统属，使宦官鱼朝恩为观军容宣慰处置使，实际上是以鱼朝恩为全军统帅。唐肃宗不设元帅的理由是郭子仪、李光弼都是元勋，难相统属。这是一个借口。唐肃宗猜忌功臣，不让靖乱之功为郭、李所有，让鱼朝恩来贪天之功便于控制。这一错误决策给官军带来了灭顶之灾。

进兵之初，郭子仪率领七节度使之兵进围卫州，安庆绪率领邺城叛军倾巢来救，郭子仪连战皆胜，大破叛军，包围安庆绪于邺城。从乾元元年十月至乾元二年二月，围贼数月，筑垒两层，穿堑三重，又引漳水灌城，城中井泉漫水，构栈而居。贼众食尽，掘鼠一只值钱四千，贼众将惊骇，指日可破。安庆绪向史思明呼救，声言让位称臣。史思明率领十三万大军南下救援，李光弼阻击于魏州。监军观军容使宦官鱼朝恩催促李光弼并兵围邺城。李光弼说：“史思明得魏州按兵不进，是在寻求战机，等待官军疲惫出其不意打击官军。官军应将计就计，拖延史思明，邺城一定会被攻破。邺城被攻破，史思明孤军不战自破。”鱼朝恩不赞同，李光弼无可奈何移师邺城，史思明紧追其后，离邺城五十里扎营。史思明每天擂鼓遥应邺城贼众，按兵不战，抄掠官军粮饷。此时官军会围邺城达六十万人。史思明选壮士假扮官军，烧毁粮库，官军乏食，士气低落。史思明抓住战机，引大军直逼城下。三月初六日壬申，两军会战，官军大败。郭子仪朔方军，战马万匹只存三千，甲仗十万弃遗殆尽。官军四散，所过剽掠。九节度使，只有李光弼、王思礼两节度使之兵，全军退回。官军功败垂成，贼势大胜。随后史思明火并安庆绪，引兵南下，东京不守，河南、河北又是一片战火。此次官军五倍于敌，郭子仪、李光弼两员良将督阵，为何输得如此之惨，原因有五。唐肃宗借口郭子仪、李光弼都是元勋，难相统属，不置元帅。步骑数十万，节度使九人，没有统帅，号令不一，这是失败的第一个也是主要原因。宦官鱼朝恩不懂军事，唐肃宗用他为监军，首次设置观军容使之名，权在主将之上。鱼朝恩不听李光弼之言，迫使李光弼进军邺城，史思明于是跟随其后，与邺城贼众呼应，里应外合，这是失败的第二个原因。官军政出多头，以致粮饷被史思明假扮官军焚毁。官军无粮，士气低落，这是失败的第三个原因。三月六日，两军交战，突起大风，飞沙走石，两军不战自溃。贼众兵少而精，作困兽之斗，溃散而易整合。官军来自四面八方，人数太多，乌合之众，溃散难以收拢，这是失败的第四个原因。归根到底，唐肃宗忌疑主帅，用宦官遥控，政治腐败，这才是失败的第五个原因，也是最根本原因。邺城之败，不在军事，而在政治，罪不在郭子仪，而在唐肃宗。宦官监军，是唐玄宗创立的一个恶例，封常清、高仙芝冤死于宦官之手，哥舒翰兵败潼关也是毁于宦官之手。唐肃宗设观军容使，在监军之外创立了一个更大的恶例，良将受制，带来更大的失败。九节度使兵败邺城，鱼朝恩归罪于郭子仪，唐肃宗解除郭子仪的军权，用李光弼为朔方节度使，又重赏朔方节度副使仆固怀恩，进爵为郡王，使与李光弼地位相等，以分李光弼之权。昏君对功臣是如此的猜忌，对宦官是那样的宠信，唐王朝没有在战争中得到洗礼、净化，而是更加腐败。

第二，宦官李辅国横恣。李辅国，原名李静宗，是历仕唐玄宗、肃宗、代宗三朝的大宦官。唐代宗宝应元年（公元七六二年），李辅国要皇帝做傀儡，他对代宗说："大家但居禁中，外事听老奴处分。"代宗忍无可忍，派刺客将李辅国诛杀。

李辅国出身一个养马人之家，从小阉割入宫，在高力士手下当仆役。天宝中，李辅国进东宫做了太子侍卫。肃宗灵武即位，李辅国有拥立之功，成为肃宗心腹，被赐名护国，后改名辅国。肃宗拜李辅国为家令，判元帅行军司马，开创了唐朝宦官掌握禁军的先例。

至德二载（公元七五七年），唐军收复长安，肃宗回京，任命李辅国为少府、殿中二监，封郕国公，加开府仪同三司，传达百官奏事，始专权自恣。李辅国为了巩固到手的权势，暗中与张良娣（后为张皇后）勾结，合谋陷害建宁王李倓。李倓是唐肃宗的第三子，胆识过人，又典亲军，为人耿直，看不惯张良娣放纵自恣、李辅国内外勾结，权倾朝野，向肃宗直言谏说。李辅国与张良娣诬陷建宁王怀恨未掌兵权，阴蓄异志。肃宗猜疑，赐死李倓，李辅国更加肆无忌惮，欺负到了太上皇的头上。唐玄宗返回长安，常住兴庆宫。肃宗命陈玄礼、高力士等旧人陪伴唐玄宗，旧时梨园弟子也伴随太上皇，奏乐解闷，其乐融融。兴庆宫长庆楼南临大道，唐玄宗在楼上不时与路过楼下的父老交流。李辅国不满高力士的傲慢，又深恐唐玄宗一旦得势或影响皇上对己不利，就设计拆散高力士、陈玄礼，掌控太上皇。李辅国利用肃宗的猜忌心，挑拨两代皇帝的父子关系。李辅国对肃宗说，太上皇住处靠近街市，不便养老，高力士、陈玄礼等人伺机图谋不轨。李辅国建言迁太上皇到禁中，断绝与外人来往，才能免除后患。肃宗不忍，流着泪说："圣皇仁慈，怎么会容忍有这样的事！"李辅国悍然训斥说："太上皇固然没有这样的意思，可是对那些小人又有什么办法呢！陛下是天下的君主，应当为国家大计着想，把祸乱消灭在尚未萌芽之时，怎么能曲从匹夫的孝道呢！""皇宫深邃严密，奉迎太上皇入住这里，与住在兴庆宫有什么区别，又可以杜绝小人迷惑太上皇的视听。这样，太上皇就可以享受万年的安宁，陛下也可以有一日三次去拜见问候的快乐，有什么可伤心的呢！"肃宗还是没有答应，李辅国就假传圣旨，强行迎请太上皇入居宫禁，流放了高力士，陈玄礼等旧人全被斥逐。从此，唐玄宗孑然一身，屈居西内。时逢端午节，肃宗惧怕李辅国与张皇后反对，竟然不敢到西内去探望父亲。太上皇形同软禁，闷闷不乐，一年多后就死了。

此时李辅国常居大内，制敕必经李辅国押署才能施行。宰相百官奏事，先要向李辅国报告，才能见皇上。御史台、大理寺重囚，李辅国说放就放。三司、府、县审案，事先要通报李辅国，重判轻判，都要随李辅国的意。李辅国为了监视朝官大臣，设置了特务机构，称察事厅子，窥探隐情，想要惩治某官，说办就办。察事厅子所到之处，横加追索，诸司不敢违抗。汉、唐、明三代，是宦官肆虐的三个朝代。中唐以后，皇帝废立都掌握在宦官之手。宦官如此猖獗，因其掌握禁军。始作俑者，唐肃宗也。皇帝猜忌将相，就倚重宦官，宦官权重，反制皇帝。宦官肆虐，实质是扭曲了的皇权，也可以说是皇权的旁落。只要专制政体存在，宦官这一政治肿瘤就永远不会割除。

卷第二百二十二　唐纪三十八

起重光赤奋若（辛丑，公元七六一年），尽昭阳单阏（癸卯，公元七六三年）六月，凡二年有奇。

【题解】

本卷记事起公元七六一年，迄公元七六三年六月，凡两年又六个月，当唐肃宗上元二年到唐代宗广德元年（公元七六三年）六月。此时期政治多故，唐王朝又处于崩溃前夜。唐玄宗、肃宗两代皇帝相继去世，宦官李辅国发动政变，诛杀张皇后，拥立代宗，跋扈嚣张，欲架空皇帝，代宗绝地反击，用暗杀手段，诛除李辅国。由于代宗仍然信任宦官，除了一虎又来一狼，宦官程元振代李辅国专权，朝纲依旧不立。地方多滥刑，诸镇兵将轻易杀逐主帅。官军讨贼，李光弼代郭子仪为副元帅，观军容使宦官鱼朝恩听信叛贼反间计，再次干预军事，迫使李光弼盲目决战，邙山大败，叛军史思明气盛，欲乘胜取长安。史朝义杀父自立，官军得以喘息。代宗借兵回纥，任用仆固怀恩为副元帅，复东京，降河北，史朝义授首，长达八年的安史之乱被平定。代宗姑息，任命安、史旧将田承嗣、李宝臣、李怀仙、薛嵩四人分帅河北为节度使，此为仆固怀恩所树党援，为藩镇割据留下隐患。

【原文】

肃宗文明武德大圣大宣孝皇帝下之下

上元二年（辛丑，公元七六一年）

春，正月癸卯[①]，史思明改元应天。

张景超引兵攻杭州，败李藏用将李强于石夷门[②]。孙待封自武康[③]南出，将会景超攻杭州，温晁据险击败之。待封脱身奔乌程[④]，李可封以常州降。丁未[⑤]，田神功使特进杨惠元[⑥]等将千五百人西击王晅。辛亥[⑦]夜，神功先遣特进范知新等将四千人自白沙济，西趣下蜀。邓景山将千人自海陵[⑧]济，东趣常州。神功与邢延恩将三千人军于瓜洲，壬子[⑨]，济江。展将步骑万余陈于蒜山[⑩]。神功以舟载兵趣金山[⑪]，会大风，五舟飘抵金山下，展屠其二舟，沈其三舟，神功不得渡，还军瓜洲。而范知新等兵已至下蜀，展击之，不胜。弟殷劝展引

【语译】

肃宗文明武德大圣大宣孝皇帝下之下

上元二年（辛丑，公元七六一年）

春，正月十七日癸卯，史思明改年号为应天。

张景超带兵攻打杭州，在石夷门打败了李藏用的部将李强。孙待封从武康向南进发，准备和张景超会合攻打杭州，温晁凭借险要击败了他们。孙待封脱身逃往乌程，李可封交出常州投降。正月二十一日丁未，田神功派特进杨惠元等率一千五百人向西进击王晅。二十五日辛亥夜里，田神功先派特进范知新等率四千人从白沙渡江，向西赶往下蜀。邓景山率一千人从海陵渡江，向东赶往常州。田神功与邢延恩率三千人驻扎在瓜洲，二十六日壬子，渡过长江。刘展率步兵骑兵一万多人在蒜山列阵。田神功用船装载士兵赶往金山，遇上大风，五艘船飘到金山脚下，刘展血洗了两艘船，弄沉三艘船，田神功不能渡江，回师瓜洲。但范知新等人的兵马已经到达下蜀，刘展攻打他，未能取胜。刘展的弟弟刘殷劝刘展带兵逃到海上，可以拖延

兵逃入海，可延岁月。展曰："若事不济，何用多杀人父子乎！死，早晚等耳！"遂更率众力战。将军贾隐林⑫射展，中目而仆⑬，遂斩之，刘殷、许峄等皆死。隐林，滑州人也。杨惠元等击破王晅于淮南，晅引兵东走，至常熟⑭，乃降，孙待封诣李藏用降。张景超聚兵至七千余人，闻展死，悉以兵授张法雷，使攻杭州，景超逃入海⑮。法雷至杭州，李藏用击破之，余党皆平。平卢军大掠十余日。安、史之乱，乱兵不及江、淮，至是，其民始罹荼毒矣。

荆南节度使吕諲奏请以江[1]南之潭⑯、岳⑰、郴⑱、邵⑲、永⑳、道㉑、连㉒，黔中之涪州㉓皆隶荆南。从之。

【段旨】

以上为第一段，写官军平定刘展之乱。

【注释】

①癸卯：正月十七日。②石夷门：在今浙江桐乡北十八里石门镇。③武康：县名，县治在今浙江德清武康街道。④乌程：县名，县治在今浙江湖州市吴兴区南。⑤丁未：正月二十一日。⑥杨惠元：杨惠元（？至公元七八四年），又作阳惠元。随从田神功，初为京西兵马使，后任贝州刺史。传见《旧唐书》卷一百四十四、《新唐书》卷一百五十六。⑦辛亥：正月二十五日。⑧海陵：县名，县治在今江苏泰州。⑨壬子：正月二十六日。⑩蒜山：山名，在今江苏镇江西郊。⑪金山：山名，在今江苏镇江西北大江

【原文】

二月，奴剌㉔、党项寇宝鸡㉕，烧大散关㉖，南侵凤州㉗，杀刺史萧愧㉘，大掠而西。凤翔节度使李鼎追击，破之。

戊辰㉙，新罗王金嶷㉚入朝，因请宿卫。

或言㉛："洛中将士皆燕人，久戍思归，上下离心，急[2]击之，

时间。刘展说：“如果事情不能成功，何必要多杀人家的父子呢！要死，早晚都一样！”于是又率领部众奋力作战。将军贾隐林发箭射向刘展，射中眼睛，刘展倒下，于是杀了他，刘殷、许峄等人也都战死。贾隐林，是滑州人。杨惠元等在淮南击败王晅，王晅带兵东逃，逃到常熟，便投降了，孙待封到李藏用那里投降。张景超聚集士兵达七千多人，听到刘展死了，就把兵马全部交给张法雷，派他去进攻杭州，张景超自己逃到海上。张法雷到达杭州，李藏用打败了他，其余的党羽也全都被平定了。平卢军队大肆抢掠了十几天。安史之乱时叛乱的军队还没有到达江、淮，到这时，江、淮的百姓也开始遭受残害了。

荆南节度使吕諲上奏请求将江南的潭州、岳州、郴州、邵州、永州、道州、连州以及黔中的涪州都隶属于荆南。肃宗听从了这一意见。

中。⑫贾隐林：初为永平兵马使，扈从德宗，纠察行在，迁检校右散骑常侍。传见《旧唐书》卷一百四十四、《新唐书》卷一百九十二。⑬仆：向前倒下。⑭常熟：县名，县治在今江苏常熟。⑮景超逃入海：张景超反为李藏用讨平本是下月事，这是因刘展之败而一并记载。表明《资治通鉴》纪事虽属编年，但有兼及本末的特点。⑯潭：州名，治所在今湖南长沙。⑰岳：州名，治所在今湖南岳阳。⑱郴：州名，治所在今湖南郴州。⑲邵：州名，治所在今湖南邵阳。⑳永：州名，治所在今湖南永州市零陵区。㉑道：州名，治所在今湖南道县。㉒连：州名，治所在今广东连州。㉓涪州：州名，治所在今重庆市涪陵区。

【校记】

［1］江：严衍《通鉴补》改作“湖”。

【语译】

二月，奴剌、党项侵犯宝鸡，焚烧大散关，向南进犯凤州，杀死刺史萧愧，大肆抢掠后西去。凤翔节度使李鼎追击，打败了他们。

十三日戊辰，新罗王金嶷来朝，因而请求留在宫中值宿警卫。

有人说：“驻扎在洛中的叛贼将士都是燕地人，长期戍守在外，很想回家，上下

可破也。"陕州观军容使鱼朝恩以为信然，屡言于上，上敕李光弼等进取东京。光弼奏称："贼锋尚锐，未可轻进。"朔方节度使仆固怀恩勇而愎㉜，麾下皆蕃、汉劲卒，恃功多不法。郭子仪宽厚曲容㉝之，每用兵临敌，倚以集事㉞。李光弼性严，一裁之以法，无所假贷㉟。怀恩惮光弼而心恶之，乃附㊱朝恩，言东都可取㊲。由是中使相继，督光弼使出师。光弼不得已，使郑、陈节度使李抱玉守河阳，与怀恩将兵会朝恩及神策节度使卫伯玉攻洛阳。

戊寅㊳，陈于邙山㊴。光弼命依险㊵而陈，怀恩陈于平原。光弼曰："依险则可以进，可以退；若平原，战而不利则尽矣。思明不可忽也。"命移于险，怀恩复止之。史思明乘其陈未定，进兵薄㊶之。官军大败，死者数千人，军资㊷器械㊸尽弃之。光弼、怀恩渡河走保闻喜㊹，朝恩、伯玉奔还陕，抱玉亦弃河阳走，河阳、怀州皆没于贼。朝廷闻之，大惧，益兵屯陕。

【段旨】

以上为第二段，写观军容使鱼朝恩中叛贼反间计，致使官军邙山大败。

【注释】

㉔奴剌：据岑仲勉考，奴剌为突厥族属，非胡三省所言西羌种落。见《通鉴隋唐纪比事质疑》。㉕宝鸡：县名，县治在今陕西宝鸡。至德二载，改陈仓县为宝鸡县。㉖大散关：关名，即散关，唐称大散关，在今陕西宝鸡西南大散岭上，地处秦岭南北交通要道。㉗凤州：州名，治所在今陕西凤县。㉘萧愧：凤州刺史萧愧之死，两唐书《肃宗纪》均系于二月己未。㉙戊辰：二月十三日。㉚新罗王金嶷：新旧唐书《新罗传》载，天宝二年（公元七四三年）至大历二年（公元七六七年）新罗王为宪英，不载有金

离心，赶快攻打他们，就可以把他们打败。”陕州观军容使鱼朝恩以为真的如此，多次向肃宗说起，肃宗敕命李光弼等进军攻取洛阳。李光弼上奏说：“叛贼锋芒还很锐利，不可轻率进攻。”朔方节度使仆固怀恩勇猛而刚愎自用，部下都是蕃族、汉族的强兵，倚仗有功，大都不守法纪。郭子仪宽厚，曲意容忍，每当用兵对敌，就依靠他们成事。李光弼性情严厉，一律按法律裁处，无所宽宥。仆固怀恩害怕李光弼而且内心厌恶他，就依附鱼朝恩，声称东都可以攻取。从此宫中使者接连不断，督促李光弼让他出兵。李光弼不得已，派郑、陈节度使李抱玉守卫河阳，与仆固怀恩率领军队会合鱼朝恩及神策节度使卫伯玉进攻洛阳。

二月二十三日戊寅，列阵于邙山。李光弼命令凭借险要地势列阵，仆固怀恩却在平原列阵。李光弼说：“凭借险要地势可以进也可以退；如果在平原，交战不利就会全军覆没。对史思明不可忽视。”命令把阵地移到险要之处，仆固怀恩再次阻止命令执行。史思明趁他们列阵还没有稳定，发兵进逼。官军大败，死了几千人，军需物资和兵器全都抛弃了。李光弼、仆固怀恩渡过黄河退守闻喜，鱼朝恩、卫伯玉逃回陕郡，李抱玉也放弃河阳逃跑了，河阳、怀州又都陷入叛贼手中。朝廷闻讯后，大为恐惧，加派军队驻扎陕郡。

嶷。㉛或言：据《通鉴考异》引《肃宗实录》，此是史思明遣间谍散布的反间流言。㉜勇而愎：勇猛而固执。勇猛作战是其长，刚愎固执是其短。郭子仪假怀恩之短而用其长。㉝曲容：曲意容忍。㉞集事：指完成其事。集，成就、成功。㉟假贷：宽宥；宽恕。㊱附：依附；附会。㊲言东都可取：当时史思明军锋尚锐，不可轻进取东都洛阳。仆固怀恩希望李光弼打败仗，执意认为东都可取。㊳戊寅：二月二十三日。㊴邙山：北邙山，在今河南洛阳北。㊵依险：依靠险要地势。㊶薄：逼近；靠近。㊷军资：军需品。㊸器械：指兵器。㊹闻喜：县名，县治在今山西闻喜东北。

【校记】

[2]急：原无此字。据章钰校，十二行本、乙十一行本皆有此字，张敦仁《通鉴刊本识误》同，今据补。

【原文】

李揆与吕諲同为相，不相悦。諲在荆南以善政[45]闻，揆恐其复入相，奏言置军湖南非便，又阴使人如荆、湖求諲过失。諲上疏讼揆罪，癸未[46]，贬揆袁州[47]长史，以河中节度使萧华为中书侍郎、同平章事。

史思明猜忍[48]好杀，群下小不如意，动至族诛，人不自保。朝义，其长子也，常从思明将兵，颇谦谨[49]，爱士卒，将士多附之，无宠[50]于思明。思明爱少子朝清，使守范阳，常欲杀朝义，立朝清为太子，左右颇泄其谋。思明既破李光弼，欲乘胜西入关，使朝义将兵为前锋，自北道袭陕城，思明自南道将大军继之。[51]三月甲午[52]，朝义兵至礓子岭[53]，卫伯玉逆击，破之。朝义数进兵，皆为陕兵所败。思明退屯永宁，以朝义为怯，曰："终不足成吾事！"欲按军法斩朝义及诸将。戊戌[54]，命朝义筑三隅城[55]，欲贮军粮，期一日毕。朝义筑毕，未泥[56]，思明至，诟怒之，令左右立马监泥[57]，斯须[58]而毕。思明又曰："俟克陕州，终斩此贼。"朝义忧惧，不知所为。

思明在鹿桥驿[59]，令腹心曹将军将兵宿卫。朝义宿于逆旅[60]，其部将骆悦、蔡文景说朝义曰："悦等与王死无日[61]矣！自古有废立，请召曹将军谋之。"朝义俯首[62]不应。悦等曰："王苟不许，悦等今归李氏[63]，王亦不全矣。"朝义泣曰："诸君善为之，勿惊圣人[64]！"悦等乃令许叔冀之子季常召曹将军，至，则以其谋告之。曹将军知诸将尽怨，恐祸及己，不敢违。是夕，悦等以朝义部兵三百被甲诣驿。宿卫兵怪之，畏曹将军，不敢动。悦等引兵入至思明寝所，值思明如厕，问左右，未及对，已杀数人，左右指示之。思明闻有变，逾垣至厩中[65][3]，自鞴[66]马乘之。悦傔人[67]周子俊射之，中臂，坠马，遂擒之。思明问："乱者为谁？"悦曰："奉怀王[68]命。"思明曰："我朝来[69]语失，宜其及此。然杀我太早，何不待我克长安！今事不成矣。"悦等送思明于柳泉驿[70]，囚之，还，报朝义曰："事成矣。"朝义曰："不惊圣人乎？"悦曰："无。"时周挚、许叔冀将后军在福昌[71]，悦等使许季常往告之，挚惊倒

【语译】

李揆与吕諲同为宰相，相处很不愉快。吕諲在荆南以良好的政绩闻名，李揆担心他再次入朝为相，上奏说在湖南设置军镇很不便利，又暗中派人到荆南、湖南去寻找吕諲的过失。吕諲上疏控告李揆的罪过。二月二十八日癸未，把李揆贬为袁州长史，任命河中节度使萧华为中书侍郎、同平章事。

史思明性情猜忌残忍又好杀人，部下做得稍不如意，动不动甚至会被诛灭全族，人人都不能自保。史朝义，是史思明的长子，经常跟随史思明率领部队，为人相当谦恭谨慎，爱护士卒，将士多依附于他，但他不受史思明的宠爱。史思明喜欢小儿子史朝清，让他镇守范阳，常常想杀掉史朝义，立史朝清为太子，左右的人泄露了不少史思明的阴谋。史思明打败李光弼后，想乘胜西进入关，派史朝义率军为前锋，从北路袭击陕城，史思明从南路率大军继续进攻。三月初九日甲午，史朝义的部队到达礓子岭，卫伯玉迎战，打败了他。史朝义多次进兵，都被陕地部队打败。史思明退驻永宁，认为史朝义怯懦，说："终究不能成就我的事业！"想按军法斩杀史朝义和各将领。十三日戊戌，命令史朝义修筑三隅城，想用来贮存军粮，限一天修完。史朝义修完了，还没有涂泥，史思明就到了，对他大骂，十分生气，命令左右伫立马旁监督涂泥，一会儿泥就涂好了。史思明又说："等攻克陕州后，终究要杀掉这个坏东西。"史朝义忧虑恐惧，不知道该怎么办。

史思明在鹿桥驿，命令心腹曹将军带兵值宿警卫。史朝义在旅舍住宿，他的部将骆悦、蔡文景劝史朝义说："我们与大王您随时都可能没命了！自古以来有废有立，请把曹将军叫来谋划。"史朝义低着头没有回应。骆悦等人又说："大王如果不许，我们今天就归顺李氏，那么您也不能保全了。"史朝义哭着说："诸君好好地处理此事，不要惊动皇上！"骆悦等人便让许叔冀的儿子许季常叫来曹将军，曹将军到后，就把他们的谋划告诉他。曹将军知道众将都有怨恨，害怕祸事连累到自己，不敢违抗。这天晚上，骆悦等人带领史朝义部下的士兵三百人身披铠甲来到驿馆。值宿警卫的士兵感到很奇怪，但畏惧曹将军，不敢行动。骆悦等人带兵进入到史思明睡觉的地方，正好遇到史思明上厕所去了，便问左右的人，还没来得及回答，已经被杀了好几个人，于是左右的人指示了史思明的去向。史思明听到有变乱，翻墙来到马厩中，自己给马套好鞍辔骑了上去。骆悦的副官周子俊发箭射他，射中手臂，史思明掉下马来，于是被抓获。史思明问："作乱的是谁？"骆悦说："奉怀王之命。"史思明说："我早上说话失口，应该得到这样的下场。然而现在杀我太早，何不等我攻克长安之后！如今我的事完成不了了。"骆悦等人押送史思明到柳泉驿，把他囚禁起来，回来向史朝义报告说："事情成功了。"史朝义问："没有惊动皇上吗？"骆悦说："没有。"当时周挚、许叔冀率领后军驻在福昌，骆悦等人派许季常前往告诉他们此事，周挚

于地。朝义引军还，挚、叔冀来迎，悦等劝朝义执挚杀之。军至柳泉，悦等恐众心未壹，遂缢杀思明，以毡裹其尸，橐驼负归洛阳。

朝义即皇帝位，改元显圣。密使人至范阳，敕散骑常侍张通儒等杀朝清及朝清母辛氏并不附己者数十人。其党自相攻击，战城中数月，死者数千人，范阳乃定。朝义以其将柳城李怀仙㉒为范阳尹、燕京留守。时洛阳四面数百里州、县皆为丘墟㉓，而朝义所部节度使皆安禄山旧将，与思明等夷㉔，朝义召之，多不至，略相羁縻而已，不能得其用。

【段旨】

以上为第三段，写叛贼内讧，史朝义杀父自立。

【注释】

㊺善政：政令良好，治绩显著。㊻癸未：二月二十八日。㊼袁州：州名，治所在今江西宜春。㊽猜忍：猜忌残忍。㊾谦谨：谦逊谨慎。㊿无宠：不受宠爱。51自北道袭陕城二句：北道、南道，洛阳至陕州之二道。唐代由洛阳入关至长安，必须经过陕州。洛阳到陕州有南北二道，陕州入关也有南北二道，这里指的是前者。洛阳到陕州的南道是：洛阳甘泉驿（今河南洛阳西南）寿安（今河南宜阳）柳泉驿（今河南宜阳西北）福昌（今河南宜阳）鹿桥驿（今河南洛宁北四十里）莎栅（在鹿桥驿西）硖石（今河南渑池西）陕州。北道是：洛阳新安（今河南新安）渑池（今河南渑池）硖石陕州。参见王文楚《唐代两京驿路考》，载《历史研究》一九八三年第六期。52甲午：三月初九日。53疆

【原文】

李光弼上表，固求自贬，制以开府仪同三司、侍中，领河中节度使。

术士长塞㉕镇将㉖朱融与左武卫将军窦如玢等谋奉嗣岐王珍㉗作乱，金吾将军邢济告之。夏，四月乙卯㉘朔，废珍为庶人，溱州安置，其党皆伏诛。珍，业之子也。丙辰㉙，左散骑常侍张镐贬辰州㉚司户。镐尝买珍宅故也。

大惊，倒在地下。史朝义率军回去，周挚、许叔冀前来迎接，骆悦等人劝史朝义逮捕周挚，把他杀了。军队到达柳泉，骆悦等人害怕众人心意不一，便勒死了史思明，用毡子包裹了他的尸体，用骆驼驮回洛阳。

史朝义即皇帝位，改年号为显圣。秘密派人到范阳，敕令散骑常侍张通儒等杀死史朝清和史朝清的母亲辛氏以及不归附自己的几十个人。贼党自相攻击，在城中交战几个月，死了几千人，范阳才安定下来。史朝义任命他的部将柳城人李怀仙为范阳尹、燕京留守。当时洛阳四周几百里内州、县都成为废墟，而史朝义所统领的节度使都是安禄山的旧将，与史思明同辈，史朝义召见他们，大都不到，只是大致维系着表面上的关系，史朝义并不能让他们为己所用。

子岭：礓子阪。在今河南三门峡市陕州区东。㊿④戊戌：三月十三日。㊿⑤三隅城：指城一面环山，只筑其余三面城墙。隅，角。㊿⑥泥：涂抹。㊿⑦立马监泥：指伫立马旁督促涂泥。立马，伫立马旁。监，监督。㊿⑧斯须：一会儿；片刻。㊿⑨鹿桥驿：驿站名，在今河南洛宁北。⑥⓪逆旅：旅舍。⑥①无日：无时日。犹言不久。⑥②俯首：低头。⑥③李氏：指唐朝。⑥④圣人：当时臣子称其君父为圣人。⑥⑤厩中：马圈中。⑥⑥鞴：把鞍辔等套在马身上。⑥⑦傔人：侍从；副官。⑥⑧怀王：史思明封史朝义为怀王。⑥⑨朝来：早上；上午。⑦⓪柳泉驿：驿站名，在今河南宜阳西北。⑦①福昌：县名，县治在今河南宜阳。⑦②李怀仙：李怀仙（？至公元七六八年），柳城（今辽宁朝阳）胡人，从史思明为将，后斩史朝义降唐，又从仆固怀恩反叛，大历三年（公元七六八年）为部下所杀。传见《旧唐书》卷一百四十三、《新唐书》卷二百十二。⑦③丘墟：废墟；荒地。⑦④等夷：同辈。

【校记】

［3］中：原为空格。据章钰校，十二行本、乙十一行本空格处有“中”字，今据补。

【语译】

李光弼上表，坚持要求将自己贬官，于是肃宗下制书任命他为开府仪同三司、侍中，兼领河中节度使。

方士长塞镇将朱融与左武卫将军窦如玢等谋划拥戴嗣岐王李珍作乱，金吾将军邢济举报了他们。夏，四月初一日乙卯，李珍被废为平民，安置在溱州，他的党羽都被处死。李珍，是李业的儿子。初二日丙辰，左散骑常侍张镐被贬为辰州司户。这是因为张镐曾经购买了李珍住宅。

己未[81]，以吏部侍郎裴遵庆[82]为黄门侍郎、同平章事。

乙亥[83]，青、密节度使尚衡破史朝义兵，斩首五千余级。

丁丑[84]，兖、郓节度使能元皓破史朝义兵。

壬午[85]，梓州刺史段子璋反。子璋骁勇，从上皇在蜀有功，东川节度使李奂奏替之，子璋举兵，袭奂于绵州[86]。道过遂州[87]，刺史虢王巨苍黄[88]修属郡礼[89]迎之，子璋杀之。李奂战败，奔成都。子璋自称梁王，改元黄龙，以绵州为龙安府，置百官，又陷剑州。

五月己丑[90]，李光弼自河中入朝。

初，李辅国与张后同谋迁上皇于西内。是日端午[91]，山人李唐见上，上方抱幼女，谓唐曰："朕念之，卿勿怪也。"对曰："太上皇思见陛下，计亦如陛下之念公主也。"上泫然[92]泣下。然畏张后，尚不敢诣西内。

癸巳[93]，党项寇宝鸡。

初，史思明以其博州刺史令狐彰为滑、郑、汴节度使，将数千兵戍滑台[94]。彰密因中使杨万定通表请降，徙屯杏园度。思明疑之，遣其将薛岌围之。彰与岌战，大破之，因随万定入朝。甲午[95]，以彰为滑、卫等六州[96]节度使。

戊戌[97]，平卢节度使侯希逸击史朝义范阳兵，破之。

乙未[98]，西川节度使崔光远与东川节度使李奂共攻绵州。庚子[99]，拔之，斩段子璋。

复以李光弼为河南副元帅、太尉兼侍中，都统河南、淮南东西、山南东、荆南、江南西、浙江东西八道行营节度，出镇临淮[100]。

【段旨】

以上为第四段，写邙山之败，李光弼自请解职，一月之后，复职为河南副元帅。

四月初五日己未，任命吏部侍郎裴遵庆为黄门侍郎、同平章事。

二十一日乙亥，青、密节度使尚衡打败史朝义的部队，斩获首级五千多。

二十三日丁丑，兖、郓节度使能元皓打败史朝义的部队。

四月二十八日壬午，梓州刺史段子璋造反。段子璋十分勇猛，跟随太上皇在蜀地有功，东川节度使李奂上奏派人替代他，段子璋发兵，在绵州袭击李奂。路过遂州，刺史虢王李巨匆忙间采用属郡的礼节迎接他，段子璋杀了李巨。李奂战败，逃往成都。段子璋自称梁王，改年号为黄龙，把绵州改为龙安府，设置百官，又攻陷剑州。

五月初五日己丑，李光弼从河中入朝。

当初，李辅国与张皇后同谋把太上皇迁居到西内。这一天是端午节，山人李唐拜见肃宗，肃宗正抱着小女儿，对李唐说："朕很想念她，你不要见怪。"李唐回答说："太上皇想见到陛下，估计也同陛下想念公主一样。"肃宗流下了眼泪。然而畏惧张皇后，还是不敢到西内去。

五月初九日癸巳，党项侵犯宝鸡。

当初，史思明任命他的博州刺史令狐彰为滑、郑、汴节度使，率领几千士兵戍守滑台。令狐彰秘密通过宫中使者杨万定呈送表文请求归降，迁移到杏园度驻扎。史思明怀疑他，派遣部将薛岌包围他。令狐彰与薛岌交战，大败薛岌，于是跟随杨万定入朝。五月初十日甲午，任命令狐彰为滑州、卫州等六州节度使。

五月十四日戊戌，平卢节度使侯希逸攻打史朝义在范阳的部队，打败了他们。

十一日乙未，西川节度使崔光远与东川节度使李奂一起攻打绵州。十六日庚子，攻取了绵州，杀了段子璋。

重又任命李光弼为河南副元帅、太尉兼侍中，都统河南、淮南东西、山南东、荆南、江南西、浙江东西八道行营节度，出镇守临淮。

【注释】

⑮ 长塞：镇名，在蔚州（今山西灵丘）界。⑯ 镇将：官名。唐制，屯防镇有上中下之分，有戍兵五百者为上镇，三百人为中镇，不及三百者为下镇。镇置镇将、镇副，掌捍防守御。上镇将正六品下，中镇将正七品上，下镇将正七品下。⑰ 嗣岐王珍：李珍（？至公元七六一年），睿宗第五子惠宣太子李业之子。岐王本是睿宗第五子李范，死后其子瑾嗣。天宝中瑾暴卒，便以李业（薛王）之子李珍为嗣岐王。上元二年（公元七六一年）珍以谋反罪赐死。传见《新唐书》卷八十一。⑱ 乙卯：四月初一日。⑲ 丙辰：四月初二日。⑳ 辰州：州名，治所在今湖南沅陵。㉑ 己未：四月初五日。㉒ 裴遵庆：裴遵庆（公

元六八六至七七五年），字少良，绛州闻喜（今山西闻喜）人，世为河东冠族。官至黄门侍郎、同中书门下平章事。传见《旧唐书》卷一百十三、《新唐书》卷一百四十。㉛乙亥：四月二十一日。㉜丁丑：四月二十三日。㉝壬午：四月二十八日。㉞绵州：州名，治所在今四川绵阳东。㉟遂州：州名，治所在今四川遂宁。㊱苍黄：仓皇，急忙。㊲修属郡礼：施行属郡的礼节。属郡，管辖下的州郡。㊳己丑：五月初五日。㊴端午：农历五月初五日。㊵泫然：眼泪汪汪的样子。㊶癸巳：五月初九日。㊷滑台：城名，在今河南滑县东旧滑县。㊸甲午：五月初十日。㊹滑、卫等六州：指滑、卫、相、贝、魏、博六州。㊺戊戌：五月十四日。㊻乙未：五月十一日。㊼庚子：五月十六日。㊽临淮：泗州治所，在今江苏泗洪东南。

【原文】

六月甲寅[101]，青、密节度使能元皓[102]败史朝义将李元遇。

江淮都统李峘畏失守之罪，归咎[103]于浙西节度使侯令仪。丙子[104]，令仪坐除名，长流康州[105]。加田神功开府仪同三司，徙徐州刺史。征李峘、邓景山还京师。

戊寅[106]，党项寇好畤[107]。

秋，七月癸未[108]朔，日有食之，既，大星皆见[109]。

以试少府监[110]李藏用为浙西节度副使。

八月癸丑[111]朔，加开府仪同三司李辅国兵部尚书。乙未[112]，辅国赴上[113]，宰相朝臣皆送之，御厨具馔，太常设乐。辅国骄纵日甚，求为宰相。上曰："以卿之功，何官不可为，其如朝望未允何[114]！"辅国乃讽仆射裴冕等使荐己。上密谓萧华曰："辅国求为宰相，若公卿表来，不得不与。"华出，问冕，曰："初无[115]此事，吾臂可断[116]，宰相不可得！"华入言之，上大悦，辅国衔之。

己巳[117]，李光弼赴河南行营。

辛巳[118]，以殿中监李若幽为朔方[4]、镇西、北庭、兴平[119]、陈郑等节度行营及河中节度使，镇绛州，赐名国贞。

九月甲申[120]，天成地平节[121]，上于三殿[122]置道场，以宫人为佛菩萨[123]，北门[5]武士为金刚神王[124]，召大臣膜拜[125]围绕。

【语译】

六月初一日甲寅，青、密节度使能元皓打败史朝义的部将李元遇。

江淮都统李峘害怕自己有失守之罪，就归咎于浙西节度使侯令仪。六月二十三日丙子，侯令仪获罪被削除名籍，长期流放康州。加封田神功为开府仪同三司，改任徐州刺史。征召李峘、邓景山回京师。

六月二十五日戊寅，党项侵犯好畤县。

秋，七月初一日癸未，日全食，大星都出现了。

任命试少府监李藏用为浙西节度副使。

八月初一日癸丑，加封开府仪同三司李辅国为兵部尚书。乙未日，李辅国赴省就职，宰相朝臣都去送他，由御厨房准备酒席，太常寺安排奏乐。李辅国的骄横放纵一天比一天厉害，还要求去做宰相。肃宗说："以你的功劳，任何官都可以做，只是朝廷中有声望的大臣还没有同意又怎么办呢！"李辅国于是暗示仆射裴冕等人，让他们推荐自己。肃宗暗中对萧华说："李辅国要求做宰相，如果公卿推荐他的表文来了，就不得不给他了。"萧华出宫后去问裴冕，裴冕说："从来没有这回事，我的手臂可以断，宰相一职他不可以得到！"萧华入宫告诉肃宗，肃宗十分高兴，李辅国因此怀恨在心。

八月十七日己巳，李光弼奔赴河南行营。

八月二十九日辛巳，任命殿中监李若幽为朔方、镇西、北庭、兴平、陈郑等节度行营及河中节度使，镇守绛州，赐名为国贞。

九月初三日甲申，是天成地平节，肃宗在三殿设置道场，把宫人装扮成佛菩萨，把北门武士装扮成金刚神王，召大臣围绕膜拜。

壬寅[126]，制去尊号，但称皇帝，去年号，但称元年，以建子月[127]为岁首[128]，月皆以所建为数[129]，因赦天下。停京兆、河南、太原、凤翔四京及江陵南都之号。自今每除五品以上清望京[6]官[130]及郎官[131]、御史、刺史，令举一人自代，观其所举，以行殿最[132]。

江、淮大饥，人相食。

冬，十月，江淮都统崔圆署[133]李藏用为楚州刺史。会支度租庸使[134]以刘展之乱，诸州用仓库物无准，奏请征验[135]。时仓猝募兵，物多散亡，征之不足，诸将往往卖产以偿之。藏用恐其及己，尝与人言，颇有悔恨。其牙将高幹挟故怨[136]，使人诣广陵告藏用反，先以兵袭之。藏用走，幹追斩之。崔圆遂簿责[137]藏用将吏以验之，将吏畏，皆附成其状[138]。独孙待封坚言不反，圆命引出斩之。或曰："子何不从众以求生！"待封曰："吾始从刘大夫[139]奉诏书来赴镇，人谓吾反。李公起兵灭刘大夫，今又以李公为反。如此，谁则非反者，庸有极乎！吾宁就死，不能诬人以非罪。"遂斩之[140]。

建子月壬午[141]朔，上受朝贺，如正旦仪[142]。

或告鸿胪卿康谦与史朝义通，事连司农卿严庄，俱下狱。京兆尹刘晏[143]遣吏防守庄家。上寻敕出庄，引见。庄怨晏，因言晏与臣言，常道禁中语，矜功怨上。丁亥[144]，贬晏通州[145]刺史，庄难江[146]尉，谦伏诛。

戊子[147]，御史中丞元载[148]为户部侍郎，充句当度支[149]、铸钱、盐铁兼江淮转运等使。载初为度支郎中，敏悟善奏对，上爱其才，委以江淮漕运。数月，遂代刘晏，专掌财利。

戊戌[150]，冬至[151]。己亥[152]，上朝上皇于西内。

神策节度使卫伯玉攻史朝义，拔永宁，破渑池[153]、福昌、长水[154]等县。

己酉[155]，上朝献太清宫。庚戌[156]，享太庙、元献[157]庙。建丑月[158]辛亥[159]朔，祀圜丘、太一坛。

平卢节度使侯希逸与范阳相攻连年，救援既绝，又为奚所侵，乃悉举其军二万余人袭李怀仙，破之，因引兵而南。

九月二十一日壬寅，下制书除去尊号，只称皇帝，除去年号，只称元年，以十一月建子月为一年的第一个月，每个月都以所建字代替数目，于是大赦天下。停止京兆、河南、太原、凤翔四京以及江陵南都的名号。从此以后，每次任命五品以上的在京清望官以及郎官、御史、刺史，都让他们推举一个人来代替自己，然后观察他们所推举的人，以排出先后的名次。

江、淮地区饥荒严重，出现人吃人的现象。

冬，十月，江淮都统崔圆任命李藏用为楚州刺史。遇上支度租庸使因刘展作乱，各州使用仓库物资没有定准，上奏请求查证检验。当时仓促招募士兵，物资多有散亡，查验数量不足时，各个将领往往变卖财产以补偿。李藏用担心此事会连累自己，曾经与人谈起，颇有悔恨之意。李藏用的牙将高幹对他怀有旧怨，派人到广陵告发李藏用谋反，并先带兵袭击了他。李藏用逃走，高幹追上去把他斩杀。崔圆于是以文书诘责李藏用的部将、官吏来加以验证，部将、官吏很害怕，都附和高幹的说法而证实李藏用谋反的罪状。只有孙待封坚持说李藏用没有谋反，崔圆命令把他带出去杀了。有人说:“你为什么不随从众人的说法以谋求生存呢!”孙待封说:“我先前跟随刘大夫奉诏书赴镇，有人说我们谋反。李公起兵消灭了刘大夫，现在又认为李公谋反。像这样，哪一个人不是谋反者，难道还有个完吗?! 我宁愿去死，也不能诬告没有罪的人。”于是他被斩杀。

十一月初一日建子月壬午，肃宗接受群臣朝觐庆贺，如同元旦的仪式。

有人告发鸿胪卿康谦与史朝义勾结，事情牵连到司农卿严庄，两人都被关进监狱。京兆尹刘晏派官吏防守严庄的家。肃宗不久敕命释放严庄，带去进见。严庄怨恨刘晏，就趁机说刘晏与他谈话，经常泄露宫禁中的一些话，自恃有功而埋怨肃宗。十一月初六日丁亥，贬刘晏为通州刺史，严庄为难江县尉，康谦被处死。

十一月初七日戊子，御史中丞元载为户部侍郎，充任句当度支使、铸钱使、盐铁使兼江淮转运使等职。元载起初做度支郎中，敏捷聪明善于奏对，肃宗喜爱他的才干，把江淮漕运之事交付给他。几个月后，他便取代刘晏，专门掌管财政事务。

十一月十七日戊戌，冬至。十八日己亥，肃宗到西内朝见太上皇。

神策军节度使卫伯玉攻打史朝义，攻克永宁，打败了渑池、福昌、长水等县的敌军。

十一月二十八日己酉，肃宗在太清宫举行朝献祭祀。二十九日庚戌，在太庙祭奠祖宗，在元献庙祭奠母后。十二月初一日建丑月辛亥，祭祀圜丘和太一坛。

平卢节度使侯希逸与范阳敌军连年相攻，救援断绝后，又受到奚人的侵扰，于是率领全部兵力二万多人袭击李怀仙，打败了他，便率军南归。

【段旨】

以上为第五段，写唐肃宗受制于宦官李辅国，朝纲不振，地方亦多滥刑。

【注释】

⑩甲寅：六月初一日。⑩青、密节度使能元皓：本书上卷上元元年十二月以及本卷上元二年四月均载能元皓为兖、郓节度使，至宝应元年（公元七六二年）建寅月戊申，仍书侯希逸会能元皓于兖州，而这里却书“青、密节度使能元皓”，故疑“青、密”为“兖、郓”之误。⑩归咎：归罪。⑩丙子：六月二十三日。⑩康州：州名，治所在今广东德庆。⑩戊寅：六月二十五日。⑩好畤：县名，县治在今陕西乾县西北。⑩癸未：七月初一日。⑩见：通“现”。出现。⑩少府监：官名，掌百工技巧之事，即国家手工业事务。⑪癸丑：八月初一日。⑫乙未：八月癸丑朔，无乙未，当为乙卯之误。乙卯，八月初三日。⑬赴上：尚书省仆射、各部尚书赴省供职。⑭其如朝望未允何：指这件事情由于朝廷百官不赞成，实在没有办法。其，代词，指李辅国求宰相事。如……何，奈……何，由于……无可奈何。朝望，朝廷中有声望的大臣。⑮初无：压根儿没有；从来没有。⑯吾臂可断：我宁可承受断臂的酷刑。臂，手臂、上肢。⑰己巳：八月十七日。⑱辛巳：八月二十九日。⑲兴平：军镇名，不详所在。⑳甲申：九月初三日。㉑天成地平节：肃宗生于景云二年（公元七一一年）九月初三，便以这天为天成地平节。㉒三殿：麟德殿别名。因此殿有三面，故名。此殿多作宴会之用，殿在大明宫内，处仙居殿西北。㉓佛菩萨：佛，即佛教创始人释迦牟尼。菩萨，梵语“菩提萨埵”的简称，“菩提”意为正，“萨埵”意为众生，菩提萨埵即指能自觉本性，普度众生。又佛经说，菩萨是释迦牟尼未成佛时的称号。后来泛指宣扬并实行大乘佛教的人。㉔金刚神王：金刚力士，佛教护法神名，手执金刚杵而立，常置于寺门。通常称寺院山门内所塑四天王像为四大金刚。㉕膜拜：合掌加额，伏地跪拜。㉖壬寅：九月二十一日。㉗建子月：十一月。我国古代以北斗星斗柄的运转计算月份，斗柄所指之辰谓之斗建，以十二斗建称十二个月，如正月指寅，为建寅之月，二月指卯，为建卯之月，依此类推，十一月指子，即为建子之月。㉘岁首：一年的第一个月。古代岁首所在月份不一，如夏朝以正月为岁首，商朝以十二月为岁首，周朝以十一月为岁首，等等。㉙月皆以所建为数：月份均以建月为名称，代替原用的数字月名。㉚清望京官：在京的清望官。唐代以内外三品以上官及门下、中书、侍中、尚书左右丞、六部侍郎、太常卿、秘书少监、太子少詹事、

左右庶子、国子司业为清望官。详《唐六典·吏部郎中》及《旧唐书》卷四十二。⑬① 郎官：指六部二十四司的郎中、员外郎，以及尚书左右司的郎中、员外郎。唐代很重视郎官，注意郎官的人选，员外郎比郎中更有身价。见刘肃《大唐新语》卷十三。⑬② 殿最：古代考核军功或政绩所分的等次。又用来泛指功绩的高下等第。殿，下等。最，上等。⑬③ 署：署置；任用官吏。⑬④ 支度租庸使：支度使和租庸使的兼使，兼掌节度使所属支度、租庸二使的职务。主管军资、粮米、器仗、租庸数额和使用，每年统计后向中央申报。⑬⑤ 征验：验证；查证确实。⑬⑥ 挟故怨：挟带以前的怨恨。⑬⑦ 簿责：根据文簿一一诘责。⑬⑧ 附成其状：附和高幹之言以构成李藏用谋反罪。⑬⑨ 刘大夫：指刘展。⑭⓪ 遂斩之：指孙待封被冤杀。史言兵兴之时政纪不肃，多滥刑。⑭① 壬午：十一月初一日。⑭② 正旦仪：嘉礼五十仪之一，即皇帝元正受群臣朝贺的仪式。详《通典》卷七十、《新唐书》卷十九。正旦，正月初一。⑭③ 京兆尹刘晏：此时（上元二年）刘晏所任职官为户部侍郎，充度支、铸钱、盐铁等使，兼京兆尹。⑭④ 丁亥：十一月初六日。⑭⑤ 通州：州名，治所在今四川达州。⑭⑥ 难江：县名，县治在今四川南江。⑭⑦ 戊子：十一月初七日。⑭⑧ 元载：元载（？至公元七七七年），字公甫，凤翔岐山（今陕西岐山）人，以道举入第，官至宰相。参与谋杀李辅国，擅权嗜利，获罪伏诛。传见《旧唐书》卷一百十八、《新唐书》卷一百四十五。⑭⑨ 句当度支：句当度支使，办理度支使职事，犹如度支使的差遣官，实际上就是度支使，《旧唐书·元载传》便直接书作“度支使”。句当，办理。句，亦作“勾”。度支，指度支使。⑮⓪ 戊戌：十一月十七日。⑮① 冬至：二十四节气之一。在公历十二月二十二日或二十三日。⑮② 己亥：十一月十八日。⑮③ 渑池：县名，县治在今河南渑池。⑮④ 长水：县名，县治在今河南洛宁西南。⑮⑤ 己酉：十一月二十八日。⑮⑥ 庚戌：十一月二十九日。⑮⑦ 元献：肃宗生母、玄宗之妃杨氏（？至公元七二九年），至德二载（公元七五七年），玄宗在蜀，下诰追册为元献太后。传见《旧唐书》卷五十二、《新唐书》卷七十六。⑮⑧ 建丑月：十二月。⑮⑨ 辛亥：十二月初一日。

【校记】

［4］朔方：原无此二字。据章钰校，十二行本、乙十一行本皆有此二字，张瑛《通鉴校勘记》同，今据补。［5］北门：原无此二字。据章钰校，十二行本、乙十一行本皆有此二字，今据补。［6］京：原无此字。据章钰校，十二行本、乙十一行本皆有此字，今据补。

【原文】

宝应元年（壬寅，公元七六二年）

建寅月[160]甲申[161]，追尊靖德太子琮[162]为奉天皇帝，妃窦氏为恭应皇后。丁酉[163]，葬于齐陵[164]。

甲辰[165]，吐蕃遣使请和。

李光弼拔许州[166]，擒史朝义所署颍川太守李春。朝义将史参救之，丙午[167]，战于城下，又破之。

戊申[168]，平卢节度使侯希逸于青州北渡河而会田神功、能元皓于兖州。

租庸使元载以江、淮虽经兵荒，其民比诸道犹有赀产，乃按籍[169]举[170]八年[171]租调之违负[172]及逋逃[173]者，计其大数[174]而征之。择豪吏为县令而督之，不问负之有无，赀之高下，察民有粟帛者发徒[175]围之，籍[176]其所有而中分[177]之，甚者什取八九，谓之白著[178]。有不服者，严刑以威之。民有蓄谷十斛者，则重足[179]以待命，或相聚山泽为群盗，州县不能制。

建卯月[180]辛亥[181]朔，赦天下。复以京兆为上都，河南为东都，凤翔为西都，江陵为南都，太原为北都。

奴剌寇成固[182]。

初，王思礼为河东节度使，资储丰衍[183]，赡军之外，积米百万斛，奏请输五十万斛于京师。思礼薨，管崇嗣[184]代之，为政宽弛，信任左右，数月间，耗散殆尽，惟陈腐米万余斛在。上闻之，以邓景山代之。景山至，则钩校[185]所出入[186]，将士辈多有隐没，皆惧。有裨将抵罪当死，诸将请之，不许。其弟请代兄死，亦不许。请入一马以赎死，乃许之。诸将怒曰："我辈曾不及一马乎！"遂作乱，癸丑[187]，杀景山。上以景山抚御失所[188]以致乱，不复推究[189]乱者，遣使慰谕以安之。诸将请以都知兵马使、代州刺史辛云京为节度使。己未[190]，以云京为北都留守、河东节度使[7]。云京奏张光晟为代州刺史。

绛州素无储蓄，民间饥，不可赋敛[191]，将士粮赐[192]不充。朔方等诸道行营都统李国贞屡以状闻，朝廷未报[193]，军中咨怨[194]。突将[195]王元振将作乱，矫令于众曰："来日[196]修都统宅，各具畚锸[197]，待命于门。"

【语译】

宝应元年（壬寅，公元七六二年）

正月初四日建寅月甲申，追尊靖德太子李琮为奉天皇帝，妃子窦氏为恭应皇后。十七日丁酉，将他们葬在齐陵。

正月二十四日甲辰，吐蕃派使者前来请求与唐朝和好。

李光弼攻克许州，抓获史朝义所任用的颍川太守李春。史朝义的部将史参前去援救，二十六日丙午，在城下交战，又把史参击败。

正月二十八日戊申，平卢节度使侯希逸在青州北渡过黄河，与田神功、能元皓在兖州会合。

租庸使元载认为江淮地区虽然经历兵荒，当地百姓与其他各道的相比还是有些财产，于是按户籍检查出八年来租调拖欠者和逃亡者，估计一个大约的整数加以征收。元载选择一些富豪官吏做县令来督办此事，不问是否拖欠，家产有多少，只要查到百姓有粮食、布帛，就派人包围起来，登记他们所存有的粮食、布帛，取走其中一半，有的甚至取走十分之八九，称之为白著。如果有不服从的人，就用严刑威胁他。百姓中有积蓄了十斛粮食的，就心怀恐惧不敢动以等待命令，有的人聚集在山林湖泽中做强盗，州县官府也不能制止。

二月初一日建卯月辛亥，大赦天下。又以京兆为上都，河南为东都，凤翔为西都，江陵为南都，太原为北都。

奴剌侵犯成固。

当初，王思礼为河东节度使时，物资储备十分丰富，除供给军队之外，积蓄米粮一百万斛，上奏请求输送五十万斛到京师。王思礼去世后，管崇嗣代替他，处理政务宽缓松懈，过于信任左右的人，几个月的时间，这些粮食消耗散失殆尽，只剩下一万斛陈腐的米粮。肃宗听说后，派邓景山代替他。邓景山到任后，就核查收支，将士们多有隐瞒吞没，因此都很害怕。有一个裨将论罪应当处死，众将去求情，邓景山不许。裨将的弟弟请求代替哥哥去死，也不许。请求进献一匹马来赎取死罪，邓景山这才允许。众将愤怒地说："我们这些人还不如一匹马吗?!"于是作乱。二月初三日癸丑，杀了邓景山。肃宗认为邓景山安抚统驭部下失当以致引起作乱，因此不再追究作乱的人，派使者慰问晓谕以安抚他们。众将请求任命都知兵马使、代州刺史辛云京为节度使。二月初九日己未，任命辛云京为北都留守、河东节度使。辛云京奏请让张光晟担任代州刺史。

绛州一向没有储备，民间有饥荒，不能征收赋税，将士们的粮饷供给不充足。朔方等各道行营都统李国贞多次奏报这一情况，但朝廷没有答复，军中嗟叹怨恨。突将王元振准备作乱，向士卒假传命令说："来日修理都统住宅，各人准备好畚锸等

士卒皆怒曰："朔方健儿岂修宅夫邪！"乙丑[198]，元振帅其徒作乱，烧牙城[199]门。国贞逃于狱，元振执之，置卒食于前曰："食此而役其力，可乎！"国贞曰："修宅则无之，军食则屡奏而未报，诸君所知也。"众欲退。元振曰："今日之事，何必更问！都统不死，则我辈死矣。"遂拔刃杀之。

镇西、北庭行营兵屯于翼城[200]，亦杀节度使荔非元礼，推裨将白孝德为节度使，朝廷因而授之。

戊辰[201]，淮西节度使王仲昇与史朝义将谢钦让战于申州城下，为贼所虏，淮西震骇。会侯希逸、田神功、能元皓攻汴州，朝义召钦让兵救之。

绛州诸军剽掠不已，朝廷忧其与太原乱军合从[202]连贼，非新进[203]诸将所能镇服，辛未[204]，以郭子仪为汾阳王，知朔方、河中、北庭、潞泽节度行营兼兴平、定国[205]等军副元帅，发京师绢四万匹、布五万端[206]、米六万石以给绛军。

建辰月[207]庚寅[208]，子仪将行，时上不豫，群臣莫得进见。子仪请曰："老臣受命，将死于外，不见陛下，目不瞑[209]矣！"上召入卧内，谓曰："河东之事，一以委卿。"

史朝义遣兵围李抱玉于泽州，子仪发定国军救之，乃去。

上召山南东道节度使来瑱赴京师。瑱乐在襄阳，其将士亦爱之，乃讽所部将吏上表留之，行及邓州，复令还镇。荆南节度使吕諲、淮西节度使王仲昇及中使往来者言："瑱曲收[210]众心，恐久难制。"上乃割商、金、均、房[211]别置观察使，令瑱止领六州[212]。会谢钦让围王仲昇于申州数月，瑱怨之，按兵不救，仲昇竟败没。行军司马裴茙[213]谋夺瑱位，密表瑱倔强[214]难制，请以兵袭取之，上以为然。癸巳[215]，以瑱为淮西、河南十六州节度使，外示宠任，实欲图之，密敕以茙代瑱为襄、邓等州防御使。

工具，在门口待命。”士卒都愤怒地说：“朔方的健儿难道是修理住宅的劳力吗？”二月十五日乙丑，王元振率领他的部下作乱，焚烧牙城门。李国贞逃进监狱，王元振抓住他，把士卒的饭食放在他面前说：“吃这种饭食还要让他们出劳力，行吗？”李国贞说：“修理住宅绝无此事，军中粮食问题已多次奏报而没有得到答复，这是各位都知道的。”众人想要退下。王元振说：“今天的事情，何必再问！都统如果不死，那我们这些人就会死。”于是拔刀杀了李国贞。

镇西、北庭行营兵驻扎在翼城，也杀了节度使荔非元礼，推举裨将白孝德做节度使，朝廷因此就把这一职务授予了白孝德。

二月十八日戊辰，淮西节度使王仲昇与史朝义的部将谢钦让在申州城下交战，被叛贼俘虏，淮西震惊。适逢侯希逸、田神功、能元皓进攻汴州，史朝义召谢钦让的部队去援救。

绛州各军抢劫掠夺不止，朝廷担心他们与太原作乱的部队联合起来勾结叛贼，这不是新近晋升的各位将领所能镇服的，二月二十一日辛未，任命郭子仪为汾阳王，掌管朔方、河中、北庭、潞泽节度行营兼兴平、定国等军副元帅，调发京师绢四万匹、布五万端、米六万石以供给绛州各军。

三月十一日建辰月庚寅，郭子仪即将启程，此时肃宗有病，群臣不能进见。郭子仪请求说：“老臣接受命令，将要死在外面，不见到陛下，死不瞑目！”肃宗召他进入卧室，对他说：“河东的事情，全都委托给你了。”

史朝义派兵在泽州包围李抱玉，郭子仪调定国军去援救，史朝义的兵马于是退去。

肃宗召山南东道节度使来瑱到京师来。来瑱乐意待在襄阳，他部下的将士也喜欢他留在襄阳，于是他暗示部下的将领、官吏上表请求留下自己，等他走到邓州时，肃宗又下令他返回镇所。荆南节度使吕諲、淮西节度使王仲昇以及来来往往的宫中使者都说：“来瑱多方收买人心，恐怕时间长了难以控制。”肃宗于是分出商州、金州、均州、房州另外设置观察使，命令来瑱只管辖六个州。适逢谢钦让在申州包围王仲昇好几个月，来瑱怨恨朝廷，按兵不救，王仲昇终于战败被俘。行军司马裴茙图谋夺取来瑱的位置，暗中上表说来瑱倔强难以控制，请求带兵袭击并逮捕他，肃宗认为可以。三月十四日癸巳，任命来瑱为淮西、河南十六州的节度使，外表上显示宠爱信任，实际上是想设法对付他，秘密下敕书任命裴茙代替来瑱做襄州、邓州等州防御使。

【段旨】

以上为第六段，写租庸使元载不顾江淮大饥而苛征赋税，藩镇兵将轻易逐杀主帅。

【注释】

⑯建寅月：正月。⑯甲申：正月初四日。⑯靖德太子琮：唐玄宗长子李琮，卒于天宝十载（公元七五一年），谥为靖德太子，至是追尊为奉天皇帝。⑯丁酉：正月十七日。⑯齐陵：唐玄宗长子李琮墓，在今陕西临潼东。⑯甲辰：正月二十四日。⑯许州：今河南许昌。唐天宝时改颍州郡为许州，安、史仍称旧名。⑯丙午：正月二十六日。⑯戊申：正月二十八日。⑯籍：户口簿册。⑰举：检举。⑰八年：天宝十四载以来至此宝应元年（公元七六二年）共八年。⑰违负：违期拖欠。违，不按时间。负，欠。⑰逋逃：逃亡。⑰大数：大约的整数。⑰徒：步卒。⑰籍：登记。⑰中分：平分。⑰白著：正税之外的横征暴敛。胡三省注引勃海高云有《白著歌》曰："上元官吏务剥削，江淮之人多白著。"⑰重足：叠足而立，指十分惧怕而不敢稍微移动一下。⑱建卯月：二月。⑱辛亥：二月初一日。⑱成固：县名，县治在今陕西城固。⑱丰衍：丰盛盈溢。⑱管崇嗣：曾任鸿胪卿、太原尹兼御史大夫、北京留守、河东节度副大使，封赵国公。其事散见《旧唐书》卷一百二十《郭子仪传》、《新唐书》卷二百二十五上《史思明传》等篇。⑱钩校：查对；查核。⑱出入：支出收入。⑱癸丑：二月初三日。⑱抚御失所：安抚统御不当。⑱推究：推问追究。⑲己未：二月初九日。⑲赋敛：征收田地税。⑲粮赐：粮饷供给。赐，给予。⑲朝廷未报：朝廷没有回信、答复。⑲咨怨：叹息

【原文】

甲午[216]，奴剌寇梁州[217]，观察使李勉弃城走，以邠州刺史河西臧希让[218]为山南西道节度使。

丙申[219]，党项寇奉天[220]。

李辅国以求宰相不得，怨萧华。庚午[221]，以户部侍郎元载为京兆尹，载诣辅国固辞，辅国识其意。壬寅[222]，以司农卿陶锐为京兆尹。辅国言萧华专权，请罢其相，上不许。辅国固请不已，乃从之，仍引元载代华。戊申[223]，华罢为礼部尚书，以载同平章事，领度支、转运使如故。

建巳月[224]庚戌[225]朔，泽州刺史李抱玉破史朝义兵于城下。

壬子[226]，楚州刺史崔侁表称："有尼真如，恍惚[227]登天[228]，见上帝，赐以宝玉十三枚[229]，云：'中国有灾，以此镇之。'"群臣表贺。

而怨恨。⑲⑤ 突将：统率骁勇士卒冲锋陷阵的将领。⑲⑥ 来日：将来的某一天。⑲⑦ 畚锸：指挖运泥土的工具。畚，用竹篾编织的盛物器具。锸，铁锹。⑲⑧ 乙丑：二月十五日。⑲⑨ 牙城：围绕衙署的小城。⑳⓪ 翼城：县名，县治在今山西翼城。⑳① 戊辰：二月十八日。⑳② 合从：合纵，南北联合。⑳③ 新进：新近晋升。⑳④ 辛未：二月二十一日。⑳⑤ 定国：军镇名，不详所在。⑳⑥ 端：布的计量单位。唐制，布阔一尺八寸，长五丈为一端。⑳⑦ 建辰月：三月。⑳⑧ 庚寅：三月十一日。⑳⑨ 瞑：闭目。㉑⓪ 曲收：多方收买。㉑① 商、金、均、房：皆州名，商州治所在今陕西商洛市商州区，金州治所在今陕西安康，均州治所在今河南禹州，房州治所在今湖北房县。㉑② 令瑱止领六州：来瑱所任山南东道节度使，据《新唐书·方镇表四》，在至德二载（公元七五七年）设置时，领襄、邓、隋、唐、安、均、房、金、商九州，今割去商、金、均、房四州，应是只领五州。止，通“只”。㉑③ 裴茙：裴茙（？至公元七六二年），来瑱镇陕州，以裴茙为判官。来瑱移镇襄州，以裴茙为行军司马，恩遇甚厚。传见《旧唐书》卷一百十四、《新唐书》卷一百四十四。㉑④ 倔强：直傲不屈服于人。㉑⑤ 癸巳：三月十四日。

【校记】

［7］己未……河东节度使：原无此十五字。据章钰校，十二行本、乙十一行本皆有此十五字，张瑛《通鉴校勘记》同，今据补。

【语译】

三月十五日甲午，奴剌侵犯梁州，观察使李勉弃城逃跑，任命邠州刺史河西人臧希让为山南西道节度使。

十七日丙申，党项侵犯奉天。

李辅国因为要求做宰相没做成，怨恨萧华。三月庚午日，任命户部侍郎元载为京兆尹。元载到李辅国那里坚决辞谢，李辅国知道他的心意。二十三日壬寅，任命司农卿陶锐为京兆尹。李辅国说萧华专权，请求罢免他的宰相职位，肃宗不许。李辅国再三请求不止，肃宗这才同意，李辅国就推荐元载来代替萧华。二十九日戊申，萧华被免去相位而改任礼部尚书，任命元载同平章事，兼度支使、转运使照旧。

四月初一日建巳月庚戌，泽州刺史李抱玉在城下打败史朝义的部队。

四月初三日壬子，楚州刺史崔侁上表说：“有尼姑名叫真如，恍恍惚惚地升了天，见到上帝，上帝赐给她宝玉十三枚，并说：‘中原有灾难，用这些宝玉可以镇住。’”群臣都上表祝贺。

甲寅[230]，上皇崩于神龙殿[231]，年七十八。乙卯[232]，迁坐[233]于太极殿[234]。上以寝疾[235]，发哀[236]于内殿[237]，群臣发哀于太极殿。蕃官剺面割耳者四百余人。丙辰[238]，命苗晋卿摄冢宰[239]。上自仲春[240]寝疾，闻上皇登遐[241]，哀慕[242]，疾转剧，乃命太子监国。甲子[243]，制改元，复以建寅为正月，月数皆如其旧，赦天下。

初，张后与李辅国相表里，专权用事，晚年，更有隙。内射生使[244]三原[245]程元振[246]党于辅国。上疾笃，后召太子谓曰："李辅国久典禁兵，制敕皆从之出。擅逼迁圣皇，其罪甚大，所忌者吾与太子。今主上弥留[247]，辅国阴与程元振谋作乱，不可不诛。"太子泣曰："陛下疾甚危，二人皆陛下勋旧之臣，一旦不告而诛之，必致震惊，恐不能堪也。"后曰："然则[248]太子姑归[249]，吾更徐思之。"太子出，后召越王係谓曰："太子仁弱，不能诛贼臣，汝能之乎？"对曰："能。"係乃命内谒者监段恒俊选宦官有勇力者二百余人，授甲于长生殿[250]后。乙丑[251]，后以上命召太子。元振知其谋，密告辅国，伏兵于陵霄门[252]以俟之。太子至，以难告。太子曰："必无是事，主上疾亟召我，我岂可畏死而不赴乎！"元振曰："社稷事大，太子必不可入。"乃以兵送太子于飞龙厩[253]，且以甲卒守之。是夜，辅国、元振勒兵三殿，收捕越王係、段恒俊及知内侍省事朱光辉等百余人，系之。以太子之命迁后于别殿。时上在长生殿，使者逼后下殿，并左右数十人幽于后宫，宦官宫人皆惊骇逃散。丁卯[254]，上崩。辅国等杀后并系及兖王僩。是日，辅国始引太子素服于九仙门[255]与宰相相见，叙上皇晏驾[256]，拜哭，始行监国之令。戊辰[257]，发大行皇帝[258]丧于两仪殿[259]，宣遗诏。己巳[260]，代宗即位。

高力士遇赦还[261]，至朗州[262]，闻上皇崩，号恸[263]，呕血而卒。

【段旨】

以上为第七段，写唐玄宗、肃宗父子相继病殁，李辅国发动政变，杀张皇后，拥立代宗。

四月初五日甲寅，太上皇在神龙殿驾崩，享年七十八岁。初六日乙卯，将神座迁到太极殿。肃宗因卧病在床，在内殿举哀，群臣则在太极殿举哀。蕃族官员划破面孔、割破耳朵表示哀悼的有四百多位。初七日丙辰，命令苗晋卿总摄朝政。肃宗从仲春时起就卧病不起，听到太上皇去世后，哀痛思念，病情加重，于是命令太子监理国政。十五日甲子，下制书改年号，重又以建寅月为正月，月份的次序也都和以前一样，大赦天下。

当初，张皇后与李辅国相互勾结，专权用事，到了晚年，彼此有了嫌隙。内射生使三原人程元振与李辅国结为朋党。肃宗病重，皇后召太子来对他说："李辅国长期掌管禁兵，制书敕令都从他那里发出。他擅自逼太上皇迁居，罪行极大，他有所顾忌的是我和太子。现在皇上处在弥留之际，李辅国暗中与程元振阴谋作乱，不能不诛杀他们。"太子流着泪说："陛下病情很危急，这两个人都是陛下的有功劳的旧臣，一旦不报告陛下就诛杀他们，必然导致陛下震惊，恐怕陛下承受不了。"皇后说："既然如此，那么太子暂且回去，我再慢慢考虑一下。"太子出去后，皇后召越王李係来对他说："太子仁慈软弱，不能诛杀贼臣，你能够吗?"李係回答说："能。"李係便命令内谒者监段恒俊挑选宦官中勇敢有力的二百多人，在长生殿后面把武器铠甲发给他们。四月十六日乙丑，皇后以肃宗的命令召见太子。程元振知道了他们的计谋，秘密报告李辅国，在陵霄门埋伏士兵等待太子。太子到后，就把皇后发难的事告诉他。太子说："一定没有这种事，皇上病情危急召见我，我怎么可以怕死而不去呢!"程元振说："社稷事大，太子一定不可进去。"于是派兵护送太子到飞龙厩，并且派身披铠甲的士卒守卫他。这天夜里，李辅国、程元振带兵来到三殿，拘捕越王李係、段恒俊以及知内侍省事朱光辉等一百多人，将他们捆绑起来。以太子的命令把皇后迁到别殿。当时肃宗在长生殿，使者逼迫皇后下殿，连同左右几十个人都幽禁在后宫，宦官和宫女都惊慌害怕纷纷逃散。十八日丁卯，肃宗驾崩。李辅国等人杀死皇后以及越王李係和兖王李僴。这天，李辅国才带着太子穿上白色衣服在九仙门与宰相见面，叙述上皇驾崩，跪拜哭泣，开始实行太子监国的命令。十九日戊辰，在两仪殿为大行皇帝发丧，宣读遗诏。二十日己巳，代宗即位。

高力士遇上大赦回来，走到朗州，听说太上皇驾崩，号啕大哭，极度悲痛，吐血而死。

【注释】

㉑⑥甲午：三月十五日。㉑⑦梁州：州名，治所在今陕西汉中。㉑⑧臧希让：臧希让（？至公元七七四年），曾任邠州刺史、山南西道节度使、太子詹事、检校工部尚书、渭北节度使、坊州刺史等职。其事散见《旧唐书》卷一百八十三《窦觎传》、《新唐书》卷二

百十六下《吐蕃传》。[219] 丙申：三月十七日。[220] 奉天：县名，县治在今陕西乾县。[221] 庚午：三月庚辰朔，无庚午，当为庚子之误。庚子，三月二十一日。[222] 壬寅：三月二十三日。[223] 戊申：三月二十九日。[224] 建巳月：四月。[225] 庚戌：四月初一日。[226] 壬子：四月初三日。[227] 恍惚：神志不清。[228] 登天：升天。[229] 宝玉十三枚：十三枚宝玉的名称详《旧唐书·肃宗纪》。[230] 甲寅：四月初五日。[231] 神龙殿：殿名，中宗神龙（公元七〇五至七〇六年）年间所居，故名。在长安太极宫甘露殿之左，殿前有神龙门。[232] 乙卯：四月初六日。[233] 坐：帝王遗像的座位。[234] 太极殿：在大明宫内。[235] 寝疾：卧病。[236] 发哀：哀哭；哀悼。[237] 内殿：指肃宗所居大明宫的寝殿。[238] 丙辰：四月初七日。[239] 命苗晋卿摄冢宰：唐肃宗、代宗拟命苗晋卿担任的摄冢宰，从苗晋卿辞冢宰表来看，是皇帝服丧期间，代天子行使职权，“百官听政冢宰”，承当军国大事的最高裁决者。详《旧唐书》卷一百十三《苗晋卿传》。〖按〗玄宗崩，肃宗命苗晋卿摄冢宰，晋卿上表恳辞；肃宗崩，代宗命晋卿摄冢宰，晋卿再上表固辞。两次辞让都获得批准，故虽有其命，而无其事，《资治通鉴》于此所书欠妥。冢宰，周代官名，为佐天子、总百官之职，秦汉以后不置。[240] 仲春：春季的居中一月，指二月。仲，位次居中。[241] 登遐：通“登假”，对帝王死去的讳称。[242] 哀慕：悲伤思念。[243] 甲子：四月十五日。[244] 内射生使：使职名，掌领英武军殿前射生手，以宦官充任。射生，即射生手，肃宗从随从自己到灵武的子弟中挑选一千名善

【原文】

甲戌[264]，以皇子奉节王适[265]为天下兵马元帅。

李辅国恃功益横，明谓上曰：“大家[266]但居禁中，外事听老奴处分。”上内不能平。以其方握禁兵，外尊礼之。乙亥[267]，号辅国为尚父[268]而不名[269]，事无大小皆咨之，群臣出入皆先诣，辅国亦晏然[270]处之。以内飞龙厩副使[271]程元振为左监门卫将军，知内侍省事朱光辉[272]及内常侍[273]啖庭瑶、山人李唐等二十余人皆流黔中。

初，李国贞治军严，朔方将士不乐，皆思郭子仪，故王元振因之作乱。子仪至军，元振自以为功。子仪曰：“汝临贼境，辄害主将，若贼乘其衅[274]，无绛州矣。吾为宰相，岂受一卒之私邪！”五月庚辰[275]，收元振及其同谋四十人，皆杀之。辛云京闻之，亦推按杀邓景山者数十人，诛之。由是河东诸镇率皆奉法。

骑射者充任，分为左右厢，号称英武军，护卫皇帝。㉔⑤三原：县名，县治在今陕西三原东北。㉔⑥程元振：宦官。官至右监门卫大将军，封邠国公。传见《旧唐书》卷一百八十四、《新唐书》卷二百七。㉔⑦弥留：指病重濒临死亡。语出《尚书·顾命》："病日臻，既弥留。"意思是病越来越重，留在身体而不能去除。㉔⑧然则：承上接下之词，那么。㉔⑨姑归：暂且回去。㉕⓪长生殿：宫殿名，一说为唐代帝王寝殿皆称长生殿。此即指大明宫内肃宗寝殿。一说长生殿为斋殿，沐浴净身之地。㉕①乙丑：四月十六日。㉕②陵霄门：宫门名，大明宫北面三门，中为玄武门，左为银汉门，右即陵霄门，又称青霄门。陵，亦作"凌"。霄，或作"云"。㉕③飞龙厩：仗内六闲之一，在玄武门外。㉕④丁卯：四月十八日。㉕⑤九仙门：宫门名，在大明宫翰林院之北。㉕⑥晏驾：对帝王死亡的讳称。㉕⑦戊辰：四月十九日。㉕⑧大行皇帝：大行，本指一去不返。古代臣下因讳言皇帝死亡，故用大行作比喻。自汉代以后称皇帝死为大行，帝死停棺未葬者为大行皇帝。㉕⑨两仪殿：宫殿名，在长安太极宫太极殿之北，由太极殿经朱明门入两仪门便是两仪殿。贞观五年（公元六三一年）太宗以隋之中华殿改名，作为常日听政之所。中叶以后，帝、后丧亦多殡于此。㉖⓪己巳：四月二十日。㉖①遇赦还：上元元年（公元七六〇年）七月，高力士流巫州，至此遇赦还至朗州。㉖②朗州：州名，治所在今湖南常德。㉖③号恸：号啕痛哭。

【语译】

四月二十五日甲戌，任命皇子奉节王李适为天下兵马元帅。

李辅国倚仗有功更加专横，公开对代宗说："陛下只需住在宫中，外面的事听由老奴来处理。"代宗内心愤愤不平。因李辅国正掌握着禁兵，表面上仍然尊重礼待他。四月二十六日乙亥，代宗尊称李辅国为尚父而不称他的名字，事无大小都去咨询他，群臣出入朝廷都先去拜访他，李辅国自己也安然处之。任命内飞龙厩副使程元振为左监门卫将军，知内侍省事朱光辉以及内常侍啖庭瑶、山人李唐等二十多人都被流放黔中。

当初，李国贞治军严厉，朔方将领和士兵不高兴，都想念郭子仪，所以王元振趁机作乱。郭子仪到了军中，王元振自以为有功。郭子仪说："你面对贼人占领的地区，擅自杀害主将，如果贼人利用了这样的空子，绛州就完了。我身为宰相，怎么能够接受一个士卒的私情呢！"五月初二日庚辰，郭子仪拘捕王元振及其同谋四十人，把他们都杀了。辛云京听说后，也追究审理杀害邓景山的几十个人，诛杀了他们。从此河东各镇都遵奉法纪。

壬午㉗⑥，以李辅国为司空兼中书令。

党项寇同官、华原㉗⑦。

甲申㉗⑧，以平卢节度使侯希逸为平卢、青、淄等六州节度使，由是青州节度有平卢之号㉗⑨。

乙酉㉘⓪，徙奉节王适为鲁王。

庚寅㉘①[8]，追尊上母吴妃㉘②为皇太后。

壬辰㉘③，贬礼部尚书萧华为峡州㉘④司马。元载希李辅国意，以罪诬之也。

敕乾元大小钱㉘⑤皆一当一㉘⑥，民始安之。

【段旨】

以上为第八段，写郭子仪诛兵变首领，整肃军纪。

【注释】

㉖④甲戌：四月二十五日。㉖⑤奉节王适：李适（公元七四二至八〇五年），代宗长子，天宝元年（公元七四二年）封奉节郡王。事见《旧唐书》卷十二、《新唐书》卷七。㉖⑥大家：宫中侍臣宦者或后妃对皇帝的称呼。㉖⑦乙亥：四月二十六日。㉖⑧尚父：本为周武王对吕尚的尊称，意为可尊尚的长辈。后世皇帝尊礼大臣，也有加"尚父"尊号的。㉖⑨不名：不直接呼叫名字。㉗⓪晏然：安然；理所当然。㉗①内飞龙厩副使：使职名，为飞龙厩使的副职，以宦官充任。起初，飞龙厩为仗内六闲之一，飞龙使要接受闲厩使指挥。中唐后，飞龙使地位提高，京城马匹全归其管理调度，并领有兵士，成为很重要的内诸司使之一。㉗②朱光辉：《新唐书》卷七十七《后妃传》、卷二百八《宦者传》皆作"朱辉光"。㉗③内常侍：官名，内侍省副长官，佐内侍职掌侍奉皇帝和宫掖宣传之事。㉗④衅：

【原文】

史朝义自围宋州数月，城中食尽，将陷，刺史李岑不知所为。遂城㉘⑦果毅㉘⑧开封刘昌㉘⑨曰："仓中犹有曲㉙⓪数千斤，请屑食㉙①之。不过

五月初四日壬午，任命李辅国为司空兼中书令。

党项侵扰同官、华原。

五月初六日甲申，任命平卢节度使侯希逸担任平卢、青、淄等六州节度使，从此青州节度使有平卢的称号。

五月初七日乙酉，移封奉节王李适为鲁王。

五月十二日庚寅，追尊代宗的母亲吴妃为皇太后。

五月十四日壬辰，把礼部尚书萧华贬为峡州司马。这是因为元载迎合李辅国的心意，捏造罪名诬告了他。

敕令乾元大钱和小钱都一个当一个用，百姓这才安定下来。

隙；空子。㉗⑤庚辰：五月初二日。㉗⑥壬午：五月初四日。㉗⑦华原：县名，县治在今陕西铜川市耀州区东南。㉗⑧甲申：五月初六日。㉗⑨青州节度有平卢之号：《新唐书·方镇表二》载侯希逸上元二年（公元七六一年）为淄青平卢节度使，其时青州已有平卢之号，与《通鉴》所言有异。㉘⓪乙酉：五月初七日。㉘①庚寅：五月十二日。㉘②吴妃：肃宗章敬皇后（？至公元七四〇年），吴氏本为坐父事没入掖庭的宫人，侍奉肃宗，生代宗。传见《旧唐书》卷五十二、《新唐书》卷七十七。㉘③壬辰：五月十四日。㉘④峡州：州名，治所在今湖北宜昌。㉘⑤乾元大小钱：乾元时第五琦主持铸造的两种钱币。小钱先铸，每缗重十斤，径一寸；大钱后铸，每缗重十二斤，径一寸二分，有重轮，又名重轮钱。㉘⑥皆一当一：乾元钱初铸，规定小钱以一当开元旧钱十，大钱一当五十。至上元元年大钱减为一当三十，开元旧钱与小钱都一当十。代宗即位，令大钱一当三，小钱一当二；三天后，又令大小钱都以一当一。详《新唐书》卷五十四《食货志》。

【校记】

［8］庚寅：原无此二字。据章钰校，十二行本、乙十一行本皆有此二字，张瑛《通鉴校勘记》同，今据补。

【语译】

史朝义亲自包围宋州好几个月了，城中粮食吃尽，眼看要沦陷，刺史李岑不知该怎么办。遂城果毅开封人刘昌说：“仓库里还有酒曲几千斤，请把它捣碎了食用。

二十日，李太尉[292]必救我。城东南隅最危，昌请守之。”李光弼至临淮，诸将以朝义兵尚强，请南保扬州。光弼曰：“朝廷倚我以为安危，我复退缩，朝廷何望！且吾出其不意，贼安知吾之众寡！”遂径趣[293]徐州，使兖郓节度使田神功进击朝义，大破之。先是，田神功既克刘展，留连[294]扬州未还，太子宾客尚衡与左羽林大将军殷仲卿[295]相攻于兖、郓，闻光弼至，惮其威名，神功遽还河南，衡、仲卿相继入朝。

光弼在徐州，惟军旅之事自决之，自余众务，悉委判官张傪[296]。傪吏事精敏，区处如流，诸将白事，光弼多令与傪议之，诸将事傪如光弼。由是军中肃然，东夏[297]以宁。先是，田神功起偏裨为节度使，留前使判官刘位等于幕府，神功皆平受其拜。及见光弼与傪抗礼[298]，乃大惊，遍拜位等曰：“神功出于行伍，不知礼仪，诸君亦胡为[299]不言，成神功之过乎！”

丁酉[300]，赦天下。

立皇子益昌王邈[301]为郑王，延[302]为庆王，迥[303]为韩王。

来瑱闻徙淮西，大惧，上言：“淮西无粮，请俟收麦而行。”又讽将吏留己。上欲姑息无事，壬寅[304]，复以瑱为山南东道节度使。

飞龙副使程元振谋夺李辅国权，密言于上，请稍加裁制。六月己未[305]，解辅国行军司马及兵部尚书，余如故。以元振代判元帅行军司马，仍迁辅国出居外第[306]，于是道路相贺。辅国始惧，上表逊位[307]。辛酉[308]，罢辅国兼中书令，进爵博陆王。辅国入谢，愤咽[309]而言曰：“老奴事郎君[310]不了，请归地下事先帝！”上犹慰谕而遣之。

【段旨】

以上为第九段，写唐代宗解除李辅国军权。

不出二十天，李太尉一定来援救我们。城的东南角最危险，我请求去守卫那里。”李光弼到达临淮，众将认为史朝义兵力还很强盛，请求向南去保卫扬州。李光弼说：“朝廷倚重我，我身系安危，我再退缩，朝廷还有什么指望！况且我军出其不意，叛贼怎么知道我军的众寡！”于是径直赶往徐州，派兖郓节度使田神功进击史朝义，把他打得大败。先前，田神功攻克刘展后，流连在扬州没有回去，太子宾客尚衡与左羽林大将军殷仲卿在兖州、郓州一带相互攻打，听说李光弼到了，都害怕他的威名，田神功迅速赶回河南，尚衡和殷仲卿也相继回到朝廷。

李光弼在徐州，只有军旅之事由自己决定，其余的众多事务都托付给判官张傪去办。张傪从事政务精干敏捷，筹划处理十分顺畅，各位将领禀告事情，李光弼大多让他们与张傪商议，他们侍奉张傪如同侍奉李光弼一样。因此军中秩序井然，东夏得以安宁。先前，田神功由裨将擢升为节度使，把前任节度使的判官刘位等人留用在幕府里，田神功总是平身接受他们的跪拜。等见到李光弼与张傪行对等之礼，才大吃一惊，于是一一拜见刘位等人说：“我田神功出身行伍，不懂礼仪，诸位为什么也不说，造成我的过失呢！”

五月十九日丁酉，大赦天下。

立皇子益昌王李邈为郑王，李延为庆王，李迥为韩王。

来瑱听说自己调任淮西，非常恐惧，上书说：“淮西无粮，请求等到收麦时再去。”又暗示部下的将领、官吏挽留自己。代宗想姑息他，免得生事，五月二十四日壬寅，重又任命来瑱为山南东道节度使。

飞龙副使程元振图谋夺取李辅国的权力，秘密向代宗进言，请求对李辅国逐渐加以约束节制。六月十一日己未，解除李辅国行军司马及兵部尚书的职务，其他职务照旧。让程元振代理元帅行军司马，还把李辅国迁出到宫外的宅第居住，于是众人互相庆贺。李辅国开始感到害怕，上表请求让位。十三日辛酉，罢免李辅国兼任的中书令职务，进封爵位为博陆王。李辅国入宫谢恩，气愤哽咽地说：“老奴侍奉不了皇上，请求回到地下去侍奉先帝吧！”代宗仍然安慰劝谕一番送走了他。

【注释】

㉘⑦遂城：县名，县治在今河北保定市徐水区西遂城。㉘⑧果毅：刘昌所任为左果毅。唐制，诸卫折冲都尉府置折冲都尉一人，左右果毅都尉各一人，为折冲都尉之副。天宝年间以后，“别将”“果毅”之类，授受颇滥。㉘⑨刘昌：刘昌（公元七三七至八〇一年），字公明，汴州开封（今河南开封）人，从河南防御使张介然讨安禄山，授易州遂城左果毅。贞元中，历任京西行营节度使、四镇北庭行营兼泾原节度使。传见《旧唐书》卷一

百五十二、《新唐书》卷一百七十。㉙⓪曲：酒母。用曲霉和它的培养基（多为麦子、麸皮、大豆的混合物）制成的块状物，用来酿酒或制酱。㉙①屑食：碾碎成粉末吃用。㉙②李太尉：指李光弼。㉙③径趣：直趋；直往。㉙④留连：指舍不得离开。㉙⑤殷仲卿：两唐书无传。在安史之乱中，历任左羽林大将军、青州刺史、淄州刺史、淄沂沧德棣等州节度使，后为光禄卿。广德元年（公元七六三年），吐蕃攻入京城，仲卿逃出，至蓝田纠合散兵及骁勇以拒之，并配合郭子仪收复长安。㉙⑥张侈：人名，徐州判官。㉙⑦东夏：指中国的东部。夏，中国的古称。㉙⑧抗礼：行对等之礼。㉙⑨胡为：疑问代词，为什么、怎么。㉚⓪丁

【原文】

壬戌[311]，以兵部侍郎严武为西川节度使[312]。

襄邓防御使裴茙屯谷城[313]，既得密敕，即帅麾下二千人沿汉趣襄阳。己巳[314]，陈于谷水[315]北。瑱以兵逆之，问其所以来，对曰："尚书[316]不受朝命，故来。若受代[317]，谨[318]当释兵[319]。"瑱曰："吾已蒙恩[320]，复留镇此，何受代之有！"因取敕及告身示之。茙惊惑。瑱与副使薛南阳纵兵夹击，大破之，追擒茙于申口[321]，送京师，赐死。

乙亥[322]，以通州刺史刘晏为户部侍郎兼京兆尹，充度支、转运、盐铁、铸钱等使。

秋，七月壬辰[323]，以郭子仪都知朔方，河东，北庭，潞、仪[324]、泽、沁、陈、郑等节度行营及兴平等军副元帅。

癸巳[325]，剑南兵马使徐知道反，以兵守要害，拒严武，武不得进。

八月，桂州刺史邢济讨西原贼帅吴功曹等，平之。

己未[326]，徐知道为其将李忠厚所杀，剑南悉平。

乙丑[327]，山南东道节度使来瑱入朝谢罪，上优待之。

己巳[328]，郭子仪自河东入朝。时程元振用事，忌子仪功高任重，数谮之于上。子仪不自安，表请解副元帅、节度使。上慰抚之，子仪遂留京师。

台州贼帅袁晁[329]攻陷浙东诸州，改元宝胜，民疲于赋敛者多归之。李光弼遣兵击晁于衢州[330]，破之。

乙亥[331]，徙鲁王适为雍王。

酉：五月十九日。㉛益昌王邈：李邈（？至公元七七四年），唐代宗第二子。传见《旧唐书》卷一百十六、《新唐书》卷八十二。㉜延：李延，事不详。㉝迥：李迥（公元七五〇至七九六年），唐代宗第七子。传见《旧唐书》卷一百十六、《新唐书》卷八十二。㉞壬寅：五月二十四日。㉟己未：六月十一日。㊱外第：指皇宫内院之外的住所。肃宗时，李辅国常居禁中内宅，至此，始令迁出。㊲逊位：退位；让位。㊳辛酉：六月十三日。㊴愤咽：愤愤不平、声音哽咽。㊵郎君：本是对贵家子弟的称呼。此指代宗。

【语译】

六月十四日壬戌，任命兵部侍郎严武为西川节度使。

襄邓防御使裴茙驻扎在谷城，接到肃宗的秘密敕书后，立即率领部下两千人沿汉水赶往襄阳。六月二十一日己巳，在谷水北岸摆下阵势。来瑱率兵迎他，问他为什么来，回答说："尚书不接受朝廷的命令，所以前来。如果你接受替代，我自当解除军事行动。"来瑱说："我已经蒙受皇恩，又留在此地镇守，哪有什么接受替代呢！"于是取出敕书及任命状给他看。裴茙感到惊讶又有疑惑。来瑱与副使薛南阳发兵夹攻，大败裴茙，在申口追上裴茙将他活捉，送往京师，代宗令其自杀。

六月二十七日乙亥，任命通州刺史刘晏为户部侍郎兼任京兆尹，并担任度支使、转运使、盐铁使、铸钱使等职务。

秋，七月十五日壬辰，任命郭子仪总管朔方，河东，北庭，潞、仪、泽、沁、陈、郑等节度行营以及兴平等军副元帅。

十六日癸巳，剑南兵马使徐知道反叛，派兵守住要害地区，拒绝严武，严武不能前进。

八月，桂州刺史邢济讨伐西原叛贼主帅吴功曹等人，将他们平定。

十三日己未，徐知道被部将李忠厚杀了，剑南叛乱全部平定。

十九日乙丑，山南东道节度使来瑱入朝谢罪，代宗优待了他。

八月二十三日己巳，郭子仪从河东入朝。当时程元振专权主事，嫉恨郭子仪功高任重，多次在代宗面前诬陷他。郭子仪心里不安，上表请求解除副元帅、节度使。代宗安慰他，郭子仪便留在了京师。

台州贼寇主帅袁晁攻陷浙东各州，改年号为宝胜，被赋敛逼得疲困不堪的百姓多去归附他。李光弼派兵在衢州攻打袁晁，打败了他。

八月二十九日乙亥，移封鲁王李适为雍王。

九月庚辰[332]，以来瑱为兵部尚书、同平章事、知山南东道节度使。

乙未[333]，加程元振骠骑大将军兼内侍监。

左仆射裴冕为山陵使[334]。议事有与程元振相违者，丙申[335]，贬冕施州[336]刺史。

【段旨】

以上为第十段，写宦官程元振取代李辅国专朝政。

【注释】

[311]壬戌：六月十四日。[312]严武为西川节度使：据吴廷燮《唐方镇年表》及其《考证》卷下，严武任西川节度使的时间，应是上元二年十月。[313]谷城：县名，县治在今湖北谷城。[314]己巳：六月二十一日。[315]谷水：汉水从湖北老河口流入谷城后，称为谷水。[316]尚书：指来瑱，时为检校户部尚书。[317]受代：接受职位替代。[318]谨：表示恭敬之辞。[319]释兵：放下武器。[320]蒙恩：蒙受天子恩宠。[321]申口：镇名，在今陕西旬阳境。[322]乙亥：六月二十七日。[323]壬辰：七月十五日。[324]仪：州名，原名辽州，武德八年

【原文】

上遣中使刘清潭[337]使于回纥，修旧好，且征兵讨史朝义。清潭至其庭，回纥登里可汗已为朝义所诱，云："唐室继有大丧，今中原无主，可汗宜速来共收其府库。"可汗信之。清潭致敕书曰："先帝虽弃天下，今上继统[338]，乃昔日广平王，与叶护共收两京者也。"回纥业已[339]起兵至三城[340]，见州、县皆为丘墟，有轻唐之志，乃困辱[341]清潭。清潭遣使言状，且曰："回纥举国十万众至矣！"京师大骇。上遣殿中监药子昂往劳之于忻州南。初，毗伽阙可汗为登里求昏，肃宗以仆固怀恩女妻之，为登里可敦。可汗请与怀恩相见。怀恩时在汾州，上令往见之。怀恩为可汗言唐家恩信不可负，可汗悦，遣使上表，请助国

九月初四日庚辰，任命来瑱为兵部尚书、同平章事，兼山南东道节度使。

十九日乙未，加任程元振为骠骑大将军兼内侍监。

左仆射裴冕担任山陵使。议事时有与程元振意见不合的地方，二十日丙申，把裴冕贬为施州刺史。

（公元六二五年）改名箕州，先天元年（公元七一二年）改名仪州，天宝元年（公元七四二年）改为乐平郡，乾元元年（公元七五八年）复名仪州，治所在今山西左权。㉕癸巳：七月十六日。㉖己未：八月十三日。㉗乙丑：八月十九日。㉘己巳：八月二十三日。㉙袁晁：宝应元年八月，袁晁率众起事于明州翁山县（在今浙江舟山群岛），攻占台州，建立政权，年号宝胜。先后占领越州（今浙江绍兴）、衢州（今浙江衢州）、信州（今江西上饶）、温州（今浙江温州）、明州（今浙江宁波）等地，有兵二十万人。广德元年（公元七六三年）四月袁晁败死。其事散见《旧唐书》卷一百五十二《王栖曜传》、《新唐书》卷一百三十六《李光弼传》等。㉚衢州：州名，治所在今浙江衢州。㉛乙亥：八月二十九日。㉜庚辰：九月初四日。㉝乙未：九月十九日。㉞山陵使：使职名，掌修帝王陵墓，多以宰相充任。㉟丙申：九月二十日。㊱施州：州名，治所在今湖北恩施。

【语译】

代宗派宫中使者刘清潭出使回纥，重建旧日的友好关系，并且征调其兵马讨伐史朝义。刘清潭到达回纥大本营，回纥的登里可汗已被史朝义诱惑，史朝义声称："唐王室接连有大丧事，现在中原没有君主，可汗应快来和我一起收取他们府库中的财物。"可汗相信了他的话。刘清潭送上皇帝敕书说："先帝虽然去世，但现今的皇上已继承皇位，他就是当年的广平王，曾与叶护共同收复两京的。"此时回纥已经发兵到了三受降城，见到州县都成废墟，有轻视唐王朝的意思，于是为难侮辱刘清潭。刘清潭派使者回朝禀报情况，并且说："回纥全国十万大军到了！"京师大为震惊。代宗派殿中监药子昂前往沂州南边慰劳回纥军队。当初，毗伽阙可汗替登里求婚，肃宗拿仆固怀恩的女儿嫁给登里为妻，就是登里可敦。可汗请求与仆固怀恩相见。仆固怀恩当时在汾州，代宗命令他前去会见可汗。仆固怀恩对可汗说唐室的恩德信义不可辜负，可汗很高兴，派使者上表，请求帮助国家去讨伐史朝义。可汗想从蒲关进入，由

讨朝义。可汗欲自蒲关入，由沙苑[342]出潼关东向，药子昂说之曰："关中数遭兵荒，州县萧条，无以供拟[343]，恐可汗失望。贼兵尽在洛阳，请自土门略邢、洺、怀、卫而南，得其资财以充军装。"可汗不从。又请自太行南下据河阴，扼贼咽喉，亦不从。又请自陕州大阳津[344]渡河，食太原仓[345]粟，与诸道俱进，乃从之。

袁晁陷信州[346]。冬，十月，袁晁陷温州[347]、明州[348]。

以雍王适为天下兵马元帅。辛酉[349]，辞行，以兼御史中丞药子昂、魏琚为左右厢兵马使，以中书舍人韦少华为判官，给事中李进为行军司马，会诸道节度使及回纥于陕州，进讨史朝义。上欲以郭子仪为适副，程元振、鱼朝恩等沮之而止。加朔方节度使仆固怀恩同平章事兼绛州刺史，领诸军节度行营以副适。

上在东宫，以李辅国专横，心甚不平。及嗣位，以辅国有杀张后之功，不欲显诛[350]之。壬戌[351]夜，盗入其第，窃辅国之首及一臂而去。敕有司捕盗，遣中使存问[352]其家，为刻木首葬之，仍赠太傅。

丙寅[353]，上命仆固怀恩与母、妻俱诣行营。

雍王适至陕州，回纥可汗屯于河北[354]，适与僚属[355]从数十骑往见之。可汗责适不拜舞，药子昂对以礼不当然。回纥将军车鼻曰："唐天子与可汗约为兄弟，可汗于雍王，叔父也，何得不拜舞？"子昂曰："雍王，天子长子，今为元帅，安有中国储君向外国可汗拜舞乎！且两宫在殡[356]，不应舞蹈。"力争久之，车鼻遂引子昂、魏琚、韦少华、李进各鞭一百。以适年少未谙[357]事，遣归营。琚、少华一夕而死。

戊辰[358]，诸军发陕州，仆固怀恩与回纥左杀为前锋，陕西节度使[359]郭英乂、神策观军容使鱼朝恩为殿，自渑池入，潞泽节度使李抱玉自河阳入，河南等道副元帅李光弼自陈留入，雍王留陕州。辛未[360]，怀恩等军于同轨[361]。

史朝义闻官军将至，谋于诸将。阿史那承庆曰："唐若独与汉兵来，宜悉众与战。若与回纥俱来，其锋不可当，宜退守河阳以避之。"朝义不从。壬申[362]，官军至洛阳北郊，分兵取怀州。癸酉[363]，拔之。乙亥[364]，官军陈于横水[365]。贼众数万，立栅自固，怀恩陈于西原[366]以当之。遣骁骑及回纥并南山出栅东北，表里合击，大破之。朝义悉其精兵

沙苑出潼关往东，药子昂劝他说："关中多次遭受战乱，州县萧条，没有什么东西可以拿来供给部队，恐怕可汗会感到失望。叛贼兵力都在洛阳，请从土门进兵，夺取邢州、洺州、怀州、卫州后南进，获取他们的物资财物用来补充军备。"可汗不同意。药子昂又请可汗从太行山南下占据河阴，扼住叛贼的咽喉，可汗也不同意。又请可汗从陕州大阳津渡过黄河，食用太原仓的粟米，与各道的军队一起前进，可汗这才同意了。

袁晁攻陷信州。冬，十月，袁晁攻陷温州、明州。

任命雍王李适为天下兵马元帅。十月十六日辛酉，李适辞行，又任命兼御史中丞药子昂、魏琚为左右厢兵马使，任命中书舍人韦少华为判官，给事中李进为行军司马，在陕州与各道节度使和回纥的军队会合，进军讨伐史朝义。代宗想让郭子仪做李适的副手，因程元振、鱼朝恩等人阻挠而作罢。加任朔方节度使仆固怀恩同平章事兼绛州刺史，统领各军节度行营来担任李适的副手。

代宗在东宫时，因李辅国专断强横，心里十分不平。等到继位后，因李辅国有杀张皇后之功，不想公开地诛杀他。十月十七日壬戌夜里，有强盗进入李辅国的宅第，偷割了李辅国的脑袋及一只手臂后离开了。代宗敕令有关部门追捕强盗，并派宫中使者去抚恤慰问他家，为他刻了一个木头脑袋把他葬了，还追赠他为太傅。

十月二十一日丙寅，代宗命仆固怀恩与母亲、妻子一起前往行营。

雍王李适到达陕州，回纥可汗驻扎在黄河之北，李适与僚属带着数十人骑马前去见他。可汗责备李适见到他不拜舞，药子昂回答说依照礼节不应当这样。回纥将军车鼻说："唐朝天子与可汗结为兄弟，可汗对雍王来说，就是叔父，怎么能不拜舞呢？"药子昂说："雍王，是天子的长子，现在是元帅，哪里有中国的储君向外国的可汗拜舞的呢！况且太上皇和先帝都还在停柩待葬，也不应该舞蹈。"竭力争辩了好久，车鼻就带走药子昂、魏琚、韦少华、李进，对他们各鞭打一百下。以李适年少不懂事，遣送回营。魏琚和韦少华过了一夜就死了。

十月二十三日戊辰，各军从陕州出发，仆固怀恩与回纥左杀担任前锋，陕西节度使郭英乂、神策观军容使鱼朝恩殿后，从渑池进攻，潞泽节度使李抱玉从河阳进攻，河南等道副元帅李光弼从陈留进攻，雍王李适留守陕州。二十六日辛未，仆固怀恩等屯兵同轨。

史朝义听说官军将到，与各位将领谋划。阿史那承庆说："唐朝如果单派汉人部队来，我们应当出动全部兵力与他们交战。如果与回纥部队一起来，他们的锋芒不可阻挡，我们就应当退守河阳以避其锋芒。"史朝义没有听从他的意见。十月二十七日壬申，官军到达洛阳北郊，分兵攻取怀州。二十八日癸酉，攻下怀州。三十日乙亥，官军在横水列阵。叛贼部队好几万人，设立营栅固守，仆固怀恩在西原列阵以抵敌叛军。派遣骁勇的骑兵以及回纥军队沿南山出动到营栅东北，内外夹攻，大败

十万救之，陈于昭觉寺，官军骤击之，杀伤甚众，而贼陈不动。鱼朝恩遣射生五百人力战，贼虽多死者，陈亦如初。镇西节度使马璘㊲曰："事急㊳矣！"遂单骑奋击，夺贼两牌㊴，突入万众中。贼左右披靡，大军乘之而入，贼众大败。转战于石榴园、老君庙，贼又败，人马相蹂践，填尚书谷，斩首六万级，捕虏二万人，朝义将轻骑数百东走。怀恩进克东京及河阳城，获其中书令许叔冀、王伷等，承制释之。怀恩留回纥可汗营于河阳，使其子右厢兵马使玚及朔方兵马使高辅成帅步骑万余乘胜逐朝义，至郑州，再战皆捷。朝义至汴州，其陈留节度使张献诚㊵闭门拒之。朝义奔濮州，献诚开门出降。

回纥入东京，肆行杀掠[9]，死者万计，火累旬不灭。朔方、神策军亦以东京、郑、汴、汝州皆为贼境，所过虏掠，三月乃已，比屋㊶荡尽，士民皆衣纸。回纥悉置所掠宝货于河阳，留其将安恪守之。

【段旨】

以上为第十一段，写唐代宗借兵回纥，大破史朝义，收复东都，回纥恣意抢掠，平民遭杀戮。

【注释】

㉗刘清潭：刘清潭（？至公元七七九年），宦官，后代宗赐名忠翼。一度权倾朝野，德宗即位，赐死。事见《旧唐书》卷一百十八。㉘继统：继承皇统。㉙业已：已经。㉚三城：指三受降城。㉛困辱：窘迫、玷辱。㉜沙苑：地名，又名沙阜、沙海、沙窝。在陕西大荔南洛、渭之间。东西八十里，南北三十里，地多沙草，宜畜牧。㉝供拟：供给；供应。㉞大阳津：又作太阳津，津渡名，在今河南三门峡陕州区北，称太阳渡。㉟太原仓：隋时建置，为国家仓储重地，在河东界。㊱信州：州名，治所在今江西上饶。㊲温州：州名，治所在今浙江温州。㊳明州：州名，治所在今浙江宁波南。㊴辛酉：十月十六日。㊵显诛：公开诛杀。㊶壬戌：十月十七日。㊷存问：抚恤慰问。存，抚恤。㊸丙寅：十月二十一日。㊹河北：据《旧唐书·回纥传》，指陕州黄河以北。胡三省注认为是陕州河北县。〖按〗陕州河北县（今山西平陆东北）已于天宝元年（公元七四二年）改名平陆县。㊺僚属：所属官吏。㊻两宫在殡：玄、肃二帝尚未安葬。两宫，

叛军。史朝义率领他的全部精兵十万人前来援救，在昭觉寺列阵，官军突然攻击了他们，杀死杀伤的人很多。但叛贼的阵势并未受到撼动。鱼朝恩派射生手五百人奋力冲杀，贼兵虽然死了很多，但阵势依然像最初一样。镇西节度使马璘说："战事危急了！"便单枪匹马奋力冲击，夺得贼兵两个盾牌，冲进千军万马之中。贼兵纷纷向左右溃散，唐朝大军乘势攻了进来，贼军大败。转战到石榴园、老君庙，贼军又败，人马相互践踏，填满了尚书谷，杀死叛贼六万人，俘虏两万人，史朝义率轻骑数百人向东逃走。仆固怀恩进军攻克东京洛阳以及河阳城，抓获史朝义的中书令许叔冀、王伷等人，禀承代宗旨意又释放了他们。仆固怀恩留下回纥可汗在河阳扎营，让他的儿子右厢兵马使仆固玚及朔方兵马使高辅成率领步兵骑兵一万多人乘胜追逐史朝义，到达郑州，两次交战都告捷。史朝义逃到汴州，他的陈留节度使张献诚紧闭城门拒绝他。史朝义逃往濮州，张献诚便打开城门出来向官军投降。

回纥军队进入东京，大肆杀戮抢掠，死的人数以万计，大火烧了几十天都不熄灭。朔方、神策军也认为东京、郑州、汴州、汝州都是叛贼的地域，所到之处大肆抢夺，三个月后才停止下来，家家户户被抢得一无所有，士人、百姓都穿上纸做的衣服。回纥军队把抢来的珍宝货物都放在河阳，留下其部将安恪看守。

指玄宗、肃宗。殡，停放灵柩。㉟⑦ 谙：熟悉。㉟⑧ 戊辰：十月二十三日。㉟⑨ 陕西节度使：据《新唐书·方镇表一》，陕西节度使于上元元年（公元七六〇年）以陕虢华节度使改置。㊱⓪ 辛未：十月二十六日。㊱① 同轨：城名，在今河南洛宁境内。㊱② 壬申：十月二十七日。㊱③ 癸酉：十月二十八日。㊱④ 乙亥：十月三十日。㊱⑤ 横水：镇名，在今河南洛阳市孟津区西。㊱⑥ 西原：地名，在今河南灵宝西南。㊱⑦ 马璘：马璘（公元七二二至七七七年），岐州扶风（今陕西扶风）人，在平定史朝义和抗击吐蕃中累建殊功，官至四镇、北庭行营节度使。镇守泾州凡八年，吐蕃不敢犯境，称中兴之猛将。封扶风郡王。传见《旧唐书》卷一百五十二、《新唐书》卷一百三十八。㊱⑧ 事急：官军攻史朝义，史朝义军阵不动，官军退却，必然溃败，陷入进退两难的境地，所以马璘才认为战事紧迫。㊱⑨ 牌：盾牌。南方以竹制作，北方以木制作。㊲⓪ 张献诚：张献诚（？至公元七六八年），陕州平陆（今山西平陆）人，前幽州节度使张守珪之子。先从安、史乱军，宝应元年（公元七六二年）归唐，任剑南东川节度使，封邓国公。传见《旧唐书》卷一百二十二、《新唐书》卷一百三十三。㊲① 比屋：并邻之屋；挨家挨户。

【校记】

［9］掠：原作"略"。据章钰校，十二行本、乙十一行本皆作"掠"，今从改。

【原文】

十一月丁丑[372]，露布[373]至京师。

朝义自濮州北渡河。怀恩进攻滑州，拔之，追败朝义于卫州。朝义睢阳节度使田承嗣等将兵四万余人与朝义合，复来拒战。仆固玚击破之，长驱至昌乐[374]东。朝义帅魏州兵来战，又败走。于是邺郡节度使薛嵩[375]以相、卫、洺、邢四州降于陈郑、泽潞节度使李抱玉，恒阳节度使张忠志以赵、恒、深、定、易五州降于河东节度使辛云京。嵩，楚玉[376]之子也。抱玉等已进军入其营，按其部伍，嵩等皆受代，居无何，仆固怀恩皆令复位。由是抱玉、云京疑怀恩有贰心，各表言之，朝廷密为之备。怀恩亦上疏自理[377]，上慰勉之。辛巳[378]，制："东京及河南、北受伪官者，一切不问。"

己丑[379]，以户部侍郎刘晏兼河南道水陆转运都使[380]。

丁酉[381]，以张忠志为成德军[382]节度使，统恒、赵、深、定、易五州，赐姓李，名宝臣。初，辛云京引兵将出井陉，常山裨将王武俊[383]说宝臣曰："今河东兵精锐，出境远斗，不可敌也。且吾以寡当众，以曲遇直，战则必离，守则必溃，公其图之。"宝臣乃撤守备，举五州来降。及复为节度使，以武俊之策为善，擢为先锋兵马使。武俊，本契丹也，初名没诺干。

郭子仪以仆固怀恩有平河朔功，请以副元帅让之。己亥[384]，以怀恩为河北副元帅，加左仆射兼中书令、单于、镇北大都护、朔方节度使。

史朝义走至贝州，与其大将薛忠义等两节度合。仆固玚追之，至临清[385]。朝义自衡水[386]引兵三万还攻之，玚设伏，击走之。回纥又至，官军益振，遂逐之，大战于下博[387]东南。贼大败，积尸拥流[388]而下，朝义奔莫州。怀恩都知兵马使薛兼训[389]、兵马使郝庭玉与田神功、辛云京会于下博，进围朝义于莫州，青淄节度使侯希逸继至。

十二月庚申[390]，初以太祖配天地[391]。

【语译】

十一月初二日丁丑，报捷文书送到京师。

史朝义从濮州向北渡过黄河。仆固怀恩进攻滑州，攻了下来，追击史朝义到卫州并打败了他。史朝义的睢阳节度使田承嗣等人率领军队四万多人与史朝义会合，又来抵敌交战。仆固玚击败他们，长驱到达昌乐东边。史朝义率领魏州的军队前来交战，又被打败而逃走。于是，史朝义的邺郡节度使薛嵩献出相州、卫州、洺州、邢州四州，投降了陈郑、泽潞节度使李抱玉；恒阳节度使张忠志献出赵州、恒州、深州、定州、易州五州，投降了河东节度使辛云京。薛嵩，是薛楚玉的儿子。李抱玉等人已进军到薛嵩等的营中，查验了他们的部队，薛嵩等人都接受了替代，没过多久，仆固怀恩命令他们都恢复原先的职位。因此，李抱玉、辛云京怀疑仆固怀恩有二心，各自上表说了此事，朝廷暗中对此做了防备。仆固怀恩也上疏替自己申辩，代宗安慰勉励了他。十一月初六日辛巳，颁下制书："东京及河南、河北接受伪官的人，全部不加追究。"

十一月十四日己丑，任命户部侍郎刘晏兼河南道水陆转运都使。

十一月二十二日丁酉，任命张忠志为成德军节度使，统领恒州、赵州、深州、定州、易州五州，赐姓李，名宝臣。当初，辛云京带兵准备出井陉时，常山裨将王武俊劝李宝臣说："如今河东士兵精锐，离开本地到远方战斗，不可抵敌。况且我军以少数抵挡多数，以无理对抗有理，交战则必然离散，防守则必然溃败，请您好好考虑一下。"李宝臣于是撤除守备，率五州前来投降。等到又做了节度使，认为王武俊当初的策略很好，便把他提拔为先锋兵马使。王武俊，本是契丹人，起初名叫没诺干。

郭子仪认为仆固怀恩有平定河朔的功劳，请求将副元帅的职位让给他。十一月二十四日己亥，任命仆固怀恩为河北副元帅，加任左仆射兼中书令、单于、镇北大都护、朔方节度使。

史朝义逃到贝州，与他的大将薛忠义等两个节度使会合。仆固玚追赶他，到达临清。史朝义从衡水带领部队三万人回来进攻，仆固玚设埋伏，把他打跑了。回纥的军队又到达了，官军更加振奋，于是追逐史朝义，在下博县的东南大战。叛贼大败，堆积的尸体挤在河道里顺流而下，史朝义逃到莫州。仆固怀恩的都知兵马使薛兼训、兵马使郝庭玉与田神功、辛云京在下博会合，进军莫州包围史朝义，青淄节度使侯希逸随后赶到。

十二月十六日庚申，开始将太祖与天地一起祭祀。

【段旨】

以上为第十二段，写官军穷追史朝义。

【注释】

⑶⑺丁丑：十一月初二日。⑶⑺露布：不缄封的文书，多指捷报。《隋书·礼仪志三》：“后魏每攻战克捷，欲天下知闻，乃书帛，建于竿上，名为露布。其后相因施行。”⑶⑺昌乐：县名，县治在今河南南乐。⑶⑺薛嵩：薛嵩（？至公元七七三年），绛州万泉（今山西万荣南）人，名将薛仁贵之孙。初从安、史叛军，广德元年（公元七六三年）降唐，乱平，为河北藩帅之一。传见《旧唐书》卷一百二十四、《新唐书》卷一百十一。⑶⑺楚玉：薛楚玉，唐左武卫大将军薛仁贵之子。开元中，为幽州大都督府长史，以不称职见代而卒。事见《旧唐书》卷九十三、《新唐书》卷一百十一。⑶⑺自理：自己申辩。理，申辩。⑶⑺辛巳：十一月初六日。⑶⑺己丑：十一月十四日。⑶⑻河南道水陆转运都使：都管河南道水陆转运的转运使。⑶⑻丁酉：十一月二十二日。⑶⑻成德军：方镇名，又名恒冀军、镇冀军。宝应元年（公元七六二年）置。此是招抚安、史余众而设置的河北三镇之一，

【原文】

代宗[392]睿文孝武皇帝[393]上之上

广德元年（癸卯，公元七六三年）

春，正月己卯[394]，追谥吴太后曰章敬皇后。

癸未[395]，以国子祭酒刘晏为吏部尚书、同平章事，度支等使如故。

初，来瑱在襄阳，程元振有所请托，不从。及为相，元振谮瑱言涉不顺。王仲昇在贼中，以屈服[396]得全，贼平得归，与元振善，奏瑱与贼合谋，致仲昇陷贼。壬寅[397]，瑱坐削官爵，流播州，赐死于路。由是藩镇皆切齿于元振。

史朝义屡出战，皆败。田承嗣说朝义，令亲往幽州发兵，还救莫州，承嗣自请留守莫州。朝义从之，选精骑五千自北门犯围[398]而出。朝义既去，承嗣即以城降，送朝义母、妻、子于官军。于是仆固玚、侯希逸、薛兼训等帅众三万追之，及于归义[399]，与战，朝义败走。

治所在今河北正定。辖境屡有变动，长期领有恒、冀、深、赵四州。㊳㊳王武俊：王武俊（公元七四五至八〇一年），字符英，契丹人，任李宝臣的先锋兵马使，后杀宝臣子惟岳而任恒州刺史、恒冀都团练观察使。建中三年（公元七八二年）与朱滔、田悦、李纳等联兵称王建国。兴元元年（公元七八四年）归顺，授成德军节度使，加司空、同中书门下平章事，封琅邪郡王。传见《旧唐书》卷一百四十二、《新唐书》卷二百十一。㊳㊴己亥：十一月二十四日。㊳㊵临清：县名，县治在今山东临清。㊳㊶衡水：县名，县治在今河北衡水西南。㊳㊷下博：县名，县治在今河北深州东。㊳㊸拥流：挤满河流。拥，拥挤。㊳㊹薛兼训：历官浙东观察使、越州刺史、御史大夫、检校工部尚书、太原尹、北都留守、河东节度使。其事散见《旧唐书》卷一百四十六《鲍防传》、《新唐书》卷一百九十六《秦系传》等。㊳㊺庚申：十二月十六日。㊳㊻以太祖配天地：太祖，即唐高祖李渊的祖父李虎，唐建立后，追尊为景皇帝。唐高祖武德初年，诏每年祭祀圜丘、方丘（即天、地），以景皇帝配享。以后，改为以高祖、太宗配，然而历朝多有异议。至宝应元年，杜鸿渐为太常卿、礼仪使，以为太祖景皇帝始受封于唐，请以配祭天地，获得批准，于是不再以高祖、太宗配祭天地。详见《旧唐书》卷二十一《礼仪一》。

【语译】

代宗睿文孝武皇帝上之上

广德元年（癸卯，公元七六三年）

春，正月初五日己卯，追赠吴太后的谥号为章敬皇后。

初九日癸未，任命国子祭酒刘晏为吏部尚书、同平章事，度支使等职照旧。

当初，来瑱在襄阳时，程元振有所请托，来瑱没有答应。等来瑱做了宰相，程元振就诬陷来瑱言辞有不恭顺的地方。王仲昇身在叛贼之中，因屈身顺服而得以保全，叛贼被荡平后得以回朝，他与程元振关系很好，上奏说来瑱与叛贼合谋，致使王仲昇身陷叛贼。正月二十八日壬寅，来瑱被定罪削去官职爵位，流放播州，在路上赐令他自杀。从此各藩镇对程元振都切齿痛恨。

史朝义屡次出战，都败了。田承嗣劝说史朝义，让他亲自前往幽州调派军队，回来援救莫州，田承嗣自己请求留守莫州。史朝义听从了他的建议，挑选精锐骑兵五千人从北门突围出去。史朝义走后，田承嗣立即率领全城投降，把史朝义的母亲、妻子、儿子都送到官军那里。于是，仆固玚、侯希逸、薛兼训等人率领部众三万人追赶史朝义，在归义追上了他，与他交战，史朝义战败逃走。

时朝义范阳节度使李怀仙已因中使骆奉仙[400]请降，遣兵马使李抱忠将兵三千镇范阳县[401]。朝义至范阳，不得入。官军将至，朝义遣人谕抱忠以大军留莫州、轻骑来发兵救援之意，因责以君臣之义。抱忠对曰："天不祚[402]燕，唐室复兴。今既归唐矣，岂可更为反覆，独不愧三军邪！大丈夫耻以诡计[403]相图，愿早择去就[404]，以谋自全。且田承嗣必已叛矣，不然，官军何以得至此！"朝义大惧，曰："吾朝来未食，独不能以一餐相饷乎！"抱忠乃令人设食于城东。于是范阳人在朝义麾下者，并拜辞而去，朝义涕泣而已，独与胡骑数百既食而去。东奔广阳[405]，广阳不受。欲北入奚、契丹，至温泉栅[406]，李怀仙遣兵追及之。朝义穷蹙[407]，缢于林中，怀仙取其首以献。仆固怀恩与诸军皆还。甲辰[408]，朝义首至京师。

【段旨】

以上为第十三段，写史朝义授首，官军平定安史之乱。

【注释】

㉜ 代宗：代宗（公元七二六至七七九年），初名俶，后改名豫，肃宗长子。乾元元年（公元七五八年）立为太子，宝应元年（公元七六二年）即位。公元七六三至七七九年在位。为唐朝第八位皇帝。庙号世宗，为避太宗讳，改称代宗。㉝ 睿文孝武皇帝：唐代宗

【原文】

闰月己酉[409]夜，有回纥十五人犯含光门[410]，突入鸿胪寺[411]，门司[412]不敢遏。

癸亥[413]，以史朝义降将薛嵩为相、卫、邢[414]、洺、贝、磁[415]六州节度使，田承嗣为魏[416]、博[417]、德[418]、沧、瀛[419]五州都防御使，李怀仙仍故地为幽州、卢龙节度使。时河北诸州皆已降，嵩等迎仆固怀恩，拜于

当时史朝义的范阳节度使李怀仙已经通过宫中使者骆奉仙请求投降，派遣兵马使李抱忠带兵三千人镇守范阳县。史朝义到达范阳，不能进去。官军将要到了，史朝义派人向李抱忠说明大军留在莫州，自己带轻骑来调派军队救援的意思，并且用君臣大义来责备他。李抱忠回答说："上天不赐福给燕国，唐朝又复兴了。现在我已经归顺唐朝了，怎么可以再做反反复复的事呢，那样岂不是有愧于三军了吗？大丈夫耻于以诡计图谋别人，希望你早日选择定去就，设法保全自己。再说田承嗣必定已经叛变了，不然的话，官军怎么能够追到这里呢！"史朝义非常恐惧，说："我从早晨至今还没有吃饭，难道不能给我们吃一顿饭吗？"李抱忠于是让人在城东摆好食物。这时范阳人在史朝义部下的，都向史朝义叩拜辞别而去，史朝义只是哭泣而已，独自与几百个胡人骑兵吃完饭便离去了。向东逃到广阳，广阳不接受他们。想往北进入奚、契丹，到达温泉栅时，李怀仙派兵追上了他们。史朝义困窘已极，在树林中上吊自杀，李怀仙取下他的首级献给朝廷。仆固怀恩与各军都回来了。正月三十日甲辰，史朝义的首级被送到京师。

的谥号。㊹己卯：正月初五日。㊺癸未：正月初九日。㊻屈服：屈从；顺从。㊼壬寅：正月二十八日。㊽犯围：突围。㊾归义：县名，县治在今河北雄县西北。㊿骆奉仙：《新唐书》卷二百七本传作"骆奉先"，宦官，三原（今陕西三原）人，曾任右骁卫大将军、奉先军容使，掌畿内兵，权盛极一时。(401)范阳县：县名，县治在今河北涿州。(402)祚：赐福。(403)诡计：欺诈的计谋。(404)去就：去留；进退。(405)广阳：旧郡名，北魏置，治所在今北京密云。(406)温泉栅：地名，在今河北滦州南。(407)穷蹙：困窘；窘迫。(408)甲辰：正月三十日。

【语译】

闰正月初五日己酉夜晚，有回纥兵十五人擅闯含光门，突然进入鸿胪寺，守门官吏不敢阻止。

闰正月十九日癸亥，任命史朝义的降将薛嵩为相州、卫州、邢州、洺州、贝州、磁州等六州节度使，田承嗣为魏州、博州、德州、沧州、瀛州等五州都防御使，李怀仙仍然留在原地做幽州、卢龙节度使。当时河北各州都已归降，薛嵩等人迎接仆

马首，乞行间[420]自效。怀恩亦恐贼平宠衰，故奏留嵩等及李宝臣分帅河北，自为党援。朝廷亦厌苦兵革，苟冀无事，因而授之。

回纥登里可汗归国，其部众所过抄掠，廪给小不如意辄杀人，无所忌惮。陈郑、泽潞节度使李抱玉欲遣官属置顿，人人辞惮，赵城[421]尉马燧[422]独请行。比[423]回纥将至，燧先遣人赂其渠帅，约毋暴掠。帅遗之旗曰："有犯令者，君自戮之。"燧取死囚为左右，小有违令，立斩之。回纥相顾失色，涉其境者皆拱手遵约束。抱玉奇之，燧因说抱玉曰："燧与回纥言，颇得其情。仆固怀恩恃功骄蹇[424]，其子玚好勇而轻，今内树四帅[425]，外交回纥，必有窥河东、泽潞之志，宜深备之。"抱玉然之。

初，长安人梁崇义[426]以羽林射生从来瑱镇襄阳，累迁右兵马使。崇义有勇力，能卷铁舒钩[427]，沉毅[428]寡言，得众心。瑱之入朝也，命诸将分戍诸州。瑱死，戍者皆奔归襄阳。行军司马庞充将兵二千赴河南，至汝州，闻瑱死，引兵还袭襄州，左兵马使李昭拒之，充奔房州。崇义自邓州引戍兵归，与昭及副使薛南阳相让为长，久之不决。众皆曰："兵非梁卿主之不可。"遂推崇义为帅。崇义寻杀昭及南阳，以其状闻，上不能讨。三月甲辰[429]，以崇义为襄州刺史、山南东道节度留后[430]。崇义奏改葬瑱，为之立祠，不居瑱听事及正堂[431]。

辛酉[432]，葬至道大圣大明孝皇帝[433]于泰陵[434]，庙号玄宗。庚午[435]，葬文明武德大圣大宣孝皇帝[436]于建陵[437]，庙号肃宗。

夏，四月庚辰[438]，李光弼奏擒袁晁，浙东皆平。时袁晁[10]聚众近二十万，转攻州县，光弼使部将张伯仪[439]将兵讨平之。伯仪，魏州人也。

郭子仪数上言："吐蕃、党项不可忽，宜早为之备。"

辛丑[440]，遣兼御史大夫李之芳[441]等使于吐蕃，为虏所留，二年乃得归。

群臣三上表请立太子。五月癸卯[442]，诏许俟秋成[443]议之。

丁卯[444]，制分河北诸州，以幽、莫、妫、檀、平、蓟为幽州管，

固怀恩，在他的马前叩拜，请求留在军中效力。仆固怀恩也担心叛贼被平定后代宗对自己的宠信会减少，所以奏请留下薛嵩等人及李宝臣分别统帅河北地区，为自己安排好党羽和外援。朝廷也对战争十分厌恶，深以为苦，只希望姑且平安无事，因此授予了他们相应职位。

回纥登里可汗回国，他的部下所过之处都肆意抢掠，供给稍不如意就杀人，无所忌惮。陈郑、泽潞节度使李抱玉想派部下官员去安顿他们，人人都推辞害怕，赵城县尉马燧独独请求去办理此事。等回纥部队快要到达时，马燧先派人贿赂他们的主将，约定不要强行掠夺。主将给他一面旗帜说："有违犯命令的，您可以自行杀掉他。"马燧让死囚作为左右随从，稍有违犯命令者，立即斩首。回纥士兵相互对视，大惊失色，于是经过境内的回纥士兵都规矩地遵守管束。李抱玉对此感到惊奇，马燧趁机劝李抱玉说："我与回纥人交谈，得到不少内情。仆固怀恩恃功倨傲，他的儿子仆固玚喜好显示勇武而行事轻浮。如今仆固怀恩在国内树立了四个主帅，在外部结交回纥，一定有窥伺河东、泽潞的意图，应该认真地防备他。"李抱玉认为他说得很有道理。

当初，长安人梁崇义作为羽林射生跟随来瑱镇守襄阳，不断升迁，做到右兵马使。梁崇义勇敢有力，能够弯曲铁器，展开铁钩，沉静坚毅，言语很少，颇得人心。来瑱入朝时，命令各位将领分别戍守各州。来瑱死后，戍守者都逃回襄阳。行军司马庞充率领士兵二千人奔赴河南，到达汝州时，听说来瑱死了，就带兵回来袭击襄州，左兵马使李昭抵御他，庞充逃往房州。梁崇义从邓州带领戍守士兵返回，与李昭和副使薛南阳相互推让不肯做首领，很长时间决定不下来。大家都说："军队非梁崇义统领不可。"于是推举梁崇义为统帅。梁崇义不久便杀了李昭和薛南阳，把情况奏报朝廷，代宗不能讨伐他。三月初一日甲辰，任命梁崇义担任襄州刺史、山南东道节度留后。梁崇义上奏改葬来瑱，为他建立祠堂，自己也不在来瑱的办公厅和正堂处理公务。

三月十八日辛酉，把至道大圣大明孝皇帝葬于泰陵，庙号为玄宗。二十七日庚午，把文明武德大圣大宣孝皇帝葬于建陵，庙号为肃宗。

夏，四月初七日庚辰，李光弼奏报擒获袁晁，浙东都已平定。当时袁晁聚众将近二十万人，辗转攻打各州县，李光弼派部将张伯仪率兵讨伐平定了他们。张伯仪，是魏州人。

郭子仪多次上书说："吐蕃、党项不可忽视，应该尽早对他们做好准备。"

四月二十八日辛丑，派遣兼御史大夫李之芳等人出使吐蕃，被吐蕃人扣留，两年后才得以回来。

群臣三次上表请求立太子。五月初一日癸卯，下诏书许诺等秋收后商议此事。

五月二十五日丁卯，下制书划分河北各州，把幽州、莫州、妫州、檀州、平州、

恒、定、赵、深、易为成德军管，相、贝、邢、洺为相州管，魏、博、德为魏州管，沧、棣㊹、冀、瀛为青淄管，怀、卫、河阳为泽潞管。

【段旨】

以上为第十四段，写仆固怀恩奏请安、史旧将田承嗣、李宝臣、李怀仙、薛嵩四人分帅河北为节度使，自为党援，唐代宗姑息从之，为藩镇割据留下隐患。

【注释】

㊾己酉：闰正月初五日。㊿含光门：唐长安皇城南面三门，中间为朱雀门，东边为安上门，西边就是含光门。㊶鸿胪寺：唐九寺之一。主要掌管外来使节及四夷君长朝见事务，其官署在含光门东。㊷门司：门卫。㊸癸亥：闰正月十九日。㊹邢：州名，治所在今河北邢台。㊺磁：州名，治所在今河北磁县。㊻魏：州名，治所在今河北大名东北。㊼博：州名，治所在今山东聊城东北。㊽德：州名，治所在今山东德州市陵城区。㊾瀛：州名，治所在今河北河间。㊿行间：军中。㊶赵城：县名，县治在今山西洪洞北。㊷马燧：马燧（公元七二六至七九五年），字洵美，汝州郏城（今河南郏县）人，少学兵书战策，沉毅勇敢而长于计算。长期节镇河东，累建战绩，官至侍中，封北平郡王，谥曰庄武。传见《旧唐书》卷一百三十四、《新唐书》卷一百五十五。㊸比：及。㊹骄蹇：傲慢不顺。㊺四帅：指田承嗣、李宝臣、李怀仙、薛嵩。㊻梁崇义：梁

【原文】

六月癸酉㊻，礼部侍郎华阴杨绾㊼上疏，以为："古之选士必取行实㊽，近世专尚文辞。自隋炀帝始置进士科，犹试策㊾而已。至高宗时，考功员外郎刘思立㊿始奏进士加杂文㊶，明经加帖㊷，从此积弊，转而成俗。朝之公卿以此待士，家之长老以此训子，其明经则诵帖括㊸以求侥幸㊹。又，举人皆令投牒自应㊺，如此，欲其返淳朴，崇廉让，何可得也！请令县令察孝廉㊻，取行著乡闾，学知经术者，荐之于州。刺史考试，升之于省。任各占㊼一经，朝廷择儒学之士，问

蓟州划归幽州统管，把恒州、定州、赵州、深州、易州划归成德军统管，把相州、贝州、邢州、洺州划归相州统管，把魏州、博州、德州划归魏州统管，把沧州、棣州、冀州、瀛州划归青淄统管，把怀州、卫州、河阳划归泽潞统管。

崇义（？至公元七八一年），京兆长安（今陕西西安）人，割据襄邓七州的藩镇，建中二年（公元七八一年）兵败自杀。传见《旧唐书》卷一百二十一、《新唐书》卷二百二十四上。㊷卷铁舒钩：使铁卷曲，使钩伸展，言力气很大。㊸沉毅：深沉刚毅。㊹甲辰：三月初一日。㊺节度留后：唐藩镇命帅，在未正式任命为节度使、授予双旌双节前，先担任节度留后。㊻正堂：官衙正中的大厅。㊼辛酉：三月十八日。㊽至道大圣大明孝皇帝：玄宗的谥号。㊾泰陵：玄宗陵墓。在今陕西蒲城东北金粟山，有高力士坟为陪葬陵。㊿庚午：三月二十七日。436文明武德大圣大宣孝皇帝：肃宗的谥号。437建陵：肃宗陵墓。在今陕西礼泉北武将山。438庚辰：四月初七日。439张伯仪：李光弼部将，讨平袁晁，功第一，擢为睦州刺史，后为江陵节度使。传见《新唐书》卷一百三十六。440辛丑：四月二十八日。441李之芳：唐太宗第七子蒋王恽的曾孙。官至礼部尚书。事见《旧唐书》卷七十六、《新唐书》卷八十。442癸卯：五月初一日。443秋成：秋收。444丁卯：五月二十五日。445棣：州名，治所在今山东惠民东南。

【校记】

[10]袁晁：原无“袁”字。据章钰校，孔天胤本有“袁”字，今据补。

【语译】

六月初一日癸酉，礼部侍郎华阴人杨绾上疏，认为：“古代选拔士人必定考察他的生平事迹，近代则专门崇尚文辞。从隋炀帝开始设置进士科，还只是考试策论而已。到高宗时，考功员外郎刘思立开始奏请进士科加试杂文，明经科加试帖经，从此积成弊端，转而变成习俗。朝廷的公卿大人以此来看待士人，家中长辈以此来教训儿子，那些考明经科的人就背诵帖括以求得侥幸及第。而且，让举人都自己投送文书应考，这样一来，想让他们回归敦厚质朴，崇尚廉洁礼让，又怎么可以得到呢！请求命令县令考察孝顺廉洁之士，选取在乡里品行卓著，学问上又通晓经术的人，推荐到州里。州刺史加以考试，再把他们送到尚书省。任由他们各自选择一部经书，

经义[458]二十条，对策[459]三道，上第[460]即注官，中第得出身[461]，下第罢归。又道举[462]亦非理国所资[11]，望与明经、进士并停。”上命诸司通议，给事中李栖筠、左丞贾至、京兆尹严武并与绾同。至议以为：“今试学者以帖字为精通，考文者以声病[463]为是非，风流[464]颓弊[465]，诚当厘改[466]。然自东晋[467]以来，人多侨寓[468]，士居乡土，百无一二。请兼[469]广学校，保桑梓[470]者乡里举焉，在流寓[471]者庠序[472]推焉。”敕礼部具条目以闻。绾又请置五经[473]秀才[474]科。

庚寅[475]，以魏博都防御使田承嗣为节度使。承嗣举管内户口，壮者皆籍[476]为兵，惟使老弱者[12]耕稼，数年间有众十万。又选其骁健者万人自卫，谓之牙兵[477]。

同华节度使[478]李怀让为程元振所谮，恐惧，自杀。

【段旨】

以上为第十五段，写改革科举，以经术与对策取士。

【注释】

[446]癸酉：六月初一日。[447]杨绾：字公权，华州华阴（今陕西华阴）人，官至中书侍郎、同中书门下平章事、集贤殿崇文馆大学士。传见《旧唐书》卷一百十九、《新唐书》卷一百四十二。[448]行实：生平事迹。[449]策：策问。从汉代起，皇帝为选拔人才举行考试，事先把问题写在竹简上，称“策”。试策，即出题考试。[450]刘思立：高宗时为侍御史，后迁考功员外郎，首先提出明经加帖、进士试杂文。事见《旧唐书》卷一百九十中、《新唐书》卷二百二。[451]士加杂文：杂文，经史以外的文章，主要指诗、赋。唐代科举考试，自永隆二年（公元六八一年）起，进士始试杂文二篇，通文律者然后才能试策。[452]明经加帖：唐代科举的明经科，主要考试儒经的经义，后来加试帖经，即以所习诵的经文掩盖两端，只开中间一行，裁成帖，每帖有三字，考生根据帖经内容，续通前后。[453]帖括：唐代帖经试士，应试者总括经文编写歌诀，以便记忆，谓之帖括。《新唐书》卷四十四《选举志上》载杨绾上疏，其中说“明经者但记帖括”，成为一代陋习。[454]侥幸：意外地获得成功。[455]投牒自应：自己投书应举。牒，书札。[456]孝廉：汉代举荐人才的科目，唐代已无孝廉科。此指有孝、廉行为的人。孝，善待父母。廉，廉洁。[457]占：占对；应口

朝廷挑选精通儒学的人，考问他们经书义理二十条，对策三道。考试成绩上等的立即按才能授予官职，中等的获得做官的身份、资格，下等的落第回去。另外道学科举也不是治国所资，希望与明经科、进士科一并停止。”代宗命令各有关部门共同商议，给事中李栖筠、左丞贾至、京兆尹严武都与杨绾意见相同。贾至认为：“现在考试经学以擅长帖经为精通，考试文章以是否懂声病判断是非，致使风气衰颓败坏，确实应当改革。然而自从东晋以来，很多人寄居他乡，士人居住在本乡本土的，不到百分之一二。请求朝廷同时广设学校，留在故乡的人由乡里举荐，寄居他乡的由学校推选。”代宗敕令礼部制定详细条目奏报。杨绾又请求设置“五经”秀才科。

六月十八日庚寅，任命魏博都防御使田承嗣为节度使。田承嗣核查所管辖区域内的住户和人口，年轻力壮的都登记当兵，只让年老体弱的去种田，几年之间便有部队十万人。又从中挑选勇猛强健的士兵一万人护卫自己，称他们为牙兵。

同华节度使李怀让被程元振诬陷，心怀恐惧，自杀身亡。

对答。㊺⑧经义：儒经的义理。㊺⑨对策：应考者按策上的问题陈述自己的见解。㊻⓪第：等级。㊻①出身：做官的最初资历。㊻②道举：以道教为内容的取士科目。开元二十九年（公元七四一年）始置崇玄学，以道家典籍教授生员，生员两京各百人，诸州无固定员额。每年课试与明经科相同。最初，生员习诵《老子》《庄子》《文子》《列子》。天宝九载（公元七五〇年），道举停《老子》，加《周易》。道举实行到五代时才渐消失。㊻③声病：指不合乎四声的规律，不按四声规律作诗赋。声，指写作诗赋，要平、上、去、入四声音从、文顺。㊻④风流：风俗教化。㊻⑤颓弊：衰败变坏。㊻⑥厘改：改正。㊻⑦东晋：朝代名，晋朝先建都洛阳，史称西晋。公元三一六年，匈奴灭西晋后，司马睿在建康（今江苏南京）重建政权，时称东晋，存在于公元三一七至四二〇年，与西晋合称两晋。㊻⑧侨寓：侨居；寄居异乡。㊻⑨兼：同时实行。㊼⓪桑梓：桑、梓原为古代住宅旁常栽的树木，后来用作故乡的代称。㊼①流寓：寄居他乡。㊼②庠序：古代地方所设立的学校，是与帝王的辟雍、诸侯的泮宫等大学相对而言。后泛指学校。㊼③五经：指《诗》《书》《礼》《易》《春秋》五部儒家经典。㊼④秀才：科举考试科目。唐代是与明经、进士并立的科目。㊼⑤庚寅：六月十八日。㊼⑥籍：登记。㊼⑦牙兵：衙兵。节度使设置宿卫牙城的亲兵。牙兵给赐丰厚，父子相承，骄横不法，变易主帅，如同儿戏，成为方镇割据的重要条件。魏博镇设置牙兵自田承嗣始。㊼⑧同华节度使：使职名，为同、华两州的军事差遣官，上元元年（公元七六〇年）置。

【校记】

［11］所资：原无此二字。据章钰校，十二行本、乙十一行本皆有此二字，张瑛《通鉴校勘记》同，今据补。［12］者：据章钰校，十二行本、乙十一行本皆无此字。

【研析】

本卷记载肃宗死，代宗继位，平定安史之乱进入最后阶段。两年间发生了许多重大的政治和军事事件，值得研析的有以下四件大事。

第一，邙山之战，李光弼败北。邺城之战，唐肃宗罢免郭子仪，改用资望较轻的李光弼统军，同时又进用仆固怀恩以分李光弼之权，还要加一个观军容使宦官鱼朝恩来掌控，战局的前景可想而知。

肃宗乾元二年（公元七五九年），史思明率大军南下取汴州、郑州。李光弼兵少，退出东京扼守河阳，牵制叛军得了东都不敢西进长安。史思明引军来争河阳，李光弼大破史思明，史思明逃回东都，战争胶着相持。叛军利在速决，官军坚守河阳，援军大集，李光弼可稳操胜券。叛贼史思明反间计蛊惑官军观军容使鱼朝恩，说："洛中将士皆燕人，久戍思归，上下离心，急击之，可破也。"李光弼上奏："贼锋尚锐，未可轻进。"肃宗不听，逼迫李光弼进军取东都。仆固怀恩想取代李光弼，于是依附鱼朝恩，上书说东京可取。肃宗上元二年（公元七六一年）二月，宦官使者一批接一批催促李光弼，李光弼不得已进兵洛阳，两军在邙山会战。仆固怀恩不听李光弼节制，在邙山下平原布阵，唯恐官军不败。结果官军大败，诸将散走，河阳、怀州等军事要地失守，唐王朝再度陷入危机。史思明乘胜进攻陕州，兵指西京，朝廷大惧。正在紧急关头，史思明被儿子史朝义杀死，史朝义称帝。叛贼内讧，停止了进攻。

邙山之败，是官军继邺城之败的又一次惨败。李光弼因战败被解除兵权，改任河中节度使，仆固怀恩接任朔方节度使，成为代替郭、李的统兵副元帅。罪魁祸首鱼朝恩依然得到宠任。郭子仪、李光弼是唐军的名将，唐王朝赖以生存的中流砥柱，可是在唐肃宗猜忌之下、宦官的干预之下成为败军之将。昏君依靠功臣来维持朝廷，却要用宦官来监控他们，宁愿冒败军的风险，也要听信宦官的谗言。因为宦官是执行皇帝的意志。皇帝总以为宦官是家奴好控制，其实奴大欺主，宦官权重反过来控制了皇帝。邙山战后的第二年，唐肃宗病重，宦官李辅国和程元振发动政变，杀张皇后，拥立太子李豫，即李俶即位，是为代宗。唐肃宗惊吓而死。

第二，代宗借兵回纥，太子取辱，东京遭劫难。公元七六二年代宗即位，他仍然是一个昏君。代宗同乃父一样猜忌郭子仪、李光弼，他要收复东京，消灭史朝义，借兵回纥，用太子李适为天下兵马元帅，仆固怀恩为副元帅。回纥登里可汗亲自率兵来内地，目的是要抢掠财物，代宗效法其父出卖东京百姓财物。登里可汗趾高气扬，轻视唐朝，强迫李适行拜舞礼。随从唐臣力争，说雍王李适是天子的长子，今为元帅，哪有储君向外国可汗行跪拜礼的。回纥车鼻将军说："唐朝天子与可汗结为兄弟，可汗对雍王来说，就是叔父，怎么能不拜舞呢？"回纥争的是敌国平等礼，唐臣争的是大唐天朝至高无上。回纥鞭打抗礼的唐臣各一百鞭，批评李适年幼无知，免其行礼。唐代宗不信任郭子仪、李光弼忠臣良将，却信任依附宦官桀骜不驯的仆固怀恩，不信任本国兵力而借兵回纥，自取其辱，是极大的失策和错误。李渊起兵灭隋，借兵回纥，只是象征性的，为的是笼络回纥不为敌，没有给中原带来祸害。肃宗借兵回纥复两京，在东都烧杀抢掠，已是一场大祸。代宗再次借兵回纥，攻入东京，又肆行杀略，死者万计，火累旬不灭。更有甚者，这次官军也把东京、郑州、汴州、汝州当作贼境，所过掳掠，达三个月之久。河南民众抵抗叛军，渴望官军解救，希望把他们救出水火，结果盼来洪水猛兽。这真是官匪不分，甚至是官比匪更凶恶。郭、李兵败，官军四散，也乱抢一气。仆固怀恩为胡将，抢掠固其天性，人民遭受的灾难就更为沉重。

第三，代宗任用仆固怀恩为元帅，姑息河北降将割河北，是极大的错误。太子任兵马元帅只是挂名，仆固怀恩为副元帅，实际是全军主帅。仆固怀恩为胡人，其生性和文化，重义不重忠。仆固怀恩之女代公主和亲回纥。仆固怀恩有异志，则以回纥为外援。公元七六三年，史朝义自杀，史朝义部下诸节度使投降官军，安史之乱形式上被平定。仆固怀恩鉴于郭、李遭遇，为了避免狡兔死，走狗烹，表奏河北叛将归降分帅河北为节度使，以为党援。代宗姑息，居然下诏："东京及河南、河北接受伪官的人，全部不加追究。"认可仆固怀恩之请，河北叛贼四位降将田承畴、李宝臣、李怀仙、薛嵩分帅河北为节度使。田承嗣为魏博节度使，李宝臣为成德节度使，李怀仙为幽州卢龙节度使，薛嵩为相卫节度使。八年安史之乱，唐王朝倾全力讨贼。付出了几千万人生命的代价，最终结果，只是叛将名义归顺朝廷而已。

代宗姑息苟安，强横不法的武夫愈是强横，得到的待遇愈是优厚。对顺从朝命的功臣，愈是功大，愈遭猜忌，郭子仪功绩最大，遭到猜忌的程度最深。无论功臣或武夫，为了自保，不肯轻易放弃兵权和防地，于是在代宗的姑息下藩镇割据基本格局在其后期就形成了。而郭子仪忠贞无私，罢了兵权，连亲兵都解散了，实在是难能可贵。

第四，昏君误国，最大祸害是任用宦官。安史之乱，叛军只拥有河北数镇，军力、财力、人口不及全唐天下的十分之一，为何叛乱达八年之久！如果肃、代二宗不用宦官监军，郭子仪、李光弼，以及诸多良将，有足够能力早日平定叛乱，也不用借兵回纥。官军重大的失利，哥舒翰潼关不守、郭子仪邺城之败、李光弼邙山之败，全都是宦官监军造成。由于安史之乱，皇帝不思自己的过错，不从政治腐败找原因，反而猜忌功臣，更加宠信宦官。肃、代二宗不仅用宦官监军，还用宦官掌控